CASA de CHAMA e SOMBRA

Obras da autora publicadas pela Galera Record

***Série* Trono de Vidro**
A lâmina da assassina
Trono de vidro
Coroa da meia-noite
Herdeira do fogo
Rainha das sombras
Império de tempestades
Torre do alvorecer
Reino de cinzas

***Série* Corte de Espinhos e Rosas**
Corte de espinhos e rosas
Corte de névoa e fúria
Corte de asas e ruína
Corte de chamas prateadas

Corte de gelo e estrelas

***Série* Cidade da Lua Crescente**
Casa de terra e sangue
Casa de céu e sopro
Casa de chama e sombra

SARAH J. MAAS

CASA de CHAMA e SOMBRA

Tradução
Carolina Cândido
Gabriela Araújo

1ª edição

Galera

RIO DE JANEIRO
2025

PREPARAÇÃO
Angélica Andrade
Thaís Pol

DIAGRAMAÇÃO
Abreu's System

REVISÃO
Ana Clara Werneck
Luciana Aché
Pedro Siqueira
Rodrigo Dutra

CONSULTORIA
Acotar Brasil

CAPA
Adaptada da original de
David Mann e John Candell

IMAGEM DE CAPA
Carlos Quevedo

TÍTULO ORIGINAL
House of Flame and Shadow

CIP-BRASIL. CATALOGAÇÃO NA PUBLICAÇÃO
SINDICATO NACIONAL DOS EDITORES DE LIVROS, RJ

M11c

Maas, Sarah J., 1986-
Casa de chama e sombra / Sarah J. Maas ; tradução Carolina Cândido, Gabriela Araújo. - 1. ed. - Rio de Janeiro : Galera Record, 2025.

Tradução de: House of flame and shadow
ISBN 978-65-5981-647-7

1. Ficção americana. I. Cândido, Carolina. II. Araújo, Gabriela. III. Título.

CDD: 813
CDU: 82-3(73)

25-97812.0

Gabriela Faray Ferreira Lopes - Bibliotecária - CRB-7/6643

Texto revisado segundo o Acordo Ortográfico da Língua Portuguesa de 1990.

Direitos exclusivos de publicação em língua portuguesa somente para o Brasil
adquiridos pela
EDITORA GALERA RECORD LTDA.
Rua Argentina, 120 – Rio de Janeiro, RJ - 20921-380 - Tel.: (21) 2585-2000,
que se reserva a propriedade literária desta tradução.

Impresso no Brasil

ISBN 978-65-5981-647-7

EDITORA AFILIADA

Para Sloane,
que ilumina universos inteiros com seu sorriso.

AS QUATRO CASAS DE MIDGARD

Como decretado em 33 da Era Vanir pelo
Senado Imperial na Cidade Eterna

CASA DE TERRA E SANGUE

Metamorfos, humanos, bruxas, animais comuns
e muitos outros a quem Cthona comanda,
assim como alguns escolhidos de Luna

CASA DE CÉU E SOPRO

Malakim (anjos), feéricos, elementais, duendes* e aqueles
abençoados por Solas, assim como alguns favorecidos por Luna

CASA DAS MUITAS ÁGUAS

Espíritos fluviais, sereias, bestas aquáticas, ninfas,
kelpies, nøkken e outros protegidos por Ogenas

CASA DE CHAMA E SOMBRA

Daemonaki, ceifadores, espectros, vampiros, draki,
dragões, necromantes e muitas criaturas perversas
e inomináveis que mesmo Urd não pode ver

---

* *Duendes foram expulsos de sua Casa como punição pela participação na Queda, e agora são considerados Inferiores, embora muitos se recusem a aceitar o fato.*

PRÓLOGO

A Corça se ajoelhou em frente aos seus mestres imortais e refletiu sobre qual seria a sensação de cortar a garganta deles.

Uma gargantilha prateada, pesada e fria, adornava seu pescoço. Nunca esquentava em sua pele. Era como se as vidas ceifadas que aquele adereço simbolizava quisessem que o aperto gélido da morte fosse sentido.

Um dardo prateado em um uniforme de lobo feral: o troféu por um rebelde que fora varrido do seio de Midgard. Lidia tinha conquistado tantos que seu traje imperial não conseguia dar conta de todos — tantos que alguns foram derretidos para fazer aquela gargantilha.

Será que alguém naquela câmara via o colar pelo que ele de fato representava?

Uma coleira. Com uma guia dourada que a ligava direto aos monstros à frente dela.

E será que esses monstros suspeitavam que seu leal bichinho de estimação, sentado aos pés deles, se perguntava qual seria o gosto e a textura do sangue deles em sua língua? Em seus dentes?

Mas ali estava ela, ajoelhada, até que tivesse permissão para se levantar. Como o mundo se ajoelharia até que os seis asteri entronados o drenassem até a última gota, deixando sua carcaça para apodrecer no vazio.

Os funcionários do Palácio Eterno haviam limpado o sangue do brilhoso chão de cristal. O cheiro metálico de sangue não pairava no ar estéril, não havia gotas perdidas descaracterizando as colunas que ladeavam a câmara. Era como se os eventos de dois dias atrás nunca tivessem acontecido.

Mas Lidia Cervos não podia se permitir pensar naqueles eventos. Não enquanto estava cercada por seus inimigos. Não com Pollux ajoelhado a seu lado, com uma de suas asas brilhantes apoiada na panturrilha dela. Se fosse outra pessoa, poderia ser entendido como um gesto de conforto, de solidariedade.

Mas vindo de Pollux, o Martelo, aquilo era um sinal de posse.

Lidia se obrigou a aparentar indiferença e frieza. Fez um esforço para acalmar o coração, se concentrando nos dois reis feéricos que apresentavam seus respectivos casos.

— Meu falecido filho agiu por conta própria — afirmou Morven, Rei dos Feéricos de Avallen, com uma expressão grave no rosto muito branco. O homem alto de cabelos escuros estava todo de preto, mas não demonstrava estar enlutado. — Se tivesse conhecimento da deslealdade de Cormac, eu mesmo teria entregado ele.

Lidia olhou de relance para o comitê de parasitas sentados em seus tronos de cristal.

Rigelus, como sempre habitando o corpo de um adolescente feérico, apoiou o queixo delicado no punho.

— Acho difícil de acreditar que você não soubesse das atividades de seu filho, considerando que o mantinha em rédeas curtas.

Sombras sussurraram por cima dos ombros largos de Morven, escoando de sua armadura de escamas.

— Ele era um garoto insubordinado. Achei que já o tinha disciplinado no tapa há muito tempo.

— Achou errado — zombou Hesperus, a Estrela Vespertina, que assumira a forma de uma ninfa loira. Seus dedos longos e finos tamborilavam no encosto cintilante de seu trono. — Só podemos presumir que as raízes desse ato traiçoeiro advêm de alguma podridão dentro de sua casa real. E que, agora, deve ser limpa.

Pela primeira vez em todas as décadas desde que a Corça o conhecera, o Rei Morven ficou de boca fechada. Não tivera escolha a não ser atender à intimação asteri no dia anterior. Era óbvio que não apreciava o lembrete de que sua autonomia não passava de uma ilusão, até mesmo na nebulosa ilha de Avallen.

Uma pequena parte dela se satisfazia com aquilo — ver o macho que andava tão pomposo nas Cimeiras, nas reuniões e nos bailes agora escolhendo com cuidado suas palavras, sabendo que poderiam ser as últimas.

Morven resmungou:

— Não fazia ideia das atividades de meu filho ou de seu coração traiçoeiro, juro pelo arco dourado de Luna. — Sua voz soou nítida conforme acrescentou, com evidente fúria: — Condeno tudo o que Cormac era e o que defendia. Não será honrado com um túmulo, tampouco um funeral. Nenhum barco trará o corpo dele até as Terras Estivais. E garantirei que o nome dele seja extirpado de todos os registros da minha casa.

Por um segundo, um único segundo, Lidia se permitiu sentir pena do agente da Ophion que conhecera; e do príncipe feérico de Avallen que fizera de tudo para destruir os seres diante dela.

Assim como ela também dera tudo de si. E ainda o faria.

Polaris, a Estrela do Norte — no corpo de uma anja de pele negra e asas brancas —, falou morosamente:

— Não haverá barco para enviar o corpo de Cormac até as Terras Estivais porque o rapaz se sacrificou, e tentou nos levar com ele. — Polaris deu uma risada leve e detestável, semelhante a garras arranhando a pele de Lidia. — Como se chamas tão simplórias fossem capazes de fazer isso.

Morven não respondeu. Havia feito tudo o que podia, faltando apenas se ajoelhar e implorar. E talvez até fosse preciso chegar a tal ponto, mas, naquele instante, o Rei dos Feéricos de Avallen manteve-se de cabeça erguida.

De acordo com a lenda, nem mesmo os asteri conseguiam penetrar a bruma que envolvia Avallen, mas Lidia também nunca ouvira falar que isso tivesse sido colocado à prova. Talvez tivesse sido este o motivo que obrigara Morven a vir — para impedir que os asteri tivessem um motivo para explorar a veracidade da lenda.

Se eles eram, de alguma forma, repelidos por algum poder ancestral que cercava Avallen, valeria a pena passar por aquela humilhação para manter um segredo desses.

Rigelus cruzou as pernas, apoiando um tornozelo no joelho. Lidia já vira a Radiante Mão ordenar a execução de famílias inteiras com a mesma naturalidade.

— E quanto a você, Einar? O que tem a dizer sobre seu filho?

— Um traidorzinho de merda — disparou Pollux de onde estava ajoelhado, ao lado de Lidia. A asa dele ainda estava apoiada na perna dela, como se fosse o dono da situação. O dono dela.

O Rei Outonal ignorou o Martelo. Ignorou todos menos Rigelus ao responder, resoluto:

— Ruhn sempre foi indisciplinado, desde o dia em que nasceu; fiz o que pude para contê-lo. Não tenho dúvidas de que foi ludibriado pelas conspirações da irmã.

Lidia manteve os dedos abertos, por mais que sentisse vontade de cerrá-los em punhos. Acalmou seu coração para um ritmo tranquilo e corriqueiro, que não chamaria atenção de ouvidos vanir.

— Então busca poupar um filho ao condenar outro? — perguntou Rigelus, a boca se movendo em um sorriso discreto. — Que tipo de pai faz isso, Einar?

— Bryce Quinlan e Ruhn Danaan perderam o direito de dizer que são meus filhos.

Rigelus inclinou a cabeça, os cabelos curtos e escuros tremeluzindo sob o brilho da sala de cristal.

— Achei que ela tivesse passado a se chamar Bryce Danaan. Você cassou os direitos de realeza dela?

Um músculo repuxou na bochecha do Rei Outonal.

— Ainda estou decidindo qual será a punição adequada a ela.

As asas de Pollux se agitaram, mas o anjo manteve a cabeça abaixada enquanto resmungava para o Rei Outonal:

— Quando eu colocar as minhas mãos na puta da sua filha, você vai ficar feliz por tê-la renegado. Farei com ela dez vezes pior do que ela fez com a Harpia.

— Vai ter que encontrá-la primeiro — respondeu friamente o Rei Outonal. Lidia refletiu que Einar Danaan era um dos poucos feéricos em Midgard que podia provocar tão abertamente um anjo poderoso como Malleus. Os olhos âmbar do Rei Outonal, tão parecidos com os da filha, se ergueram para o asteri. — Seus místicos já descobriram o paradeiro dela?

— Você não quer saber onde está seu filho? — perguntou Octartis, a Estrela do Sul, com um sorriso malicioso.

— Eu sei onde Ruhn está — retrucou o Rei Outonal, sem se deixar alterar. — Ele merece estar lá. — Virou-se em direção a Lidia e a analisou friamente. — Espero que consiga arrancar todas as respostas dele.

Lidia retribuiu seu olhar, o rosto impassível como gelo — como a morte.

O olhar do Rei Outonal desviou para a gargantilha prateada no pescoço dela, a boca se curvando levemente em aprovação. Mas ele perguntou a Rigelus, com uma autoridade que ela não poderia deixar de admirar:

— Onde está Bryce?

Rigelus suspirou, entediado e irritado; uma combinação letal.

— Ela escolheu deixar Midgard.

— Um erro que em breve corrigiremos — acrescentou Polaris.

Rigelus lançou um olhar de aviso a asteri inferior.

O Rei Outonal disse, com a voz um pouco mais baixa:

— Bryce não está mais neste mundo?

Morven olhou com atenção para o outro Rei Feérico. Até onde todos sabiam, só um lugar poderia ser acessado a partir de Midgard — havia um muro circundando a Fenda do Norte em Nena, para impedir que seus habitantes cruzassem para este mundo. Se Bryce não estava mais em Midgard, só poderia estar no Inferno.

Lidia nunca havia parado para pensar que o muro circundando a Fenda do Norte também poderia impedir que os midgardianos *saíssem*.

Bom, a maioria dos midgardianos.

Rigelus disse, firme:

— Essa informação não deve ser compartilhada com ninguém. — O tom afiado de suas palavras deixou o resto implícito: ***sob pena de morte.***

Lidia estivera presente quando o outro asteri exigira saber como havia acontecido: como Bryce Quinlan abrira um portal para outro mundo no próprio palácio deles e escapara por entre os dedos da Radiante Mão. A descrença e o ódio deles foram uma pequena vitória diante de tudo o que havia acontecido, tudo o que ainda se revirava dentro de Lidia.

Um sino prateado tocou atrás dos tronos asteri como uma lembrança educada de que havia outra reunião marcada para dali a pouco.

— Essa discussão ainda não acabou — avisou Rigelus aos dois Reis Feéricos. Ele apontou um dedo magro para as portas duplas que se abriam para o corredor. — Se falarem sobre o que ouviram hoje, vão descobrir que não há lugar neste planeta em que possam se esconder de nossa ira.

Os Reis Feéricos curvaram-se e saíram sem dizer mais nada.

O peso dos olhares dos asteri recaiu sobre Lidia, parecendo queimar sua alma. Ela aguentou, assim como aguentara todos os outros horrores em sua vida.

— Levante-se, Lidia — ordenou Rigelus, com um tom que beirava a afeição. Então, para Pollux: — Levante-se, meu Martelo. — Lidia engoliu a bile que queimava como ácido e ficou de pé, e Pollux seguiu seu movimento. Sua asa branca roçou na bochecha dela, a delicadeza das penas contrastando com a podridão da alma dele.

O sino voltou a tocar, mas Rigelus ergueu a mão em sinal de espera para o criado que aguardava à sombra dos pilares próximos. A reunião seguinte poderia esperar mais alguns instantes.

— Como foi o interrogatório? — Rigelus largou-se em seu trono como se estivesse perguntado sobre o tempo.

— Estamos nos movimentos iniciais — respondeu Lidia, sentindo como se a sua boca não pertencesse ao seu corpo. — Athalar e Danaan vão demorar certo tempo para ceder.

— E o Cão do Inferno? — perguntou Hesperus, os olhos escuros de ninfa brilhando com malícia.

— Ainda estou avaliando. — Lidia manteve o queixo erguido e apoiou as mãos atrás das costas. — Mas garanto que conseguirei o que precisamos de todos eles, Vossas Graças.

— Como sempre — respondeu Rigelus, o olhar se direcionando para a gargantilha prateada. — Tem nossa permissão para fazer seu melhor trabalho, Corça.

Lidia fez uma reverência de precisão imperial. Pollux repetiu o movimento, as asas farfalhando. O exemplo de um soldado perfeito — o que fora criado para ser.

Foi só quando entraram no comprido corredor atrás da sala dos tronos que o Martelo falou.

— Você acha mesmo que aquela vadiazinha foi para o Inferno? — Pollux apontou com a cabeça para trás deles, na direção do maçante e silencioso portão de cristal do outro lado do corredor.

Os bustos que perfilavam o caminho — todos de asteri em suas várias formas ao longo dos séculos — haviam sido substituídos. As janelas destruídas pelos relâmpagos de Athalar foram consertadas.

Assim como na sala do trono, já não restava vestígio algum do que ocorrera. E, além das paredes de cristal do palácio, não houvera nem mesmo um sussurro nos noticiários.

A única prova do ocorrido: os dois guardas asteri que agora ladeavam o Portão. A insígnia branca e dourada brilhava sob a luz do sol, e as lanças carregadas por suas mãos enluvadas eram como estrelas caídas. Com o visor dos capacetes dourados abaixado, não era possível ver os rostos por trás. Não importava, pensou ela. Não havia individualidade alguma neles, nenhuma vida. A elite: anjos de estirpe que foram criados para obedecer e servir. Assim como eles haviam sido criados para suportar aquelas asas brancas brilhantes. Como o anjo ao lado dela.

Lidia andava sem pressa em direção aos elevadores.

— Não vou perder tempo tentando descobrir. Mas não há dúvidas de que Bryce Quinlan retornará, independentemente de onde tenha ido parar.

Por trás das janelas, as sete colinas da Cidade Eterna ondulavam sob a luz do sol, a maioria delas incrustada por prédios com telhados terracota. Uma montanha árida — que estava mais para uma colina — ficava ao norte da fronteira da cidade, o brilho metálico em seu topo era semelhante a um farol.

Teria sido uma provocação deliberada a Athalar que a montanha, Monte Hermon, em que ele e a arcanja Shahar tinham planejado a infortuna batalha de sua rebelião, a primeira e última —, agora abrigasse os espólios dos novos mec-trajes híbridos dos asteri? Nas masmorras, Athalar não tinha como vê-los, mas, conhecendo Rigelus, o posicionamento das novas máquinas era certamente simbólico.

Lidia lera o relatório no dia anterior, pela manhã — o que os asteri haviam forjado nas últimas semanas, apesar de todas as tentativas da Ophion para barrá-los. Apesar de todas as tentativas *dela* para barrá-los. Mas a descrição por escrito não fora nada em comparação com a aparência dos trajes ao pôr do sol. A cidade zunira conforme os transportes militares encimavam a colina e os depositavam, um por um, enquanto equipes de reportagem se apressavam para relatar a tecnologia de vanguarda.

O estômago dela se revirou ao ver os trajes — e de novo quando fitou as cascas de ferro reluzindo sob o sol.

Mais uma prova de que a Ophion falhara. Eles destruíram o mec-traje em Ydra, aniquilaram o laboratório poucos dias atrás — e, mesmo assim, fora tarde demais. Em segredo, Rigelus arquitetara esse exército de metal e o colocara no árido cume do Monte Hermon. Eram uma versão melhorada dos híbridos, e agora não era nem mesmo necessário que houvesse um piloto para operá-los, apesar de ainda terem a capacidade de levar um soldado vanir, se fosse preciso. Como se os híbridos tivessem sido uma distração espertamente calculada para a Ophion, enquanto Rigelus, em segredo, aperfeiçoava *esses*. Magia e tecnologia agora se uniam em uma eficiência letal, com custos mínimos para a vida militar. Mas esses trajes eram arautos da morte para qualquer rebelde que ainda restasse, e condenavam o restante da rebelião.

Ela deveria ter percebido o truque de Rigelus, mas não percebera. E agora aquele horror seria solto no mundo.

A porta do elevador se abriu, e Lidia e Pollux entraram em silêncio. Ela apertou o botão para descer ao mais baixo dos subníveis — bom, o segundo mais baixo. Os elevadores não desciam até as catacumbas, que só poderiam ser acessadas por uma escada de cristal em leque. Lá, mil místicos repousavam.

Cada um deles estava, agora, focado na mesma tarefa: *encontrar Bryce Quinlan.*

O que levava a um questionamento: se todos sabiam que a Fenda do Norte e outros portões só se abriam para o Inferno, por que os asteri se davam ao trabalho de usar tantos recursos para caçá-la? Bryce estava no Inferno — com certeza não havia por que pedir aos místicos que a encontrassem.

A não ser que Bryce Quinlan tivesse ido parar em *outro lugar* que não o Inferno. Um mundo diferente, talvez. E, se fosse esse o caso...

Quanto tempo levaria? Quantos mundos existiam para além de Midgard? E quais eram as chances de Bryce sobreviver em qualquer um deles — ou de voltar para Midgard um dia?

As portas do elevador se abriram para a escuridão úmida do calabouço. Pollux andou pelo caminho de pedras com as asas bem dobradas, como se não quisesse que sequer um grão de sujeira do lugar manchasse as penas brancas imaculadas.

— É por isso que está mantendo eles vivos? Como isca para aquela puta?

— Sim. — Lidia seguiu os gritos além das oscilantes primaluces nas arandelas ao longo da parede. — Quinlan e Athalar são parceiros. Ela vai voltar para este mundo por causa desse laço. E, quando isso acontecer, vai direto até ele.

— E o irmão?

— Ruhn e Bryce são Estrelados — respondeu Lidia, empurrando a pesada porta de ferro que levava à grande câmara de interrogatório. O metal raspou na pedra com um rangido, sinistramente parecido com os sons daqueles que sofriam ao redor deles. — Ela vai querer libertá-lo... por ser irmão e aliado dela.

Lidia desceu os degraus até o centro da câmara, onde três machos estavam pendurados no centro da sala com algemas gorsianas. O sangue formava uma poça embaixo deles, gotejando na grade abaixo de seus pés descalços.

Ela calou cada parte de si que era capaz de sentir, de respirar.

Athalar e Baxian pendiam inconscientes do teto, os troncos exibindo um retalho de cicatrizes e queimaduras. E as costas...

Na câmara quase silenciosa, o único som era o das gotas que caíam sem parar, como uma torneira vazando. O sangue ainda escorria dos cotocos onde antes ficavam suas asas. As algemas gorsianas atrasavam a cicatrização a níveis quase humanos — impedindo-os de morrer, mas garantindo que sentissem cada segundo de dor.

Lidia não conseguia olhar para a terceira figura pendurada atrás deles. Não conseguia respirar perto dele.

O couro sussurrou sobre a pedra, e Lidia mergulhou ainda mais em si mesma quando o chicote de Pollux estalou. Ele bateu nas costas ásperas e sangrentas de Athalar, e o Umbra Mortis se sacudiu, as correntes limitando-o.

— Acorde — ordenou o Martelo, zombeteiro. — O dia está lindo.

Athalar abriu os olhos inchados, o olhar sombrio brilhando de ódio.

O halo pintado novamente em sua testa parecia mais escuro do que as sombras da masmorra. A boca machucada se abriu em um sorriso selvagem, revelando dentes manchados de sangue.

— Bom dia, flor do dia.

Uma risada baixa e entrecortada soou à direita de Athalar. E, apesar de saber que era insensatez, Lidia olhou.

Ruhn Danaan, Príncipe Herdeiro dos Feéricos de Valbaran, a encarava.

Seu lábio e sua sobrancelha, de onde Pollux arrancara os piercings, estavam inchados e cobertos de sangue. No torso tatuado e nos braços, acima da cabeça, sangue, sujeira e hematomas se misturavam.

Os atraentes olhos azuis do príncipe destilavam desprezo total.

Por ela.

Pollux golpeou novamente as costas de Athalar com o chicote, sem fazer perguntas. Não, aquilo era só o aquecimento. O interrogatório viria depois.

Baxian ainda estava inconsciente. Pollux o havia espancado com violência na noite anterior, depois de cortar as asas dele e de Athalar com uma serra de lâminas cegas. O Cão do Inferno nem ao menos estremeceu.

Night, Lidia tentou, projetando a voz no ar bolorento entre ela e o príncipe feérico. Eles haviam conversado mentalmente fora dos sonhos, mas ela estivera tentando desde que ele chegara ali. De novo e de novo, projetava sua mente na dele. Recebia apenas o silêncio.

Foi assim desde que Ruhn descobrira quem ela era. O que ela era.

Ela sabia que ele conseguia se comunicar, mesmo com as pedras gorsianas que dificultavam a sua magia e desaceleravam seu processo de cura. Sabia que ele se comunicara com a irmã antes de Bryce escapar.

Night.

O lábio de Ruhn se retraiu em um grunhido silencioso, o sangue escorrendo pelo queixo.

O celular de Pollux tocou, um som agudo e estranho naquele antigo santuário da dor. Ele interrompeu os golpes, deixando um silêncio terrível em seu rastro.

— Mordoc — disse o Martelo, com o chicote ainda em uma das mãos. Ele se afastou do corpo pendente e brutalizado de Athalar. — Relate.

Lidia não se deu ao trabalho de ficar incomodada pelo fato de seu capitão estar respondendo ao Martelo. Pollux levara a morte da Harpia para o pessoal — enviou Mordoc e os lobos ferais para encontrar qualquer pista do paradeiro de Bryce Quinlan.

Ele ainda acreditava que Bryce era a responsável pela morte da Harpia, porque Athalar e Ruhn não haviam revelado que era Lidia a assassina. Eles sabiam quem ela era, e a única coisa que os impedia de revelar seus segredos era o fato de que ela era crucial para a rebelião.

Por alguns instantes, quando Pollux se virou, Lidia permitiu que a máscara em sua expressão se desfizesse. Deixou Ruhn ver seu verdadeiro rosto. Aquele que beijara a alma dele e compartilhara tudo o que era com ele, quando seus eus verdadeiros se fundiram.

Ruhn, implorou na mente dele. *Ruhn.*

Mas o príncipe feérico não respondeu. O ódio em seu olhar não diminuiu. Então Lidia voltou a trajar sua máscara de Corça.

E, assim que Pollux colocou o celular no bolso e voltou a erguer o chicote, a Corça ordenou ao Martelo, em uma voz baixa e insensível que havia tanto tempo era seu escudo:

— É melhor com o arame farpado, vá pegar.

PARTE I

A DESCIDA

1

Bryce Quinlan estava em uma câmara tão abaixo das montanhas que a luz do dia só poderia ser um mito para as criaturas que ali habitavam.

Para um lugar que, aparentemente, *não era* o Inferno, os arredores decerto se assemelhavam a ele: pedras pretas, palácio subterrâneo, uma cela de interrogatórios ainda mais subterrânea... a escuridão parecia inerente às três pessoas diante dela: uma fêmea mignon vestida em seda cinza e dois machos alados com armaduras pretas parecidas com escamas. Um deles — o belo e poderoso macho no centro do trio — literalmente emanava sombras e estrelas.

Ele dissera se chamar Rhysand. O que se parecia tanto com Ruhn.

Não poderia ser uma coincidência. Bryce saltara pelo Portão com a intenção de chegar ao Inferno, para enfim aceitar as constantes ofertas de Aidas e Apollion de enviar seus exércitos para Midgard e interromper o ciclo de conquistas galácticas. Mas, em vez disso, fora parar ali.

Bryce olhou para o guerreiro ao lado do quase gêmeo de Ruhn. O macho que a encontrara, que carregava a adaga preta que reagira a Áster.

Seus olhos cor de avelã não demonstravam nada além de frieza e uma vigilância predatória.

— Alguém precisa começar a falar. — Foi a fêmea mignon quem falou, a que pareceu chocada ao ouvir Bryce falar na Velha Língua e ao ver a espada. Os braseiros tremulantes de algo que se assemelhava a primalux iluminavam as mechas sedosas de seus cabelos na altura do queixo, projetando a sombra de seu maxilar fino como se formasse um alto-relevo. Observava Bryce com os olhos, de um tom prateado extraordinário, impassíveis.

— Você disse que se chama Bryce Quinlan. Disse que vem de outro mundo... Midgard.

Rhysand murmurou para o macho alado ao seu lado. Traduzindo, talvez.

A fêmea continuou:

— Se formos acreditar em você, como é que veio parar aqui? *Por que* veio parar aqui?

Bryce examinou a cela que, para além deles, estava vazia. Nenhuma mesa sobre a qual reluzissem instrumentos de tortura, nenhuma rachadura na pedra sólida além da porta e do bueiro no chão, ao centro, a poucos centímetros de distância. Um bueiro do qual poderia jurar ter ouvido emanar um som semelhante a um silvo.

— Que mundo é este? — perguntou Bryce, a voz rouca. Após o dublê de corpo de Ruhn se apresentar na encantadora e acolhedora entrada, ele agarrara a mão dela. Segurou-a com força, seus calos raspando contra a pele dela: a única coisa concreta em meio ao vento e à escuridão que rugiam ao redor deles, o mundo desaparecendo. E então, havia apenas pedras sólidas e luzes tênues. Fora levada a um palácio esculpido abaixo de uma montanha, descendo pelas escadas estreitas até aquele calabouço. Ali, ele apontou para a única cadeira no centro da sala, em um comando silencioso.

Então, ela sentou-se ali, à espera de amarras ou algemas, ou qualquer forma de restrição que usassem nesse mundo, mas nada aconteceu.

A fêmea mignon retrucou:

— Por que você fala na Velha Língua?

Bryce ergueu o queixo para a fêmea.

— Por que você fala?

Os lábios pintados de vermelho da fêmea se curvaram para cima. Não era uma visão tranquilizadora.

— Por que você está coberta de um sangue que não é seu?

Fêmea 1 x 0 Bryce.

Bryce sabia que suas roupas e as mãos sujas de sangue, agora já seco e escuro, não a ajudavam. Era o sangue da Harpia, e um pouco do de Lidia. Cobriam Bryce como parte de um cuidadoso jogo para mantê-la viva, para manter seus segredos a salvo, enquanto Hunt e Ruhn foram...

Começou a respirar mais ofegante. Ela os abandonara. Seu parceiro e seu irmão. Ela os deixara naquele palácio, nas mãos de Rigelus.

As paredes e o teto pareciam se comprimir, tirando todo o ar de seus pulmões.

Rhysand ergueu uma mão larga envolta em estrelas.

— Não vamos machucar você. — Bryce encontrou o resto da frase espreitando entre as sombras densas ao redor dele: *se você não tentar nos machucar.*

Ela fechou os olhos, tentou acalmar a respiração entrecortada, sentindo o enorme peso das pedras acima e ao redor dela.

Menos de uma hora antes, estava correndo para longe do poder de Rigelus, desviando de bustos de mármore que explodiam e de janelas estilhaçadas, e o relâmpago de Hunt disparara através de seu peito até o Portão, fazendo um portal se abrir. Ela saltara para o Inferno...

E agora... agora ela estava ali. Suas mãos tremiam. Ela as cerrou em punhos e apertou.

Bryce inspirou devagar, trêmula. Expirou e repetiu. Então, abriu os olhos e perguntou de novo, em uma voz firme e nítida:

— Que mundo é este?

Seus três interrogadores nada responderam.

Então Bryce olhou fixamente para a fêmea, a menor do grupo, mas definitivamente não a menos letal.

— Você disse que tem quinze mil anos que não se fala a Velha Língua aqui. Por quê?

O fato de serem feéricos e conhecerem a língua sugeria alguma ligação entre eles e Midgard, uma ligação que, aos poucos, Bryce começava a compreender com terrível clareza.

— Por que você estava com a espada perdida de Gwydion? — respondeu a fêmea com frieza.

— O quê... você está falando da Áster? — Outra ligação entre os mundos.

Os três continuaram a encará-la. Uma parede impenetrável de pessoas acostumadas a obter respostas, custe o que custar.

Bryce não tinha armas, nada além da mágica em suas veias, o amuleto archesiano em seu pescoço e o Chifre tatuado em suas costas. Mas, para empunhá-los, precisava de poder, precisava ser recarregada como uma porra de uma bateria...

Então, as palavras eram a sua melhor arma. Ainda bem que, segundo Hunt, ela era mestre em inventar mentiras havia anos.

— É uma herança de família — disse Bryce. — Está no meu mundo desde que foi levada para lá pelos meus ancestrais... quinze mil anos atrás. — Deixou as últimas palavras se assentarem com um olhar penetrante para a fêmea. Ela que fizesse as contas, como Bryce havia feito.

Mas o macho bonito — Rhysand — perguntou em uma voz como a meia-noite:

— Como você encontrou este mundo?

Aquele não era um macho com quem se podia ficar de brincadeira. Nenhuma daquelas pessoas era, mas ele... esbanjava autoridade. Como se fosse a estrutura daquele lugar. Algum tipo de rei.

— Não encontrei. — Bryce encarou seu olhar sarapintado de estrelas. Uma parte mais primitiva dela cedeu diante do poder intenso em seus olhos. — Eu já disse: minha intenção era ir para o Inferno, mas vim parar aqui.

— *Como*?

As coisas abaixo do bueiro sibilaram mais alto, como se sentissem a ira dele. Exigindo sangue.

Bryce engoliu em seco. Se soubessem do Chifre, seu poder, os Portões... o que os impediria de usá-la, da mesma forma como Rigelus pretendia fazer? Ou de vê-la como uma ameaça a ser eliminada?

Mestre em inventar mentiras. Ela conseguiria fazer isso.

— Em meu mundo, há portões que se abrem para outros mundos. Durante quinze mil anos, eles se abriram, na maior parte das vezes, para o Inferno. Bom, a Fenda do Norte se abre diretamente para o Inferno, mas... — Deixe eles acharem que ela está tagarelando, que é uma tola. A garota festeira, como boa parte de Midgard a rotulara, como Micah acreditara que ela era, até que ela acabou por aspirar a porra das cinzas dele. — Esse Portão me mandou para cá, com uma passagem só de ida.

Eles teriam passagens nesse mundo? Meios de transporte?

Quando percebeu o silêncio, ela explicou:

— Um amigo meu apostou que conseguiria me mandar para o Inferno usando o poder dele. Mas eu acho... — Repassou tudo o que Rigelus dissera para ela naqueles últimos instantes. Que a estrela em seu peito de alguma forma agia como um farol para o mundo original das pessoas Estreladas.

Tentando se virar, ela indicou com a cabeça a adaga do guerreiro.

— Em meu mundo, há uma profecia que envolve a minha espada e uma faca perdida. Ela diz que, quando as duas forem reunidas, os feéricos de Midgard também se reunirão.

Mestre em inventar mentiras mesmo.

— Então, talvez eu esteja aqui para isso. Talvez a espada tenha sentido essa adaga e... me trazido até ela.

Silêncio. Então o guerreiro taciturno com olhos cor de avelã riu baixinho.

Como ele tinha entendido sem que Rhysand traduzisse? A não ser que ele pudesse ler a linguagem corporal dela, seu tom, seu cheiro...

O guerreiro falou com uma voz baixa que fez correr um arrepio pela espinha dela. Rhysand olhou para ele com as sobrancelhas erguidas, então traduziu para Bryce com o mesmo tom ameaçador:

— É mentira.

Bryce piscou, o retrato da inocência e do ultraje.

— O que é mentira?

— Você que tem que nos dizer. — A escuridão se reuniu na sombra das asas de Rhysand. Não era um bom sinal.

Ela estava em outro mundo, com estranhos evidentemente poderosos e que não hesitariam em matá-la. Cada palavra que saísse de sua boca era vital para sua segurança e sobrevivência.

— Acabei de ver meu parceiro e meu irmão serem capturados por um grupo de parasitas intergalácticos — disparou ela. — Não quero saber de mais nada, a não ser encontrar um jeito de ajudar os dois.

Rhysand olhou para o guerreiro, que assentiu discretamente, sem desviar o olhar de Bryce nem para piscar.

— Bom — disse Rhysand para Bryce, cruzando os braços musculosos. — Ao menos *isso* é verdade.

Ainda assim, a fêmea mignon não se abalou. Na verdade, suas feições ficaram ainda mais sérias após a explosão de Bryce.

— Explique.

Eles eram feéricos. Não havia nada que sugerisse que eram melhores do que os escrotos que Bryce conhecera por quase toda a sua vida. E, de alguma forma, apesar de aparentarem estar presos alguns séculos atrás do mundo dela, pareciam ainda mais poderosos que os feéricos midgardianos, o que só poderia significar *mais* arrogância e soberba.

Ela precisava chegar ao Inferno. Ou, ao menos, voltar para Midgard. E, se falasse demais...

A fêmea, ao perceber sua hesitação, ordenou:

— Olhe logo na mente dela, Rhys.

Bryce ficou tensa. Deuses. Ele conseguia entrar em sua mente, ver tudo o que quisesse...

Rhysand olhou para a fêmea. Ela o encarou com uma ferocidade que contrastava com a sua estatura diminuta. Se Rhysand estava no comando, certamente não se esperava que seus subordinados fossem comparsas silenciosos.

Bryce olhou para a única porta. Não conseguiria chegar ali a tempo, nem mesmo na remota chance de que a tivessem deixado destrancada. Correr não adiantaria de nada. Será que o amuleto archesiano poderia protegê-la de alguma forma? Não impedira a conversa mental de Ruhn, mas...

Não entro onde não sou convidado espontaneamente.

Bryce pulou para trás na cadeira, quase fazendo-a tombar ao ouvir a suave voz masculina em sua mente. A voz de Rhysand.

Mas ela respondeu, agradecendo a Luna por manter a voz tranquila e sob controle: *Código de ética da conversa mental?*

Ela sentiu a hesitação dele, quase como se estivesse entretido. *Você já se deparou com este método de comunicação antes?*

Sim. Era tudo o que ela diria sobre Ruhn.

Posso olhar suas memórias? Ver por conta própria?

Não. Você não pode.

Rhysand piscou devagar, e em seguida disse em voz alta:

— Então vamos ter que confiar em suas palavras.

A fêmea mignon arfou para ele.

— *Mas...*

Rhysand estalou os dedos e três cadeiras surgiram atrás deles. Ele se sentou de forma graciosa em uma delas, cruzando o tornozelo acima do joelho. A síntese da beleza e da arrogância feérica. Olhou para seus companheiros.

— Azriel. — Gesticulou morosamente para o macho. Então para a fêmea. — Amren.

Então, gesticulou para Bryce e disse, a voz neutra:

— Bryce... Quinlan.

Bryce assentiu devagar.

Rhysand examinou as próprias unhas, cortadas e limpas.

— Então sua espada... está no seu mundo há quinze mil anos?

— Trazida pelo meu ancestral. — Ela considerou o que diria a seguir, então acrescentou: — A Rainha Theia. Ou o Príncipe Pelias, a depender da propaganda política sendo divulgada.

Amren enrijeceu um pouco. Rhysand olhou para ela, registrando o movimento.

Bryce ousou pressionar:

— Vocês... já ouviram falar deles?

Amren examinou Bryce, dos sapatos rosa neon salpicados de sangue até seu rabo de cavalo. O sangue manchado no rosto de Bryce agora estava duro e pegajoso.

— Faz muito, muito tempo que ninguém menciona esses nomes por aqui.

Bryce apostava que fazia exatos quinze mil anos.

— Mas vocês já ouviram falar deles? — O coração de Bryce acelerou.

— Eles já... moraram aqui — disse Amren com cautela.

Era a última informação de que Bryce precisava para confirmar que planeta era aquele. Algo se assentou em seu interior, um fio solto enfim sendo colocado no lugar.

— É isso, então... é aqui que nós... os feéricos de Midgard... de onde viemos. Meus ancestrais foram embora deste mundo para Midgard... e nós nos esquecemos de onde viemos.

Silêncio de novo. Azriel falou na língua deles, e Rhysand traduziu. Talvez Rhysand tenha estado traduzindo mentalmente os últimos minutos de conversa para Azriel.

— Ele disse que nunca ouvimos falar dos nossos migrando para outro mundo.

Amren emitiu um som baixinho, chocada.

Rhysand virou-se devagar, um tanto incrédulo.

— Já ouvimos? — perguntou com suavidade.

Amren limpou uma sujeira invisível de sua blusa de seda.

— É bastante vago. Eu já ouvi antes... — Ela balançou a cabeça. — Mas, quando apareci, havia rumores. De que muitas pessoas tinham desaparecido, como se nunca houvessem existido. Alguns falavam de outro mundo, outros diziam que foram removidos para terras distantes, e alguns afirmavam que foram escolhidos pelo Caldeirão e levados secretamente para algum lugar.

— Devem ter ido para Midgard — comentou Bryce — guiados por Theia e Pelias...

Amren ergueu uma das mãos.

— Podemos ouvir seus mitos depois, garota. O que eu quero saber — seus olhos ficaram mais afiados, e Bryce mal podia suportar o escrutínio — é por que *você* veio para cá quando deveria ir para outro lugar.

— Eu também gostaria de saber — respondeu Bryce, talvez um pouco mais destemida do que deveria. — Acredite em mim, tudo o que eu mais queria era largar do pé de vocês agora mesmo.

— E ir para... o Inferno — disse Rhysand, neutro. — Para encontrar esse Príncipe Aidas.

Essas pessoas não eram amigas ou aliadas dela. Aquele poderia ser o mundo do qual os feéricos tinham vindo, mas quem sabe que porra eles queriam ou almejavam? Rhysand e Azriel tinham uma *aparência* bonita, mas Urd sabia que os feéricos de Midgard haviam usado sua beleza para conseguir o que queriam durante milênios.

Rhysand não precisou ler a mente dela... não, pareceu conseguir ler tudo em sua expressão. Ele descruzou as pernas, apoiando os dois pés no chão de pedra.

— Permita-me desenhar a situação para você, Bryce Quinlan.

Ela se obrigou a olhar nos olhos dele, salpicados de estrelas. Havia enfrentado os asteri, os arcanjos e os reis feéricos, conseguiria enfrentá-lo também.

Os cantos da boca de Rhysand se curvaram para cima.

— Não vamos torturar você e eu não vou entrar em sua mente. Se escolher não falar, será de fato uma escolha sua. Assim como será escolha *minha* mantê-la aqui embaixo até que mude de ideia.

Bryce não conseguiu evitar de observar o lugar, sua atenção se demorando no bueiro e nos silvos que vinham de dentro dele.

— Com certeza vou recomendar aos meus amigos.

As estrelas se agitaram no olhar de Rhysand.

— É possível que outros do seu mundo venham para cá?

Ela respondeu da forma mais sincera que pôde.

— Não. Até onde sei, faz quinze mil anos que eles procuram por este lugar, mas sou a única que conseguiu voltar.

— Quem são *eles*?

— Os asteri. Eu já disse... parasitas intergalácticos.

— O que isso quer dizer?

— Eles são... — Bryce hesitou. Quem poderia garantir que essas pessoas não iriam entregá-la para Rigelus? Ceder a ele? Theia viera deste mundo e lutara contra os asteri, mas Pelias comprou o discurso deles e caiu de joelhos a seus pés imortais sem pestanejar.

O silêncio dela dizia tudo. Amren riu, irônica.

— Não perca seu tempo, Rhysand.

Rhysand inclinou a cabeça como um predador analisando sua presa. Bryce manteve o queixo erguido. A mãe se orgulharia dela.

Ele estalou os dedos de novo e fez desaparecer o sangue e a sujeira que a cobriam. Uma viscosidade ainda umedecia sua pele, mas estava limpa. Ela piscou algumas vezes, olhando para o próprio corpo e depois para ele.

Um sorriso discreto e cruel surgiu na boca dele.

— Só um incentivo.

Amren e Azriel permaneceram impassíveis, esperando.

Ela seria muito estúpida se acreditasse que o *incentivo* de Rhysand demonstrava qualquer traço de bondade. Mas poderia seguir as regras do jogo.

Então Bryce disse:

— Os asteri são anciões, têm, tipo, dezenas de milhares de anos. — Ela estremeceu ao se lembrar do lugar abaixo do palácio, com os registros de conquistas de milênios anteriores, completos com um sistema único de contagem de datas.

Seus captores não responderam, nem mesmo piscaram. Certo... ter uma idade muito avançada não parecia surreal para eles.

— Eles chegaram ao meu mundo quinze mil anos atrás, e ninguém sabe dizer de onde vieram.

— Como assim *chegaram*? — perguntou Rhysand.

— Sinceramente? Não faço ideia de como foram parar em Midgard. A história que eles contavam era que seriam... libertadores. Pessoas que abriam os olhos das outras. Segundo eles, Midgard não passava de um fim de mundo, um planeta ocupado por humanos e animais não mágicos. Os asteri o escolheram para ser o lugar onde começariam a criar um império perfeito, e criaturas e raças de outros mundos começaram a debandar para lá por meio de uma fenda entre os mundos chamada Fenda do Norte. Agora ela só se abre para o Inferno, mas costumava abrir... para qualquer outro lugar.

Amren pressionou.

— Uma fenda. Como isso funciona?

— Sei lá — respondeu Bryce. — Ninguém nunca descobriu como é possível... ou por que fica naquela área de Midgard e não em outra.

Rhysand perguntou:

— O que aconteceu depois que os outros seres chegaram ao seu mundo?

Bryce mordeu a boca antes de dizer:

— Na versão *oficial* da história, outro mundo, o Inferno, tentou invadir Midgard para destruir o império ainda jovem, e todos que moravam ali. Mas os asteri uniram todas essas novas raças sob a mesma bandeira e fizeram o Inferno voltar para o próprio reino. Nesse meio-tempo, a Fenda do Norte foi desativada e seu destino final se tornou permanentemente o Inferno. Depois disso, ela ficou fechada a maior parte do tempo. Um muro enorme foi erguido ao redor para impedir que outros retardatários nativos do Inferno passassem pelas rachaduras, e os asteri construíram um império glorioso, feito para durar por toda a eternidade. Ou é nisso que querem que a gente acredite.

Os rostos diante dela permaneceram inabalados. Rhysand perguntou baixinho:

— E qual é a versão não oficial?

Bryce engoliu em seco, os lampejos da sala dos arquivos surgindo em sua mente.

— Os asteri são anciões, seres imortais que se alimentam do poder de outros... eles extraem a magia de um povo, um mundo, e se alimentam dela. Chamamos isso de primalux. É a fonte de energia do nosso mundo, mas sobretudo deles. Nos obrigam a entregá-la quando alcançamos a imortalidade... bom, o mais perto da imortalidade que conseguimos chegar. Nosso poder completo e desenvolvido é retirado em um ritual chamado Descida, e, nesse processo, parte dele é escoada e destinada aos estoques de primalux dos asteri. É como um imposto sobre a nossa magia.

Ela nem ia mencionar o que acontecia após a morte. Como o poder que permanecia em suas almas acabava por ser extraído também, forçado através do Portão dos Mortos pelo Sub-Rei e transformado em secundalux para alimentar ainda mais os asteri. O que quer que sobrasse para eles após o Sub-Rei ficar satisfeito.

Amren inclinou a cabeça, os fios curtos e retos se mexendo.

— Um imposto por sua magia, cobrado por seres anciões para se nutrirem e obterem poder. — Azriel olhou para ela, Rhysand provavelmente traduzindo de uma mente para a outra. Mas Amren murmurou para si mesma, como se as palavras a lembrassem de algo: — Um tributo.

Rhysand ergueu as sobrancelhas discretamente. Mas ele balançou a grande e elegante mão para que Bryce continuasse:

— O que mais?

Ela engoliu em seco de novo.

— Midgard é o último em um grupo grande de mundos invadidos pelos asteri. Eles têm um arquivo completo com todos os planetas que conquistaram ou tentaram conquistar. Eu vi esse arquivo pouco antes de vir para cá e, em todos os registros, encontrei apenas três planetas que conseguiram expulsá-los... que resistiram e os derrotaram. Foram o Inferno, um planeta chamado Iphraxia e... um mundo ocupado pelos feéricos. O original, feéricos Estrelados. — Ela acenou com a cabeça para a adaga ao lado de Azriel, que se acendeu com luz preta na presença de Áster. — Vocês chamam minha espada por outro nome, mas reconhecem o que ela é.

Só Amren assentiu.

— Acho que é porque ela veio deste mundo — acrescentou Bryce. — Ela parece estar conectada a essa adaga de alguma forma. Foi forjada aqui, virou parte da história de vocês e depois desapareceu. Certo? Faz quinze mil anos que vocês não a veem ou que não falam esta língua... o que se encaixa perfeitamente com a linha do tempo de quando os feéricos Estrelados chegaram em Midgard.

Os Estrelados — Theia, a rainha, e Pelias, o príncipe-traidor que a usurpou. Theia levou duas filhas para Midgard com ela: Helena, que fora forçada a se casar com Pelias, e outra, cujo nome se perdeu na história. Muito da verdadeira história sobre Theia também se perdeu, seja pelo tempo, seja pelas ideologias políticas dos asteri. Aidas, Príncipe do Desfiladeiro, era apaixonado por ela. Bryce sabia disso. Theia combateu os asteri ao lado do Inferno, para libertar Midgard. Acabou sendo morta por Pelias, e seu nome quase foi apagado de todas as lembranças. Bryce carregava a luz de Theia, Aidas havia confirmado. Mas, para além disso, não havia informações sobre a rainha há muito tempo morta, nem mesmo nos Arquivos Asteri.

— Então você acredita — disse Amren devagar, os olhos prateados brilhando — que *nosso* mundo é o terceiro planeta que resistiu a esses... asteri.

Foi a vez de Bryce concordar. Ela gesticulou para a cela e o reino acima.

— Pelo que aprendi nos arquivos deles, muito tempo antes de irem para o meu mundo, os asteri vieram para *cá*. Conquistaram, interferiram e reinaram neste mundo. Mas os feéricos acabaram conseguindo derrotá-los. — Ela deixou escapar um suspiro breve, analisando cada um dos rostos diante dela. — Como? — A voz saiu rouca, desesperada. — Como vocês fizeram isso?

Mas Rhysand só olhou cautelosamente para Amren. Ela deveria ser alguma historiadora ou estudiosa da corte, já que ele a consultava com frequência sobre o passado. Ele disse, dirigindo-se a ela:

— Não tem nada do tipo em nossa história.

Bryce o interrompeu:

— Bom, os asteri se lembram do seu mundo. Eles ainda guardam rancor. Rigelus, o líder deles, me disse que tem como missão pessoal encontrar este lugar e punir vocês por terem jogado todos eles no olho da rua. Vocês são basicamente o inimigo público número um dos asteri.

— Isso está em nossa história, Rhysand — acrescentou Amren, séria. — Mas os asteri não tinham esse nome. Aqui, são chamados de daglan.

Bryce poderia jurar que o rosto de Rhysand ficou um pouco mais pálido. Até mesmo Azriel se remexeu em sua cadeira, com as asas farfalhando. Rhysand disse firmemente:

— Todos os daglan foram assassinados.

Amren estremeceu. O gesto pareceu fazer com que a expressão de Rhysand ficasse ainda mais agitada.

— Parece que não — retrucou ela.

Bryce pressionou Amren:

— Vocês têm registros de como eles foram derrotados? — Uma faísca de esperança brilhou em seu peito.

— Nada além de velhas canções de batalhas sangrentas e perdas terríveis.

— Mas a história... parece verdadeira pra você? — perguntou Bryce. — Chefões do mal e imortais dominaram este mundo, e vocês se juntaram para derrotá-los?

O silêncio deles servia de confirmação.

Mesmo assim, Rhysand balançou a cabeça, como se não conseguisse acreditar.

— E você acha... — Ele olhou para Bryce, seus olhos voltando a demonstrar um foco predatório. Deuses, ele era assustador. — Você acredita que os daglan... esses *asteri*... querem voltar aqui para se vingar. Depois de quinze mil anos. — Havia dúvida em cada palavra.

— Isso são, tipo, quinze minutos para Rigelus — contestou Bryce. — Ele tem tempo infinito... e recursos.

— Que tipo de recursos? — Palavras frias e afiadas; um líder calculando o tamanho da ameaça para seu povo.

Como começar a descrever armas, mísseis de enxofre, mec-trajes, barcos ômega ou sequer o poder dos asteri? Como explicar a crueldade e o terrível alcance de um projétil? E talvez fosse imprudente, mas... ela estendeu a mão para Rhysand.

— Eu posso mostrar.

Amren e Azriel lançaram olhares alarmados para ele. Isso poderia ser uma armadilha.

— Espera aí — exclamou Rhysand, e desapareceu.

Bryce se assustou.

— Vocês... vocês também conseguem se teletransportar?

— Nós chamamos de atravessar — falou Amren, pausadamente. Bryce poderia jurar que o sorriso de Azriel era forçado. Mas Amren perguntou: — Você também consegue?

— Não — mentiu. Se Azriel percebeu a mentira, não chamou a atenção dela dessa vez. — Apenas dois feéricos conseguem fazer isso.

Foi a vez de Amren ficar espantada.

— Dois... no seu planeta inteiro?

— Vou chutar e dizer que vocês tenham mais?

Sem Rhysand para traduzir, Azriel apenas as observava em silêncio. Bryce poderia jurar que sombras o envolviam, como com Ruhn, porém... eram mais selvagens. Como acontecia com Cormac.

Amren inclinou o queixo para baixo.

— Só os mais poderosos, mas sim. Muitos conseguem.

Como se tivesse sido chamado, Rhysand apareceu de novo, segurando uma pequena esfera prateada.

— A esfera Veritas? — estranhou Amren, e Azriel ergueu uma sobrancelha. Mas Rhysand os ignorou e estendeu a outra mão, exibindo um pequeno grão prateado.

Bryce os observou, encarando a esfera que ele colocou no chão.

— O que são essas coisas?

Rhysand apontou para a esfera com a cabeça.

— Segure, pense no que você quer nos mostrar, e a esfera vai reter as lembranças para que possamos ver.

Parecia simples. Como uma câmera da mente. Ela se aproximou com cuidado da esfera e a pegou. O metal era liso e frio, e mais leve do que deveria ser. Era oca por dentro.

— Lá vou eu — disse, e fechou os olhos. Visualizou as armas, as guerras, os campos de batalha que vira na televisão, os mec-trajes, as armas com as quais aprendera a atirar, as aulas com Randall, o poder que Rigelus disparara pelo corredor atrás dela...

Encerrou as lembranças neste ponto: antes de saltar pelo Portão, antes de deixar Hunt e Ruhn para trás. Ela não queria reviver aquilo, nem mostrar o que era capaz de fazer e revelar o Chifre ou sua habilidade de se teletransportar.

Bryce abriu os olhos. A bola permaneceu silenciosa e turva. Ela a colocou de volta no chão e a rolou para Rhysand.

Ele a fez flutuar em um vento invisível até sua mão, então tocou a parte de cima. E tudo o que estava na cabeça dela começou a passar.

Era ainda pior assistir àquilo como uma espécie de quebra-cabeças das lembranças. Ver a violência, a brutalidade e a facilidade com que os asteri e seus subordinados matavam indiscriminadamente.

Mas o que ela sentia não era nada quando comparado à surpresa e ao pavor no rosto de cada um deles.

— Armas — disse Bryce, apontando para o rifle que Randall disparou em sua lembrança que estava sendo transmitida, fazendo a bala acertar com perfeição o alvo a oitocentos metros de distância. — Mísseis de enxofre. — Ela apontou para a luz florescente dourada de destruição conforme os prédios de Lunathion ruíam ao redor. — Barcos ômega. — O *SPQM Faustus* caçava nas profundezas escuras do oceano. — Asteri. — O poder incandescente de Rigelus fazia pedra, vidro e o próprio mundo explodirem.

O rosto de Rhysand ficou impassível novamente, a máscara de frieza voltando para seu lugar.

— Você vive em um mundo desse jeito.

Não era bem uma pergunta, mas Bryce concordou.

— Sim.

— E eles querem trazer tudo isso... para cá.

— Sim.

Rhysand encarou o vazio, pensando em tudo o que vira. Azriel continuou a olhar para o espaço onde, minutos antes, a esfera havia mostrado a grande destruição do mundo dela. Parecia apreensivo e, mesmo assim, calculista. Ela já havia visto aquele olhar antes no rosto de Hunt. A mente de um guerreiro em ação.

Então Amren se virou para Rhys e trocaram um olhar. Bryce também conhecia essa expressão. Uma conversa silenciosa estava acontecendo entre os dois. Como Bryce e Ruhn conversaram tantas vezes.

Seu coração se afligia ao ver a cena, ao se lembrar. Mas, ao mesmo tempo, fez com que se mantivesse firme a focada.

Os asteri estiveram ali; com outro nome, mas estiveram. Os ancestrais desses feéricos os derrotaram. E Urd a enviara para lá — ali, e não para o Inferno. Ali, onde ela encontrou, no mesmo instante, a adaga que atraiu Áster. Como se fosse o ímã que a atraiu para este mundo, este barranco. Poderia essa ser a faca da profecia?

Ela tinha acreditado que destruir os asteri seria tão fácil quanto extirpar aquele núcleo de primalux e, ainda assim, Urd a enviara até ali. Para o mundo originário dos feéricos midgardianos. Ela não tinha outra escolha a não ser confiar no raciocínio de Urd. E rezar para que Ruhn, Hunt e todos os outros que amava em Midgard pudessem segurar as pontas até que encontrasse uma forma de voltar para casa.

Se conseguisse encontrar...

Bryce examinou o grão prateado, liso e brilhante em sua mão. Amren disse, sem olhar para ela:

— É só engolir e isso vai traduzir nossa língua materna pra você. E também vai permitir que a fale.

— Que chique — murmurou Bryce.

Ela precisava encontrar uma forma de voltar para casa. E, se isso significasse conhecer esse mundo primeiro... habilidades linguísticas seriam úteis, se levasse em consideração a quantidade de merda que ainda precisava contar. E é claro que não confiava nessas pessoas nem por um segundo, mas, se levasse em conta a conversa que tiveram, ela duvidava muito que tentassem envenená-la. Ou que estivessem dispostos a isso, enquanto cortar a garganta dela seria tão mais fácil.

Não era a mais reconfortante das ideias, mas, mesmo assim, Bryce colocou o grão prateado na boca, e com bastante saliva o engoliu. Sentiu o metal frio na língua e na garganta, e poderia jurar que o sentiu escorregar até seu estômago.

Relâmpagos retumbaram em seu cérebro. Ela estava sendo dividida em duas, seu corpo não conseguia aguentar a luz lancinante...

Então a escuridão a dominou. Silenciosa, tranquila e eterna.

Não... havia a sala ao redor dela. Estava no chão, curvada sobre seus joelhos e... brilhando. O brilho era forte o bastante para iluminar os rostos chocados de Rhysand e Amren.

Azriel já estava de prontidão ao lado dela, a adaga letal desembainhada e brilhando com uma estranha luz preta.

Ele notou a escuridão emanando da lâmina e piscou. Desde que chegara, Bryce não o tinha visto demonstrar tamanho choque.

— Afaste isso, seu idiota! — Amren repreendeu. — A adaga a atrai, e, ao aproximá-la...

A lâmina desapareceu da mão de Azriel, levada por uma sombra. O silêncio, tenso e carregado, espalhou-se pela sala.

Bryce levantou-se devagar, do jeito como Randall e a mãe a haviam ensinado a se mover na frente de vanir e outros predadores.

E, conforme se levantava, ela sentiu em seu cérebro: o conhecimento de uma língua que não sabia antes. Estava na ponta de sua língua, pronta para ser falada, de forma tão natural quanto a dela. Cintilava em sua pele, ardendo conforme descia por sua espinha, pelas omoplatas... espera aí.

Ah, não. Não, não, não.

Bryce não ousou encostar na tatuagem do Chifre, nem chamar atenção para as letras que formavam as palavras *Por amor, tudo é possível*. Podia sentir que elas reagiam ao que quer que estivesse naquele feitiço que a fez brilhar, e só pôde rezar para que a reação não fosse visível.

Suas preces foram em vão.

Amren se virou para Rhysand e disse, naquela nova e estranha língua, a língua *deles:*

— Essas letras brilhantes tatuadas nas costas dela... são as mesmas que estão no *Livro dos Sopros*.

Eles devem ter visto as palavras através da camiseta quando ela estava caída no chão. A cada respiração, o formigamento diminuía, como se o brilho estivesse apagando. Mas o estrago já estava feito.

Eles a avaliaram mais uma vez. Três exímios assassinos contemplando uma ameaça.

Por fim Azriel disse em uma voz suave e ameaçadora:

— Explique-se ou você vai morrer.

2

O sangue de Tharion pingava na pia de porcelana do banheiro silencioso e úmido. Os rugidos da multidão retumbavam distantes por entre os azulejos verdes rachados. Ele inspirou pelo nariz e soltou o ar pela boca. A dor se espalhava por suas costelas machucadas.

Fique em pé.

Ele agarrou as bordas rachadas da pia. Inspirou fundo de novo, focando nas palavras e lutando para que os joelhos não cedessem. *Fique em pé, maldito.* Tinha levado uma surra hoje.

O minotauro que acabara de enfrentar no ringue da Rainha Víbora tinha o dobro do peso dele e era ao menos um metro e vinte mais alto. Tharion tinha um buraco no ombro do qual jorrava sangue até o ralo da pia, graças aos chifres dos quais não fora veloz o bastante para desviar. Além de muitas costelas quebradas devido aos socos que levou de punhos do tamanho de sua cabeça.

Tharion respirou de novo, fazendo careta por causa da dor, e pegou o pequeno estojo de primeiros-socorros na pia. Seus dedos tremiam e ele se atrapalhava com o frasco da poção necessária para aliviar a dor e acelerar a cura que seu corpo vanir já estava processando.

Ele jogou a rolha na lata de lixo ao lado da pia, em cima do chumaço de bandagens de algodão ensanguentadas e dos lenços que usara para limpar o rosto. De alguma forma, conseguir ver o próprio rosto e o macho por baixo era mais importante do que lidar com a dor — e com o buraco em seu ombro

Seu reflexo não era agradável. As manchas roxas sob os olhos combinavam com os hematomas ao longo da mandíbula, havia cortes na boca e o nariz estava inchado. Tudo isso desapareceria e estaria curado rapidamente, mas o vazio em seus olhos... era seu rosto, e, ainda assim, era o rosto de um estranho.

Tharion não encarou os próprios olhos no espelho enquanto inclinava o frasco e engolia tudo de uma vez. Um líquido leve e sem gosto preencheu sua boca e garganta. Ele já havia tomado shots daquele mesmo jeito. Em questão de poucas semanas, tudo dera errado. Toda a maldita vida dele dera errado.

Abrira mão de tudo o que era, do que um dia fora e do que poderia vir a ser.

Ele tinha escolhido ficar preso à Rainha Víbora. Estava desesperado, mas o peso de sua decisão o sufocava. Fazia dois dias que tinha chegado e não tinha permissão para sair do labirinto de armazéns — não que ele quisesse, de todo jeito. Tinham cuidado até mesmo da sua necessidade de voltar para a água: uma banheira especial fora montada no andar de baixo, com água bombeada diretamente do Istros.

Logo, fazia dias que não ia ao rio nem sentia o vento e o sol nem ouvia as conversas e os ruídos costumeiros da vida normal. Nem sequer tinha encontrado uma janela para o lado de fora.

A porta se abriu e um perfume feminino familiar entregou a identidade da recém-chegada. Como se a esta hora, neste banheiro, pudesse ser qualquer outra pessoa.

A Rainha Víbora tinha uma equipe de lutadores. Mas aqueles dois... nos últimos dias, ela os tinha tratado como cavalos de corrida premiados. Eles lutavam no horário nobre, e este banheiro era de uso privativo, assim como a suíte no andar de cima.

A Rainha Víbora era dona deles, e queria que todos soubessem disso.

— Já estão aguardando você — A voz de Tharion estava rouca e ele falava por cima do ombro para Ariadne. A dragoa de cabelos escuros, vestida com uma roupa preta que acentuava suas curvas exuberantes, virou-se para ele.

Tharion e Ariadne deviam estar sempre sensuais e estilosos, mesmo quando a Rainha Víbora ordenava que sangrassem para divertir a plateia.

Ariadne parou diante de uma pia a poucos metros de distância, examinando o próprio rosto no espelho enquanto lavava as mãos.

— Continua linda como sempre — provocou Tharion.

A brincadeira fez com que a dragoa o observasse pelo canto dos olhos.

— Você está péssimo.

— Sempre bom ver você também — falou lentamente, a poção de cura formigando por seu corpo.

As narinas dela se dilataram um pouco. Não era sensato implicar com uma dragoa, mas ele parecia tomar uma decisão idiota atrás da outra nos últimos tempos, então por que parar agora?

— Tem um buraco no seu ombro — disse ela, sem desviar o olhar do dele.

Tharion olhou de relance para a ferida, ainda assustadora mesmo com a pele começando a se fechar — a sensação era semelhante a de aranhas rastejando na área.

— Vai me deixar mais forte.

Ariadne riu, irônica, voltando a olhar para o próprio reflexo.

— Sabe, você gosta de se exibir para as fêmeas. Estou começando a achar que é uma espécie de escudo.

Ele enrijeceu.

— Contra o quê?

— Não sei e não me importo.

— Ai.

Ariadne continuou se observando no espelho. Estaria procurando a si mesma também? Ou buscando quem era antes de ir parar ali? Ou, quem sabe, procurava quem ela era antes de o Astrônomo prendê-la em um anel e usá-la em seu dedo por décadas?

Tharion fizera o que a Rainha Víbora havia solicitado em relação a Ari: tecera uma teia de mentiras para seus contatos Aux sobre a dragoa ser requisitada por motivos de segurança. Então, tecnicamente, Ari não era uma escravizada da Rainha Víbora. Continuava sendo uma escravizada de outro alguém. Ela apenas... morava ali agora.

— Seu público embevecido está à espera — disse Tharion, enquanto pegava outro lenço de algodão e o segurava sob a torneira aberta antes de limpar o sangue de seu peito nu. Poderia tomar um banho em um dos chuveiros à sua esquerda, mas doeria como o Inferno em suas feridas que ainda estavam cicatrizando. Ele se revirou, esforçando-se para limpar o corte particularmente feio ao longo de sua omoplata esquerda. Não conseguiu alcançá-lo, mesmo com os dedos longos.

— Me dá — ordenou Ariadne, tirando o lenço da mão dele.

— Obrigado, Ar... Ariadne. — Ele quase a tinha chamado de Ari, mas não parecia prudente contrariá-la logo após ela ter se oferecido para ajudar.

Tharion apertou a pia com as mãos. Ariadne deu batidinhas na ferida, limpando o sangue, e ele agarrou a porcelana com força o bastante para fazê-la ranger sob seus dedos. Travou a mandíbula para suportar o ardor e, em meio ao silêncio, a dragoa disse:

— Pode me chamar de Ari.

— Achei que você odiasse esse apelido.

— Parece que todo mundo quer usá-lo, então pode muito bem ser decisão minha deixar que você também me chame assim.

— Foi esse o seu raciocínio quando abandonou meus amigos pouco antes de um caça-morte atacá-los? — Não conseguiu reprimir a mágoa de sua voz, e que se dane a ideia de não contrariá-la. — Todo mundo esperava o pior de você, então por que ir contra essa expectativa?

Ela bufou.

— Seus amigos... você quer dizer a bruxa e o ruivo?

— Sim. Muito nobre da sua parte largar os dois.

— Eles pareciam capazes de cuidar de si mesmos.

— E são. Mas você foi embora mesmo assim.

— Se você se importa tanto com segurança deles, então talvez devesse estar lá. — Ari jogou o lenço no lixo e pegou outro. — Aliás, com quem aprendeu a lutar?

Ele deixou a discussão de lado; não chegariam a lugar algum. Não sabia nem por que sentiu vontade de falar daquilo naquele instante, dentre tantas oportunidades.

— E eu que achava que você não queria saber de mim.

— Digamos que seja curiosidade. Você não parece... sério o bastante para ser o Capitão da Inteligência da Rainha do Rio.

— Que elogio.

Mas brasas brilharam nos olhos dela, então Tharion deu de ombros.

— Aprendi a lutar da forma convencional: frequentei a Academia Militar da Corte Azul depois de me formar, e, desde então, passei meus anos aperfeiçoando essas habilidades. Nada de mais. E você?

— Sobrevivência.

Ele abriu a boca para responder, mas a dragoa se virou e andou em direção à saída, com o salto das botas batendo no chão.

— Ari... — Ele chamou antes que ela pudesse chegar até a porta. — Não era verdade, sabe?

Ela se virou, com as sobrancelhas erguidas.

— O quê?

— Que a gente esperava o pior de você.

O rosto dela se contorceu — raiva, pesar e um pingo de vergonha. Ou talvez ele estivesse imaginando essa última parte. Ela saiu pisando firme, sem responder.

O único som no banheiro voltou a ser o do sangue dele pingando.

Tharion esperou até que a poção curasse grande parte dos buracos em sua pele, e não se deu ao trabalho de ajeitar a parte de cima do macacão preto antes de seguir a dragoa de volta para o calor, os cheiros e as luzes do ringue de luta.

Ari estava só começando. Com uma calma impressionante, ela assumiu postura de defesa contra três machos metamorfos de leão, os felinos enormes circundando-a com uma concentração letal. Ela se virava na direção deles, sem permitir que os leões ficassem na sua retaguarda; as escamas em sua pele estavam começando a brilhar e os olhos pretos ficaram vermelhos.

Do outro lado do fosso, a janela espelhada que dava para o ringue refletia apenas os holofotes ofuscantes. Mas Tharion sabia quem estava do outro lado, em meio aos luxuosos trajes dos seus aposentos privados; quem assistia à luta da dragoa, avaliando a intensidade do rugido da multidão.

— Traidor — gritou alguém à sua esquerda.

Tharion viu dois tritões jovens olhando para ele das arquibancadas acima. Os dois seguravam cervejas e tinham o olhar vidrado de quem já tinha entornado umas.

Tharion acenou com indiferença para eles e voltou a olhar para o ringue.

— Perdedor do caralho — vociferou o outro macho.

Tharion continuou olhando para Ari. Vapor saía da boca da dragoa. Um dos leões avançou, golpeando com dedos que terminavam em garras curvas, mas ela se esquivou. O piso de concreto chamuscou onde seus pés estiveram. Sinais preliminares de um ataque.

— Que capitão de merda — provocou o primeiro macho.

Tharion rangeu os dentes. Não era a primeira vez nos últimos dias que um dos seus o havia reconhecido e sentido a necessidade de dizer exatamente o que pensava dele. Todo mundo sabia que Tharion tinha desertado da Corte Azul. Todo mundo sabia que ele tinha desertado e ido parar *ali* para servir à depravada governante do Mercado da Carne. A Rainha do Rio e sua filha fizeram questão de que a notícia se espalhasse.

Capitão Qualquer Coisa, Ithan Holstrom o chamara certa vez. Parecia que agora havia de fato assumido esse papel.

Você abriu mão daquilo, ele se lembrou. Nunca mais poderia sequer pisar em Istros de novo. Assim que o fizesse, sua antiga rainha o mataria. Ou ordenaria que um de seus sobeks fizesse picadinho dele. Algo se revirou em seu estômago.

Sabia que os pais estavam vivos só porque recebia mensagens em que expressavam sua raiva e decepção. *Já perdemos um filho,* escrevera a mãe. *E agora perdemos outro. Desertor, Tharion? Pelas profundezas de Ogenas, no que você estava pensando?*

Ele não respondeu. Não pediu desculpas por ser tão irresponsável e egoísta a ponto de não ter pensado na segurança deles antes de se comprometer com tamanho absurdo. Ele não apenas prestara juramento à Rainha Víbora, mas também se comprometera com ela. E depois de toda a merda que aconteceu em Pangera... nenhum outro lugar era seguro para ele, de qualquer forma. Só aqui, onde a Rainha Víbora fora autorizada a governar.

Ele observou Ari andar pelo ringue. *Você abriu mão daquilo,* disse a si mesmo outra vez, com mais firmeza. *Para estar aqui.*

— Você é uma vergonha! — o outro tritão gritou.

Um líquido espumoso espirrou na cabeça e nos ombros nus de Tharion. O filho da puta jogou a cerveja nele.

Tharion rosnou para eles, e os machos tiveram o bom senso de recuar um passo, como se tivessem acabado de se lembrar do que Tharion era capaz quando provocado. Mas, antes que ele pudesse acabar com eles, um dos guardas pessoais da Rainha Víbora, um daqueles desertores feéricos de olhos vidrados, disse:

— Ei, peixão. A chefe quer falar com você. Agora.

Tharion enrijeceu, mas não tinha outra escolha. O aperto em sua barriga só pioraria enquanto ele resistisse, era melhor acabar com aquilo de uma vez.

Então ele deixou aqueles babacas para trás. Deixou Ari com os leões, que estariam fritos em cerca de vinte minutos, ou depois que a dragoa desse um espetáculo bom o bastante para agradar ao público e acabasse com aquilo, o que poderia ter feito sem sequer entrar no ringue.

Ele não tinha dúvidas de que haveria algum vendedor esperando nos bastidores para recolher as carcaças fritas e vendê-las em uma barraca de comida ali perto. Não era à toa que aquele lugar se chamava Mercado da Carne.

O trajeto escada acima até o quarto atrás daquela janela espelhada foi longo e silencioso. Ele desejou que sua mente também funcionasse assim, para não se importar.

Era mais fácil falar do que fazer, quando tudo continuava andando em círculos: a tentativa de ataque ao laboratório, a morte de Cormac... eles todos foram tão estúpidos, pensando que poderiam enfrentar os asteri. E então ali estava ele.

Para ser sincero, ele já estava pendendo nessa direção há algum tempo. A começar pelo fiasco com a filha da Rainha do Rio; depois, a morte de Lesia um ano atrás. Aquele último mês fora apenas o resultado de toda aquela merda. Do quanto ele sempre fora patético, um fracasso, por baixo das aparências.

Tharion bateu uma única vez na porta de madeira e entrou.

A Rainha Víbora estava parada junto à janela, olhando para a arena, onde Ari tinha começado a zombar dos leões. Agora, eles estavam desesperados para fugir. Aonde quer que os felinos fossem para escapar do ringue, uma parede de chamas bloqueava a saída.

— Ela tem um dom de artista — A Rainha Víbora observou sem se virar. A governante do Mercado da Carne vestia um macacão de seda curto e branco, ajustado a seu corpo esguio, e estava com os pés descalços. Segurava um cigarro, as unhas feitas. — Você poderia aprender com ela.

Tharion se apoiou no batente de madeira.

— É uma ordem ou uma sugestão?

A Rainha Víbora se virou, os cabelos escuros e brilhantes balançando. A boca exibia o batom roxo-escuro de sempre, contrastando com a pele pálida da metamorfa de cobra.

— Você sabe o que tive que fazer para arranjar aquele Minotauro com quem lutou hoje?

Tharion ficou de boca fechada. Quantas vezes ficara assim adiante da Rainha do Rio, em silêncio enquanto ela o detonava? Já havia perdido as contas muito tempo atrás.

Os dentes da Rainha Víbora brilharam, presas delicadas e chamativas contra o roxo de sua boca.

— Cinco minutos, Tharion? — Sua voz em um ronronado perigoso. — Tanto esforço da minha parte, e tudo o que recebo em troca, tudo o que meu público recebe em troca, é uma luta de cinco minutos?

Tharion apontou para o próprio ombro.

— Achei que enfiar o chifre em mim e me arrastar pelo ringue já era um bom espetáculo.

— Queria ter visto isso muito mais vezes, em vez de ver você quebrar o pescoço do touro em um acesso de raiva.

Ela curvou um dedo. O aperto na barriga dele se aprofundou. Como se tivessem vontade própria, os pés e as pernas dele se moveram. O carregaram até a janela, ao lado dela.

Odiava aquilo... Não a parte de ser convocado, mas o fato de que já não resistia mais.

— Para compensar o fato de você ter acabado mais rápido do que devia — falou a Rainha Víbora, devagar —, pedi a Ari para enrolar na luta dela. — Ela inclinou a cabeça para o ringue. O rosto de Ari estava vazio e frio enquanto ela fazia os leões gritarem sob suas chamas.

O estômago de Tharion se revirou. Não era de se admirar que Ari não tivesse ficado muito tempo para conversar com ele. Mas ela o ajudara mesmo assim, e ele não fazia ideia de como interpretar aquilo.

— Se esforce um pouco mais da próxima vez — sibilou a Rainha Víbora em seu ouvido, com os lábios roçando sua pele. Ela fungou. — Aqueles malditos tritões ensoparam mesmo você.

Tharion se afastou.

— Você me chamou aqui por algum motivo? — Ele queria um banho e o relaxamento que só o sono poderia lhe oferecer.

Ela sorriu e puxou a manga imaculada do macacão para trás, expondo seu pulso pálido como a lua.

— Considerando que você não se dedicou nem um pouco à sua apresentação, pensei que talvez precisasse de um estímulo.

Tharion cerrou os dentes. Ele não era um escravizado; apesar de ter sido estúpido e desesperado o bastante para se oferecer como tal. Mas, em vez disso, a oferta dela foi algo quase tão ruim quanto: o veneno que apenas ela produzia.

E agora, após prová-lo uma vez... a boca dele se encheu de saliva. O cheiro da pele, o sangue e o veneno ali embaixo — estava desamparado diante dela, uma porra de um animal faminto.

— Talvez se eu oferecesse um pouco disto antes das suas lutas — refletiu ela, o braço estendido para ele como um banquete particular —, você tenha um pouco mais de... vigor.

Com a pouca resistência que ainda tinha, Tharion ergueu os olhos para encarar os dela. Deixou-a ver o quanto ele odiava isso, a odiava, odiava a si mesmo.

Ela sorriu. E sabia. Ela soube no momento em que ele desertou e foi até ela, para esta vida. Dizia a si mesmo que aquele era um refúgio, mas estava ficando cada vez mais difícil esconder do que realmente se tratava.

Uma punição que já devia ter acontecido há muito tempo.

A Rainha Víbora deslizou uma de suas unhas pintadas de dourado pelo pulso. Abriu uma veia em que aquele veneno leitoso e opalescente se agitava, o veneno que o fez ver os deuses.

— Pode vir — insistiu ela, e Tharion teve vontade de gritar, chorar e correr enquanto levava o braço dela até a boca e sugava um bocado de veneno.

Foi lindo. Foi horrível. E bateu na hora. Estrelas brilhavam no ar e o tempo desacelerou para um ritmo lânguido e denso; a exaustão e a dor desapareceram.

Ele ouvira os rumores muito antes de ir chegar ali: o veneno dela era a melhor onda que um imortal sentiria na vida. Depois de provar, não tinha como discordar. Não culpava os desertores feéricos que serviam como guarda-costas dela em troca de um pouco daquilo.

Antes, sentia pena deles, os desprezava.

Agora, era um deles.

A mão da Rainha Víbora subiu pelo peito dele até o pescoço, alisando a área onde suas guelras geralmente apareciam. Ela passou as unhas pintadas no local, em absoluta demonstração de propriedade. Não apenas de seu corpo, mas de quem ele era, de quem um dia fora.

Ela apertou a garganta dele. Desta vez, era um convite.

A boca da Rainha Víbora roçava a orelha dele enquanto ela sussurrava:

— Vamos ver que tipo de vigor você tem agora, Tharion.

* * *

— A gente não pode simplesmente largar o Tharion aqui.

— Acredite em mim, Holstrom, o Capitão Qualquer Coisa consegue cuidar de si mesmo.

Ithan franziu a testa para Tristan Flynn do outro lado da mesa bamba. Declan Emmet e o namorado, Marc, estavam conversando com um vendedor de uma das muitas barraquinhas do Mercado da Carne. O vanir com cabeça de coruja era a terceira pessoa com quem falavam naquela noite, na esperança de obter notícias dos amigos desaparecidos. Era o décimo segundo vagabundo que contataram nos últimos dois dias.

E Ithan estava ficando tão cansado daquelas conversas inúteis que começou a zombar de Flynn:

— É isso que feéricos fazem? Abandonam os amigos ao sofrimento?

— Vai se foder, lobo — reclamou Flynn, mas sem tirar os olhos de onde Declan e Marc colocavam seu charme a prova. Até mesmo Flynn, que costumava ser inabalável, agora exibia olheiras profundas e quase não sorrira nos últimos dias. Parecia estar dormindo tão pouco quanto Ithan.

Apesar de tudo, Ithan mirou direto na jugular:

— Então a vida do Ruhn é mais importante do...

— Ruhn está na porra de um *calabouço* sendo torturado pelos asteri — disparou Flynn. — Tharion está aqui porque desertou. Ele escolheu essa vida.

— Tecnicamente, Ruhn também escolheu ir para a Cidade Eterna...

Flynn passou as mãos pelos cabelos castanhos.

— Se você só vai reclamar, então cai fora daqui.

— Não estou reclamando. Só estou dizendo que temos um amigo passando por apuros literalmente *logo ali* e não estamos nem tentando ajudar. — Ithan apontou para o segundo andar do armazém enorme, a porta indistinguível que levava para os aposentos privados da Rainha Víbora.

— De novo, Ketos desertou. Não podemos fazer muita coisa.

— Ele estava desesperado...

— Todos nós estamos desesperados, porra — murmurou Flynn, olhando para um draki macho que carregava um saco de algo que cheirava a carne de alce. Ele suspirou. — Sério, Holstrom... volta pra casa. Vai descansar um pouco.

Novamente, Ithan notou a expressão exausta do lorde feérico.

— E leve aquela ali com você — acrescentou Flynn, apontando com a cabeça para a fêmea sentada com a coluna ereta em uma mesa próxima, vigilante e tensa. As três duendes de fogo estavam deitadas, penduradas em volta dos ombros dela, cochilando.

Certo. A outra frustração de Ithan nos últimos dias: dar uma de babá de Sigrid Fendyr.

Teria sido melhor deixá-la na casa dos machos feéricos — que agora supunha também ser a sua casa —, mas ela se recusou e insistiu em acompanhá-los.

Assim como Sigrid insistia em ver e saber *de tudo*. Se ele pensou que ela sairia de seu tanque místico e se acovardaria, pensou errado. Não passava de uma enxerida naqueles dois dias, querendo saber toda a história dos Fendyr, dos inimigos deles, dos inimigos de Ithan... toda e qualquer coisa que tivesse acontecido enquanto ela fora prisioneira do Astrônomo.

Não tinha falado muito do próprio passado; nem mesmo uma palavra sobre o pai, cuja história ela desconhecia até Ithan contar. Há muito tempo, o macho fora o Primo Presumível, até que a irmã dele, Sabine, o desafiara e vencera. Ithan achava que ela o tinha assassinado, mas, aparentemente, preferiu exilar o pai de Sigrid, e foi lá que ela nasceu. Todo o resto da história era um completo mistério. Uma parte de Ithan não queria saber quais circunstâncias haviam sido tão terríveis a ponto de fazer um Fendyr vender sua herdeira — vender uma *alfa* — para o Astrônomo.

A herdeira só estava sentada quietinha naquele instante porque, assim que pisara no Mercado da Carne, dissera, com desprezo: *Quem ia querer comprar em um lugar nojento como este?* Isso tornou o trabalho de Declan e Marc mil vezes mais difícil porque provocou a ira de todos os vendedores que a ouviram.

Os fofoqueiros se certificaram de que todos os outros também soubessem.

Então Flynn ordenou que ela fosse se sentar sozinha. Bom, sozinha a não ser por seu pequeno séquito esquentadinho. Onde quer que Sigrid fosse, as duendes iam com ela.

Ithan não sabia se aquele laço era resultado dos anos no tanque, de um trauma compartilhado ou se era só porque eram fêmeas vivendo juntas em uma casa cheia de machos, mas as quatro juntas eram pura dor de cabeça.

— É perigoso demais para ela ficar aqui exposta — continuou Flynn —, qualquer um pode contar que a viu.

— Ninguém sabe quem ela é. Para essas pessoas, ela é só uma loba qualquer.

— Sim, e basta alguém mencionar para Amelie ou Sabine que tem uma loba com você e elas vão saber. Nem acredito que elas ainda não vieram correndo.

— Sabine é cruel, mas não é estúpida. Não ia começar uma confusão no território da Rainha Víbora.

— Não, ela vai esperar cruzarmos o DCC e armar uma emboscada para a gente. — Os anjos há muito ignoravam qualquer coisa que acontecia nas ruas de seu distrito, mais preocupados com o vai e vem em suas torres gigantescas.

Ithan encarou o macho. Na maior parte do tempo, se dava bem com Flynn; até mesmo gostava dele. Mas desde o desaparecimento de Ruhn, Hunt e Bryce...

Desaparecimento não era a palavra certa, pelo menos no caso de Ruhn e Hunt. Eles foram aprisionados, e Bryce... ninguém sabia o que tinha acontecido com ela. E é por isso que estavam ali, à procura de qualquer informação que pudessem obter, já que as pesquisas no computador de Declan não deram em nada.

Qualquer informação que pudessem ter a respeito de Bryce, Ruhn, Athalar... estavam desesperados. Queriam um direcionamento, uma faísca que iluminasse o caminho. Qualquer coisa era melhor do que ficar sentados sem fazer nada, sem saber de nada.

Ithan olhou para a cadeira em que estava. *Ele* estava sentado ali, sem fazer nada. Sem saber de nada.

Antes que o desgosto pudesse tomar conta de si, levantou-se e foi até Sigrid, que estava sentada monitorando os clientes do Mercado da Carne. Ela o fitou com olhos castanhos cheios de irritação e desdém.

— Este lugar é muito ruim.

Não me diga, teve vontade de dizer, mas se conteve.

— Às vezes é útil — declarou.

A casa dos machos feéricos foi o único lugar que ele conseguiu pensar em levar a loba quando a arrancou do tanque do Astrônomo. Então ficou ali enquanto Flynn e Declan fingiam que tudo estava normal no mundo. Enquanto eles continuavam trabalhando para o Aux, a ausência do príncipe Ruhn era justificada como férias há muito necessárias.

Ithan estava esperando que os soldados aparecessem. Ou assassinos, enviados tanto pelos asteri, quanto por Sabine ou pelo Astrônomo.

Ainda assim, ninguém perguntou nada. Sem interrogatórios. Sem prisões. O Rei Outonal nem mesmo interrogou Flynn e Dec, apesar de, sem dúvidas, saber que algo havia acontecido com seu filho. E que, onde quer que Ruhn fosse, seus dois melhores amigos iam junto.

As pessoas não faziam ideia do que tinha acontecido na Cidade Eterna. Era verdade que Ithan e os guerreiros feéricos também não sabiam de muita coisa, mas tinham consciência de que seus amigos tinham entrado na fortaleza dos asteri e que não saíram mais de lá.

Os asteri, os outros poderes envolvidos... eles sabiam que Ithan e os outros também estavam na jogada, por mais que não estivessem presentes. E, mesmo assim, não os puniram.

Não era um pensamento reconfortante.

Sigrid inclinou a cabeça, com curiosidade lupina.

— Você vem sempre aqui?

Normalmente, ele teria feito uma piadinha envolvendo cantadas, mas Sigrid não tinha e não se importava com senso de humor. Não dava para culpá-la, não depois de tudo o que havia passado. Então Ithan respondeu:

— Quando meu trabalho para o Aux ou minha matilha exige. Mas isso é raro, ainda bem.

Ela comprimiu os lábios.

— O Astrônomo frequentava este lugar. — Ithan lembrou que, no dia em que voltou para a casa do Astrônomo para libertá-la, o ancião estivera ali comprando alguns itens para o tanque dela.

— Você sabe quem ele patrocina aqui? — perguntou Ithan. Era mais uma pergunta casual do que qualquer outra coisa.

Sigrid olhou em volta. Ele não tinha dúvidas de que, se estivesse em sua forma de lobo, suas orelhas estariam indo de um lado para o outro para captar qualquer som. Ela respondeu sem desviar o olhar do mercado movimentado:

— Certa vez, eu ouvi um sátiro dizer que vende sal e outras coisas.

Ithan olhou para a sacada, para a porta verde fechada onde morava o sátiro. Sabia exatamente de quem ela estava falando, graças a todas aquelas visitas que fizera no passado, em nome do Aux. O vagabundo fazia contrabando de todo o tipo.

Sigrid notou para onde a atenção de Ithan fora e olhou na mesma direção que ele.

— Ele mora ali?

Ithan assentiu devagar.

Sigrid se levantou depressa, os olhos brilhando com uma determinação predatória.

— Aonde você vai? — interpelou Ithan, entrando na frente dela.

As duendes acordaram do cochilo, agarrando-se aos longos cabelos castanhos de Sigrid para não cair de seus ombros.

— Já acabou? — perguntou Malana, bocejando.

— Estamos morrendo de tédio — concordou Sasa, espreguiçando seu corpo robusto no pescoço de Sigrid. Rithi, a terceira irmã, murmurou em concordância.

Sigrid ignorou as duendes, seus dentes brilhando conforme encarava Ithan.

— Eu quero saber por que esse sátiro acha legal atender pessoas como o Astrôn...

— Não viemos até aqui atrás de problemas — disse Ithan, sem sair do caminho dela.

Mas ela o contornou, pisando duro como uma verdadeira Fendyr, uma força da natureza — que ele estava apenas começando a ver desabrochar.

Apesar da linhagem nobre dela, Ithan a segurou pelo braço.

— *Não* vá lá — protestou, a voz suave, os dedos envolvendo o braço ossudo dela.

Ela olhou para a mão dele, depois para o rosto. Sua expressão foi tomada pela raiva.

— Ou o quê?

A frieza de uma alfa ressoava em sua voz. Os próprios ossos de Ithan clamavam para que se subjugasse, se curvasse, que saísse de seu caminho.

Mas ele lutou contra esse impulso, ignorou-o. Enfrentou a loba com sua própria autoridade. Os Fendyr podem ter sido alfas por gerações, mas os Holstrom não eram submissos. Também eram alfas — líderes e guerreiros por direito.

Até parece que deixaria essa fêmea mandar nele, fosse ela uma Fendyr ou não.

A cadeira de Flynn arrastou no chão, mas Ithan não tirou os olhos de Sigrid conforme o macho feérico avançou até eles e protestou:

— Qual é o problema de vocês, porra? Vão rosnar um para o outro em outro lugar que não chame a atenção de todo mundo no Mercado da Carne, caralho.

Ithan colocou os dentes para fora. Ela rosnou de volta.

Ele disse para Flynn, ainda sem tirar os olhos de Sigrid:

— Ela quer ir enfrentar o traficante de sal por causa dos negócios dele com o Astrônomo. O sátiro que se meteu em todos aqueles problemas ano passado.

Flynn suspirou para o teto de madeira.

— Agora não é hora de ser arrogante e caçar problema, querida.

Sigrid por fim desviou o olhar de Ithan, apesar de seu lado lobo saber que aquilo não era uma admissão de derrota na disputa de vontades entre os dois. Não. Era porque ela havia encontrado outro adversário para enfrentar.

— Não fale comigo como se eu fosse uma fêmea qualquer — disparou Sigrid para Flynn, que ergueu as mãos. Ela voltou a olhar para Ithan. — Eu tenho todo o direito de...

— Você não tem direitos — disse uma voz masculina atrás dela. Marc. O metamorfo de leopardo tinha se aproximado com uma elegância sobrenatural. Apesar de estar de calça jeans e uma camiseta de manga comprida, o macho ainda tinha certo ar de profissionalismo cortês. — Já que, tecnicamente, você nem existe. Para todos os efeitos, você é um fantasma.

Sigrid se virou devagar, os lábios se contraindo.

— Eu pedi sua opinião, *gato*?

Normalmente, Ithan ficaria feliz em se envolver em rivalidades entre metamorfos, mas Marc era um macho dos bons, o desdém dela fora muito mal direcionado. Declan parou ao lado do namorado e apoiou um braço em seus ombros largos.

— Acho que já passou da hora de alguém ir dormir.

Sigrid rosnou. Mas as duendes deslizaram de seus ombros para flutuar em frente ao rosto dela, e Sasa disse, com cautela:

— Siggy, nós *estamos* aqui pra... fazer outras coisas. Talvez a gente possa voltar outro dia.

Ithan quase riu ao ouvir o apelido. Alguém tão intensa quanto a fêmea à sua frente não deveria ser chamada de *Siggy*.

— Da próxima vez que eles deixarem a gente sair de casa — protestou Sigrid, enfurecida —, daqui a dias ou semanas.

— Devo relembrar — falou Declan, devagar — que, atualmente, você é a inimiga número um de Sabine.

— Deixa ela vir atrás de mim — retrucou Sigrid, sem hesitar um segundo sequer. — Tenho contas a acertar.

— Que Luna me guarde — murmurou Flynn. Ithan poderia jurar que viu as duendes concordando com a cabeça enquanto voltavam a se acomodar nos ombros dela. O lorde feérico se virou para Declan e Marc. — Alguma novidade?

O casal balançou a cabeça.

— Não. Parece mesmo que os asteri guardaram todas as informações a sete chaves. Lá, nada entra e nada sai. — O silêncio dominou, pesado e tenso.

Foi Sigrid quem disse:

— E o que fazemos agora?

Estava fora do tanque havia apenas dois dias e já assumia o papel de líder, quer percebesse isso ou não. Uma verdadeira alfa, esperando que respondessem a ela... e que a obedecessem.

— Precisamos continuar tentando e descobrir o que está acontecendo — disse Declan, dando de ombros.

Flynn respirou fundo, exasperado, e se jogou na cadeira de novo.

— Não fizemos nenhum avanço nesses últimos dois dias. Ruhn e Athalar estão detidos como traidores. É tudo que sabemos. — Foi o que o informante de Marc dentro da Cidade Eterna conseguiu apurar. Nada além.

Declan afundou na cadeira e esfregou os olhos com o polegar e o indicador.

— Sendo sincero? A gente deu sorte de não ir parar nesses calabouços também.

— Precisamos tirar eles de lá — disse Flynn, cruzando os braços musculosos. Em seu ombro esquerdo, Rithi imitou o gesto.

— Só Urd sabe em que estado eles estão agora — disse Declan, desolado. — É provável que gente precise de medbruxas por perto.

— Você tem a mágica da cura — contrapôs Flynn.

— Sim — disse Dec, balançando a cabeça —, mas os tipos de machucados que eles teriam... eu precisaria trabalhar com uma equipe de profissionais treinados.

Pensar em ferimentos que exigissem uma equipe de medbruxas fez com que eles ficassem em silêncio de novo. Uma espécie de silêncio carregado e miserável.

— E para onde a gente iria depois de resgatá-los? Não há ninguém em Midgard que possa nos esconder ou abrigar — considerou Declan, erguendo a cabeça.

— E aquele navio tritão? — sugeriu Flynn. — Aquele que os pegou em Ydra. Foi mais rápido que os barcos ômega e parece muito bom em se esconder dos asteri também.

— Flynn — alertou Marc, olhando para o mercado lotado. Cheio de ouvidos atentos.

Ithan manteve a voz baixa.

— Tharion poderia nos levar até esse navio.

Ele esperava que Flynn fosse revirar os olhos à menção da ajuda de Ketos, mas o macho só olhou para o segundo andar.

— Ele não pode sair deste mercado.

Nenhum deles tinha visto ou ouvido falar do tritão desde que ele partira para Pangera. Mas souberam de seu paradeiro graças a um pedaço de papel verde neon colado em um poste de luz, anunciando a próxima luta que ocorreria no ringue da Rainha Víbora, com Tharion como atração principal. Estava bastante evidente o que havia acontecido: o macho desertor fora da Corte Azul direto para lá.

Ithan argumentou:

— Então podemos perguntar ao Tharion como entrar em contato com eles.

Declan balançou a cabeça.

— E o que fazemos depois? Vamos viver no oceano para sempre?

Ithan se contorceu; o lobo que existia nele perderia a cabeça. Sem conseguir correr à vontade, para responder quando a lua o chamasse...

— *Ela* viveu em um tanque por sabe-se lá quanto tempo — comentou Flynn, seu olhar em Sigrid. — Acho que conseguimos ficar em um submarino confortável, que parece uma cidade.

Sigrid estremeceu... uma rachadura em sua fachada arrogante.

— Cuidado — Ithan alertou Flynn.

As duendes murmuraram, reconfortando Sigrid; suas chamas eram de um vermelho intenso. Mas Sigrid se levantou em silêncio e foi até um vendedor de opalas ali perto. Suas roupas, o moletom e a calça que Ithan dera para ela, estavam largas em seu corpo magro, balançando a cada passo.

— Você precisa lembrá-la de tomar banho — disse Dec baixinho, os olhos brilhando de preocupação.

Ela não sabia o que era xampu. Ou sabonete. Ou condicionador. Sequer sabia o que era um chuveiro, e se recusou a entrar debaixo do jato de água até que Ithan o fizesse antes, totalmente vestido, para demonstrar que era seguro. Que não era uma versão diferente do tanque.

Ela também nunca tinha dormido em uma cama de verdade. Ou ao menos não se lembrava.

— Tudo bem — disse Declan, voltando sua atenção ao problema que tinham em mãos. — Já deu para perceber que não vamos descobrir nada perguntando por aí, mas vamos pensar um pouco... Ruhn tem que estar vivo. Os asteri não iriam matá-lo logo de cara... ele tem muita importância política.

— Sim, então vamos resgatá-lo antes que seja tarde demais. — Flynn pressionou. — Ele e Athalar.

— Mas e a Bryce? — perguntou Declan, a voz tão suave que mal passou de um sussurro.

— Ela foi embora — respondeu Flynn com firmeza. — Sabe-se lá pra onde.

Ithan não gostou nem um pouco daquele tom.

— Quê? Você acha que a Bryce iria embora assim? — interpelou ele. — Acha que, por vontade própria, ela deixaria Ruhn e Hunt nas mãos dos asteri? Para com isso.

Flynn se recostou na cadeira.

— Você tem um palpite melhor de onde ela pode estar?

Ithan controlou a vontade de dar um golpe na garganta do lorde feérico. Flynn estava irritado, magoado e assustado, e Ithan tentou se lembrar disso.

— Bryce não desiste das pessoas que ama. Se ela foi para algum lugar, é porque era importante.

— Não faz diferença para onde ela foi — retrucou Flynn. — Só sei que precisamos tirar Ruhn de lá antes que seja tarde demais.

Ithan olhou para o segundo andar de novo, seu lado jogador de solebol calculava, pensando adiante...

Dec segurou o ombro de Flynn, apertando com força.

— Olha, o navio tritão não é má ideia, mas precisamos pensar a longo prazo. E também precisamos levar nossas famílias em consideração.

— Por mim, meus pais e minha irmã podem ir para o Inferno — disse Flynn.

— Bom, eu quero que minha família fique segura — rebateu Declan. — *Se* vamos resgatar Ruhn e Athalar, precisamos nos certificar de que mais ninguém seja atingido no fogo cruzado.

Dec olhou para Ithan, que deu de ombros. Ele não tinha mais ninguém para avisar. Será que alguém sentiria falta dele caso se fosse? Seu único dever era proteger a loba na barraca à sua frente. Por alguma esperança boba de que ela pudesse... ele não fazia ideia. Desafiar e derrotar Sabine? Impedir que Sabine continuasse guiando os lobos por aquele caminho perigoso? Preencher o vazio que Danika deixou?

Ela era como um barril de pólvora. Uma alfa, sim, mas sem treinamento. Não conseguia controlar os impulsos, que eram imprevisíveis demais a maior parte do tempo. Aos poucos, ela poderia aprender as habilidades necessárias, mas o tempo não era o maior dos aliados naquele momento.

Então Ithan disse:

— Vocês querem salvar Ruhn e Athalar? O navio tritão é a única forma de atravessarmos o oceano sem nos notarem. Talvez os seres do mar saibam como podemos libertá-los. Podem até nos ajudar, se tivermos sorte. — Ele apontou para o segundo andar. — Tharion é a nossa conexão com eles.

— Muito conveniente — disse Flynn —, já que você estava insistindo para que o libertássemos ainda agora.

— Dois coelhos com uma cajadada só.

— Tharion não pode ir embora — refletiu Marc —, mas nada o impede de falar com a gente. Talvez ele possa nos passar alguns contatos.

— Só tem uma forma de descobrir isso — disse Ithan.

Flynn suspirou, e Ithan entendeu aquilo como anuência.

— Alguém precisa mandar ela pra casa. — Ele apontou para Sigrid por cima do ombro.

— E acompanhá-la — acrescentou Dec.

— Eu não! — Flynn e Ithan disseram ao mesmo tempo.

Dec virou a cabeça para Marc e exclamou "Eu não!" antes que o leopardo pudesse entender o que estava acontecendo.

Marc esfregou as têmporas.

— Alguém me explica como é possível que vocês três sejam considerados alguns dos guerreiros mais temidos desta cidade?

Dec respondeu com um beijo na bochecha dele.

Marc suspirou.

— Se eu tenho que levar *Siggy* para casa, então Holstrom tem que dar a notícia pra ela.

Ithan abriu a boca, mas... tudo bem. Com um sorriso debochado para os machos, ele foi buscar a alfa. E poupar o vendedor de opalas de suas perguntas sem fim.

Como você sabe *que elas dão sorte, amor ou alegria? O que as cores têm a ver com tudo isso? Que provas você tem de que isso funciona?*

Ele não sabia dizer se essa necessidade de interrogar tudo e a todos era pura curiosidade, resultado de ter passado anos presa naquele tanque ou só a postura de alfa. Ela tinha necessidade de colocar o mundo em ordem.

Ithan segurou o cotovelo de Sigrid para indicar que estava por perto, mas ela se assustou de novo. Ithan deu um passo para trás, as mãos para o alto enquanto o vendedor de opalas assistia a tudo com atenção.

— Desculpa.

Ela não gostava de ser tocada. Só permitiu que ele a tocasse para lavar seus cabelos na primeira noite, quando não tinha a menor ideia do que deveria fazer.

Ithan gesticulou para que ela voltasse até onde os machos estavam, e ela caminhou ao lado dele, a certa distância. A maioria dos lobos precisava de toque — ansiava por isso. Será que esse instinto fora roubado dela após tantos anos no tanque?

Quando pensava nisso, era mais difícil ficar irritado com ela.

— Como faço para me acostumar com isso? — perguntou Sigrid em meio aos chiados da carne sendo frita e das conversas dos clientes. Atrás dela, as duendes ainda pairavam perto do conjunto de opalas, comentando a respeito das pedras. Ele não conseguia compreender como as três duendes tinham se adaptado tão depressa a este mundo estranho e grande. Elas também foram prisioneiras do Astrônomo. presas nos anéis dele.

Ithan perguntou:

— Acostumar com o quê?

Sigrid olhou para as mãos, o corpo magro por baixo do moletom. Os compradores que passavam e notavam a loba — e ele — mantinham-se afastados.

— A sensação de que está preso em um cadáver em decomposição.

Ele piscou.

— Eu, ah... — Ele não conseguia se imaginar no lugar dela, de repente um corpo de carne, sangue e ossos depois dos anos flutuando no tanque de isolamento. — Precisa dar tempo ao tempo.

Ela olhou para baixo. Não parecia ser a resposta que queria ouvir.

— Sigrid — disse ele de novo —, você... você está indo muito bem.

— Por que você fica me chamando assim? — perguntou ela.

— Foi o nome que Sasa escolheu para você — respondeu Ithan, com um sorriso agradável.

— Por que eu preciso de um nome? Vivi muito tempo sem ter um.

— Uma alfa precisa de um nome. Uma *pessoa* precisa de um nome. O Astrônomo deixava você fazer a Descida... vai ficar viva por séculos.

Depois de ser pressionada, ela revelou que, de alguma forma, fazia a Descida no tanque de isolamento; não sabia dizer quando ou como. Mas ele ficou aliviado ao ouvir que ela estava protegida.

— Não quero falar da Descida. — A voz dela soou monótona, sem entonação.

— Eu também não. — Ele gostaria de saber como foi a experiência dela, mas não ali. Não quando haviam chegado perto dos três machos que os aguardavam. As duendes enfim emergiram das profundezas da barraca de opalas e se aproximaram depressa, como três colunas de fogo queimando pelo armazém seco.

— Então a gente vai até lá e bate? — perguntou Flynn, apontando para a porta de metal, semelhante à de um cofre, no topo das escadas. Era a entrada para os aposentos privados da Rainha Víbora.

Marc olhou nos olhos de Ithan. Ele tinha explicado para Sigrid que Marc a acompanharia até a casa?

Ithan se retraiu. Não, não tinha.

Marc olhou feio para ele. *Covarde,* o olhar do leopardo parecia dizer. Mas ele ficou tenso, paralisado.

— Fiquem parados.

Os outros obedeceram, os dois machos feéricos pegando as armas ao lado do corpo. O movimento no Mercado da Carne continuava, com os frequentadores despreocupados, vendendo, negociando e cozinhando. Ainda assim...

Os olhos castanhos de Marc examinaram o armazém e as claraboias. Ele fungou.

Ithan fez o mesmo. Como eram metamorfos, seus sentidos eram mais aguçados que os dos feéricos.

Da porta atrás deles saiu uma mistura de odores que vinham da noite, o fedor dos esgotos e...

O cheiro de lobos que se aproximavam.

3

— Eu não sei em que língua a tatuagem está — insistiu Bryce. — Meu amigo fez quando eu estava apagada...

— Não *minta* — alertou Rhysand em uma ameaça suave. Ele a mataria. Seja qual fosse a língua, aparentemente era tão ruim que a tatuagem parecia dizer *enfie a faca aqui*.

Amren foi até Bryce, olhando para a tatuagem que, sem sombra de dúvidas, ainda brilhava por trás do tecido da camisa branca.

— Sinto alguma coisa nessas letras... — Bryce ficou tensa. — Vão buscar a Nestha.

Azriel murmurou.

— Cassian não vai gostar disso.

— Cassian que aguente. Nestha vai conseguir sentir isso melhor do que eu.

Bryce se virou, voltando a olhar Amren e Azriel.

Então, Amren insistiu:

— Vá buscá-la, Rhysand.

Bryce dobrou os joelhos, ficando em postura de defesa. Será que aquilo doeria muito? Teria alguma chance de...

Rhysand desapareceu de novo.

Antes que Bryce se levantasse totalmente, ele retornou, com uma fêmea familiar de cabelos castanho-dourados a tiracolo. Assim como vira no saguão, a fêmea usava couro escuro semelhante ao de Azriel e Rhys, e ficou parada ali, serena e fria. Uma guerreira.

Seu olhar azul-acinzentado deslizou até Bryce, que afundou lentamente de volta na cadeira, quase entorpecida. O que quer que tivesse naqueles olhos...

A fêmea disse baixinho para os outros, com a voz monótona, quase entediada:

— Eu já disse antes: tem alguma coisa Feita nela. Além da espada que carregava.

— Feita? — repetiu Bryce, deixando toda sua precaução de lado, dirigindo-se à recém-chegada, que só poderia presumir ser Nestha.

Ao mesmo tempo, Amren apontou para as costas de Bryce e perguntou:

— É a tatuagem?

Nestha respondeu apenas:

— Sim.

Todos eles encararam Bryce mais uma vez, com expressões indecifráveis. Quem atacaria primeiro? Quatro contra uma... ela não sairia dali viva.

Amren disse para Rhysand, calma:

— Você decide o que fazer com ela.

Bryce cerrou a mandíbula. Ainda que não tivesse chance alguma de ganhar, ao Inferno que cairia sem lutar. Lutaria de todas as formas que conseguisse...

Nestha ergueu o queixo para Bryce, fria e soberba.

— Você pode nos enfrentar... mas vai perder.

Que se foda. Bryce continuou encarando a fêmea, encontrando uma determinação firme como aço no brilho do olhar dela.

— Se tentar tocar nessa tatuagem, vai descobrir por que os asteri desejam tanto minha morte.

Ela se arrependeu daquela resposta no mesmo instante. A mão de Azriel foi em direção à adaga ao seu lado, mas Nestha apenas se aproximou, sem se deixar impressionar ou intimidar.

— O que é isso? — Nestha perguntou a Bryce, apontando para suas costas. — Como é que algumas palavras escritas na sua pele podem ser... Feitas?

— Não posso responder à pergunta se você não me disser o que caralho significa ser *Feita*.

— Não conte nada a ela. — alertou Amren. Ela apontou para a porta. — Você já fez seu trabalho e disse o que precisávamos saber. Nos vemos depois.

As sobrancelhas de Nestha se ergueram ao perceber que estava sendo dispensada. Mas ela olhou para Bryce e sorriu rispidamente.

— É melhor cooperar, acredite.

— Foi o que me disseram — respondeu Bryce, cerrando os punhos ao lado da cadeira. Ela enfiou as mãos embaixo das coxas para não fazer nenhuma besteira.

Os olhos de Nestha brilharam com diversão ao registrar o movimento.

— Nossa... visitante precisa descansar — anunciou Rhysand, andando com elegância até a porta. Ao receber a ordem, Amren e Azriel foram atrás dele, Nestha seguiu-os após passar mais alguns instantes encarando Bryce com um olhar debochado e desafiador.

Mas quando Azriel chegou à porta, Bryce falou num rompante para o guerreiro alado:

— A espada... cadê ela?

Azriel parou e olhou por cima do ombro.

— Em um lugar seguro.

Bryce encarou Azriel, a frieza sendo devolvida à altura — com aquela expressão que ela sabia que Ruhn sempre achou muito parecida com a do pai deles. O rosto que ela raramente deixava o mundo ver.

— A espada é minha. Eu a quero de volta.

A boca de Azriel se curvou levemente em um meio sorriso.

— Então nos dê um bom motivo para devolvê-la a você.

* * *

O tempo passou. Bandejas de comida simples surgiam de tempos em tempos: pão, ensopado de carne — ou o que ela presumia ser ensopado de carne —, queijo duro. Alimentos semelhantes aos de casa.

Até as ervas eram parecidas. Teriam os feéricos deste mundo as levado para Midgard? Ou plantas como o tomilho e o alecrim seriam de alguma forma universais? Existentes em todo o espaço?

Ou talvez os asteri tenham trazido essas ervas de seu próprio mundo natal e as plantado em todos os planetas que conquistaram.

Ela sabia que era bobagem pensar nesse tipo de coisa, que tinha preocupações muito maiores do que uma horta intergaláctica. Mas logo perdeu o interesse em comer, e pensar em todo o restante era... demais.

Ninguém mais veio visitá-la. Bryce se entretinha jogando ervilhas do ensopado por entre a grade, contando os segundos até ouvir o *pim* leve, e então os silvos e rugidos do que quer que estivesse à espreita ali embaixo.

Ela não queria saber. Sua imaginação pensava em muitas opções, todas com dentes afiados e apetites vorazes.

Tentou abrir a porta apenas uma vez. Não estava trancada, mas uma parede de noite escura preencheu o batente, deixando o corredor um breu além da vista e impedindo que qualquer um entrasse ou saísse. Ela acendeu sua luz estelar, que também não servia de nada perante tamanha escuridão.

Talvez aquilo fosse algum tipo de teste doentio. Para ver se ela *conseguia* superar os poderes e as proteções mais fortes deles, para avaliá-la enquanto oponente. Talvez quisessem ver o que o Chifre — o que quer que ele tivesse de *Feito* — poderia fazer. Mas ela não precisava usar sua luz estelar contra aquela escuridão para perceber que não teria efeito algum. Podia sentir aquele poder em seus ossos.

Bryce vasculhou a memória em busca de qualquer tática alternativa de fuga, relembrando tudo que Randall lhe ensinara, mas não era possível usar nada daquilo para superar aquele poder impenetrável.

Então Bryce ficou ali, sentada. Comeu. E jogou ervilhas para os monstros.

Mesmo que conseguisse sair, ela não poderia fugir daquele planeta. Não sem alguém que alimentasse seu poder, que ativasse o Chifre durante o processo. E, pelas dicas de Apollion, o poder de Hunt era muito mais compatível com o dela do que a maioria. É verdade que Hypaxia a fortalecera contra o caça-morte, mas não havia garantia de que a magia da rainha-bruxa fora suficiente para abrir um Portão.

E será que ela *precisava* do Portão para voltar para casa? Micah tinha usado o Chifre nas costas dela para abrir todos os sete Portões na Cidade Crescente, a quarteirões de distância. Quando ela aterrissou ali, não havia estrutura alguma por perto que pudesse sequer ser vista como um Portão. Só um enorme gramado, o rio e a casa que ela mal conseguia distinguir em meio à névoa densa.

Apenas a adaga — e Azriel, que a empunhava — haviam estado ali. Como se fosse *ali* que ela precisasse estar.

"Quando faca e espada estiverem reunidas, nosso povo também estará", murmurou Bryce na sala silenciosa.

Mas para quê? Os feéricos eram horrendos. Os deste lugar não eram muito diferentes dos que ela conhecia, pelo que tinha percebido. E os feéricos de Midgard tinham provado sua decadência moral mais uma vez, na primavera, ao deixar pessoas vulneráveis trancadas para fora de suas casas durante o ataque dos demônios. Provaram com suas leis e regras que mantinham as fêmeas oprimidas, que eram pouco mais que uma mercadoria. Bryce fizera essas regras se virarem contra eles no Equinócio de Outono para se casar com Hunt, mas, de acordo com aquelas mesmas normas, ela tecnicamente *pertencia* a ele agora. Ela era uma princesa, pelo amor de Urd, e mesmo assim era propriedade do macho sem títulos com quem se casara.

Talvez os feéricos não valessem o esforço.

Mas ainda havia o problema de sair deste planeta — um dos poucos mundos que conseguiu expulsar os asteri. Ou daglan, como eles chamavam.

Bryce encostou-se na parede da cela, com os joelhos junto ao peito, e tentou organizar tudo, dispondo as peças do enigma à sua frente.

Horas se passaram e não conseguiu pensar em nada.

Ela esfregou o rosto. Fora parar no mundo natal dos feéricos, o mundo de onde vieram os Estrelados — Theia, Pelias e Helena. De onde viera Áster e onde a faca a esperava. Se Urd tinha alguma intenção ao mandá-la para lá... ela com certeza não fazia ideia de qual era.

Ou de como sairia dessa confusão.

* * *

— A gente não devia ter trazido ela — murmurou Flynn conforme eles se apressavam entre as barracas do Mercado da Carne, rumo a uma saída alternativa do lado mais calmo do armazém. — Caralho, eu *avisei*, Holstrom...

— Eu ordenei que ele me trouxesse — cortou Sigrid, que corria ao lado de Ithan, o fogo das duendes de um amarelo fraco conforme se curvavam nos ombros dela. Ithan sentiu uma pontada ao ver a cena. Uma alfa o defendia. Assumia a responsabilidade, por mais que isso desse a entender que ele *recebia* ordens. Os alfas com quem vivera nos últimos anos tinham usado seu poder e domínio para benefício próprio. Danika usara sua posição para apoiar aqueles abaixo dela, de seu jeito imprudente, mas ela se fora. Ele achava que nunca mais encontraria alguém como Danika, mas talvez...

— Sabine teria nos encontrado de qualquer forma — disse Ithan —, aqui ou em casa. Era só questão de tempo.

Eles entraram em um longo corredor de serviço com uma porta de metal amassada na outra extremidade e uma placa malfeita com a palavra SAÍDA pintada em letras brancas. Definitivamente não ia ganhar nenhum prêmio, mas ele duvidava que um inspetor municipal de saúde e segurança um dia tivesse colocado os pés naquele cortiço horroroso.

— É melhor nos separarmos? — perguntou Dec. — Para tentar despistá-los naquela direção?

— Não — respondeu Marc, as garras brilhando na ponta dos dedos. — O olfato deles é muito apurado, conseguiriam dizer com quem ela está.

Como se respondessem à pergunta, uivos ecoaram no armazém. Ithan sentiu todo o corpo tensionar. Entendia o que aqueles uivos queriam dizer. *A presa está fugindo.* Cerrou os dentes para não responder, para se impedir de soltar seu uivo em resposta.

Ao lado dele, Sigrid estava superagitada, como se os uivos tivessem desencadeado uma resposta nela também.

— Então vamos fugir — disse Flynn. — Onde nos encontramos se nos separarmos?

A pergunta pairou no ar. Que lugar seria seguro naquela porra de cidade, de planeta? Considerando as conexões que tinham com traidores presos, a lista de opções era bastante limitada. Para onde Bryce teria ido? Ela teria encontrado alguém maior e mais fodão...

ou mais inteligente, pelo menos. Ela teria ido para a galeria, talvez, para as alas protegidas, mas o santuário de Jesiba Roga já não existia mais. O Antiquário Griffin nunca foi reformado ou reaberto. Então sobrava...

— Vamos para o Comitium — decidiu Ithan. — Isaiah Tiberian nos abrigará.

Dec ergueu uma sobrancelha.

— Você conhece o Tiberian?

— Não, mas Athalar é amigo dele. E já ouvi dizer que ele é um bom macho.

— Para um anjo — murmurou Flynn.

Sigrid exigiu saber:

— Estamos indo até os anjos? — O desdém e a desconfiança impregnados em cada palavra.

Os uivos no armazém estavam mais próximos: *Ficaremos de tocaia juntos, no escuro.*

— Não vejo outra opção — admitiu Dec —, mas é apostar na sorte. Tiberian pode ir até Celestina.

— A governadora é gente boa — respondeu Flynn.

— Eu não confio em nenhum arcanjo — confessou Marc. — São nascidos e criados com um poder sem controle. Eles vão para aquelas academias secretas, arrancados de suas famílias. Não é uma forma propícia de criar pessoas equilibradas, pessoas *boas.*

Na saída, eles pararam, ouvindo atentamente os sons ao redor. Não conseguiam sentir cheiro algum além da porta de metal, mas os uivos atrás deles se aproximavam. Quem quer que estivesse no armazém chegaria àquele corredor em alguns instantes.

Outro uivo, mais familiar.

— Amelie — sussurrou Ithan. Se eles voltassem por onde vieram, teriam que lutar. Não com qualquer matilha, mas com a segunda mais poderosa de Lunathion. Ainda assim, sair por aquela porta para a impiedosa cidade, sem aliados definidos para protegê-los...

Sigrid por fim decidiu e abriu a porta com força.

E ali, parada no beco, estava Sabine Fendyr.

Sabine deu uma risada sem humor. Seus olhos encontraram os de Ithan, cheios do mais puro ódio, e então ela encarou Sigrid, ignorando

Ithan por completo. Ele não era nada nem ninguém para ela. Não merecia seu reconhecimento.

Ithan exibiu os dentes. Flynn, Dec e Marc desativaram as travas de segurança de suas armas.

Mas Sabine só disse para Sigrid, exibindo uma boca cheia de presas:

— Você é a cara dele.

4

Dor, escuridão e silêncio. O mundo de Hunt Athalar era feito apenas disso.

Não, isso não era verdade.

Essas coisas eram todo o seu mundo além de seu corpo torturado, das asas serradas, da dor da fome fazendo seu estômago se contorcer e da sede fazendo sua garganta arder, da marca de escravizado estampada em seu pulso. O halo tatuado novamente em sua testa pelo próprio Rigelus, o poder opressivo da tatuagem de alguma forma mais pesado e dominador que antes. Tudo o que ele conquistara, recuperara... fora apagado. Tudo que ele era pertencia aos asteri de novo.

Mas, dentro dele, além do mar de dor e desespero, Bryce era todo o seu mundo.

Sua parceira. Sua esposa. Sua princesa.

Príncipe Hunt Athalar Danaan. Ele teria odiado o último nome, se não fosse pelo fato de que significava que ela era a dona de sua alma e seu coração.

Havia Bryce e nada além dela. Nem mesmo o chicote de arame farpado de Pollux podia arrancar o rosto dela de sua mente. Nem a serra de lâminas não amoladas conseguira tirar a imagem enquanto cortava suas asas.

Bryce, que conseguira fugir. Fora ao Inferno em busca de ajuda. Ele ficaria ali, permitiria que Pollux fizesse picadinho dele, cortasse suas asas de novo e de novo, se isso significava manter a atenção dos asteri longe dela. Se isso conseguisse ganhar tempo para que ela reagrupasse a força de que precisavam para acabar com esses filhos da puta.

Preferia morrer a dizer onde ela estava. Seu único consolo era saber que Ruhn faria o mesmo.

Baxian, sangrando e balançando do outro lado de Ruhn, não sabia para onde Bryce tinha ido, mas sabia bastante do que ela andara fazendo nos últimos tempos. Ainda assim, o Cão do Inferno não dera uma informação sequer para Pollux. Hunt não esperava menos de um Urd macho que escolhera ser parceiro de Danika Fendyr.

Estava silencioso agora; o único som era o tinir das correntes. Sangue, mijo e merda se acumulavam no chão, o cheiro era quase tão insuportável quanto a dor.

Pollux era criativo, Hunt precisava admitir. Enquanto outros poderiam ter escolhido enfiar uma faca na barriga e torcer, o Martelo sabia onde ficavam os pontos exatos nos pés para chicotear e queimar, causando o máximo de agonia possível na vítima, mas ainda a mantendo consciente.

Ou talvez tenha sido a Corça que aprendeu esses truques. Ela ficava atrás do amante e observava, com olhos inexpressivos, enquanto o Martelo os destruía pouco a pouco.

Esse era o outro segredo que ele e Danaan guardavam. Quem e o que a Corça era.

Começava a perder a consciência, uma agradável libertação que Hunt passara a desejar tanto quanto o corpo de Bryce entrelaçado com o seu. Às vezes, ele fingia que, quando caía na escuridão, estava caindo nos braços dela, em seu prazeroso e intenso calor.

Bryce. Bryce. Bryce.

O nome dela era como uma oração, uma ordem.

Tinha pouca esperança de sair vivo dali. Sua única missão era garantir que enrolaria o bastante para que Bryce fizesse o que precisava fazer. Após a série de cagadas colossais que fizera ao longo dos séculos... era o mínimo que podia oferecer.

Ele deveria ter previsto isso. Parte dele *tinha* previsto algumas semanas antes, quando tentara convencer Bryce a não seguir por este caminho. Deveria ter insistido mais. Deveria ter dito que era inevitável que as coisas acabassem assim, sobretudo se ele estivesse envolvido.

Ele *sabia* que não podia confiar em Celestina, com toda aquela merda de postura de *nova governadora, novas regras*. Permitira que ela o convencesse, e a porra da arcanja traíra todos eles. Aquela conversinha sobre ser amiga de Shahar... ele engolira tudo aquilo. Deixara que as lembranças de sua amada há muito morta confundissem seus instintos, como Celestina decerto apostara que aconteceria.

O que era aquilo se não outra rebelião dos Caídos? Em uma escala menor, lógico, mas havia muito mais coisas em jogo dessa vez. Naquela época, ele perdera o exército e a amada. Soube que ela estava morrendo à medida que o tempo se estendia e desacelerava terrivelmente ao seu redor. Soube que ela estava morta quando o tempo retomou a velocidade normal, e o mundo inteiro havia mudado com ele.

No entanto, os laços que agora o ligavam aos outros — não apenas a Bryce, mas aos dois machos que estavam com ele neste calabouço — tornaram-se insuportáveis. A dor de ambos era a dor dele, e talvez pior do que a que ele havia suportado.

Shahar teve uma morte fácil. Morrer nas mãos de Sandriel, morrer no campo de batalha, rápido e definitivo... tinha sido mais fácil.

A alguns metros de distância, Baxian resmungou baixinho.

Os braços de Hunt estavam dormentes, os ombros sendo forçados, ao tentar suportar o peso do corpo inteiro deles.

Hunt reuniu energia e foco suficientes para dizer a Baxian:

— Como... como você está?

Baxian deu uma tosse úmida.

— Ótimo.

Ao lado de Hunt, Ruhn grunhiu. Pode ter sido uma risada. Eram as únicas opções que tinham: gritar e chorar ou rir desse desastre abissal.

E, de fato, Ruhn perguntou:

— Querem... ouvir... uma piada? — O príncipe não esperou resposta para continuar: — Dois anjos... e um príncipe feérico... entram... num calabouço...

Ruhn não terminou, e nem precisaria. Uma risada entrecortada e rouca escapou de Hunt. Depois de Baxian. Então de Ruhn.

Por mais que cada movimento fizesse a dor reverberar em seus braços, nas costas e por todo seu corpo quebrado, Hunt não conseguia parar de rir. Era um som que beirava a histeria. Logo as lágrimas escorriam por seu rosto e, pelo cheiro, sabia que os outros também estavam rindo e chorando, como se aquela fosse a coisa mais engraçada do mundo.

A porta da câmara se abriu com um estrondo, ecoando nas pedras como um trovão.

— Calem a porra da boca — protestou Pollux enquanto descia as escadas, com as asas brilhando na penumbra.

Hunt riu mais alto. Ouviram passos vindo atrás do Martelo; um homem de cabelos escuros e pele marrom o seguiu: o Falcão. O último membro dos triários de Sandriel.

— Qual é o problema deles, caralho? — Ele olhou com desprezo para Pollux.

— São um bando de idiotas, esse é o problema — respondeu Pollux, andando de forma empertigada até a estante de instrumentos de tortura e agarrando um atiçador de ferro. Ele o enfiou nas brasas do fogo, a luz dourada contornando suas asas brancas em uma falsa aura celestial.

O Falcão se aproximou, examinando-os de forma minuciosa, fazendo jus ao apelido. Assim como Baxian, o Falcão vinha de dois povos diferentes: anjos, de quem herdou suas asas brancas; e metamorfos de falcão, de quem herdou a habilidade de se transformar em uma ave de rapina.

As semelhanças entre os dois machos acabavam por aí. Para começo de conversa, Baxian tinha alma. Já o Falcão...

Os olhos do Falcão demoraram-se em Hunt. Não havia alegria alguma, vida alguma naqueles olhos.

— Athalar.

Hunt saudou o macho com um movimento de cabeça.

— Babaca.

Ruhn riu. O Falcão girou até a prateleira, de onde pegou uma faca longa e curva. Do tipo que fora projetada para arrancar órgãos quando puxada. Hunt se lembrava desta, da última vez que a vira.

Ruhn riu de novo, quase como se estivesse bêbado.

— Quanta criatividade.

— Vamos ver se você vai continuar rindo daqui a pouco, principezinho — disse o Falcão, recebendo um sorriso de Pollux enquanto o

Martelo esperava o atiçador esquentar. — Ouvi seu primo Cormac implorar por misericórdia antes do fim.

— Vai se foder — Ruhn xingou.

O metamorfo de falcão pesou a faca nas mãos.

— Ele foi deserdado pelo pai. Ou o que sobrou do corpo dele. — Lançou uma piscadela para Ruhn. — Seu pai fez o mesmo.

Mesmo com dor, Hunt não deixou de notar o choque que tomou o rosto de Ruhn. Pela traição do pai? Ou pela morte do primo? Essas coisas sequer importavam quando estavam ali?

Baxian respondeu o Falcão, com a voz áspera:

— Você é um mentiroso do caralho. Sempre foi... e sempre vai ser.

O Falcão sorriu para Baxian.

— Que tal começarmos pela sua língua, traidor?

Baxian mostrou a língua para o Falcão como um convite.

Hunt sorriu. Sim... eles estavam todos juntos nessa. Até o triste fim.

O Falcão desviou o olhar para Hunt.

— Você é o próximo, Athalar.

— Pode mandar brasa. — Hunt ofegou. Ruhn estendeu a língua também.

O Falcão se agitou, irritado, ao vê-los desafiá-lo dessa forma, as asas brancas brilhando com um poder sobrenatural. Mas, aos poucos, um sorriso surgiu em seu rosto. Era terrível e notável o deleite que o tomava conforme Pollux se virava, com o atiçador incandescente e ondulando com o calor.

— Quem vai primeiro? — cantarolou o Martelo. O anjo permaneceu inabalável, a silhueta marcada contra o fogo ardente atrás dele.

Hunt abriu a boca para dizer algo atrevido antes do horrendo espetáculo começar, mas na penumbra atrás de Pollux, além da lareira, algo sombrio se moveu. Algo mais escuro que a sombra.

Não eram as sombras de Ruhn. O príncipe não parecia conseguir conjurá-las com as algemas gorsianas o reprimindo. Só a habilidade de conversa mental do príncipe permanecia.

Essa sombra era diferente — mais escura, mais velha. Observando-os.

Observando Hunt.

Era uma alucinação? Seria ruim, porque significava que ele estava com alguma infecção que nem mesmo seu corpo imortal conseguia combater; bom, porque significava que ele poderia escapar silenciosamente para os braços da morte. Ruim, porque significava que os asteri poderiam voltar toda a atenção a Bryce; bom, porque a dor desapareceria. Ruim, porque ele ainda nutria uma esperança boba e sem sentido, no fundo do coração, de que a veria de novo; bom, porque, se estivesse morto, Bryce não viria à procura dele.

Do outro lado da sala, a coisa nas sombras se moveu. Só um pouco. Como se tivesse feito um gesto para ele, um dedo se curvando, convidando-o a se aproximar.

A Morte. Era ela quem estava ali, nas sombras.

E estava chamando por ele.

* * *

Night.

Surgindo na jangada do esquecimento, Ruhn flutuou por um mar de dor.

A última coisa de que se lembrava era o som e a visão de seu intestino delgado espalhando-se pelo chão, uma dor tão intensa quanto... bem, tão intensa quanto a faca curva que Falcão havia enfiado em sua barriga.

Ele se perguntou quando o metamorfo iria estripá-los com suas garras em forma de falcão, como gostava de fazer. Ruhn podia imaginar com facilidade: o Falcão empoleirado em seu torso, arrancando seus órgãos, bicando-os com aquele bico afiado. Ele se curaria e então o Falcão começaria novamente. De novo e de novo...

Ruhn fora um tolo ao pensar que nada do que aconteceria ali poderia ser pior do que os anos de tortura nas mãos do pai. As queimaduras, as algemas gorsianas que o pai colocara nele para impedi-lo de reagir, impedi-lo de se curar... naquela época, ao menos, ele fora capaz de desenvolver seus próprios modos de sobreviver, de se recuperar. Mas agora só havia dor, esquecimento e mais dor.

Teria morrido? Ou estivera a um mero passo da morte, como um vanir poderia estar caso o golpe não tivesse sido fatal? Seu corpo feérico regeneraria os órgãos, por mais que as algemas gorsianas retardassem a cura.

Night.

A voz feminina ecoou pelo mar estrelado. Como um farol brilhando ao longe.

Night.

Ali, não havia como escapar de sua voz. Se ele se levantasse, a dor dominaria a jangada e ele se afogaria. Então ele não tinha escolha a não ser ouvir, ir em direção àquele farol.

Deuses, o que ele fez com você?

Raiva e tristeza impregnavam a pergunta que vinha de tudo ao seu redor, vinha de dentro dele.

Ruhn conseguiu dizer *Nada que você já não tenha feito mil vezes.*

Então, ela entrou na jangada com ele. Lidia. O fogo escorria de seu corpo, mas ele podia ver seu rosto perfeito. A fêmea mais linda que já tinha visto. Uma máscara de perfeição sobre um coração podre.

Sua inimiga. Sua amante. A alma que ele pensava ser...

Ela se ajoelhou e estendeu a mão para ele. *Eu sinto muito.*

Ruhn se moveu, saindo de seu alcance. O máximo de movimento que ele conseguiu fazer, mesmo ali. Algo semelhante a agonia brilhou nos olhos dela, mas não tentou tocá-lo de novo.

Ele deve ter morrido hoje. Ou chegado perto disso, para fazê-la ir até li. Todas as defesas dele tinham se exaurido e ela conseguira penetrar o muro mental pela primeira vez desde que ele descobrira quem ela era.

O que teriam feito com Cormac, para que morresse de uma vez por todas?

Ele não conseguia evitar que a lembrança o invadisse. Lembrou-se de estar sentado ao lado de Cormac naquele bar antes de irem para a Cidade Eterna, do momento em que pensou ter vislumbrado a pessoa que seu primo poderia ter sido. O amigo que Cormac poderia ter se tornado, se não tivesse sido sistematicamente despojado de qualquer bondade pelo Rei Morven.

Não deveria ficar chocado por saber que os dois reis haviam renegado seus filhos. Apesar de um rei ter fogo em suas veias e o outro ter sombras, Einar e Morven eram mais parecidos do que outras pessoas conseguiam perceber.

Ruhn sempre nutrira a fraca esperança de que o pai veria quem os asteri eram de verdade, e que, se chegasse a tal ponto, o pai faria a escolha certa. Que o planetário em seu escritório, os anos que passara procurando padrões na luz e no espaço... que isso significava algo maior. Que não eram apenas estudos inúteis de um membro entediado da realeza que precisava se sentir mais importante do que de fato era.

Essa esperança havia morrido. O pai era um covarde de merda, um fraco.

Ruhn, chamou Lidia, e ele odiou o som de seu nome saindo da boca daquela criatura. Ele *a* odiava. Se virou de lado, ficando de costas para ela.

Entendo por que está bravo, que deve me odiar, começou ela, com a voz rouca. *Ruhn, as... as coisas que fiz... preciso que você entenda por que fiz aquilo. Por que continuo fazendo tudo isso.*

Poupe seu draminha de merda para alguém que se importe.

Ruhn, por favor.

A jangada rangeu e ele soube que ela estava tentando se aproximar de novo. Mas não poderia suportar o toque dela, o apelo em sua voz, a emoção que ninguém no mundo ouvira da Corça, a não ser ele.

Então Ruhn disse *Que se fodam as suas desculpas.* E rolou para fora da jangada mental, permitindo que o mar de dor o afogasse.

5

O coração de Ithan parou diante do sorriso selvagem de Sabine, que avançou em direção à porta lateral do armazém. O beco atrás dela estava vazio, ou seja, sem testemunhas. Exatamente o que Ithan e todos aqueles que serviram sob o comando de Sabine foram treinados para garantir.

Sigrid recuou um passo, trombando com Declan. As duendes seguravam com força seu pescoço, as chamas amarelas e trêmulas.

— Eu sabia que tinha sido fácil demais encontrar meu irmão e a sua irmã — provocou Sabine, os olhos fixos em Sigrid, como se os dois guerreiros feéricos com as armas apontadas para a cabeça dela não existissem. — Eu *sabia* que ele tinha mentido quando disse quantos filhotes tinha.

Sigrid parou. Ithan não se atreveu a tirar os olhos de Sabine para ler a expressão dela.

— Todo esse esforço... por *sua* causa? — Sabine olhou suas garras curvas. — Ao menos eu prometo que vai ser rápido. É mais do que posso dizer da sua irmã. Pobre filhote.

— *Deixa ela em paz* — rosnou Ithan, equilibrando-se nas pontas dos pés e preparando-se para saltar sobre Sabine. Para assumir uma posição final e desastrosa.

Sabine riu, desdenhosa, enfim parecendo notar a presença dele.

— Um guarda e tanto, Holstrom.

— Porra, Sabine, você tem dois segundos pra cair fora.

Sabine sorriu, fazendo o nariz se enrugar. Era absoluta fúria lupina.

— Você vai precisar de mais do que balas para me derrubar, feéricozinho.

Ithan tinha dito a Flynn que Sabine não era burra a ponto de começar uma confusão no território da Rainha Víbora, mas, ao ver o olhar odioso da Prima Presumível, se questionou se a ira e o medo que ela sentia haviam superado o mínimo do bom senso. Então ele colocou as garras para fora.

— E quanto a isso? — Ele rosnou de novo. — Quando contarmos às autoridades, você estará morta.

O sorriso de Sabine ficou mais frio.

— Para quem você vai contar? Celestina não vai se importar. E o Rei Outonal quer um novo começo para os feéricos valbaranos, ele não vai se envolver nisso.

Um rosnado baixo e estrondoso soou atrás de Ithan.

Os pelos de seus braços se arrepiaram. Era um rosnado de puro desafio. Um que ouvira de Danika. De Connor. O desafio de um lobo que não recuaria.

Sabine olhou surpresa para Sigrid.

— Entrei no tanque pela minha irmã — disse Sigrid, com a voz rouca. Agonia e raiva contorciam seu rosto. — Para mantê-la alimentada, para mantê-la segura. E você a matou. — A voz dela aumentou, com um tom de comando que fez o lobo dentro dele se empertigar, pronto para atacar ao seu sinal. — Vou arrancar sua garganta, sua ladra sem alma. Vou mijar no seu *cadáver* em decomposição...

Sabine saltou.

Declan disparou sua arma ao mesmo tempo em que Flynn atirou com um som explosivo.

Sigrid caiu de joelhos, as garras arranhando seu rosto enquanto protegia os ouvidos do barulho. Flynn avançou com a arma em punho, atirando novamente contra a loba caída que sangrava na calçada suja do beco.

O tiro de Dec atingiu o joelho de Sabine, para incapacitá-la. Mas Flynn havia explodido o rosto dela.

— Vamos — disse Flynn, agarrando o braço de Sigrid. As duendes trêmulas saltaram para os ombros dele. — Temos que chegar ao rio... para pegar um dos barcos.

No entanto, Ithan só conseguia olhar para o corpo de Sabine, o sangue espalhado pelo beco. Não havia dúvidas de que ela se curaria dessa ferida, mas não seria rápido o bastante para impedi-los de partir.

Cada músculo de seu corpo travou. Como se estivesse gritando: *Vá ajudá-la! Proteja e salve sua alfa!* Mesmo que algo em seu estômago sussurrasse: *Faça pedacinhos dela.*

Os outros começaram a correr pelo beco, mas Ithan não se moveu.

— Parem — disse ele. Ninguém o ouviu. — *Parem!* — Seu grito ecoou pelas pedras, pelo cadáver e pelo sangue, e eles pararam a poucos passos da saída do beco.

— O que foi? — gritou Marc, seus olhos de gato brilhando na escuridão.

— Os outros lobos... ficaram em silêncio. — Os uivos que se aproximavam cada vez mais cessaram por completo.

— Fico feliz que alguém tenha notado — falou vagarosamente uma voz feminina no fim do beco.

A Rainha Víbora estava recostada contra uma parede imunda, com o cigarro aceso entre os dedos, o macacão branco brilhando como a lua sob a primalux bruxuleante dos postes. Ela abaixou os olhos para o corpo de Sabine. A boca pintada de roxo se curvou para cima enquanto seu olhar se erguia para Ithan.

— Cachorrinho mau — ela ronronou.

* * *

— Este pedido não é nada convencional, Lidia.

Lidia manteve o queixo erguido, as mãos atrás das costas enquanto caminhava com retidão pelo corredor de cristal. O soldado imperial perfeito.

— Sim, mas acredito que Irithys possa ser... uma motivação para Athalar.

Rigelus manteve o ritmo ao lado dela, gracioso apesar de suas pernas compridas. O corpo de adolescente feérico mascarava o monstro imortal que se escondia logo abaixo.

Quando começaram a descer a escada caracol, iluminada apenas por calhas de primalux em minúsculas alcovas, Rigelus fungou:

— Ela costuma cooperar bastante, mas pode ser que se recuse a cumprir essa ordem.

Agora a um passo atrás dele, Lidia fixou o olhar em seu pescoço esquelético. Se ele fosse qualquer outro ser, seria tão fácil envolvê-lo em suas mãos e torcer. Ela quase podia sentir o eco de seus ossos quebrados reverberando em suas mãos.

— Irithys fará o que for ordenado a ela — disse Lidia enquanto desciam para a escuridão.

Rigelus não falou mais nada enquanto eles davam voltas e mais voltas no subsolo do Palácio Eterno. Ainda mais profundo do que os calabouços onde Ruhn e os outros estavam aprisionados. A maioria acreditava que este lugar não passava de um mito.

Rigelus finalmente parou diante de uma porta de metal. Chumbo — quinze centímetros de espessura.

Lidia estivera ali apenas uma vez durante seu tempo com os asteri. Também estivera acompanhada de Rigelus e do pai dela.

Um tour privado pelo palácio, oferecido pela própria Radiante Mão a um dos seus súditos mais leais — e um dos mais ricos. E Lidia, jovem e ainda cheia de ódio e desdém pelo mundo, estava disposta a se juntar a eles.

Ela voltou a ser aquela pessoa quando Rigelus colocou a mão na porta. O chumbo brilhou e então a porta se abriu.

O calor e a umidade opressivos do lugar não haviam mudado desde aquela primeira visita. Quando Lidia entrou atrás de Rigelus, o ar grudou de novo em seu rosto, seu pescoço.

O salão se estendia à frente, as mil banheiras afundadas no chão de pedra brilhando com uma luz pálida que iluminava os corpos que flutuavam lá dentro. Máscaras, banheiras e máquinas zumbiam e sibilavam; o sal formava uma crosta nas pedras entre os tanques, algumas partes cheias da substância. E diante das máquinas, já fazendo uma longa reverência para Rigelus...

Uma forma humanoide murcha, com um véu e vestida com trajes acinzentados, de um material transparente o bastante para revelar o corpo ossudo por baixo, estava parada em frente à enorme mesa na entrada da sala. A Senhora dos Místicos. Se ela tinha um nome, Lidia nunca o ouvira ser pronunciado.

Acima de sua cabeça coberta por um véu, um holograma girava, com estrelas e planetas que passavam zunindo. Cada constelação e galáxia em que, agora, os místicos procuravam por Bryce Quinlan. Quantos cantos do universo ainda restavam?

Não era com isso que Lidia precisava se preocupar, não naquele instante. Não quando Rigelus disse:

— Preciso de Irithys.

A senhora levantou a cabeça, mas seu corpo permaneceu curvado pela velhice, tão magro que os nós de sua coluna se projetavam por baixo do roupão transparente.

— A rainha tem estado mal-humorada, Vossa Radiância. Temo que ela não atenderá ao seu pedido.

Rigelus apenas apontou para o corredor, entediado.

— Mesmo assim, vamos tentar.

A senhora fez uma reverência novamente e passou mancando pelas banheiras e máquinas, o rastro de suas vestes branco por causa do sal.

Rigelus passou pelos místicos sem sequer olhar para baixo. Eles eram pouco mais do que gado para ele. Engrenagens de uma máquina para ajudar a atender às suas necessidades. Mas Lidia não pôde deixar de olhar para os rostos molhados ao passar. Todos repousando, quisessem ou não.

De onde vieram todos eles, os sonhadores trancados ali? Que Inferno eles ou suas famílias suportaram para que aquilo valesse a pena? E que habilidades eles possuíam para garantir essa suposta honra das honras de servirem aos asteri?

Rigelus se aproximou do centro do salão, que brilhava fracamente. Ali, numa bolha de cristal do tamanho de um melão, dormia uma fêmea feita de pura chama.

Seus longos cabelos pendiam ao redor dela em ondas douradas e cachos de fogo, e seus membros magros e graciosos estavam nus. A Rainha Duende talvez não fosse maior do que a mão de Lidia, mas mesmo em repouso tinha uma presença. Como se ela fosse o pequeno sol em torno do qual este lugar orbitava.

Isso era quase verdade, supôs Lidia.

A senhora mancou até a esfera protegida e enfeitiçada e bateu nela com os nós dos dedos magros.

— Levante-se. Seu mestre está aqui para ver você.

Irithys abriu os olhos que eram como brasas. Mesmo feita de chamas, ela parecia ferver de ódio. Sobretudo quando seu olhar pousou em Rigelus.

A Radiante Mão apenas inclinou a cabeça, com zombaria.

— Vossa Majestade.

Lentamente, com a graça de uma dançarina, Irithys sentou-se. Seus olhos deslizaram de Rigelus para a senhora e então para Lidia. Nada além de conjecturas e ressentimento brilhava em seu rosto, que era comum e simples, considerando a beleza habitual de sua espécie.

Rigelus gesticulou para Lidia, com os anéis dourados em seus longos dedos brilhando à luz de Irithys.

— Minha Corça tem um pedido para você.

Minha Corça. Lidia ignorou a posse entranhada nas palavras e a maneira como elas abalavam sua alma.

Ela se aproximou da bolha, as mãos de novo cruzadas atrás das costas.

— Tenho três prisioneiros no calabouço que acharão o seu tipo de incêndio particularmente motivador. Exijo que você venha até aos calabouços para me ajudar a fazê-los falar.

A Senhora dos Místicos virou a cabeça para Lidia.

— Você não pode querer que ela *saia* daqui...

Sem se dignar a olhar para a velha, Lidia disse:

— Com certeza, como dona deste lugar, você poderá encontrar forças para proteger suas seções por algumas horas.

Sob o véu fino, ela poderia jurar que os olhos da senhora brilhavam com ressentimento.

— Irithys está aqui *exatamente* porque precisamos do tipo específico de proteção que ela fornece. Por causa de sua luz, um farol contra a escuridão do Inferno...

Lidia apenas lançou um olhar entediado para Rigelus.

Ele sorriu, sempre divertindo-se com a crueldade dos outros, e disse à senhora:

— Caso o Inferno chegue, é só avisar e eu virei atendê-la pessoalmente. — Uma grande honra... e uma indicação do quanto ele precisava que Athalar falasse. Ela não tinha muita certeza quanto a Ruhn e Baxian, mas Athalar...

A senhora baixou a cabeça. Com isso, deixou Irithys encarando Lidia, que, por sua vez, ergueu o queixo.

— Você está disposta a me ajudar?

Irithys olhou para o próprio corpo, como se pudesse ver a pequena faixa de tatuagens em volta de sua garganta. Uma espécie de halo, tatuado na Rainha Duende por bruxas imperiais para manter seu poder sob controle.

O gesto da rainha era uma pergunta silenciosa.

Rigelus respondeu:

— A tatuagem permanece. Você pode usar seu poder o bastante para se provar útil.

Lidia ficou em silêncio. Permitiu que Irithys a analisasse.

Fora mantida ali por mais de um século. Sem ver a luz do dia nem deixar aquela bolha de cristal durante todo esse tempo. Havia uma boa chance de que, por trás daqueles olhos brilhantes, a rainha tivesse enlouquecido.

Mas Lidia não precisava da sanidade da Rainha Duende, ela poderia pensar pelas duas.

Irithys abaixou discretamente o queixo.

Rigelus virou-se para Lidia.

— Pode ficar com ela por uma semana.

Lidia sustentou o olhar ardente da duende, deixando-a ver o fogo frio dentro de sua própria alma.

— Não vai demorar tanto tempo para fazer Athalar falar.

* * *

Bryce deixou intocado na bandeja o que ela presumiu ser o jantar — frango assado, mais pão e algumas batatas com ervas. Ninguém tinha aparecido nas horas que se passaram, então ela presumiu que eles viriam dar uma olhada nela pela manhã, ou talvez esperar até que ela estivesse batendo naquela parede e uivando para que alguém viesse falar com ela.

Nenhuma das alternativas parecia atraente.

Isso, na verdade, a deixava com duas opções. Ver se ela conseguia romper a barreira mágica e sair desta montanha, entrando em um mundo novo e estranho, sem fazer ideia de para onde iria, ou...

Ela olhou para baixo. Ou ela poderia descobrir o que havia no fundo da grade, se havia alguma abertura, além das feras, que pudesse levá-la para fora deste lugar... e para um mundo novo e estranho, sem fazer ideia de para onde iria.

Horas haviam se passado, e isso foi o melhor que ela conseguiu.

— Patético — murmurou, brincando com o amuleto archesiano para cima e para baixo na corrente. — Patético pra caralho.

O que estaria acontecendo com Hunt? Com Ruhn? Será que ainda estavam...

Ela não se permitiria pensar nisso.

Seus captores haviam pegado seu celular antes de levá-la até ali, então ela não fazia ideia de que horas eram. Ou pelo menos que horas eram em Midgard. Ela nem queria começar a pensar em como o tempo poderia passar mais rápido ou mais devagar neste mundo. E quanto tempo de fato haveria se passado desde que se lançara em desabalada carreira pelo corredor do Palácio Eterno...

Bryce se levantou de sua posição agachada contra a parede. Foi até a grade no centro do cômodo. Um coro de silvos ecoou quando ela se aproximou.

— É, tá bom, já ouvi vocês — murmurou, ajoelhando-se e tirando a grade do chão, os dedos se esticando dolorosamente com o esforço. Mas, centímetro por centímetro, a grade saiu do lugar, raspando com muito barulho no chão de pedra.

Ela esperou um momento, à procura do som de seus captores se aproximando. Quando ninguém apareceu para investigar o barulho, Bryce espiou dentro do poço escuro que ela havia aberto.

Abaixou um pouco a cabeça em direção ao buraco. Os silvos pararam.

Bryce conjurou a luz estelar em sua mão e a ergueu. Não tinha nada além do vazio abaixo. Ela cerrou a palma da mão, transformando a luz em uma esfera, e deixou-a cair...

Havia um mar de corpos escuros e cheios de escamas se contorcendo, pintados de prata pela luz dela.

Bryce recuou.

Eram sobeks, ou seus gêmeos sombrios. Tharion os enfrentara quando escaparam do Quarteirão dos Ossos, concentrando sua magia da água em lanças letais que perfuraram a pele grossa das criaturas, mas...

— Porra — ela sussurrou.

Olhou por cima do ombro para a porta. Para o escudo que ecoava ali com uma energia de Rhysand. Poder como ela nunca tinha visto antes; ao menos, não além dos asteri.

Se ele tivesse tanto poder quanto um asteri... era tudo um palpite, na verdade, mas se ele pudesse ser manipulado para ajudá-la, de alguma forma voltando para Midgard com ela e acabando com tudo...

Ela poderia muito bem substituir seis conquistadores por outro. E algo tinha que mudar, o ciclo tinha que ser rompido *agora*, mas não para recomeçar com outro senhor supremo. E se Rhysand de fato tivesse tanto poder, ela duvidava que esses interrogatórios fossem continuar tão pacíficos por muito mais tempo. Ainda mais agora que eles sabiam que ela tinha algo importante tatuado nas costas. O que quer que *Feita* significasse, tinha uma importância considerável para eles. Ela não tinha dúvidas de que a paciência deles logo se esgotaria.

Ela não sabia se isso se manifestaria em Rhysand indo contra sua educada insistência em pedir por consentimento para vasculhar sua mente ou em Azriel cortando-a com aquela faca preta. De qualquer modo, Bryce não queria estar por perto para descobrir.

Ela olhou para o buraco, para as feras.

Aquele grão de magia que alterou a língua em seu cérebro e fez o Chifre brilhar deixara algo em seu peito. Combustível o bastante...

Ela teria um nanossegundo para se teletransportar — atravessar, como eles chamavam ali — até as feras. Para aquele pedaço de rocha que ela notou projetando-se logo acima deles, um pouco mais largo que seu pé. Então ela teria que ver se havia alguma saída. Algum túnel pelo qual eles se moviam no subsolo deste lugar.

A menos que fosse apenas um buraco, uma verdadeira jaula onde eles se sentavam na escuridão e esperavam que a carne — viva ou morta — fosse atirada para eles.

Seria um verdadeiro salto no escuro.

Suas mãos tremiam, mas ela as cerrou em punhos. Havia superado um asteri na corrida. Tudo bem que fizera isso com a ajuda de um raio de Hunt, mas…

Cada minuto ali contava. Cada minuto deixava Hunt e Ruhn mais tempo nas mãos de Rigelus. Se eles ainda estivessem vivos.

— Hunt. Ruhn. Mãe. Pai. Fury. June. Syrinx. — Ela sussurrou os nomes, lutando contra o aperto na garganta.

Tinha que sair dali. Antes que essas pessoas decidissem que o risco que ela representava era muito grande e lidassem com ela de maneira inteligente. Ou antes de decidirem que gostavam da ideia de Midgard, de Rigelus, e percebessem que ela seria uma excelente oferta de paz...

— Levante-se, porra — grunhiu. — Levante-se e faça alguma coisa.

Hunt diria que ela tinha perdido o juízo. Ruhn diria a ela para tentar contar mais mentiras para seus captores, tentar conquistá-los. Mas Danika...

Danika teria pulado.

Danika *tinha* pulado nas profundezas da Descida com Bryce. Sabendo que não haveria viagem de volta para ela.

Danika, cuja morte Rigelus planejara, manipulando Micah para matá-la.

Uma névoa branca turvou a visão de Bryce. Ira primitiva percorreu seu corpo, do tipo que só os feéricos conseguiam sentir. Isso aguçou sua visão e fez seus músculos tensionarem. A estrela em seu peito brilhou com uma luz suave.

— Que se foda — ela disse.

E se teletransportou para o buraco.

* * *

Tharion supôs que ainda estava chapado e alucinando quando Ithan Holstrom, Declan Emmett, Tristan Flynn, Marc Rosarin e uma loba desconhecida — carregando três duendes *muito* familiares — entraram na suíte. Foram escoltados pela Rainha Víbora e seis de seus guarda-costas feéricos dopados.

Deitado no sofá em frente à televisão, tão relaxado que parecia que seus ossos tinham derretido nas almofadas, Tharion mal conseguia levantar a cabeça enquanto o grupo entrava. Ele lançou a eles um sorriso preguiçoso e contente.

— Oi, amigos.

Declan soltou um suspiro.

— Maldito Solas Flamejante, Tharion.

O rosto de Tharion esquentou. Podia imaginar como estava sua aparência, mas não conseguia convencer seu corpo a se mover. A cabeça estava muito pesada, e os membros, muito fracos. Ele fechou os olhos, afundando naquela doce sensação.

— O que está acontecendo aqui, porra? — rosnou Flynn. — Você fez isso com ele?

Tharion só percebeu que Ari havia entrado na sala quando ela sibilou para Flynn.

— *Eu*? Você acha que eu saio por aí drogando pessoas indefesas?

— Você sai por aí abandonando elas — Flynn rebateu. — Ou isso foi só com Bryce e Hypaxia?

— Volte para o seu grupinho, bonitinho — Ari retrucou.

— Vou deixar todos vocês se atualizarem — a Rainha Víbora cantarolou e saiu, fechando as portas atrás de si com um baque suave.

Tharion conseguiu abrir os olhos.

— Por que vocês estão aqui? — Por Ogenas, sua boca parecia tão mole.

Declan deu alguns passos.

— Bryce, Athalar e Ruhn não conseguiram sair do Palácio Eterno.

Foram as notícias ou o veneno que fizeram todo o mundo de Tharion girar?

— Mortos? — A palavra era como cinzas em sua língua.

— Não — disse Declan. — Bem, até onde sabemos. Bryce desapareceu, e Ruhn e Hunt estão agora presos no calabouço dos asteri.

Tharion apenas olhou para o guerreiro feérico, para o contorno borrado de Declan, e assimilou a terrível notícia.

— Cara, suas pupilas estão enormes — disse Flynn. Não admira que sua visão estivesse tão nebulosa. — O que você anda tomando?

— Nem queira saber.

— O veneno dela — retrucou Ari —, é disso que ele está chapado.

— Você está horrível — disse Declan, aproximando-se para olhar Tharion. — Seu ombro...

— Minotauro — grunhiu Tharion. — Está curando. E não quero falar disso. Para onde Bryce foi?

— Não sabemos — disse Declan.

— Porra — xingou Tharion em um longo suspiro. Sentiu a palavra ecoar em cada osso e veia. Antes que pudesse perguntar mais, notou Ari avaliando o grupo, seu olhar focando na loba ao lado de Holstrom.

— Eu conheço você.

O queixo da loba se ergueu.

— Digo o mesmo, dragoa.

Tharion deve ter feito uma cara confusa, porque Holstrom disse:

— Esta é Sigrid... Fendyr.

Sim, ele estava alucinando. Havia apenas *uma* Fendyr além do Primo: Sabine. E ele tinha certeza de que ela não tinha filha secreta alguma.

— Explico melhor mais tarde — disse Declan, e afundou-se na cadeira mais próxima. O namorado estava ao lado dele, com a mão em seu ombro. — Temos que resolver essa confusão.

Flynn xingou.

— O que há para resolver? Matamos Sabine.

Tharion estremeceu — ou tentou. Seu corpo não se movia.

— *Você* matou Sabine — corrigiu Declan —, eu só atirei na perna dela.

— Ela não morreu de verdade — disse Flynn.

— Ela não tem *rosto* — rebateu Dec. — Isso é bem...

— O que aconteceu com os outros lobos? — Holstrom não perguntou a nenhum deles em particular.

Ah, espera... ele estava perguntando a Tharion e Ari, que lançou um olhar vazio para Holstrom.

— Que lobos?

— Estávamos sendo perseguidos pela Matilha da Rosa Negra — explicou Ithan —, e então... não estávamos mais. Para onde a Rainha Víbora os levou?

— Comece a procurar no rio — murmurou Tharion.

— Ela não deve ter matado a Matilha — disse Marc —, seria uma dor de cabeça, até para ela. Os capangas devem ter nocauteado todos eles e levado para outro lugar.

— E Sabine? — perguntou Holstrom.

Deuses, a cabeça de Tharion latejava. Isso devia ser algum sonho estranho...

— A Rainha Víbora vai distorcer essa história a favor dela de alguma forma — disse Marc. — Ela vai se apresentar como a salvadora de Sabine ou nos entregar.

Tharion ergueu as sobrancelhas para Marc, que percebeu o olhar e explicou:

— Tive alguns clientes que tiveram problemas com a Rainha Víbora ao longo dos anos. Aprendi algumas coisas sobre suas táticas.

Tharion assentiu, como se isso fosse perfeitamente normal, e fechou os olhos de novo.

— Patético — sibilou Ari, provavelmente para ele. Mas então ela perguntou aos outros: — Então vocês são todos prisioneiros da Rainha Víbora?

— Não tenho certeza — respondeu Declan. — Ela nos pegou na hora em que estávamos, hã... acabando com Sabine. Quando nos disse para segui-la, pareceu uma ordem.

— Mas ela não disse mais nada? — indagou Ari. Tharion abriu um olho, esforçando-se para continuar na conversa.

— Só que podemos dormir aqui esta noite — disse Flynn, sentando-se no sofá ao lado de Tharion e pegando o controle remoto. Ele passou para um canal esportivo.

— Devíamos correr para Tiberian ou para o rio — opinou Declan.

— Você não vai sair se a Rainha Víbora não quiser — retrucou Tharion com a voz rouca.

— Então estamos presos? — A voz de Sigrid tinha uma pitada de algo parecido com pânico.

— Não — respondeu Holstrom. — Só precisamos pensar com cuidado nos próximos passos. É uma questão de estratégia.

— Vamos lá, ó grande capitão de solebol — entoou Flynn com fingida solenidade.

Ithan revirou os olhos, e o gesto foi tão normal, tão amigável, que Tharion sentiu um aperto no peito. Ele havia jogado tudo fora, qualquer chance de ter uma vida normal. E agora seus amigos estavam aqui... vendo-o neste estado.

Tharion fechou os olhos mais uma vez, desta vez porque não suportava ver os amigos. Não aguentava a preocupação e a pena nos olhos de Holstrom enquanto o lobo percebia seu lamentável estado.

Capitão Qualquer Coisa. Estava mais para Capitão Inútil.

* * *

As feras eram muito maiores e, de perto, cheiravam muito pior. A magia de Bryce acabou quando elas se viraram em sua direção. Ela oscilou na borda da rocha antes de se firmar.

Um salto para cima e eles a devorariam. A estrela brilhando em seu peito iluminava apenas os que estavam mais próximos, todos com bocas sibilantes, corpos contorcidos, caudas cortantes...

Ela invocou seu poder, mas... nada. Apenas poeira estelar brilhante em suas veias. O bastante para manter aquela estrela brilhando em seu peito. Nada de teletransporte, então. Será que aquelas criaturas conseguiam enxergar o suficiente para serem cegadas? Moravam na escuridão. Poderiam ter evoluído além da necessidade da visão?

Os pensamentos iam e vinham depressa. A grade estava a nove metros de altura; não havia como voltar agora. E o chão do poço estava coberto dessas coisas, todos cheirando e avaliando-a.

Mas sem... atacar. Como se algo nela os fizesse parar.

Feita. Talvez também significasse algo para essas criaturas.

Bryce puxou o decote da camiseta para baixo, revelando a estrela em toda a sua glória. As feras recuaram, sibilando, jogando as enormes e escamadas cabeças para trás. Seus dentes brilharam com a luz estelar.

Um túnel se estendia de cada lado do poço. Ela só conseguia distinguir as bocas enormes, mas parecia que esse buraco ficava no meio de uma passagem. Mas para onde? Esta tinha sido a coisa mais estúpida que ela já fizera. Em uma vida cheia de ideias estúpidas e erros, isso era impressionante, mas...

Bryce virou-se para um dos túneis, tentando ver melhor o que havia além. A estrela em seu peito escureceu. Como se sua magia estivesse desaparecendo rapidamente. Ela girou em direção ao outro túnel, tentando ver o que podia antes que a magia desaparecesse...

A estrela voltou a brilhar.

— Hã — murmurou. Bryce virou para o outro lado. A estrela desapareceu. Para o lado oposto: voltou a acender.

Rigelus disse que a estrela reagia às pessoas; àqueles que eram leais a ela, seus cavaleiros escolhidos ou o que quer que fosse. Ele também disse que a própria Theia carregava essa estrela no peito. E neste mundo, o planeta natal de Theia e dos Estrelados...

Bryce não teve escolha senão confiar naquela estrela.

— Por ali, então — disse ela, sua voz ecoando pela câmara. Mas ainda tinha que superar o abismo entre as bestas e o próximo nicho na parede do túnel.

Nunca desejou ter asas, mas, porra, como seriam úteis naquele instante. Se Hunt estivesse ali com ela...

Sentiu um nó na garganta. As feras sibilaram, agitando as caudas. Como se pudessem sentir sua mudança de humor.

Bryce se concentrou em sua respiração, como aprendera a fazer depois de perder Danika, como aprendera a fazer diante de todos aqueles vanir e feéricos que zombaram dela. A estrela continuou brilhando, apontando o caminho. As criaturas se acalmaram, como se compartilhassem as mesmas emoções.

Ela se obrigou a ficar calma, a não sentir medo. As criaturas ficaram mais tranquilas. Algumas baixaram a cabeça.

Ela olhou para a estrela em seu peito, que ainda brilhava intensamente. *Eles também são seus defensores*, parecia dizer. A estrela não errara a respeito de Hunt. Ou Cormac.

Então Bryce tirou um dos pés da rocha. As feras não se moveram. Ela abaixou um pouco o pé, balançando a isca...

Nada.

Seus batimentos aceleraram e uma cabeça enorme se ergueu, girando em sua direção.

Por amor, tudo é possível. Ela invocou a lembrança do amor de Danika e deixou que o sentimento a percorresse, firmando-a enquanto descia até o chão.

Para o ninho das feras.

Eles jaziam diante dela como cães obedientes. Ela não questionou. Não pensava em nada além da estrela em seu peito, do túnel para o qual ela apontava e do desejo de ver mais uma vez o rosto daqueles que amava.

Bryce deu um passo, o tênis rosa neon de um brilho escandaloso em meio às escamas escuras tão perigosamente próximas. Depois, outro passo. As criaturas observavam, mas sem mover uma única garra.

Ruhn a chamara de rainha antes de partir. E, pela primeira vez na vida, ao atravessar aquele mar de morte... ela podia erguer o queixo um pouco mais alto. Podia sentir um manto cair sobre seus ombros, um rastro de luz estelar a seguindo.

Podia sentir algo como uma coroa pousando em sua cabeça. Guiando-a para a escuridão.

* * *

Tharion por fim conseguiu reunir concentração e energia suficientes para se levantar e caminhar lentamente em direção ao seu quarto. Holstrom o encurralou um segundo depois.

— Que merda aconteceu? — perguntou o lobo, parando Tharion na porta.

— A Rainha do Rio estava atrás de mim. — Deuses, sua voz soava fraca, até mesmo para seus ouvidos. — Era morrer ou ser preso nas mãos dela, ou... isso.

— Você deveria ter me procurado.

— Para quê? — A risada de Tharion era tão fraca quanto sua voz. — Você também é um desertor. Somos lobos sem matilha. — Tharion acenou com a cabeça para a loba agora sentada no sofá ao lado de Flynn. — Falando nisso... Sigrid *Fendyr*?

— Longa história. Ela é sobrinha de Sabine. — A boca de Ithan se apertou. — Ela era a fêmea mística na casa do Astrônomo. Eu a salvei dois dias atrás.

A cabeça de Tharion girava.

— Então o que você está fazendo aqui?

— Antes de Sabine aparecer para matar Sigrid, estávamos chegando na parte em que eu convencia todo mundo a vir te libertar desta merda para podermos entrar no *Cargueiro das Profundezas* e salvar Ruhn e Athalar.

— Isso é... muita informação. — O coração de Tharion estava nadando com as palavras.

Ou talvez fosse o veneno. Seu estômago estava embrulhado e ele precisava muito de um banheiro ou de uma cama. Ou apenas de um momento de paz.

— Você não pode ficar aqui — disse Ithan, mas sua voz parecia distante enquanto Tharion caminhava até sua cama e desabava de cara no colchão. — Vamos dar um jeito de tirar você daqui.

— Tarde demais, lobo — disse Tharion, as palavras abafadas no travesseiro. Elas saíam cada vez mais arrastadas conforme o sono o prendia em suas garras afiadas e o puxava para baixo. — Não tenho mais salvação.

* * *

Ithan encontrou Sigrid andando de um lado para o outro diante da janela que dava para o agora ringue escuro. Já era tarde o suficiente para que até as luzes tivessem sido apagadas.

— Você deveria dormir... pode ficar com o sofá.

Dec, Flynn e Marc deitaram no chão; embora, pela respiração, Ithan soubesse que eles estavam acordados. Depois da noite que tiveram, como alguém conseguiria dormir?

Sigrid cruzou os braços, abraçando o próprio corpo magro.

— Estamos presos aqui.

— Não — insistiu Ithan. — Não vou deixar isso acontecer.

— Não posso ficar presa de novo. — A voz dela falhou. — *Não posso.*

— Você vai sair daqui — disse Ithan —, não importa o que aconteça.

— Então por que não ir até a porta agora mesmo? — exigiu ela, acenando com a mão em direção à porta de saída da suíte.

— Porque há seis assassinos feéricos dopados do outro lado, esperando para nos matar se o fizermos.

Seu rosto empalideceu e ela esfregou o peito.

— *Nos prendendo.* Eu preciso sair.

— Você vai.

Ela fechou os olhos, respirando superficialmente e deixando-se perder no pânico.

Ithan olhou para o outro lado da sala. As duendes estavam enroladas ao lado de Flynn, cochilando como bolas de chamas violetas, e não pareciam estar em pânico. Quietas, mas... focadas. Como se estivessem acostumadas a enfrentar o medo. Sentiu seu estômago se revirar só de pensar nisso.

— Sabine virá atrás de mim de novo — disse Sigrid —, não virá?

— Ela vai tentar, mas já estaremos muito longe da cidade quando ela se recuperar.

Seus olhos se estreitaram.

— Por que não partimos naquela hora mesmo? Quando você me tirou do tanque?

Ithan enrijeceu.

— Porque eu não sabia mais para onde ir.

— Uma casa com esses *palhaços* era a melhor...

— Esses palhaços são meus amigos, e alguns dos melhores lutadores que conheço — avisou Ithan, irritado. — Esses palhaços arriscaram a vida por você hoje... *salvaram* você.

Ela exibiu os dentes.

— Se Sabine vai se recuperar, então me deixe ir até o corpo dela e rasgá-lo...

— Acredite, eu também pensei nisso. Mas...

Ele não terminou o pensamento.

— Mas o quê?

Ele balançou a cabeça, não se permitindo seguir esse caminho, mesmo em sua mente.

— Já é tarde — disse ele —, você deveria dormir.

— Não vou conseguir.

— Então tente — disse ele, talvez um pouco mais rude do que o necessário.

Sigrid olhou para ele e depois para a porta do quarto de Tharion.

— *Esse* era o tritão que você queria que nos ajudasse?

— Sim.

Ela bufou.

— Não creio que ele seja de muita ajuda para ninguém. Nem para si mesmo.

— Você deveria dormir — repetiu ele. Estava cansado disso.

— Você costuma fazer isso? — perguntou ela de repente. — Libertar pessoas escravizadas?

— Só recentemente — respondeu ele, cansado.

Não esperou que ela respondesse antes de caminhar até o quarto de Tharion, se jogar no chão ao lado do homem que dormia profundamente e fechar os olhos.

6

Quando já havia percorrido cerca de seis metros ao longo do túnel, a quantidade de bestas começou a diminuir pouco a pouco. Permaneciam imóveis, vigilantes, até que Bryce passou pela última delas. Encontrou uma grade que bloqueava seu caminho e uma pequena porta ao lado esquerdo da barreira. Assim que encostou na porta, ela se abriu. Teve que se abaixar para passar, mas era evidente que aquilo fora projetado para impedir que as bestas escapassem.

Se certificou de fechar a porta atrás de si.

O metal rangeu e os silvos ecoaram pelo túnel, como um enxame de vespas furiosas.

As bestas voltaram a se contorcer, com as mandíbulas estalando e os corpos arquejando. Elas raspavam umas contra as outras, como se fechar a porta as tivesse tirado do estupor. Bryce cambaleou para trás bem a tempo de ver uma criatura particularmente grande avançando contra as barras.

O ferro tremeu com o impacto, mas aguentou.

Bryce ofegou, observando a besta sinuosa mais uma vez em movimento. Mas as criaturas eram grandes demais para passarem pelas grades.

Ela soltou um suspiro trêmulo e analisou o túnel à frente. A estrela brilhou mais forte, como se a incitasse a seguir adiante.

— Está bem — disse ela, dando um tapinha no peito. — Está bem.

* * *

Bryce caminhou por horas. Ou o que presumiu serem horas, a julgar pela dor nas pernas e nos pés, mesmo com o amortecimento do tênis.

O túnel poderia não levar a lugar algum. Poderia ter cento e cinquenta quilômetros de comprimento.

Deveria ter levado alguns suprimentos, enfiado um pouco da comida da bandeja nos bolsos e no sutiã. Levado água.

Não conseguia ver desvios, túneis ou cruzamentos alternativos. Apenas um longo e interminável caminho na escuridão.

Estava com a boca seca e, por mais que soubesse que não deveria, Bryce parou. Sentou-se apoiada na parede desgastada pelo tempo, engolindo a secura da boca. Não tinha escolha a não ser continuar.

Fechou os olhos por um instante. Só por um...

* * *

Bryce abriu os olhos.

Ela havia adormecido. De alguma forma, ela *tinha adormecido* de tão exausta pelas últimas sabe-se lá quantas horas que nem tinha percebido, e...

A estrela em seu peito ainda brilhava sob a camiseta. Ainda estava no túnel.

Mas não estava mais sozinha.

Nestha estava de pé acima dela, uma espada amarrada em suas costas. Os olhos azul-acinzentados da fêmea pareciam brilhar com poder na luz estelar.

Bryce não ousou se mover.

Nestha jogou um cantil de couro para ela.

— Faça um favor a si mesma e beba isto antes que desmaie de novo.

* * *

Bryce bebeu o que, felizmente, parecia ser água dentro do cantil, e observou a outra mulher por cima da borda da garrafa. Nestha estava sentada encostada na parede oposta do túnel, monitorando Bryce com uma curiosidade atenta.

Elas ficaram em silêncio desde que Bryce acordara. Nestha mal se movera, a não ser para se sentar.

Por fim, Bryce tampou o cantil e jogou-o de volta para Nestha, que o pegou com facilidade.

— Como você descobriu que eu saí da cela? — Não havia necessidade de revelar ainda que ela conseguia se teletransportar.

Nestha lançou-lhe um olhar entediado, como se Bryce já devesse saber a resposta.

— Temos pessoas que podem conversar com as sombras. Eles nos disseram que você passou pela grade.

Interessante... e assustador. Mas Bryce perguntou:

— Então você está aqui para me arrastar de volta para a cela?

Nestha enfiou o cantil na mochila e se levantou, em um movimento confiante e gracioso. A espada amarrada às suas costas... não era Áster, embora Bryce pudesse jurar que havia algo semelhante na lâmina, uma espécie de presença que a atraía para sua direção.

A fêmea inclinou a cabeça para o túnel atrás delas, para o caminho de volta.

— Fui enviada para escoltá-la.

— É a mesma coisa. — Bryce se levantou. Ela contra esta fêmea... tinha boas chances, mas a espada era um problema. Assim como era qualquer tipo de presença que vinha de Nestha, aparentemente capaz de detectar o Chifre nas costas de Bryce. Lutar contra uma oponente cujas habilidades e poderes eram desconhecidos provavelmente era um tanto imprudente.

— Olha. Não estou aqui para causar problemas...

— Então não cause. Volte comigo.

Bryce olhou para o túnel atrás delas.

— Como você passou pelas feras?

Nestha abriu um sorriso discreto.

— Vale a pena conhecer gente com asas.

Bryce grunhiu, apesar da dor no peito.

— Então alguém te levou até o Portão...

— E vai nos levar de volta. — Um canto de sua boca se levantou. — Ou arrastar você, se decidir fazer isso da maneira mais difícil.

Bryce observou o caminho atrás de Nestha. Havia apenas sombras ali. Nenhum sinal de alguém com asas esperando para agarrá-la.

— Você pode estar blefando.

Ela poderia jurar que fogo prateado bruxuleava nos olhos de Nestha.

— Quer pagar pra ver?

Bryce sustentou o olhar da fêmea. Era óbvio que não a queriam morta, já que haviam enviado alguém para resgatá-la, e não para caçá-la. Mas, se voltasse para aquela cela, por quanto tempo a manteriam lá? Até mesmo horas poderiam ser cruciais para Hunt e Ruhn...

— Estou sempre aberta a novos aprendizados — disse Bryce.

Então ela irrompeu em luz.

Nestha praguejou, mas Bryce não esperou para ver se a luz a havia ofuscado antes de disparar pelo corredor. Sem armas, uma vantagem inicial era sua melhor chance.

Uma força que parecia uma parede de pedra a atingiu por trás. O mundo se inclinou e ela sentiu a respiração falhar ao colidir com o chão de pedra, os ossos latejando de dor. Sombras a envolveram, prendendo-a, e ela se debateu, chutando e golpeando.

Ela fez sua luz brilhar, uma explosão incandescente que fez as sombras se romperem em todas as direções.

Podia não ter magia suficiente em suas veias para se teletransportar, mas ao menos ganharia algum tempo dessa forma. Ficou de pé com dificuldade, mas as sombras voltaram a saltar sobre ela feito uma matilha de lobos decidida a devorá-la.

Ela deixou que a atacassem por um instante antes que sua magia explodisse como uma bomba de luz para todo lado. Fez as sombras voarem para o teto e as paredes. Onde a sombra encostava na pedra, detritos caíam. A montanha tremeu.

Bryce correu para ainda mais longe túnel adentro, na escuridão, sua estrela brilhando enquanto ela corria para se distanciar da rocha desmoronando ao redor...

O mundo tremeu e rugiu novamente, fazendo-a cair em meio a uma nuvem de poeira.

E então fez-se silêncio, interrompido apenas pelas rochas que despencavam da parede de pedras que agora bloqueava o caminho de volta. Mas um desmoronamento não pararia um vanir ou feérico por muito tempo. Bryce se levantou...

De repente, ela sentiu metal beliscar seu pescoço. Gelado, mortalmente frio.

— Não — disse Nestha baixinho, ofegante — se mexa.

Bryce olhou para a fêmea, mas não tirou a lâmina de seu pescoço. Todo o seu ser rugia para que não tocasse na espada mais do que o necessário.

— Belo truque com as sombras.

Nestha apenas olhou para ela, imperiosamente.

— Levante-se.

— Abaixe sua espada e eu o farei.

Seus olhares duelavam, mas a espada se moveu apenas um pouco. Bryce se levantou, limpando a poeira e detritos das roupas.

— E agora?

Seus joelhos cederam de exaustão. Havia esgotado sua magia, as veias totalmente desprovidas de luz estelar.

Nestha olhou para o desmoronamento. Qualquer magia sombria que possuísse parecia ser pouco capaz de mover as pedras. A guerreira apontou com a cabeça para o túnel à frente.

— Acho que você conseguiu o que queria.

— Eu não queria causar isso...

— Tanto faz. Agora só há uma saída, se ainda houver alguma.

Bryce suspirou, franzindo a testa para a estrela em seu peito, ainda brilhando no escuro através de sua camiseta. Iluminando toda a sujeira agora espalhada no algodão branco.

— Não era minha intenção enfiar mais ninguém nessa comigo.

— Então você deveria ter ficado na Cidade Escavada.

Bryce guardou essa migalha de informação. O lugar em que fora mantida se chamava Cidade Escavada.

— Olha, esta estrela... — Ela bateu no peito. — Está me indicando esta direção. Não faço ideia do porquê, mas tenho que segui-la.

Nestha apontou com a lâmina para o caminho escuro à frente. Bryce poderia jurar que a espada zunia no ar.

— Então siga em frente.

— Você não vai me impedir?

Nestha voltou a guardar a espada nas costas com uma graça invejável.

— Estamos presas aqui embaixo. Podemos muito bem ver o que tem lá.

Foi uma reação melhor do que Bryce poderia esperar, principalmente vinda da feérica.

Bryce deu de ombros e caminhou para a escuridão, mantendo um olho na fêmea ao seu lado. E rezou para que Urd soubesse para onde as estava conduzindo.

7

Lidia carregou a bolha de cristal contendo a Rainha dos Duendes de Fogo pelos corredores escuros. A chama de Irithys refletia tons de dourado no chão e na parede de mármore.

Ela não disse nada para a duende... não com todas as câmeras de prontidão por todo o palácio asteri. Irithys não parecia se importar. Descansava no fundo da esfera, as pernas dobradas serenamente. Depois de longos minutos, no entanto, a duende disse:

— Os calabouços não ficam para esse lado.

— E você tem tanta familiaridade assim com a planta deste lugar?

— Minha memória é das boas — disse a rainha em tom monótono, os longos cabelos flutuando acima da cabeça em um redemoinho de chamas amarelas. — Basta ver uma única vez para me lembrar. Eu me lembro com riqueza de detalhes de toda a caminhada até aqui embaixo, até os místicos.

Um dom bastante útil. Mas Lidia disse:

— Não estamos indo para os calabouços.

Pelo canto do olho, notou que Irithys a espiava.

— Mas você disse ao Rigelus...

— Já faz algum tempo desde que você saiu da sua bolha... e usou seus poderes. — Quaisquer brasas que tenham sobrado com a restrição do halo. — Acho que é prudente você treinar um pouco antes do evento principal.

— O que isso quer dizer? — inquiriu a rainha, e suas chamas assumiram um cauteloso tom de laranja, mas Lidia não respondeu conforme destrancava a porta de ferro não sinalizada que levava para o andar de baixo, mais silencioso. Lidia agradeceu a Luna em silêncio por suas mãos não tremerem conforme segurava a maçaneta, o anel dourado e rubi em seu dedo brilhando sob a luz de Irithys.

Entre uma respiração e outra, Lidia ignorou aquela parte dela que implorava para deuses distantes, a parte que tinha dúvidas. Ficou mais calma, impassível, a expressão tão imperturbável quanto a superfície de um lago há muito esquecido na floresta.

A porta rangeu ao se abrir, revelando uma mesa, a cadeira em frente a ela e, do outro lado, presa por algemas gorsianas, uma bruxa imperial.

A bruxa ergueu olhos amarelados e cheios de malícia para Lidia conforme a Corça fechava a porta ao entrar. E então fitaram a bolha, a Rainha Duende que brilhava alaranjada ali dentro.

Lidia sentou-se na cadeira em frente à prisioneira, apoiando o cristal da duende na mesa entre elas como se fosse uma bolsa qualquer.

— Obrigada por vir me encontrar, Hilde.

— Eu não tive outra escolha — protestou a bruxa, com a voz rouca, cabelos brancos e finos brilhando como tênues raios de luar. Uma criatura triste e perturbada, mas com uma beleza escondida. — Desde que seus *cachorros* me prenderam sob acusações mentirosas...

— Você foi encontrada em posse de um cristal-com conhecido por ser usado por rebeldes Ophion.

— Eu nunca tinha visto aquele cristal em toda a minha vida — protestou Hilde, com partes dos dentes marrons brilhando. — Alguém armou pra mim.

— Claro, claro — retrucou Lidia, balançando a mão. Irithys observava cada movimento, ainda naquele tom alaranjado que indicava alerta. — Você pode apresentar seu caso para Rigelus.

A bruxa imperial teve o bom senso de parecer nervosa.

— Então por que você está aqui?

Lidia deu um sorriso para Irithys.

— Para aquecer você.

A Rainha Duende entendeu o que aquilo queria dizer e assumiu um tom profundo e ameaçador de vermelho.

Mas a bruxa deixou escapar uma risada rouca. Ainda estava vestindo seu uniforme imperial, o brasão da República gasto sobre seus seios caídos.

— Eu não tenho nada a dizer a você, *Lidia.*

Lidia cruzou uma perna por cima da outra.

— É o que vamos ver.

Hilde sibilou:

— Você se acha tão poderosa, tão inatingível.

— É nessa parte que entra o discurso de como um dia você vai se vingar?

— Eu conhecia sua mãe, garota — rebateu a bruxa.

Lidia tinha treinamento e autocontrole o bastante para manter a expressão neutra, a voz de absoluto tédio.

— Minha mãe era uma rainha-bruxa, muitas pessoas a conheciam.

— Ah, mas eu a *conhecia*... voei na unidade dela nos dias de combate.

Lidia inclinou a cabeça.

— Antes ou depois de você vender sua alma para a Chama e Sombra?

— Eu jurei lealdade a Chama e Sombra *por causa* da sua mãe. Porque ela era uma fraca, uma covarde que não tinha vontade de punir.

— Acredito que minha mãe e eu sejamos diferentes nesse aspecto, então.

Hilde lançou seu olhar duro para Lidia.

— Melhor do que aquela desgraça de irmã que agora diz ser rainha.

— Hypaxia é metade Chama e Sombra... você deve sua lealdade a ela, de todo modo.

Lidia podia sentir que Irithys estudava cada palavra. Se ela conseguia se lembrar das coisas após ver uma única vez, será que também se lembraria das conversas que ouvia?

— Sua mãe foi uma imbecil por ter dado você — resmungou Hilde.

Lidia arqueou uma sobrancelha.

— Isso foi um elogio?

— Entenda como quiser. — A bruxa exibiu os dentes apodrecidos em um sorriso digno de pesadelos. — Você é uma assassina nata... como qualquer bruxa de verdade. Aquela garota no trono tem o coração tão mole quanto o da sua mãe. Ela vai acabar com toda a dinastia das Bruxas Valbaranas.

— Ah, meu pai era um negociador muito experiente — disse Lidia, admirando de um jeito exagerado o anel de rubi em seu dedo, a pedra era tão vermelha quanto as chamas de Irithys. — Mas chega de falar de mim. — Ela apontou para a bruxa, depois para a duende. — Irithys, Rainha das Duendes. Hilde, Grande Bruxa do Clã Imperial.

— Eu sei quem é você — disse Irithys, a voz baixa, cheia de ódio contido. Ela agora flutuava no centro da esfera, o corpo vermelho como sangue. — Você colocou esta coleira em mim.

Hilde sorriu de novo, um sorriso largo o bastante para mostrar as gengivas escurecidas. Uma pessoa mais fraca teria se acovardado perante tal visão.

— Também tive a honra de fazer isso com a vadiazinha que usava a coroa antes de você.

Hilde não estava falando da mãe de Irithys, que nunca fora rainha. Não, quando a última Rainha Duende morrera, a sucessão passara para uma família diferente, e Irithys fora a primeira herdeira.

Uma herança maldita: ela ganhara o título e uma sentença de prisão ao mesmo tempo. Após receber sua coroa, nem um dia havia se passado quando Rigelus a levara para os calabouços.

Lidia disse suavemente:

— Sim, Hilde. Todos sabemos o quanto você é habilidosa. Athalar pode te agradecer pessoalmente pelo primeiro halo dele. Mas vamos discutir por que você escolheu nos trair.

— *Eu não fiz isso.* — Mesmo com as algemas gorsianas, uma energia crepitante emanava da bruxa.

Lidia suspirou para o teto.

— Eu tenho outros compromissos para hoje, Hilde. Será que podemos acelerar um pouco?

Ela não avisou antes de dar um tapinha no topo do cristal de Irithys. Ele derreteu até desaparecer, deixando nada além de ar entre a bruxa e a Rainha Duende.

Irithys não se moveu. Não tentou fugir ou explodir. Ela ficou ali parada, um rubi vivo e flamejante, como se ser libertada de seu cristal após todos esses anos...

Lidia ignorou o pensamento. A voz estava tão inexpressiva quanto seus olhos ao dizer:

— Vamos ver se você consegue ser motivacional, Vossa Majestade.

Hilde lançou um olhar de ódio, mas não se acovardou nem tremeu.

Então Irithys se virou para Lidia, os cabelos se entrelaçando acima da cabeça.

— Não.

Lidia arqueou uma sobrancelha.

— Não?

Do outro lado da mesa, Hilde ainda estava enfurecida, mas ouvia com atenção.

Irithys repetiu, corajosa e destemida:

— Não.

— Não foi um pedido. — Lidia apontou para a bruxa com a cabeça. — Queime a mão dela.

Hilde tirou as mãos deformadas da mesa, como se isso pudesse salvá-la.

Irithys ergueu o queixo.

— Posso até ser sua prisioneira, mas não preciso obedecer a ordens suas.

— Hilde é uma traidora da República...

— Isso é *mentira* — interrompeu Hilde.

— Está desperdiçando sua compaixão com ela — acrescentou Lidia.

— Não é compaixão — respondeu Irithys, as chamas cor de rubi ficando mais escuras, assumindo um tom semelhante ao vinho. — É uma questão de honra. Não há honra alguma em atacar uma pessoa que não pode se defender, seja ela um inimigo ou não.

O lábio superior de Lidia se repuxou e ela falou entre os dentes:

— Queime. Ela.

Irithys brilhou em um tom violeta, como a mais quente das chamas.

— *Não.*

Hilde deu uma gargalhada sincera.

Lidia disse em um tom calmo que costumava fazer os inimigos suplicarem:

— Vou pedir só mais uma vez...

— E eu vou responder mil vezes mais: não. Pela minha honra, não.

— Você não tem honra alguma aqui. Isso não significa nada neste lugar.

— A honra é tudo o que tenho — retrucou Irithys, o calor de suas chamas índigo era forte o bastante para aquecer as mãos frias de Lidia. — Honra e meu nome. Não vou manchar nem abrir mão de nenhum dos dois, não importa o que meus inimigos tenham feito. Ou as ameaças que você faça, Corça.

Lidia sustentou o olhar incandescente da duende e não encontrou nada além de uma força de vontade inquebrável, inflexível.

Então Lidia inclinou a cabeça de forma zombeteira para a rainha. E, com um movimento da mão, ativou a magia que Rigelus cedera para ela durante a semana. Como uma bola de gelo derretendo em modo reverso, a esfera de cristal se formou em volta de Irithys de novo.

— Então você não serve de nada para mim — concluiu Lidia, enquanto pegava a bola de cristal e ia em direção à porta.

Irithys não disse nada, mas sua chama permaneceu em um azul-real brilhante.

Lidia tinha acabado de abrir a porta de metal quando Hilde chamou da mesa:

— E como é que eu fico?

Lidia lançou um olhar frio para a bruxa imperial.

— Sugiro que você implore pela clemência de Rigelus. — Ela não esperou a bruxa responder, e saiu batendo a porta.

Clemência. Lidia não tivera clemência alguma em seu coração dois dias antes, quando passara por Hilde nos corredores e colocara seu cristal-com no bolso da bruxa. Com Ruhn nos calabouços, ninguém estava do outro lado da linha, de todo modo. O cristal estava, para todos os efeitos, morto. Mas, em posse da Hilde, quando Mordoc o farejou após as suspeitas de Lidia... o cristal se tornou inestimável outra vez.

Não conseguia pensar em ninguém, para além dos próprios asteri, que Irithys poderia odiar mais do que a bruxa que fizera a tatuagem em sua garganta incandescente. Não havia ninguém que Irithys gostaria de queimar mais do que Hilde.

E, ainda assim, a Rainha Duende se recusara.

A senhora não estava em lugar algum quando Lidia voltou a entrar pelo corredor quente e úmido, nem quando Lidia colocou Irithys de volta em seu pedestal no centro da sala.

— E quanto aos outros prisioneiros? — exigiu Irithys quando Lidia se afastou.

Lidia pausou, enfiando as mãos nos bolsos.

— Por que eu deveria perder meu tempo tentando convencer você a me ajudar com eles?

E, de fato, estava ficando sem tempo. Tinha lugares para ir, e logo.

— Você teve um trabalho danado para conseguir me tirar daqui hoje. À toa.

Lidia deu de ombros, então se encaminhou para a saída.

— Sei reconhecer uma batalha perdida — falou por cima do ombro. — Aproveite seu nome e sua honra. Espero que eles sejam boas companhias dentro dessa bola de cristal.

* * *

Bryce e Nestha caminharam em um silêncio carregado e tenso por muito tempo.

Os pés de Bryce tinham voltado a doer, o incômodo subindo até as pernas. Normalmente, ela teria iniciado uma conversa para se distrair do desconforto, mas sabia que não deveria fazer muitas perguntas sobre este mundo, sobre o povo de Nestha.

Levantaria suspeitas demais. Se ela buscava falar o mínimo possível de si mesma e de Midgard, então eles provavelmente agiriam da mesma forma em relação à casa deles.

Sem avisar, Nestha parou, erguendo o punho.

Bryce parou de repente ao lado dela e, ao olhar de relance, percebeu que os olhos azul-acinzentados de Nestha perscrutavam devagar o túnel à frente. Uma calma gélida estampada em seu rosto.

Bryce murmurou:

— O que foi?

Os olhos de Nestha se movimentavam rapidamente, analisando de novo o terreno.

Quando Bryce deu um passo para a frente, sua estrela iluminou o que fizera a guerreira parar: o túnel se ampliava para uma enorme câmara, o teto tão alto que nem mesmo a luz estelar de Bryce conseguia alcançá-lo. E no centro... o caminho descia de ambos os lados, exibindo apenas uma finíssima ponte rochosa sobre o que parecia ser um abismo sem fim.

Bryce sabia que não era sem fim apenas porque lá embaixo, bem embaixo, podia ouvir o barulho de água corrente. Um rio subterrâneo que, para fazer um som tão forte até ali em cima, deveria ser enorme. Gotículas flutuavam na escuridão, o ar úmido misturado com um cheiro espesso e metálico... de ferro. Ali devia ter sido um depósito.

Nestha disse, também em voz baixa:

— Esta ponte é o lugar perfeito para uma emboscada.

— De *quem*? — Bryce silvou.

— Não vivi tempo o bastante para conhecer todos os horrores deste mundo, mas posso dizer que coisas sombrias tendem a crescer em lugares sombrios. Ainda mais em lugares tão velhos e esquecidos quanto este.

— Que ótimo. Então como vamos cruzar sem atrair essas tais coisas sombrias?

— Eu não sei... nunca estive neste túnel antes.

Bryce se virou para ela, surpresa:

— Você nunca veio aqui antes?

Nestha olhou feio para ela.

— Não. Ninguém nunca veio.

Bryce riu, irônica, analisando o abismo e a ponte à sua frente. Nenhum movimento, nenhum som além da água que corria abaixo.

— Quem você irritou para que mandassem vir me buscar?

Ela poderia ter jurado que a boca de Nestha se curvou em um sorriso.

— Em um dia bom, seriam tantas pessoas que mal conseguiria contar. Mas hoje... eu me voluntariei.

Bryce arqueou uma sobrancelha.

— Por quê?

A chama prateada brilhou nos olhos de Nestha. Bryce sentiu um arrepio percorrer sua espinha. Era feérica e, ao mesmo tempo... não era.

— Pode chamar de intuição — respondeu Nestha, e subiu na ponte.

* * *

Bryce fez tudo o que estava ao seu alcance para não pensar na falta de corrimão, no abismo que parecia sem fim e no rio retumbante. Tinham percorrido metade da ponte estreita quando ouviram um barulho diferente, quase inaudível devido ao bramido veloz da água.

Garras deslizando na pedra.

Vindo de cima *e* de baixo.

— Vamos. — Nestha pegou a espada simples, mas notável. Ao toque de sua mão, chamas prateadas deslizaram pela lâmina e...

Bryce sentiu sua respiração falhar. A espada pulsou, como se todo o ar ao seu redor tivesse desaparecido. Era como Áster, de certa forma. Mais que uma espada. Assim como Nestha era feérica, porém mais que isso.

— Qual é a da sua espada...

— Vamos — Nestha repetiu, atravessando o restante da ponte.

Bryce se recompôs o bastante para obedecer, movendo-se tão rapidamente quanto ousava, considerando o enorme abismo que a cercava.

Asas de couro tremularam. As garras raspavam na pedra poucos metros à frente.

Bryce mandou a precaução para o Inferno e correu em direção à entrada do túnel, de onde Nestha estava acenando para que se apressasse, com a espada brilhando fracamente na outra mão.

Então a estrela de Bryce iluminou a rocha que emoldurava o acesso do túnel.

Ela correu.

Um monte de *coisas* cercava a entrada, menores do que as feras abaixo do calabouço, mas quase piores. Eram mais brutas e a pele parecia dura como couro. As bestas se assemelhavam a uma espécie de híbrido primitivo de morcego e lagarto. Línguas pretas se balançavam no ar, entre dentes claros e destruidores. Como os kristallos, nascidos e criados por eras na escuridão.

Algumas das criaturas saltaram, mergulhando no vazio abaixo, caçando...

O túnel e a ponte retumbaram.

Bryce cambaleou e a queda se aproximou assustadoramente. Uma onda de pânico ofuscou todos os seus sentidos...

O treinamento e a graça feéricos a dominaram, e Bryce poderia chorar, tamanho o alívio que sentiu por não ter caído naquele vazio. Sobretudo quando algo enorme e viscoso balançou vindo de baixo, do tamanho de dois ônibus.

Um verme gigantesco, brilhando com água e lama.

A boca cheia de dentes enfileirados se abriu e *mordeu*...

Bryce caiu sentada, e o verme pegou três dos lagartos voadores com a boca, engolindo todos em uma única mordida.

A luz estelar dela brilhou, projetando luz e sombra por toda a caverna.

As criaturas na parede guincharam — fosse pelo verme ou pela luz — batendo em seus poleiros e caindo direto dentro da boca aberta da criatura. Outra mordida, espirrando água do rio e lama de cheiro metálico — e tudo desapareceu na garganta do verme.

Bryce só conseguia olhar.

Um movimento do corpo gigante da criatura e ela estaria em cima de Bryce. Uma mordida e ela seria engolida. A luz estelar de nada adiantaria. O verme não tinha olhos. Provavelmente se movia de acordo com o cheiro, e lá estava ela, uma sobremesa trêmula em cima daquela ponte...

Uma mão forte e magra agarrou Bryce pelas axilas e a arrastou.

Ela foi dominada por sensações: rochas raspando seu corpo conforme era arrastada; luz, sombras e coisas voadoras guinchando; suas costas ardendo pelas pedras que arranhavam sua pele; o enorme corpo molhado do verme enquanto ele emergia das profundezas novamente, arrebatando as feras...

Não conseguia parar de tremer quando Nestha a jogou no chão a uma distância segura dentro do túnel. O verme deu mais algumas mordidas no ar, a caverna estremecendo a cada impulso poderoso. O cheiro de ferro ficou mais forte; era sangue. Se misturava com o ar, com o cheiro da água do rio.

Cada estalo da mandíbula do verme parecia ribombar pela rocha, pelos ossos de Bryce.

Tudo o que conseguia fazer era assistir, em um horror silencioso, conforme mais criaturas desapareciam entre aqueles dentes. Então o característico cheiro de sangue preencheu o ar e o verme começou a descer, mais e mais e mais. De volta para o rio e onde quer que fosse seu refúgio.

A respiração de Nestha estava tão ofegante quanto a de Bryce, e quando Bryce por fim olhou para a guerreira, viu que ela já a encarava. Desgosto e algo parecido com decepção estampavam o lindo rosto de Nestha quando ela soltou:

— Você travou.

A fúria dissipou os tremores persistentes de Bryce e a ardência em sua pele arranhada, e ela se empurrou para trás:

— O que porra era aquela coisa?

Nestha olhou para as sombras atrás de Bryce, como se tivesse alguém ali. Mas respondeu:

— Um Verme de Middengard.

— Middengard? — Bryce se assustou com a palavra. — Tipo... *Midgard*? Elas são do meu mundo?

Por mais horripilante que a criatura fosse, ter outro ser de seu mundo era... reconfortante, de uma forma estranha. E encontrar conforto neste fato mostrava o tamanho do desespero dela.

— Eu não sei — respondeu Nestha.

— Elas são comuns por aqui?

Porque, se fossem, não era de se espantar que os feéricos tivessem ido embora deste mundo.

— Não — respondeu Nestha, um músculo se mexendo em sua mandíbula. — Até onde sei, eles são raros. Mas vi as pinturas que minha irmã fez de um que ela derrotou. Achei que era um pouco de exagero, mas a criatura é tão horrível quanto ela descreveu. — Ela balançou a cabeça, e o choque se transformou em frieza e agressividade mais uma vez. — Eu não sabia que existia mais de um. — Seus olhos esquadrinharam Bryce em uma avaliação cautelosa de uma guerreira. — Que tipo de poder você possui? Que luz é essa?

Bryce balançou a cabeça devagar.

— É luz. Só... luz.

A estranha e terrível luz que tinha vindo de outro mundo, a disseram certa vez.

Deste mundo.

Os olhos de Nestha brilharam.

— A que corte seus ancestrais eram leais?

— Eu não sei. A feérica ancestral cujo poder carrego, Theia, era Estrelada. Como eu.

— Esse termo não quer dizer nada aqui. — Nestha puxou Bryce, fazendo-a se levantar com facilidade. — Mas Amren me contou o que você disse a respeito de Theia, a rainha que foi do nosso mundo para o seu.

Bryce limpou a poeira e as pedras de suas costas e de sua bunda. E de seu ego.

— Minha ancestral, sim.

— Theia era Alta Rainha destas terras. Antes de ir embora — explicou Nestha.

— Ela era? — Não apenas uma líder em Midgard, mas uma governante poderosa ali também. Sua ancestral tinha sido *Alta* Rainha. Bryce carregava não apenas a luz estelar de Theia, mas suas conexões de realeza com aquele mundo. O que poderia deixá-la em maus lençóis com essas pessoas, caso se sentissem ameaçadas pela linhagem de Bryce e acreditassem que ela poderia vir a reivindicar seu direito ao trono.

Os olhos de Nestha desviaram para a estrela no peito de Bryce, então para as sombras atrás dela. Mas decidiu deixar o assunto de lado, virando-se para o túnel em frente a elas.

— Se encontrarmos outra coisa que tente nos comer — disse a guerreira —, não fique encarando que nem um cervo assustado. As opções são correr ou enfrentar.

Randall iria gostar dessa fêmea. Ficou triste ao pensar nisso. Mas então retrucou:

— Tenho feito isso minha vida inteira. Não preciso de uma aula.

— Então não me faça arriscar minha vida para tirar você de perigo da próxima vez — protestou Nestha, com frieza.

— Eu não pedi para você me salvar — resmungou Bryce.

Mas Nestha já tinha começado a andar pelo túnel de novo, sem esperar por Bryce ou sua estrela para iluminar o caminho.

— Você já meteu a gente em muitos problemas — disse a guerreira sem olhar para trás —, fique por perto.

8

As sombras o observavam de novo.

Baxian e Ruhn tinham desmaiado, e Hunt achou que também estava inconsciente, mas... ali estava ele. Observando uma sombra que o observava de volta. Estava atrás da estante em que repousavam os instrumentos que Pollux e o Falcão tinham usado nele.

Lidia não aparecera naquele dia. Ele não sabia se isso era um bom sinal. Não ousou perguntar para Ruhn o que ele achava. Hunt supôs que, dentre todos eles, deveria ser ele próprio a saber se aquilo era um bom sinal. Tinha vivido essa mesma merda durante anos.

Mas ele deveria saber um monte de outras coisas também.

Hunt não sentia mais as mãos nem os ombros. Mas a coceira em suas asas, que se regeneravam pouco a pouco, continuava. Como formigas descendo em fila por sua espinha. Por mais que se contorcesse, aquilo não passava.

Deveria saber que era melhor não se meter com os arcanjos, com os asteri. Deveria ter alertado Bryce com mais ênfase, deveria ter se esforçado mais para tirá-la desse caminho perigoso.

Isaiah tentara convencê-lo muitos séculos antes e Hunt não dera ouvidos... agora, tinha que viver com as consequências. Deveria ter aprendido a lição.

O sangue dele esfriava conforme se esvaía de seu corpo, pingando no chão.

Mas ele não aprendera porra nenhuma, ao que tudo indicava. Era impossível enfrentar os asteri e suas hierarquias e sair vencedor. *Ele deveria saber disso.*

A sombra sorriu para ele.

Então, Hunt sorriu de volta. E a sombra falou:

— Você se daria bem no Inferno.

A agonia era como uma droga, e Hunt nem estremeceu ao ouvir a voz masculina familiar. Uma que ele já tinha ouvido em outro sonho, em outra vida.

— Apollion — grunhiu ele. Não era a Morte, no fim das contas. Tentou não deixar a decepção o dominar.

— Você está em condições deploráveis — ronronou o Príncipe do Fosso. Ele permaneceu escondido nas sombras instáveis. O príncipe demônio inspirou, como se cheirasse o ar. — Que dor deliciosa você está sentindo.

— Adoraria compartilhar.

Apollion soltou uma risada aterrorizante e suave.

— Me parece que seu bom humor permanece intacto. Até com esse halo tatuado de novo na sua testa.

Hunt sorriu, selvagem.

— Tive a honra de ser tatuado pela mão de Rigelus dessa vez.

— Interessante que ele tenha feito por conta própria, em vez de usar uma bruxa imperial. Você sente a diferença?

Hunt abaixou o queixo.

— Este... arde. O halo da bruxa parecia ferro frio. Este queima como ácido. — Ele tinha acabado de falar quando um pensamento surgiu em sua mente. — Bryce. Ela está... ela está com você? — Se a tivessem machucado, se Apollion sequer sugerisse que...

— Não. — A sombra pareceu piscar. — Por quê?

Hunt foi dominado pelo horror, mais frio do que gelo.

— Bryce não chegou no Inferno?

Onde estaria, então? Tinha chegado em algum lugar, ou estaria viajando no tempo e espaço, presa para sempre...?

Ele deve ter emitido algum som deplorável, porque Apollion disse:

— Espere um pouco antes de surtar, Athalar.

E desapareceu.

Hunt não conseguia respirar. Talvez fosse o peso do próprio corpo pressionando os pulmões, mas... Bryce não tinha chegado lá. Ela não chegara na porra do Inferno, e ele estava preso ali, e...

Apollion apareceu de novo, com uma segunda sombra ao lado dele. Mais alta e mais magra, com olhos como opalas azuis.

— *Cadê a Bryce?* — sibilou o Príncipe do Desfiladeiro.

— Ela foi atrás de você. — A voz de Hunt falhou.

Ao lado dele, Ruhn resmungou, se mexendo.

— Porra, ela foi atrás de *você,* Aidas.

Os Príncipes do Inferno se entreolharam, uma conversa silenciosa se desenrolando entre eles. Hunt pressionou:

— Vocês dois disseram que ela deveria ir atrás de você. Nos contaram todas aquelas mentiradas de exércitos, de querer ajudar e prepará-la...

— Será possível — disse Aidas para o irmão, ignorando Hunt por completo —, depois de tudo...?

— Não romantize — alertou Apollion.

— A estrela deve tê-la guiado — rebateu Aidas.

— Por favor — cortou Hunt, sem se importar com o fato de estar implorando —, *me diga onde ela está.*

Baxian resmungou, recobrando a consciência.

Aidas disse com a voz baixa:

— Eu tenho uma suspeita, mas não posso contar a você, Athalar, para que Rigelus não consiga arrancar essa informação. Apesar de ele provavelmente já ter chegado à mesma conclusão.

— Vai se foder — xingou Hunt.

Mas Apollion disse para o irmão:

— Precisamos ir embora.

— Então pra que ficar me observando das sombras todo esse tempo? — perguntou Hunt.

— Para ter certeza de que podemos confiar em você quando chegar a hora.

— Para fazer o quê? — reclamou Hunt.

— O que você nasceu para fazer... cumprir a tarefa pela qual seu pai trouxe você para este mundo — concluiu Apollion antes de desaparecer, deixando Aidas parado, sozinho, em frente aos prisioneiros.

O choque cresceu em Hunt, amortecido pelo peso de uma dor antiga que não fora convidada a aparecer.

— Eu não tenho pai.

Aidas estava com uma expressão triste quando saiu das sombras.

— Você passou tempo demais fazendo as perguntas erradas.

— E o que *isso* quer dizer, porra?

Aidas balançou a cabeça.

— A coroa preta que está em sua testa de novo não é uma mera punição dos asteri. Ela existe há milênios.

— Me diga a porra da verdade ao menos *uma vez*...

— Mantenha-se vivo, Athalar.

O Príncipe do Fosso seguiu o irmão, desaparecendo em brasas e escuridão.

* * *

Tharion acordou com uma dor de cabeça latejante, que ressoava em cada centímetro de seu corpo.

Pelo cheiro em seu quarto, Holstrom tinha dormido lá, provavelmente no chão, mas o cômodo estava vazio. Apertando os olhos por causa da dor, Tharion entrou na sala principal para encontrar Holstrom e Flynn no sofá, enquanto Declan e Marc seguravam seus cafés na pequena mesa próxima à janela, com vista para o ringue. Ariadne estava sentada em uma cadeira, lendo um livro; seu comportamento contrastava com o da fêmea que assara os leões na noite anterior.

Não havia sinal da herdeira Fendyr. Ou das duendes. Talvez aquilo tivesse sido uma alucinação.

— Bom dia — resmungou, fechando os olhos devido ao brilho do ambiente.

Ninguém respondeu.

Tudo bem. Lidaria com eles em alguns instantes, depois do café. Ele foi até o bar do outro lado da sala — o brilho da televisão sem som causando uma pontada de dor em seu olho esquerdo — e, no piloto automático, ligou a máquina de café. Tharion enfiou uma xícara embaixo do jato e apertou um botão que se assemelhava vagamente ao principal.

— Você está mesmo com uma aparência de merda — falou Flynn com a voz lenta enquanto Tharion inalava o aroma do café. — Ari, é claro, está linda como sempre.

A dragoa manteve sua atenção no livro, ignorando o lorde feérico. Ela não moveu um único músculo, como se quisesse que eles se esquecessem de que estava ali. Como se isso sequer fosse possível.

Mas Flynn voltou a focar sua atenção em Tharion.

— Por que você não veio até nós para pedir ajuda?

Tharion bebeu um gole de café, fazendo uma careta quando o líquido quente queimou sua boca.

— É cedo demais para este tipo de conversa.

— Porra nenhuma — retrucou Holstrom. — A gente teria ajudado você. Por que veio para cá?

Tharion não conseguiu esconder a irritação em sua voz.

— Porque a Rainha do Rio teria acabado com vocês. Eu não queria ficar com esse peso na consciência.

— E isto aqui é melhor? — interpelou Ithan.

Flynn acrescentou:

— Agora você está preso aqui, tendo que aguentar qualquer merda que ela inventar, isso sem falar nas porcarias que ela tem oferecido em troca. Como você pode ser tão estúpido?

Tharion olhou com irritação para ele.

— Como se você pudesse falar de ideias idiotas, Flynn.

Os olhos de Flynn piscaram com um raro brilho do poderoso lorde feérico espreitando sob a aparência descontraída.

— Nem mesmo eu venderia minha alma para a Rainha Víbora, Ketos.

Holstrom acrescentou:

— Tem que ter algum jeito de tirar você dessa. Você desertou da Corte Azul. Poderia muito bem desertar da...

— Olha — cortou Tharion, com os dentes cerrados —, eu sei que você tem um complexo de salvador, Holstrom...

— Vai se foder. Você é meu amigo, não tem o direito de ignorar a cilada em que está se metendo.

Tharion não conseguia decidir se queria olhar feio para o lobo ou abraçá-lo. Deu mais um gole no café escaldante. Recebeu de bom grado a queimação em sua garganta.

Ithan disse, com a voz rouca:

— Só sobramos nós, só temos um ao outro agora.

Declan de seu lugar à mesa, acrescentou baixinho:

— Tá tudo fodido. Ruhn, Athalar, Bryce... — Marc apoiou uma mão reconfortante no ombro dele.

— Eu sei — disse Tharion —, e Cormac morreu.

— O quê? — Flynn cuspiu o café de volta na xícara.

Tharion os atualizou do que aconteceu no laboratório, e percebeu que, porra... um pouco daquele veneno cairia bem naquele instante. Quando terminou de explicar seu acordo com a Rainha Víbora, todos ficaram em silêncio de novo.

Até que Flynn disse:

— Tudo bem. Próximos passos: precisamos chegar até o *Cargueiro das Profundezas*... e depois até Pangera. Até a Cidade Eterna. — Ele assentiu para Tharion. — Antes da emboscada de Sabine, tínhamos acabado de decidir que viríamos procurar por você, pra tirar você dessa merda toda e para ver se poderia nos colocar em contato com os seres do mar no navio.

— Nunca que a Víbora vai deixar ele ir embora — disse Ari, quebrando seu silêncio.

Os machos pararam por um segundo, olhando para ela, como se de fato tivessem se esquecido de que havia uma dragoa entre eles. Marc franziu a boca, se dando conta do quanto ela tinha ouvido.

Mas Flynn perguntou, com a sobrancelha arqueada:

— E você agora é uma especialista em Víbora?

— Sou uma especialista em babacas — retrucou Ari suavemente, olhando para Flynn como se ele estivesse nessa lista. — E, se você pedir que ela o liberte, só vai conseguir que o prenda com mais vontade.

— Ela está certa — acrescentou Tharion. — Posso pensar em uma forma de entrar em contato com a Comandante Sendes...

— Não — disse Ithan —, *todos* nós vamos.

— Fico comovido — disse Tharion, apoiando o café no balcão atrás dele. — De verdade. Mas não é tão fácil assim, não é só dizer *estou desertando* e sair porta afora.

Ithan se irritou, mas Sigrid apareceu na porta do banheiro, com vapor saindo de lá. Ela devia estar tomando banho.

— O que seria necessário?

Tharion olhou para a fêmea. Definitivamente uma alfa, com aquela postura firme e olhos brilhantes e destemidos.

— A Víbora só se importa com negócios — disse o tritão.

— Você é rico — apontou Ari para Flynn.

— Mas, com ela, não se trata de dinheiro — respondeu Marc. — Ela já tem tanto que nem sabe o que fazer com ele. Mas acho que faria uma troca.

Tharion franziu a testa, olhando para o corredor, para a porta que levava aos aposentos privados da Rainha Víbora.

— Quem está com ela agora?

— Uma fêmea — respondeu Ari, levantando-se e percorrendo o corredor. Foi até a porta de seu quarto e disse, por cima do ombro: — Uma loira bonita com uniforme imperial. — A dragoa não disse mais nada antes de fechar e trancar a porta do quarto.

— A gente precisa cair fora daqui — disse Declan em voz baixa —, agora mesmo.

— O que aconteceu? — perguntou Flynn. Declan já estava pegando sua arma e Marc já se levantava com graça felina.

Tharion espiou o corredor a tempo de ver a porta se abrir. A Rainha Víbora, vestida com um agasalho de seda azul e tênis branco de cano alto, caminhou em direção a eles, brincos de argola dourados balançando sob os cabelos curtos e pretos.

— Só um instante — disse para quem estava no aposento atrás dela —, o seu tipo de veneno fica lá embaixo. Volto em um minuto.

Tharion enrijeceu quando a metamorfa de cobra entrou na sala, analisando os amigos dele.

— Ainda tem um pouco do sangue de Sabine nas suas mãos — falou lentamente para Flynn.

Todos a encararam. Mas foi a herdeira Fendyr quem se levantou e soltou:

— Você não é melhor que o Astrônomo, com todas essas pessoas presas aqui, dopadas e...

A Rainha Víbora a cortou:

— Abaixe essa crista, pequena Fendyr. — Ela analisou Sigrid, dos cabelos molhados até as roupas largas. — Ficar aqui é de graça, mas vou cobrar se quiser roupas novas.

— Liberte os dois — exigiu Sigrid, a voz como um trovão. — A dragoa e o tritão... liberte os dois.

Tharion não se permitiu nutrir esperanças pela ferocidade da alfa, não quando ouviu a risada da Rainha Víbora.

— E por que eu faria isso? Eles trazem muitos clientes. — Ela deu um sorriso zombeteiro para Tharion conforme saía pela porta, para buscar qualquer que fosse a droga que a pessoa no fim do corredor queria. — Quando não estão acabando com a brincadeira após alguns minutos.

Tharion se irritou, cruzando os braços. Mas, assim que a Rainha Víbora fechou a porta e desapareceu do lado de fora, ouviram-se passos secos no corredor.

Dec e Flynn sacaram suas armas. Holstrom estava com as garras à mostra. Tharion também exibiu as garras, tensionando todo o corpo.

— Abaixem isso — disse uma voz fria de fêmea. O pânico extinguiu qualquer traço de torpor em Tharion.

— Puta merda — murmurou Flynn.

— Se abrirem esta porta — ameaçou a Corça gentilmente —, o Príncipe Ruhn morre.

9

Bryce e Nestha caminharam pelo túnel durante horas, o silêncio tenso preenchendo o espaço entre elas de novo. Pior do que antes.

Bryce percebeu que era uma característica também das interações com feéricos que ela conhecia de seu próprio mundo. Ela não sabia por que, de alguma forma, ficava desapontada ao perceber isso.

Fizeram uma pausa e Nestha atirou um cantil de água para Bryce sem dizer nada, com um pão escuro.

— Você trouxe comida — comentou Bryce, com a boca cheia de pão levemente adocicado e úmido. — É estranho, considerando que pretendia me levar de volta para a cela.

Nestha tomou um gole do cantil.

— Tive a sensação de que poderia passar um tempo correndo atrás de você.

— Tempo suficiente para precisar parar e comer? — Seus olhares se encontraram, os olhos prateados de Nestha mirando a luz estelar de Bryce.

— Não conhecemos essas cavernas, eu me preparei para qualquer eventualidade.

— Não para o verme, aparentemente.

— Você está viva, não está?

Bryce não pôde deixar de rir.

— Justo.

Elas não conversaram mais depois disso.

Era possível que estivessem se encaminhando para um beco sem saída, quilômetros e horas jogados fora. Mas o túnel parecia... ter um propósito. E Bryce não ia fazer perguntas a respeito da potencial inutilidade daquela jornada, para não correr o risco de Nestha resolver tentar prendê-la de volta na caverna.

De um jeito ou de outro, estava conseguindo o que queria.

* * *

Bryce estava tão absorta em seus pensamentos que não percebeu a bifurcação no túnel até que quase passou pela parte que virava para a direita. Ela parou e, percebendo que não ouvia mais os passos de Nestha atrás de si, deduziu que a guerreira fez o mesmo.

Bryce puxou a gola da camiseta para baixo, para deixar à mostra mais de sua luz estelar e iluminar os dois caminhos que se apresentavam diante delas.

À esquerda, o túnel continuava com aspecto antigo, com paredes de pedras ásperas curvando-se para a escuridão.

À direita... ao redor do arco natural, uma série de estrelas e planetas foi esculpida, coroada em seu ápice por um grande sol poente ou nascente. A estrela de Bryce brilhou ainda mais quando ela ficou de frente para ele, guiando-a até lá.

Podia distinguir vagamente mais cenas de violência e derramamento de sangue cobrindo as paredes dentro do túnel.

— Vou dar um palpite: vamos para a direita. — Bryce suspirou, cobrindo sua estrela novamente com a camiseta.

— Muito bem — disse Nestha, e caminhou em direção ao arco.

Bryce avançou antes que Nestha pudesse evitar, segurando a guerreira pela gola da camisa. Com um giro rápido, Nestha estava sobre ela, sua espada na garganta de Bryce. Não dava para acreditar que o metal pudesse ser tão gelado.

Bryce ergueu as mãos, tentando não se mover muito, para não colocar a pele em mais contato do que o necessário com aquela lâmina horrível.

— Não... olha. — Ela acenou com a cabeça o mais discretamente que pôde para os entalhes no túnel logo além do arco.

Nestha não abaixou a lâmina, cujo metal gelado parecia pulsar contra a pele de Bryce, como se a espada estivesse viva e consciente. Mas o olhar de Nestha virou para onde Bryce havia indicado.

— O que é aquilo?

— Esses entalhes — Bryce sussurrou. — De onde venho, meu trabalho é analisar arte antiga, estudá-la e vendê-la, e... deixa pra lá, isso não é muito relevante. Só quero dizer que vi *muitas* obras de arte antigas de feéricos, e essas coisas na parede... são um aviso. Então, se você quiser ser empalada por um monte de lanças enferrujadas, pode seguir em frente.

Nestha piscou, a cabeça inclinada, mais felina do que feérica. Mas abaixou a espada.

Bryce tentou não ofegar de alívio quando o metal gelado desencostou de sua pele, de sua alma. Nunca mais queria sentir algo parecido de novo.

Nestha não sabia ou não se importava com o impacto da espada em Bryce, estava examinando os entalhes. Os que estavam mais próximos a elas.

Uma fêmea, evidentemente da nobreza feérica, com vestes ornamentadas e joias sofisticadas, as encarava da parede. Como se estivesse se dirigindo a uma plateia, dando as boas-vindas aos recém-chegados ao túnel. Ela era jovem e bonita, mas tinha uma presença que parecia majestosa. Cabelos longos fluíam ao redor dela como um rio silencioso, emoldurando seu delicado rosto em formato de coração.

Bryce deixou de lado o que restava de medo e traduziu a inscrição:

— O nome dela era Silene.

Nestha examinou a escrita abaixo da imagem.

— É só isso que diz?

Bryce deu de ombros.

— Feérica à moda antiga. Muitos títulos e linhagens chiques. Você sabe como eles gostavam de se vangloriar.

Nestha deu um sorriso. Bryce apontou para os painéis em relevo que continuavam adiante.

— O aviso está na história que ela está contando aqui — disse Bryce.

Havia muitos cadáveres esculpidos na parede, um campo de batalha se estendendo à frente. Crucifixos pairavam sobre o campo de batalha, com corpos pendurados neles. Feras grande e escuras, com escamas e garras se alimentavam de vítimas aos gritos, e Bryce percebeu que eram iguais àquelas do poço abaixo de sua cela, o que a fez estremecer. Águias ensanguentadas estavam espalhadas em altares de pedra.

— Pela Mãe do céu — murmurou Nestha.

— Aqueles buracos nos cadáveres ali... aqueles que parecem feridas... aposto qualquer coisa que eles têm mecanismos para disparar algum tipo de arma nos transeuntes — disse Bryce. — Como uma forma "artística" doentia de fazer o espectador sentir a dor e o terror dessas vítimas feéricas.

Bryce poderia jurar que algo parecido com surpresa e vergonha — que talvez nem mesmo a guerreira tivesse notado — tomou o rosto de Nestha.

— O que você acha que devemos fazer para passar, então? — Era uma pergunta calculada. Um teste.

Nem ferrando que Bryce iria *travar* de novo. Ela ergueu uma das mãos.

— Me dê alguma coisa pesada, vou ver se consigo acionar o mecanismo.

* * *

Nestha suspirou, como se estivesse novamente irritada. Bryce virou-se para ela, prestes a perguntar se tinha alguma ideia melhor, quando Nestha levantou um braço. A chama prateada envolveu seus dedos e Bryce recuou um passo.

Era fogo, mas ao mesmo tempo não era fogo. Foi como se gelo se transformasse em chama, que cintilava nos olhos de Nestha enquanto ela colocava a mão na parede de pedra. Fogo prateado ondulou sobre os entalhes.

Os mecanismos foram acionados. E falharam. Parafusos de metal enferrujados disparavam das paredes. Ou tentavam. Eles mal passavam pela parede antes de se transformarem em pó.

O poder de Nestha estremeceu pelas paredes, desaparecendo na escuridão. Cliques e assobios fracos perdiam a força no escuro; o som das armadilhas se transformava em cinzas.

Nestha encontrou o olhar de Bryce. O fogo que envolvia sua mão se apagou, mas a chama prateada ainda tremeluzia em seus olhos.

— Você tem a minha gratidão. — Foi tudo o que Nestha disse antes de seguir em frente.

* * *

Mais tarde, jantaram de novo queijo duro e mais pão escuro, e encontraram uma pequena alcova na parede do túnel para descansarem. A luz estelar de Bryce ainda fornecia a única iluminação, esmaecida por sua camiseta. Estava frio o suficiente para que ela olhasse com inveja para a capa escura de Nestha, enrolada firmemente na guerreira.

Ela se distraiu olhando para os entalhes nas paredes: feéricos tinham pedaços brilhantes de luz estelar em suas mãos erguidas e estavam ajoelhados diante de humanoides incrivelmente altos vestidos com túnicas. Magia, uma oferenda às criaturas coroadas diante deles. Um dos seres estendia a mão para o feérico mais próximo, seus dedos se esticando em direção à luz que oferecia.

O estômago de Bryce se revirou quando ela notou que, por trás da suplicante feérica, humanos acorrentados jaziam prostrados no chão, seus rostos esculpidos de um jeito tosco em forte contraste com a beleza sobrenatural e imaculada dos feéricos. Outra arte doentia: os humanos eram pouco mais que pedra e terra em comparação com os feéricos e seus mestres divinos. Nem valia a pena o esforço de esculpi-los. Estavam presentes apenas para que os feéricos exercessem seu poder sobre eles, para esmagar os humanos sob seus calcanhares.

A voz de Rigelus soou fraca na memória de Bryce. Os asteri uma vez entregaram os humanos aos vanir para que tivessem alguém para governar, para impedi-los de pensar que não estavam em melhor situação, todos eles escravizados dos asteri. Esse falso sentimento de superioridade e propriedade perdurava em Midgard. E parecia que existia neste mundo também.

Nestha terminou de comer o queijo, mastigando-o até a casca, e perguntou, sem olhar para Bryce:

— Sua estrela sempre brilha assim?

— Não — respondeu, engolindo o pão. — Mas aqui embaixo parece que sim.

— Por quê?

— Era isso que eu queria descobrir: o que está me guiando para este túnel. *Por que* está me guiando pra ele.

— Por que você veio parar em nosso mundo.

Rhysand ou os outros deviam ter contado tudo a Nestha antes de enviá-la atrás de Bryce, que apontou para o túnel e para os entalhes antigos.

— Que lugar é este, afinal?

— Eu já disse, não sabemos. Até você passar pelas feras, nem mesmo Rhys sabia que esse túnel existia. E com certeza não sabia que existia arte desse tipo aqui.

— E Rhysand é... seu rei?

Nestha bufou.

— Ele gostaria de ser. Mas não. É o Grão-Senhor da Corte Noturna.

Bryce arqueou uma sobrancelha.

— Então ele serve a um rei?

— Não temos reis aqui. Apenas sete cortes, cada uma governada por um Grão-Senhor. Às vezes com uma Grã-Senhora ao lado.

Uma pedra deslizou nas sombras. Bryce virou-se para ela, mas... não havia nada. Apenas escuridão.

Ela notou Nestha observando-a com atenção. Nestha perguntou:

— Por que não me deixou ser empalada mais cedo? Poderia ter me deixado cair em uma armadilha e fugir.

— Não tenho motivos para desejar a sua morte.

— E, ainda assim, você fugiu da cela.

— Eu sei como os interrogatórios tendem a terminar.

— Ninguém torturaria você.

— Ainda não, você quer dizer.

Nestha não respondeu. Quando ouviu outro barulho na escuridão, Bryce virou a cabeça e encontrou Nestha olhando para ela mais uma vez.

— O que é aquilo? — perguntou Bryce baixinho.

Os olhos de Nestha brilharam como os de um gato no escuro.

— Só as sombras.

10

Tharion sabia que aquilo não acabaria bem. Não com Flynn e Dec apontando suas armas para a Corça, as garras de Marc reluzindo e prontas para ferir. Não com Holstrom agachado, os dentes à mostra, curvado na frente de Sigrid. A herdeira Fendyr olhou para todos eles, avaliando-os de maneira predatória, compreendendo a ameaça, mas sem saber do que se tratava.

Que bela merda. Sobrara para ele ser a voz da razão.

Então Tharion fez o que fazia de melhor: estampou o sorriso da pessoa que um dia fora e caminhou até Tristan Flynn.

Apoiou um dos dedos, com a garra à mostra, no cano da arma do lorde feérico.

— Calma aí — apaziguou Tharion —, estamos em território neutro. Nem mesmo Lidia seria estúpida o bastante de fazer mal a algum de vocês aqui. — Ele piscou para a Corça, apesar de, por dentro, estar tremendo. — Você seria?

O rosto da Corça não demonstrou emoção alguma, mas ela abaixou o queixo.

Sigrid deu um passo para a frente.

— Quem é você?

Os olhos dourados da Corça foram até a loba. Suas narinas inflaram discretamente.

— Acho — murmurou para si mesma — que a pergunta certa é quem é *você*?

— Não é da sua conta — cortou Ithan.

A Corça olhou para ele, demonstrando que, apesar de ter suas suspeitas, aquilo não era prioridade para ela. Ainda. Ela apenas disse para a herdeira Fendyr:

— Um pouco de privacidade, por favor.

Holstrom rosnou.

— O que quer que você tenha a dizer, pode dizer na frente dela.

Declan disse baixinho:

— Holstrom, talvez ela possa... ficar com a dragoa por uns instantes.

Ithan olhou indignado para Declan, mas depois pareceu ceder. Se falariam de Ruhn, se a única maneira de fazer a Corça falar seria com Sigrid longe...

Tharion entrou na conversa:

— Ari trancou a porta dela, e tenho quase certeza de que isso significa que quer *ficar sozinha.* — Ele apontou para a porta ao lado do quarto de Ari. — Mas pode ir para o meu quarto.

Sigrid riu, zombeteira.

— Eu não sou um filhotinho que vocês podem mandar...

— Por favor — implorou Declan com um gesto impotente.

Marc colocou de novo uma mão gentil no ombro dele.

Houve um momento, então, em que Ithan e Sigrid se entreolharam. Tharion poderia jurar que houve algum tipo de luta de vontades entre eles.

Sigrid se irritou e depois cuspiu:

— Tá bom. — E seguiu em direção ao quarto de Tharion.

As duendes voaram atrás dela, mas Lidia as deteve.

— Vocês três... esperem.

Sasa, Malana e Rithi se viraram, com os olhos arregalados para a Corça. Mas Lidia não voltou a falar até que Sigrid bateu a porta do quarto de Tharion. Talvez um pouco petulante demais.

Tharion não deixou de notar o suspiro de Ithan.

Lidia olhou para o relógio, como se calculasse quanto tempo ainda faltava para a Rainha Víbora retornar, então disse para Flynn e Dec:

— Eu fui procurar por vocês, mas não tinha ninguém na sua... casa. — Seu tom demonstrava desdém o bastante para deixar nítido o que pensava da casa deles na Rua do Arqueiro. — Mas eu sabia que Ketos tinha desertado e vindo para o Mercado da Carne em busca de refúgio... então imaginei que vocês também estariam se escondendo aqui.

— Imaginou? — exigiu Declan. — Ou alguém nos dedurou?

— Não fique se achando — retrucou a Corça, cruzando os braços. — Vocês são extremamente previsíveis.

— Bom, você está errada pra caralho — respondeu Flynn, ainda sem abaixar a arma. — Não viemos aqui para nos esconder.

Declan tossiu, como se dissesse *É essa a mentira que você escolheu contar?* Marc escondeu um sorriso.

— Pouco me importa por que vocês estão aqui — retrucou a Corça. — Não temos muito tempo. A vida de Ruhn depende de vocês me ouvirem.

— O que você fez com o Ruhn, porra? — cortou Flynn.

Tharion poderia ter jurado que algo parecido com dor surgiu no rosto da Corça.

— Ruhn está vivo, assim como Athalar e Argos.

— Bryce? — perguntou Ithan, com a voz rouca.

— Eu não sei. Ela... — A Corça balançou a cabeça.

Mas Declan perguntou:

— Baxian se envolveu? O Cão do Inferno?

Antes que Lidia pudesse responder, Flynn exigiu saber:

— Por que você veio *aqui*? — A voz dele falhou. — Para nos prender? Esfregar o fracasso na nossa cara?

A Corça se virou para o lorde feérico e, sim, aquilo que brilhava em seu rosto era dor.

— Estou aqui para ajudar vocês a resgatarem Ruhn.

Até mesmo Tharion hesitou.

— Isso é uma armadilha — disse Declan.

— Não é uma armadilha. — A Corça os analisou, desolada. — Athalar, Baxian e Ruhn foram aprisionados nos calabouços abaixo do palácio dos asteri. O Martelo e o Falcão torturam todos eles diariamente. Eles... — Um músculo se tensionou na mandíbula fina dela. — Seus amigos não contaram nada. Mas não sei por quanto tempo os asteri vão se divertir com o sofrimento deles.

— Desculpa — rebateu Declan —, mas *você* não é a principal interrogadora deles?

A Corça virou rosto anormalmente perfeito em direção ao guerreiro feérico.

— O mundo me conhece dessa forma, sim. Não tenho tempo para explicar tudo. Mas preciso da sua ajuda, Declan Emmet. Sou uma das poucas pessoas em Midgard que pode entrar naqueles calabouços sem ser questionada. E sou a única que pode deixá-los sair, mas preciso que *você* ajude a hackear as câmeras do palácio. Sei que já fez isso antes.

— Sim — murmurou Dec —, mas, mesmo com as câmera hackeadas, nossos últimos planos não acabaram muito bem. Pergunte ao Cormac como nossa última grande aventura acabou.

As palavras atingiram Tharion como pedras. A lembrança do príncipe feérico se sacrificando veio com tudo em sua mente. Em um instante, Cormac estava morto...

— Só falhou porque Rigelus sabia que eles viriam — disse a Corça, quase com delicadeza. — Celestina os dedurou.

O choque percorreu a sala. Mas Marc murmurou para Declan:

— Eu já te disse: arcanjos são nojentos.

Flynn ergueu as mãos.

— É só comigo ou mais alguém sente que está viajando depois de fumar alguma coisa estragada?

Tharion esfregou o rosto.

— Somos dois, eu acho. — Flynn riu, mas Tharion se controlou, limpando a garganta antes de continuar a dizer para a Corça: — Me ajude a entender umas coisas: você é a maior interrogadora e torturadora de espiões dos asteri. Você e seus lobos ferais nos atormentaram sem parar faz pouco tempo, aqui, nesta cidade. Você é, e me perdoe pela franqueza, praticamente o mal encarnado. Mas está pedindo nossa ajuda para libertar nossos amigos. E espera que a gente não estranhe?

Ela olhou para todos eles por um longo momento, e Tharion teve o bom senso de se sentar antes de ela dizer, calmamente:

— Sou a Agente Daybright.

— Mentira! — vociferou Flynn, apontando a arma para ela de novo.

Daybright, que estava no topo dos círculos mais íntimos dos asteri. Daybright, que sabia dos planos dos asteri antes mesmo de agirem. Daybright, o elo mais vital na cadeia de informação dos rebeldes...

— Ela está com o cheiro do Ruhn — murmurou Ithan. Todos eles piscaram, olhando para ele. O lobo fungou de novo. — Está bem fraquinho. Sintam o cheiro... está ali.

Para o choque de Tharion, as bochechas da Corça ficaram levemente coradas.

— Ele e eu...

— Não acredito nisso nem por um segundo, porra — protestou Flynn. — Ela deve ter rolado no sangue dele nos calabouços.

Os dentes dela brilharam enquanto ela rosnava, o primeiro indício de uma rachadura naquele exterior frio.

— Eu jamais o machucaria. Tudo que fiz recentemente, tudo que estou fazendo agora, é para manter Ruhn vivo. Vocês sabem o quanto é difícil manter Pollux afastado? Convencê-lo a ir devagar? Vocês *fazem ideia de como é isso*? — Ela gritou a última parte para Flynn, que deu um passo para trás. Lidia respirava com dificuldade, tremendo. — Preciso tirar ele de lá. Se você não me ajudar, a morte dele vai ser culpa sua. E eu vou *destruir você*, Tristan Flynn.

Flynn balançou a cabeça devagar, confusão e assombro estampados no rosto.

A Corça se virou para Tharion, e ele encarou seu olhar desesperado.

— Eu me certifiquei de que o *Cargueiro das Profundezas* estaria lá para pegar você depois que o Agente Silverbow se sacrificou, tentando fazer os asteri afundarem com ele; informei à Comandante Sendes que Ruhn, Athalar e Baxian tinham sido capturados, e que Bryce estava desaparecida. Fui eu quem manteve Rigelus longe de você, impedi que os asteri matassem qualquer um que tivesse sido importante para Ruhn, Bryce ou Athalar.

— Ou foi você — disse Tharion — que conseguiu as informações com a verdadeira Agente Daybright e agora veio aqui armar uma cilada para nós também.

— Acredite no que você quiser — disse a Corça, e seus ombros caíram em verdadeira exaustão. Por um instante, Tharion teve pena dela. — Mas vou libertá-los em três dias. E, se não tiver a ajuda de vocês, não vai dar certo.

— Mesmo que acreditemos em você — ponderou Declan —, temos famílias que os asteri matariam sem pensar duas vezes, pessoas que amamos.

— Então usem esses três dias para escondê-los. Mas quanto mais pessoas souberem, maior a probabilidade de sermos descobertos.

— Você não pode estar falando sério — Flynn disse a Declan. — Está acreditando nesse monstro?

Declan olhou nos olhos da Corça, e Tharion sabia que ele estava considerando tudo o que viu lá.

— Faz sentido, Flynn. Tudo o que Ruhn nos contou sobre Daybright... faz sentido.

— Ruhn sabe o que você é? — Flynn questionou.

Lidia ignorou-o e, em vez disso, olhou para Tharion.

— Eu também preciso de você, Ketos.

Tharion deu de ombros com uma indiferença que não sentia de fato.

— Infelizmente, não posso sair daqui.

— Encontre uma forma. Preciso que você seja meu aliado e defensor no *Cargueiro das Profundezas* depois do resgate.

Holstrom disse:

— Ao que parece, a Rainha Víbora é sua traficante. Por que você não pede a ela que liberte o Tharion?

Lidia sustentou o olhar dele com uma autoridade que contradizia sua herança de metamorfa de cervo.

— Por que você não pede, Ithan Holstrom?

Havia algo na voz dela que Tharion não conseguiu compreender muito bem. Uma provocação, talvez. Um desafio.

— O Ruhn sabe? — insistiu Flynn.

— Sim — respondeu a Corça —, ele, Athalar e Bryce sabem. Baxian, não.

A garganta de Flynn subiu e desceu de novo.

— Você mentiu para o Ruhn.

— Mentimos um para o outro — respondeu ela, com uma emoção brilhando em seus olhos dourados. — Nossas identidades não deveriam ser reveladas. Nós dois... fomos longe demais.

— Por que se preocupar em salvá-los? — perguntou Declan. — Ruhn e Hunt não valem de nada para a Ophion, além do fato de serem bons lutadores. E Argos não tem qualquer ligação com a Ophion.

— Hunt é valioso para Bryce Quinlan e para ativar seu poder. Baxian Argos é um guerreiro poderoso e ótimo espião. Ele é, portanto, valioso para todos nós.

— E o Ruhn? — indagou Ithan com as sobrancelhas erguidas.

— Ruhn é valioso para mim — respondeu a Corça, sem deixar espaço para dúvidas. — Ao alvorecer, daqui a dois dias, um esquife estará esperando por você no porto de Ionia, bem no final do cais do norte. Suba nele e o capitão o levará alguns quilômetros mar adentro. Jogue isto na água e espere.

A Corça jogou uma pequena pedra branca para Tharion.

Ele já tinha visto uma igual antes, naquele dia no mar perto de Ydra. Ela jogara uma daquelas na água e o *Cargueiro das Profundezas* aparecera.

Ela deve ter notado o choque no rosto dele, porque disse:

— Convoquei o navio naquele dia depois do que aconteceu em Ydra. Jogue essa pedra no oceano e o *Cargueiro das Profundezas* voltará e o levará até Pangera.

O silêncio dominou a sala.

Lidia olhou para as duendes agachadas no pescoço de Flynn e disse:

— Tenho perguntas para vocês três.

— Para nós? — guinchou Sasa, se escondendo atrás da orelha esquerda de Flynn. Sua chama a iluminou, deixando a pele em um vermelho brilhante.

Lidia continuou:

— Sobre sua rainha.

— Irithys? — perguntou Malana, brilhando em um tom violeta profundo. — Onde...

— Eu sei onde ela está — anunciou Lidia calmamente. Porém, para sua surpresa, Tharion notou que as mãos dela tremiam. — Mas quero saber o que *vocês* sabem dela. De seu temperamento.

— Onde os asteri a mantém? — exigiu Sasa, ficando incandescente de raiva.

Lidia ergueu o queixo.

— Responda às minhas perguntas e eu direi.

— Só sabemos dela por boatos — disse Rithi, tirando a cabeça de trás da orelha direita de Flynn. — Ela é nobre e corajosa...

— Ela é confiável? — perguntou Lidia.

Rithi se abaixou atrás da orelha de Flynn de novo, mas Sasa retrucou:

— Ela é nossa rainha, é a honra em forma de duende.

Lidia olhou-a friamente.

— Conheço muitos governantes que não incorporam nem um pouco essa virtude.

Tharion só conseguia encarar a Corça... a Agente Daybright. A... aliada deles.

— O que mais? — inquiriu Lidia.

— Isso é tudo que sabemos — disse Malana —, tudo que ouvimos. Agora nos diga: onde ela *está*?

Lidia deu um sorrisinho.

— Você correria até lá para libertá-la?

— Não seja condescendente com elas — retrucou Flynn com rara seriedade. As duendes se amontoaram mais perto dele.

Para o choque de Tharion, Lidia inclinou a cabeça.

— Desculpa. Sua coragem e lealdade são louváveis. Eu gostaria de ter mil como vocês à minha disposição.

— Ao Inferno com seus elogios — rebateu Sasa, sua chama brilhando intensamente. — Você prometeu...

— Os asteri a estão mantendo no palácio deles.

— Além disso! — Sasa gritou, queimando de novo.

— Então você deveria ter negociado melhor.

Tharion ficou tenso. Essa fêmea podia ser uma aliada, mas, porra, ela era muito difícil.

No silêncio furioso que se seguiu, a Corça caminhou até a porta. Ela parou antes de abri-la e não se virou quando disse a todos:

— Eu sei que vocês não confiam em mim. Não os culpo. É um sinal de que fiz meu trabalho muito bem. Mas...

Ela olhou por cima do ombro e Tharion a viu engolir em seco.

— Ruhn e Athalar estão em perigo. Rigelus está, neste exato instante, debatendo qual deles deve morrer. Tudo se resume ao impacto que isso terá em Quinlan. Mas, quando ele se decidir, não poderei fazer nada para impedir. Então eu... — Sua voz falhou. — Eu imploro. Antes que seja tarde. Me ajudem a fazer isso. Encontre uma maneira de sair desta situação com a Rainha Víbora. — Lançou um olhar para Tharion, depois um olhar para Declan. — Esteja pronto a qualquer momento para hackear as câmeras do Palácio Eterno. — E, por fim, olhou para todos eles. — E, pelo amor de Luna, estejam no cais daqui a dois dias.

Com isso, ela foi embora. Por um longo momento, nenhum deles conseguiu falar.

— Bem, Flynn — disse Declan por fim, com a voz rouca —, parece que seu desejo se realizou.

11

A água corria depressa, ecoando pela caverna e borrifando o rosto de Bryce, as gotas tão frias que pareciam beijos de gelo.

Os estranhos entalhes continuavam até ali, mostrando grandes batalhas feéricas, relações amorosas e nascimentos de crianças. Exibindo uma rainha mascarada, a coroa na cabeça, com instrumentos em uma das mãos e parada em frente a uma multidão em adoração. Atrás dela, um enorme palácio se erguia no topo da montanha, em direção aos céus, cavalos alados planando entre as nuvens. Não havia dúvidas de que era uma iconografia religiosa de seu direito divino de governar. Atrás do palácio no cume da montanha, um arquipélago exuberante se espalhava à distância, retratado com detalhes e habilidade notáveis.

Cenas de uma terra abençoada, uma civilização próspera. Um dos baixo-relevos era tão similar ao friso do macho feérico forjando a espada no Balé da Cidade da Lua Crescente que Bryce quase se engasgou. O último entalhe antes do rio fora de transição: rei e rainha feéricos sentados em seus tronos, uma montanha atrás deles — diferente daquela em que ficava o palácio —, com três estrelas logo acima. Um reino diferente, então. *Um Grão-Senhor e Grã-Senhora anciãos,* sugerira Nestha antes de se aproximarem do rio.

Não tecera comentários a respeito da parte de baixo dos desenhos, que mostrava o caos atrás de seus tronos, uma espécie de submundo. Figuras humanoides se contorciam de dor em meio ao que pareciam estalactites e bestas cobertas de escamas com bocarras enormes — ou inimigos do passado que haviam sido conquistados ou uma indicação do que aconteceria àqueles que não se curvassem aos governantes.

O sofrimento se estendia por toda a parte, perdurando até mesmo embaixo do arquipélago e do palácio no cume da montanha. Inclusive ali, no paraíso, a morte e o mal existiam. Um tema comum à arte midgardiana também, que costumava vir acompanhada da legenda: *Et in Avallen ego.*

Até em Avallen, estou presente.

Uma promessa sussurrada pela Morte. Outra versão de *memento mori*. Um lembrete de que a morte estava sempre, sempre à espreita. Até mesmo na abençoada ilha feérica de Avallen.

Talvez toda a arte anciã que glorificava a ideia de *memento mori* tivesse sido levada até Midgard por essas pessoas.

Talvez ela estivesse pensando demais nessa merda que, naquele instante, não tinha importância alguma. Sobretudo quando havia um rio intransponível à sua frente.

Bryce e Nestha olharam para baixo, para a cascata que corria depressa, as águas escuras como a noite fluindo para o fundo das cavernas. O cheiro de ferro era forte ali, provavelmente porque agora estavam mais perto do rio do que antes. Não importava. Só o que interessava era o fato de que o túnel continuava do outro lado, e o espaço era grande o bastante para que fosse impossível pular.

— Agora seria um ótimo momento para os seus amigos com asas nos encontrarem — murmurou Bryce. A estrela dela brilhava à frente, fraca, mas ainda apontando o caminho até a outra margem do rio.

Nestha olhou por cima do ombro.

— Você atravessou para fora da cela. — Então as sombras *tinham* contado tudo para Nestha e os outros. — Não consegue fazer de novo?

— Eu, hum... fiquei muito cansada depois daquilo. — Odiava demonstrar qualquer tipo de fraqueza, mas não via outra forma de contornar a situação. — Ainda estou me recuperando.

— Com certeza sua magia já deve estar de volta a essas horas. Você até conseguiu usar um pouco contra mim antes de tudo desmoronar. E essa estrela no seu peito continua brilhando. Ainda deve ter um pouco de magia em você.

— Eu sempre consegui fazer com que ela brilhasse — confessou Bryce —, mesmo muito tempo antes de ter poderes de verdade. — Por alguns instantes, Bryce considerou contar para Nestha como compreendera a profundidade de seu poder, como poderia ter ainda *mais* se alguém a abastecesse. Só para que a guerreira soubesse que ela não era uma incompetente que travava diante do inimigo, fosse ele um verme gigante ou não.

Mas acabaria revelando mais de suas habilidades do que seria considerado prudente.

— Você não consegue, hum... atravessar? — perguntou Bryce para Nestha.

— Nunca tentei — admitiu Nestha. — Meus poderes são singulares entre os Grão-Feéricos.

— Grão-Feéricos? Em comparação a... feéricos normais?

Nestha deu de ombros.

— Eles usam isso de *Grão* para soarem mais importantes do que de fato são.

A boca de Bryce se curvou para cima.

— Parecem os feéricos do meu mundo. — Ela inclinou a cabeça. — Mas você é uma Grã-Feérica. Você... fala deles como se não fosse.

— Sou nova na nobreza feérica — disse Nestha, voltando seu foco para o rio. — Nasci humana e fui transformada em Grã-Feérica contra a minha vontade. — Ela suspirou. — É uma longa história. Mas faz alguns poucos anos que vivo em terras feéricas. Muitas coisas ainda são estranhas para mim.

— Sei como se sente — respondeu Bryce. — Minha mãe é humana e meu pai é feérico. Vivi minha vida inteira entre os dois mundos.

Nestha assentiu sem prestar muita atenção.

— Nada disso vai nos ajudar a cruzar o rio.

Bryce avaliou a companheira. Se Nestha era humana e se tornou feérica — seja lá como *isso* foi possível —, talvez ainda simpatizasse com os humanos. Talvez compreendesse como era se sentir impotente e assustada em um mundo criado para oprimi-la e matá-la...

Ou talvez ela tivesse sido enviada para conquistar a simpatia e confiança de Bryce, trabalhando para alguém que se proclamava um Grão-Senhor. Era possível que tudo o que foi dito nos túneis fosse mentira. E ela tinha poder o bastante para ser chamada para avaliar o Chifre nas costas de Bryce... não era um cordeirinho indefeso.

— Quer nadar? — perguntou Bryce para a guerreira, ajoelhando-se para enfiar uma das mãos no rio. Ela sibilou ao sentir a água fria como gelo.

Ótimo. Simplesmente... ótimo.

Ela franziu a testa para a água escura que corria depressa, iluminada pela sua estrela. Seixos brancos e lisos brilhavam com intensidade abaixo da superfície. *Muita* intensidade.

Bryce olhou para sua estrela. Brilhava com mais força ainda. Ela se levantou e secou a mão molhada e fria na coxa da legging. A estrela ficou mais fraca.

— O que foi? — Nestha se aproximou, uma das mãos se erguendo para a espada em suas costas.

Bryce se ajoelhou mais uma vez e voltou a colocar a mão no rio frígido. A estrela brilhou mais forte conforme ela mirava sua luz na água. Ela se moveu, ajoelhada, na direção do brilho rio abaixo. Em resposta, a luz estelar se acendeu ainda mais. Quando se virou na direção do túnel à sua frente, a luz diminuiu.

— Só pode estar de brincadeira — murmurou Bryce, voltando a ficar em pé.

— O que foi? — perguntou Nestha, analisando o rio, a escuridão ao redor.

Bryce não respondeu. A estrela a havia levado até ali. Se ela queria que entrasse no rio...

Bryce olhou para Nestha por cima do ombro.

— Vejo você lá no fundo. — E com uma piscadela, Bryce pulou na água estrondosa.

* * *

O frio tirou todo o fôlego de Bryce.

O rio agitado era iluminado por sua estrela, a água de um azul claro e surpreendente na pequena bolha de sua luz. Ela refletia no teto alto da caverna, e só o que Bryce podia fazer era manter a cabeça acima das corredeiras, para não ser esmagada contra as pedras que se erguiam ao longo do rio.

Nestha havia pulado logo depois dela. Quando Bryce fez uma curva momentos antes, ouviu Nestha gritar "*Idiota sem juízo!*" antes que o rugido do rio engolisse todos os sons mais uma vez.

A estrela a guiava para algum lugar. Alguma coisa.

Quando chegaram à outra curva da caverna, Bryce foi arremessada de novo e, enquanto se esforçava para manter a cabeça fora da água, sua estrela pareceu estender um raio de luz na escuridão.

O raio de luz prateada iluminou uma parte mais serena que se estendia do lado oposto do rio. Uma pausa nas corredeiras. Bem à frente da pequena margem... e de outra entrada de túnel que surgiu logo depois.

Bryce começou a nadar na direção da margem, o corpo protestando pelo esforço de se manter contra a correnteza, com pressa para alcançar aquele trecho de água mais calma antes que sumisse. Braçada após braçada, pernada após pernada, ela mirava a costa estreita.

Ela se virou para avisar Nestha que deveria ir em direção à costa, mas viu que a fêmea estava alguns metros atrás, nadando alucinada na direção da margem. Então Bryce continuou nadando, os braços tensionados enquanto o rio a puxava impiedosamente para a frente. Se ela e Nestha não chegassem naquela água mais calma em breve, perderiam...

A água pareceu abrandar. As braçadas de Bryce se tornaram mais fáceis, o ritmo mais acelerado.

Por fim ela chegou à margem, a água parada e leve comparada à fúria atrás dela. Agarrou a costa rochosa, apoiando-se nela.

As pedras rasparam umas nas outras ao lado dela, e a respiração pesada e úmida de Nestha se fez ouvir.

— Que... — Nestha ofegou — *Porra*... — Outra respiração. — Foi essa?

Bryce inspirou todo aquele ar lindo, maravilhoso, até quando o frio intenso começava a fazê-la tremer até os ossos.

— A estrela me disse para vir nessa direção — conseguiu dizer.

— Podia ter avisado antes — resmungou Nestha.

Bryce se apoiou nos cotovelos, ofegante, inspirando e expirando.

— Para quê? Você tentaria me fazer mudar de ideia.

— Porque — irritou-se Nestha, enxugando a água dos olhos enquanto ficava de joelhos — dava para chegar aqui sem ter que se molhar. Não posso perder você de vista... nem por um segundo, então não tive outra escolha a não ser segui-la. Mas você pulou tão depressa... agora estamos congelando.

— E como a gente ia chegar aqui sem se molhar? — perguntou Bryce, tremendo de frio, batendo os dentes.

Nestha revirou os olhos e disse para as sombras:

— Você já pode sair agora.

Bryce ficou de joelhos depressa, à procura de uma arma que não estava ali, quando Azriel pousou ao lado delas.

As asas dele, abertas, eram compridas a ponto de quase tocarem os lados da caverna, e a faca preta pendia de seu quadril, o cabo escuro brilhando fracamente à luz da estrela de Bryce. E espreitando por cima de seu ombro largo, com o cabo combinando como uma sombra ganhando forma, estava a Áster.

* * *

— O que caralho você quer dizer com Bryce não está no Inferno? — Ruhn conseguiu dizer com o que sobrava de sua língua, cada respiração descia pela sua garganta como cacos de vidro.

Hunt não respondeu, e Ruhn pressupôs que ele não tinha resposta a dar.

Baxian resmungou:

— Onde? — era tudo o que o anjo conseguia dizer, Ruhn se deu conta.

— Não sei — disse Hunt, a voz rouca de tanto gritar.

O Falcão puxara uma alavanca que fizera todos caírem, o grito que deram quando seus ferimentos se chocaram contra a pedra fria os fazendo rir. Enquanto poças fedendo a seus próprios sangue e excrementos espirravam neles. Mas ao menos agora estavam no chão.

Ainda acorrentado pelos pulsos e tornozelos, Ruhn só conseguia ficar deitado ali, tremendo, as lágrimas caindo de seus olhos ao sentir o alívio em seus ombros, nos braços, nos pulmões.

O Falcão deslizara uma bandeja de comida na direção deles antes de sair — mantendo-a longe o bastante para que tivessem que rastejar no próprio mijo e fezes para chegar nela antes dos ratos.

Baxian estava, naquele instante, tentando chegar até a bandeja, as pernas pressionando contra as pedras, os cotocos das asas, já meio crescidos, tingidos de vermelho. Ele esticou a mão imunda na direção do caldo e da água, e gemeu profundamente. O sangue pingava de uma ferida em suas costelas.

Ruhn não sabia se conseguiria comer, apesar de seu corpo implorar por alimento. Tomava fôlegos cortantes, um após o outro.

O Oráculo dissera que a linhagem real acabava com ele. Teria ela previsto que ele iria parar ali — e que não sairia vivo? Um frio pior que a umidade do calabouço se apoderou dele.

Já fazia algum tempo que havia aceitado a possibilidade desse destino para si próprio. É verdade que não pensava nesta morte em particular, mas um fim prematuro em algum sentido vago. Mas agora que Bryce era de fato membro da realeza, a profecia também elucidava seu destino. Se ela não tinha chegado ao Inferno... talvez não tivesse chegado a lugar algum. E, assim, a linhagem real terminaria com a morte de ambos.

Não podia dividir suas suspeitas com Athalar. Não poderia trazer à tona o desespero que seria mais terrível para o Umbra Mortis do que qualquer uma das ferramentas de Pollux. Ruhn teria que guardar aquele segredo. A verdade miserável, deixada para apodrecer em seu coração.

O cheiro de pão amanhecido encheu suas narinas, sobrepondo-se ao fedor quando a bandeja deslizou à sua frente. Espirrando em uma poça de... Ruhn não queria saber o que era aquele líquido. Embora seu nariz oferecesse algumas sugestões desagradáveis.

— Você precisa comer — disse Hunt, com as mãos trêmulas enquanto levava uma xícara de caldo à boca.

— Quer dizer que não nos querem mortos — disse Baxian, erguendo lentamente um pedaço de pão.

— Ainda não. — Athalar tomou um gole devagar. Como se não confiasse em seu corpo para não vomitar. — Coma, Danaan.

Foi uma ordem, e Ruhn se viu estendendo os dedos fracos e trêmulos em direção ao caldo. Foi necessário todo seu foco, toda sua força, para levá-lo até os lábios. Ele quase não sentia o gosto. Certo... a língua ainda estava crescendo. Ele deu outro gole.

— Não sei onde Bryce está — disse Hunt, a voz rouca. Ele pegou um pedaço de pão com a mão boa. Os dedos queimados da outra mão estavam torcidos em ângulos diferentes. Alguns estavam sem unhas.

Porra, como a vida deles havia chegado àquele ponto?

Athalar deu a última mordida no pão e recostou-se — em meio às pilhas e poças de dejetos fedorentos. O halo brilhava de um jeito sombrio na testa do anjo. Ruhn sabia que a postura relaxada de Athalar em nada condizia com seus pensamentos. Sabia que o anjo provavelmente estava uma pilha de preocupação e pavor.

Era provável que a culpa estivesse corroendo Athalar. Culpa que não deveria carregar; todos fizeram escolhas que os levaram até ali. Mas as palavras eram muito pesadas, muito dolorosas para Ruhn expressar.

Baxian terminou e se deitou também, dormindo no mesmo instante. O Martelo e o Falcão tinham pegado mais pesado com o Cão do Inferno. Levavam para o lado pessoal — Baxian fora um deles. Um irmão de armas, um parceiro na crueldade. Agora, eles o desmontariam pedaço por pedaço.

Ruhn ergueu a xícara de novo — de silicone, que não podia ser quebrada para ser usada como arma — e espiou a água que havia dentro dela. Observou-a ondular com sua respiração.

— Precisamos sair daqui — disse Ruhn, e nada poderia soar mais ridículo. Era óbvio que precisavam sair dali. Por muitas malditas razões.

Mas Athalar abriu um olho. Sustentou seu olhar. Dor, raiva e determinação brilhavam nele, imperturbáveis apesar do halo e da marca de escravizado em seu pulso.

— Então fale com sua... pessoa. — *Namorada*, o anjo não disse.

Ruhn cerrou os dentes e sentiu uma explosão de dor na boca dolorida. Preferia morrer ali do que implorar pela ajuda da Corça.

— De outro jeito.

— Estive nesses calabouços... por sete anos — comentou Hunt. — Não tem como sair. Ainda mais com Pollux tão empenhado em acabar com a gente.

Ruhn olhou mais uma vez para o halo. Sabia que o anjo não se referia apenas a sair do calabouço. Agora, eram propriedade dos asteri.

Baxian despertou de seu sono para murmurar, cansado:

— Nunca dei o devido valor a isso, Athalar. A tudo que você passou.

— Fico surpreso por não ter recebido uma medalha de honra quando saí daqui. — As palavras leves em nada combinavam com o vazio no olhar de Hunt. Ruhn não suportava enxergar aquilo nos olhos do Umbra Mortis.

Baxian riu, a voz falhada, entrando na brincadeira.

— Talvez Pollux te dê uma medalha dessa vez.

Se Ruhn conseguisse se libertar, Pollux seria o primeiro idiota com quem acabaria. Ele não remoeu o motivo. Não remoeu a raiva que o dominava sempre que via o anjo de asas brancas.

Ele tinha sido tão tolo. Ingênuo, imprudente e *tolo* por se envolver tanto com Day — com Lidia — e esquecer o aviso da Oráculo. Iludir-se pensando que devia significar que ele não teria filhos. Tinha sido tão patético e solitário que precisava imaginar o melhor, embora estivesse nítido que sempre tivera uma passagem só de ida para o desastre.

A única coisa que faltava fazer era acabar com aquilo.

Então Ruhn disse:

— Você estava sozinho naquela época, Athalar.

Hunt encontrou o olhar de Ruhn, como se dissesse: *Ah, é?* Ruhn apenas assentiu. Amigos, irmãos, o que quer que seja... ele protegia Athalar.

Algo brilhou nos olhos de Athalar. Gratidão, talvez. Ou esperança. Muito melhor do que o que estava lá momentos antes. Isso aguçou o foco de Ruhn. Limpou as partes nebulosas de dor em seu cérebro. Esta poderia ser uma passagem só de ida para ele, mas não precisava ser para Hunt. E Bryce...

Ruhn desviou o olhar antes que Hunt conseguisse captar o medo que enchia seus olhos e coração.

Felizmente, Baxian acrescentou:

— E você também não era... o Umbra Mortis naquela época. Você mudou, Athalar.

Hunt deu uma risada áspera, cheia de desafio e desprezo. Graças aos deuses.

— O que você tem em mente, Danaan?

12

— Você estava aqui esse tempo todo? — Bryce olhou para o guerreiro cercado pelas sombras conforme deixavam o rio para trás, caminhando pela passagem do túnel baixo.

Seguiam a luz da estrela de Bryce, que voltara a apontar para a frente, iluminando fracamente os entalhes ao redor. O frio fazia os dentes dela baterem, mas se mover ajudava a esquentar o corpo frio, mesmo que só um pouco.

Azriel, que andava a passos largos alguns metros atrás de Bryce enquanto Nestha liderava o caminho pelo túnel, respondeu:

— Sim.

Nestha deu um suspiro.

— Isso é tudo que vai conseguir fazer ele dizer.

Bryce espiou o macho por cima do ombro, tentando acalmar o tremor em seu corpo.

— Aquelas sombras contra minha luz hoje mais cedo eram suas?

— Sim — respondeu Azriel de novo.

Nestha deu risada.

— E ele deve estar chateado com isso desde então.

— Ver você entrar naquele rio congelante ajudou — provocou Azriel levemente, e Bryce era capaz de jurar que viu um sorriso disfarçado em seu lindo rosto.

Mas ela perguntou:

— Por que se esconder?

— Para observar — Nestha respondeu por ele, o andar inabalável. — Para ver o que você faria. Para onde me levaria. Assim que percebemos que havia um túnel, pegamos alguns suprimentos e seguimos você. — E isso explicava a comida que ela carregava.

Eles passaram por mais entalhes — todos desarmados pela chama prateada de Nestha antes que se aproximassem. Aqueles eram mais pacíficos: mostravam crianças pequenas brincando. A passagem do tempo com árvores florescendo, então o terreno infértil, depois voltando a florescer. Cenas bonitas e perfeitas, que conflitavam com a conversa que se desenrolava.

Bryce apontou para a passagem e os entalhes.

— Não faço a menor ideia do que fazer. Só estou seguindo a luz.

— Para dentro do rio — resmungou Nestha. Azriel riu atrás dela.

Bryce olhou para ele de novo, para as asas e a armadura. Para as orelhas, que agora percebia não serem pontudas, mas redondas como as de um humano. Ela vira desenhos de guerreiros que se pareciam com ele, exércitos inteiros deles.

— Vocês têm vanir neste mundo?

Ele estreitou os olhos.

— O que é isso?

Bryce diminuiu o ritmo, permitindo-se ficar ao lado dele. Apesar de ele talvez também ter permitido.

— Em Midgard... meu mundo... é um termo para todos os seres mágicos, não humanos. Feéricos, anjos, metamorfos, seres do mar, duendes... — As sobrancelhas de Azriel se erguiam a cada palavra. — Basicamente, eles estão no topo da cadeia alimentar.

— Neste mundo — disse Nestha lá da frente, esfregando os braços molhados e gelados para obter algo que se assemelhasse ao calor — temos humanos e feéricos. Mas dentre os feéricos, existem os Grãos-Feéricos, como... eu. Amren. E o que alguns chamam de feéricos inferiores: qualquer outra criatura mágica. E então há pessoas que nem Azriel, que é... illyriano.

— Então Rhysand é illyriano também? — indagou Bryce. — Ele tem asas.

— Meio — corrigiu Nestha. — Meio Grão-Feérico, meio illyriano. — Azriel pigarreou como se quisesse alertá-la para não falar tanto, e Nestha acrescentou, ríspida: — E tem a arrogância dos dois.

Azriel pigarreou *de verdade* dessa vez, e Bryce não pôde deixar de sorrir, apesar de os dentes estarem batendo.

Ela fitou a Áster presa às costas de Azriel, depois a lateral do corpo dele, a faca pendurada ali. Os sons ficaram abafados por um momento, um baque silencioso soou uma vez e sentiu um espasmo na mão, como se estivesse sendo puxada na direção das lâminas.

As asas de Azriel se contraíram no mesmo instante, e ele endireitou os ombros, como se estivesse afastando algum toque fantasma. Ao olhar para Nestha, percebeu que ela analisava o macho, como se aquilo não fosse algo comum.

Bryce deixou de lado as perguntas, esfregando as mãos congeladas para aquecê-las. *Se concentre na recompensa,* ela lembrou a si mesma quando eles continuaram a andar. *Mestre em inventar mentiras.*

* * *

Azriel estava obviamente incomodado em carregar a faca e Áster.

À medida que avançavam na escuridão, com as roupas secando e os corpos descongelando lentamente, Bryce contou ao menos seis vezes diferentes em que ele contraiu as asas ou endireitou os ombros.

Sem mencionar o ocasional baque silencioso nos ouvidos dela quando se aproximava demais dele.

Atravessaram um riacho, largo o suficiente para ser um rio, mas raso e rochoso em toda a sua extensão. Sua estrela resplandecente, felizmente, apontava para o túnel do outro lado. Dessa vez não seria necessário nadar. À medida que atravessavam, a estrela iluminava criaturas brancas e viscosas que se desviavam do caminho. Bryce reprimiu o impulso de estremecer ao vê-las. Ou ao sentir o cheiro da água rica em ferro que impregnava seu nariz. Ela perguntou, só para se distrair dos bichos nojentos do riacho:

— Esses túneis foram construídos por feéricos?

Alguns passos à frente, Nestha não respondeu. Mas Azriel, que vinha logo atrás, ponderou por alguns instantes.

— Acho que não. Pela consistência no tamanho, diria que um Verme de Middengard primitivo fez essas passagens. Talvez até tenha usado esses canais para se locomover.

— Isso importa? — reclamou Nestha sem olhar para trás.

— Talvez — murmurou Azriel. — É melhor ficarmos alertas. Pode ser que ele ainda os use para acessar o sistema de túneis.

A apreensão tomou conta de Bryce.

— Por que você acha isso?

Azriel apontou para uma pilha de coisas brancas que ela acreditara serem mais das criaturas parecidas com salamandra que se contorciam.

— Ossos. Daquelas coisas na câmara da ponte, talvez.

Bryce tropeçou em uma pedra escorregadia e caiu na água fria, arranhando as palmas das mãos e os joelhos.

Uma mão forte a agarrou pelas costas no mesmo instante, mas não foi rápida o bastante para evitar os cortes dolorosos que agora salpicavam as mãos e pernas dela.

— Presta atenção — avisou Azriel, acomodando-a em uma pedra maior.

O estômago de Bryce pareceu ficar vazio dessa vez, acompanhando seus ouvidos, e a faca estava logo ali, a espada tão perto...

Azriel grunhiu e seu corpo todo ficou rígido. Como se também sentisse aquilo, as armas exigindo ficarem juntas ou separadas ou o que quer que fosse, o estranho poder que exerciam quando estavam próximas...

— Atenção por onde anda — foi tudo o que o macho disse antes de se afastar. Longe o bastante para que a espada e a faca deixassem de exercer o estranho chamado em Bryce. A barriga dela se acalmou e os ouvidos também.

Ao chegar à margem, ela sacudiu as mãos para aliviar a dor em suas palmas, o cheiro de sangue era mais forte que o do rio, e Bryce limpou o sangue dos joelhos feridos. Gostava daquela legging, caramba. A lama saiu junto ao sangue, e ela estalou a língua enquanto passava a mão pela parede de pedra, tentando se limpar.

Percebeu tarde demais que havia limpado o sangue e a sujeira sobre um desenho de duas serenas fêmeas feéricas tocadoras de alaúde. Pedindo desculpas com o olhar para elas e para o artesão há muito falecido que as entalhara, Bryce seguiu em frente. E em frente. E em frente.

* * *

— Suas mãos não estão se curando — observou Azriel atrás de Bryce no dia seguinte. Ou seja lá quando fosse, levando em consideração que haviam dormido por algumas horas na escuridão sem nada que pudesse indicar a passagem do tempo. O sono de Bryce fora leve, instável, ciente de cada gota que caía e pedra que rolava no túnel, a respiração dos guerreiros ao seu lado.

Sabia que eles estavam monitorando cada respiração *dela*.

Após uma refeição rápida, voltaram a andar. E aparentemente, Azriel não tinha deixado de notar o cheiro das mãos dela, que ainda pingavam sangue.

Nestha parou mais à frente, como se as palavras de Azriel a tivessem preocupado, e quando a fêmea voltou, com as mãos esticadas, Bryce mostrou as palmas das mãos arranhadas.

— Alguma coisa na água? — murmurou Nestha para Azriel.

— Os joelhos dela sararam — murmurou Azriel em resposta.

Bryce não queria saber como ele sabia disso. Ela olhou para as mãos machucadas e arranhadas, com o sangue espalhado e a lama remanescente.

— Vai ver minha magia fica toda estranha aqui embaixo. Isso explicaria por que a estrela está... dando uma de GPS.

Sua língua se confundiu ao pronunciar *GPS* no idioma deles, mas se não faziam ideia do que Inferno ela estava falando, não deixaram transparecer.

Em vez disso, Azriel perguntou:

— Você costuma se curar rápido? — Ele pegou a mão de Bryce, a luz estelar banhando a pele de suas próprias mãos... e as cicatrizes. Cobrindo cada centímetro.

Ela as tinha notado quando se viram pela primeira vez, naquela margem enevoada do rio, mas tinha se esquecido até então. Nunca vira cicatrizes de queimadura tão extensas.

A espada e a faca, tão próximas, começaram seu processo de vibrar e atrair. A audição dela parecia abafada, a barriga, vazia.

As asas de Azriel se agitaram de novo.

Mas Bryce respondeu, as mãos ainda sangrando, ignorando o chamado das lâminas:

— Sou meio-humana, então estou acostumada a me curar mais lentamente, mas desde que fiz a Descida, tenho curado numa velocidade relativamente normal de um vanir.

Nestha também deve ter sido informada sobre a Descida, porque não questionou o que era. Apenas disse:

— Talvez também tenha algo a ver com o tempo a mais que sua magia precisa para ser reabastecida.

— Repito — relembrou Azriel —, os joelhos dela sararam.

Bryce olhou para as cicatrizes grossas nos dedos dele. O quê — quem? — fizera algo tão cruel com ele? E apesar de saber que era besteira se abrir, demonstrar qualquer tipo de vulnerabilidade, disse baixinho:

— O macho que me gerou... costumava queimar meu irmão como forma de punição. As cicatrizes dele nunca se curaram também. — Ruhn só as cobrira com tatuagens. Um fato que ela só descobrira instantes antes de ir parar ali, e ao saber a dor a que ele fora submetido...

Azriel soltou as mãos dela. Mas não disse nada ao se afastar, longe o bastante para que a espada e a faca parassem de chamar por Bryce. Se ainda o atormentavam, ele não demonstrou. Só gesticulou para que continuassem andando antes de ir em direção à escuridão, dessa vez assumindo a liderança. Bryce o observou por alguns instantes antes de segui-lo, o coração pesado por algum motivo que não conseguia definir.

Nestha continuou percorrendo o túnel, dessa vez mais próxima de Bryce. A fêmea disse bem baixinho:

— Sinto muito pelo sofrimento do seu irmão.

As palavras firmaram Bryce, deram um foco.

— Vou me certificar de que meu pai pague por isso um dia.

— Que bom — foi tudo o que Nestha disse —, que bom.

* * *

— Me falem dos daglan. — A voz de Bryce ecoou alta demais na caverna silenciosa. Estava sentada com as costas apoiadas na parede do túnel, um entalhe de três feéricas dançando acima dela. O cheiro de seu sangue preenchia a caverna, as feridas nas mãos ainda abertas e sangrando. Não o bastante para que se alarmasse, mas algumas pequenas e constantes gotas de vez em quando.

Azriel e Nestha, sentados lado a lado com o sossego da familiaridade, franziram a testa. Nestha disse:

— Eu não sei nada sobre eles. — Ela ponderou, então acrescentou: — Mas eu matei um dos contemporâneos deles. Faz uns sete meses.

As sobrancelhas de Bryce se ergueram.

— Então não era um asteri... daglan, quer dizer?

Azriel se remexeu. Nestha olhou de soslaio para ele, reconhecendo o movimento, mas disse para Bryce:

— Acho que não. A criatura... Lanthys... era de uma raça própria. Ele era... horrível.

Bryce inclinou a cabeça.

— Como você o matou?

Nestha não respondeu.

Os olhos de Bryce foram parar no punho da espada, que aparecia acima do ombro da guerreira.

— Com isso?

Nestha apenas respondeu:

— O nome dela é Ataraxia.

— É uma palavra da Velha Língua. — Nestha assentiu. Bryce murmurou: — Paz interior... é esse o nome da sua espada?

— Lanthys também riu quando ouviu.

— Não estou rindo — disse Bryce, sustentando o olhar da fêmea.

Não encontrou nada além da mais pura curiosidade no rosto de Nestha. A fêmea perguntou:

— A cicatriz por onde sai sua luz... ela tem o formato de uma estrela de oito pontas. Por quê?

Bryce olhou para a luz, camuflada pela camiseta.

— É o símbolo dos Estrelados, acho eu.

— E a magia marcou você dessa forma?

— Sim. Quando eu... revelei quem eu era, o que sou, para o mundo, puxei a estrela para fora do meu peito. Ao sair, ela deixou essa cicatriz. — Bryce olhou para Azriel. — Como uma queimadura.

O rosto dele era como uma máscara impossível de ser decifrada. Mas Nestha perguntou:

— Então tem uma estrela *dentro* de você? Uma estrela de verdade?

Bryce ergueu um dos ombros.

— Sim? Quer dizer, não literalmente. Não é como uma bola gigante de gás rodando no espaço. Mas é uma luz estelar.

Nestha não pareceu muito impressionada.

— E você disse que esses tais asteri... também têm estrelas dentro deles?

Bryce fez uma careta.

— Sim.

— Então qual a diferença entre você e eles? — perguntou Nestha.

— Para além do fato de que eu não sou uma maldita colonizadora intergaláctica?

Ela era capaz de jurar que um dos cantos da boca de Nestha se ergueu. Que Azriel riu, o som tão suave quanto uma sombra.

— Certo — respondeu Nestha.

— Eu, hum... eu não sei. — Bryce ponderou. — Nunca parei pra pensar nisso. Mas... — Aqueles momentos finais fugindo de Rigelus surgiram em sua mente, as explosões de seu poder quebrando mármore e vidro, queimando a bochecha... — Minha luz é só isso — continuou Bryce. — Luz. Os asteri afirmam que seus poderes vêm de estrelas sagradas que têm dentro deles, mas conseguem manipular fisicamente as coisas com essa luz. Matar e destruir. A luz estelar pode ser considerada apenas luz se consegue esmagar pedras? Tudo que eles nos contaram é, basicamente, mentira, então é possível que não tenham estrela alguma dentro deles... que seja só uma magia brilhante que se *parece* com uma estrela, e eles chamam de estrela sagrada para impressionar todo mundo.

Azriel disse, suas asas farfalhando:

— Mas então importa saber como se chama o poder deles?

— Não — admitiu Nestha —, só fiquei curiosa.

Bryce mordeu o lábio. O que *era* o poder dos asteri? Ou o dela? O dela era a luz, mas talvez o deles fosse, na verdade, a força bruta de uma estrela — um sol. Tão quente e forte que destruía tudo em seu caminho. No entanto, não era um pensamento reconfortante, então Bryce perguntou para Nestha, a fim de mudar de assunto:

— Que tipo de espada é essa, mesmo? — O cabo simples e comum se projetava acima do ombro de Nestha.

— Do tipo que pode matar o imatável — respondeu Nestha.

— Que nem a Áster — disse Bryce baixinho, então se virou para Azriel. — Sua faca também consegue matar o imatável?

— O nome dela é Reveladora da Verdade — respondeu ele com a voz suave, como um som vindo das sombras. — E não, ela não consegue.

Bryce arqueou uma sobrancelha.

— Então ela... revela a verdade?

Um sorriso disfarçado, mais frio do que o ar gélido em volta deles.

— Faz as pessoas revelarem.

Bryce teria estremecido se não tivesse visto Nestha revirar os olhos. Aquilo a fez ter coragem o bastante de perguntar ao guerreiro alado:

— De onde veio essa faca?

Os olhos castanhos de Azriel não expressavam nada além de uma fria cautela.

— Por que você quer saber?

— Porque a Áster — ela apontou para a espada que ele tinha nas costas — é atraída por ela. Sei que você também consegue sentir. — *Era melhor falar de uma vez!* — Isso está te perturbando, não está? — pressionou Bryce. — E fica pior quando estou perto.

O rosto de Azriel novamente não revelou nada.

— Está sim — respondeu Nestha por ele —, nunca o vi tão inquieto.

Azriel olhou carrancudo para a amiga. Mas admitiu:

— Elas parecem querer ficar próximas uma da outra.

Bryce assentiu.

— Quando pousei naquele gramado, elas reagiram na mesma hora, quando se aproximaram.

— Os semelhantes se atraem — refletiu Nestha —, muitas coisas mágicas reagem umas às outras.

— Aquilo foi único. Parecia uma... resposta. Minha espada brilhou com luz. A faca brilhou, escura. Ambas são feitas do mesmo metal preto. Irídio, certo? — Ela apontou com o queixo para Azriel, para a faca ao lado do corpo dele. — Minério de um meteorito caído?

O silêncio de Azriel era confirmação o bastante.

— Eu disse a vocês, lá no calabouço — Bryce continuou. — No meu mundo, tem literalmente uma profecia envolvendo minha espada e uma faca que reuniriam nosso povo. *"Quando faca e espada estiverem reunidas, nosso povo também estará."*

Nestha franziu a testa profundamente.

— E você acha mesmo que essa é a faca da profecia?

— Tem muitas coisas em comum para não ser. — Bryce ergueu a mão ainda ensanguentada, e notou como os dois ficaram tensos. Mas curvou os dedos e disse: — Consigo sentir. Fica mais forte quanto mais eu me aproximo.

— Então não chegue muito perto — alertou Nestha, e Bryce baixou a mão.

Girando, Bryce examinou as paredes esculpidas.

— Essas inscrições também contam uma narrativa, sabe.

Nestha olhou para as imagens: as três feéricas dançando em primeiro plano, as estrelas no alto, as ilhas espalhadas. A ilha montanhosa com o castelo no topo do pico mais alto. E, mais uma vez, o eterno lembrete do sofrimento logo abaixo delas. *Memento mori. Et in Avallen ego.*

— Que tipo de narrativa?

Bryce deu de ombros.

— Se eu tivesse algumas semanas, poderia percorrer todo o lugar e analisar.

— Mas você não sabe nossa história — disse Nestha —, ficaria sem contexto.

— Não preciso de contexto. A arte tem uma linguagem universal.

— Como aquela da tatuagem nas suas costas? — provocou Nestha.

Certo. Era a vez de eles fazerem perguntas.

— Sua amiga... Amren. Ela disse que era a mesma linguagem de algum livro?

Azriel perguntou, o rosto impassível:

— Como você chama no seu mundo... essa linguagem?

Bryce balançou a cabeça.

— Eu não sei. Estava falando a verdade antes. Minha amiga e eu... bebemos muito uma noite. — E fumaram uma porra de uma tonelada de raiz-alegre, mas eles não precisavam saber disso, tampouco precisavam de uma explicação a respeito das drogas de Midgard. — Mal consigo me lembrar. Ela disse que significava *Por amor, tudo é possível.*

Nestha estalou a língua, mas não por desdém. Era algo parecido com compreensão.

Bryce continuou.

— Ela disse que escolheu o alfabeto de um livro no estúdio de tatuagem, mas... eu não acho que seja verdade. — Ela precisava desviar a conversa do Chifre. Depressa. Sobretudo porque Nestha fora chamada para inspecionar a tatuagem.

Azriel perguntou:

— Como sua amiga conhecia o idioma?

— Ainda não sei. Há meses estou tentando descobrir o que ela sabia.

— Por que não perguntar? — rebateu Nestha.

— Porque ela está morta. — As palavras saíram mais suaves do que Bryce pretendia. Mas algo se quebrou dentro dela ao dizê-las, por mais que tivesse vivido com essa realidade todos os dias por mais de dois anos. — Os asteri mandaram assassiná-la, depois fizeram parecer que fora assassinada por um demônio. Ela estava quase descobrindo alguma grande verdade a respeito dos asteri e do nosso mundo, então encomendaram sua morte.

— Que verdade? — A pergunta veio de Azriel.

— Tenho tentado descobrir também — respondeu Bryce.

— O idioma na sua tatuagem faz parte disso? — pressionou Azriel.

— Eu não sei... eu só sei que ela descobriu o que os asteri são de fato, o que eles fazem com os mundos que conquistam. Se algum dia eu voltar para casa — seu coração ficou insuportavelmente pesado —, se algum dia eu voltar para casa, talvez descubra o restante.

O silêncio pairou entre eles. Então Nestha acenou com a cabeça para as três figuras feéricas dançando acima de Bryce.

— Então o que isso significa? Se você não precisa do contexto.

Bryce examinou o relevo. Absorveu a dança, as estrelas, as ilhas idílicas ao fundo. E ela respondeu, com a voz suave:

— Significa que já existiu alegria neste mundo.

Silêncio. Então Nestha indagou:

— Só isso?

Bryce manteve os olhos nas dançarinas, nas estrelas, nas terras exuberantes. Ignorou a escuridão abaixo. Focar no lado bom — sempre no lado bom.

— E não é isso que importa?

13

A Rainha Víbora levou cinco horas para se dignar a encontrar Ithan.

Cinco horas, além do fato de que Ithan abrira a porta para o corredor, onde dois assassinos feéricos estavam parados, e ameaçara colocar o armazém abaixo.

Foi só então que o escoltaram até ali, ao escritório dela.

Deixara Flynn, Dec, Marc e Tharion discutindo, sem alarde, como conseguiriam não apenas sair da porra do Mercado da Carne, como também se poderiam ou não confiar na Corça. As duendes, chocadas pela menção à rainha perdida, se abrigaram no quarto de Tharion com Sigrid. A dragoa ainda não havia saído de seu quarto.

Mas Ithan estava cansado de debater, de questionar. Nunca fora bom nesse tipo de merda. Talvez fosse seu lado atleta, mas ele queria *fazer* alguma coisa.

Não importava se podiam ou não confiar na Corça. Se ela conseguisse levá-los até Pangera, para mais perto dos amigos... ele aceitaria. Mas primeiro precisava fazer com que o amigo ficasse livre.

Ithan estava sentado em uma poltrona verde antiga em um escritório caindo aos pedaços, assistindo à Rainha Víbora digitar tecla por tecla em um computador que mais parecia um tijolo.

Uma estátua de Luna ficava logo acima do computador, a flecha apontada para o rosto da Rainha Víbora. Mais alguns *clique-clique* deliberados de suas longas unhas no teclado, e seus olhos verdes deslizaram até Ithan.

— Então, por que essa gritaria toda?

Ithan cruzou os braços. Sobre a mesa havia uma estátua de Cthona, esculpida em pedra escura. A deusa aninhava uma criança em um dos braços, os seios à mostra. No outro ela estendia uma esfera — Midgard — para o cômodo. Cthona, que dava luz aos mundos. Ele a tocou preguiçosamente, tomando coragem para falar.

— Quero saber o que você vai fazer em relação a Sabine — disse ele.

A Rainha Víbora se reclinou em seu assento, os cabelos curtos balançando.

— Até onde sei, quando Amelie Ravenscroft acordou após ter a garganta cortada pelos meus seguranças, ela localizou a Prima Presumível e arrastou sua carcaça para casa, onde a tem alimentado com uma dieta rica em primalux para regenerá-la. Ela já está se recuperando.

O horror corria pelas veias de Ithan.

— Então Sabine se recuperou depressa.

A Rainha Víbora inclinou a cabeça.

— Não esperava que fosse assim?

Ele não respondeu. Em vez disso, perguntou:

— Você vai entregar Sigrid e eu para ela?

A Rainha Víbora abriu uma gaveta, tirou uma lata prateada com cigarros e levou um à boca.

— Depende de você me pedir com jeitinho, Holstrom. — O cigarro se movia conforme ela falava. Ela ergueu um isqueiro e o acendeu, dando uma longa tragada.

— Qual é o preço?

Saía fumaça da boca da Rainha Víbora enquanto ela o avaliava. A língua deslizou pelo lábio inferior, pintado de roxo. Provando. Sentindo. Era assim que as cobras sentiam aromas.

— Primeiro vamos nos apresentar direito. Acho que nunca nos encontramos antes, não?

— Oi. Prazer.

— Tão irritadinho. Achei que você seria um belo de um bundão.

Ele exibiu os dentes.

— Não sei por que você presumiria isso.

Ela deu outra longa tragada no cigarro.

— Não foi você quem contrariou as ordens de Sabine e liderou um pequeno grupo de lobos até os Prados de Asphodel para salvar humanos? Para salvar os mais vulneráveis da Casa de Terra e Sangue?

Ele rosnou.

— Eu estava sendo legal. Não tinha qualquer outro motivo além desse.

A Rainha Víbora soltou uma nuvem de fumaça, mais dragoa do que aquela no andar de cima.

— Só o futuro poderá dizer.

Ithan a desafiou:

— Você também mandou alguns dos seus para ajudar naquele dia.

— Eu estava sendo legal — a Rainha Víbora repetiu suavemente. — Não tinha qualquer outro motivo além desse.

— Talvez você se sinta tentada a ser legal hoje também.

— Comprar ou vender, Holstrom?

Ithan reprimiu o lobo que havia dentro de si, um que uivava para que ele começasse a destruir tudo.

— Olha, eu não gosto de joguinhos.

— Que pena. — Ela analisou as unhas bem-feitas. — Sabine também não gosta. Vocês lobos são tão *entediantes*.

Ithan abriu a boca, e logo a fechou. Repensou o que ela havia dito, tudo o que havia feito.

— Você não gosta da Sabine.

A sua boca se curvou devagar.

— E alguém gosta?

Ele cerrou as mãos em punhos.

— Se não gosta dela, por que a deixou escapar?

— Poderia perguntar a mesma coisa, doguinho. Já tinha conseguido derrubá-la... por que não matar de uma vez? — Ithan não conseguiu evitar a tensão em seu corpo. — É óbvio — a Rainha Víbora continuou — que a herdeira Fendyr... Sigrid, certo? Deveria ter feito isso. Vocês lobos não dizem que é... desafiador?

— Apenas em combate aberto, quando presenciado por integrantes da matilha do Covil. Se Sigrid tivesse matado Sabine ontem à noite, teria sido um assassinato.

— Chame como quiser.

Um arrepio percorreu a espinha dele.

— Você quer que Sabine morra de verdade. — Ela não disse nada. — Esse é o seu preço, então? Você quer que eu mate...

— Ah, não. Eu não *ousaria* me envolver em política desse jeito.

— Só drogas e miséria, certo?

Aquele sorriso lento de novo.

— O que seu querido irmão diria se soubesse que você está aqui com gente como eu?

Ithan não lhe daria o gostinho de reagir.

— Me diga o que precisamos fazer para que você nos deixe sair daqui.

— Uma luta. — Ela apagou o cigarro. — Uma única luta. Sua. Um evento particular. — A Rainha Víbora ronronou. — Só para mim.

— Por quê? — exigiu Ithan.

— Eu valorizo muito o entretenimento. Ainda mais o meu. — Ela sorriu de novo. — Uma luta em troca de uma passagem segura... e a liberdade de Ketos. Se você ganhar, tudo isso será seu. Nenhuma outra exigência além dessa.

Porra, ele deveria ter levado Marc junto. Ele analisaria toda a proposta, perceberia possíveis armadilhas a quilômetros de distância.

Mas Ithan sabia que se saísse dali em busca de outra pessoa, a oferta seria retirada. Se resumia a ele e somente ele.

— Eu luto e você nos deixa ir embora. Na mesma hora.

Ela abaixou o rosto.

— Posso até providenciar o carro para levar vocês aonde quiserem.

Uma luta. Ele já tinha lutado muito na vida.

— Não vou tomar seu veneno — avisou Ithan.

— E quem disse que eu ia oferecer? — Sua boca se curvou.

— E você vai libertar Tharion também — acrescentou Ithan. — Chega dessa merda de sedução.

— Assim você me ofende, Holstrom. É um laço sagrado entre os meus.

— Nada é sagrado para você.

A Rainha Víbora ergueu um dedo e virou a estatueta de Luna para ele, a flecha agora apontava em sua direção.

— Ah?

— Esses artifícios não querem dizer nada se não são acompanhados de ações.

Outro sorriso discreto.

— Tão arrogante.

Ithan sustentou seu olhar, deixando que ela visse o lobo ali dentro, o que tivesse restado dele.

Tinha que ser uma armadilha. Mas o tempo estava se esgotando — e ele não via alternativa para sair daquela confusão.

— Tudo bem — cedeu Ithan. — Uma luta.

— Combinado — cantarolou a Rainha Víbora. Ela se levantou e caminhou até a porta, o corpo movendo-se com graça sinuosa. — A luta será amanhã, às dez. Seus amigos podem assistir, se quiserem. — Ela abriu a porta, uma ordem silenciosa para que ele saísse.

Ithan obedeceu, e ela pegou outra lata de cigarro — dessa vez dourada — e a abriu. Estava passando pela soleira quando ela disse:

— Vou te dar um oponente à altura, não se preocupe. — A Rainha Víbora sorriu, irônica. E então acrescentou, antes de fechar a porta na cara dele: — Dê orgulho ao seu irmão.

* * *

Lidia Cervos penteou os cabelos, sentada diante da penteadeira em seu quarto todo enfeitado no palácio dos asteri. Uma monstruosidade de seda dourada, veludo cor de marfim e carvalho polido, com vista para as sete colinas da cidade. O quarto perfeito para o animal de estimação leal e mimado dos asteri.

Ninguém achou estranho ou sequer a questionou quando ela foi a Lunathion mais cedo, para entregar uma mensagem para Celestina, e fez uma parada no Mercado da Carne para comprar algumas "lembrancinhas". Nem mesmo Mordoc se importou.

Mas seus aliados também acreditavam que ela era o fiel bichinho de estimação do inimigo.

Então lá estava ela. Sozinha. Rezando para que Declan Emmet e os amigos viessem ao seu encontro. Rezando para que tivesse julgado corretamente a Rainha Duende, muitos andares abaixo.

A porta do banheiro se abriu, o vapor saindo, e Pollux surgiu, completamente nu e com a pele ainda úmida do banho.

— Você ainda não está pronta? — perguntou, franzindo a testa ao observar seu roupão cinza-claro de seda. Ele franziu ainda mais a testa quando seu olhar foi parar nos cabelos dela, ainda soltos e sem um penteado. — Temos que sair em quinze minutos.

E ali estava — o começo de uma dança intrincada.

— Vou menstruar — disse, levando a mão à parte de baixo da barriga. — Invente uma desculpa por mim.

Pollux alisou os cabelos loiros para trás e caminhou até ela, o pau grande balançando a cada passo. Suas asas brancas deixavam um rastro de água sobre o tapete cor de creme.

— Rigelus nos pediu pessoalmente para estarmos lá. Tome um tônico.

— Já tomei — disse ela, deixando entrever um pouco de seu temperamento. Não era mentira. Ela *tinha* tomado uma poção, um de seus contraceptivos de emergência, caso o plano de sempre falhasse. Fizera com que seu ciclo começasse duas semanas antes do previsto.

Nesse instante, Pollux farejou, sentindo o cheiro de sangue.

— Veio antes da hora.

Ele sabia pois não gostava de fodê-la quando estava sangrando. Ela tinha aprendido a apreciar seus ciclos. Em semanas como aquela, Pollux costumava atormentar outra pessoa.

Ela sustentou o olhar, ainda que fosse porque o pau dele estava na frente de seu rosto, e ela tivesse pouco interesse em olhar para aquilo por mais um segundo sequer de sua existência. O tônico fez efeito naquele momento, e a náusea agitou seu estômago — com uma pontada de dor.

Não precisou fingir seu estremecimento.

— Diga a Rigelus que peço desculpas.

Pollux a observava sem um pingo de piedade. Pelo contrário; ele ficou de pau duro. Um gato que aproveitava a visão de seu jantar sofrendo.

Mas ela o ignorou e se virou para o espelho. Uma mão grande e poderosa acariciou seus cabelos, colocando-os de lado. Então lábios beijaram seu pescoço, a língua dele brincando embaixo de sua orelha.

— Espero que você se sinta melhor logo.

Lidia se obrigou a erguer uma das mãos e acariciar os cabelos dele. Passar os dedos pelos fios úmidos e emitir sons baixinhos. Poderiam ser de dor ou prazer. Dava no mesmo para o Malleus. Ele se afastou, acariciando o pau com uma das mãos enquanto se dirigia ao closet, as asas brilhando brancas atrás dele.

Ela estava na cama deles — uma montanha de travesseiros de plumas e lençóis de seda — quando Pollux saiu, quinze minutos depois, vestindo um smoking que caía perfeitamente nele. Tão bonito por fora, esse monstro.

— Lidia — o Martelo ronronou, a voz grossa exalando posse, e então se foi.

Ela ficou deitada na cama, se esforçando para ignorar a barriga que se contorcia, a náusea causada não apenas pela menstruação. Só se levantou após dez minutos se passarem.

Ela correu até o banheiro, ainda úmido por causa do banho de Pollux — quase sempre tão quente que ela se perguntava se era uma tentativa de escaldar o mal de si mesmo — e pegou o saco de produtos de higiene feminina que sabia que ele jamais abriria. Como se encostar em um absorvente interno pudesse fazer seu pau murchar e secar.

Dentro da bolsa havia um celular descartável. Todo mês chegava um diferente em uma caixa de absorventes internos. Ela ligou o chuveiro de novo, bloqueando qualquer ruído específico que pudesse ser captado pelas câmeras do palácio nas paredes externas ou por qualquer pessoa do outro lado da linha. E então discou.

Uma telefonista atendeu.

— Azulejos e pisos Fincher.

Ela mudou sua voz para um canto melodioso e doce.

— Estou procurando por pisos de freixo personalizados, peças de sete por sete?

— Um instante, por favor.

Um novo toque. Então outra fêmea disse:

— Pisos de Freixo Personalizados, Sete por Sete falando.

Lidia expirou discretamente. Ela só havia ligado uma vez antes, havia muito tempo. Enviavam celulares descartáveis um após o outro, em caso de emergência. Ela os destruía todo mês sem usar.

Bem, aquilo era uma emergência.

— Aqui é Daybright — disse com sua voz normal.

A fêmea na linha respirou fundo.

— Por Solas.

Lidia continuou rapidamente.

— Preciso de todos os agentes mobilizados e prontos para agir em três dias.

A fêmea na linha limpou a garganta.

— Eu... Agente Daybright, acho que não tem ninguém para mobilizar.

Lidia piscou devagar.

— Explique.

— Sofremos ataques demais, perdemos muitas pessoas. E depois da morte do Agente Silverbow, muitos abandonaram a causa.

— Quantos sobraram?

— Algumas centenas, talvez.

Lidia fechou os olhos.

— E nenhum deles pode ser usado agora para...

— O Comando decidiu encerrar todas as missões. Todos foram se esconder.

— Passe a ligação para o Comando, então.

— Eu... não estou autorizada a fazer isso.

Lidia abriu os olhos.

— Diga ao Comando que quero falar com eles e somente eles. A informação que tenho pode dar uma chance de sobrevivência a eles.

A despachante fez uma pausa, ponderando.

— Se não for...

— Vai ser. Diga que se trata de algo que eles desejam fazer há muito tempo.

Outra pausa. Pensando em tudo o que ela sabia, provavelmente.

— Um instante.

Levou alguns minutos para fazer o macho humano atender o celular. Para Lidia usar os códigos a fim de se identificar e verificar sua identidade, bem como a dele. Para explicar o plano que ela havia desenvolvido pouco a pouco. A fim de que a Ophion sobrevivesse mais um dia, sim... porém, mais do que isso, que obtivesse uma ajuda involuntária para se certificarem de que Ruhn sobreviveria.

Dois dias. Lidia informou um horário, um local de início e uma ordem de prontidão. Não teriam como perder o sinal. Ela só podia esperar que a Ophion aparecesse como o comandante havia prometido.

Lidia encerrou a ligação e esmagou o celular até restarem apenas pedaços de plástico e vidro. Depois abriu a janela do banheiro, fingindo deixar o vapor sair enquanto os pedacinhos voavam na noite cheia de estrelas.

* * *

Bryce enfrentou outro rio, as águas gélidas na altura da cintura. Mas pelo menos a estrela continuava apontando para a frente e não precisariam nadar. Eles chapinharam na água em silêncio, as mãos de Bryce, ainda ensanguentadas, ardendo com o contato da água do rio, e ela estremeceu quando eles emergiram do outro lado.

— Então, a estrela de oito pontas — disse Nestha no silêncio enquanto voltavam a andar, os sapatos fazendo um barulho aquoso — é um símbolo dos Estrelados do seu mundo. Não tem nenhum outro significado?

— Por que tantas perguntas a respeito dela? — perguntou Bryce, com os dentes batendo. Azriel caminhava alguns passos atrás, silencioso como a morte, mas ela sabia que ele estava ouvindo cada palavra.

Nestha ficou em silêncio e Bryce pensou que ela talvez não respondesse, mas disse:

— Eu fiz uma tatuagem nas costas... recentemente. Uma tatuagem mágica que já desapareceu. Mas era uma estrela de oito pontas.

— E?

— E a magia, o poder da barganha que fez aparecer a tatuagem... escolheu o desenho. A estrela não significava nada para mim. Achei que talvez estivesse relacionada ao meu treinamento, mas seu formato era idêntico ao da cicatriz em seu peito.

— Então é óbvio que estamos destinadas a sermos melhores amigas — provocou Bryce. Nestha não riu nem ao menos sorriu. Bryce perguntou: — Foi por isso... foi por isso que você se voluntariou para vir atrás de mim?

— Estou nos domínios feéricos há tempo o bastante para saber que algumas forças, por vezes, nos guiam, nos empurram em uma direção. Aprendi a permitir, a ouvi-las. — Nestha deu um sorrisinho. — Foi por isso que não matei você por seguir sua luz estelar rio adentro. Você estava fazendo a mesma coisa.

Bryce sentiu um aperto no peito. A fêmea tinha uma história para contar, história essa que, em qualquer outra circunstância, Bryce adoraria ouvir. Mas antes que pudesse sequer pensar em perguntar qualquer coisa, algo enorme e branco surgiu logo à frente. Um esqueleto de ossos enormes.

— O verme? — perguntou Bryce, apesar de perceber que não era. Aquilo era diferente, um corpo parecido com o de um sobek. Cada dente era do tamanho da mão de Bryce.

— Não — respondeu Azriel atrás dela, o barulho do rio abafando suas palavras suaves. — E não acho que o verme tenha comido isso, se o esqueleto está intacto desse jeito.

— Você sabe o que é? — indagou Bryce.

— Não — respondeu Azriel de novo —, e parte de mim fica feliz por não saber.

— Você acha que tem mais lá embaixo? — perguntou Nestha para Azriel, analisando a escuridão.

— Espero que não — respondeu Azriel. Bryce estremeceu e aproveitou a oportunidade para seguir em frente, liderando o caminho, deixando aqueles ossos antigos e aterrorizantes para trás.

O rio ainda rugia de maneira estrondosa quando os entalhes começaram a mudar. Antes eram cheios de vida, ação e movimento. Os de agora eram mais simples, obviamente destinados a serem o foco principal. Algo de grande importância para quem o esculpiu.

Um arco havia sido gravado, com estrelas brilhando ao seu redor. E naquele arco havia uma figura masculina, a imagem criada com uma complexidade impressionante. Sua mão estava erguida em saudação.

E Bryce poderia ter olhado mais de perto, se o Verme de Middengard não tivesse surgido no rio atrás deles.

14

O Verme de Middengard tinha enfim aparecido. Exatamente como Bryce planejara.

Deixara o sangue pingar ao longo do caminho, criando um rastro, e arranhara as feridas vez após vez para reabri-las, que, inclusive, foram infligidas de forma intencional ao "cair" no córrego. Se o verme se guiava pelo cheiro da caça, então ela havia deixado um letreiro gigantesco em neon que o guiava até eles. Não sabia quando nem como ele atacaria, mas estava à espera.

E estava pronta.

Bryce caiu quando não apenas sombras, mas a luz azul vinda de Azriel brilhou — com a chama prateada que serpenteava de Nestha. Com as costas apoiadas um no outro, encaravam a criatura enorme com o foco aguçado. Ataraxia brilhava na mão de Nestha. A Reveladora da Verdade pulsava com escuridão na de Azriel.

Era agora ou nunca. Suas pernas tensionaram, prontas para correr.

Os olhos de Nestha se dirigiram a Bryce por um instante. Como se enfim entendesse tudo: a mão "incurável" de Bryce. O sangue que ela espalhava pelas paredes. O comentário a respeito do sistema de rios interligados nas cavernas, investigando o que eles sabiam sobre o terreno e o verme. Para atrair esta coisa — até *eles*.

— Me desculpe — disse Bryce para ela. E correu.

Não queria que eles se machucassem; não mentira a esse respeito. Com certeza poderiam enfrentar o verme e sobreviver. Nestha dissera que a irmã já tinha feito isso.

Mas Bryce precisava descobrir seja lá o que Urd a enviara ali para descobrir. Se essas informações poderiam ajudar ou prejudicar seu mundo... não queria que eles soubessem. Que pudessem usar contra ela. Que a entregassem aos asteri. Ou que a usassem contra Midgard para benefício próprio. O que quer que estivesse adiante, dizia respeito somente a ela.

Bryce correu pelo túnel, o caminho iluminado por vislumbres da chama prateada e da magia azul. Os poderes de Nestha e de Azriel, brilhando como relâmpago contra o pesadelo que o verme representava.

Os rostos nos entalhes do túnel observaram a fuga de Bryce com olhos frios e condenatórios. A respiração parecia cortar a garganta. Não fazia ideia do quanto precisava correr, mas se pudesse acelerar um pouco mais...

Um grito ecoou nas pedras atrás dela. Não de perseguição, mas de dor. Azriel. Ao olhar por cima do ombro, viu a luz azul dele se apagar.

Então um grito de uma voz feminina ressoou pela caverna, e a chama prateada de Nestha também se apagou, restando apenas a luz estelar de Bryce para iluminar o caminho. Deixando apenas a escuridão e o silêncio atrás de si.

Precisava seguir em frente. Eles eram guerreiros experientes. Estava tudo bem.

Mas aquele silêncio, interrompido pela respiração de Bryce, seus passos apressados...

Ela era mestre em inventar mentiras. Mantivera ambos distraídos, impedindo que pensassem nela como uma manipuladorazinha de merda, mas...

Bryce diminuiu o ritmo até parar. A escuridão atrás dela aumentava.

Ela se viu cara a cara com uma cena que representava um grande campo de batalha diante dos muros altos da cidade, feéricos, horrores alados e feras que rosnavam, todos em guerra, entrincheirados na dor e no sofrimento. Um dos feéricos estava em primeiro plano, enfiando uma lança na boca de outro guerreiro feérico.

Feérico contra feérico. Não deveria se incomodar com isso. Não deveria afetá-la como a afetou: a expressão impiedosa da guerreira fêmea enquanto cravava sua lança no rosto agonizante da guerreira à sua frente. Bryce não deveria ficar hesitante ao ver aquilo.

Já tinha entendido há muito tempo que esse tipo de coisa acontecia entre os feéricos. Confortava-se em saber que não era como eles, nunca seria daquele jeito.

Ainda assim, tinha acabado de...

Ela não era um monstro. Era?

Talvez se arrependesse. Sabia que Hunt gritaria com ela por criar uma armadilha só para, depois, ir ao auxílio das pessoas que enganou.

Mas Bryce começou a correr de novo, percorrendo depressa a caverna. De volta para Nestha e Azriel.

Rezando para que ainda restasse algo a ser salvo.

* * *

Bryce percebia, conforme refazia seus passos, que o que antes pensara ser o barulho do rio era, na verdade, o movimento estrondoso do enorme corpo do verme. Azriel e Nestha devem ter cometido o mesmo erro.

No escuro, sua luz estelar banhava as paredes em prateado, lançando o mundo em alto-relevo.

Sua luz estelar nunca pareceu tão... vazia. Enquanto os guiava, era reconfortante, trazia um pouco de cor e brilho a este reino da noite eterna. Agora, tremeluzindo a cada passo que ela dava conforme corria, parecia mais bruta. Desprovida de cor.

Como se até a luz estivesse enojada com o que ela havia feito.

Nestha e Azriel não estavam no túnel próximo aos entalhes no arco. A julgar pela maneira como o chão tremia e pelas mandíbulas que estavam logo à frente, tinham atraído o verme de volta ao rio.

Bryce se recompôs e conseguiu diminuir o ritmo a tempo de estar caminhando antes de chegar à margem, lembrando-se do treinamento de Randall.

Observe, avalie, decida.

Então ela avançou furtivamente os últimos metros que a separavam da água corrente, uma das mãos cobrindo a estrela para diminuir o brilho, e...

Eles não estavam lá. Nenhum sinal do verme nem de sua refeição. Sentiu um frio na barriga. Eles pareciam extremamente corajosos e capazes. Com certeza o verme não teria...

Ele tinha.

Nestha estava esparramada sobre uma grande pedra no rio, a menos de três metros de distância. Nenhum sinal do verme ou de Azriel. Talvez já o tivesse comido. E logo voltaria para continuar a refeição.

Pelos deuses, o que ela havia feito? Arruinara tudo de um jeito imperdoável...

Bryce correu até Nestha, que estava deitada, espirrando água gelada para todos os lados, escorregando nas pedras, a espuma do rio se formava em sua cintura em uma forte corrente enquanto tentava virar a fêmea...

Os olhos de Nestha estavam abertos. E ardendo de fúria.

Uma mão envolveu a garganta de Bryce. Uma lâmina cutucou suas costas. E a voz de Azriel era suave como um sussurro enquanto ele dizia:

— Me dê um único motivo para não enfiar esta faca na sua coluna.

Bryce exibiu os dentes.

— Porque voltei para ajudar?

Nestha bufou e ficou em pé. Intacta.

— E o verme? — Bryce conseguiu perguntar, tentando não pensar na faca inclinada para perfurar seu corpo. Ou na atração entre a Áster e a adaga, agora tão próximas a ela.

— Está nos caçando — vociferou Nestha, olhando para o rio, para o túnel.

— Então *corram,* caralho — arfou Bryce. — A abertura do túnel...

— Não vamos deixar aquela coisa viva — disse Azriel, com um tom venenoso. Nestha desembainhou Ataraxia, a lâmina brilhando fracamente. Estava calma, como se aquele fosse um dia comum de trabalho.

Solas Flamejante. Randall a mataria por ser tão estúpida.

— Vocês me atraíram para cá.

Nestha assentiu para Azriel, que afastou a lâmina, mas manteve uma das mãos no ombro de Bryce, fosse para impedir que se movesse ou para mantê-la parada nas águas correntes do rio.

— Você me salvou daquelas armadilhas na parede. Era de se esperar que um coração tão mole viesse acompanhado da consciência pesada.

Melhor dizendo: a *mãe* a mataria por ser tão estúpida.

— Eu...

Bryce começou, mas Nestha a interrompeu:

— Nem perca seu tempo.

O tom foi brusco o bastante para fazer Bryce olhar além da escuridão do rio, para os túneis de cada lado. Até mesmo o chamado da Áster e da Reveladora da Verdade ficaram em segundo plano quando ela perguntou:

— Como ele desapareceu?

— Poços profundos no leito do rio — murmurou Azriel. — Bastou sentir o cheiro do poder de Nestha para mergulhar em um deles. Mas pelo jeito como as pedras tremem... ele está por perto. Nos observando.

— Então por que estamos aqui parados no rio, porra?

Nestha sorriu para ela.

— Isca.

* * *

Dê orgulho ao seu irmão.

Teria sido melhor se a Rainha Víbora tivesse atirado nas entranhas de Ithan. Era como se soubesse exatamente o quanto Connor se envergonharia de ver o quanto ele havia decaído.

— O que ela vai fazer em relação a Sabine? — perguntou Tharion para Ithan quando ele voltou a entrar na suíte. Certo, foi o que ele dissera que iria resolver com a rainha.

— Nada — respondeu Ithan.

Sigrid estava sentada no sofá ao lado de Declan, observando os dedos dele digitarem rapidamente no celular.

— Cadê o Marc? — perguntou Ithan.

— Usou um de seus truques de advogado — Flynn respondeu por Dec. — Falou alguma merda jurídica para os guardas. Um minuto depois que você saiu, ele recebeu uma mensagem da Rainha Víbora, dizendo que estava livre para ir embora.

Então era isso que a Rainha Víbora estava digitando no computador.

— Ir aonde?

— Para o escritório — respondeu Dec, ainda focado no celular. — Vai tentar descobrir se tem alguma forma legal de nos tirar desse circo de horrores.

— Pode ser que eu tenha a solução para isso — comentou Ithan. Todos olharam para ele.

Tharion perguntou baixinho:

— Qual foi a oferta dela, doguinho?

— Nada que eu não consiga aguentar.

Tharion se levantou da mesa mais próxima à janela que dava para o ringue.

— Você...

— Uma luta... comigo. Amanhã à noite.

Sigrid arregalou os olhos.

— Que tipo de luta?

Ithan apontou para a janela atrás de Tharion.

— Uma das chiques. Lá embaixo.

— Ela disse contra *quem*? — Ele nunca tinha visto Ketos com uma expressão tão séria. — Você deveria ter feito ela especificar. Ela vai ferrar com você... e, de alguma forma, todos nós vamos nos ferrar. — A voz de Tharion ficou mais aguda. — No que Inferno você estava pensando?

— Eu estava pensando — retrucou Ithan — que *você* tomou uma decisão ridícula, e eu precisava tentar te tirar dessa. Tirar todos nós dessa confusão.

Tharion piscou algumas vezes para ele, os olhos escuros. Frios.

— Eu não pedi pra você me tirar dessa. Você acha que posso simplesmente meter o pé daqui? *Não posso.*

— A Rainha Víbora disse que você poderia...

— E depois o quê? — O tritão se levantou. — Voltar a depender da misericórdia da Rainha do Rio. A Rainha Víbora sabe disso, que não tenho outra escolha a não ser ficar aqui, com ela. — Tharion balançou a cabeça, enojado. — Seu idiota do caralho. — E, após dizer isso, o tritão saiu irritado do quarto.

O silêncio pairou por alguns instantes. Então Declan disse:

— Você deveria ter falado com a gente antes.

— É, pois é, mas não falei — rebateu Ithan. Depois suspirou. — A Corça nos deu dois dias. Marc é um gênio e tudo o mais, mas essas merdas da lei levam tempo. Não temos tempo.

— O tritão tem razão — respondeu Sigrid, entristecida. — Você não deveria confiar em alguém como ela. Alguém que trafica outros seres não tem honra alguma.

— Eu sei — concordou Ithan. E por alguns instantes, pôde ver nos olhos de Sigrid a alfa severa, mas justa, que ela poderia vir a ser. Com cicatrizes emocionais o bastante para entender a importância e o valor de cada vida.

Talvez devesse tê-la encorajado a matar Sabine na noite anterior. Ithan suspirou de novo.

Flynn foi até o bar.

— Melhor beber alguma coisa, Holstrom.

— Eu nunca bebo antes dos jogos — protestou Ithan. — Nem no dia anterior.

— Confia em mim — alertou Flynn, pressionando um copo de uísque na mão de Ithan. — Com a Víbora escolhendo a dedo seu oponente, você vai querer algo pra relaxar um pouco.

* * *

— Você espalhou seu sangue por toda a parte para atraí-lo — disse Nestha. — Ele está atrás de você, não de nós dois. Logo *você* vai chamar aquela coisa de volta.

O olhar de Bryce alternava entre Nestha e Azriel. Eles estavam falando sério.

Bryce apontou para a pedra em que Nestha estivera deitada momentos antes.

— Então, como é? Devo me deitar na pedra e esperar até que o verme apareça para me devorar?

— Essa última parte depende só de você — respondeu Nestha, virando-se para o outro lado do rio —, mas, pelo que acabei de ver, você corre depressa. Vai conseguir fugir bem a tempo. Talvez.

Babaca.

Azriel murmurou:

— Silêncio.

Sem outra alternativa, Bryce obedeceu.

Não importava a força do brilho de sua luz estelar. O verme era cego. E era só uma questão de tempo até que sentisse seu cheiro de novo...

Questão de segundos, na verdade.

Em um instante, havia apenas o rio seguindo seu curso. No instante seguinte, uma parede de água explodiu em frente a Azriel, o corpo gigantesco do verme fazendo com que até o poderoso guerreiro parecesse menor.

Bryce nunca tinha visto uma criatura tão horrível, nem mesmo durante o ataque à Cidade da Lua Crescente na última primavera. Raios de luz azul brilharam em Azriel, lançando-se em direção à criatura...

Eles atingiram a pele escura e molhada e desapareceram.

Foi só o que Bryce viu antes de pular da pedra, correndo pela água, rumo ao túnel arqueado.

Nestha passou por ela, Ataraxia em uma das mãos, fogo prateado envolvendo a outra. Mas o verme desapareceu. Tão rápido quanto aparecera, ele voltou para o buraco.

— Cadê ele? — Nestha gritou para Azriel, que se virou, fazendo uma varredura do rio, do túnel...

Atrás deles, mais perto de Bryce, o verme ressurgiu das águas, vindo de outro buraco. O fogo prateado passou por ela. O verme urrou quando o poder bruto atingiu a lateral de seu corpo, fazendo as cavernas tremerem, destroços e pedras caindo com um baque no rio.

Então o fogo se extinguiu, sugado por sua pele. O verme voltou a mergulhar na água, em direção ao buraco.

Azriel e Nestha voltaram para a posição original, as costas grudadas uma na outra, e Bryce conseguiu se recompor um pouco para perguntar:

— O que aconteceu?

— Ele... ele comeu meu poder — murmurou Nestha.

— Não é possível — respondeu Azriel, os olhos fixos no rio.

— Mas *comeu* — irritou-se Nestha —, eu senti.

— Merda — falou Azriel.

— Temos que correr — alertou Bryce.

— Não — insistiu Nestha, as chamas prateadas em seus olhos de novo. — Aquela coisa não vai sair viva desta luta.

Como se fosse uma resposta e um desafio, o verme irrompeu da água, uma onda enorme e poderosa, mandíbulas bem abertas na direção de Nestha, Azriel e Bryce...

Com um movimento das asas de Azriel, os três subiram ao ar, mais velozes do que o verme poderia atacar. Por pouco não encostou nas botas de Azriel ao mergulhar de novo, voltando a desaparecer.

— Precisamos contê-lo — sugeriu Nestha para Azriel —, para que eu possa me aproximar com Ataraxia.

— Se seu poder não o matou, não tem como saber se Ataraxia vai conseguir — arfou Azriel, pousando-os na pedra. — Ele rompe minhas amarras como se fossem teias de aranha.

— Então precisamos de outra coisa que consiga lutar por nós — protestou Nestha, e Azriel virou-se para ela, como se estivesse alarmado.

Mas Bryce disse:

— Tudo bem — e estendeu a mão para Azriel —, me entregue Áster. — Ela os havia atraído para aquela confusão, então poderia tentar tirá-los de lá. Áster já havia matado ceifadores. Talvez conseguisse matar aquela coisa também.

— Não ouse. — Azriel começou a dizer, mas não para Bryce. O pavor empalidecendo sua pele. — Nestha...

Algo metálico brilhou como a luz do sol na mão de Nestha. Uma máscara.

— *Nestha* — alertou Azriel, o pânico deixando sua voz mais aguda, mas já era tarde demais. Ela fechou os olhos e colocou a máscara no rosto. Uma brisa estranha e fria soprou do túnel.

Bryce já sentira aquela brisa antes, no Quarteirão dos Ossos. O vento da morte, da putrefação, da quietude. Os pelos de seu braço se arrepiaram. O sangue ficou frio como gelo quando Nestha abriu os olhos para revelar que só havia chamas prateadas brilhando ali.

O que quer que fosse aquela máscara, fosse qual fosse seu poder... continha a morte.

— Tire isso — ordenou Azriel, mas Nestha estendeu a mão para a escuridão do túnel.

Mortal, uma voz antiga, seca, sussurrou na cabeça de Bryce. *Você é mortal, e deve morrer. Memento mori. Memento mori, memento...*

Um osso estalou no escuro. A terra tremeu.

Azriel agarrou Bryce, puxando-a para si enquanto recuava em direção à parede, como se pudesse oferecer qualquer proteção contra o que quer que se aproximasse. Áster e a Reveladora da Verdade murmuravam e exerciam sua atração, como se puxassem Bryce pela espinha, as mãos dela coçando, como se pudesse sentir as armas em suas palmas...

Não viu o que Nestha atraiu da escuridão antes que o verme os encontrasse.

Como antes, ele emergiu do rio, enfiando-se depressa no túnel estreito, bloqueando o caminho de volta. O escudo de Azriel brilhava em azul ao redor deles. O verme foi na direção deles com a mandíbula escancarada revelando fileiras de dentes capazes de destroçar a carne.

Mas algo enorme e branco atingiu o verme. Uma criatura de puro osso, maior do que o verme.

O esqueleto que tinham encontrado no túnel. Reanimado.

Sua mandíbula se abria para o verme, braços longos que terminavam em garras encontrando seu caminho nos dois lados da maldita boca da besta.

O verme guinchou, mas a criatura o segurou com força, mordendo a cabeça do oponente, e sacudiu, sacudiu, *sacudiu*...

Azriel puxou Bryce para trás, espada e faca chamando-a para que ela as usasse. Mas ele continuava afastando-a, cada vez mais fundo no túnel enquanto a coisa morta-viva e o verme duelavam. O teto tremeu, detritos caíram no chão. Azriel arqueou uma asa, protegendo-os da chuva esmagadora.

Mas não havia nada no mundo que pudesse protegê-los do que estava a poucos metros de distância.

Com os cabelos esvoaçando em uma brisa fantasma, Nestha brilhava com chamas prateadas. Ainda usando a máscara. E com um dedo apontado para a luta. Exigindo que a criatura de osso e morte atacasse o verme. De novo. De novo.

— O que ela está...? — começou Bryce, mas Azriel cobriu sua boca com uma das mãos, puxando-a ainda mais para dentro do túnel.

Então tudo o que Bryce podia fazer era assistir com admiração e puro terror enquanto Nestha cerrava o punho.

As mandíbulas da fera abocanharam toda a frente do verme e o esmagaram contra o chão, prendendo-o. A terra tremeu com o impacto e até Azriel tropeçou, afastando a mão que cobria a boca de Bryce.

O verme se debatia, mas a criatura morta-viva aguentava firme. Manteve-o sob controle enquanto Nestha desembainhava Ataraxia mais uma vez e se aproximava.

— Temos que ajudá-la — arfou Bryce para Azriel.

— Eu juro que ela está bem — contrapôs Azriel, puxando Bryce para que ambos adentrassem ainda mais o túnel. Fora da zona de impacto, Bryce se deu conta.

O verme deve ter sentido que a espada se aproximava, porque se debateu mais contra o conjunto de ossos e garras que o prendiam à rocha.

Ele conseguiu empurrar a criatura morta-viva para trás, mas só por um instante.

Nestha ergueu a mão livre de novo, e a criatura morta-viva bateu o corpo do verme no chão, enquanto a criatura se debatia em completo desespero.

Com a elegância de uma dançarina, Nestha escalou a cauda da besta morta-viva, correndo ao longo das protuberâncias de suas costas como se fossem pedras em um riacho. Subindo para patamares mais altos, para um ângulo melhor.

O verme protestou, mas Nestha já estava no crânio branco da criatura morta-viva. E então ela pulou com a espada erguida acima da cabeça, e foi para baixo, para baixo...

Bem na cabeça do verme.

Um tremor de fogo prateado percorreu o verme. O vento frio e seco soprou pela caverna de novo, a morte em seu percalço.

O verme colapsou no chão.

O silêncio era pior do que o som.

Azriel deixou o esconderijo mesmo instante, as asas fechadas enquanto corria em direção a Nestha e à fera morta-viva que ainda segurava a besta.

— Pode tirar — ordenou Azriel.

A fêmea virou a cabeça na direção dele em um movimento suave que Bryce só vira em bonecas possuídas de filmes de terror.

— *Pode tirar* — vociferou Azriel.

Ainda o encarando, Nestha puxou Ataraxia do corpo do verme e deslizou pela lateral do corpo dele, pousando na pedra com uma graça sobrenatural.

Cada músculo do corpo de Bryce se enrijeceu, a voz sussurrando sem parar para ela: *Mortal. Você deve morrer. Você deve morrer. Você deve morrer.*

Ela odiou a forma como seu corpo tremeu quando Nestha se aproximou devagar. Como ambas as suas partes, a humana e a vanir, tremeram perante aquela coisa, fosse o que fosse, por trás da máscara.

Azriel não recuou um único passo. Nestha parou em frente a ele. Nada humano ou feérico olhava por entre os buracos da máscara.

— Tire isso — ordenou ele, a voz fria como gelo. — Deixe a criatura descansar de novo.

Uma piscada, e a criatura morta-viva voltou a ser uma pilha de ossos.

— Cassian está esperando por você, Nestha — disse Azriel, com um tom de voz mais gentil. — Tire a Máscara. — Nestha permaneceu em silêncio, Ataraxia de prontidão em sua mão. Um movimento e Azriel estaria morto. — Ele está esperando por você na Casa do Vento. — Azriel continuou. — Em casa.

Nestha piscou de novo. A chama prateada abrandou um pouco.

Como se quem quer que Cassian fosse, e o que quer que fosse a Casa do Vento... talvez fossem as únicas coisas capazes de lutar contra o canto da sereia da Máscara.

— Gwyn e Emerie estão esperando — pressionou Azriel. — E Feyre e Elain. — A chama prateada brilhou de novo. Então, Azriel disse: — Nyx também está esperando.

A chama prateada se extinguiu de vez.

A Máscara caiu do rosto de Nestha, ressoando contra a pedra.

Nestha oscilou, mas Azriel estava ali, para ampará-la, puxando-a para o peito, as mãos cheias de cicatrizes acariciando seus cabelos.

— Graças à Mãe — falou baixinho. — Graças à Mãe.

Bryce se virou para se afastar, sentindo que estava testemunhando um momento íntimo demais.

Mas Nestha se afastou de Azriel. Se firmou no lugar antes de olhar para Bryce, ainda segurando Ataraxia em uma das mãos. Ela mexeu os dedos da outra mão e a Máscara desapareceu no mesmo instante, de volta para onde quer que estivesse antes de ser convocada.

Bryce tinha tantas coisas a dizer que, por fim, não conseguiu falar nada.

Nestha voltou a guardar Ataraxia em suas costas e disse para Bryce:

— Continue andando.

15

Bryce demorou horas até parar de tremer. Até afastar aquele vento frio e mortal de sua pele. Até parar de ouvir o sussurro de sua morte, a morte de todas as coisas.

Nunca tinha visto nada como aquela máscara. Nestha parecia à mercê dela, trazida de volta a si mesma só depois que Azriel listou aquelas pessoas que, quem quer que fossem, obviamente eram importantes para Nestha.

Por amor, tudo é possível. Até mesmo se livrar de máscaras letais.

Nestha não falou nada, limitando-se a ficar perto de Azriel. Ou talvez fosse ele quem estivesse se mantendo perto dela. O macho não parecia querer ela fora de seu alcance.

Por fim, Bryce não conseguiu mais aguentar.

— Me desculpem — disse.

Quando ambos continuaram em silêncio, ela se virou para olhar para eles. Suas expressões eram igualmente frias.

— De verdade... me desculpem, eu sinto muito — disse Bryce, o coração batendo forte.

— Você está provando — respondeu Nestha, firme — que não compensa esse trabalho todo.

— Então por que não me mata? — irritou-se Bryce.

— Porque o que quer que você espere encontrar no fim desses túneis — explicou Azriel com uma calma letal —, o que quer que valha o esforço de tentar nos matar... tem que ser algo muito digno de ser visto.

— Vocês poderiam me deixar aqui e seguir sozinhos. — Ela não deveria ter sugerido isso. Mas já era tarde demais.

— A estrela no seu peito discordaria — provocou Nestha, e por fim saiu do lado de Azriel em direção à escuridão. — Já nos esforçamos muito para descobrir qual é a sua. Agora, é melhor ir até o fim.

— Se esforçaram? — Mas mesmo enquanto falava, Bryce compreendeu. — Vocês sabiam que eu sairia pela grade.

— Rhysand adivinhou, sim... e ficou todo convencido quando você atravessou. Verdade seja dita: ele ficou bem surpreso ao saber que você conseguia atravessar, mas... o maldito nos mandou atrás de você. — Nestha falava sem se virar, caminhando com aquela confiança inabalável rumo à escuridão. — Mandou nos certificarmos de que havia apenas um caminho. Nos certificarmos de que *você* acreditasse que só havia um caminho também. E você mostraria a que veio... nos mostraria o que está procurando aqui.

— Vocês causaram o desmoronamento.

Nestha deu de ombros.

— Azriel causou. Mas sim.

— Pr... pra que tudo isso? Por que vocês se *importam*?

Nestha ficou em silêncio por uns instantes. Azriel não disse nada, era uma parede de silêncio ameaçador atrás dela. Então Nestha respondeu:

— Porque eu já vi essa estrela do seu peito antes.

— Sim, você já me contou — retrucou Bryce. — A sua tatuagem...

— Não na minha tatuagem.

— Então onde? — sussurrou Bryce. Se ela pudesse obter algumas respostas...

Mas Nestha seguiu em frente, para a escuridão.

— Não foi em um lugar bom.

* * *

Após outro cochilo agitado, Azriel e Nestha ainda estavam nitidamente irritados com Bryce. E tinham todo o direito, mas não teria ela também o direito de estar puta da vida? Eles a haviam manipulado o tempo todo, observando-a como se fosse um animal no zoológico, fazendo com que acreditasse que tinha causado aquele desmoronamento quando fora obra deles...

Ela olhou de cara fechada para Azriel enquanto eles caminhavam pelo túnel. Ele retribuiu com um olhar gélido.

Atrás dele, os entalhes continuavam, mostrando feéricos animados em cima das colinas, em plena atividade em cidades que pareciam antigas, cercadas por muralhas. Um cenário de crescimento e mudança. Mas o olhar de Azriel continuou voltado para a frente — e ele assentiu ao ver onde Nestha havia parado.

— Temos um problema — murmurou Nestha quando os dois se aproximaram.

Um abismo se erguia perante eles, a luz estelar de Bryce brilhava com um único raio que o atravessava. Bryce engoliu em seco.

Sim, era um problema dos grandes.

* * *

Ruhn conseguiu reter o alimento em seu estômago, e era tudo o que tinha a dizer de si mesmo ali, deitado e dormindo no chão imundo e fétido.

Talvez fosse porque não conseguia dormir de verdade havia dias. Talvez fosse porque Athalar o pedira que fizesse um esforço e, no fundo, ele soubesse que precisava agir como a porra de um adulto. Mas ali estava ele. Em uma ponte de aspecto familiar em sua mente. Encarando uma figura feminina em chamas.

Ruhn? A voz de Lidia chegou em seus ouvidos. *O que houve?*

— Preciso passar informações de espionagem adiante. — Cada palavra soava fria e sucinta.

A chama ao redor de Lidia diminuiu até que restassem apenas ela e seus cabelos dourados esvoaçantes, e aquilo acabou um pouco com ele. Ela era linda pra caralho. Ele não teria se importado, *não* se importou durante aquelas semanas em que estavam se conhecendo melhor, mas...

Ela ficou a três metros de distância. Ele não se preocupou com suas estrelas e noite. Não se importava.

— Bryce... estava tentando chegar ao Inferno para pedir ajuda. Não conseguiu.

O rosto de Lidia era impassível.

— E como é possível que você saiba disso?

— O Príncipe do Fosso fez uma visitinha a Hunt. Confirmou que Bryce não está com ele... nem com os irmãos dele.

Um ponto para Lidia por não ter manifestado desagrado ao ouvir Apollion ser mencionado. Ela nem sequer perguntou por que Hunt estava em contato com ele.

— Onde ela foi parar?

— Não sabemos. O plano era que ela fosse até lá, reunisse os exércitos e viesse com eles para cá, mas se não está lá, estamos sem sorte nessa porra.

— Teria... teria alguma chance de o Inferno se aliar a vocês? — Havia descrença em cada palavra.

— Sim. E ainda tem.

— Por que me contar tudo isso?

Ele cerrou a mandíbula.

— Não tínhamos certeza se você ou o Comando suspeitavam onde Bryce estava, ou se tinham a esperança de que ela operasse um milagre ao voltar. Mas decidimos que deveriam saber que essa opção não parece viável.

Lidia xingou. Olhou para as próprias mãos, como se pudesse ver os planos da Ophion desmoronando.

— Não estávamos contando com a ajuda da sua irmã nem do Inferno, mas vou passar a mensagem adiante mesmo assim. — Seus olhos estavam cheios de preocupação. — Ela está...?

Podia-se contar com Day para chegar ao cerne da questão.

— Não sei. — O tom ríspido dele dizia tudo.

Ela inclinou a cabeça, e ele a conhecia bem o bastante para saber que estava pensando em tudo o que ouvira. O aviso da Oráculo.

Mas Lidia disse:

— Ela não está morta. — Suas palavras continham uma confiança plena.

— Ah, é? — Ele não conseguiu deixar de ser sarcástico. — E como você pode ter tanta certeza?

Ela aceitou o tom maldoso com calma.

— Os místicos de Rigelus estão procurando por ela. Ele quer encontrá-la.

— Ele não sabe o que eu sei.

— Não... ele sabe *mais* do que você. Não faria tanto esforço se acreditasse que Bryce está morta. Ou no Inferno. Ele sabe de mais alguma coisa.

Ruhn ignorou a esperança brotando em seu peito.

— O que isso quer dizer, então?

— Quer dizer que ele acha que a localização de Bryce pode fazer alguma diferença. — Ela cruzou os braços. — Quer dizer que onde quer que ele suspeite que ela esteja... está preocupado com isso.

— Não consigo entender como isso *poderia* fazer qualquer diferença.

— Então você subestima sua irmã.

— Vai se foder — xingou ele.

— Rigelus não está subestimando Bryce, nem por um segundo — acrescentou ela, o tom mais severo. — Mil místicos, Ruhn... todos à procura dela. Você sabe quantas outras tarefas ele costuma obrigá-los a fazer? Mas, agora, estão todos concentrados em encontrá-la. Isso quer dizer que ele está muito, muito assustado.

Ruhn engoliu em seco.

— O que vai acontecer se os místicos descobrirem onde ela está?

Lidia balançou a cabeça, as chamas envolvendo as mechas.

— Eu não sei. Mas ele deve ter algum plano em mente.

Ruhn perguntou:

— Por que eles não conseguem encontrá-la? Achei que os místicos conseguiam encontrar qualquer coisa.

— O universo é muito vasto. Até mesmo mil místicos precisam de algum tempo para vasculhar cada galáxia e sistema estelar.

— Quanto tempo?

Os olhos dela se agitaram.

— Não tanto quanto Bryce deve precisar... se estiver, de fato, tentando fazer o impossível.

— Que é?

— Conseguir ajuda.

Ruhn não conseguia aguentar mais. Ele se virou para seu lado da ponte.

— Ruhn.

Ele parou, estremecendo diante da forma como ela pronunciou seu nome, lembrando de como foi ouvi-lo pela primeira vez, depois do baile do equinócio, quando ela descobriu quem ele era.

Mas era esse o problema, não? Ela sabia quem ele era... e ele sabia quem *ela* era. Sabia que, apesar de ser a Agente Daybright, havia sido a Corça por décadas antes de decidir se rebelar. Cometera muitos atos desprezíveis para Sandriel e os asteri muito antes de matar a Harpia para salvar a vida dele. Mudar de lado apagava seu passado?

Ela disse baixinho:

— Estou fazendo o que posso para te ajudar.

Ruhn olhou por cima do ombro. Ela abraçava a própria cintura.

— Não me importa o que você está fazendo, porra. Só vim até aqui porque outras vidas podem depender disso.

Havia dor em seu olhar, o que o deixava ainda mais irritado. Como ela ousava olhá-lo daquele jeito, como se *ela* estivesse magoada, quando foi a porra do coração *dele* que...

— Você morreu para mim — sibilou Ruhn, e desapareceu.

16

— É estreito demais para eu voar — disse Azriel, analisando o abismo aparentemente sem fim entre eles e o resto do túnel. Desta vez não havia ponte alguma. Só uma queda estreita e infinita. Não havia espaço para Azriel abrir as asas. Era vasto demais para que pulassem.

— Isso é outra manipulação? — perguntou Bryce para Nestha com frieza.

Nestha bufou.

— A pedra não mente. Ele não consegue abrir as asas nem pela metade.

Chegar tão longe só para retornar sem respostas, sem nada que a ajudasse a voltar para casa... a estrela ainda brilhava adiante. Apontando para o outro lado do abismo.

— Ninguém tem uma corda? — perguntou Bryce pateticamente. Como resposta, recebeu um silêncio cético. Bryce apontou para Azriel. — Essas suas sombras poderiam assumir uma forma... elas causaram o desmoronamento. Você não conseguiria fazer uma ponte ou coisa do tipo? Ou sua luz azul... você parecia acreditar que ela seria capaz de deter o verme. Faça uma corda com ela.

Ele ergueu as sobrancelhas.

— Nenhuma dessas opções é viável. As sombras são feitas de magia, mas bastante condensadas. Isso aqui — ele apontou para as pedras azuis em sua armadura — concentra todo meu poder e permite que eu o transforme em coisas semelhantes a armas. Mas ainda apenas magia... poder.

A boca de Bryce se retorceu para o lado.

— Então é tipo um laser? — Com a linguagem agora estampada em seu cérebro, foi difícil dizer *laser*, como se fosse uma palavra estrangeira para eles. Ela pronunciou como fazia em Midgard, mas com o sotaque deste mundo, distorcendo um pouco a palavra.

— Não faço ideia do que seja — respondeu Azriel.

Ao mesmo tempo, Nestha declarou:

— De todo jeito, não resolve o problema que é chegar até o outro lado.

Mas Bryce franziu a testa para Azriel.

— Você já usou esse poder para, hum, recarregar alguém?

— Recarregar?

— Como um combustível. Hum... fornecer seu poder a outra pessoa, para ajudar o poder *dela*.

— Está querendo dizer que eu poderia fazer isso com você?

— Tenho quase certeza de que o conceito de bateria não faz muito sentido aqui, mas sim. Minha magia pode ser ampliada pelo poder de outra pessoa. — Mais uma palavra intraduzível, *bateria*, pesou em sua língua.

Nestha a observava.

— Para quê?

— Para que eu possa me teletransportar. — Outra palavra sem tradução. — Atravessar. — Ela apontou para o outro lado da divisa. — Eu poderia nos atravessar para lá.

Azriel disse:

— Me dê uma razão que me faça acreditar que você não atravessaria sozinha e nos deixaria aqui.

— Não tenho. Você precisa acreditar em mim.

— Depois do que você acabou de aprontar?

— Lembre-se de que vou confiar que você não abra um buraco no meio do meu peito. — Ela apontou para a estrela. — Mire bem ali.

— Eu já disse: a gente não quer te matar.

— Então mire com cuidado.

Azriel e Nestha trocaram olhares.

Bryce acrescentou:

— Olha, eu ofereceria algo em troca se pudesse. Mas vocês literalmente tiraram tudo que eu tinha de mais valioso. — Ela apontou para a espada nas costas de Azriel.

Nestha inclinou a cabeça. Então enfiou a mão no bolso.

— E quanto a isso?

O celular.

O *celular* dela. A tela se acendeu com o movimento de Nestha, brilhando na escuridão, exibindo o rosto de Hunt. Aquele rosto lindo, maravilhoso, tão cheio de alegria...

Azriel e Nestha também semicerraram os olhos por causa da luz forte, da foto, e o celular voltou a desaparecer, após novamente ser enfiado no bolso de Nestha.

— Tem uma imagem escondida dentro da capa — acrescentou Nestha. — Você com outras três fêmeas.

A foto de Bryce, Danika, June e Fury. Havia se esquecido de que a colocara lá antes de ir até Pangera. Bem ali, no bolso de Nestha, protegido por aqueles feitiços de impermeabilização sofisticados que comprara, se encontrava seu único vínculo com Midgard. Com as pessoas com quem se importava. E se ela estava presa neste mundo de merda... aquela poderia ser a última coisa que lhe restava.

— Você estava esperando para esfregar isso na minha cara? — perguntou Bryce.

Nestha deu de ombros.

— Pensei que você poderia achar valioso.

— E como você sabe que não estou blefando? Fazendo vocês pensarem que tem algum significado só para deixar vocês aqui embaixo?

— Pelo mesmo motivo que a fez voltar correndo para verificar se estávamos vivos — respondeu Azriel com frieza.

Certo. A própria atitude a expôs. Por fim, disse para Azriel:

— Mire na estrela.

— Quanto poder devo usar?

Deuses, aquilo tinha tudo para dar errado. Fazer experimentos com um poder que ela não conhecia nem entendia...

— Pouco. Só tome cuidado para não me fritar.

Depois de toda aquela palhaçada com o verme, com certeza isso deveria ser o que ele mais queria. Mas os lábios de Azriel se curvaram para cima.

— Vou fazer o que puder.

Bryce se preparou, respirando fundo...

Azriel a atingiu antes que pudesse soltar o ar. Um poder abrasador, cortante, um golpe azul bem em sua estrela. Bryce se inclinou, tossindo, respirando enquanto sentia a queimadura, a estranheza do poder desconhecido.

— Você está bem? — perguntou Nestha, algo semelhante a preocupação em sua voz.

Era devido ao poder dele? Ou algo daquele mundo? Nem mesmo o poder de Hunt a fazia se sentir assim, tão destemida, como a mais pura das bebidas.

Bryce fechou os olhos e contou até dez, a respiração ofegante. Deixando o poder se assentar em seu sangue. Em seus ossos. Formigar em seus membros.

Ela se endireitou devagar, abrindo os olhos. Pela forma como o rosto dos dois estava iluminado, sabia que seu olhar se tornara incandescente.

Eles estavam tensos, com as mãos em suas armas, preparando-se caso ela fugisse ou atacasse. Mas Bryce esticou as mãos — que agora brilhavam, brancas — para eles.

Nestha segurou primeiro. Então sentiu a mão de Azriel, castigada e cheia de cicatrizes, deslizar na dela. A luz emanava do local em que suas peles se encostavam. Ela era capaz de jurar que as sombras dele estavam pairando, assistindo como cobras curiosas.

Bryce visualizou a entrada do túnel. Queria ir para lá...

Em um piscar de olhos, estava feito.

O poder puro que a dominou se esvaiu com o salto. O bastante para que sua incandescência diminuísse e a pele voltasse ao normal. Até que, por fim, apenas sua estrela continuasse brilhando.

Mas percebeu que Azriel e Nestha a observavam com expressões diferentes. Com cautela, mas algo parecido com respeito também.

— Vamos — disse Azriel, soltando a mão dela. Porque agora, a espada e a faca não se limitavam a puxar. Estavam vibrando, e tudo o que ela precisava fazer era esticar a mão...

Mas antes que pudesse ceder à tentação, Azriel se lançou na escuridão.

Ficar a alguns centímetros de distância ainda não era o bastante para bloquear a vibração das lâminas. Mas Bryce tentou ignorar, ciente de que Nestha a observava com atenção. Tentou fingir que estava tudo bem.

Por mais que soubesse que não estava. Nem um pouco. E tinha a sensação de que o que a esperava no fim dos túneis seria ainda pior.

* * *

— O Caldeirão — disse Nestha horas depois, apontando para outro desenho na parede. De fato, nele via-se um caldeirão gigantesco no que parecia ser o pico de uma montanha árida com três estrelas em cima.

Azriel parou, a cabeça inclinada.

— É Ramiel. — Quando percebeu o olhar questionador de Bryce, explicou: — Uma montanha sagrada para os illyrianos.

Bryce assentiu para o desenho.

— Por que um caldeirão é tão importante?

— *O* Caldeirão — corrigiu Azriel. Bryce balançou a cabeça, sem entender. — Não tem histórias dele no seu mundo? Os feéricos não mantiveram essa tradição?

Bryce analisou o caldeirão gigantesco.

— Não. Temos cinco deuses, mas nenhum caldeirão. O que ele faz?

— Todo tipo de vida vem dele — disse Azriel com algo parecido com reverência. — A Mãe o colocou neste mundo, e a vida surgiu dali.

Nestha disse baixinho:

— É verdade, não é um mito. — Engoliu em seco audivelmente. — Eu virei Grã-Feérica quando um inimigo me empurrou nele. É um poder bruto, mas também... senciente.

— Como aquela máscara que você colocou mais cedo.

Azriel fechou as asas bem apertadas, obviamente preocupado em falar de um instrumento tão poderoso com uma inimiga em potencial. Mas Nestha perguntou:

— Você detectou senciência na Máscara?

Bryce assentiu.

— Ela não falou comigo nem nada. Eu só... senti.

— E qual era a sensação? — perguntou Nestha baixinho.

— Parecia a morte. — Bryce exalou. — A morte em pessoa.

O olhar de Nestha pareceu mais distante, mais sério.

— É isso o que a Máscara faz: dá ao seu usuário poder sobre a própria Morte.

O sangue de Bryce gelou.

— E isso é... um tipo de arma normal por aqui?

— Não — respondeu Azriel à frente, ombros tensos. — Não é.

Nestha explicou:

— A Máscara é um dos três objetos de poder catastrófico, Feita pelo próprio Caldeirão. Nós chamamos de Tesouros Nefastos.

— E a Máscara é... sua?

— Eu também fui Feita pelo Caldeirão — respondeu Nestha —, o que me permite portá-la. — Ela falava sem orgulho, sem se gabar. A mais pura e fria resignação e aceitação de responsabilidade.

— Feita. — Bryce ponderou. — Você disse que minha tatuagem era Feita.

— É um mistério para nós — afirmou Nestha. — Seria preciso ter a Tinta preparada pelo Caldeirão, neste mundo, para que ela fosse assim.

O Chifre viera dali. Fora levado por Theia e Pelias para Midgard. Talvez ele também tenha sido forjado pelo Caldeirão.

Bryce guardou esse conhecimento, guardou as perguntas que ele suscitava.

— Não temos nada como o Caldeirão em Midgard. Solas é o nosso deus sol, Cthona é sua parceira e deusa da terra. Luna é irmã dele, a lua; Ogenas, a irmã invejosa de Cthona, habita os mares. E Urd guia a todos, é a tecelã da sorte, do destino. — Bryce acrescentou após um tempinho: — Acho que estou aqui por causa dela.

— Urd — murmurou Nestha. — Os feéricos dizem que o Caldeirão controla nossos destinos. Talvez ele tenha virado essa Urd.

— Não sei — respondeu Bryce. — Sempre me perguntei o que acontecia com os deuses dos mundos originais quando os povos deles iam parar em Midgard. Será que os seguiam? Será que eu trouxe Urd, Luna ou qualquer um deles comigo? — Ela gesticulou para as cavernas. — Será que estão aqui, ou estou sozinha, abandonada em um mundo sem deuses para chamar de meus?

Eles começam a andar de novo, as perguntas pairando no ar, sem respostas.

Bryce perguntou, porque parte dela precisava saber após ver a Máscara:

— Para onde as almas de vocês vão depois da morte? — Será que sequer acreditavam no conceito de alma? Talvez fosse melhor começar por aí.

Mas Azriel respondeu, com a voz suave:

— Elas retornam para a Mãe, onde descansam em paz, alegres, próximas a seu coração, até que ela encontre outro propósito para nós. Outra vida ou outro mundo para vivermos. — Ele olhou de lado para ela. — E no seu mundo?

Bryce sentiu seu estômago se revirar.

— É... complicado.

Sem mais nada para fazer enquanto caminhavam, ela explicou: o Quarteirão dos Ossos e outros Reinos de Quietude, o Sub-Rei e os Veleiros. Os barcos pretos que tombavam ou chegavam até a costa. Os Marcos da Morte que permitiam comprar a passagem. Por fim explicou a secundalux, o moedor de almas que transformava a energia remanescente em mais alimento para os asteri.

Quando terminou de falar, seus acompanhantes continuaram em silêncio. Não era um silêncio de contemplação, mas de horror.

— Então é isso que te aguarda? — perguntou Nestha, enfim. — Virar... alimento?

— Não — respondeu Bryce baixinho. — Eu, ah... não sei o que vai ser de mim.

— Por quê? — perguntou Azriel.

— Aquela amiga que mencionei, aquela que descobriu a verdade sobre os asteri. Quando ela morreu, fiquei preocupada, pois pensei que não a dariam a honra de ir até a costa em seu Veleiro. Eu... não poderia permitir que passasse por mais essa desfeita. Naquela época, eu ainda não sabia da secundalux. Fiz um acordo com o Sub-Rei: minha alma, meu lugar no Quarteirão dos Ossos em troca do dela. — O silêncio horripilante voltou a pairar. — Então, quando eu morrer, não vou ficar lá. Não sei para onde vou.

— Deve ser um pouco reconfortante — comentou Nestha — saber que, pelo menos, você não vai para o Quarteirão dos Ossos. Ser devorada. — Ela deu de ombros.

— Sim — concordou Bryce. — Mas então o que vai acontecer?

— Você ainda tem alma? — perguntou Nestha.

— Sinceramente? Eu não sei — admitiu Bryce. — Sinto que sim. Mas o que vai permanecer vivo quando eu morrer? — Ela respirou fundo. — E se eu morrer neste mundo... o que vai acontecer com minha alma? Será que ela vai encontrar o caminho de volta para Midgard ou ficar por aqui? — As palavras soavam ainda mais depressivas quando ditas em voz alta.

Algo extremamente brilhante ofuscou seus olhos — seu celular. Hunt sorria para ela.

— Toma — disse Nestha. Bryce pegou o celular sem dizer uma única palavra, piscando para conter as lágrimas após ver Hunt. — Você manteve sua palavra e nos atravessou. Então fique com isso.

Bryce sabia que era devido a mais do que aquilo, mas ela assentiu em agradecimento mesmo assim.

Ela mostrou a tela para Nestha e Azriel.

— Esse é Hunt — disse com voz rouca —, meu parceiro.

Azriel olhou para a foto.

— Ele tem asas.

Bryce assentiu, a garganta insuportavelmente apertada.

— Ele é um anjo... um malakh. — Mas falar dele fazia seus olhos arderem, então enfiou o celular no bolso.

Enquanto caminhavam, Nestha disse:

— Quando pararmos de novo... você pode me mostrar como funciona essa engenhoca?

— O celular? — A palavra não pôde ser traduzida para o idioma deles e soava ridícula com aquele sotaque.

Nestha assentiu, seus olhos grudados no túnel à sua frente.

— A gente quase ficou maluco tentando descobrir o que ele faz.

* * *

Tharion encurralou a dragoa no banheiro do fosso. Ele mal conseguia ficar de pé, a perna esquerda apresentava um corte feito pelas garras de um metamorfo de jaguar que enfrentou na hora do almoço, como entretenimento. Mas, naquela noite, o horário nobre não seria dele — não com Ithan no ringue.

— Não vá matar Holstrom, caralho — alertou ele para Ariadne.

Ela jogou a cabeça para trás, os olhos cintilantes quando encontraram os dele.

— Quê? Quem foi que disse que eu vou enfrentar ele?

Tharion e os outros tinham passado as últimas vinte e quatro horas debatendo quem a Rainha Víbora escolheria para enfrentar Ithan. E naquele instante, faltando menos de uma hora para o embate e sem qualquer oponente anunciado...

— Quem mais a Víbora colocaria contra ele? Você é a mais forte aqui. A única que faria a luta valer a pena.

— Tão lisonjeiro.

— *Não vá matar ele* — reclamou Tharion.

Ela piscou.

— Ou então?

Tharion cerrou os dentes.

— Ele é um bom macho, e muito importante para várias pessoas. Se você o matar, vai entrar no jogo da Víbora. Faça a luta ser rápida, e faça com que seja o mais indolor possível.

Ari deu uma risada fria que contrastava com o calor ardente em seus olhos.

— Não recebo ordens suas.

— Não, não recebe — concordou Tharion. — Mas pode ouvir um conselho. Se matar Ithan, ou se provocar ferimentos muito sérios, vai conquistar mais inimigos do que seria capaz de se defender. Começando com Tristan Flynn, que até parece um bobão tranquilo, mas pode muito bem despedaçar você com as próprias mãos... e comigo também.

Ariadne deu um suspiro e tentou contorná-lo. Tharion agarrou-a pelo braço, as garras nas pontas dos dedos cravando-se em sua carne macia.

— Estou falando sério.

— E quanto a mim? — zombou ela.

— O que tem você?

— Você vai alertar Ithan para não me machucar?

Ele piscou.

— Você é uma *dragoa.*

Mais uma daquelas risadas sem humor.

— Tenho um trabalho a fazer. E também fiz um juramento.

— Sempre querendo ser a melhor de todas.

Ela tentou soltar o braço, mas ele cravou as unhas com mais força. Ela silvou:

— Não faço parte do seu grupinho de conspiradores, e nem quero fazer. Estou cagando e andando pra vocês, ou o que quer que estejam tentando fazer contra os asteri. É bem óbvio que vão acabar todos mortos.

— Então *o que* você quer, Ari? Viver *assim*?

A pele dela esquentou, queimando a palma da mão dele, que não teve alternativa a não ser soltá-la. Ela foi pisando duro até a porta do corredor que levava ao ringue sinistramente silencioso. Como a Rainha Víbora havia prometido, apenas ela assistiria.

Ariadne abriu a porta, mas olhou por cima do ombro:

— Você prefere lobo cozido com molho barbecue ou com caldo de carne?

* * *

— Então, um celular — comentou Nestha, pronunciando a palavra com exagero conforme cruzavam outro riacho, pulando de pedra em pedra — tira essas *fotos* que capturam um momento, mas não as pessoas nelas?

— Celulares têm câmeras — respondeu Bryce —, e uma câmera é um objeto que... sim. É como fazer um desenho instantâneo de um momento. — Deuses, tantas palavras e termos do próprio idioma para explicar. Ela continuou: — Mas com acabamentos perfeitos, cheio de detalhes. E não me pergunte mais do que isso, porque não faço ideia de como funciona na prática.

Nestha deu risada, pousando com graça na margem oposta. Azriel seguia em frente, rumo à escuridão, os entalhes ao seu redor iluminados pela estrela de Bryce: mais guerras, mais mortes, mais sofrimento... desta vez em uma escala maior, cidades inteiras em chamas, pessoas gritando de dor, devastação e sofrimento em níveis ainda maiores. Nenhum paraíso para contrapor o sofrimento. Apenas morte.

Nestha parou junto à margem do rio para esperar que Bryce terminasse de atravessar.

— E ele também tem música. Como uma Sinfonia?

— Não sei do que se trata isso, mas sim, ele tem música. Tenho milhares de canções aqui.

— *Milhares?* — Nestha agitou-se conforme Bryce pulava da última pedra para a margem, cascalhos deslizando debaixo de seus tênis. — Nesta coisinha minúscula? Você gravou todas?

— Não... existe toda uma indústria cheia de gente cujo trabalho é gravar essas músicas e, mais uma vez, não faço ideia de como funciona na prática. — Quando conseguiu se equilibrar, Bryce seguiu Azriel, uma sombra corpulenta com a silhueta destacando-se no escuro.

Nestha surgiu ao lado dela.

— E é uma forma de se comunicar entre mentes.

— Mais ou menos. Você se conecta com o celular de outras pessoas, e as vozes se conectam em tempo real...

— E deixa eu adivinhar: você não faz ideia de como funciona na prática.

Bryce riu.

— É patético, mas é a verdade. Aceitamos a tecnologia sem perguntar como Inferno ela funciona. Eu nem saberia dizer como a lanterna do celular funciona. — Para demonstrar, ela pressionou o botão e a caverna se iluminou, as cenas de batalhas e sofrimento nas paredes ao redor delas se tornaram ainda mais penosas. Azriel murmurou adiante, virando-se na direção delas com uma das mãos protegendo os olhos, e Bryce desligou depressa a lanterna.

Nestha deu um sorriso.

— Fico surpresa que esse negócio não seja capaz de cozinhar e mudar suas roupas, também.

— Espere uns aninhos e talvez ele consiga.

— Mas vocês têm magia para fazer essas coisas?

Bryce deu de ombros.

— Sim. Magia e tecnologia meio que se sobrepõem no meu mundo. Mas para quem que não tem muito da primeira, a tecnologia ajuda bastante a preencher as lacunas.

— E aquela artilharia que você mostrou — comentou Azriel, a voz baixa, parando de andar para que elas o alcançassem. — Aquelas... armas.

— Era tecnologia — explicou Bryce —, não magia. Mas algum vanir deve ter encontrado um jeito de combinar magia e máquinas para um efeito letal.

O silêncio pesou entre eles.

— Chegamos — declarou Azriel, apontando para a escuridão à sua frente. O motivo, no fim das contas, pelo qual tinha parado.

Uma enorme parede de metal bloqueava o caminho, nove metros de altura e ao menos nove metros de largura, com uma gigantesca estrela de oito pontas no meio.

Os entalhes seguiam adiante: batalhas e sofrimento, duas fêmeas correndo de cada lado da passagem, como se fossem em direção àquela parede... na verdade, havia um arco gravado em torno da estrela. Como se aquele fosse o destino o tempo todo.

Bryce olhou para Nestha, que estava atrás dela.

— Foi aqui que você viu minha estrela?

Nestha balançou a cabeça devagar, olhando para a parede, para a estrela adornada e para a caverna que os cercava.

— Não sei onde fica este lugar. O que é este lugar.

— Só tem um jeito de descobrir — disse Bryce, com uma coragem que não sentia, e se aproximou da parede. Azriel, como uma força da natureza ao lado dela, também se aproximou, a mão já apoiada na Reveladora da Verdade.

A ponta inferior da estrela se estendia para baixo, bem em frente a Bryce. Então, ela apoiou a mão no metal e empurrou. Nada aconteceu.

Nestha parou ao lado de Bryce, encostando no metal. Um baque silencioso reverberou nas paredes da caverna.

— Você achou mesmo que ia se mover?

Bryce fez uma careta.

— Valeu a tentativa.

Nestha abriu a boca para dizer alguma coisa — provavelmente para provocar Bryce —, mas foi silenciada pelo rugido do metal. Deu um passo para trás, chocada. Azriel ergueu um braço na frente dela, a luz azul se retorcendo em sua mão machucada.

Deixando Bryce sozinha em frente à porta.

Mas ela não se moveria nem se quisesse. Não conseguia tirar os olhos da parede que se mexia.

As pontas das estrelas começaram a se expandir e se contrair, como se respirassem. O metal rangeu atrás delas, como engrenagens em movimento, travas se abrindo.

E, na ponta mais baixa da estrela, uma porta em forma de triângulo se abriu.

17

Uma escuridão seca e ancestral esperava além da porta estrelada. Não havia som ou qualquer indício de vida. Apenas mais escuridão. Mais antiga, de alguma forma, do que o túnel que deixaram para trás. Mais pesada. Mais vigilante.

Como se estivesse viva. E faminta.

De qualquer maneira, Bryce entrou.

— Que lugar é este? — Bryce respirou fundo, ousando dar mais um passo no túnel que ficava do outro lado da porta. Azriel e Nestha rapidamente seguiram atrás dela.

Um rangido metálico cortou o ar e Bryce se virou...

Tarde demais. Nem Azriel, agora no meio do caminho, foi rápido o suficiente para impedir que a porta se fechasse. O baque silencioso ecoou por seus pés, subindo pelas pernas. Levantando poeira.

Estavam trancados ali.

A estrela de Bryce brilhou... e se apagou.

Um calafrio percorreu seus braços, algum instinto primitivo avisando-a para *correr*, sem saber o motivo...

A luz brilhou na mão de Azriel; uma luz feérica, ele explicara mais cedo. Duas esferas de luz flutuaram para a frente, iluminando uma curta passagem. No fim dela havia uma câmara enorme e redonda, o chão esculpido com símbolos e desenhos semelhantes àqueles nas paredes do túnel.

Nestha sussurrou, a voz ofegante de medo:

— Foi *aqui* que vi pela última vez a estrela em seu peito. — Ela desembainhou Ataraxia, a lâmina brilhando na penumbra. — Chamamos esse lugar de Prisão.

* * *

Era como um dia de jogo, Ithan disse a si mesmo. A mesma agitação percorrendo seu corpo, o mesmo foco aguçado tomando conta dele.

Mas não haveria juízes. Nem regras. Ninguém para pedir tempo.

Ele estava parado na beira do ringue vazio, bem no centro do fosso em que ocorriam as lutas, cercado pelos amigos e Sigrid. As duendes, incapazes de presenciar tamanha violência, optaram por não comparecer.

Não havia nem sinal da dragoa.

Não ousara pesquisar o quanto uma queimadura de terceiro grau era grave. Se estaria pronto para ajudar a libertar Athalar e Ruhn. E aparentemente, o Cão do Inferno... como assim?

Foco. Sobreviver a esta luta, ganhar, e então cair fora na mesma noite. Ele era bom em vencer. Ou já tinha sido.

— Ela vai tentar te distrair — comentou Flynn atrás dele, encarando o ringue vazio. — Mas se contornar as chamas, acho que você consegue vencer.

— Achei que essa dragoa acendia o seu fogo — murmurou Declan. — Sem trocadilhos.

— Não quando ela está prestes a torrar meu amigo.

Ithan tentou sorrir, mas não conseguiu.

— Ari não vai pegar leve com você. — Tharion enfim se juntou à conversa. Tinha retornado à suíte uma hora antes, mas fora direto para o quarto, batendo a porta. Ao menos viera assistir à luta.

— Então ele deveria... o quê, Ketos? — perguntou Flynn. — Ficar parado lá e virar churrasquinho?

— Aposto que a Rainha Víbora acharia isso *muito* divertido — declarou Declan, sombrio.

Apesar de contrariado, Ithan sorriu ao ouvir isso.

Mas o rosto de Tharion ainda estava sério quando disse para Ithan:

— O mais provável é que Ari machuque você. Muito. Mas ela é arrogante... use isso contra ela.

Ithan sentia que Sigrid o olhava, mas assentiu para o tritão.

— Prometa guardar sua magia de água para extinguir as chamas e vai ficar tudo bem.

Mas Tharion não estava a fim de piadinhas.

— Holstrom, eu... olha, mais cedo falei umas merdas que eu... — Ele balançou a cabeça. — Se você conseguir me tirar daqui, vou fazer valer a pena. Só o fato de tentar já significa muito. Mostra que se importa.

— Somos uma matilha — declarou Ithan para Tharion, Flynn e Dec —, é o que fazemos um pelo outro. — Ninguém contrapôs. O coração dele estava apertado.

Os olhos de Tharion brilharam de emoção.

— Obrigado.

As portas duplas do outro lado do lugar se abriram para revelar a Rainha Víbora em um macacão dourado com tênis de cano alto combinando.

— É bem provável que ela faça Ari pular das vigas em uma bola de fogo — murmurou Tharion quando a metamorfo de cobra se movia pela câmara com uma graça sinuosa, sem pressa. Ithan olhou para cima, mas a parte escura do ringue permanecia vazia, até onde sua visão aguçada de lobo conseguia enxergar.

A Rainha Víbora parou a alguns metros de distância e franziu a testa para Ithan.

— Foi isso que você escolheu usar? — Ele analisou a camiseta e a calça jeans. A mesma roupa que estava usando desde que chegara naquele lugar Infernal. Mas ela apontou para Tharion. — Deveria ter arrumado ele um pouco.

Tharion não respondeu nada, o rosto impassível.

A Rainha Víbora se virou, o macacão brilhando como ouro derretido, andando pomposamente até a arquibancada mais próxima. Sentou-se e deu um aceno elegante para Ithan.

— Pode começar.

Ithan olhou para o ringue vazio.

— Cadê a dragoa?

A Rainha Víbora puxou o celular e digitou alguma coisa, a luz da tela lançando o rosto já pálido em uma lividez sublime.

— Ariadne? Ah, ela não é mais minha funcionária.

— *O quê?* — gritaram Tharion e Flynn ao mesmo tempo.

A Rainha Víbora não ergueu os olhos do celular, os polegares agitados. A luz rebatia nas unhas longas, também pintadas de dourado.

— Uma hora atrás, surgiu uma oferta boa demais para ser recusada.

— Ela não é uma escravizada — irritou-se Tharion, o rosto mais lívido do que Ithan jamais vira. — Você não é dona dela, porra.

— Não — concordou a Rainha Víbora, ainda digitando —, mas o acordo era... vantajoso para nós duas. Ela concordou. — A Rainha Víbora enfim ergueu a cabeça. Não havia gentileza alguma em seus olhos verdes enquanto analisava Tharion. — Na minha opinião, ela aceitou só para não ter que transformar Holstrom em churrasquinho. Gostaria de saber quem será que a fez se sentir tão mal com isso.

Todos se viraram para o tritão, que arfou para a Rainha Víbora.

— Mas é óbvio — a Víbora continuou, voltando a escrever no celular — que não informei ao novo empregador que a dragoa é um serzinho de coração mole. Levando em conta o novo ambiente, acho que isso vai mudar rapidinho. — O som de uma mensagem sendo enviada pontuava suas palavras.

Tharion parecia prestes a vomitar. Ithan não o culpava.

Mas Ithan se obrigou a focar no que importava, a respirar normalmente. Ela queria que ele perdesse a cabeça. Queria desequilibrá-lo. Ele endireitou os ombros.

— Então, contra quem vou lutar?

A Rainha Víbora enfiou o celular no bolso e sorriu, revelando os dentes excessivamente brancos.

— Contra a herdeira Fendyr, é óbvio.

* * *

— É melhor chamar Rhys.

— A gente teria que escalar a montanha, passar pelas proteções e depois torcer para estarmos perto o bastante para falar com ele pela mente.

Bryce ouvia a discussão entre Azriel e Nestha, feliz em deixá-los debater enquanto analisava a câmara.

— Este lugar é letal — insistiu Azriel com a voz grave. — Aquelas proteções grudam como alcatrão.

— Sim — admitiu Nestha —, mas viemos de tão longe, então vamos ver por que fomos arrastados até aqui.

— Por que *ela* foi arrastada até aqui... por aquela estrela. — Os dois enfim se viraram para ela, apreensivos.

Bryce recompôs a própria expressão, aparentando a mais pura inocência ao perguntar:

— O que *é* a Prisão?

Nestha franziu os lábios por um segundo antes de dizer:

— Uma ilha sombria próxima à costa de nossas terras. — Ela olhou para Azriel e ponderou: — Você acha que, de alguma forma, andamos por baixo do mar?

Azriel balançou a cabeça devagar, os cabelos escuros brilhando sob as luzes feéricas oscilando acima dele.

— É impossível que a gente tenha andado tanto assim. A porta deve ser uma espécie de portal que nos trouxe do continente para cá.

Nestha ergueu as sobrancelhas.

— Como isso é possível?

— Tem cavernas e portas espalhadas por todo o continente — explicou Azriel —, que se abrem para lugares distantes. Talvez aquela fosse uma delas. — Ele olhou para Bryce, notando que ela ouvia de perto, e acrescentou: — Vamos entrar.

Ele tomou a mão de Bryce na dele, enorme e cheia de cicatrizes, puxando-a em direção à câmara.

Seu rosto era uma máscara de determinação e frieza sob a luz das órbitas douradas que flutuavam acima deles, os olhos cor de avelã indo de um lado para o outro para monitorar a escuridão.

Assim tão de perto, com as mãos dadas, ela podia sentir a espada e a faca vibrando e chamando de novo. Pulsando em seus tímpanos...

O cabo da Áster se moveu em direção a ela — poderia pegá-lo e tocá-lo com a mão livre. Um movimento, e poderia segurá-lo com força.

Azriel olhou para ela em alerta.

Bryce manteve uma expressão branda e entediada. Aquele olhar tinha sido para alertá-la para ter cuidado com sua própria segurança, ou para que não fizesse algum movimento em falso?

Talvez as duas coisas.

Cedo demais, depressa demais, se aproximaram da entrada da enorme câmara redonda no fim da curta passagem. As luzes feéricas dançavam por cima de entalhes gravados em revelo no chão de pedra, tão ornamentados e detalhados quanto os dos túneis que levavam até ali. O chão da câmara estava repleto deles.

Mas entre ela e aquela sala pairava uma sensação de mau presságio, de peso, de *Fique longe desta merda.*

Até a espada e a adaga pareceram ficar em silêncio. Sua estrela permanecia apagada. Como se tivesse cumprido a tarefa dela. Haviam chegado ao lugar em que fora obrigada a trazê-la.

Bryce respirou fundo.

— Vou entrar. Dê um passo para trás — avisou à Azriel.

— E perder a diversão? — murmurou Azriel. Nestha riu atrás deles.

— Estou falando sério — respondeu Bryce, tentando soltar a mão da dele. — Fique aí.

Ele segurou a mão dela com mais força, sem soltar.

— O que você sente?

— Proteções — respondeu Bryce, voltando a examinar a caverna do tamanho de uma arena à sua frente. E ali, bem no meio...

Outra estrela de oito pontas.

Devia ser a que Nestha vira antes. Como em resposta, a estrela no peito de Bryce brilhou e depois diminuiu.

Nestha se aproximou deles e apontou.

— A Harpa estava em cima daquela estrela.

— Harpa? — perguntou Bryce, sem deixar de notar que Azriel lançou um olhar de advertência para Nestha. Mas a fêmea continuava concentrada na estrela enquanto dizia, mais para si mesma do que para eles: — Tinha todas aquelas proteções mantendo-a ali.

Azriel examinou a câmara, ainda sem soltar a mão de Bryce enquanto dizia à Nestha:

— Não sabemos o que mais pode estar sendo guardado aqui.

— Não senti nada além da Harpa da última vez — respondeu Nestha, mas ainda assim avaliou a câmara com a atenção de uma guerreira.

— Também não sentimos que havia uma segunda entrada para este lugar — rebateu Azriel —, não podemos mais presumir nada.

Bryce tocou o amuleto archesiano em seu pescoço. Ele a protegeu na galeria... permitiu que ela atravessasse as proteções de primeiro nível de Jesiba...

Tinha que haver uma resposta ali, em algum lugar. Sobre alguma coisa. Qualquer coisa.

Bryce apertou o amuleto. Então olhou por cima do ombro de Azriel e arregalou os olhos.

— Cuidado!

Ele largou a mão dela no mesmo instante, virando-se para o oponente invisível cuja presença não sentira.

O oponente que não existia.

Bryce se moveu com rapidez feérica, e quando Azriel percebeu que não havia ninguém ali, ela já havia cruzado a linha de proteção.

A fúria tornou sua expressão ainda mais fria, mas Nestha sorria como se parecesse aprovar.

— Você está por conta própria agora — enunciou Azriel, pedras azuis brilhando em suas mãos com uma fúria fria que combinava com sua expressão.

Bryce ergueu as sobrancelhas, recuando alguns passos.

— Você não consegue mesmo passar?

Ele se agachou para deslizar a mão cheia de cicatrizes pelo chão de pedra, a raiva desaparecendo diante da curiosidade.

— Não. — Ele olhou para Bryce, a boca retorcida para o lado. — Não sei se devo ficar impressionado ou preocupado. — Ele se levantou e apontou com o queixo para Nestha. — Você vai entrar?

Nestha cruzou os braços e permaneceu ao lado dele.

— Vamos ver o que vai acontecer primeiro.

Bryce fez uma careta.

— Obrigada.

Nestha não sorriu. Apenas insistiu.

— Seja rápida. Dê uma olhada ao redor, mas não demore.

Bryce tentou:

— Eu me sentiria melhor se estivesse com minha espada.

Azriel não respondeu, o rosto impassível. Tudo bem. Bryce suspirou e examinou os entalhes no chão. Espirais e rostos e...

Os pelos de seus braços se arrepiaram.

— Estas são as constelações de Midgard. — Bryce apontou para um aglomerado. — Essa é a Grande Concha. E essa... é Orion. O caçador. Caçar... *Hunt*. Seu Hunt.

Seus companheiros, os túneis e o mundo desapareceram enquanto ela traçava as estrelas, delineando seu caminho. O amuleto archesiano aqueceu-se contra sua pele, como se estivesse trabalhando para se livrar das proteções ao seu redor.

— O Arqueiro — ela sussurrou. — O Escorpião e o Peixe... este é um mapa do *meu* cosmos. — Seu calçado bateu contra uma meia-órbita elevada, um rosto gritando esculpido nela. — Siph. — O planeta mais externo. Foi para a próxima, um monte similar com um rosto masculino sério. — Orestes.

— Orestes? — perguntou Azriel de repente, chamando a atenção dela para onde ele e Nestha estavam, ainda no arco do túnel. — O guerreiro?

Ela piscou.

— Sim.

— Interessante — disse Nestha, inclinando a cabeça. — Talvez o nome tenha vindo da mesma fonte.

Bryce indicou o próximo monte, o rosto de um velho barbudo.

— Oden. — O próximo, mais perto do centro da sala, era um macho jovem e sorridente. — Lakos. — Outro monte surgiu do outro lado da estrela, enorme e coberto por um capacete. — Thurr — disse ela. Então apontou para um monte com uma cabeça de fêmea. — Farya. — E para além de Farya havia um grande monte elevado com gavinhas serpenteantes. — Sol — sussurrou, indicando o formato arredondado.

Ela examinou a sala de novo e se virou para a estrela de oito pontas. Exatamente entre Lakos e Thurr.

— Midgard. — O nome pareceu ecoar na câmara. — Alguém teve muito trabalho para fazer este piso. Alguém que esteve no meu mundo e depois voltou para cá. — Bryce olhou por cima do ombro para Nestha, o rosto da guerreira estava inescrutável. — Você disse que tinha uma harpa na estrela de oito pontas? — A guerreira concordou. — Que tipo de harpa? Era especial de alguma forma?

— Quem a tocasse conseguia se mover entre espaços físicos diferentes — disse Nestha, um pouco rápido demais.

— O que mais? — perguntou Bryce, e seu peito brilhou de novo.

Azriel ergueu a mão na direção de Nestha, como se fosse cobrir sua boca para impedi-la de falar, mas ela disse:

— A Harpa era Feita. Podia parar o tempo.

— Ela para o *tempo*? — Os joelhos de Bryce tremeram.

Só conseguia pensar em um grupo de pessoas em seu mundo que seria capaz de criar coisas assim. Que, se de fato tivesse feito tais objetos, tinha um bom motivo para querer voltar a este mundo. Para reivindicá-los.

— Já existiu — arriscou Bryce, um súbito palpite tomando forma em sua mente — um objeto Feito chamado Chifre?

— Não sei — respondeu Nestha. — Por quê?

Bryce olhou para a estrela de oito pontas, o coração da câmara, daquele mapa do cosmos.

— Alguém colocou a Harpa lá por algum motivo.

— Para mantê-la escondida — disse Azriel.

— Não — retrucou Bryce baixinho, encarando a estrela, a mão livre tocando a cicatriz correspondente em seu peito.

Ela a guiara até ali. Até aquele exato local em que a Harpa estivera.

— Foi deixada para alguém como eu.

— O que você quer dizer? — exigiu Nestha, a voz ecoando nas pedras.

Mas Bryce continuou, as palavras saindo tão rapidamente que quase não havia pausa entre elas:

— Eu acho... acho que todos aqueles entalhes nos túneis servem para nos lembrar do que aconteceu. — Ela apontou para a passagem de onde eles tinham vindo. — Os entalhes contam uma história. E são um convite para vir aqui.

— Por quê? — indagou Azriel com uma suavidade letal.

Bryce olhou para a estrela de oito pontas por um momento antes de dizer:

— Para descobrir a verdade.

— Bryce — advertiu Nestha, como se lesse seus pensamentos.

Bryce nem olhou para trás antes de pisar na estrela.

18

Hunt tossiu, vendo estrelas a cada vez que arfava, cuspindo sangue.

— Porra, Athalar — resmungou Baxian de onde estava pendurado ao lado de Danaan, apesar de não se encontrar em um estado muito melhor.

Eles passaram algumas horas no chão antes de Pollux içá-los de novo. Hunt não conseguia parar de gritar conforme seus ombros se deslocavam mais uma vez.

Mas requisitaram Pollux em outro lugar, e aparentemente não havia mais ninguém no palácio com a mente tão fodida para realizar aquele tipo de tortura, então deixaram os três ali.

Bryce. O nome dela voltava a cada respiração úmida e áspera. Desejara tantas coisas com ela. Uma vida normal e feliz. Filhos.

Deuses, quantas vezes ele havia imaginado como ficaria o lindo rosto dela ao segurar suas lindas crianças aladas? Eles teriam os cabelos e o temperamento da mãe, e as asas cinza dele e, de vez em quando, veria um vislumbre do sorriso da própria mãe em seus rostinhos angelicais.

Da última vez em que estivera nos calabouços, não tinha uma visão de futuro à qual se apegar. Shahar estava morta, levando consigo grande parte dos Caídos e todos os sonhos dele. Mas talvez aquilo fosse ainda pior. Chegar *tão* perto desses sonhos, conseguir vê-los de forma tão vívida, saber que Bryce estava por aí... e ele não.

Hunt deixou tais pensamentos de lado, a dor deles era pior do que a que sentia em seus ombros, em seu corpo destroçado, e resmungou:

— Danaan. Está acordado.

Quando foi embora mais cedo, o Martelo deixara uma abertura. Todo o restante, o que Apollion e Aidas tinham insinuado, aquela merda a respeito do pai dele e a coroa preta — o halo — nele... tudo agora era secundário.

Todos os fracassos no monte Hermon, os Caídos mortos, a perda de Shahar, se tornar um escravizado... secundário.

Todos os constantes fracassos dos últimos meses, que os levaram àquele momento desastroso, até ali... secundário.

Se aquela era a única chance que tinham, ele deixaria todo o restante de lado. Da última vez, estivera sozinho. Passara sete anos ali embaixo, sozinho. Tinha como companhia apenas os gritos de seus companheiros Caídos sendo torturados nas outras câmaras, servindo como um lembrete, de hora em hora, de suas derrotas. A isso se seguiram os dois anos nos calabouços de Ramuel. Nove anos sozinho.

Não permitiria que os dois amigos ao lado dele passassem pelo mesmo.

— Faça agora, Danaan — Hunt apressou Ruhn.

— Preciso de... um minuto — arfou Ruhn.

Porra, o príncipe devia estar mesmo péssimo para pedir uma coisa dessa. Maldito orgulhoso.

— Você tem alguns minutos — disse Hunt, gentil mas firme, apesar da culpa que o revirava por dentro. Era de se admirar que Ruhn tivesse demorado apenas um minuto até que o chiar das correntes recomeçasse.

— Sem fazer barulho — alertou Baxian conforme Ruhn mexia o corpo para frente e para trás, balançando todo seu peso. Mirando na estante cheia de armas e dispositivos quase ao alcance de seus pés.

— Longe... demais — informou Ruhn, as pernas esticadas na direção da estante. Tentando agarrar o atiçador de ferro que, se o abdômen do príncipe tivesse força para aguentar, poderia virar para cima e posicionar com os pés, aninhando-o nos elos da corrente e retorcendo até que, com sorte, se soltassem.

Era uma pequena chance — mas qualquer chance valia a tentativa.

— Aqui — disse Hunt, erguendo-se em seus ombros doloridos, os pés esticados. Ignorando a dor torturante e respirando fundo, Hunt chutou quando Ruhn colidiu com ele. O príncipe abafou um grito de dor, mas desta vez conseguiu chegar mais perto da estante.

— Você consegue — murmurou Baxian.

Ruhn balançou de volta, e Hunt o chutou de novo, seus olhos encheram-se de lágrimas por causa do que o movimento causou em seu corpo.

A estante ainda estava distante. Mais alguns centímetros e Ruhn conseguiria agarrar a alça do atiçador com os pés, mas aqueles centímetros eram intransponíveis.

— Pare — ordenou Hunt, respirando com dificuldade —, precisamos de um plano novo.

— Eu consigo pegar — resmungou Ruhn.

— Não consegue. Sem chances.

Ruhn parou de balançar pouco a pouco. Ficaram os três ali, em silêncio, as correntes tinindo. Então Ruhn disse:

— Sua mordida é forte, Athalar?

Hunt parou de se mexer.

— Que porra de pergunta é essa?

— Se eu... balançar você... — falou Ruhn, arfando —, consegue arrancar minha mão?

O choque atingiu Hunt como uma bala. Do outro lado de Ruhn, Baxian questionou:

— *É o quê?*

— Eu conseguiria chegar mais longe — explicou Ruhn, a voz sinistramente calma.

— Eu não vou arrancar a porra da sua mão — Hunt conseguiu dizer.

— É o único jeito de eu alcançar. Vai crescer de volta.

— Isso é loucura — acrescentou Baxian.

Ruhn assentiu para Hunt.

— Precisamos que você seja o Umbra Mortis. Ele é durão... nem hesitaria.

— Durão — retrucou Hunt —, não canibal.

— Tempos desesperados — respondeu Ruhn, retribuindo o olhar de Hunt.

Determinação e foco dominavam o rosto do príncipe. Nem sinal de dúvida ou medo.

Era bem provável que Pollux não retornasse até de manhã. Talvez desse certo.

E a culpa que já pesava em Hunt, em sua alma despedaçada... que diferença isso faria, no fim das contas? Mais um fardo para seu coração aguentar. Era o mínimo que tinha a oferecer, depois de tudo que fizera. Depois de guiá-los para esta catástrofe.

Hunt abaixou a cabeça.

— Athalar — interveio Baxian bruscamente —, *Athalar.*

Hunt olhou para o Cão do Inferno, esperando encontrar nojo e choque. Mas só o que viu foi um uma convicção intensa quando Baxian falou:

— Eu faço.

Hunt balançou a cabeça. Apesar do fato de que Baxian provavelmente conseguiria alcançá-lo se Ruhn se esticasse na direção dele...

— Eu faço — insistiu Baxian. — Meus dentes são mais afiados. — Era mentira. Talvez os dentes dele fossem mais afiados se estivesse transformado em Cão do Inferno, mas...

— Não estou nem aí para quem vai fazer — disparou Ruhn —, só faça logo antes que eu mude de ideia.

Hunt analisou o rosto de Baxian de novo. Encontrou apenas calma — e dor. Baxian disse, a voz suave:

— Deixa esse peso nos meus ombros. Você pode carregar o próximo.

O Cão do Inferno fora, por muitos anos, inimigo de Hunt na fortaleza de Sandriel. Onde aquele macho foi parar? Ele de fato havia existido, ou o tempo todo foi só uma máscara? Por que Baxian sequer tinha se juntado a Sandriel, para início de conversa?

Talvez isso não fizesse diferença naquele momento. Hunt acenou em concordância e agradecimento para Baxian.

— Você foi um ótimo parceiro para Danika — comentou.

Os olhos de Baxian foram inundados por dor e amor. Talvez aquelas palavras tivessem tocado uma ferida, uma dúvida que há muito o atormentava.

Hunt sentiu um aperto no peito. Conhecia bem a sensação.

Mas Baxian ergueu a cabeça para Ruhn, sustentando o olhar do príncipe com a sólida determinação que o fizera ser conhecido como um dos triários de Sandriel.

Ali estava o macho com quem Hunt tinha criado confusão na época — com resultados devastadores. Incluindo aquela cicatriz que serpenteava pelo pescoço de Baxian, cortesia do relâmpago de Hunt.

— Se prepare — Baxian alertou Ruhn, baixinho. — Você não pode gritar.

* * *

Com a desculpa de que estava menstruada, Lidia conseguiu um pouco de privacidade para pensar em seu plano, refletir se ele daria certo ou não, andar de um lado para o outro no quarto e debater se confiara nas pessoas certas.

A confiança era um conceito desconhecido para ela, mesmo antes de se tornar a Agente Daybright. O pai decerto nunca inspirou confiança alguma. E depois que a mãe a mandou embora, aos três anos, direto para os braços daquele macho monstruoso... confiança não existia em seu mundo.

Mas naquele instante, não tinha outra escolha senão confiar.

Lidia tinha acabado de trocar o absorvente e lavar as mãos quando Pollux entrou marchando no banheiro.

— Novidade das boas — anunciou, com um sorriso estonteante. Parecia mais tranquilo do que estivera desde que Quinlan escapara.

Ela se apoiou na porta do banheiro, inspecionando o uniforme imaculado.

— Ah, é?

— Fico surpreso que Rigelus não tenha te contado antes. — Pollux tirou a camiseta ensanguentada.

O sangue de Ruhn estava impregnado nele, o cheiro invadindo as portas. O *sangue* de Ruhn...

Com os músculos definidos, Pollux caminhou até o chuveiro, onde litros e mais litros de sangue foram lavados de seu corpo. Uma espécie de excitação selvagem parecia pulsar nele enquanto ele abria a torneira.

— Rigelus e os outros conseguiram consertar a Harpia.

* * *

De início, nada aconteceu quando Bryce pisou na estrela de oito pontas.

— Bom... — Nestha começou.

Uma luz brilhou da estrela aos pés de Bryce, e uma de seu peito, uniram-se e misturaram-se, e então surgiu o holograma de uma fêmea jovem de cabelos escuros — uma Grã-Feérica. Como se falasse com uma plateia.

Bryce conhecia aquele rosto em formato de coração. Os cabelos longos.

— Silene — murmurou Bryce.

— Dos entalhes? — perguntou Nestha, e quando Bryce olhou para ela, a guerreira passou pelas proteções como se não existissem. Como se pudesse ter feito isso a qualquer momento. Azriel não tentou impedi-la, mas permaneceu parado na entrada do túnel. — No começo dos túneis — acrescentou Nestha —, havia o entalhe de uma fêmea jovem... você disse que ela se chamava Silene.

— O entalhe é igual a ela — respondeu Bryce, assentindo. — Mas quem é ela?

Azriel falou com a voz suave, tomada pela dor:

— Ela se parece com a irmã do Rhysand.

Nestha olhou para ele, algo como curiosidade e empatia estampadas em seu rosto. Bryce queria perguntar o que essa conexão significava, mas o holograma falou:

— Minha história começa antes de eu nascer. — A voz da fêmea era pesarosa, melancólica. Cansada e triste. — Em um tempo que conheço apenas pelas histórias que minha mãe conta, pelas lembranças de meu pai. — Ela ergueu um dedo até o espaço entre suas sobrancelhas. — Os dois já me mostraram uma vez, na minha mente. E mostrarei para vocês.

— Cuidado — alertou Azriel, mas já era tarde demais. O rosto de Silene desapareceu e a névoa girou onde ela estava. Ela brilhava, projetando luz no rosto chocado de Nestha quando ela parou ao lado de Bryce.

Bryce se virou para olhar a fêmea.

— Ao primeiro sinal de confusão — disse Nestha, baixinho —, a gente corre.

Bryce assentiu. Podia concordar com tais condições. Então, a voz de Silene se ergueu da névoa. E qualquer promessa de fugir desapareceu da mente de Bryce.

Vivíamos como escravizados dos daglan. Durante cinco mil anos, nosso povo — os Grãos-Feéricos — ajoelhou-se aos pés deles. Eram cruéis, poderosos, astutos. Qualquer tentativa de rebelião era sufocada antes que as forças pudessem se reunir. Meus ancestrais tentaram por gerações. Todos falharam.

A névoa enfim se dissipou.

E em seu rastro espalhou-se um campo de cadáveres sob um céu cinzento, semelhante àquele esculpido quilômetros atrás nos túneis: crucifixos, feras, águias de sangue...

Os daglan comandavam os Grão-Feéricos. E nós, por sua vez, comandávamos os humanos e as terras que os daglan nos permitiam comandar. No entanto, era uma ilusão de poder. Sabíamos quem eram nossos verdadeiros mestres. Éramos obrigados a pagar o Tributo uma vez por ano. A oferecer partes do nosso poder em reverência. Para alimentar o poder deles — e limitar o nosso.

Bryce teve dificuldade de respirar quando a imagem de uma fêmea feérica ajoelhada aos pés de um trono apareceu, uma semente de luz em suas mãos erguidas. Dedos suaves e delicados seguravam a gota de poder da fêmea feérica. O poder tremeluzia, iluminando a pele pálida.

A mão que reivindicava o poder se ergueu e Bryce enrijeceu conforme a memória se ampliava e revelava a dona da mão: uma asteri de cabelos escuros e pele branca.

Não havia como confundir os olhos frios e sobrenaturais. Ela usava vestes douradas, uma coroa de estrelas na cabeça. Os lábios vermelhos se curvaram em um sorriso frio enquanto a mão se fechava firmemente em torno da semente do poder.

Ela desvaneceu, absorvida pelo corpo da asteri.

Com o passar dos milênios, os daglan se tornaram arrogantes, convencidos demais a respeito de seu domínio interminável sobre o nosso mundo. Mas esse excesso de confiança acabou fazendo com que não percebessem os inimigos se acumulando, com uma força jamais vista antes.

Bryce ainda não conseguia respirar direito, o ar preso em sua garganta, Nestha imóvel ao seu lado, enquanto a cena mudava para mostrar uma Grã-Feérica de cabelos dourados parada um passo atrás do trono da asteri. O queixo estava erguido, o rosto era tão frio quanto o de sua senhora.

Minha mãe serviu ao lado daquele monstro durante um século, serva de todos os seus caprichos doentios.

Bryce sabia quem era antes de Silene falar novamente. Sabia a quem pertencia a verdade pela qual fora guiada até ali, através das estrelas, para enfim descobrir.

Theia.

19

Lidia congelou ao ouvir as palavras de Pollux enquanto ele entrava debaixo do jato quente do chuveiro.

— Como assim, consertaram a Harpia?

O Martelo respondeu por cima do barulho da água, inclinando a cabeça para molhar os cabelos dourados:

— Eles estão trabalhando nela como uma espécie de projetinho... Rigelus acabou de me contar. Ao que parece, está tudo correndo bem.

— *O que* está correndo bem? — perguntou Lidia, usando todo o seu treinamento para manter os batimentos cardíacos no ritmo certo.

— Ela vai acordar. Rigelus precisa de mais uma coisa. — Pollux abriu a porta do chuveiro e estendeu a mão para ela. Mais uma ordem do que um convite.

Com dedos que pareciam distantes, Lidia desabotoou o uniforme.

— E a minha menstruação? — perguntou, tão tímida quanto podia.

— A água vai lavar o sangue — disse Pollux, e ela odiou o peso de seu olhar enquanto se despia. Ao entrar, a temperatura escaldante da água a fez estremecer. Pollux apenas a puxou de encontro a seu corpo nu, pressionando sua ereção contra ela.

— Quando a Harpia vai acordar? — Lidia perguntou quando a boca de Pollux encontrou seu pescoço e ele mordeu forte o bastante para fazê-la estremecer de novo.

Se a Harpia voltasse e falasse o que tinha visto, quem de fato a matou...

Nenhum dos planos de Lidia, por mais bem elaborados que fossem, teria importância.

Pollux deslizou a mão pela bunda dela, segurando e apertando. Ele mordeu sua orelha, totalmente inconsciente do pavor que a invadia enquanto dizia contra sua pele molhada.

— Em breve. — Outro aperto, desta vez mais forte. — Mais um ou dois dias e a teremos de volta.

* * *

O anúncio da Rainha Víbora poderia muito bem ter sido uma bomba de enxofre lançada na sala.

Tharion olhou para Ithan, Sigrid e a metamorfo de cobra. A herdeira Fendyr encarava a fêmea, o rosto pálido de choque.

A Rainha Víbora falou, devagar:

— O que foi que você me disse mesmo? Que eu não era melhor do que o Astrônomo? — Ela balançou a mão com as unhas bem-feitas na direção do ringue, o esmalte dourado brilhando. — Bom, eis aqui uma chance de se libertar. Acho que ele nunca te ofereceu coisa do tipo.

— Eu não vou lutar contra a Sigrid — avisou Ithan, enfurecido.

— Então você e seus amigos vão ficar aqui — explicou a Rainha Víbora, reclinando-se e apoiando a cabeça nas mãos. — E seja qual for a missão de resgate urgente que tinham armado para seus outros amigos, vai dar errado.

Aquela cretina sabia de tudo.

— Deixa eu lutar contra Holstrom — irritou-se Tharion.

— Não — respondeu a Rainha Víbora com um doce veneno na voz. — Holstrom e a garota vão se enfrentar, ou o acordo está cancelado.

— Sua maldit... — começou Flynn.

— Eu vou — interrompeu Sigrid, cerrando os punhos ao lado do corpo.

Todos se viraram para a herdeira Fendyr. Ithan fez uma careta, o mais puro retrato da angústia.

Tharion notou aquela dor e desejou nunca ter nascido. Suas escolhas haviam levado todos até ali. As merdas que fizera.

— Que bom — disse a Rainha Víbora para Sigrid, que exibia os dentes para a cobra. Mas a governante do Mercado da Carne deu um sorriso de serpente para a loba. — Parece que esta pode ser sua última noite em Midgard. Talvez fosse melhor dar uma melhoradinha no seu guarda-roupa, no fim das contas.

* * *

Bryce encarou a linda fêmea de feições rígidas, que poderia rivalizar com a Corça em maldade e beleza. Theia.

As próximas palavras de Silene serviram apenas para confirmar o quanto a antiga Rainha Feérica e a Corça eram parecidas:

Mas minha mãe, Theia, aproveitou o tempo que serviu aos daglan para aprender tudo o que podia sobre seus instrumentos de conquista. Os Tesouros Nefastos, como os chamávamos em segredo. A Máscara, a Harpa, a Coroa e o Chifre.

Pelo canto do olho, Bryce percebeu que Nestha a observava, após ouvir a última palavra.

O Chifre era irmão da Máscara e da Harpa que Nestha mencionara. Tinha vindo *daqui* e, pior, fazia parte de algum arsenal mortal dos asteri...

E Theia.

O entalhe no túnel que exibia uma rainha coroada e mascarada, Theia, surgiu na mente de Bryce. Ela segurava dois instrumentos: um chifre e uma harpa.

Os daglan, continuou Silene, *sempre discordavam quanto a quem deveria controlar o Tesouro, então, na maioria das vezes, o Tesouro não era utilizado. Foi o que causou a queda deles.*

Era por isso, então? Para isso que fora enviada para aquele mundo? Para saber mais sobre esse Tesouro — que poderia, talvez, destruir os asteri? Mas Bryce só podia observar enquanto a visão mostrava as mãos de Theia arrancando os objetos dos pedestais pretos. Levando-os para longe das montanhas subterrâneas onde eram mantidos, usando cavernas em forma de arcos para se mover depressa pela terra.

Cavernas como aquela. Capazes de transportar pessoas por grandes distâncias em questão de horas. Ou em um instante.

A neve cobriu a imagem e então Theia estava no topo de uma montanha, um monólito preto erguendo-se atrás dela.

— Ramiel — sussurrou Azriel atrás delas, além das proteções.

Theia abraçava um macho bonito e de ombros largos em meio à tempestade de neve.

Minha mãe e meu pai, Fionn, mantiveram seu amor em segredo ao longo dos anos, sabendo que os daglan adorariam separá-los se soubessem do caso deles. Mas os dois conseguiam se encontrar em segredo — e planejar a insurreição.

— Fionn — murmurou Azriel, admiração em sua voz — era o seu ancestral.

Nestha tirou os olhos da visão e fitou Azriel, franzindo as sobrancelhas.

— Você deveria entrar de uma vez — murmurou e apontou. A chama prateada ondulava em linha reta, lançando-se em direção a Azriel. Ele não recuou, só fechou as asas com força enquanto jatos de fumaça subiam do chão.

Um caminho em meio às proteções. Os feitiços brilharam contra as chamas, como se tentassem se aproximar da estrada que ela havia criado, mas o poder de Nestha os mantinha longe.

Azriel inclinou a cabeça para Nestha enquanto atravessava a passagem estreita ladeada por chamas prateadas, sem um pingo de medo em seu lindo rosto. Nestha só cessou seu poder quando Azriel passou, as proteções voltando ao lugar em um movimento bruxuleante, como uma onda varrendo a costa.

Bryce apontou para o holograma, para o macho feérico de cabelos dourados.

— Quem é ele? — perguntou baixinho. Nunca houve qualquer menção a Fionn nas histórias e lendas de Midgard.

— O primeiro e último Grão-Rei destas terras — Azriel sussurrou.

Antes que Bryce pudesse pensar mais a respeito, Silene continuou: *Mas minha mãe e meu pai sabiam que precisavam da mais valiosa de todas as armas dos daglan.*

Bryce ficou tensa. Essa *tinha* que ser a arma que dera a eles a vantagem...

A neve ao redor de Ramiel se dissipou, revelando um enorme vaso de ferro na base do monólito. Mesmo através da visão, sua presença escoava para o mundo, algo pesado e sinistro.

— O Caldeirão — disse Nestha, a voz impregnada de pavor.

Então, não era uma arma útil. Bryce se preparou enquanto Silene continuava.

O Caldeirão era do nosso mundo, nossa herança. Mas ao chegar aqui, os daglan o capturaram e usaram seus poderes para distorcê-lo. Para transformá-lo em algo mais letal. Não mais uma ferramenta de criação, mas de destruição. E os horrores provenientes... esses também seriam aproveitados pelos meus pais.

Outra lembrança surgiu, Fionn puxando uma longa lâmina do Caldeirão, pingando água. Uma lâmina escura, cujo metal escuro absorvia qualquer traço de luz ao seu redor. Os joelhos de Bryce enfraqueceram.

Áster.

Duas outras figuras estavam ali, veladas pela neve espessa, mas Bryce mal teve tempo de pensar nelas antes que a narração de Silene recomeçasse.

Eles lutaram contra os daglan e venceram, continuou ela. *Os destruíram usando as armas dos próprios daglan contra eles. Mas meus pais não pensaram em aprender os outros segredos dos daglan — estavam cansados demais, ansiosos demais para superar o passado.*

— Espere — interrompeu Bryce. — Como eles usaram essas armas? — Nestha e Azriel lançam olhares cautelosos em sua direção. — Como eles usaram, porra? E quais outros segredos...?

Mas Silene continuou falando, a história saindo de sua boca.

Meu pai se tornou Grão-Rei, e minha mãe, sua rainha. Mas esta ilha em que você está, este lugar... minha mãe a reivindicou para si. A mesma ilha onde ela, um dia, servira como escravizada, tornou-se seu domínio, seu santuário. A fêmea daglan que a governara antes dela a tinha escolhido por sua localização estratégica, que permitia defesa, a névoa que a mantinha oculta dos outros. E minha mãe fez o mesmo. Só que, além disso, ela me disse várias vezes que ela e seus herdeiros eram os únicos dignos de cuidar desta ilha.

Nestha murmurou para Azriel:

— A Prisão já foi território real?

Bryce não se importava; e Azriel não respondeu. Silene havia encoberto como Theia e Fionn usaram os Tesouros e o Caldeirão contra os asteri, e por que Inferno ela fora para aquele planeta se não para aprender aquilo?

Mais uma vez, a memória de Silene continuou.

E sem os daglan por aqui, com o passar dos séculos, à medida que nem nós nem a terra precisávamos oferecer o Tributo, nossos poderes se fortaleceram. A terra se fortaleceu. Voltou a ser como era antes da chegada dos daglan, milênios antes. Também voltamos a ser o que éramos, criaturas cuja magia estava ligada a esta terra. Assim, os poderes da terra passaram a ser de minha mãe. Crepúsculo, anoitecer — era o que habitava o coração da ilha havia muito enterrado, em que o poder dela floresceu, as terras erguendo-se com isso. Era, em suas palavras, como se a ilha tivesse uma alma que agora prosperava sob seus cuidados, alimentada pela corte que ela aqui construiu.

Ilhas, como aquelas que tinham visto nos entalhes, erguiam-se do mar, exuberantes e férteis.

Bryce não conseguia parar de olhar para aquela visão maravilhosa, mesmo enquanto Silene continuava a falar.

Depois de séculos com o útero vazio, minha mãe deu à luz minha irmã e eu, em um período de cinco anos. A essa altura, meu pai já estava desaparecendo — ele era séculos mais velho que minha mãe. Mas Fionn não considerava minha mãe uma sucessora digna. A coroa deveria ir para o descendente mais velho, disse ele — para minha irmã, Helena. De acordo com ele, era hora de uma nova geração liderar.

O que não agradou minha mãe, e nem muitos dos membros de sua corte; sobretudo seu general, Pelias. Ele concordava com minha mãe que Helena era jovem demais para herdar o trono de nosso pai. Mas minha mãe ainda estava no auge. Ainda cheia de poder, e era evidente que havia sido abençoada pelos próprios deuses, já que tivera filhas após uma longa espera.

Então foi exatamente como antigamente: aqueles que estavam atrás do trono se uniram para uma revolução.

A imagem mudou para uma espécie de brejo — um pântano. Fionn cavalgava pela relva das ilhas, com o arco em punho enquanto desviava das árvores que floresciam.

Meus pais costumavam caçar no vasto pedaço de terra que os daglan mantinham como seu parque de caça particular, onde criavam monstros terríveis para servirem como presas dignas. Foi ali que ele encontrou a morte.

Uma criatura pálida e de cabelos escuros que poderia ser parente do nøkk na galeria de Jesiba arrastou Fionn, amarrado e amordaçado, para as profundezas escuras do pântano — o outrora orgulhoso rei gritando enquanto afundava.

O horror fez Bryce ficar paralisada no lugar.

Theia e Pelias estavam à beira da água, com expressões impassíveis.

As pétalas começavam a cair das árvores. As folhas acompanhavam. Os pássaros levantavam voo. Como se o inverno de repente se apoderasse do pântano. Como se a terra tivesse morrido com seu rei.

A Áster surgiu do centro do lago, brilhando na luz cinzenta. Um segundo depois, uma mão escamosa ergueu uma faca — a Reveladora da Verdade. Restos ou um presente da criatura, Bryce conjeturava enquanto brilhavam na luz acinzentada, pingando água. Tanto faz... diante de tamanha traição e brutalidade, quem se importava?

Meu pai nunca demonstrou generosidade alguma; manteve Gwydion por muito tempo e nunca a ofereceu à minha mãe. A adaga que pertencera ao seu querido amigo, morto durante a guerra, ficava pendurada na cintura dele, sem uso. Mas não por muito tempo.

Theia estendeu as mãos em direção à água e às lâminas oferecidas. E com asas fantasmas, espada e faca voaram até ela. Convocadas para suas mãos.

A luz estelar brilhou em Theia quando ela pegou a espada e a faca no ar, as lâminas reluzindo com sua própria luz estelar.

Minha mãe voltou naquele dia apenas com Pelias e as lâminas de meu pai. Como tinham sido Feitas com a ajuda dela, respondiam ao chamado em seu sangue. Ao poder dela.

Bryce conhecia esse chamado. Estava ouvindo desde que chegara àquele mundo. Um arrepio percorreu sua espinha.

E então ela pegou os Tesouros para si.

Theia estava sentada no trono, a Harpa e o Chifre ao seu lado, a Máscara no colo e a Coroa no topo da cabeça.

O poder irrestrito e ilimitado estava naquele trono. Bryce quase não conseguia respirar.

A Theia de quem Aidas falara tão bem... era uma *tirana* assassina?

Como que em resposta, Silene disse:

Nosso povo se curvou. Que outra opção eles tinham diante de tal poder? E por um curto período, ela governou. Não saberia dizer se os anos foram bons para o meu povo; mas não houve guerra. Ao menos isso.

— É — Bryce sibilou, mais para Silene do que para os outros —, ao menos isso.

Minha irmã e eu crescemos. Fomos educadas pela nossa mãe, que sempre nos lembrava de que, ainda que os daglan tivessem sido derrotados, o mal continuava vivo. O mal espreitava sob nossos pés, sempre esperando para nos devorar. Acredito que tenha dito isso para nos manter honestas e leais, decerto mais do que ela jamais fora. No entanto, à medida que envelhecemos e crescemos com nossos poderes, ficou nítido que apenas uma de nós poderia herdar o trono. Eu amava Helena mais do que tudo. Se ela quisesse o trono, o teria. Mas o interesse dela era tão pouco quanto o meu.

Não era o suficiente para minha mãe. Possuir tudo o que ela sempre quis não era o suficiente.

— Típico de mãe egocêntrica — murmurou Bryce.

Minha mãe se lembrou da conversa dos daglan, de terem mencionado outros mundos. Lugares que tinham conquistado. E com duas filhas e um trono... apenas mundos inteiros serviriam para nós. Para o legado dela.

Bryce balançou a cabeça de novo. Sabia aonde aquilo chegaria.

Lembrando-se dos ensinamentos de sua antiga senhora, minha mãe sabia que poderia manejar o Chifre e a Harpa para abrir uma porta. Para levar os feéricos a novos patamares, nova riqueza e novo prestígio.

Bryce revirou os olhos. Os mesmos governantes feéricos corruptos e delirantes, a milênios de distância.

No entanto, quando ela anunciou sua visão à corte, muitos foram contra. Tinham acabado de derrubar seus conquistadores, e agora se tornariam conquistadores também? Exigiram que ela fechasse a porta e esquecesse essa insanidade.

Mas ela não se deixou dissuadir. Havia feéricos o suficiente em suas terras, junto a alguns dos portadores de fogo do sul, que apoiavam a ideia, mercadores que salivavam ao pensar nas riquezas inexploradas de outros mundos. E então ela reuniu uma equipe.

Pelias a instruiu onde focar suas intenções. Usando mapas estelares antigos e com anotações de seus ex-mestres, escolheu um mundo para eles.

O estômago de Bryce se revirou. Os asteri devem ter mantido arquivos e registros desse mundo também. Exatamente como o quarto que Bryce encontrou no palácio, cheio de anotações sobre planetas conquistados. *Crepúsculo,* eles nomearam a sala. Como se, de todos os mundos mencionados lá dentro, *aquele* mundo continuasse sendo o foco deles. Aquele lugar.

Pelias disse a ela que era um mundo que os daglan cobiçavam havia muito tempo, mas não tiveram a chance de conquistar. Um mundo vazio, porém abundante.

Ela não tinha como saber que Pelias havia passado nossa era de paz aprendendo antigas magias de invocação e vasculhando o cosmos em busca do que restava dos daglan em outros mundos. Fico imaginando o que queria com eles; talvez soubesse que, para arrancar o Tesouro de Theia e tomar o poder para si mesmo, precisava de alguém mais poderoso do que ele.

— Seu idiota — Bryce soltou ao ver a imagem de Pelias e Theia pairando sobre uma mesa cheia de mapas estelares. — Vocês dois: idiotas de merda.

E depois de toda essa busca, alguém finalmente respondeu: um daglan que usava seu exército de místicos para vasculhar galáxias em busca do nosso mundo. O daglan prometeu todas as recompensas a Pelias, se ao menos conseguisse convencer minha mãe, naquele instante, a usar os Tesouros Nefastos para abrir um portal para o mundo que indicava.

Um passo ao lado dela, Nestha estalou a língua em desgosto.

Minha mãe não questionou quando Pelias, seu conspirador e aliado, disse que ela deveria usar o Chifre e a Harpa para abrirem uma porta para este mundo. Ela não questionou como e por que ele sabia que esta ilha, nossa casa encoberta pela névoa, era o melhor lugar para fazer isso. Ela só reuniu o nosso povo, todos aqueles dispostos a conquistar e colonizar, e abriu a porta.

Em uma câmara — *esta* câmara, se a estrela de oito pontas no chão servisse de indicação, embora os entalhes celestiais ainda não tivessem sido feitos — ao lado dos feéricos ruivos que se pareciam alarmantemente com o pai de Bryce, apareceram Helena e Silene, crescidas e lindas, mas ainda jovens, desengonçadas. Adolescentes.

No centro da câmara, um portão se abria para uma terra verde e ensolarada. E ali, parado entre a vegetação, esperando por eles...

— Ah, merda. — A boca de Bryce secou. — Rigelus.

O adolescente feérico, que não parecia mais velho que Helena e Silene, sorriu para Theia. Levantou a mão em saudação.

Minha mãe não reconheceu o inimigo com expressão tão amigável que chamava ela e os outros através do portal. Se tinha hesitado ao descobrir que o mundo vazio que lhe fora prometido estava, na verdade, povoado, ficou tranquila quando os estranhos alegaram ser feéricos também, há muito separados do nosso mundo pelos daglan, a quem também alegaram ter derrotado. Diziam ter esperado todo aquele tempo para reunir nosso povo.

Com algumas palavras do daglan, as dúvidas de minha mãe se dissiparam e nosso êxodo para Midgard começou.

Longas filas de feéricos atravessaram a câmara, pelo portal, adentrando Midgard.

A náusea tomou conta de Bryce.

— Ela abriu a porta da frente para os asteri. Trouxe os Tesouros direto para eles.

— Idiota — Nestha rosnou para a imagem. — Idiota sedenta por poder.

Mas se Theia abriu a porta para este reino, se ela tinha o Chifre e a Harpa, por que os asteri não agarraram ambos logo de cara? Eles queriam este mundo, queriam o Tesouro, e Theia praticamente entregou os dois em uma bandeja para eles. Os asteri eram espertos demais, perversos demais, para terem se esquecido disso. Então, era provável que tivessem um plano em vista...

Pela graça da Mãe, ela estava tão paranoica com quaisquer novos aliados ou companheiros que escondeu o Chifre e a Harpa. Ela criou um bolso de nada, pelo que me contou, e os escondeu ali. Apenas ela tinha acesso ao bolso de nada — apenas ela poderia recuperar o Chifre e a Harpa de suas profundezas. Mas ela não sabia que Pelias já havia contado aos daglan sobre a existência desses artefatos. Ela não tinha ideia de que a deixaram viva, mesmo que por pouco tempo, só para descobrirem onde ela os havia escondido. Para que Pelias, sob o comando deles, pudesse arrancar essa informação dela.

Ela também não fazia ideia de que o portão que deixara aberto para o nosso mundo natal... os daglan também estavam esperando por isso havia muito, muito tempo. Mas eles foram pacientes. Contentes em permitir que mais e mais forças de Theia entrassem no novo mundo — deixando o mundo dela indefeso. Contentes em esperar para ganhar a confiança dela, para que pudesse entregar o Chifre e a Harpa.

Era uma armadilha que duraria meses ou anos. Obter os instrumentos de poder de Theia, marchar até o nosso mundo natal e reivindicá-lo... era uma armadilha longa e elegante, a ser acionada no momento perfeito.

E, distraídos pela beleza do nosso novo mundo, não paramos para pensar que tudo estava fácil demais. Simples demais.

Midgard era uma terra de abundância. De verde, luz e beleza. Muito parecida com as nossas próprias terras. Com uma enorme exceção. A lembrança se estendeu até a vista, a partir de um penhasco, de uma planície distante cheia de criaturas. Algumas aladas, outras não. *Não fomos os únicos seres que foram para aquele mundo na esperança de reivindicá-lo. Descobriríamos tarde demais que os outros povos foram atraídos pelos daglan sob disfarces igualmente amigáveis. E que eles também vieram armados e prontos para lutar por estas terras. Mas antes que o conflito pudesse eclodir entre todos nós, descobrimos que Midgard já estava ocupada.*

Theia e Pelias, com Helena e Silene atrás deles, dez guerreiros os seguindo, estavam no topo do penhasco, observando a terra verdejante e a enorme cidade murada no horizonte.

Bryce não conseguia respirar. Passara anos trabalhando na companhia dos livros perdidos de Parthos, sabendo que uma grande civilização humana havia florescido dentro de seus muros, mas aqui, diante dela, estava a prova dessa grandeza, da habilidade humana que existia em Midgard. E que foi extirpada por completo.

Ela se preparou, sabendo o que viria a seguir, e odiando.

Em Midgard, encontramos cidades esculpidas por mãos humanas. Era um mundo habitado sobretudo por humanos e algumas poucas criaturas incomuns que se mantinham isoladas. Era uma página em branco, no que diz respeito aos mundos. Com pouca magia nativa para combater o poder dos daglan.

— Vai se foder — Bryce sussurrou. Nestha grunhiu em acordo. — Página em branco é o caralho. — Bryce cerrou os punhos, uma raiva familiar e latente crescendo sob sua pele.

No entanto, os humanos não ficaram satisfeitos com a nossa chegada. Uma legião de humanos armados alinhava-se no exterior de uma cidade murada, construída em pedra clara. Bryce não queria assistir, mas não conseguia desviar os olhos da visão.

Minha mãe já havia lidado com revoltas humanas antes. Ela sabia o que fazer.

Humanos jaziam massacrados, a areia abaixo deles banhada em sangue. Bryce tremia, a mandíbula cerrada com tanta força que doía.

Tantos mortos — soldados e civis. Adultos e... Deuses, ela não suportava ver os corpos pequenos.

Azriel xingou, baixinho, uma torrente de palavrões. A respiração de Nestha estava pesada.

Mesmo assim, Silene continuou falando, com a voz inabalável, como se a lembrança do impiedoso derramamento de sangue não a perturbasse nem um pouco.

Fomos de cidade em cidade. Tomando a terra como desejávamos. Escravizando humanos para que construíssem para nós.

Mas alguns humanos resistiram, suas cidades-Estados se unindo como nós, feéricos, já tínhamos nos unido para combater nossos mestres.

Bryce não se deixou ter esperanças diante das legiões de pessoas enfileiradas com armaduras de bronze nem com as tropas alinhadas contra o brilhante exército feérico. Sabia como essa história em particular terminava.

Sabia que aquilo seria apagado da história oficial.

Mas será que Aidas sabia o que Theia — o que Helena, Silene e os feéricos — tinham feito? Ele deveria saber; afinal, amava Theia. E ainda assim, teve a porra da *coragem* de falar dela como se não fosse uma assassina de merda. De insinuar que Bryce ter a luz dela era algo bom.

Aquela estrela no peito dela... era a luz de uma carniceira. Sua ancestral.

Fora enviada até ali para aprender isso? Que não era a herdeira de uma corajosa salvadora, mas descendente de uma linhagem moralmente corrupta?

Não importava se era o que a estrela queria que ela aprendesse ou não — agora que sabia, não teria como esquecer.

Nunca haveria qualquer reparação pelo que seus ancestrais fizeram.

Pensar naquilo era como ter uma faca cravada em seu peito, e Bryce poderia ter ido embora naquele instante, mandado a memória de Silene ir se foder com sua aula de história. Mas e se essa história insuportável oferecesse alguma dica de como salvar o futuro de Midgard...

Bryce continuou ouvindo.

20

Parado na beira do ringue, Ithan percebeu que não conseguia se mover.

Teria que fazer aquilo. Aquela desgraça final, trair quem ele era como pessoa, como lobo...

Do outro lado do ringue, Sigrid era tão pequena. Tão magra e frágil e *nova* naquele mundo. Naquela realidade. Ele a libertara do tanque para isso? Para que acabasse ali?

— Comecem — entoou a Rainha Víbora.

Flynn, Dec e Tharion ficaram de fora, quase sem conter a raiva.

Tharion estava certo. Fora tão estúpido em se envolver com a Rainha Víbora daquele jeito, imaginando que seria só sangrar, talvez ganhar algumas queimaduras...

E agora, por causa disso, Ariadne também tinha sido negociada. Ele mal conhecia a dragoa, mas agora tinha mais esse fardo para carregar.

— Eu disse *comecem* — ordenou a Rainha Víbora.

Ithan olhou nos olhos castanhos claros de Sigrid.

Alfa. Fendyr. Superior. Era como ele a enxergava. Tudo aquilo ao que se curvava, que defendia...

Ithan não se permitiu pensar. Não indicou quais seriam seus movimentos. Se lançou sobre ela antes que pudesse recuar daquele precipício.

Ele direcionou um soco no rosto de Sigrid, que se esquivou para o lado com uma velocidade surpreendente. A velocidade de uma alfa.

Ithan atacou de novo e ela desviou outra vez, por puro instinto.

Sigrid saltou em um movimento com as garras à mostra.

Ithan ficou chocado ao ver as garras, exibidas com tanta prontidão. Sentia-se grudado ao chão — um segundo a mais do que deveria.

Ela rasgou a pele dele na altura das costelas, uma dor aguda espalhando-se como ácido por seu corpo...

Ele se afastou ao som dos palavrões de Flynn. Colocou a mão ao lado do corpo. O sangue quente vazava por seus dedos.

Uma sensação se intensificou nele. Manteve-o firme no lugar. Era assim que seria: de lobo para lobo. Alfa para... fosse lá o que ele fosse. Um lobo sem matilha.

Ithan atacou de novo, um golpe mais baixo...

Seu punho colidiu com a barriga macia de Sigrid, mas ela não caiu. A alfa se virou, o cotovelo batendo diretamente no nariz dele. Não era a mais elegante das táticas, mas foi inteligente. Quebrou alguns ossos, o sangue jorrando, e garras arranharam o rosto dele...

Ele cambaleou para trás de novo. Ela tinha atacado os *olhos* dele, porra. Ithan investiu contra ela, jogando-a no chão.

— Holstrom! — gritou Tharion, e ele não soube dizer se era um aviso ou uma retaliação, mas não houve tempo para pensar nisso enquanto as garras de Sigrid perfuravam seu ombro. Ithan recuou, rugindo, libertando suas garras.

Ela levantou as pernas e *chutou.* Ele a agarrou pelos tornozelos, mas não foi rápido o bastante. O pé dela atingiu Ithan, que voou para trás, para trás...

Ele caiu com tudo do outro lado do ringue, um ruído abafado que ecoou por todos os ossos dele.

* * *

Dominado pela vergonha, Tharion assistiu ao banho de sangue que se desenrolava diante de si.

Era ele quem deveria estar ali, naquela posição, com a Rainha Víbora. Ele não merecia ser libertado, nem que lutassem por ele.

Ariadne. O nome dela ressoou através dele. Vendida — ou negociada, seja lá o que significava. Por causa dele. Por causa do que ele dissera a ela, aparentemente.

Tudo em que ele tocava virava merda.

— Isso não vai acabar bem — murmurou Flynn. — Mesmo que Ithan vença... — Qualquer que fosse o estado em que Sigrid estivesse, eles não poderiam partir naquela noite.

No entanto, apesar da vergonha, Tharion precisava admitir que ela lutava melhor do que ele esperava. Desleixada e destreinada, sim, mas estava se saindo bem. Aguentando o tranco.

Ela e Ithan rolaram no chão, as garras à mostra, o sangue espirrando...

Ithan levou um golpe no queixo que dilacerou sua pele. Sigrid parecia disposta a fazer picadinho dele.

— Solas — sussurrou Flynn, esfregando o queixo em simpatia.

Tharion cravou as unhas na palma das mãos até sair sangue.

Não podia continuar assistindo. Não podia permitir que aquilo acontecesse. Não por causa dele, nem mesmo por sua liberdade.

Sigrid golpeou de novo e Ithan rolou para o lado, por pouco não conseguindo escapar de suas garras. Mas no instante seguinte, Sigrid já estava em cima dele, e o rugido de dor de Holstrom quando as garras dela se enfiaram em sua coxa fez Flynn se lançar para o ringue.

Tharion agarrou o lorde feérico, os dedos prendendo-se em seus músculos rígidos.

— Calma — murmurou. — Ele está bem.

Uma mentira das grandes. Nem Ithan nem Sigrid estavam bem. Nem um pouco.

Flynn se agitou, livrando-se das mãos de Tharion e virando-se para a Rainha Víbora.

— Isso acaba *agora.*

— Isso acaba — disse lentamente a governante do Mercado da Carne de seu lugar nas arquibancadas — quando eu disser que acaba.

Tharion congelou no lugar.

— Acaba com um nocaute.

— Acaba quando um deles estiver a caminho do Quarteirão dos Ossos — declarou a Rainha Víbora, pegando o celular para tirar uma foto dos lobos ensanguentados se enfrentando no ringue.

Uma luta até a morte. Tharion engasgou.

— Holstrom não vai...

— Veremos — retrucou a Rainha Víbora, e um grunhido de Ithan fez Tharion voltar a assistir a luta. Pela raiva tremeluzindo nos olhos de Ithan enquanto se esquivava de outro ataque violento de Sigrid, o lobo tinha ouvido tudo.

— Por favor — disse Tharion à Víbora —, me deixe entrar no lugar da herdeira Fendyr...

— Já chega, peixe — protestou a Rainha Víbora, guardando o celular no bolso do macacão dourado.

Tharion teria implorado, se Ithan não declarasse, ofegante no ringue:

— Já era, Tharion. — Holstrom já estava de pé, circulando Sigrid, o corpo todo ensanguentado. Ele mal havia encostado nela.

E nem encostaria, Tharion sabia disso. Machucar essa fêmea que enfrentara tantas desgraças... Holstrom jamais faria isso.

Tharion não conseguia respirar, a raiva se agitava em seu corpo como um mar violento, afogando-o. Queria matar a maldita Rainha Víbora por colocar seus amigos naquela situação. Mesmo que só precisasse se olhar no espelho para encontrar o culpado por essa confusão.

Sigrid brandiu as garras de novo, e Ithan desviou com graça atlética.

Ela partiu para um ataque poderoso e firme que Tharion percebia ser puro instinto. Golpear, socar, desviar...

Ela não era só uma herdeira na linhagem Fendyr. Ela *era* a linhagem Fendyr, em sua forma mais potente.

Ithan obviamente se esforçava para prever cada golpe. O sangue cobria sua boca, seus dentes. Os olhos castanhos brilhavam, cheios de fúria. Não por causa da loba que o atacava, mas da fêmea que os obrigara a fazer isso.

— Porra, porra, porra — repetia Flynn, puxando os cabelos.

As costas de Ithan bateram nas cordas e ele já não tinha para onde fugir, não havia como se movimentar, quando Sigrid deu um soco bem na cara dele.

Tharion sentiu o estômago revirar. Era tudo culpa *dele*, era o maior perdedor do planeta...

Mas Ithan estava esperando por aquele golpe. Ele se abaixou — e enfiou as garras na barriga da herdeira Fendyr.

Sigrid gritou, cambaleando para trás e caindo de joelhos.

Ithan parou, ofegante. Seu rosto estava vazio enquanto caminhava em direção à fêmea que segurava a barriga ensanguentada. Foi um golpe duro, mas não fatal. As garras brilharam na ponta dos dedos.

Tharion não conseguia respirar quando Ithan ergueu a mão para desferir o golpe final.

* * *

A voz de Silene estava tão firme e impassível como sempre. Uma imortal entediada, recitando suavemente a história do sofrimento alheio.

Continuávamos em guerra contra os humanos quando a porta entre os mundos se abriu de novo. Mais feéricos apareceram; de outro mundo dessa vez.

Seres altos e belos entraram. A raiva e o desespero de Bryce pareceram dar uma trégua.

Feéricos de outros mundos — mas tão parecidos com os daquele lugar. Como era possível? Outra antiga conquista dos asteri? Outro lugar que colonizaram e violaram para, no fim, perder?

Eles eram feéricos como nós, mas ao mesmo tempo, não. As orelhas, a graça, a força eram idênticas, mas eram todos metamorfos. Cada um capaz de se transformar em um animal. E , mesmo em seu corpo humanoide, exibiam dentes caninos alongados.

Era um enigma — e foi o bastante para que minha mãe desse uma pausa em seu belicismo. Havia dois tipos de feéricos. De dois mundos aparentemente desconectados e distantes. Esses novos feéricos possuíam magia elementar, forte o bastante para colocar Pelias em alerta. Eram mais agressivos que os feéricos que conhecíamos, mais selvagens. E respondiam diretamente a Rigelus.

Parecia, na verdade, que conheciam Rigelus havia muito tempo.

Minha mãe logo começou a suspeitar de que nosso anfitrião não era tão benevolente quanto afirmava. Mas quando descobriu o quanto estava errada a respeito dele, já era tarde demais.

— Ah, jura? — resmungou Nestha, a voz cheia de nojo, e Bryce só podia concordar.

Éramos as únicas em quem minha mãe confiava. Pelias, que antes tinha sua confiança, se deixara levar pelos prazeres deste novo mundo, acompanhado pelo próprio Rigelus.

Um vislumbre através de uma cortina mostrou Pelias jogando o corpo de uma humana em um rio ao lado de uma mansão de pedras brancas. O cadáver nu e cheio de feridas.

Bryce quase não conseguiu ficar em pé ao ver o corpo da mulher brutalizada flutuando e depois afundando no rio claro. Pelias já havia se perdido havia muito tempo.

— Quanta cara de pau — Nestha gritou. — Eles estavam assassinando crianças naquelas cidades humanas.

— Isso acontece até hoje — disse Bryce com voz rouca. — Humanos jogados em lixeiras depois de serem atormentados e assassinados por vanir. Isso acontece todos os dias em Midgard e começou com *aquele* filho da puta. — Ela apontou um dedo trêmulo para a lembrança. — Com ele e Theia, e todos aqueles monstros.

Sentia que poderia explodir naquele instante, mas Silene continuou a contar a história.

Minha mãe acabou confiando só em mim e em Helena para descobrir a verdade. Sabia que poderíamos ser de grande utilidade para ela, porque suportamos tanto as sombras quanto a luz estelar.

Helena e Silene rastejaram pela penumbra de um poderoso palácio de cristal. Desceram uma escadaria de cristal sinuosa.

— Esse é o palácio dos asteri — sussurrou Bryce para Azriel e Nestha. — Na Cidade Eterna.

Passamos um mês escondidas na fortaleza do inimigo, nós mesmas sendo apenas sombras. Quando voltamos para nossa mãe, já sabíamos a verdade: Rigelus e seus companheiros não eram feéricos, mas parasitas que conquistavam mundo após mundo, alimentando-se da magia e da vida de seus cidadãos. Os daglan, agora com seu verdadeiro nome: asteri.

Foi então que minha mãe nos contou, nos mostrou, o que havia acontecido tanto tempo antes. Tudo o que ela havia feito desde então. Mas não perdeu tempo se desculpando pelo passado. Disse que se tínhamos de fato caído na armadilha de um inimigo, então deveríamos derrotá-lo.

Bryce colocou a mão sobre a cicatriz em formato de estrela em seu peito, os dedos curvando-se no tecido da camisa. Será que conseguiria arrancar aquilo, a conexão com essas hipócritas de duas caras, e se afastar para sempre?

Minha mãe tinha guardado o mapa estelar em que, muito tempo antes, os daglan tinham feito anotações. E um mundo nele chamou sua atenção — um mundo, como o nosso, que derrotara os daglan.

Em um quarto ornamentado, diante de uma mesa com suas duas filhas, Theia apontava para algum lugar. Como se tivessem sido tirados do bolso de nada, a Harpa e o Chifre apareceram na mesa, brilhando ao lado da Áster e da faca.

Theia assentiu uma vez, devagar, como se estivesse tomando uma decisão, e então tocou o Chifre e a Harpa. Um portal entre mundos surgiu. Ele se solidificou, um arco que levava a lugar nenhum. Um belo macho de cabelos dourados estava diante dela, com olhos que pareciam opalas azuis.

Bryce respirou fundo.

O príncipe Aidas só perguntou uma coisa à minha mãe quando ela abriu o portão do mundo dele: "Então você veio pedir ajuda ao Inferno?"

* * *

Hunt se encolheu quando Baxian vomitou sangue, carne e ossos. O vômito espalhava-se pelo chão, e o cheiro...

Ruhn estava ofegante, tremendo, mas o príncipe não pediu ao Cão do Inferno que parasse.

— Um pouco mais — disse Baxian, ofegante. O estômago de Hunt se revirava com o sangue escorrendo pelo queixo do macho. — Mais duas mordidas e pronto.

Ruhn choramingou, mas assentiu severamente. Eles se chocaram, as pernas travadas com força, e Baxian não deu qualquer aviso antes de morder de novo. Não havia tempo a perder.

Hunt bloqueou os sons. Os odores. Bryce, seu futuro e aquelas crianças lindas... era a imagem que tinha em mente. Fugir — e sobreviver — era o objetivo. Bryce era o objetivo.

Por mais que não fizesse ideia de como ficaria frente a frente com ela de novo, depois de não conseguir protegê-los desse destino. Depois de concordar em deixar seus amigos fazerem isso. Não fazia ideia de como a olharia nos olhos.

Ruhn deu um grito abafado e Baxian vomitou de novo, a boca ainda em volta do pulso de Ruhn. Relutante.

Eles tinham ido longe demais para desistir agora. Então Hunt exigiu, com a voz assumindo o tom frio e monótono do Umbra Mortis, exatamente como Ruhn dissera que precisavam:

— De novo, Baxian.

— Por favor — gemeu Ruhn, e não foi um pedido para que parassem, mas para que se apressassem. Que acabassem logo com aquilo.

— De novo — ordenou o Umbra Mortis a Baxian.

Baxian, que assumira essa tarefa indescritível para poupar Hunt...

O Cão do Inferno avançou, com os dentes cerrados, e *mordeu*.

Ruhn gritou, agitando-se sem parar.

Hunt não sabia para onde olhar primeiro. Para Baxian, que vomitava sangue e carne nas pedras abaixo dele. Para a mão e parte de um pulso ainda presos à corrente, ou para Ruhn que avançava em direção à estante, soluçando entre dentes por causa de todo o peso agora em um só braço, os pés tensos...

Hunt agiu, levantando os pés e *empurrando*. Os dedos dos pés de Ruhn cutucaram o topo do ferro.

— Mais — grunhiu Hunt. Ele se tornaria o Umbra Mortis, se tornaria aquele maldito monstro de novo se isso desse a seus amigos uma chance de sobrevivência...

Ruhn se virou em direção a Hunt, com sangue por todo lado, e Hunt se preparou e desferiu outro chute. Os dedos dos pés do príncipe acertaram o atiçador de ferro. Conseguiu segurar. E quando balançou de volta, o atiçador veio junto.

Ruhn parou, pendurado em um único braço. Como Ruhn faria para se erguer usando apenas *um* braço, não dois? Hunt começou a balançar na direção dele. Se pudesse usar as pernas para ajudar Ruhn a se contorcer...

— Quantas acrobacias — disse uma voz familiar de macho vinda da porta. — E que determinação.

O mais puro pavor se apoderou de Hunt quando Rigelus se aproximou, Pollux e o Falcão ao lado dele.

* * *

Ithan ofegava acima de Sigrid, as garras erguidas. O rosto da herdeira Fendyr estava lívido de dor, a mão ainda segurando a lateral ensanguentada do corpo.

— Mate ela, Holstrom — ronronou a Rainha Víbora do lado de fora, levantando como uma onda dourada —, e isso acaba.

A Rainha Víbora queria que ele fosse presenteado com a escolha — este verdadeiro *entretenimento*: entre salvar os amigos, Athalar e Ruhn, talvez até Bryce... ou Sigrid. O futuro da linhagem Fendyr. Uma alternativa para Sabine.

Deitada no chão, Sigrid ergueu a cabeça para olhar para ele. O sangue escorria de seu nariz.

Ele tinha feito isso com ela. Nunca se sentira tão sujo, tão desprezível como no momento em que enfiou as garras na barriga dela.

Mas Sigrid disse, com a boca cheia de dentes ensanguentados.

— Eu nunca te agradeci.

O mundo inteiro parou. A Rainha Víbora sumiu do campo de visão dele.

— Pelo quê? — arfou Ithan.

— Por me tirar de lá. — Seus olhos eram tão confiantes, tão tristes... *Dê orgulho ao seu irmão.*

Se Connor estivesse ali...

Ithan baixou as garras. Devagar, ele se virou para a Rainha Víbora, cujo rosto estava tenso de descontentamento.

— Vai se foder. Foda-se você e foda-se esse acordo. Se você não deixar...

Sigrid atacou.

Um golpe baixo e cruel mirando na garganta dele, com a intenção de rasgá-la. Ithan quase não conseguiu bloquear o golpe, as garras dela afundaram no antebraço dele, causando uma dor lancinante.

— Uma verdadeira Fendyr — disse a Rainha Víbora com aprovação. Não era um elogio. Ithan puxou o braço, rasgando a carne, e mal conseguia respirar devido à dor.

Sigrid tentou atacar a garganta dele novamente. E mais uma vez. Ela o fez recuar até as cordas com uma força digna de uma Fendyr alfa. E enquanto se recuperava, tentando atacá-la, ele viu. A morte estampada nos olhos dela.

Ela o mataria. Por mais que a tivesse tirado do tanque, ela era, acima de tudo, uma alfa.

E alfas não perdiam. Não para lobos inferiores.

Dê orgulho ao seu irmão.

Aquelas eram as únicas palavras em sua mente enquanto Ithan voava pelos ares. Olhando nos olhos de Sigrid. A dominância primitiva e intrínseca, cheia da mais pura determinação. Sem piedade alguma. Sem possibilidade de misericórdia.

Dê orgulho ao seu irmão.

Ithan mirou seu golpe no ombro dela, um ataque que a faria cair de joelhos.

Mas Sigrid era rápida — rápida demais. E ainda não entendia com que rapidez conseguia se mover.

Ithan também não.

Em um segundo, as garras dele iam em direção aos ombros dela. E no outro, ela havia conseguido se lançar para a direita, a fim de desviar do golpe...

Ithan viu a cena em câmera lenta. Como se estivesse observando outra pessoa, outro lobo, preso naquele ringue.

Em um momento, Sigrid estava se esquivando dele, tão depressa que mal teve tempo de parar o golpe. No seguinte, ela estava imóvel, com os olhos arregalados de choque e dor.

As garras não haviam atravessado o ombro dela.

Foram direto para a garganta, perfurando-a.

21

Aidas era um Príncipe do Inferno, continuou Silene.

Bryce quase não conseguia respirar.

Usando sais de invocação raros que facilitavam a comunicação entre os mundos, os espiões dele em Midgard o mantiveram bem informado desde que os asteri falharam em conquistar seu planeta. Desde então, Aidas fora designado para caçar os asteri. Para que o mal nunca mais voltasse a triunfar. Fosse no mundo dele ou em qualquer outro.

O Inferno era, de alguma forma, a força do *bem* em meio a tudo aquilo. Como Aidas conseguiu ignorar as atrocidades cometidas por Theia? Pior ainda, como conseguiu amá-la? Não fazia sentido. A menos que Aidas fosse como Theia, um hipócrita assassino...

Minha mãe e Aidas passaram muitas horas se falando através do portal, nenhum ousando atravessar para o mundo do outro. Passaram vários dias planejando, em segredo.

Logo ficou nítido que precisávamos de mais tropas. Qualquer feérico que fosse leal a nós... e humanos. Minha mãe precisava da ajuda dos mesmos inimigos que massacrara e escravizara. A última fortaleza sob sua posse ficava em Parthos, onde todos os acadêmicos e pensadores daquela época ficavam enfurnados na grande biblioteca. E assim, seguimos para Parthos, navegando sob o manto da escuridão.

— Inacreditável — Nestha indignou-se.

A cidade de pedras brancas erguia-se como um sonho a partir do vasto leito de um rio de terras escuras.

Parthos era mais bonita do que qualquer cidade que existia na atualidade em Midgard, adornada com torres e colunas elegantes, obeliscos enormes nas praças do mercado, fontes cintilantes e redes complexas de aquedutos, humanos circulando em relativa paz e tranquilidade, sem medo.

Na periferia da cidade, com vista para os pântanos ao norte, havia um enorme edifício com colunas; na verdade, um complexo de vários edifícios.

A biblioteca de Parthos.

Bryce sabia que não se tratava apenas de um lugar que guardava livros. O complexo abrigara diversas academias em vários campos de estudo — artes, ciências, matemática, filosofia —, bem como uma vasta coleção de livros, um tesouro de milhares de anos de aprendizado.

O coração de Bryce doeu ao ver aquilo, o que aquele lugar um dia fora. Tudo o que havia se perdido.

Aglomerados em um anfiteatro no centro do complexo, humanos e feéricos discutiam, gesticulando e gritando.

As reuniões não correram bem, disse Silene. *Mas minha mãe permaneceu firme. Explicou o que havia descoberto. O que os humanos sabiam havia muito tempo, embora ignorassem os detalhes.*

Aqueles que discutiam começaram, pouco a pouco, a se sentar nos bancos de pedra, ouvindo Theia em silêncio.

E quando ela terminou, os humanos revelaram a própria descoberta, uma que nos mostrou a nossa destruição.

Enquanto uma humana solitária se destacava da multidão, Bryce lembrou a si mesma de continuar respirando, de se equilibrar...

Os asteri infectaram com um parasita a água que consumíamos. Envenenaram lagos, riachos e oceanos. Os parasitas se infiltravam em nosso corpo, prejudicando nossa magia.

Santos deuses.

Os asteri criaram um ritual para marcar a maioridade de todas as criaturas mágicas que entravam em Midgard e de seus descendentes. Uma explosão de magia era liberada e logo em seguida contida — para que os asteri pudessem se alimentar dela. Era uma dose maior e mais concentrada do que as sementes de poder que, durante anos, sugaram de nós como Tributo. Virou uma experiência quase religiosa; a justificativa era de que se tratava de um método para aproveitar a energia como combustível e, desde então, os asteri têm se alimentado dela.

— A Descida — sussurrou Bryce, o desânimo tomando conta dela. Sabia que Nestha e Azriel a encaravam, mas não conseguia desviar o olhar da lembrança.

Se alguém com poder optasse por abandonar o ritual, os parasitas sugariam os imortais até que murchassem e se transformassem em nada — como os humanos. Eram dispensados com a alegação de estarem velhos. Mentiram ao dizer que realizar esse ritual em qualquer lugar que não fosse um dos locais de colheita dos asteri era perigoso, pois ali era possível conter e filtrar o poder para eles, suas cidades e sua tecnologia.

Bryce estava prestes a vomitar.

O domínio dos asteri sobre as pessoas de seu mundo não se baseava apenas no poder militar e mágico. Esses parasitas garantiram que seriam *donos* de cada indivíduo, do poder que detinham. A tirania deles se infiltrava no sangue de todos os seres de Midgard.

Foram os humanos que descobriram — os asteri não tomavam cuidado algum ao falar o que sabiam perto deles, porque os humanos não eram afetados, por não terem magia. E eles assistiram em um silêncio presunçoso enquanto nós, seus opressores, éramos involuntariamente oprimidos. Com um gole de água deste mundo, pertencíamos aos asteri. Não havia como ser desfeito.

O desespero quase acabou conosco naquele momento.

Ao menos Bryce podia se identificar com aquilo. Tinha ido parar em algum lugar longe de seu corpo. Ouvia à distância como aquela maldita história acabaria.

Mas convencemos os humanos a confiarem em nós. E minha mãe começou a procurar alguns daqueles feéricos que nos seguiram até Midgard, aqueles em quem ela esperava poder confiar.

No fim das contas, ela tinha dez mil feéricos dispostos a marchar, a maioria vindo de nossas terras cercadas pelo crepúsculo. E quando a minha mãe abriu o caminho para o Inferno, Aidas e seus irmãos trouxeram consigo cinquenta mil soldados.

Não tenho palavras para descrever a brutalidade da guerra. As vidas perdidas, o tormento e o medo. Mas minha mãe não cedeu.

Os asteri contra-atacaram com rapidez e foram espertos em colocar Pelias no comando das forças. Ele conhecia bem minha mãe e suas táticas.

E embora os exércitos do Inferno tenham lutado bravamente, junto de nosso povo, não foi o suficiente.

Nunca soube como minha mãe e o príncipe Aidas se tornaram amantes. Só sei que, mesmo no meio da guerra, nunca tinha visto minha mãe tão em paz. Ela me disse uma vez, enquanto eu falava, maravilhada, o quanto tivemos sorte pelo portal ter se aberto para Aidas naquele dia, que era porque eles eram parceiros; suas almas haviam se encontrado através das galáxias, ligando-os naquele dia fatídico, como se o laço de parceria entre eles fosse, de fato, algo físico. Era esse o tamanho do amor que sentiam um pelo outro. E quando a guerra acabasse, ela me prometeu, iríamos para o Inferno com Aidas. Não para governar, mas para viver. Quando tudo acabasse, ela prometeu, passaria o resto de sua existência recompensando o que fizera.

Ela não conseguiu cumprir essa promessa.

— Que pena — disse Nestha, sem sentir dó alguma.

Mas Bryce tinha transcendido as palavras. Tinha ultrapassado qualquer coisa que não fosse puro desespero e pavor.

Recebemos as ordens do inimigo antes de atacarem, na calada da noite: se nos rendêssemos, seríamos poupados. Se resistíssemos, seríamos massacrados.

Nosso acampamento fora erguido no alto das montanhas, porque acreditávamos que as neves do inverno nos protegeriam do avanço dos inimigos. Em vez disso, estávamos com frio e fome, quase sem tempo para preparar nossas forças. Aidas havia retornado ao Inferno para recrutar mais soldados, então estávamos passando uma rara noite sozinhas com nossa mãe.

O Inferno não conseguiu vir em nosso auxílio. Minha mãe nem se deu ao trabalho de tentar abrir um portal para o mundo deles. Nossas forças em Midgard já estavam esgotadas; os novos recrutas levariam dias para serem reunidos. Imploramos para que ela abrisse o portal de qualquer maneira, para pelo menos conseguir a ajuda dos príncipes, mas minha mãe não acreditava que adiantaria muito. Que o que estava por vir naquela noite era inevitável.

— Idiota — disse Nestha de novo, e Bryce assentiu, entorpecida.

Mas minha mãe não nos pediu para lutar.

Uma Theia ensanguentada colocava o Chifre nas mãos de Helena, e pedia a Silene que pegasse a Harpa e a faca. Guardou a Áster para si.

Estávamos perto de onde tínhamos entrado neste mundo. Era ali que ficava o acampamento, em partes para que minha mãe pudesse, em algum momento, abrir o portal de novo e recrutar mais feéricos para a luta. Ela ainda não entendia muito bem como funcionava a viagem entre mundos; não tinha certeza se um portal aberto em um lugar diferente levaria para outro mundo. Então decidiu acreditar que nosso ponto de entrada em Midgard se abriria em nossa corte mais uma vez. Dali, planejara percorrer os túneis que atravessavam as terras e recrutar exércitos feéricos. Mesmo sabendo que eles tinham se oposto a ela antes, sabendo que era bem provável que a rejeitassem ou a matassem, ela não tinha outras opções.

Mas não havia tempo para isso naquele instante.

— Toquem o Chifre e a Harpa — ordenou nossa mãe, tirando-os daquele bolso de nada — e saiam deste mundo. — Seria rápido, uma abertura momentânea, para que Rigelus não tivesse tempo de atacar. Nós a abriríamos e partiríamos antes que ele sequer percebesse — e então selaríamos a porta entre os mundos para sempre.

Theia deu um beijo em suas testas.

Ela avisou que Pelias estava chegando. Vindo atrás de nós duas. Rigelus o nomeara Príncipe dos Feéricos, e Pelias nos usaria para legitimar seu reinado. Queria que gerássemos seus filhos.

Mesmo com tudo o que fizeram, os crimes que cometeram contra os humanos, Bryce ainda sentia um aperto no peito por causa das irmãs.

Puxando as filhas para perto, Theia fez sua luz estelar brilhar. E no pequeno espaço entre seus corpos, Bryce pôde ver Theia dedilhando uma corda grave da Harpa. Em resposta, uma estrela — semelhante àquela que Bryce fazia aparecer em seu peito — surgiu no corpo de Theia. Ela se dividiu em três bolas de luz cintilantes, uma flutuando para dentro do peito de Silene e outra para o de Helena, antes que a última, como se fosse a mãe da qual as outras duas estrelas nasceram, retornasse ao corpo de Theia.

Por um momento, todas as três brilharam. Até mesmo a Reveladora da Verdade, na mão de Silene, parecia ondular, uma contramelodia sombria para Gwydion, que brilhava na mão de Theia, tremeluzindo como batidas de um coração.

Ela nos deu toda a proteção que sua magia poderia oferecer, transferindo-a de seu corpo para o nosso usando a Harpa. Outro segredo que aprendera com seus antigos mestres: que a Harpa podia não apenas mover seu portador pelo mundo, mas também mover coisas de um lugar para o outro, até mesmo mover magia da alma dela para a nossa.

Com Gwydion em mãos, Theia saiu da tenda. Com graça e segurança feéricas, montou em um magnífico cavalo alado e em segundos estava voando, planando acima da noite de batalhas.

Bryce respirou fundo. Silene não havia mostrado as criaturas nas memórias anteriores, ou na travessia inicial para Midgard, mas lá estavam elas. Os pégasos nas esculturas dos túneis não eram, então, uma iconografia religiosa. E tinham vivido em Midgard por tempo o bastante para serem representados na arte antiga, como o friso do Balé da Cidade da Lua Crescente. Todos devem ter morrido, tornando-se nada mais do que mito e uma linha de brinquedos.

Mais uma coisa linda que Theia e suas filhas destruíram.

Os olhos de Helena se encheram de pânico quando ela se virou para Silene na memória.

Para escapar, valia a pena correr o risco de voltar ao nosso mundo natal, mesmo que os feéricos de lá talvez nos matassem por causa de nossas conexões com os asteri, por nossa tolice em confiar neles.

Helena agarrou a mão de Silene e arrastou-a para o outro lado do acampamento. Em direção ao pico coberto de neve à frente, a um arco natural de pedra. Um portal.

Mas não importava o quão rápido corríamos, não era o suficiente.

Muito abaixo, os feéricos subiam a montanha depressa. Não eram os inimigos que avançavam, eram os membros da corte que corriam até elas, depois de perceberem o que Helena e Silene estavam fazendo. Ainda brilhando com a magia da mãe, as duas princesas estavam no topo da encosta como faróis prateados na noite. As massas feéricas corriam até elas, carregando crianças pequenas nos braços, agasalhadas para se proteger do frio.

Bryce não aguentou aquela última atrocidade. Mas ela se obrigou a assistir. Pela memória daquelas crianças.

Nós não pararíamos. Nem mesmo pelo nosso povo.

Bryce era puro ódio ao ouvir as palavras de Silene, uma raiva tão violenta que parecia prestes a consumi-la, como chamas.

Helena ergueu o Chifre, levando-o aos lábios enquanto Silene dedilhava uma corda da Harpa. Uma luz trêmula e brilhante ondulou no arco, e então uma sala de pedra apareceu além dele, escura e vazia.

Foi quando os lobos nos encontraram. Os feéricos metamorfos que se aproximavam do outro lado da montanha, disparando pela neve. *Os asteri enviaram seus guerreiros mais ferozes para nos capturar.*

No fundo de sua mente, Bryce estava maravilhada ao ver aquilo: os lobos, os metamorfos... um dia já foram *feéricos*. Tão semelhantes ao tipo de feérico que Bryce era, mas ao mesmo tempo tão diferentes...

Ergui a Harpa de novo, disse Silene, a voz enfim engasgando de emoção, *mas minha irmã não fez soar o Chifre. E quando me virei...*

Silene fez uma pausa, encontrando Helena parada a poucos metros de distância. Olhando para o inimigo que avançava vindo da neve, dos céus. O povo agitado e desesperado que subia a encosta da montanha, clamando por seus filhos.

Helena olhou para as pessoas em fuga, para os lobos que se aproximavam. Ela se inclinou para Silene, dedilhou a corda mais curta e empurrou a irmã, ainda segurando a Harpa, para trás.

Ela usou a Harpa para me empurrar, encurtando a distância até o arco.

Silene pousou na neve, agora a centenas de metros entre ela e a irmã. Os lobos avançavam sobre Helena, abaixo dela.

Helena não olhou para trás enquanto descia a montanha, para longe da passagem. Para me fazer ganhar tempo. Mas eu demorei alguns instantes, olhando para ela, para os lobos que a perseguiam. E para nossa mãe, mais abaixo na montanha, agora em combate com Pelias, o cavalo alado jazendo morto ao lado dela.

O poder explodia de Pelias, um poder que eu nunca vira antes.

O poder atingiu a mãe dela — atingiu com tudo.

Até mesmo quem estava fugindo, parou e olhou para trás, para a figura deitada no meio do sangue. Para Pelias, abaixando-se para pegar a Áster.

Com um movimento fácil e quase gracioso da mão, ele enfiou a espada na cabeça de Theia.

Eu podia escolher. Entre ficar e vingar minha mãe, lutar ao lado da minha irmã... ou sobreviver. Fechar a porta atrás de mim.

Silene saltou através do portal em direção à câmara, dedilhando a Harpa enquanto avançava.

E enquanto eu caía entre os mundos... o Chifre soou.

Silene caiu, caiu e caiu, para baixo e para o lado. O lamento do Chifre foi interrompido de repente, e então ela ficou deitada desajeitadamente no chão de pedra, cercada pela escuridão.

Estava em casa.

Soluçando, Silene ficou de pé, a neve escorria de suas roupas. Bryce não sentia um pingo de dó das lágrimas que Silene derramava.

Não com os gritos que ecoavam pelas paredes. Através da pedra. O povo havia chegado até a passagem e agora batia na rocha, implorando para passar.

Silene tapou os ouvidos e se jogou no chão de novo. Agarrada à Harpa, pressionando-a contra o peito.

Mãe acima, abra!, rugiu um macho. *Temos crianças aqui! Leve as crianças!*

Bryce balançou a cabeça, sem conseguir falar de tanto horror, conforme os gritos e as súplicas diminuíam. Até pararem de vez. Como se fossem sugados pelas pedras daquele lugar, levando a neve derretida ao redor de Silene com eles.

— Sua maldita covarde — Bryce sussurrou, por fim. Sua voz falhou na última palavra. *Aquela* era a herança dela.

Um silêncio pesado tomou conta da câmara, interrompido apenas pelo som áspero de Silene enquanto se ajoelhava, embalando a Harpa.

Naquele momento, disse Silene, *eu só pensava em uma coisa: aquela história morreria comigo. Este mundo seguiria em frente, como se os feéricos que foram para Midgard nunca tivessem existido. Eles se tornariam um conto sussurrado ao redor da fogueira, sobre pessoas que haviam desaparecido. Foi a única coisa que consegui pensar em fazer para proteger este mundo. Para me redimir.*

Não adiantava nada. E, obviamente, Silene se beneficiaria ao esconder seu passado. Se não contasse para ninguém quem era ou o que sua família havia feito, não poderia ser punida. Muito conveniente. Quanta *nobreza*.

Silene analisou o local onde estava ajoelhada, a estrela de oito pontas no centro da sala era a única decoração.

Ela lentamente colocou a Harpa no topo da estrela. A neve ainda derretia em seus cabelos quando ela se levantou e secou as lágrimas, depois reuniu sua magia, o poder concentrado de sua luz. Ele cortou a pedra como uma faca corta manteiga quente — um laser.

Luz que não era apenas luz, pois os asteri podiam direcionar seu poder.

Silene esculpiu planetas, estrelas e deuses. Um mapa do cosmos. Do mundo que ela havia abandonado. Quando terminou, deitou-se ao lado da Harpa, encolhida ao redor da adaga embainhada na cintura.

Silene passou os dedos pela pedra, como se pudesse de alguma maneira alcançar a irmã através das estrelas. Uma semente de luz estelar começou a se formar na ponta de seu dedo...

A visão escureceu. Então o rosto de Silene voltou a aparecer, mais velha, cansada. Os olhos azuis claros a fitavam com firmeza. *Começo a perder minha força,* ela disse. *Espero que minha vida tenha sido vivida com sabedoria. Que eu tenha reparado os crimes, a tolice e o amor da minha mãe — e consertado as coisas. Fiz estes túneis, o caminho até aqui, para que existisse algum registro do que éramos, do que fizemos. Mas primeiro tive que apagar tudo isso da memória recente.*

Seu rosto desapareceu e mais imagens surgiram. Uma montagem mais rápida.

Silene, afastando-se da Harpa e atravessando os belos e vazios corredores de um palácio esculpido na montanha — *aquela* montanha.

Nossa casa havia ficado vazia desde o nosso desaparecimento. Como se os outros feéricos julgassem que estava amaldiçoada. Então fiz com que a maldição de fato existisse. Que se dane.

Ela vagou por salas que deviam ser familiares, parando como se estivesse perdida em suas lembranças. Quando gesticulou a mão, corredores inteiros foram cercados por pedras naturais. Gesticulou de novo e as salas ornamentadas com tronos foram engolidas pela montanha, até que restassem apenas as passagens subterrâneas, os calabouços e aquela câmara, lá embaixo.

Apesar dos meus esforços para esconder o que este lugar um dia foi, um poder antigo e terrível pairava no ar. Foi como minha mãe nos avisou quando éramos crianças: o mal permanecia ali, abaixo de nós, esperando para nos arrebatar em suas mandíbulas.

Então fui procurar outro monstro para escondê-lo.

Abaixo de outra montanha, bem ao sul, encontrei um ser cheio de sangue, raiva e pesadelos. Outrora um animal de estimação dos asteri, que estava escondido havia muito tempo, alimentando-se dos desavisados. Com a adaga e meu poder, preparei uma armadilha para ele. E quando veio cheirá-la, arrastei-o de volta para cá. Tranquei-o numa das celas. Protegi a porta.

Um após o outro, cacei monstros, os animais de estimação restantes dos daglan, até que muitas das salas mais baixas estivessem cheias deles. Até que minha outrora bela casa se tornasse uma prisão. Até que a terra ficasse tão enojada com o mal que reuni aqui, que as ilhas começaram a murchar e a terra se tornou árida. Os cavalos alados que não tinham ido com minha mãe para Midgard, que uma vez voaram pelos céus, brincando nas ondas... eles quase desapareceram. Não restou uma única alma viva, exceto as monstruosidades na montanha.

Bryce não sentiu piedade ou compaixão alguma. Não comprava esse discursinho de "para o bem de todos" de Silene. Fizera tudo aquilo para encobrir os próprios rastros, garantir que os feéricos deste mundo nunca soubessem o quanto ela, a mãe e irmã estiveram perto de condená-los. Como Silene e Helena *tinham* condenado os feéricos de Midgard, trancando-os para fora com seus filhos. Se tivesse mantido o portal aberto por mais alguns segundos, poderia ter salvado dezenas de vidas. Mas não foi o que ela fez.

Então que se foda a ladainha dela e para o Inferno com suas reparações.

Saí, vagando pelas terras por um tempo, vendo como as pessoas haviam seguido em frente sem o governo de Theia. Tinham se dividido em vários territórios e, apesar de não estarem em guerra, não eram mais aquele reino unificado que eu conhecia.

Vou pular os detalhes de como me casei com o filho de um Grão-Senhor. Dos anos antes e depois de ele se tornar Grão-Senhor da Noite, e eu, sua senhora. Ele queria que eu fosse Grã-Senhora, como eram as parceiras de outros senhores, mas me recusei. Tinha visto o que o poder fizera com minha mãe e não queria fazer parte disso.

No entanto, quando meu primeiro filho nasceu, quando o bebê chorou e o som era repleto de noite, eu o trouxe até a Prisão e coloquei as proteções em seu sangue. Ninguém sabia que a criança que às vezes brilhava com a luz estelar a herdara de mim. Que era a luz da estrela vespertina. A estrela do crepúsculo.

E esta ilha que se tornou árida e vazia... também pertencia a ele. Quando tinha idade para tal, contei o que havia deixado aqui para ele. Para que alguém pudesse acessar esse registro, para que soubesse dos riscos de usar os Tesouros e da ameaça dos asteri, sempre esperando retornar para cá. Eu me certifiquei de que ele soubesse que a arma enterrada de que precisaria para enfrentar os asteri estava aqui. Só pedi que não contasse para o pai, meu parceiro. Até onde sei, ele nunca contou. E prometeu que, um dia, contaria ao filho dele, e o filho contaria ao filho dele. Uma vergonha secreta, uma história secreta, uma arma secreta — tudo escondido em nossa linhagem. Nosso fardo a ser levado adiante, esculpido e recontado aqui para que, caso a história original fosse distorcida ou partes dela se perdessem no tempo... estivesse aqui, gravada nas pedras.

Nestha murmurou para Azriel.

— O Rhys... ele sabe?

— Não — respondeu Azriel sem a menor dúvida. — Em algum momento... tudo isso foi esquecido e nunca foi repassado.

Bryce não conseguia se importar. Ela sabia a verdade agora, e só conseguia pensar em voltar para casa, para Midgard, para compartilhar tudo aquilo com outras pessoas. Com Hunt.

Mas eu me certifiquei de que, para o restante do mundo, disse Silene, *minha mãe e suas terras não passassem de palavras sussurradas. Uma lenda. As pessoas se perguntavam se Theia havia de fato existido. A velha geração morreu. Eu me agarrei à vida, mesmo depois de meu parceiro ter falecido. Já idosa, criei mentiras para meu povo e as chamei de verdades.*

— Ninguém sabe o que houve com Theia e o general Pelias — eu dizia para incontáveis gerações. — Eles traíram o Rei Fionn, e Gwydion se perdeu para sempre, a adaga sumiu junto. — Mentia a todo instante.

— Theia e Fionn tiveram duas filhas. Sem importância, irrelevantes. — Essa talvez fosse a pior mentira de todas. Não pelo meu nome ter se perdido na história. Mas por também ter apagado a memória de Helena.

Bryce franziu a testa. Apagar o nome de sua irmã era pior do que massacrar famílias humanas?

Meu filho teve filhos e eu vivi o suficiente para ver meus netos terem seus próprios filhos. E então, voltei para cá. Para o lugar que antes era cheio de luz e música, e agora abrigava apenas terrores.

Para deixar este relato a alguém cujo sangue convocará, filho do meu filho, herdeiro do meu herdeiro. Para você, deixo minha história, sua história. Para você, nesta mesma pedra, deixo a herança e o fardo que minha própria mãe me passou.

A imagem ficou borrada e lá estava ela de novo. Aquele rosto velho e cansado.

Espero que a Mãe me perdoe, disse Silene, e o holograma se dissolveu.

— Bom, eu não perdoo — soltou Bryce, e mostrou o dedo do meio para o lugar onde Silene estivera.

22

A única coisa que Hunt pôde fazer foi assistir em desespero enquanto a Radiante Mão dos asteri entrava na câmara, seguido por Pollux e o Falcão, que notou a mão ainda pendurada nas correntes e riu.

— Igualzinho a um rato — provocou o Falcão — roendo um dos membros depois de ficar preso em uma armadilha.

— Vai pro caralho — xingou Baxian. O sangue de Ruhn cobria o seu rosto, pescoço e peito.

— Olha a boca — repreendeu Rigelus, mas não interferiu enquanto Pollux arrancava o atiçador de ferro de onde Ruhn ainda o segurava entre os pés. Ruhn, por sua vez, tentou segurá-lo, curvando as pernas para cima para prendê-lo mais perto. Mas enfraquecido e sangrando... não havia nada que pudesse fazer. Pollux o puxou com força, batendo com ele nas costas de Ruhn uma única vez, fazendo o príncipe grunhir de dor. Então usou o atiçador para tirar a mão decepada de Ruhn da algema.

Ela caiu no chão imundo com um baque nauseante.

Sorrindo, o Falcão a pegou como se fosse um brinquedo novinho em folha.

Observando os três, Rigelus disse, com a voz suave:

— Se eu soubesse que vocês estavam tão entediados aqui, teria mandado Pollux voltar antes. E pensar que eu achava que estavam cansados de sentir tanta dor.

Pollux caminhou até a alavanca, as asas brancas e brilhantes. Com um sorriso malicioso, o Martelo a puxou e fez com que os três caíssem pesadamente no chão.

A dor que dominou Hunt abafou o grito de Ruhn quando o príncipe caiu sobre o punho decepado.

Hunt respirou fundo, um momento naquele chão imundo para afundar na escuridão gelada do Umbra Mortis. Para ignorar a dor, a culpa, para se concentrar. Para erguer a cabeça.

Rigelus olhou para eles impassivelmente.

— Espero em breve ter mais informações sobre onde a Srta. Quinlan foi parar — sussurrou ele —, mas talvez você possa se sentir inclinado a conversar agora…

Ruhn cuspiu:

— Vai se foder.

Atrás de Rigelus, o Falcão abaixou os dedos da mão decepada de Ruhn até que apenas o do meio permanecesse em pé.

Hunt rosnou suavemente. O rosnado do Umbra Mortis.

Mesmo assim, Rigelus se aproximou de Hunt, com a jaqueta branca imaculada quase obscenamente limpa naquele lugar. Os anéis dourados em seus dedos brilhavam.

— Não fico nada feliz em ver você de novo com o halo e a marca de escravizado, Athalar.

— Halo — perguntou Hunt, tão firme quanto pôde — ou coroa preta?

Rigelus piscou — o único sinal de surpresa, mas o termo nitidamente atingiu a Radiante Mão.

— Tem conversado com sombras, não é? — sibilou Rigelus.

— Umbra Mortis e coisa e tal — disse Hunt. — Faz sentido para a Sombra da Morte.

Baxian riu.

Rigelus estreitou os olhos para o Cão do Inferno e depois se voltou para Hunt.

— Eu me pergunto até onde o Umbra Mortis iria para manter esses dois patéticos espécimes vivos?

— O que você quer, caralho? — rosnou Hunt. Pollux dirigiu a ele um olhar de advertência.

— Uma tarefa pequena — disse Rigelus. — Um favor. Não tem nenhuma relação com a Srta. Quinlan.

— Não dê ouvidos a ele, porra — murmurou Baxian, e a seguir deu um grito quando um chicote estalou, cortesia do Falcão.

— Estaria disposto a oferecer... uma pausa — disse Rigelus a Hunt, ignorando completamente o Cão do Inferno. — Se você fizer algo por mim.

Era disso que se tratava, então. Os místicos encontrariam Bryce; ele não precisava dos três para isso. Mas a tortura, o castigo... Hunt desejou que sua cabeça enevoada se tornasse mais límpida, para ouvir cada palavra. Para se agarrar ao Umbra Mortis que um dia fora, e que tão felizmente havia deixado para trás.

— Seu relâmpago é uma dádiva, Athalar — acrescentou Rigelus. — Uma das mais raras. É só usá-lo uma vez em meu nome, e talvez a gente possa encontrar alguns arranjos mais... confortáveis para vocês três.

Ruhn devolveu:

— Para fazer *o quê*?

— Um projeto paralelo meu.

Hunt retrucou:

— Não vou concordar com porra nenhuma.

Rigelus sorriu, triste.

— Achei que seria assim. Apesar de ficar desapontado ao ouvir isso. — Ele tirou do bolso uma lasca de pedra clara... um cristal. Ainda não cortado, do tamanho da palma da mão. — Vai ser mais difícil de extrair sem o seu consentimento, mas não será impossível.

O estômago de Hunt se revirou.

— Extrair o quê?

Rigelus se aproximou, com o cristal na mão. O asteri parou a poucos passos de Hunt, abrindo os dedos para que ele pudesse olhar o pedaço de quartzo.

— Um belo canal natural — disse a Radiante Mão, pensativo. — E um excelente receptáculo de energia. — Ele ergueu o olhar para Hunt. — Você pode escolher: ofereça-me uma parte do seu relâmpago e você e seus amigos serão poupados dos piores castigos.

— Não. — A palavra surgiu do fundo das entranhas de Hunt.

A expressão de Rigelus permaneceu suave.

— Então escolha qual dos seus amigos vai morrer.

— *Vai para o Inferno* — vociferou o Umbra Mortis, sem conseguir se segurar.

Rigelus suspirou, entediado e cansado.

— Escolha, Athalar: será o Cão do Inferno ou o príncipe feérico?

Ele não poderia. Não o faria.

Pollux sorria como um demônio, já com uma faca comprida na mão. Qualquer que fosse o amigo escolhido por Hunt, o Martelo prolongaria sua morte de forma dolorosa.

— Então? — perguntou Rigelus.

Ele iria fazer isso. A Radiante Mão o faria escolher entre seus amigos ou simplesmente mataria os dois.

E Hunt nunca se odiou tanto, mas colocou a mão para dentro, em direção ao relâmpago, suprimido e sufocado pelas algemas gorsianas, mas ainda lá, sob a superfície.

Era tudo o que Rigelus precisava. Ele pressionou o quartzo contra o antebraço de Hunt e a pedra cortou sua pele. Relâmpagos abrasadores e afiados como ácido saíram de Hunt, arrancados de sua alma, torcidos através dos limites das algemas gorsianas, extraídos centímetro por centímetro para dentro do cristal. Hunt gritou e teve uma percepção brutal: era isso que seus inimigos sentiam enquanto ele os esfolava vivos, o que Sandriel sentiu quando ele a destruiu e, ai, *deuses,* queimava...

E então parou.

Como um interruptor sendo acionado, apenas a escuridão o preencheu. Seu relâmpago mergulhou de volta nele, mas o cristal nas mãos de Rigelus agora brilhava, cheio do relâmpago que arrancara do corpo de Hunt. Como uma bateria de primalux... como a sobra de energia extraída durante a Descida.

— Acho que isso deve servir por enquanto — sussurrou Rigelus, guardando a pedra de volta no bolso. Ela iluminou o tecido escuro de suas calças e a garganta de Hunt se contraiu, a bile subindo.

A Radiante Mão se virou e disse ao Martelo e ao Falcão, sem olhar para trás:

— Acho que dois de três ainda vai ser um bom incentivo para a Srta. Quinlan retornar, não acha? O carrasco pode escolher.

— Seu desgraçado — Hunt sussurrou. — Eu fiz o que você pediu.

Rigelus caminhou até as escadas que levavam para fora da câmara.

— Se você tivesse concordado em me dar seu relâmpago desde o início, seus dois companheiros teriam sido poupados. Mas já que você me fez fazer todo esse trabalho... acho que precisa aprender as consequências de me desafiar, mesmo que por pouco tempo.

Baxian ferveu:

— Ele nunca vai parar de te desafiar... e nós também não, babaca.

Significou mais do que deveria o fato de o Cão do Inferno ter falado por ele. E também piorou tudo.

Da última vez que estivera ali, fora sozinho. Só tinha que suportar os gritos dos soldados. Fora devorado pela culpa, mas era diferente dessa vez. Era diferente estar ali com dois irmãos, suportando o sofrimento deles junto com o seu próprio.

Seria melhor se estivesse sozinho. Muito melhor.

Rigelus também sabia disso. Foi por isso que esperou tanto tempo para ir até ali, para que Hunt pudesse compreender melhor a situação em que se encontrava.

A Radiante Mão subiu os degraus com graça felina.

— Veremos do que Athalar está disposto a abrir mão quando realmente chegar a hora. Quando até o Umbra Mortis terá que definir seus limites.

* * *

O tempo de Lidia havia acabado. Se quisesse agir, tinha que ser naquele instante. Não havia margem para erro. Ela precisava dos prisioneiros prontos — de qualquer maneira.

Mas não dera mais do que dois passos para dentro do calabouço quando sentiu a respiração falhar, ao ver o cotoco onde a mão de Ruhn deveria estar.

O príncipe estava pendurado, inconsciente, nas correntes. Athalar e Baxian também estavam apagados. Todos os três, cobertos de sangue.

Pollux e o Falcão, ofegantes, sorriam como demônios.

— Você perdeu a diversão, Lidia — disse o Falcão, e ergueu...

Ergueu...

Aquela mão larga e tatuada... ela fora tocada pela mão de Ruhn. Naquele plano mental, alma a alma, aquelas mãos a acariciaram, gentis e amorosas.

— Muito bem — ela conseguiu dizer, embora gritasse por dentro. Arranhou as paredes do seu ser e gritou de fúria. — Qual de vocês ganhou o prêmio?

— O Baxian, na verdade — disse o Martelo, rindo. — Mastigou como o cachorro que é, na tentativa de se libertar.

Lidia se obrigou a virar o rosto. A olhar para o Cão do Inferno como se estivesse impressionada. Uma pequena parte dela estava. Mas a dor que Ruhn suportou...

Ela colocou a mão na barriga e seu estremecimento não foi totalmente fingido.

— Lidia? — perguntou o Falcão, as asas brancas farfalhando.

— Tá menstruada — respondeu Pollux por ela, a voz cheia de desdém.

— Estou bem — retrucou ela, para completar o show. O Falcão e Pollux trocaram olhares, como se dissessem *Fêmeas*. Ela tirou um estojo de veludo do bolso interno da jaqueta do uniforme. Quando o abriu, a primalux brilhou nas duas seringas presas dentro dele.

— O que é isso? — O Falcão deu um passo à frente, espiando as agulhas.

Lidia obrigou-se a sorrir para ele e depois para Pollux.

— É uma pena que Athalar e as asas do Cão do Inferno já não possam ser... alvo. Pensei em fazer com que elas voltassem.

Uma dose de poção de cura, misturada com a primalux, faria as asas deles crescerem de novo, dentro de um ou dois dias, mesmo sob o poder repressivo das algemas gorsianas. Se ela soubesse da mão de Ruhn, teria trazido três, mas agora não haveria como explicar casualmente a necessidade dela, não sem chamar muita atenção.

E ela precisava que Athalar e Baxian fossem capazes de voar.

Pollux sorriu.

— Inteligente, Lidia. — Ele apontou o queixo em direção aos anjos inconscientes. — Vai em frente.

Ela não precisava da permissão do Martelo, mas não protestou.

— Espere até que as asas tenham crescido — avisou a Pollux e Falcão —, para que eles possam saborear a esperança de ter suas asas mais uma vez antes de vocês encontrarem maneiras interessantes de removê-las novamente.

Athalar e Baxian estavam tão inconscientes que sequer sentiram a picada da agulha no centro da coluna. A primalux brilhou ao longo de suas costas, estendendo-se como raízes brilhantes em direção aos tocos de suas asas. As feridas curaram lentamente, mas ela havia ordenado à medbruxa que criou a poção que tecesse um feitiço direcionado para as asas. Se os dois fossem inteiramente curados, levantaria suspeitas.

Pouco a pouco, diante de seus olhos, os tocos nas costas deles começaram a se reconstruir, e tendões e ossos se uniram, multiplicando-se.

Lidia se afastou daquela visão horrível. Rezava para que se curassem a tempo.

— Eu assumo daqui — disse a Pollux e ao Falcão, caminhando até a estante.

— Achei que você estava aqui para curar os dois. — O Falcão olhou entre ela e os anjos.

— Só as asas — disse Lidia. — Por que não brincar com outras peças enquanto elas voltam a crescer?

O Martelo sorriu.

— Posso assistir?

— Não.

Ruhn se mexeu, gemendo baixinho, e ela precisou se segurar para não puxar uma das longas lâminas da prateleira e enfiá-la nas entranhas de Pollux.

— Você sabe que gosto de assistir — ronronou Pollux, e o Falcão riu. Que desperdício de vida. Ficava ali parado enquanto o Martelo cometia suas atrocidades sangrentas. Também tivera prazer em assistir durante aqueles anos com Sandriel.

Os olhos do Malleus brilharam de pura luxúria.

— Por que você não faz uma exibiçãozinha para nós?

— Caiam fora — disse ela, sem achar graça. Pollux podia fingir que estava no controle, mas sabia quem os asteri favoreciam. As ordens dela não deveriam ser ignoradas. — Não preciso de distrações.

O Falcão riu, mas obedeceu, saindo. Um verdadeiro subordinado, da cabeça aos pés.

O Martelo, porém, caminhou até ela. Com a gentileza de um amante, colocou a mão na lateral de seu pescoço. Então apertou com força suficiente para machucar quando disse contra sua boca:

— Vou te foder até arrancar essa insolência, Lidia. Esteja sua boceta sangrando ou não.

E subiu os degraus, a ira fazendo suas asas brilharem. Bateu a porta ao subir.

Lidia esperou, ouvindo. Quando se convenceu de que ambos tinham ido embora, ela puxou a alavanca, fazendo os prisioneiros caírem no chão, e correu para onde Ruhn estava esparramado.

— Levante. — Ela manteve a voz dura, fria. O príncipe abriu seus lindos olhos azuis.

Ela examinou seu rosto. *Ruhn.* Ninguém respondeu. Como se a dor o tivesse retalhado e esvaziado. *Ruhn, me escute.*

Você está morta para mim, respondeu ele. Parecia que ele também havia matado a conexão entre os dois. Mas Lidia ainda lançava seus pensamentos na mente dele.

Ruhn, não tenho muito tempo. Consegui fazer contato com pessoas que podem ajudar a tirar você daqui, mas a Harpia está prestes a ser ressuscitada e, quando isso acontecer, a verdade será revelada. Se meu plano der certo sem contratempos, se você quiser sobreviver, precisa ouvir...

Ruhn fechou os olhos e não os abriu mais.

* * *

O silêncio, pesado e insuportável, encheu a câmara abaixo da Prisão. Bryce olhou para a estrela de oito pontas, a repulsa percorrendo-a como uma torrente desagradável.

— Eles eram horríveis — disse, a voz áspera. — Monstros egoístas e imprudentes.

— Silene e Helena fecharam o portal — rebateu Nestha com cuidado.

O olhar de Bryce se voltou para a fêmea.

— Só depois de abri-lo de novo... para *escaparem.* Estava aberto porque elas queriam fugir. E deixaram todas aquelas pessoas para trás. Poderiam ter mantido a porta aberta um pouco mais, salvado todos eles. Mas Silene escolheu a si mesma. É uma *desgraçada.*

— O fato de o destino deles estar nas mãos de Pelias — objetou Azriel — explicaria porque precisaram agir tão rapidamente.

Bryce apontou para o lugar onde Silene estivera.

— Aquela *vadia* trancou as crianças para fora pra se salvar e depois tentou arranjar uma justificativa.

Não foi diferente do que os feéricos valbaranos tinham feito naquela primavera na Cidade da Lua Crescente, quando trancaram os inocentes fora de suas casas enquanto se encolhiam lá dentro, amparados por suas proteções.

— O que você... — começou Nestha, com um pouco de gentileza. — O que você esperava encontrar aqui?

— Não sei. — Bryce soltou uma risada amarga. — Pensei que talvez... talvez eles tivessem alguma resposta sobre como matar os asteri. Mas ela ignorou *essa* parte. Pensei que os feéricos de Midgard talvez tivessem se transformado nos babacas indecentes que são ao longo desses milhares de anos. Não que tivessem sido assim o tempo todo.

Ela esfregou o rosto, os olhos ardendo.

— Achei que ter a luz da Theia era... bom. Como se ela fosse de alguma forma melhor que Pelias. Mas ela não era. — E Aidas a *amava*? — Achei que isso talvez me desse uma vantagem nessa palhaçada toda. Mas não foi o que aconteceu. Isso significa apenas que sou a herdeira de um legado de um bando de conspiradores desgraçados.

E pior, aquele parasita nas águas de Midgard... O que poderia ser feito contra ele? Bryce respirou fundo, estremecendo.

Uma mão gentil pousou em seu ombro. Nestha.

— Precisamos contar ao Rhys — disse Azriel com a voz rouca. Como se ele ainda estivesse se recuperando de tudo que tinha ouvido. — Agora mesmo.

Bryce olhou para o rosto dele. A preocupação e determinação ali presentes. Tudo o que vira... era uma ameaça para este mundo, para as pessoas nele.

Azriel perguntou a ela com uma calma assustadora:

— O que aconteceu com o Chifre?

Bryce sustentou o olhar, fervendo de raiva. Já não dava nem mais para tentar inventar alguma mentira.

Mas Nestha disse:

— Ela *é* o Chifre, Azriel. Está tatuado na carne dela. — Nestha tirou a mão do ombro de Bryce e olhou para ela. — Não é? É a única explicação para sua tatuagem ter reagido daquele jeito antes.

Os olhos castanhos de Azriel brilharam com uma intenção predatória. Ele arrancaria aquela porra de Chifre das costas dela.

Se corresse para o túnel de saída... Eles disseram algo sobre sair dali e depois descer uma montanha.

Mas aquela corte ficava em uma ilha. Não conseguiria fugir deles.

Azriel começou a rodeá-la com uma precisão calculista, sem pressa. Bryce virava junto a ele, mantendo-o sempre à vista, mas, ao fazê-lo, deixava as costas livres para Nestha, que suspeitava ser a verdadeira predadora ali.

— Foi assim que você chegou a este mundo — continuou Nestha, recuando um passo, sem dúvida para poder puxar Ataraxia. — Por que você, e mais ninguém, pode vir. Por que você disse que ninguém seria capaz de te seguir até aqui. Porque só você tem o Chifre. Só você pode se mover entre os mundos.

— Você me pegou — disse Bryce, erguendo as mãos e fingindo se render, dando um passo para fora do alcance de Nestha. — Sou uma malvadona que salta pelos mundos. Como meus ancestrais.

— Você é um risco — disse Nestha categoricamente, os olhos assumindo aquele brilho prateado, um fogo sobrenatural.

— Já falei pra vocês uma centena de vezes que eu nem queria vir para cá...

— Não importa — disse Nestha. — Você *veio* para o lugar que, ao que parece, os daglan ainda desejam retornar.

— Os asteri precisariam do Chifre para abrir um portal. Eles podem me encontrar, mas não conseguem entrar.

— Mas você quer ir para casa — disse Nestha —, e para isso terá que abrir uma porta para Midgard. E se Rigelus estiver lá? Esperando para atravessar?

Bryce se virou para continuar encarando Azriel, mas...

Apenas sombras a cercavam.

Nestha a distraíra, o suficiente para que perdesse o foco e Azriel desaparecesse. Eles trabalharam em conjunto, de um modo silencioso e perfeito.

Não para atacar, ela se deu conta, enquanto uma sombra mais escura do que as que estavam ao seu redor corria para o túnel que atravessava a câmara. Mas para ir buscar reforços.

— Não! — Bryce estendeu a mão e a luz irrompeu de seus dedos. Ela bateu nas sombras de Azriel, fraturando a escuridão e revelando o guerreiro abaixo. Mas não foi o suficiente para interromper a corrida dele...

Ela precisava de mais poder.

A estrela de oito pontas aos pés dela brilhava. Como se sua magia tivesse feito algo dentro dela despertar. Como brasas queimando em cinzas agitadas. E se sua estrela não a estivesse guiando para o conhecimento, mas para algo... diferente? Algo tangível?

Semelhantes se atraem.

Para você, nesta mesma pedra, disse Silene, *deixo a herança e o fardo que minha própria mãe me passou.*

Este lugar, esta Prisão e a corte que um dia haviam sido eram a herança de Bryce. Para que ela comandasse, como Silene comandara.

E aquela lembrança, de Silene deitada ao lado da Harpa no meio desta sala, alcançando um dos entalhes com um núcleo de luz se formando em seu dedo...

Nesta mesma pedra...

Silene transformou seu antigo palácio e casa nesta Prisão. Ela deve ter imbuído alguma magia na rocha. Deve ter cedido parte de seu poder não apenas para mudar o terreno, mas para abrigar os monstros em suas celas.

Theia havia mostrado a ela como fazer isso. Naqueles últimos momentos com as filhas, Theia usou a Harpa para transferir magia de si mesma para Silene e Helena, para protegê-las. Aparecera na forma de uma estrela. Teria Silene feito o mesmo ali?

Seria possível que a Harpa, naquele momento em que Silene a alcançou, com o poder em mãos, tivesse conseguido transferir sua magia para este lugar?

... deixo a herança e o fardo que minha própria mãe me passou.

E exatamente como Theia deu seu próprio poder a Silene... talvez Silene, por sua vez, tenha deixado o mesmo poder ali, para ser reivindicado por um futuro descendente.

Um por um, velozes como estrelas cadentes, os pensamentos dominaram Bryce. Mais por instinto do que por qualquer outra coisa, ela caiu de joelhos e bateu a mão no topo da estrela de oito pontas.

Bryce penetrou as camadas de rocha e terra com sua mente — e ali estava. Repousando logo abaixo.

Não a primalux, não como ela conhecia em Midgard, mas o poder feérico de uma época anterior à Descida. O poder subiu em direção a ela através da pedra, como uma flecha brilhante disparada na escuridão...

Azriel bateu as asas e no mesmo instante estava no ar, voando em direção à saída do túnel.

Como um pequeno sol emergindo da própria pedra, uma bola de luz irrompeu do chão. Uma estrela igual àquela no peito de Bryce. Sua luz estelar enfim voltou a despertar, como se alcançasse com dedos brilhantes a estrela que pairava a centímetros de distância.

Com mãos trêmulas, Bryce guiou a estrela até aquela que brilhava em seu peito. Em seu corpo.

A luz branca irrompeu por toda parte.

Um poder, puro e antigo, queimava em suas veias. Seus cabelos se arrepiaram. Detritos flutuaram. Ela estava em todo lugar e em lugar nenhum. Era a estrela vespertina e os últimos raios de cor antes da escuridão.

Azriel quase chegou ao túnel. Outro bater de asas e ele seria engolido por sua boca escura.

Mas com um simples pensamento de Bryce, estalactites e estalagmites se formaram, aproximando-se dele. A sala se tornou um lobo, suas mandíbulas estalando em direção ao guerreiro alado...

A pedra se moveu para ela, assim como havia se movido para Silene.

— Pare ele — disse com uma voz que parecia demais a de seu pai, mais do que qualquer coisa que ela já tinha ouvido sair da própria boca.

Azriel correu em direção ao arco do túnel e bateu em uma parede de pedra. A saída estava selada.

Ele se virou devagar, as asas farfalhando. Sangue escorria de seu nariz devido à colisão frontal com a rocha que agora estava em seu caminho. Ele abriu as asas, preparando-se para uma luta.

A montanha tremeu, e a câmara com ela. Detritos caíam do teto. As paredes começaram a se mover, rochas raspando contra rochas. Como se o lugar que um dia estivera ali agora tentasse, a todo custo, emergir das pedras.

Mas Nestha correu em direção a Bryce, empunhando a Ataraxia, chamas prateadas envolviam a lâmina.

Bryce ergueu a mão e pontas de rochas surgiram do chão, uma após a outra, bloqueando o avanço de Nestha. A câmara estremeceu novamente...

— *Pare* — rugiu Azriel, algo parecido com pânico em sua voz. — As celas...

De longe, ela podia sentir: as *coisas* escondidas na montanha, a montanha dela. Criaturas perturbadas e miseráveis. Algumas estavam ali desde que Silene as prendera. Passaram todo o tempo pensando em fugir e em se vingar. Se restaurasse a montanha à sua antiga glória, elas conseguiriam sair.

E naquele momento, a montanha — a ilha — falou com ela.

Sozinha. Estava tão sozinha... esperando por ela esse tempo todo. Fria e à deriva naquele agitado mar cinzento. Se ela pudesse estender a mão, se pudesse abrir seu coração... ela poderia cantar de novo. Despertar. Havia um coração pulsante e vibrante trancado bem abaixo deles. Se ela o libertasse, a terra despertaria de seu sono, e tais maravilhas surgiriam novamente de sua terra...

A montanha tremeu mais uma vez. Nestha e Azriel pararam a três metros de distância, Ataraxia era uma luz resplandecente, a Reveladora da Verdade envolta em sombras. Áster permaneceu embainhada nas costas de Azriel; mas ela poderia jurar que vira a espada se contorcer. Como se pedisse que Azriel a tirasse dali.

Nestha avisou Bryce, com os olhos fixos na terra trêmula:

— Se você abrir essas celas...

— Eu não quero lutar com você — disse Bryce, a voz estranhamente vazia, como se a onda de magia que havia pegado com Silene tivesse esvaziado sua alma. — Não sou sua inimiga.

— Então deixe a gente te levar de volta ao nosso Grão-Senhor — retrucou Nestha. Ataraxia brilhou em resposta.

— Para quê? Para me trancafiar? Arrancar o Chifre da minha pele?

— Se for necessário — disse Nestha friamente, dobrando os joelhos, preparando-se para atacar. — Se for o que precisamos fazer para manter nosso mundo a salvo.

Bryce exibiu os dentes em um sorriso selvagem. Mais pontas de rocha surgiram do chão, apontando para Nestha e Azriel.

— Então venham me pegar.

Com um bater de asas, Azriel avançou na direção dela, rápido como uma pantera atacando...

Bryce bateu o pé. As pontas de pedra subiram mais alto, bloqueando o caminho dele. A luz azul dele brilhou, quebrando as pedras.

Bryce bateu o pé de novo, invocando mais lanças de pedra letais. Mas não havia sobrado nenhuma. Apenas um vasto e escancarado vazio.

Bryce teve apenas um segundo para perceber que havia literalmente um vazio abaixo de seus pés, antes que o chão sob eles desabasse.

23

Se os prisioneiros tinham feito algo tão drástico como arrancar a mão de Ruhn a mordidas, era porque estavam bem perto de perder a linha. O que deixava Lidia com pouquíssimo tempo e opções limitadas.

A alternativa de agora parecia a mais sábia e rápida. Teria que confiar que Declan Emmet tinha recebido a mensagem codificada que ela enviara através de seu labirinto seguro de canais e estava, naquele exato momento, desviando as câmeras.

A Senhora dos Místicos saiu correndo assim que Lidia passou pelas portas do salão úmido, decerto para reclamar com Rigelus pela chegada inesperada de Lidia. Ordenou que Lidia aguardasse na recepção.

Lidia esperou um tempo para garantir que a senhora de fato tinha saído, mas ignorou a ordem imediatamente.

— Irithys — disse Lidia para a duende deitada no fundo da bola de cristal. Enrolada de lado, a rainha permaneceu dormindo. Ou fingindo dormir. — Preciso da sua ajuda.

A Rainha Duende abriu um olho.

— Para torturar mais pessoas.

— Para *me* torturar.

Irithys abriu os dois olhos desta vez. Sentou devagar.

— O quê?

Lidia aproximou o rosto do cristal e disse baixinho.

— Há um anjo no calabouço. Hunt Athalar.

Irithys respirou fundo; ela o conhecia. Como não conheceria, sendo ela, de certa forma, também Caída? Apesar de Irithys não ter combatido na rebelião fracassada, era uma vítima das consequências: herdeira de um povo amaldiçoado, uma rainha escravizada no momento de sua coroação. Conhecia todas as principais peças dessa saga. Sabia de todas as decisões que levaram à punição que se espalhou por gerações de duendes.

— Ele começou a luta de novo. E nesta primavera uma duende se aproximou dele; ela morreu para salvar a parceira dele. O nome dela era Lehabah. Dizia ser descendente da Rainha Ranthia Drahl. — Assim como Lidia viu a filmagem de Athalar matando Sandriel, ela também testemunhou a resistência final da duende do fogo que salvou Bryce Quinlan. Rigelus considerou essencial que Lidia soubesse tudo a respeito da ameaça ao poder asteri.

Irithys arregalou os olhos com a menção da linhagem de sua rainha há muito falecida. A linhagem que acreditava-se ter desaparecido. A rainha cuja decisão de se rebelar ao lado de Athalar e seu arcanjo levara todos os duendes ao destino de serem escravizados, incluindo a própria Irithys. Mas perguntou, com tom indiferente:

— E?

Lidia continuou:

— Preciso que você me ajude a libertar Hunt Athalar e dois de seus companheiros.

Irithys ficou parada, a chama de um amarelo desconfiado.

— Isso é outro *aquecimento*?

Lidia não tinha tempo para mentiras nem brincadeiras.

— O aquecimento com Hilde foi um teste. Não para ver o que você poderia fazer, mas quem você é.

A rainha inclinou a cabeça. As chamas continuavam amarelas.

Lidia acrescentou:

— Para ver se você tinha tanta honra quanto eu esperava. Se era confiável.

— Para quê? — A duende cuspiu as palavras, faíscas de um vermelho vivo voando dela.

— Para me ajudar a criar uma distração... uma que pode salvar mais vidas do que aquelas três na masmorra.

Irithys fungou.

— Você é o animal de estimação de Rigelus. — Ela acenou com a mão ardente para os místicos que dormiam em seus tanques. — Não é melhor do que eles, obedecendo a tudo o que ele pede. Mentiriam se ele ordenasse. Até se afogariam se ele sequer sussurrasse uma ordem.

— Posso explicar mais tarde. No momento eu só tenho — ela engasgou — a minha palavra para oferecer.

— E as câmeras? — Irithys fitou os olhos sempre atentos, dispostos por todo lugar.

— Tenho pessoas ao meu serviço que garantiram que outro lugar está sendo exibido neste instante — disse Lidia, rezando para que fosse verdade.

E com um apelo para Luna, ela bateu na bola de cristal, dissolvendo-a. Ainda tinha os acessos que Rigelus concedera em seu sangue para abrir a bola. Ainda poderia fazer isso acontecer.

Ela pretendia usar a Rainha Duende para tentar derreter as algemas gorsianas de Ruhn, Baxian e Athalar, mas as coisas mudaram. Precisava de Irithys para algo muito maior.

Irithys estava ao ar livre, com os braços cruzados, agora com um tom laranja familiar e cauteloso.

— E isto? — Ela gesticulou para a tatuagem em seu pescoço.

Lidia disse baixinho, tão calma quanto conseguia:

— Fiz uma barganha com Hilde pela liberdade dela. Ela só precisa me fazer um favor quando chegar a hora e vai ser libertada.

Irithys inclinou a cabeça de novo.

— E a parte sobre eu torturar você...?

— Isso vem depois. Pra tornar tudo crível.

— Tornar *o que* crível?

Lidia deu uma olhada no relógio. Não tinha muito tempo.

— Preciso saber se você topa ou não.

A Rainha Duende não perdeu tempo. Lidia retribuiu o olhar dela, permitindo que a rainha visse tudo o que havia por baixo. A surpresa iluminou o rosto de Irithys... e ela assentiu devagar, adquirindo o tom rubi da determinação.

— Traga a bruxa — disse a rainha.

* * *

Hilde foi levada para baixo em poucos minutos. Os guardas não questionaram a Corça, e sua sorte persistiu, já que a senhora ainda estava reclamando com Rigelus.

Hilde olhou para Lidia enquanto estava diante da duende, a rainha livre de seu cristal e queimando em um vermelho vivo.

— E saio em liberdade assim que fizer esse favor pra você?

— Ninguém vai impedi-la.

Hilde avaliou a expressão de Lidia.

— Então o que é?

Lidia acenou com a cabeça em direção a Irithys.

— Desfaça o que você fez anos atrás. Remova a tatuagem do pescoço dela.

Hilde não demonstrou choque, nem sequer um lampejo. Em vez disso, olhou novamente de Lidia para a duende, que permanecia em silêncio e vigilante.

— Seu mestre não vai te punir por isso?

Lidia respondeu:

— Tudo o que faço é a serviço da vontade de Rigelus, mesmo que ele nem sempre consiga perceber. — Uma bela mentira.

Mas Hilde assentiu devagar, os cabelos finos e prateados brilhando com o vermelho das chamas de Irithys.

— Procurarei abrigo em minha Casa até que você consiga limpar meu nome oficialmente, então.

Lidia produziu uma chave para as algemas gorsianas da bruxa. Irithys fervilhava ao lado dela, agora em uma cor violeta tensa, quando a fechadura clicou.

As algemas da bruxa se soltaram.

Antes que caíssem no chão, Hilde se virou para Lidia, abrindo a boca num grito de fúria...

Lidia sacou a arma tão depressa que foi quase impossível de ver, e a pressionou na lateral da cabeça da bruxa.

— Calma aí.

— Você é um monte de lixo, uma traidora. Rigelus vai me dar uma bela recompensa quando eu contar tudo pra ele.

Lidia enfiou o cano da arma na têmpora da bruxa.

— Liberte a rainha agora, ou esta bala vai atravessar seu cérebro. E as algemas voltam.

A lesão seria permanente, com algemas gorsianas retardando a cura. A morte a encontraria quase no mesmo instante.

Hilde cuspiu, e um pedaço de catarro marrom-esverdeado respingou nos pés de Lidia.

— Quem garante que você não vai me matar depois?

— Juro pelo arco dourado de Luna que eu não vou te matar.

Houve alguns xingamentos mais intensos, além do juramento de sangue dos feéricos. Pareceu funcionar para a bruxa, que mostrou os dentes podres, mas disse:

— Tá bom.

Um aceno da mão deformada e algumas palavras entoadas e guturais e a tinta derreteu no pescoço de fogo de Irithys. Como uma chuva negra, espalhou-se por seu corpo azul flamejante, pingando nas pedras do chão.

E em seu rastro, à medida que clareava, a duende se acendeu em um brilho branco ofuscante.

Lidia baixou a arma da cabeça da bruxa.

— Como prometido.

Hilde zombou:

— E agora? Vou embora, sabendo que você tem algum esquema em andamento?

Lidia olhou para Irithys.

— Sua vez, duende.

Irithys sorriu e curvou um dedo pequeno e incandescente.

Hilde pegou fogo. A bruxa nem teve tempo de gritar antes de virar cinzas no chão. Em meio à fumaça acre que serpenteava pela sala, Irithys brilhava como uma estrela recém-nascida.

— E agora, Corça? — perguntou a Rainha Duende, brilhante como o próprio Solas.

Lidia estendeu o antebraço.

— Agora você faz com que pareça um acidente.

— O quê?

— Me queime. — Ela apontou as cinzas de Hilde com a cabeça. — Não assim, mas... o bastante. Precisa ser convincente, contarei aos outros que você usou poder demais em mim e na Hilde quando fui buscá-la para me ajudar a torturar mais os prisioneiros, e que depois você fugiu.

A chama branca de Irithys ficou amarela de novo.

— Fugi para fazer *o quê*?

— Criar uma distração.

— Vai doer.

Lidia sustentou o olhar da duende.

— Que bom. Para parecer de verdade, precisa doer.

Ela expôs seu plano para a rainha o mais rápido que pôde, explicando como navegar pelo caminho das câmeras desativadas para sair do palácio, onde se esconder e quando e onde atacar. E se de alguma forma, contra todas as probabilidades, ela conseguisse... expôs o que seria exigido de Irithys. Por mais absurdo e improvável que fosse.

Tudo dependia da rainha. Quando Lidia terminou, Irithys balançou a cabeça — não com recusa, mas com choque.

— Posso confiar em você? — perguntou Lidia à duende.

Irithys começou a brilhar de novo, de um branco incandescente.

— Você não tem outra escolha agora, não é?

Lidia estendeu o braço mais uma vez.

— Faça doer, Majestade.

* * *

Escuridão, detritos e poeira. Tosses e gemidos.

Pelos sons atrás dela, Bryce sabia que Nestha e Azriel estavam vivos. Em que estado eles estavam... Bem, ela não se importava com isso naquele instante.

O poder que extorquira daquele lugar, da própria Silene, vibrava através de seu corpo, familiar e ainda assim estranho. Fazia parte dela, não como uma carga temporária de Hunt, mas como algo que se *prendeu* ao poder dela, se alojou ali.

Os semelhantes se atraem. Como se a estrela dela soubesse que essa magia existia e a atraísse para ela, como se fossem poderes irmãos...

E eram. Bryce carregara a luz de Theia através da linhagem de Helena. E aquela luz... era a luz de Theia vinda de Silene. Duas irmãs, unidas por fim. Mas a luz de Silene, agora misturada à de Bryce...

Era luz, mas não era exatamente o mesmo poder que ela já possuía. Não conseguia entender, não tinha tempo para explorar suas nuances, enquanto se levantava e contemplava o leve brilho enchendo a câmara em que haviam caído. Aquela que ficava escondida um nível abaixo da estrela.

Um sarcófago feito de quartzo transparente estava no centro do espaço. E dentro dele, preservada em eterna juventude e beleza, jazia uma fêmea de cabelos escuros.

A mente de Bryce acelerou diante das possibilidades. O lugar já fora um palácio de asteri antes de Theia o reivindicar. E nos entalhes dos túneis, feitos por Silene para retratar os ensinamentos da mãe...

O mal esperava abaixo delas.

E se Silene nunca tivesse entendido direito o que Theia quisera dizer? Que não era apenas uma metáfora?

Que aqui, literalmente debaixo delas, dormindo no caixão esquecido...

Ali estava o mal, debaixo de seus pés.

24

A respiração de Bryce estava ofegante enquanto ela examinava o caixão de cristal no centro da câmara vazia.

Não havia portas dentro da sala. Pelo que conseguia entender, a única entrada era pelo teto que acabara de desabar sob eles.

No sarcófago de cristal, a fêmea se encontrava preservada com detalhes enervantes.

Não, não preservada. Seu peito magro subia e descia. Adormecida.

Os cabelos da nuca de Bryce se arrepiaram.

Tratava-se de uma das presidiárias que pediram que não libertassem da Prisão. Algum ser antigo e estranho mantido ali, em uma cela sob seus pés, tão perigosa que fora envolta em cristal...

Aquele caixão de cristal deixava ver as características da fêmea adormecida: humanoide, de pele clara e esbelta. O sedoso vestido dourado acentuava cada curva delicada de seu corpo.

Bryce nunca tinha visto uma pele tão pálida. Brilhava como uma lua cheia. Os cabelos escuros... eram escuros *demais,* de alguma forma. Não refletiam a luz. Aquilo não deveria existir na natureza.

E... ela estava usando batom? Ninguém tinha uma boca tão vermelha, tão vibrante. *Vermelho boquete,* Danika dissera uma vez quando Bryce usara um tom semelhante.

— O que você fez? — contestou Azriel asperamente, e Bryce se virou para encontrá-lo de pé, com as asas dobradas. Nestha encostada nele como se estivesse ferida, Ataraxia pendurada em suas mãos.

O macho agora segurava a Áster em uma das mãos e a Reveladora da Verdade na outra.

Ele devia ter algum tipo de sangue Estrelado... de algum ancestral distante, talvez. Ou pode ser que a faca, de algum jeito, permitisse que ele portasse Áster.

Como que em resposta à pergunta de Azriel, a fêmea no caixão abriu os olhos. Eles eram de um azul intenso — e *brilhavam.*

Bryce tentou se afastar, mas permaneceu congelada no lugar enquanto o olhar da fêmea deslizou em direção ao dela. Enquanto aqueles lábios vermelhos se curvavam para cima em um sorriso discreto sem alegria alguma. Quando a fêmea levantou a mão longa e esguia até a tampa do sarcófago de cristal, e disse:

— Me solte, escravizada.

Mesmo abafada pelo cristal, a voz era fria, impiedosa.

— Você perdeu o juízo de vez? — Nestha falou para Bryce, a voz cheia de raiva, enquanto mancava mais para perto.

— Eu não queria abrir uma cela... — Bryce começou.

— Essa não é uma das celas — avisou Azriel —, nem sabíamos que essa câmara existia.

A fêmea no caixão ignorou a discussão.

— Há quanto tempo estou dormindo? — Mais uma vez, ela empurrou o cristal de seu sarcófago.

Ou seria uma jaula?

Azriel disse para Bryce:

— Você sabia que ela estava aqui?

Bryce não tirou os olhos do caixão e do monstro dentro dele.

— Não.

A fêmea no caixão bateu na tampa, o baque abafado ecoando nas paredes escuras de pedra.

— Escravizada, faça o que estou mandando.

— Vai se foder — disparou Bryce em direção ao caixão.

— Você ousa me desafiar? — Através do quartzo, Bryce conseguia ver as narinas da fêmea enjaulada se dilatando. Sentindo cheiros. — Ah. Você é uma vira-lata. Escravizada e escravizada dos nossos escravizados. Não me admira que não tenha modos.

Nestha, elevando Ataraxia mais alto, perguntou com a voz rouca:

— O que *é* você?

As longas unhas da fêmea rasparam a tampa do caixão. Não olhou para eles enquanto testava a tampa em busca de pontos fracos.

— Eu sou sua deusa. Sua mestre. Não me reconhece?

— Não temos mestre nenhum — rebateu Bryce.

A unha da fêmea causou arranhados profundos no cristal, mas a tampa aguentou. Ela olhou além de Bryce, seu olhar caindo sobre Azriel. Seus lábios se curvaram.

— Um soldado de infantaria. Excelente. Mate esta fêmea insolente e me liberte. — Ela apontou para Bryce.

Azriel não se moveu. A fêmea enjaulada sibilou.

— Ajoelhe-se, soldado. Pague o Tributo para que eu recupere as forças e saia desta jaula.

Bryce então se deu conta. Se deu conta de qual mal tinha sido mantido neste caixão esse tempo todo.

Ao lado de Azriel, Nestha endireitou a postura. Como se ela também tivesse percebido. O movimento atraiu o olhar da criatura, e seus olhos brilharam de pura raiva. Ela olhou entre Nestha e Bryce, exibindo os dentes brancos ao perguntar, por fim:

— Foi Theia quem roubou o Chifre para você? Quem colocou isso em sua carne? — Seu olhar se voltou para Nestha. — E você... você está ligada às outras partes do Tesouro. Foi ela quem o entregou pra você?

— Não sei do que você está falando — disse Nestha categoricamente.

A criatura riu e falou devagar para Nestha.

— Posso sentir o cheiro deles em você, garota. Você não acha que um ferreiro conhece sua própria criação?

A boca de Bryce secou.

A fêmea no sarcófago era uma asteri.

* * *

Tharion não sabia o que dizer enquanto caminhavam pelos corredores do Mercado da Carne até o carro que supostamente os esperava num beco lateral. Nenhum deles sabia.

Ithan não falava desde quando abriu a garganta de Sigrid.

Foi um acidente. Tharion viu quando Ithan mirou o golpe no ombro de Sigrid, mas a fêmea se esquivou com tanta rapidez — e escolhendo a porra da direção errada, por puro azar — que o golpe se tornou fatal.

O silêncio dominou o ambiente enquanto Ithan olhava para o punho e as garras que perfuraram a garganta de Sigrid. A mão dele era a única coisa que mantinha seu corpo ereto enquanto seus olhos ficavam vazios...

— *Tire o punho* — ordenara a Rainha Víbora.

Parecendo fora de si, Ithan retraiu as garras e tirou a mão do pescoço de Sigrid.

Foi a indignidade final. Quando removeu as garras, cortou o que restava do fino pescoço.

E, ao puxar o punho ensanguentado para trás, o corpo dela caiu no chão do ringue... A cabeça de Sigrid rolou para longe.

Ithan ficou ali, encarando o que havia feito. E Tharion não conseguia encontrar palavras para dizer que todos tinham *visto* o que Holstrom pretendia fazer, todos sabiam que não fora intenção dele matá-la.

Os assassinos da Rainha Víbora estavam na porta do beco, mantendo-a aberta. Como prometido, um sedã preto estava estacionado ali.

Tharion deu um passo — apenas um — noite adentro antes que o cheiro doce e convidativo do Istros o atingisse. Todos os músculos e instintos de seu corpo ganharam vida, implorando-lhe que fosse até a água, que submergisse em sua selvageria e magia, que trocasse as pernas por barbatanas, que deixasse o rio ondular através de suas guelras, até seu próprio sangue...

Tharion ignorou a necessidade, a saudade. Continuou avançando em direção ao sedã, um pé após o outro.

Ainda em silêncio, eles entraram no carro. Flynn assumiu o volante, Dec deslizou para o banco do carona. Tharion se sentou no banco traseiro, logo atrás do macho que assumira esse fardo profano por ele.

— Você, ah... — Flynn começou enquanto ligava o carro e espiava por cima do ombro para sair do beco de ré. — Você está bem, Holstrom?

Ithan não disse nada.

Declan anunciou baixinho, olhando para o celular:

— Marc está cuidando das nossas coisas de família. Garantindo que todos estejam seguros.

Um consolo de merda.

Três luzes brilhantes atingiram o para-brisa e todos levaram um susto. Mas... as duendes. Tinham se esquecido das duendes.

Flynn abriu a janela e Rithi, Sasa e Malana entraram depressa. Sasa respirou, ouviu-se "*vai, vai, vai*", e Flynn não perdeu tempo questionando enquanto saíam do beco a toda velocidade. Mudou a marcha com suavidade e entraram na rua principal, disparando logo a seguir através do labirinto de ruas que Tharion pensara que nunca mais veria.

— O que está acontecendo? — Declan perguntou às duendes, que haviam se aninhado nos porta-bebidas na frente.

— Nós queimamos — disse Sasa, um laranja profundo.

— Queimaram *o quê*? — exigiu Flynn.

Tharion ficou boquiaberto quando Malana apontou pela janela traseira, para onde as chamas lambiam o céu noturno acima do Mercado da Carne.

— Ela vai te matar. — A voz de Tharion estava rouca. Como se tivesse gritado. E talvez tivesse. Não saberia dizer.

— Ela vai ter que nos encontrar primeiro — disse Rithi severamente, depois se virou para Ithan. — Ela planejou tudo isso. Ela usou você.

— Eu caí no jogo dela. — A voz de Ithan estava fraca, falhando.

Ninguém falou. Ninguém parecia inclinado a falar. Então Tharion imaginou que seria melhor perguntar:

— Como assim?

Ithan balançou a cabeça e olhou pela janela, o rosto inexpressivo, ainda manchado de sangue. E não disse mais nada.

Eles seguiram pela cidade, de alguma forma inalterada, apesar do que acabara de acontecer. Dirigiram até o Portão da Rosa e a Estrada Oriental além dele. Para a costa e para o navio que os estaria esperando.

E todas as consequências que se seguiriam.

* * *

Bryce recuou enquanto Azriel avançava um passo em direção ao caixão de cristal, a Reveladora da Verdade agora brilhando com luz preta em sua mão esquerda.

Bryce se deu conta de que já tinha visto a criatura vestida de ouro que dormia no caixão: quando Silene contou a história de sua mãe. A fêmea diante deles... era a asteri que governava ali. A senhora de Theia.

Os olhos azuis da asteri baixaram para a adaga.

— Você se atreve a sacar uma arma diante de mim? Contra aqueles que te criaram, soldado, da noite e da dor?

— Você não é minha criadora — respondeu Azriel friamente. A Áster brilhava na outra mão. Se o incomodavam, se o chamavam, não deixava transparecer. Nenhuma das mãos sequer se contraía.

Os olhos da asteri brilharam ao reconhecer a longa lâmina.

— Fionn mandou você, então? Para me matar durante o sono? Ou foi aquele traidor Enalius? Vejo que você carrega a faca dele... como seu emissário? Ou seu assassino?

As palavras devem ter significado algo para Azriel. O guerreiro fez um barulho discreto de choque.

— Fionn realmente nos enviou para acabar com você — mentiu Nestha, o tom de significativa ameaça. — Mas parece que agora teremos o prazer de te matar acordada.

A asteri sorriu de novo.

— Você vai ter que abrir esse sarcófago para me pegar.

Bryce sorriu de volta, exibindo todos os dentes.

— Fionn os enviou. Mas *eu* fui enviada por Theia.

Fogo azul fervia nos olhos da criatura.

— Aquela cadela traidora vai ver o que é bom assim que eu me livrar de você.

Azriel começou a se mover ao longo do caixão. Avaliando a melhor forma de atacar a asteri, sem dúvida.

— Para o seu azar — provocou Bryce —, Theia está morta há quinze mil anos. E o restante dos seus amiguinhos também. Seu povo não passa de um mito meio esquecido neste mundo.

Por um instante foi a vez da criatura ficar sem reação. Como se uma memória tivesse desaparecido, ela disse, mais para si mesma do que para eles:

— Theia estava tão simpática naquele dia. Disse que eu parecia cansada e que deveria me reabastecer no cristal aqui, acima do poço. Mas ela me selou aqui dentro. Para me deixar morrer de fome ao longo das eras. — Dentes brancos como a neve brilharam. — E nos meus sonhos, ela dançava nas pedras acima de mim. Dançava em cima do meu túmulo enquanto eu morria de fome sob seus pés.

— Me dê a Áster — murmurou Bryce para Azriel. A lâmina havia matado ceifadores. Talvez pudesse matar uma asteri. Talvez ela tivesse sido enviada até ali para aprender isso.

— Não — recusou Azriel —, foi você que trouxe esse terror para nós.

— Eu não fazia ideia que ela estava aqui...

— Escravizados, me soltem — interrompeu a asteri. — Estou ficando sem paciência.

Por que Theia não avisou as filhas que aquela coisa estava ali? Por que foi tão irresponsável, tão imprudente...

Et in Avallen ego. Mesmo ali, naquela ilha que tinha sido um paraíso durante o reinado de Theia, o mal existia. E Theia *tinha* avisado as filhas — que o mal espreitava sob os pés delas, esperando para agarrá-las. Literalmente.

A mácula dos asteri que governaram aqui, Silene afirmara, permanecia neste lugar... um poder antigo e terrível. O suficiente para que precisasse ser ocultado na Prisão repugnante. Silene só não se dera conta de que o motivo era um asteri ainda estar ali.

E naquele instante, contra todas as probabilidades, havia no lugar um elo vivo com o passado, com as respostas de que Bryce precisava. Se Urd a tinha guiado até aqui...

Bryce disse calmamente:

— Tenho perguntas a fazer. Se não me responder, ficarei feliz em deixá-la aqui até o fim da eternidade.

— Ah, este planeta estará morto bem antes que a eternidade termine. Sua estrela vai se expandir e expandir e, em algum momento, devorar tudo que estiver no caminho. Incluindo este mundo.

— Obrigada pela aula de astronomia.

Um sorriso lento.

— Vou responder suas perguntas... se você me libertar desta tumba.

Bryce sustentou o olhar.

— Não se atreva, porra — murmurou Azriel.

Mas ela estava sem tempo. A cada minuto, Hunt sofria. Tinha certeza que sim.

As próprias pedras e proteções daquele lugar haviam respondido à sua vontade...

Azriel se lançou sobre Bryce, mas ela já estava ao lado do caixão de cristal.

— *Levante-se, então.*

Um clique, alto como um estrondo, e a tampa foi destrancada.

25

Abrir o caixão foi tão fácil quanto ordenar que as pedras da montanha se movessem.

— O que você fez? — questionou Nestha, fogo prateado brilhando em seus olhos, descendo pela lâmina de Ataraxia.

A asteri colocou a mão na tampa destrancada do caixão e começou a empurrar.

Como Inferno ela enfrentaria essa coisa desarmada? Bryce estendeu a mão para Azriel, lançando sua vontade com ela.

A Áster voou da mão dele para a dela.

Azriel se assustou, sombras brilhando em seus ombros, preparando-se para atacar, mas Bryce disse:

— Theia me mostrou esse truque na pequena montagem de memórias da Silene. — Era essa a sensação que tinha, como se a lâmina a chamasse. Como se estivesse pronta para pular nas mãos dela.

Azriel exibiu os dentes, mas puxou outra espada que guardava em um coldre escondido em suas costas e ergueu a Reveladora da Verdade na outra mão enquanto Nestha erguia Ataraxia...

Bryce se virou para o caixão a tempo de ver a asteri sair devagar, como uma aranha nascendo.

O peito de Bryce fornecia a única luz, tornando a pele pálida do monstro ainda mais branca, deixando o tom vermelho de seus lábios quase roxo. Seus longos cabelos pretos caíam sobre sua forma esbelta, acumulando-se na pedra abaixo dela como noite líquida.

Mas ela permaneceu no chão, curvada sobre si mesma. Como se não tivesse forças para ficar de pé.

— Vá para a esquerda — murmurou Azriel para Nestha, o poder brilhando ao redor deles.

— Não — disse Bryce, sem olhar para trás enquanto se aproximava da asteri no chão e se sentava, colocando a Áster na pedra fria ao seu lado.

Para sua surpresa, Azriel e Nestha não atacaram. Mas eles permaneceram a apenas um passo de distância, com as armas em punho.

— Seus companheiros acham que você perdeu o juízo por me libertar — disse a asteri, cutucando uma mancha invisível em seu vestido de seda enquanto se acomodava em uma posição mais adequada, ainda sentada.

— Eles não se deram conta de que você não se alimenta há milhares de anos, e eu posso acabar com você.

— Sabemos disso — murmurou Nestha.

— Vamos começar com o básico, sanguessuga — disse Bryce à asteri. — Onde fez...

— Você pode me chamar de Vesperus — Os olhos da criatura brilharam de irritação.

— Você é parente de Hesperus? — Bryce arqueou uma sobrancelha ao ouvir o nome, tão parecido com o de um dos asteri de Midgard. — A Estrela Vespertina?

— *Eu* sou a Estrela Vespertina — irritou-se Vesperus.

Bryce revirou os olhos.

— Tudo bem, vamos chamá-la de Estrela Vespertina também. Feliz?

— Não combina? — Um aceno de dedos longos cobertos por unhas afiadas. — Eu bebi da magia da terra, e a magia da terra bebeu de mim.

— De onde você veio antes de chegar aqui?

Vesperus cruzou as mãos no colo.

— Um planeta que já foi verde, como este.

— E isso não era bom o suficiente?

— Nossa população aumentou demais. Guerras eclodiram entre os vários seres do nosso mundo. Alguns viram as mudanças na terra no início... rios secos, nuvens tão espessas que o sol não conseguia atravessá-las... e partiram. Nossas mentes mais brilhantes encontraram maneiras de dobrar a estrutura dos mundos. Para viajar entre eles. Viajantes, como os chamávamos. Andarilhos do mundo.

— Então vocês destruíram seu planeta e depois foram se alimentar dos outros?

— Tínhamos que encontrar uma forma de nos sustentarmos.

Os dedos de Bryce se curvaram contra o chão de pedra, mas sua voz permaneceu firme.

— Se vocês sabiam como abrir portais entre mundos, por que precisavam dos Tesouros Nefastos?

— Assim que deixamos nosso mundo natal, nossos poderes começaram a enfraquecer. Tarde demais, percebemos que dependíamos da magia inerente à nossa terra. A magia de outros mundos não era potente o bastante. Mas não conseguíamos encontrar o caminho de volta para casa. Quem se aventurou por aqui encontrou maneiras de amplificar esse poder, graças às dádivas da terra. Reunimos nosso poder e imbuímos esses dons no Caldeirão, para que operasse nossa vontade. Com isso, os Tesouros foram Feitos. E então, ligamos a essência do Caldeirão à alma deste mundo.

Solas.

— Então destrua o Caldeirão...

— E você destrói este mundo. Um não pode existir sem o outro.

Atrás delas, Nestha respirou fundo. Mas Bryce disse:

— Vocês colocaram um interruptor que mataria este mundo.

— Colocamos... interruptores em muitos mundos. Para proteger nossos interesses. — Ela falava com tanta calma, tanta segurança.

— Você conhece Rigelus?

— Você fala o nome dele com muita casualidade para um verme.

— Nós nos conhecemos bem.

Ela franziu os lábios de leve.

— Eu o conheci de passagem. Presumo que você queira matá-lo... e veio me perguntar como fazer isso.

Bryce não disse nada.

Vesperus lançou um olhar frio para ela.

— Não vou ajudar você com isso. Não vou revelar os segredos do meu povo.

— Foi por causa dessa compaixão que Theia não te matou?

Vesperus franziu a testa.

— Theia sabia que, para a minha espécie, esse tipo de punição seria muito pior que a morte. Estar confinada, mas viva. Não respirar, nem comer, nem beber... mas ficar meio adormecida, morrendo de fome. — Aquele brilho nos olhos dela... não era só raiva. Era insanidade. — Me matar teria sido um golpe de misericórdia. Theia não compreendia essa palavra. Eu a criara desde a infância para que não a compreendesse. De vez em quando, ela descia aqui e ficava olhando para mim... eu estava dormindo, mas podia senti-la ali. Cantando vitória. Convencida de que havia ganhado.

Um arrepio percorreu a coluna de Bryce.

— Ela manteve você aqui como um troféu.

O queixo de Vesperus se inclinou em um aceno de cabeça.

— Acredito que ela sentia prazer em me ver sofrer.

— Eu não a culpo — retrucou Bryce, ainda que sentisse o estômago se revirar. Theia poderia ter ajudado Midgard no fim das contas, mas não era melhor do que o monstro que a criara.

— Também tenho perguntas para você, vira-lata.

— À vontade — disse Bryce, balançando a mão.

— Se perdemos a guerra para Theia, se meu povo agora é um mero mito, como é que você conhece Rigelus tão bem? Os asteri ainda moram aqui?

— Não — respondeu Bryce. — Eu venho de outro mundo. Os asteri ainda estão no controle lá.

— Há quanto tempo os asteri governam?

— Quinze mil anos.

— Rigelus deve estar muito satisfeito consigo mesmo.

— Ah, está sim.

Mas a asteri olhou de Bryce para Azriel e Nestha atrás dela, erguendo as sobrancelhas.

— A vida é tão insuportável sob nosso governo que vocês precisam sempre nos desafiar?

Sim. Não. Para Bryce, a vida corria bem. Uma merda em certos aspectos, mas bem no geral. Entretanto, para tantos outros...

— Do que importa — continuou Vesperus, dirigindo-se mais uma vez a Bryce — se tirarmos um pouco do seu poder? O que você faria com ele?

— Importa o fato de mentirem para nós — respondeu Bryce. — Nosso poder não está à disposição de vocês. Sua supremacia é descontrolada e indevida.

— Existe uma ordem natural no universo, garota. Os fortes governam os fracos e os fracos se beneficiam disso. Tudo na natureza ataca e é atacado. Vocês, feéricos, de alguma forma só consideram isso uma afronta quando se aplica a vocês.

— Não vou debater a ética da conquista com você. Rigelus e os outros não têm direito ao meu mundo, mas envenenaram a água em Midgard... Ela está cheia de algum tipo de parasita que extrai nossa magia e exige que ela seja oferecida aos asteri. Como faço para desfazer isso?

Os olhos de Vesperus brilharam de satisfação.

— Queríamos muito algo que funcionasse dessa forma, em vez do Tributo, que exigia o *consentimento* — ela soltou a palavra como se tivesse um gosto ruim — de nossos súditos, mas nunca descobrimos como... O abastecimento de água, você diz? — Uma risada suave. — Rigelus sempre foi inteligente.

— Como eu desfaço, porra?

— Você parece achar que estou inclinada a ajudar, por mais que não vá receber nada em troca.

— Sei o que você quer e você não vai ter.

— E se eu dissesse que não tenho vontade de governar, só de viver?

— Você ainda seria uma sanguessuga, que precisaria se alimentar dessa gente. Não merece ficar livre.

— Existe um lugar nesta terra para criaturas como eu. Indesejadas. Chamam de Meio. Sonhei com isso, vi esse lugar durante meu longo cochilo.

— Essa decisão não é minha.

— Use a Coroa daquela escória Feita ali. — Vesperus apontou para Nestha com a cabeça. — Você poderia forçar um caminho para concretizar sua visão, limpando a mente daqueles que estão diante de você.

Bryce não fazia ideia do que Vesperus queria dizer, mas respondeu friamente:

— Vocês tiveram bastante tempo para arranjar justificativa para todas as suas ações, não é?

— Somos seres superiores. Não precisamos justificar nada.

— Você se encaixaria perfeitamente em Midgard.

— Se Rigelus está no poder há tanto tempo, então seu mundo está sob total domínio dele. Ele não vai abandonar vocês. Deve ter aprendido com os erros que meus companheiros e eu cometemos neste mundo e em outros.

Bryce cerrou os punhos. A força que precisava fazer para manter seu poder sob controle percorria seu corpo.

O olhar de Vesperus disparou para o punho brilhante de Bryce.

— Então é hora de lutarmos?

O poder da asteri vibrava, uma batida constante contra a pele de Bryce.

Vesperus não morrera, mesmo após tanto tempo privada de seu sustento mágico. O que aconteceria se aquele enorme núcleo de primalux sob o palácio dos asteri na Cidade Eterna fosse retirado, além de remover a fonte de nutrição deles? Não seria o suficiente.

Então Bryce deixou um pouco de seu poder brilhar na superfície. Ela poderia jurar que sua luz estelar estava... mais pesada. Diferente, de alguma forma, com o acréscimo do que ela havia reivindicado de Silene.

— Eu sei que vocês podem morrer — disse Bryce, e sentiu o poder brilhando em seus olhos. — Os feéricos já mataram vocês uma vez, seus malditos. E no meu mundo, Apollion comeu um de vocês.

— Comeu? — Vesperus pareceu menos satisfeita.

Bryce sorriu devagar.

— Eles o chamam de Comedor de Estrelas. Ele comeu Sirius. Ele está a postos, esperando para vir te comer também.

— É mentira.

— Queria poder te mostrar o trono vazio que Rigelus ainda mantém para Sirius. Chega a ser fofo.

— Que tipo de criatura é esse Apollion?

— Nós os chamamos de demônios, mas você devem os conhecer por algum outro nome. Sua espécie tentou invadir o mundo deles, o Inferno. Não correu bem para vocês.

— Então Inferno e este Apollion pagarão por tal sacrilégio — sibilou Vesperus.

— Olha, não acho que vai ser você a conseguir obrigá-los.

Os dedos de Vesperus bateram no joelho revestido de ouro. Seus olhos ficaram azuis como a noite, com a promessa de morte. Ela apoiou as mãos no chão e começou a empurrar para cima, para ficar de pé.

— Não se mexa — avisou Bryce, fechando a mão no punho da Áster. Azriel e Nestha apontaram suas lâminas para a asteri.

Mas Vesperus completou o movimento. Ficou em pé. Bryce não teve escolha a não ser fazer o mesmo. Vesperus cambaleava, mas permanecia de pé.

A asteri deu um passinho, testando. Bryce se manteve firme.

Vesperus deu mais um passo, agora mais firme, e sorriu para Bryce. Para Azriel, com a Reveladora da Verdade.

— Você não sabe como usá-la, não é?

Azriel apontou a adaga para a asteri que avançava.

— Tenho certeza que essa ponta é o que vou enfiar pelas suas entranhas.

Vesperus riu, os cabelos escuros balançando a cada passo que dava.

— Típico da sua espécie. Querem brincar com nossas armas, mas não têm noção do que elas podem fazer. Sua mente não conseguiria conter todas as possibilidades de uma vez.

Azriel grunhiu baixinho, abrindo as asas.

— Vamos ver, então.

Vesperus deu mais um passo, ficando a apenas trinta centímetros de Bryce.

— Posso sentir o cheiro... criamos tantas coisas aqui que não foram usadas. Tolos ignorantes.

Bryce deixou sua magia fluir. Um pensamento, e seus cabelos flutuaram ao redor da cabeça, levados mais uma vez pelas correntes de seu poder, ainda amplificado pelo que capturara na montanha. Ela inclinou a Áster diante de si, a luz ondulando ao longo da lâmina.

Vesperus recuou meio passo, sibilando para a arma reluzente.

— Escondemos nichos do nosso poder por toda essa terra, caso os vermes causassem... problemas. Parece que a nossa sabedoria não nos deixou na mão.

— Não tem nada disso por aqui — rebateu Azriel friamente.

— Não? — Vesperus abriu um sorriso largo, exibindo todos os dentes brancos demais. — *Você* olhou debaixo de cada montanha sagrada? Nas raízes delas? A magia atrai todo tipo de criatura. Posso senti-las, deslizando, alimentando-se da magia. *Minha* magia. Eles são tão vermes quanto todos vocês.

Bryce tomou o cuidado de não olhar para Nestha, que dava a volta no caixão de cristal. Nestha afirmara antes que o Verme de Middengard consumira seu poder. Seria esse o tipo de criatura que Vesperus mencionava?

E talvez mais importante: Nestha ainda estava enfraquecida? Ou seu poder havia retornado?

Bryce agarrou a Áster com mais força. O poder da espada reverberava nas palmas de suas mãos como as batidas de um coração.

— Mas por que armazenar seu poder *aqui*? É uma ilha... não é exatamente um lugar fácil de se acessar.

— Certos lugares, garota, são mais adequados para manter o poder do que outros. Lugares onde o véu entre os mundos é tênue e a magia irrompe naturalmente. A nossa luz prospera nesses ambientes, sustentada pela magia regenerativa da terra. — Ela gesticulou ao redor deles. — Esta ilha é um lugar tênue... as brumas ao seu redor assim o declaram.

Bryce continuou, dando a Nestha mais tempo para se aproximar de Vesperus.

— Não temos nada parecido em Midgard.

Mas será que não tinham? O Quarteirão dos Ossos, cercado por névoas impenetráveis, continha toda a secundalux.

— Todo mundo tem pelo menos um lugar tênue — falou Vesperus devagar. — E sempre há pessoas mais adequadas para explorá-lo... para reivindicar seus poderes, para viajar através deles para outros mundos.

A Fenda do Norte também estava envolta em bruma, Bryce percebeu. Um espaço entre mundos — um lugar tênue. E a margem do rio onde ela pousara neste mundo... também estava envolta em bruma.

— Theia tinha o dom — disse Vesperus —, mas não entendia como reivindicar a luz. Fiz questão de nunca ensinar durante seu treinamento... como ela poderia iluminar mundos inteiros, se quisesse, se aproveitasse o poder para amplificar o seu próprio. Mas você, Ladra de Luz... ela deve ter passado o dom para você. E parece que você aprendeu o que ela não conseguiu.

Vesperus olhou para os seus pés descalços, para a rocha por baixo.

— Theia nunca descobriu como acessar o poder que guardei embaixo do meu palácio. Ela não teve escolha senão deixá-lo ali, enterrado nas veias desta montanha. Azar o dela... sorte a minha.

Ah, deuses. Havia uma porra de um núcleo primalux ali, bem abaixo dos pés dela...

Vesperus sorriu.

— Você devia ter me matado quando teve a chance.

A luz subiu pelas pernas da asteri, penetrando em seu corpo. Um flash ofuscante e então...

A boca vermelha de Vesperus abriu-se de alegria e triunfo, mas não saiu nenhum som. Apenas sangue escuro.

Bryce piscou com o barulho. O jato molhado. O brilho prateado que apareceu entre os seios brilhantes de Vesperus.

A primalux que subia pelo corpo da asteri estremeceu. E desapareceu.

Nestha enfiara a Ataraxia bem no peito de Vesperus.

26

Ithan não merecia existir. Respirar.

E, no entanto, ali estava ele, sentado no assento de um carro se aproximando das docas de Ionia. Ali estava ele, rezando para que a Corça não tivesse entregado todos eles e para que o navio estivesse à espera para levá-los a Pangera.

Matador dos seus. Assassino. Os pensamentos ecoaram em seus ossos.

Ithan matara a única que poderia conduzir os lobos valbaranos a um futuro diferente, uma alternativa a Sabine.

Não importava que tivesse sido acidental. Ele havia rasgado o pescoço dela. E, ao remover o punho, a decapitara.

Para salvar os amigos, fizera uma coisa indescritível e imperdoável. Ele não era melhor do que a Corça.

Ithan teve um vislumbre de seu reflexo na janela do carro e se virou depressa.

* * *

Ataraxia havia matado o Verme de Middengard. Mas não havia indicação de que a lâmina também fosse capaz de matar uma asteri. Que qualquer coisa, em qualquer mundo, seria capaz, a não ser Apollion.

— *Saia de perto...* — Bryce avisou Nestha, mas a guerreira rosnou para Bryce.

— Ela estava fazendo você falar até ter a oportunidade de te matar com aquela luz escondida, sua idiota.

Sangue escuro escorria dos lábios de Vesperus.

— Você é mesmo uma idiota, garota.

O poder escapou das mãos de Bryce quando Vesperus colocou a mão na ponta da Ataraxia e a empurrou. A espada perfurou seu peito. O movimento foi forte o suficiente para Nestha tropeçar, o choque empalidecendo seu rosto.

Vesperus se virou devagar. Sorriu para Nestha. Então para o buraco entre seus seios, já cicatrizando. Toda aquela primalux era uma magia de cura de ponta. Quando absorvida em uma dose tão grande...

— A Ataraxia não funcionou — Nestha sussurrou, o choque ainda estampado em seu rosto. — O Tesouro...

— *Não* invoque o Tesouro — ordenou Azriel. — Não traga ele para perto dela.

Nestha balançou a cabeça.

— Mas...

— *Nem mesmo para salvar nossas vidas* — alertou Azriel.

— Ah, vou pegar o Tesouro em breve — disse Vesperus, e olhou para o buraco acima de seu caixão, para a câmara em ruínas além.

Por um instante, Bryce não estava na tumba, mas sim no Antiquário Griffin. Em um piscar de olhos, estava na biblioteca abaixo da galeria, Micah mantido sob controle, Lehabah implorando para que ela fosse...

Ela encontrou uma forma. Ela matou um maldito arcanjo.

Havia duas lâminas que praticamente gritavam para serem usadas por ela. Bryce estendeu a mão de novo, cheia de sua vontade, para Azriel. E assim como a Áster, a Reveladora da Verdade voou das mãos dele. Ele tentou agarrá-la, mas nem mesmo seus rápidos movimentos conseguiram detê-la. Para interromper Bryce enquanto a faca voava em direção aos seus dedos.

O cabo da adaga pousou na mão dela, frio e pesado.

O corpo da fêmea começou a zumbir. Como se ter uma lâmina em cada mão — a Áster e a Reveladora da Verdade — a eletrizasse.

Bryce deu um passo em direção a Vesperus, que recuou um pouco. Como Bryce suspeitava que iria fazer.

Atrás dela, Nestha e Azriel lançaram raios gêmeos de magia, um prateado e um azul, formando um arco em direção a Vesperus, vindos de duas direções. Dividindo a atenção de Vesperus por um segundo...

Segundo esse que Bryce usara para matar Micah.

Segundo esse que agora usava para atacar a asteri, com a espada em uma das mãos e a faca na outra.

Os ossos colidiram com o metal e Vesperus gritou de raiva quando Bryce mergulhou a Reveladora da Verdade e a Áster em seu peito.

Bryce jogou seu poder na Áster, a luz percorrendo a lâmina escura, desejando que ela destruísse esse maldito monstro...

Ela colocou o desejo na Reveladora da Verdade, e as sombras fluíram...

E onde as duas lâminas se encontraram, onde a luz de Bryce se fundiu, poder encontrou poder.

Os sons ficaram abafados. Magia como um relâmpago surgiu através dela, vinda dela. A câmara ondulou, um *estrondo* contido ecoou por Bryce.

Seu sangue rugiu, uma fera uivando para a lua. Estava vagamente consciente de um brilho, de uma luz radiante que fluía através da Áster, a adaga...

Vesperus se debateu, saindo do alcance de Bryce e caindo de joelhos.

A asteri se curvou, as mãos agarrando o cabo das lâminas. Ela sibilou quando sua pele tocou o metal preto.

— Vou te *matar* por isso.

Mas as palavras eram lentas... arrastadas.

Não, era o *tempo* que estava desacelerando, ondulando, como acontecera com Micah, como se as lâminas estivessem matando a asteri, uma presença de grande poder no mundo...

Um chicote de magia azul disparou pelo mundo, uma fita de cobalto perfurando a primalux e a escuridão. Ela podia ver cada laço e espiral enrolado no pescoço de Vesperus.

O tempo voltou, acelerando até seu ritmo normal.

— Pare! — gritou Bryce, mas já era tarde demais.

Vesperus levou a mão ao pescoço enquanto a luz azul de Azriel se dissolvia em sua pele. Ela deu uma risada estrangulada enquanto o sangue vazava de sua boca.

— Ainda tão ignorante. Seu poder é e sempre será meu.

A magia azul apareceu na ponta dos dedos dela, absorvida pelo ataque illyriano. Ela a envolveu em uma das mãos como uma luva e agarrou o cabo da Áster.

Como se isso fornecesse a barreira de que precisava, permitindo que tocasse a lâmina, Vesperus arrancou a Áster e a deixou cair nas pedras, coberta de sangue.

Não... não tinha funcionado. A espada e a adaga unidas não a mataram.

Com a mão brilhando em azul, Vesperus olhou para a faca ainda em seu peito e depois sorriu para Bryce enquanto ela envolvia os dedos, ainda cercados de relâmpagos, em torno do cabo.

— Vou entalhar você com isso, garota.

Nestha girou Ataraxia na mão e a ergueu. Azriel gritou para ela:

— Jogue seu poder na lâmina!

— *Não*! — gritou Bryce. A Áster e a Reveladora da Verdade haviam enfraquecido a asteri. Se ela conseguisse descobrir como amplificar aquele poder, poderia matar todos eles...

Vesperus tinha acabado de arrancar a Reveladora da Verdade de seu peito com suavidade quando a Ataraxia cortou carne e ossos, sangue escuro — ou qualquer que seja o icor que fluía nas veias de um asteri — espirrando.

A cabeça escura de Vesperus caiu nas pedras.

A Ataraxia foi envolvida por fogo prateado enquanto Nestha enfiava a lâmina na cabeça caída da asteri. De novo. E de novo. Icor e luz vazavam do corpo despedaçado, e, entre uma facada e outra, o braço de Nestha desacelerou, desacelerou, desacelerou...

Era o tempo desacelerando de novo. Bryce podia ver cada faísca de chama prateada que circundava a lâmina refletida nos olhos de Nestha.

A espada desceu pela última vez na cabeça de Vesperus. Centímetro por centímetro, quebrando ossos e espalhando sangue...

O tempo voltou ao normal, mas Vesperus não.

Vesperus, a única asteri que restara naquele mundo, estava morta.

* * *

Havia um pequeno barco esperando por eles. Até ali, tudo certo.

Tharion não suportava olhar para Ithan. Nem para qualquer um dos amigos, nem mesmo para as duendes, que tanto fizeram por ele.

O capitão acenava, uma ordem silenciosa para que se apressassem enquanto ainda estavam protegidos pela escuridão. O amanhecer estava começando a tornar o céu cinza.

Abandonaram o carro no final do cais e caminharam rapidamente em direção ao pequeno barco. Uma vez que estivessem no *Cargueiro das Profundezas*, não poderiam mais ser rastreados, mesmo que a Rainha Víbora tivesse seguido o carro até ali.

Tharion enfiou a mão no bolso e tocou a pedra branca que invocaria o navio. Dec, Flynn e as duendes pularam no barco, Dec conversava baixinho com o capitão, mas Holstrom parou na beira do cais.

Tharion se aproximou dele em silêncio.

As águas eram claras, mesmo a seis metros de profundidade. Ele poderia saltar ali, deleitando-se com a água fresca do oceano...

Não ousou enviar uma onda pelas águas do mundo anunciando sua presença. Covarde.

Flynn os chamou:

— Vamos, idiotas!

Tharion olhou para Ithan, mas o lobo fitava o horizonte a leste. O sol nascente.

— Preparado? — perguntou Tharion.

— Tenho que voltar — disse Holstrom asperamente.

— O quê? — Tharion se virou para ele. — Como assim?

O lobo lentamente se virou para encará-lo, o olhar sombrio. Tharion sentiu o peso da culpa pelo que havia feito com esse macho, ao fazer Holstrom lutar por ele.

— Para a Cidade da Lua Crescente — disse Ithan, a expressão impassível —, tenho que voltar.

— Por quê?

— Holstrom! Ketos! — Dec gritou enquanto o motor do barco girava.

Ithan apenas disse baixinho.

— Para fazer a coisa certa.

Um tremor de músculos e uma onda de luz, e a forma humana se transformou em um enorme lobo.

— Ithan... — Tharion começou.

O lobo se virou e correu pelo cais, de volta ao campo árido, dourado à luz crescente.

Flynn gritou:

— Holstrom, mas que *merda*!

Mas o lobo já havia chegado à costa. Depois, ao edifício principal da marina. Então ao beco ao lado... e por fim desapareceu.

O silêncio dominou, interrompido apenas pelo ronco do motor. Tharion se virou para o barco, para os dois amigos a bordo, as duendes brilhando como três pequenas estrelas entre eles.

— Que porra foi essa? — exigiu Flynn.

Tharion balançou a cabeça, sem dizer nada, e subiu no barco.

Era tudo culpa dele. Ergueu o rosto para o céu enquanto o barco avançava em direção ao mar aberto e se perguntou se algum dia veria Valbara de novo.

Se merecia vê-la.

27

Bryce não conseguiu se mover por alguns instantes. Vesperus estava morta.

Nestha moveu a mão e o corpo da criatura queimou com o estranho fogo prateado.

Quando a asteri foi reduzida a cinzas, Bryce pegou a espada e a faca do chão, ambas as lâminas pingando com o sangue de Vesperus.

Ela se virou para Nestha e Azriel.

— Você não deveria ter matado ela. Se a gente conseguisse mantê-la sob controle, poderíamos arrancar muitas informações...

— Você faz ideia do que quase fez aqui? — Nestha se enfureceu, coberta pelo icor escuro de Vesperus. Ela ainda segurava Ataraxia, como se ainda não tivesse decidido se havia parado de matar. — Do que causou?

— Acredite em mim, eu sei melhor do que vocês o que os asteri podem fazer.

— Então você tem ainda menos desculpas para suas ações — rebateu Nestha. Sua espada subiu.

Azriel estendeu a mão cheia de cicatrizes para Bryce, ofegante.

— Abra a passagem daqui. Você vai voltar com a gente. Agora mesmo.

Para aquela cela sob uma montanha diferente. Onde ela não tinha dúvidas de que seria submetida ao interrogatório que Vesperus deveria ter recebido.

Bryce bufou.

— Para o Inferno que eu vou. — Detritos começaram a flutuar ao redor dela. — Você matou a única pessoa aqui que poderia ter me dado a resposta que eu precisava.

— Você está procurando um jeito de matar os daglan. Bom, *eu* acabei de matar aquele monstro — disse Nestha. — Essa resposta não basta?

— Não — disse Bryce — Você só me deixou com muito mais dúvidas.

Ela deixou seu poder fluir da estrela em seu peito. Do Chifre em suas costas.

— Não se *atreva* — avisou Azriel com uma suavidade letal.

Mas Bryce empurrou parte de seu poder. Afiado e certeiro, como Silene havia usado para esculpir as pedras. Como Azriel havia concentrado seu próprio poder na estrela dela antes.

A luz cortou a pedra e chiou, uma linha literalmente desenhada aos pés de Azriel.

O que quer que tenha mudado em seu poder com a adição da magia de Silene... Porra. Seria bem útil.

— Não vou contar de vocês para eles — disse Bryce friamente, ainda que parte dela estivesse maravilhada com o laser que havia criado a partir da mais pura magia. Outra parte dela estremecia ao ver aquilo, o poder estranhamente semelhante ao que Rigelus usara contra ela antes de saltar através do Portão do Palácio Eterno. — Juro pela vida do meu parceiro. Mesmo que Rigelus... — Ela balançou a cabeça. — Não direi uma palavra a eles sobre este lugar.

Azriel se atreveu a passar um pé por cima da linha que ela havia lançado no chão.

— Eles vão arrancar essa informação de você. Pessoas como eu, como eles... sempre obtemos as informações de que precisamos. — Seu olhar escureceu com a promessa de uma dor sem fim.

— Não vou deixar chegar a esse ponto — afirmou Bryce, e enviou seu poder abrasante pela estrela de novo, direto para o sarcófago de cristal.

Cristal como o Portão que abrira o caminho para este mundo.

O sarcófago brilhou... e depois escureceu num buraco.

— Por favor — pediu Azriel, seu olhar fitando as mãos dela. A Áster... e a Reveladora da Verdade. Algo parecido com pânico encheu seus olhos castanhos.

Balançando a cabeça, Bryce recuou em direção ao buraco que havia feito no mundo. No universo. Rezava para que aquilo a levasse até Midgard.

Ela olhou nos olhos de Nestha. Um furioso fogo prateado tremeluzia ali.

— Você é um monstro, igual a eles — acusou Nestha.

Bryce sabia. Ela sempre soube.

— É que o amor faz isso com a gente.

Chamas prateadas rugiram na direção dela como um maremoto, mas Bryce já estava saltando, as lâminas em mãos enquanto se movia. Um frio como nunca sentira antes passou por sua cabeça, sua coluna...

E então a luz da chama prateada de Nestha se apagou quando o portão se fechou acima de Bryce, nada além de escuridão cercando-a enquanto ela mergulhava cada vez mais fundo no poço.

De volta para casa.

PARTE II

A PROCURA

28

Pollux e o Falcão já tinham ido embora há horas, junto de Rigelus, e Hunt não estava mais perto de saber quem eles escolheriam para matar. Apostava em Baxian, mas havia uma boa chance de Pollux perceber que Bryce ficaria arrasada se matassem Ruhn. Se Bryce algum dia voltasse para casa para receber a notícia.

Ele ficou surpreso e transtornado quando recuperou a consciência e percebeu um peso familiar crescendo em suas costas. Bastou olhar para Baxian e descobrir a origem: de alguma forma, as asas de ambos cresciam novamente em alta velocidade, apesar das algemas gorsianas. Alguém deve ter injetado algo neles para acelerar essa cura — não que isso fosse um bom sinal.

Ele se perguntou se seus captores teriam se dado conta de que uma coceira que nunca vai embora seria uma tortura tão terrível quanto chicotes e ferros. Rangendo os dentes e tentando ignorá-la, Hunt se contorceu, arqueando a coluna como se fosse ajudar a aliviar aquela sensação implacável. Ele daria qualquer coisa, qualquer coisa, por uma coçadinha...

— Orion. — A voz de Aidas soou em sua cabeça, na câmara. Um gato com olhos semelhantes a uma pedra opala azul estava agachado no chão, em meio ao sangue e aos resíduos. O mesmo que Rigelus usara para enganar Hunt meses antes.

— Aidas... ou Rigelus? — resmungou Hunt.

Aidas era inteligente o bastante para entender que Hunt precisava de provas. O príncipe demônio disse:

— A Srta. Quinlan me conheceu em um banco do parque fora do Templo do Oráculo quando tinha treze anos. Perguntei a ela o que cega um Oráculo.

Então era ele mesmo, e não algum truque do asteri.

— Bryce — Hunt gemeu.

— Estou procurando por ela — informou Aidas. Hunt seria capaz de jurar que o gato parecia triste.

— O que Rigelus quer com o meu relâmpago?

A cauda de Aidas balançou.

— Então é por isso que ele está se esforçando tanto para destruir você.

— Ele ameaçou matar um dos dois se eu não desse alguns relâmpagos. — Hunt apontou para Ruhn e Baxian com a cabeça.

Aidas ficou indignado.

— Não faça isso, Athalar.

— Tarde demais. Ele já colheu um pouco em um cristal como primalux. E o filho da puta vai mesmo assim matar um dos dois.

Os olhos azuis de Aidas se encheram de preocupação, mas o príncipe não disse nada.

Então Hunt perguntou de novo:

— O que ele quer com o meu relâmpago?

— Se eu tivesse que adivinhar... Diria que pelo mesmo motivo pelo qual o relâmpago de Sofie Renast era procurado: ressuscitar os mortos.

A cabeça de Hunt girava.

— Meu relâmpago não faz esse tipo de coisa. A gente nem sabia que o relâmpago da Sofie fazia isso.

Aidas ficou sem reação.

— Bom, ao que parece, Rigelus acha que ambas as fontes de relâmpagos são capazes de fazer isso.

— Como você chegou a essa informação? *Nós* não tínhamos descoberto, e passamos semanas tentando encontrar informações a respeito da Sofie. — Hunt tentou afastar a confusão em sua mente. Não, ele sabia que aquilo não era possível.

— Eu não fico sentado esperando você entrar em contato comigo — argumentou Aidas. — Meus espiões ouvem os rumores sussurrados em Midgard... e quando julgo algum preocupante, vou investigar.

— Então a Rainha do Rio estava à caça de Sofie para... se meter com necromancia? Por que não ir até o Quarteirão dos Ossos?

— Não sei o que a Rainha do Rio queria.

Hunt vasculhou a memória em busca do que acontecera com o cadáver de Sofie depois que o encontraram no necrotério a bordo do *Cargueiro das Profundezas*. O que Cormac fizera com ele? Ainda estava no navio? E se sim, a Rainha do Oceano sabia o que tinha em mãos?

Ele fervilhava de dúvidas, mas uma se destacou.

— Não teria sido mais fácil para Rigelus ir atrás do corpo de Sofie? Por que se dar ao trabalho de vir atrás de mim?

— Você surgiu de forma bastante conveniente para ele, Athalar. Sem mencionar o fato de que você está vivo e é mais fácil de ser comandado do que um cadáver.

— Conheço alguns arcanjos que teriam opiniões diferentes sobre isso.

A boca de Aidas se contraiu para cima, mas ele respondeu:

— Deve levar algum tempo até que Rigelus descubra como manejar o relâmpago que extraiu de você. Mas devo admitir que fico... aflito em saber desse novo experimento dele. Não é um bom presságio para nenhum de nós se Rigelus estiver se envolvendo com os mortos.

— Por que agora? — perguntou Hunt. — Pelo amor de Urd, faz séculos que estou escravizado.

— Vai ver eles finalmente descobriram o que seu pai criou você para ser.

Até mesmo a terrível coceira nas costas foi esquecida diante dessas palavras.

— Que *caralhos* isso quer dizer?

Mas Aidas apenas balançou a cabeça.

— Essa história fica para outra hora, Athalar.

— Essa história fica para *agora,* Aidas. Menções enigmáticas sobre meu pai, a *coroa preta,* segredos sobre meus poderes...

— Não querem dizer nada, se você não sair desses calabouços.

— Então pare de surgir das sombras e encontre uma chave.

— Não posso. Meu corpo não é real aqui.

— Foi bastante real no apartamento de Quinlan.

— Aquilo era um portal, uma convocação. Isto aqui está mais para... uma ligação de celular.

— Então mande um dos seus amiguinhos através da Fenda do Norte para nos ajudar...

— Fica longe demais de Nena. Eles não chegariam a tempo de fazer alguma diferença. Você vai ter as respostas que quer, Athalar, eu prometo. Se sobreviver. Mas se os asteri conseguirem usar seus relâmpagos para ressuscitar os mortos, de um jeito mais rápido e menos limitado do que na necromancia tradicional, então os exércitos que poderão criar...

— Você não está ajudando com que eu me sinta melhor por ter cedido um pouco do meu poder para eles. — Mais um pouco de culpa para sobrecarregar a alma dele. Não sabia como ainda não tinha se deixado destruir pelo peso de tudo aquilo.

— Tente não ceder mais, então. — Mas Aidas olhou com pena para ele. — Sinto muito que um dos seus amigos vá morrer amanhã.

— Porra — disse Hunt com voz rouca. — Você faz ideia de quem eles escolheram?

Aidas inclinou a cabeça, mais felino do que principesco. Como se conseguisse ouvir coisas que Hunt não ouvia.

— Aquele cuja morte causará um impacto maior em você e na Bryce. — Hunt fechou os olhos. — O príncipe feérico.

Tudo aquilo era culpa de Hunt. Não havia aprendido nada desde os Caídos. E estaria em paz de aceitar sozinho a punição, mas que outros tivessem que ser punidos, que Ruhn...

— Sinto muito — disse o Príncipe do Desfiladeiro de novo, e parecia estar falando sério.

Mas Hunt pediu, a voz rouca:

— Se você a encontrar... se a vir de novo... diga para ela...

Não voltar. Não ousar entrar neste mundo de dor, sofrimento e miséria. Que ele estava muito arrependido por não ter parado com tudo.

— Eu sei — disse Aidas, sem precisar que Hunt concluísse antes de desaparecer na escuridão.

29

Bryce tinha caído entre os mundos. E ainda assim, quando pousou, bateu com tudo contra uma parede.

Pelo visto, as viagens interestelares mágicas não levavam a física em consideração.

Estava com a cabeça latejando e a boca tão seca que chegava a doer. As fibras ásperas de um tapete arranharam sua bochecha, abafando os sons de um espaço fechado. Estava seco e um pouco mofado. O cheiro era familiar.

— Olha só que interessante — falou devagar uma voz masculina na língua dela. Era o som mais maravilhoso que Bryce já tinha ouvido.

Embora talvez fosse melhor se as palavras tivessem vindo de alguém que não fosse o Rei Outonal.

Ele pairava sobre ela, as mãos envoltas em chamas. Acima dele, um planetário dourado estalava e zumbia. Tinha ido parar no escritório particular do pai.

Os lábios do Rei Outonal se curvaram naquele familiar sorriso cruel.

— E por onde *você* esteve, Bryce Quinlan?

Bryce abriu a boca, o poder se reunindo...

E se extinguindo.

— Você se move rápido para um velho maldito — resmungou ela, fazendo força contra as algemas gorsianas em seus pulsos. Ao menos não havia nenhuma corrente presa a elas, só os punhos das algemas. Mas era o bastante. Bryce não conseguiu sequer invocar um lampejo de luz estelar.

O pai sabia. Ele caminhou até a gigantesca mesa de madeira como se tivesse todo o tempo do mundo.

Naqueles segundos iniciais, quando pousou ali, no pior lugar da porra do mundo todo, ele não apenas havia anulado o poder dela com aquelas algemas — também a havia desarmado. A Áster e a Reveladora da Verdade estavam agora atrás dele, na mesa. Junto com o celular dela.

Bryce ergueu o queixo, embora permanecesse sentada no chão.

— Ruhn e Hunt estão vivos?

Algo parecido com desgosto lampejou nos olhos do Rei Outonal. Como se tais laços mortais devessem ser a menor das preocupações dela.

— Coloque suas cartas na mesa, Bryce Quinlan.

— Achei que agora meu nome fosse *Bryce Danaan* — provocou ela.

— Em detrimento da linhagem, sim — disse o Rei Outonal com os olhos faiscando. — Onde você esteve?

— Estava rolando uma liquidação no shopping com amostras grátis — ironizou Bryce, a voz monótona. — *Ruhn e Hunt ainda estão vivos?*

O Rei Outonal inclinou a cabeça, o olhar percorrendo a camiseta imunda e a legging rasgada dela.

— Fui informado de que você não estava mais neste planeta. Aonde você foi?

Bryce se recusou a responder.

O pai deu um sorriso discreto.

— Posso ligar os pontos. Você chega de outro mundo carregando uma adaga que combina com a Áster. A adaga da profecia, não é? — Os olhos dele brilharam de ganância. — Que não era vista desde as Primeiras Guerras. Se eu fosse adivinhar, diria que você conseguiu chegar a um lugar que desejo ir há muito tempo. — Ele olhou para o planetário.

— Talvez você queira pensar duas vezes antes de fazer as malas — disse Bryce. — Eles não curtem muito gente babaca.

— Essa viagem não mudou em nada sua língua afiada, pelo que vejo.

Ela sorriu com uma dose extra de doçura.

— Você continua sendo um belo de um escroto, *pelo que vejo*.

O Rei Outonal franziu os lábios.

— Eu teria cuidado se fosse você. — Ele saiu da mesa e caminhou em direção a ela. — Ninguém sabe que você está aqui.

— Fazer a filha de refém: que paizão.

— Você é minha convidada aqui até que eu tome a decisão de libertá-la.

— Que vai ser quando? — Ela piscou os cílios com exagerada inocência.

— Quando tiver as garantias que procuro.

Bryce tamborilou no queixo em contemplação.

— E que tal assim... você me liberta e eu não te mato por me atrasar?

Uma risada baixa e provocadora. Como a mãe um dia amara esse réptil de sangue frio?

— Já reforcei as proteções por toda a casa e mandei os criados e guardas embora.

— Isso quer dizer que vamos ter que cozinhar por conta própria?

A intensidade no rosto dele não diminuiu.

— Ninguém vai nem saber que você está de volta a este mundo até eu achar que está na hora.

— E aí você vai contar para os asteri? — O coração dela pareceu parar de bater. Não podia deixar isso acontecer.

O pai sorriu de novo.

— Isso só depende de você.

* * *

Ithan correu sem parar até o portão leste da Cidade da Lua Crescente, a milhares de quilômetros do cais em Ionia, onde deixara Tharion e os outros.

Dê orgulho ao seu irmão.

Não conseguiu entrar no barco. Ketos podia ter a habilidade de ignorar as consequências das próprias ações, mas Ithan não.

Dourada pelo sol poente, a Cidade da Lua Crescente continuava agitada como sempre, sem saber o que ele havia feito. Como tudo havia mudado.

Ele seguiu o caminho dos covardes pela cidade, cortando caminho pela CiRo em vez de ir direto até o Istros pelo Bosque da Lua. Se encontrasse outro lobo naquele instante...

Ele não queria saber o que faria. O que diria.

Em meio à agitação da hora do rush, ele não era ninguém, mas ainda assim se mantinha nos becos e nas ruas laterais. Não olhou para o Portão do Coração ao passar por ele, nem se permitiu olhar para o leste, em direção ao antigo apartamento de Bryce e Danika, quando passou por lá.

Olhou apenas para a frente, em direção ao rio que se aproximava. Em direção ao Cais Preto no final da rua.

Apesar de a multidão caótica estar se locomovendo pela noite no resto da cidade, o Cais Preto se encontrava silencioso e vazio, envolto em névoa. Algumas pessoas no cais choravam nos bancos ali perto, mas não havia ninguém no deque de fato.

Ithan não conseguia olhar com mais intensidade para a névoa, em direção ao Quarteirão dos Ossos. Rezou para que Connor não estivesse olhando para ele do outro lado do rio.

Ithan mudou para sua forma humanoide antes de caminhar um quarteirão em direção ao oeste ao longo do cais. Ithan sabia onde ficava a entrada... todo mundo sabia.

Ninguém nunca ia lá, lógico. Ninguém se atrevia.

A enorme porta preta ficava no meio de um prédio de mármore da mesma cor — uma fachada. O edifício fora feito tendo em mente um rebuscado mausoléu. A porta era o foco, a principal razão de sua existência: conduzia não para dentro do prédio, mas para baixo dele.

Ninguém fazia guarda na porta. Ithan supunha que não era necessário. Qualquer um que quisesse roubar este lugar era merecedor de tudo o que enfrentaria do lado de dentro.

Marcas antigas e toscas cobriam a porta preta. Como arranhões esculpidos por unhas desumanas. No centro, uma gravura de um crânio humanoide com chifres envolto em chamas olhava para ele.

Ithan bateu em seu rosto detestável uma vez. Duas vezes. O metal rangeu com força.

A porta se abriu, silenciosa como um túmulo. Do outro lado, apenas a escuridão esperava, uma escada longa e reta rumo ao breu.

Poderia muito bem ser o Inferno em Midgard.

Ithan não sentiu nada, não era nada, ao entrar. Enquanto a porta se fechava atrás dele, selando-o em uma noite sólida e interminável.

Trancando-o dentro da Casa de Chama e Sombra.

30

Se o Rei Outonal estava de fato preparando as refeições, então Bryce tinha que admitir que não era um mau cozinheiro. Frango assado, vagem e um pouco de pão fatiado esperavam na mesa de mármore da vasta sala de jantar.

Ao que parecia ela havia chegado por volta das três da tarde de uma sexta-feira. Isso foi tudo o que conseguiu arrancar dele enquanto a levava do escritório para um quarto no segundo andar. Não disse qual era a data, nem mesmo o mês. Ou ano.

Sentiu arrepios de náusea. Hunt ficara preso nos calabouços dos asteri durante *anos* da última vez... Ainda estaria lá? Estaria sequer vivo? E Ruhn? E a família dela?

Não havia nada no quarto que a ajudasse a responder a essas perguntas. O local era uma mistura elegante — ainda que sem graça — de mármore e móveis estofados em vários tons de cinza e branco. O pai queria que ela fosse isolada do mundo, e assim o fez: sem televisão. Sem celular — nem mesmo telefone fixo. Um glamour brilhava nas janelas do chão ao teto, com vista para um jardim interno de lavanda, bloqueando a visão de olhares indiscretos. Uma espiada em direção ao céu mostrou uma bolha iridescente que pairava sobre o lugar inteiro — proteções. Como aquelas que os feéricos estabeleceram para bloquear o território durante o ataque da primavera.

Mas eram os gritos suplicantes dos pais feéricos enquanto Silene os trancava fora de seu mundo natal, deixando os filhos entregues à crueldade dos asteri, que ecoavam na cabeça de Bryce.

E ali, sentada do outro lado da enorme mesa de jantar com o pai, horas depois, após tomar banho e vestir uma calça jeans, uma camiseta e uma jaqueta esportiva azul-marinho colada à pele que ele entregara a ela — e que esperava, de todo coração, que não fossem coisas que alguma peguete tivesse deixado para trás —, Bryce perguntou:

— Então esse é seu plano? Me deixar trancada aqui até que eu morra de tédio e te conte tudo? Ou a ideia é me privar de informações para que eu conte qualquer coisa em troca de alguma mínima notícia sobre Hunt?

O pai cortava o frango com uma precisão que servia para informá-la como costumava lidar com os inimigos. Mas ele suspirou.

— Seus anfitriões no outro mundo devem ter uma boa tolerância para bobagens desrespeitosas, se você ainda está viva.

— A maioria das pessoas chama isso de charme.

Ele tomou um gole de vinho.

— Quanto tempo você ficou lá?

— Eu quero saber do Ruhn e do Hunt.

Ele tomou outro gole.

— Uma péssima tentativa de me pegar de surpresa e me fazer responder.

— Sabe, só sendo um escroto de primeira para reter uma informação dessas.

Ele largou o vinho:

— Eis como isso vai funcionar: para cada pergunta minha que responder, *você* vai receber uma resposta para uma das suas perguntas. Se eu achar que está mentindo, você não recebe resposta nenhuma.

— Sabe, acabei de jogar esse jogo com alguém ainda mais horrível que você... chocante, eu sei... e não acabou nada bem para ela. Acho melhor você pular a parte de perguntas e respostas e dizer logo o que quero saber.

Ele se limitou a encará-la. Poderia ficar sentado ali a noite toda.

Bryce bateu o pé no chão de mármore, pesando as opções.

— Tá bom.

— Você foi mesmo para o mundo natal dos feéricos?

— Sim.

Um músculo se retorceu na mandíbula dele.

— Athalar e Ruhn ainda estão vivos.

Bryce tentou não deixar seu alívio transparecer.

— Há quanto tempo...

Ele ergueu um dedo.

— Minha vez.

Babaca.

— Como era o mundo deles?

— Não sei... Só vi uma cela e alguns túneis e cavernas. Mas... parecia livre. Dos asteri, pelo menos. — E então, porque sabia que ele ficaria irritado com isso, acrescentou: — Os feéricos de lá são mais fortes do que nós. Os asteri pegam uma parte do nosso poder através da Descida... isso os alimenta, os sustenta. Nesse outro mundo, os feéricos mantêm todo seu poder, da forma mais pura.

Ela era capaz de jurar que o rosto dele empalideceu, mesmo sob o lisonjeiro brilho dourado dos lustres de ferro pendurados no teto. Isso a deixou mais satisfeita do que achou que ficaria.

— Por quanto tempo eu fiquei fora? — perguntou ela.

— Cinco dias.

O tempo passava de forma semelhante nos dois mundos, então.

— E...

— O que você descobriu enquanto estava lá?

Como responder? Dizer a verdade para ele...

— Ainda estou processando.

— Essa não é uma resposta aceitável.

— Aprendi — retrucou ela — que a maioria dos feéricos, não importa em que mundo estejam, são um bando de idiotas egoístas.

Ele ergueu as sobrancelhas.

— É mesmo?

Ela cruzou os braços.

— Digamos que conheço uma fêmea que poderia varrer cuzões como você do mapa sem nem suar a camisa.

E ainda assim Nestha não tinha feito isso com Bryce. Tinha pensando que fora por sorte, mas seria possível que a fêmea tivesse se contido? Nestha não era nada parecida com Silene ou Theia.

Não fazia mais diferença agora, mas ainda assim Bryce ficou com a pulga atrás da orelha.

— Isso ainda não responde à minha pergunta. Deve ter algum motivo para você ter ido parar naquele mundo... o que aprendeu?

— Primeiro que eu fui parar lá por acidente. E em segundo lugar, *tecnicamente* eu respondi à sua pergunta, então seja mais específico na próxima vez.

Algo sombrio e letal passou pelo rosto do pai dela.

— Como...

Bryce ergueu um dedo de forma zombeteira.

— O que aconteceu depois que eu saí?

Os olhos cor de uísque do pai brilharam de raiva com a visão daquele dedo, que transmitia o poder e a insistência do direito de falar. Deveria ser uma visão ainda mais irritante quando vinda de uma fêmea.

Mas ele pareceu conter a raiva e disse, cheio de presunção, como se estivesse saboreando a má notícia tanto quanto ela fizera, ao anunciar:

— Os asteri jogaram Athalar e o seu irmão nos calabouços, e conseguiram fazer com que outros não soubessem o que se passou no palácio. Só informaram aqueles de nós que precisavam saber. — Ele terminou o vinho. — Você trouxe esses feéricos de volta para Midgard?

— Você *viu* algum feérico chegar aqui comigo? — Ele não precisava saber que ela não partira em bons termos. Azriel poderia muito bem tê-la matado se ela tivesse ficado mais um pouco.

Bryce apoiou os antebraços na mesa, as algemas gorsianas batendo no mármore frio.

— Então já tem cinco dias que você sabe que Ruhn está no calabouço dos asteri e não fez nada para ajudá-lo?

— Ruhn merece tudo o que está por vir. Ele escolheu o próprio destino.

Ela cerrou os punhos, as unhas cravando na palma da mão.

— Puta que pariu, mas ele é seu filho.

— Posso ter outros.

— Não se eu te matar primeiro. — Uma névoa branca familiar dominou a visão dela.

O pai sorriu, como se percebesse a fúria primitiva da feérica — mas uma raiva sobretudo humana.

— Você é tão parecida com a sua mãe. — Ele sorriu. — Não quer saber onde *ela* foi parar?

— Sei muito bem que você não conseguiria deixar de me contar se algo tivesse acontecido. Teria um prazer enorme em fazer isso. Por que os asteri mantiveram Hunt e Ruhn vivos?

— Acredito que é a minha vez.

— Acredito que é a *minha* vez. *Não quer saber onde* ela *foi parar?* conta como uma pergunta, babaca.

O pai piscou os olhos, como se, mesmo que a contragosto, achasse aquilo divertido — e tivesse ficado impressionado.

— Certo, então.

— Por que eles mantiveram Ruhn e Hunt vivos?

— Imagino que para usar os dois contra você, apesar de não poder ter certeza. — Ele se serviu de mais vinho, a luz fraca do sol que entrava pelas janelas fazendo o líquido brilhar como sangue fresco. — Fale mais dessa faca... é aquela das nossas profecias, a irmã da Áster?

— A própria. Eles a chamam de Reveladora da Verdade. — Ele abriu a boca de novo, mas ela bateu os dedos na mesa. O melhor a fazer seria explorar o terreno, ter uma ideia de onde estariam possíveis aliados, se tinham sobrevivido. — A quantas anda a Ophion?

— Nenhum ataque desde o do laboratório. Estão bem desfalcados. Para todos os efeitos, a Ophion acabou.

Bryce reprimiu um tremor.

O Rei Outonal voltou a beber do vinho. Nesse ritmo, beberia a garrafa inteira antes de o pôr do sol acabar.

— Como a Reveladora da Verdade foi parar nas suas mãos?

— Eu a roubei. — Ela deu um sorriso discreto ao ver a careta de desgosto dele. — E os meus outros amigos... estão todos vivos?

— Se você considerava o traidor do Cormac como amigo, então não. Mas o restante deles, pelo que ouvi, estão vivos e bem. — Bryce ficou abalada. Cormac estava... — Você roubou a adaga para cumprir a profecia?

Ela deu de ombros com toda a indiferença que conseguia fingir e abaixou o garfo.

— Cansei desse jogo.

Cormac estava morto. Teria ele morrido naquele dia no laboratório, ou teria sido depois — talvez nos calabouços dos asteri, durante o interrogatório? Ou será que eles simplesmente mandaram o macho para casa, para aquele pai de merda, e deixaram o Rei de Avallen fazer picadinho dele por desonrar a família?

O Rei Outonal sorriu como se tivesse vencido.

— Então você está dispensada. Te vejo amanhã.

Ela ignorou a dor do luto lancinante para dizer:

— Vai se foder.

Ele só inclinou a cabeça e voltou a comer em silêncio.

* * *

Ithan desceu os degraus da Casa de Chama e Sombra em uma escuridão tamanha que nem mesmo seus olhos de lobo conseguiam penetrá-la.

Não sabia o que aguardava por ele no fim das escadas, nunca tinha ouvido falar nada a esse respeito. Mas sabia que estava sem opções.

Não saberia dizer por quanto tempo desceu as escadas, o ar denso e seco à sua volta. Como um túmulo.

O som dos tênis nos degraus ecoava nas paredes pretas. Os olhos ardiam pelo esforço de tentar enxergar alguma coisa, sem sucesso. Se os degraus terminassem em uma queda, ele não teria como saber. Não seria avisado.

E ele realmente não teve aviso algum. Mas não para uma queda. O metal rangeu, e seu crânio junto, quando Ithan bateu contra uma parede. Ele recuou, xingando...

Uma luz, dourada e tênue, surgia na escuridão da escada.

Não era uma parede. Era uma porta, e além dela, recortada pela luz, havia a figura esbelta de uma fêmea. Mesmo antes que pudesse distinguir o rosto dela, reconheceu a voz. Maliciosa, refinada, entediada.

— Uma bela forma de bater à porta — comentou Jesiba Roga, com a voz arrastada.

31

Jesiba Roga conduziu Ithan por um salão subterrâneo de pedra preta, iluminado apenas pelo fogo que crepitava nas lareiras em forma de bocas com presas que rugiam. Na frente dessas lareiras descansavam drakis de vários tons, vampiros bebendo taças de sangue e daemonakis em ternos digitando em laptops.

De forma estranha, aquele lugar era... normal. Como um clube particular.

Na verdade *era* mesmo uma espécie de clube particular. A sede de qualquer Casa estava sempre aberta a todos os membros. Alguns optavam por residir ali, sobretudo os trabalhadores responsáveis pelos trâmites diários da Casa. Mas alguns vinham apenas para passear, para se encontrar ou descansar.

Ithan, para seu constrangimento, nunca tinha estado na sede da Casa de Terra e Sangue de Lunathion. Também nunca fora à sede principal, em Hilene. Bryce já fora quando criança, lembrou ele, mas Ithan não conseguia se recordar dos detalhes.

Ithan seguiu Jesiba pelo longo corredor, passando por pessoas que mal relancearam em sua direção, e depois por um conjunto de portas duplas de madeira preta esculpidas com o símbolo da Casa, uma caveira com chifres.

Não sabia dizer o que esperava. Uma câmara do conselho, algum escritório chique...

Mas não o elegante bar de ônix, iluminado com uma luz azul profunda, como o coração de uma chama. Um quarteto de jazz tocava em um pequeno palco sob um arco na parte de trás do espaço, as várias mesas altas — todas adornadas com vidros votivos daquela luz azul — viradas na direção da música. Mas Roga foi direto para o bar de vidro obsidiano, com bancos dourados.

Uma draki fêmea de escamas douradas, usando um vestido preto transparente, trabalhava no bar e acenou com a cabeça em direção a Roga. A feiticeira assentiu de maneira discreta enquanto se sentava e batia no banco ao lado dela, ordenando a Ithan:

— Senta.

Ithan olhou furioso para a feiticeira ao perceber a referência à sua natureza canina, mas obedeceu mesmo assim.

Um momento depois, a bartender deslizou dois copos escuros na direção deles, ambos com fumaça saindo de dentro. Jesiba virou o dela, a fumaça escapando de sua boca enquanto dizia:

— Quando os porteiros me disseram que Ithan Holstrom estava descendo os degraus da entrada, achei que eles tinham fumado raiz--alegre demais.

Ithan olhou para o copo escuro, o líquido âmbar que parecia e cheirava a uísque, apesar de nunca ter visto uísque exalando fumaça.

— Chama fumashow — falou Roga devagar. — Uísque, gengibre ralado e um pouco de magia de draki para deixar tudo mais chique.

Ithan acreditou na palavra dela e virou de uma só vez. A bebida desceu queimando — queimando o nada que existia nele.

— Bem — disse Roga —, levando em conta que você bebeu isso como se não houvesse amanhã e o fato de estar aqui, vou presumir que as coisas… não andam bem pra você.

— Preciso de um necromante.

— E eu preciso de um novo assistente, mas você ficaria surpreso em saber que há uma escassez de profissionais competentes.

Ithan não escondeu o olhar furioso.

— Estou falando sério.

Roga sinalizou à bartender para que trouxesse mais uma rodada.

— Eu também. Desde que Quinlan me deixou para trabalhar nos Arquivos Feéricos, estou com papelada saindo pelo ladrão.

Ithan tinha certeza de que a história entre Bryce e Jesiba tinha sido diferente, mas disse:

— Olha, eu não vim aqui para falar com você...

— Sim, mas você teve uma sorte do Inferno que os porteiros me chamaram para cuidar de você, e não outra pessoa. A essa altura, um dos vampiros já teria tirado uma casquinha.

Ela acenou com a cabeça para a mesa alta mais próxima atrás deles, onde duas lindas loiras em vestidos pretos coladinhos estavam sentadas, sem bebidas diante delas. Estavam examinando as pessoas na sala, como se analisassem um cardápio.

Ithan limpou a garganta.

— Preciso de um necromante — repetiu ele —, agora mesmo.

Jesiba suspirou e acenou com a cabeça em agradecimento ao bartender enquanto deslizava outro fumashow.

— Já faz tempo demais que seu irmão morreu.

— Não é para o meu irmão — retrucou Ithan —, é para outro alguém.

Jesiba bebeu devagar desta vez. A fumaça saía de sua boca conforme ela engolia.

— Seja o que for, doguinho, sugiro aceitar a realidade de uma vez.

— Não tem como *aceitar a realidade de uma vez* — disparou Ithan. Ele poderia jurar que os copos chacoalharam, que o quarteto de jazz parou de tocar por alguns instantes, que as duas vampiras se viraram na direção deles. Bastou um olhar de Jesiba para a sala retomar seu ritmo.

— Quem você matou? — perguntou Jesiba, a voz tão baixa que era quase inaudível.

A garganta de Ithan se contraiu. Ele não conseguia respirar...

— Holstrom. — Os olhos dela brilhavam como as chamas das arandelas atrás do bar.

Não havia como consertar isso, nem desfazer. Ele era um traidor e um assassino e...

— Quem você precisa reerguer? — A pergunta de Roga foi fria como gelo.

Ithan obrigou-se a olhar para ela e encarar o que havia feito.

— Uma herdeira Fendyr perdida.

* * *

— Imagino que ontem à noite comemos sobras requentadas, se aquele iogurte de merda que você deixou na minha porta hoje deve contar como café da manhã — disse Bryce para o Rei Outonal conforme se jogava em uma poltrona de couro vermelho e assistia ao planetário dele passar.

O pai, sentado do outro lado da enorme mesa, ignorou-a.

— Quanto tempo você vai me manter aqui?

— Voltamos ao jogo das perguntas? Achei que tivesse se cansado disso ontem à noite. — Ele não ergueu os olhos de onde escrevia, os cabelos vermelhos por cima dos ombros largos.

Ela cerrou os dentes.

— Estou apenas tentando calcular quanto tempo ainda me sobra.

A caneta dourada dele — uma caneta-tinteiro, sério mesmo — corria no papel.

— Vou comprar mais comida, se as provisões para o café da manhã foram inadequadas.

Bryce cruzou as pernas, a cadeira de couro rangendo conforme se reclinava.

— Olha só pra você, cozinhando a própria comida e fazendo compras no supermercado. Uau, quase passaria por um adulto funcional e não um mimadinho de merda.

O tecido da camiseta cinza dele esticou-se sobre o peito conforme seus ombros se tensionaram.

Bryce apontou para o planetário.

— O Astrônomo disse que você mandou um artesão de Avallen fazer isso pra você. Que chique. — Os olhos do Rei Outonal se estreitaram ao ouvir falar do Astrônomo, mas ele não tirou os olhos do papel. Bryce continuou provocando: — Ele disse que o planetário serve para contemplar grandes perguntas sobre nós mesmos, tipo quem somos e de onde viemos. Acho difícil acreditar que você passe o dia aqui pensando em algo tão profundo.

A caneta parou de se mexer sobre o papel.

— As linhagens feéricas têm se enfraquecido há gerações. Dedico o trabalho da minha vida a investigar o porquê. Este planetário foi construído para buscar uma resposta a essa questão.

Ela assoprou as unhas.

— Ainda mais depois que a lindona aqui se tornou uma Princesa Estrelada certificada, né?

Ele apertou a caneta com tanta força que Bryce se surpreendeu de não ter arrancado o revestimento de ouro.

— As dúvidas a respeito da fraqueza de nossa linhagem me atormentam desde muito antes de você nascer.

— Por quê? Quem se importa?

Ele ergueu a cabeça por fim, os olhos frios e inexpressivos.

— Eu me importo se nosso povo está ficando mais fraco. Se nos tornarmos menos do que anjos, metamorfos, bruxas.

— Então tem a ver com o seu ego.

— Tem a ver com a nossa sobrevivência. Os feéricos têm uma posição favorável com os asteri. Se o nosso poder diminuir, eles vão perder o interesse em manter essa posição. Outros vão surgir para pegar o que temos, predadores em volta da carcaça. E os asteri não vão erguer um dedo para impedi-los.

— E é por isso que você e Morven armaram para fazer eu e Cormac ficarmos juntos?

— O *Rei* Morven também notou esse enfraquecimento. Mas ele pode se dar ao luxo de se esconder atrás da bruma de Avallen.

Bryce tamborilou os dedos no braço macio da cadeira.

— É verdade que os asteri não conseguem penetrar a bruma que cerca Avallen?

— Morven tem quase certeza de que não conseguem. Mas não sei se Rigelus sequer já tentou atravessar essas barreiras. — Ele olhou para as janelas altas à esquerda, em direção ao brilho do glamour que pairava acima das oliveiras e dos campos de lavanda. O máximo de barreira que ele poderia ter para se esconder.

Bryce ponderou as opções e decidiu se jogar ao perguntar:

— O termo *lugar tênue* quer dizer alguma coisa pra você?

Ele inclinou a cabeça, e nunca deixava de ser bizarro perceber o quanto ela própria tinha o hábito de fazer a mesma coisa.

— Não. O que quer dizer?

— Só uma coisa que ouvi certa vez.

— É mentira. Você ouviu falar disso no mundo natal dos feéricos.

Talvez fosse melhor não ter perguntado. Talvez fosse perigoso demais revelar isso a ele. Não para ela, mas para o mundo que havia abandonado. Bryce parou de tamborilar os dedos, as mãos apoiadas no braço gelado e macio de couro.

— Eu só ouvi a expressão, não a definição.

Ele a analisou, sentindo que aquilo também era uma mentira, mas algo parecido com admiração brilhou em seus olhos.

— Insolente até não poder mais.

Ainda sentada, ela fez uma meia reverência.

O Rei Outonal continuou, girando a caneta entre os dedos de forma preguiçosa:

— Eu sempre soube que sua mãe estava me escondendo alguma coisa a seu respeito. Ela se esforçou tanto para esconder você de mim.

— Talvez por você ser um sociopata?

Ele apertou a caneta com força de novo.

— Ember me amou, há muito tempo. Apenas algo grandioso seria capaz de fazer esse amor acabar.

Bryce apoiou o queixo na mão, a expressão da mais curiosa inocência.

— Tipo quando você bateu nela? Algo grandioso desse nível?

O fogo lambeu os ombros dele, os cabelos compridos. Mas a voz continuava impassível.

— Não precisamos cutucar feridas antigas. Já falei o que acho disso tudo.

— Sim, você se arrepende *tanto.* Tão arrependido que agora está fazendo exatamente o que ela temeu esse tempo todo: me trancando na sua propriedade.

Ele apontou para as janelas.

— Você já parou para pensar que aqui, escondida do mundo e de olhares enxeridos, está a salvo? Que se qualquer um em Midgard descobrir que você voltou, não demoraria para a notícia chegar até o Palácio Eterno e você estaria morta?

Bryce levou a mão ao peito.

— Amo que você esteja tentando pagar de grande salvador... Sério mesmo, parabéns pelo esforço, mas vamos parar com essa palhaçada. Estou trancada aqui porque você quer alguma coisa de mim. O que é?

Ele não respondeu e, em vez disso, se virou para ajustar as configurações em um dispositivo semelhante a um prisma. O que quer que tenha mudado fez com que a luz do sol atravessasse os planetas do planetário.

Um prisma — o oposto do que ela havia feito com seu poder quando lutou com Nestha e Azriel. Enquanto ela condensara a luz, o prisma a dissipava.

Ela olhou para as próprias mãos, pálidas contra o vermelho sangue da poltrona de couro. Estivera funcionando à base de adrenalina, desespero e bravata. Como conseguira transformar a luz em laser naqueles últimos instantes no mundo feérico? Agira por pura intuição no momento, mas agora... talvez fosse melhor não saber. Não pensar em como sua luz parecia se aproximar cada vez mais do poder destrutivo de um asteri.

— Ruhn me disse que você fica o dia todo enfurnado aqui, procurando por padrões — comentou Bryce, indicando com a cabeça o planetário, o dispositivo de prisma e a coleção de ferramentas douradas na mesa. — Que tipos de padrões?

Ela e Ruhn tinham rido bastante falando disso, de como o todo-poderoso Rei Outonal não passava de um teórico da conspiração. *O que ele acha que vai descobrir?*, perguntara Ruhn, morrendo de rir. *Que o universo é como um jogo da velha gigantesco?*

O coração de Bryce se apertou com a lembrança.

O Rei Outonal anotou mais alguma coisa, a caneta raspando alto demais no silêncio carregado.

— Por que eu deveria confiar em uma criança bocuda e indiscreta para guardar meus segredos?

— É segredo, então? Então isso é alguma coisa controversa?

O desdém estampou o belo rosto dele.

— Certa vez pedi ao seu irmão que me desse uma semente da luz estelar dele.

— Que nojo. Não chame desse jeito.

As narinas dele se dilataram.

— Consegui usar a pequena *semente* que ele foi capaz de produzir de uma forma que achei... benéfica. — Ele deu um tapinha no dispositivo folheado a ouro que segurava o prisma.

— Não sabia que fazer arco-íris nas paredes era tão importante pra você.

Ele a ignorou.

— Este dispositivo refrata a luz, separando-a para que eu possa estudar cada faceta dela. — Ele apontou para um artefato igual posicionado bem em frente ao outro. — Esse dispositivo a reúne de volta em um único feixe. Estou tentando acrescentar *mais* luz no processo de juntá-la de novo. Se a luz puder ser desmembrada e fortalecida em sua forma mais básica, há uma chance de que ela se aglutine em uma versão mais poderosa de si mesma.

Ela se absteve de mencionar as pedras azuis que Azriel empunhava — como elas condensaram e direcionaram seu poder. Em vez disso, falou devagar:

— E isso é uma boa forma de passar o seu tempo porque...?

O silêncio dele era cortante.

— Deixe-me ver... — Ela começou a contar itens nos dedos. — Os asteri são feitos de luz. Eles se alimentam de primalux. Você está estudando a luz, as suas propriedades, além do que a ciência já pode nos dizer...

Um músculo pulsou na mandíbula dele.

— Estou chegando perto? — perguntou Bryce. — Mas se você tem esse tipo de dúvidas a respeito dos asteri, por que não perguntar logo pra eles de uma vez? — Ela cantarolou em contemplação. — Talvez você queira usar isso contra eles?

Ele arqueou uma sobrancelha.

— Sua imaginação é mesmo fértil.

— Ah, muito. Mas você não se interessava em nada por mim quando eu era criança. E agora, de repente, quando revelei minha luz mágica, você quer que eu faça parte da sua família fodida da cabeça.

— Meu único interesse em você está na linhagem que vai passar adiante.

— Uma pena que Hunt complica tudo isso.

— Mais do que você imagina.

Ela se interrompeu, mas não mordeu a isca e não fez perguntas. Continuou a conduzi-lo por suas divagações, voltando a contar nos dedos.

— Então sua filha tem poderes de luz, você se interessa por *padrões* de luz... você quer que a informação seja escondida dos asteri... — Ela riu, por fim baixando a mão. — Ah, nem vem tentar dizer que não — provocou quando ele abriu a boca. — Se estivesse a fim de ajudá-los, já teria me entregado para eles.

O Rei Outonal sorriu. Era de uma beleza aterrorizante.

— Você é mesmo minha filha. Mais do que o Ruhn jamais foi.

— Isso não é um elogio. — Mas ela continuou, sem se importar de importuná-lo com seus palpites. — Você quer saber se posso matá-los, não é? Os asteri. Se a luz Estrelada é diferente da luz deles, e *como* é essa diferença. É aí que entra o planetário: contemplar de onde viemos... que tipo de luz temos, como ela pode ser usada como arma.

As narinas dele se dilataram de novo.

— E você aprendeu essas coisas em sua jornada?

Bryce bateu nos pulsos com algemas gorsianas.

— É só tirar isso e posso mostrar o que aprendi.

Ele sorriu e pegou novamente o dispositivo prismático.

— Vou esperar.

Ela não achara nem por um segundo que aquilo funcionaria; mas parecia que ele também sabia disso. Que era como um jogo, uma dança entre eles.

Bryce apontou com a cabeça para onde ele havia deixado a Áster e a Reveladora da Verdade na mesa no dia anterior. Segundo Ruhn, era raro que o Rei Outonal ousasse tocar a espada. Parecia ser verdade, já que ele não tinha movido as lâminas desde o pouso forçado de Bryce.

— Vamos falar de como eu consegui acrescentar mais um ponto na minha lista de Princesa Estrelada Mágica: juntei a espada e a faca. Profecia cumprida.

— Você não sabe nada dessa profecia — disse o Rei Outonal, e voltou ao seu trabalho.

Ela perguntou com a voz doce:

— Então minha interpretação está errada? *Quando faca e espada estiverem reunidas, nosso povo também estará.* Bom, eu fui até nosso velho mundo. Conheci algumas pessoas. Fiz elas se lembrarem da nossa existência. Voltei para cá. Então são dois povos reunidos.

Ele balançou a cabeça com o mais puro desgosto.

— Você sabe tão pouco sobre essas lâminas quanto sobre sua verdadeira natureza.

Ela bocejou com exagero.

— Bom, eu sei que apenas o Escolhido pode manejar as lâminas. Espera... Isso quer dizer que você não pode? Até onde me lembro... só Ruhn e eu temos a carteirinha de Escolhidos.

— Ruhn não possui o poder bruto para lidar com essas coisas do jeito certo.

— Mas eu sim? —perguntou ela com a voz inocente. —É por *isso* que estou aqui? Vamos cooperar em algum tipo de preparação de treinamento para que eu possa derrubar os asteri pra você?

— Quem disse que eu quero me livrar dos asteri?

— Você se esforçou bastante para não mencionar o que sente por eles. Numa hora está me protegendo deles, na outra está tentando que os féericos fiquem bem com eles. Qual é a opção certa?

— Não podem ser as duas?

— Claro. Mas se você se livrasse dos asteri, teria mais poder do que qualquer outro esquema que envolvesse o meu casamento com Cormac.

Ele ajustou um botão em seu dispositivo, fazendo a luz se deslocar um milímetro para a direita.

— Faz diferença quem está no poder, desde que os feéricos sobrevivam?

— Hum, sim. Uma opção é uma praga parasitária neste mundo. Acho que podemos passar essa.

Ele largou o dispositivo de novo.

— Explique isso... de parasita. Você mencionou algo sobre os asteri tomarem parte do nosso poder através da Descida.

Bryce ponderou. Ele sustentou o olhar dela, vendo que ela estava tendo um debate interno.

Mas para quem ele contaria? Naquela altura, quanto mais pessoas soubessem, mesmo as mais babacas, melhor seria. Dessa forma não teria como o segredo morrer com ela.

E depois de toda a merda que ela havia aprendido e pela qual passara... talvez fosse bom colocar todas as cartas na mesa.

Então Bryce contou a ele. Tudo o que aprendera a respeito dos asteri, da história deles, seus padrões de alimentação, a primalux e a secundalux. Deuses, era ainda pior quando dito em voz alta.

Ela parou de falar e se recostou na poltrona.

— Então somos basicamente um grande bufê para os asteri.

Ele ficou quieto e atento enquanto ela contava os detalhes, mas então disse, com a voz calma:

— Talvez os asteri estejam tirando demais, há muito tempo, do nosso povo. É por isso que as linhagens têm enfraquecido, geração após geração. — Ele falou mais consigo mesmo do que com ela, mas seus olhos se fixaram nos de Bryce ao continuar: — Então toda a água de Midgard está contaminada.

— Não creio que um filtro vá te ajudar, se é isso que está pensando.

Ele olhou irritado para ela.

— Mas os feéricos do outro mundo não sofrem com isso?

— Não. Os asteri não tinham desenvolvido esse método desagradável de roubo quando ocuparam o mundo deles. — Ela esfregou as têmporas. — Talvez aquela espada e a adaga possam eliminar o parasita. — Ela murmurou novamente, como se estivesse pensando no assunto. — Talvez você devesse me deixar empalar você com elas pra gente ver o que iria acontecer.

— Você nunca vai entender como elas funcionam — disse ele categoricamente.

— E você vai? — Ela deixou o ceticismo transparecer na voz. — Como?

— Você não é a única com acesso a textos antigos. A coleção de Jesiba Roga é apenas uma fração da minha... e uma fração do que existe em Avallen. Estudei a tradição por tempo suficiente para tirar algumas conclusões.

— Que bom para você. É um gênio.

O fogo crepitava na ponta dos dedos dele — a mesma chama que usava para queimar Ruhn quando criança. Ela afastou esse pensamento quando ele avisou:

— Eu não seria tão impertinente se fosse você. Sua sobrevivência depende apenas da minha boa vontade.

A náusea pesada e intensa revirou a barriga dela. Qualquer que fosse o jogo ou a dança em que estivessem envolvidos... esta rodada poderia ser dele.

— Deuses, você é o pior.

Ele pegou um caderno próximo e abriu a capa verde. Estava cheio de rabiscos. Seus registros de pesquisa e ideias. Havia uma pilha de papéis embaixo do caderno, também coberta pela escrita dele. Folheando o caderno, sua voz soou sem emoção ao dizer:

— Cansei de você. Pode sair.

32

Hunt sabia o que estava por vir quando o Falcão deixou a porta para o calabouço aberta. Sabia que seria ruim quando foram largados novamente no chão imundo. Ruhn resmungando com a dor que aquilo causava em seu braço.

Tudo isso para que Hunt fizesse a vontade de Rigelus. Minando sua determinação pouco a pouco, fazendo com que não só ele, mas os machos ao seu lado também sofressem, desgastando-o até chegar ao ponto em que implorasse para que parassem, oferecesse qualquer coisa para que aquilo acabasse, para salvá-los...

— Levantem, porra — ordenou o Falcão da porta enquanto Mordoc e vários de seus lobos ferais entravam na câmara. Não esperaram até que Hunt obedecesse ao comando antes de agarrá-lo, os dardos prateados em seus uniformes imperiais brilhando.

Hunt exibiu os dentes. Alguns recuaram ao ver a expressão em seu rosto. Na presença do Umbra Mortis, ainda indomado.

Até mesmo Mordoc, com todos aqueles dardos prateados presos no colarinho, fez uma pausa, pensando.

As pernas de Hunt tremiam e seu corpo rugia de dor, mas ainda assim ele se levantou. As asas mal formadas se mexeram, tentando se abrir em sua fúria angelical. Por mais que aquilo tudo fosse culpa dele, não cederia sem lutar.

— Rigelus solicita uma audiência — falou o Falcão devagar, batendo em um relógio invisível em seu pulso esguio. — Melhor não deixar Sua Santidade esperando.

Hunt não fazia ideia de como Ruhn ou Baxian conseguiram ficar de pé ao lado dele. Mas eles o fizeram, entre resmungos e silvos. Um olhar de soslaio para Baxian mostrava que as asas do Cão do Inferno — já formadas, mas ainda tão fracas quanto as de Hunt — estavam dobradas de forma defensiva.

Hunt não nutria muita esperança de que algum deles mantivesse as asas depois daquele dia. Mas voltar a perdê-las seria melhor do que perder Ruhn. Bryce algum dia o perdoaria se deixasse Ruhn morrer? Ele algum dia se perdoaria?

Hunt já sabia a resposta.

Mordoc apontou uma arma para a cabeça de Hunt, e os outros lobos ferais seguiram o exemplo com Baxian e Ruhn enquanto soltavam as correntes da parede.

Hunt captou o olhar agonizante e exausto de Ruhn. Como eles conseguiriam subir o pequeno lance de escadas até onde o Falcão estava, porra?

Foi bom conhecer você, Athalar.

A voz do príncipe estava abafada. Como se até a conversa entre mentes exigisse demais de sua energia. Ou talvez fossem todas aquelas pedras gorsianas neles.

Mas de alguma forma... Ruhn parecia saber seu destino. E não parecia que fosse lutar contra isso.

— Um passo de cada vez, amigos — murmurou Baxian ao chegarem ao início da escada. Hunt odiou precisar apoiar a mão na parede fria para conseguir subir os degraus. Odiou sua respiração irregular, as dores no corpo, o esforço necessário para levantar cada pé.

Mas fez o que Baxian disse. Um passo de cada vez.

E então o Falcão estava na frente deles, ainda zombando. Mordoc e os lobos ferais mantiveram as armas apontadas enquanto o filho da puta fazia uma reverência zombeteira.

— Por aqui, amigos.

Mordoc riu, o desgraçado.

Hunt caminhou com dificuldade até o corredor, a cabeça girando. O caldo ralo e o pão seco tinham sido uma refeiçãozinha de merda. Quinlan teria feito algum comentário sagaz a respeito. Ele quase podia ouvi-la dizendo ao Falcão: *Cadê a minha pizza, menino pássaro?*

Hunt riu sozinho, e o Falcão o olhou por cima do ombro, sem entender.

Ruhn tropeçou, quase caindo de boca nas pedras. Os lobos ferais avançaram, levantando-o antes que caísse de vez. Os pés do príncipe rasparam e empurraram de leve a porta enquanto ele tentava ficar de pé, mas todo o seu corpo falhou.

Hunt não pôde fazer nada além de observar dois lobos ferais arrastando Ruhn como se fosse a porra de uma mochila.

Talvez fosse uma misericórdia para Ruhn morrer. Era um pensamento abominável, mas...

— Por favor, vamos pegar o elevador — murmurou Baxian atrás dele, e Hunt riu de novo. Era bem possível que estivesse à beira da histeria.

— Cale a porra dessa boca — rosnou Mordoc, e Baxian grunhiu, sem dúvida por causa de um soco que o lobo feral dera em seu corpo machucado.

Graças aos deuses, eles de fato foram conduzidos pelo corredor em direção ao elevador. Como se fosse uma deixa, as portas folheadas a ouro se abriram para revelar a Corça em seu uniforme imaculado.

— Bom dia, meninos — ronronou ela, o rosto frio como a morte enquanto segurava a porta aberta com a mão esguia. O outro braço estava numa tipoia, envolto em muitas faixas.

— Lidia — cumprimentou Falcão devagar, e acenou com a cabeça para o braço machucado. — Como anda a cicatrização das queimaduras?

Hunt entrou mancando no elevador ao lado de Lidia e olhou para a tipoia da Corça. Teria ela parado de bancar a rebelde e voltado ao seu verdadeiro eu? Talvez estivesse usando fogo para persuadir um prisioneiro a falar e tenha se empolgado um pouco demais. A expressão de Ruhn permaneceu o mais neutra possível. Ele estava em pé de novo, aproximando-se devagar do elevador.

— Bem. — Lidia encostou-se no painel de botões, os olhos dourados parecendo pegar fogo. Ela cheirou Baxian e depois disse ao Falcão: — Você não podia ter dado um banho neles antes?

— Rigelus disse que devia ser agora mesmo — retrucou o Falcão, empurrando Ruhn para dentro.

O príncipe bateu na parede de vidro na parte traseira do elevador e caiu no chão com um gemido. O Falcão estendeu a mão para empurrar Baxian, mas o Cão do Inferno exibiu os dentes, e nem mesmo o Falcão tentaria alguma gracinha enquanto o Cão do Inferno se posicionava ao lado de Hunt, mancando de forma discreta.

Quanta coisa mudara desde aqueles anos com Sandriel. E ainda assim, tão pouco.

— Espaço para dois — avisou uma Lidia irritada para os lobos ferais, e dois soldados impassíveis entraram. Cada um tinha pelo menos uma dúzia de dardos prateados nas golas do uniforme cinza. Lidia ordenou a Mordoc: — Fique esperando do lado de fora da baía, lá em cima.

Mordoc assentiu, os olhos dourados brilhando em antecipação ao derramamento de sangue, e rosnou algo para a unidade de lobos ferais que os fez marchar depressa para as escadas. Com uma alegria feroz estampando seu rosto, Mordoc partiu com eles.

Lidia esperou até que os lobos ferais e seu capitão saíssem antes de tirar a mão da porta. O elevador se fechou e começou a deslizar para cima.

Eles emergiram dos níveis subterrâneos, subindo para o palácio de cristal acima.

Uma luz ofuscante atingiu os olhos de Hunt — a luz do dia. Seus olhos, acostumados com a escuridão, tinham dificuldade para focar. Ele não conseguia distinguir nada do mundo ao seu redor. Ergueu uma asa para bloquear a luz, as dores fortes no corpo com o movimento. Ruhn e Baxian sibilaram, também recuando da luz.

O Falcão riu.

— Só um gostinho do que Rigelus vai fazer com vocês.

Os dois lobos ferais riram com ele.

Hunt semicerrou os olhos enquanto abaixava a asa e encontrava os olhos do babaca.

— Vai se foder. — Mas nem fodendo que esses escrotos o fariam implorar e rastejar, seja pela própria vida ou pela de Ruhn.

Lidia disse, com a voz suave:

— Tirou as palavras da minha boca, Athalar.

Hunt olhou, mas não rápido o suficiente.

O Falcão com certeza não foi rápido o suficiente.

E Hunt sabia que se lembraria desse momento para sempre: o momento em que Lidia Cervos puxou a arma e disparou bem entre os olhos do Falcão.

33

Tudo o que Ruhn percebeu foi a luz ofuscante e, então, a explosão dos tiros.

Três corpos caíram no chão. O Falcão, seguido por dois lobos ferais. E diante deles, abaixando a arma ao lado do corpo... Lidia.

— Mas que *porra* foi essa? — gritou Baxian.

Ele não sabia; Ruhn não havia contado a ele. Mesmo ofuscado pela raiva e pelo ódio, nunca arriscou compartilhar o que sabia da identidade de Daybright com outra pessoa que pudesse traí-la.

Usando a mão sem tipoia, Lidia apertou um botão do elevador.

— Temos um minuto e trinta e cinco segundos para chegar ao carro. — Ela puxou um molho de chaves do bolso e se ajoelhou diante de Athalar. Um pouco desajeitada por causa da mão enfaixada, libertou primeiro os tornozelos e em seguida os pulsos das algemas gorsianas. Depois foi a vez de Baxian.

Ruhn piscou e ela estava na frente dele, com olhos brilhantes e límpidos.

— Calma aí — sussurrou ela. Seus dedos esguios roçaram a pele dele e a pedra gorsiana caiu. A magia de Ruhn aumentou, uma onda de luz estelar se elevando dentro de si.

Parou na ponta do braço. Ele estava sem a porra da *mão*...

Ele cambaleou. Lidia o segurou, levantando-o com facilidade. Mas não deixou de notar o grunhido de dor pelo que quer que isso tenha causado no braço dela, já livre da tipoia.

Foi dominado pelo cheiro dela, envolvendo-o e o deixando desperto enquanto ela passava o braço em volta da cintura dele para mantê-lo em pé.

— Há quanto tempo, Lidia? — perguntou Baxian. — Há quanto tempo você trocou de lado? — O rosto dele era o mais puro choque.

— Vamos ter tempo para ficar batendo papo sobre o nosso passado de rebeldia — retrucou ela, a voz seca, observando os números dos andares passando. — Quando as portas se abrirem, vão para a esquerda, depois entrem na primeira porta, desçam dois lances, passem pela porta e, por fim, entrem no carro. Deve caber todos vocês... e as asas. — Ela olhou por cima do ombro, para Hunt e depois para Baxian. — Elas já estão curadas o bastante para voar? A injeção de primalux funcionou?

Era à ela que eles deveriam agradecer pelas asas curadas, como preparação para a fuga?

— Fracas, mas funcionais — ofegou Baxian. — Mas você perdeu o juízo se acha que podemos sair...

— Cale a boca — retrucou ela, o braço bom apertando a lateral do corpo de Ruhn antes de incliná-lo em direção à porta. — Só temos um minuto agora.

O elevador apitou e Ruhn sabia que deveria estar se preparando, assim como Hunt e Baxian estavam, mas não conseguiu mover o corpo tão agonizante e fraco, mesmo quando as portas se abriram...

Em vez disso, Lidia o moveu. Ela avançou pelo corredor, quase o arrastando, e virou à esquerda, com Athalar e Baxian atrás dela.

Pontos tremeluziram na visão de Ruhn, a escuridão se acumulando nos cantos. Mal sentia os pés se mexendo, mantendo-os em movimento, enquanto Lidia corria com eles pelo corredor até a porta que havia indicado, depois as escadas...

Ruhn tropeçou no primeiro degrau e ela estava lá, erguendo-o em suas costas esguias e levantando-o do chão. Puta que pariu, ela o estava *carregando,* apesar do braço machucado. Ele poderia ter morrido de vergonha, se cada movimento não fizesse seu braço doer.

Desceram e passaram pela porta de vidro até o estacionamento elevado. Um enorme jipe sem teto, que mais parecia um tanque, esperava-os ali, com uma metralhadora armada na parte de trás.

— Baxian: metralhadora — ordenou Lidia enquanto largava Ruhn no banco do passageiro, a dor ameaçando fazê-lo perder a sua já tênue consciência.

O Cão do Inferno não precisou ouvir duas vezes antes de se aproximar da metralhadora. Athalar se jogou no banco de trás, mal conseguindo encaixar as asas. E então Lidia se sentou no banco do motorista. Uma pisada forte nos pedais quando engrenou o câmbio e o carro disparou.

A garagem de vários níveis estava abarrotada de veículos militares. Alguém iria vê-los, alguém viria...

Numa curva para baixo, Ruhn colidiu com o painel lateral, o impacto reverberando dolorosamente por seu corpo enquanto Lidia deixava o carro derrapar, derrapar — e então acelerava, fazendo-os voar por uma rampa. Hunt deu uma risada entrecortada, parecendo impressionado. Mas parou de rir no instante seguinte.

Ruhn não demorou a descobrir o motivo. A guarita. Havia seis guardas em volta dela: dois anjos e quatro lobos. Tinham ouvido o carro acelerar.

Eles mal tiveram tempo de notar Baxian na metralhadora. Sequer conseguiram erguer os rifles ou invocar a magia antes que o Cão do Inferno disparasse uma centena de balas. Levando em conta o ângulo da rampa pela qual desciam, eles estavam bem na mira.

O sangue espirrou em uma névoa enquanto Lidia passava por eles, o carro atropelando seus corpos com baques nauseantes. Ela quebrou a barreira.

Eles irromperam na luz do sol, mas aquilo não trouxe nenhum alívio. Estavam no meio da cidade, cercados de inimigos. Ruhn não conseguia respirar.

Uma voz soou no rádio. A voz de Declan Emmet.

— Daybright, na escuta?

Lágrimas quentes começaram a escorrer pelo rosto de Ruhn.

Lidia disparou com o carro pela longa e larga ponte de pedra entre o palácio e os imponentes portões de ferro na extremidade. Havia outra guarita ameaçadora logo à frente.

— Na escuta, Emmet — disse Lidia no rádio, estremecendo ao ter que pegar o volante com o braço enfaixado. O que quer que tenha acontecido com ela devia ter sido brutal, se ainda estava com tanta dor. Algo no peito dele se apertou ao pensar nisso. — Estamos nos aproximando dos portões da ponte.

— As imagens da câmera são instáveis. Perdemos você de vista no elevador. Todos aí? — perguntou Dec.

— Todos aqui — afirmou Lidia, olhando para Ruhn.

— Ainda bem, caralho — respondeu Dec, e Ruhn engasgou com um soluço. Então Dec disse: — A câmera está mostrando doze guardas no portão. Não pare, Daybright. Vai. Repito, vai, vai, *vai*.

Eles aceleraram em direção ao posto de guarda, indo direto até a fileira de soldados com armas apontadas para eles. Pareceram inseguros ao ver a Corça dirigindo o carro. Todos sabiam que irritá-la era sinônimo de morrer.

— Lidia — avisou Baxian. Eram muitos para atirar ao mesmo tempo, por mais inseguros que estivessem sobre o que fazer.

Lidia engatou a marcha mais forte do jipe.

O soldado mais próximo — um anjo — se catapultou para o céu, apontando o rifle para eles. O relâmpago de Athalar brilhou, numa fraca tentativa de deter a morte prestes a cair.

Mas foi Baxian, disparando de novo a metralhadora, quem derrubou o soldado. As asas do anjo se abriram quando ele caiu, o sangue pingando em uma chuva rubi.

Lidia avançou em meio ao combate, abaixando-se enquanto as balas voavam. Eles ultrapassaram a barricada, a madeira explodindo, o palácio de cristal dos asteri se assomando atrás deles, um lembrete sombrio do que haviam escapado.

E então tinham passado dos portões, lascas de madeira ainda caindo no jipe enquanto seguiam com tudo pela avenida mais próxima. Surgindo de um beco qualquer, uma van branca se alinhou com eles, a porta abrindo para revelar...

— Onde está a sua mão, *porra*? — Tristan Flynn gritou para Ruhn por cima do tiroteio, com um rifle no ombro. Ele atirou na direção atrás deles, repetidas vezes, e Baxian girou a metralhadora para trás, enchendo de balas os inimigos que os perseguiam.

Ruhn estava chorando pra valer.

A van virou.

— Merda! — Flynn berrou ao se esquivar por pouco de uma pedestre, uma fêmea draki que gritou, jogando-se para trás contra a parede de um prédio.

O rádio estalou de novo e a voz de um estranho soou.

— Daybright, terreno livre em Meridan.

Outra voz:

— Terreno livre em Alcene.

Outra:

— Prontos em Ravilis.

E assim por diante. Onze locais no total.

Então uma suave voz feminina disse:

— Aqui fala Irithys. Preparada para fazer a Cidade Eterna pegar fogo.

— Que porra está acontecendo, Lidia? — perguntou Hunt, ofegante. Eles aceleravam pelas ruas estreitas da cidade, a van com Flynn formando fila atrás deles. Hunt grunhiu: — São todos lugares da Espinha.

Athalar estava certo: cada cidade mencionada era um importante depósito ao longo da ferrovia vital que mantinha as armas imperais.

Lidia não tirou os olhos da estrada enquanto pegava o rádio.

— Aqui é Daybright. Manda tudo pro Inferno, Irithys.

Ruhn conhecia esse nome. Ele se lembrava de três duendes que apenas algumas semanas antes haviam contado para Bryce que a rainha deles, Irithys, adoraria ouvir falar da coragem de Lehabah. A Rainha dos Duendes de Fogo, que estava desaparecida.

— É pra já — anunciou Irithys.

E quando fizeram outra curva fechada para uma rua larga, o corpo de Ruhn ganindo de dor ao colidir de novo contra a porta do carro, surgiu uma explosão do outro lado da cidade. Uma explosão tão grande que só alguém feito de fogo poderia ter causado...

Ao longe, outra erupção soou.

Ruhn podia visualizar: uma sucessão de explosões em laranja e vermelho que subia pelo continente. Um depósito após o outro, todos explodindo e virando cinzas. A Corça tinha destruído a Espinha de Pangera com um golpe fatal, desencadeado pelo fogo da Rainha Duende perdida.

Ruhn não pôde deixar de se impressionar com o simbolismo disso, pois a única raça de vanir que esteve o tempo todo ao lado de Athalar durante a rebelião dos Caídos acendera aquele fogo. Ele vislumbrou o rosto de Athalar — toda a admiração, a tristeza e o orgulho que brilhavam ali.

A terra inteira parecia estar tremendo com o impacto das explosões. Lidia afirmou:

— Precisávamos de uma distração. A Ophion e Irithys nos ofereceram uma.

E, de fato, nenhum pedestre ou motorista olhava nem para o jipe nem para a van que aceleravam a toda velocidade em direção às muralhas da cidade. Todos os olhares se voltaram para o norte, para a estação ferroviária.

Anjos em uniformes imperiais voavam até lá, bloqueando o sol. Sirenes soavam.

Mesmo que a notícia de sua fuga tivesse se espalhado, a Cidade Eterna e toda Pangera tinham coisas mais importantes para resolver.

— E a Ophion precisava de uma chance de sobrevivência — acrescentou Lidia. — Enquanto a Espinha permanecesse intacta, eles não conseguiriam ganhar terreno.

Certa vez, ela dissera a Ruhn que a Ophion vinha tentando, sem sucesso, explodir a Espinha havia anos. Ela, entretanto, conseguira. De alguma forma, ela fizera isso... por todos eles.

Eles viraram em uma avenida ainda maior que conduzia para fora da cidade, e a van de Flynn emparelhou novamente ao lado deles.

— Deixe a rodovia com a gente. Vão para o porto! — gritou ele. Lidia saudou o macho e Flynn deu uma piscadela para Ruhn antes que a van se afastasse e o lorde feérico fechasse a porta.

Mas à frente deles, no portão que atravessava as muralhas da cidade, uma luz começou a piscar. Um alarme soando em cima de outra guarita.

Do enorme arco de pedra, uma grade de metal começou a descer, preparando-se para selar a cidade. Prender os responsáveis pelo ataque à estação ali dentro — ou *prendê-los*.

Os guardas, todos lobos em uniformes imperiais, viraram-se em direção a eles, e Ruhn estremeceu quando Baxian disparou antes que eles pudessem sacar as armas. Pessoas gritavam pelas calçadas, fugindo para dentro dos prédios e se escondendo atrás dos carros estacionados.

— Não vamos conseguir — gritou Baxian enquanto Lidia se aproximava do posto de guarda.

— Lidia — avisou Athalar.

— Abaixem-se! — Lidia berrou, e Ruhn fechou os olhos, afundando enquanto a grade baixava em um ritmo alarmante. O metal rangeu e explodiu bem acima deles, o carro balançando, sacudindo...

Mesmo assim, Lidia continuou dirigindo. Ela avançou para a estrada além da cidade enquanto a grade se fechava atrás deles.

— Foi por pouco, não acha? — Hunt gritou para Lidia, e Ruhn abriu os olhos para descobrir que a metralhadora fora arrancada. Baxian se agarrava com todas as forças à traseira do jipe, com um sorriso maníaco no rosto.

Eles tinham conseguido e, com os portões da cidade fechados, todos os carros que faziam a patrulha por terra haviam ficado lá dentro. Exatamente como Lidia devia ter planejado.

— Essa foi a parte fácil — anunciou Lidia, mais alto que o som do vento, e o jipe partiu para o campo, para os olivais e as colinas ondulantes mais além.

Ruhn se remexeu de onde estava apoiado no painel lateral. O pulso dele sangrava — a ferida estava reaberta.

Declan disse pelo rádio:

— Me coloca pra falar com ele.

Por um instante, Ruhn encontrou os olhos dourados e brilhantes de Lidia. Então ela estendeu o rádio para ele. Tudo o que Ruhn pôde fazer foi segurar o rádio com a mão boa. E *boa* ainda era ser otimista. Ele não tinha mais unhas.

— Ei, Dec — gemeu ele.

Declan riu alto, como se estivesse contendo as lágrimas.

— É bom pra caralho ouvir a sua voz.

Ruhn fechou os olhos com força, sentindo um nó na garganta.

— Eu te amo. Sabia disso?

— Pode falar de novo quando eu te vir, daqui a uma hora. Vocês têm uma viagem e tanto pela frente. Coloque Daybright na linha de novo.

Ruhn entregou o rádio para Lidia em silêncio, tomando cuidado para não tocá-la. Para não olhar para ela.

— Aqui é Daybright — disse Lidia, e Ruhn olhou para trás. Uma coluna de fumaça subia da parte da cidade onde as cúpulas de vidro da estação ferroviária um dia brilharam.

— Você quer primeiro as boas ou as más notícias? — perguntou Dec pelo rádio.

— As boas.

— A maior parte das forças de segurança imperiais está na estação ferroviária e a cidade está fechada. Irithys conseguiu escapar... Ela desapareceu no campo. Sabe-se lá pra onde foi.

— Dei instruções para onde pela poderia ir... o que fazer — explicou Lidia, a voz calma. Mas depois perguntou: — E qual é a má notícia?

— Mordoc e duas dúzias de lobos ferais também conseguiram sair pelo portão sudoeste antes de fechar. Acho que descobriram que você está indo para a costa.

— Merda — xingou Athalar do banco de trás.

— E o Flynn? — perguntou Lidia.

— Flynn está atrás deles. Mordoc e companhia estão atravessando essa estrada em que vocês estão. Nessa velocidade, vão alcançar vocês em dez minutos. Dirija mais rápido.

— Já estou na velocidade máxima.

— Então você vai ter que encontrar uma maneira de se livrar deles.

O frio percorria o corpo de Ruhn, em nada relacionado com os ferimentos ou o sangramento em seu braço. Ele se atreveu a olhar para Lidia, a olhar de verdade para ela.

Ela encarava a estrada à frente. O vento fazia mechas de seus cabelos dourados se soltarem do coque no alto da cabeça. A expressão em seu rosto deixava evidente que estava raciocinando.

Baxian disse por cima do som do vento:

— Eles vão colocar todos os guardas daqui até a costa para vigiarem a estrada.

E tinham acabado de perder a metralhadora. Lidia pegou o coldre na coxa e entregou a arma a Athalar.

— É tudo o que temos? — exigiu Athalar, contando as balas.

Ruhn não precisou olhar para saber que não havia armas o bastante para ajudá-los a enfrentar a situação.

— Se eu tivesse trazido mais, alguém teria desconfiado — retrucou Lidia friamente.

A voz de Declan estalou no rádio:

— Qual é o plano, Daybright?

Ruhn observou seu rosto lindo e perfeito. Observou a determinação que dominava suas feições:

— Mande o barco para as coordenadas que combinamos — disse ela para Declan. — Prepare a escotilha para um pouso aéreo.

34

O Rei Outonal passou o resto do dia enfurnado em seu escritório, então Bryce aproveitou a oportunidade para fuçar o lugar. Primeiro na cozinha, que era utilitária o bastante para deixar evidente que fora construída para uma equipe de cozinheiros. Por sorte, a geladeira estava abastecida com comida recém-preparada. Ela se serviu de truta escalfada e arroz com ervas para o almoço, junto com uma taça do champanhe mais chique que pôde encontrar — afanado de uma geladeira na enorme adega — e tentou abrir todas as portas que davam para fora antes de se contentar com uma caminhada pelos corredores da casa.

Passou por colunas brancas e átrios elevados, janelas que iam do chão ao teto e painéis tecnológicos escondidos com habilidade. Abriu alguns enquanto caminhava, à espera de encontrar algo que a conectasse com o mundo exterior, mas tudo o que havia descoberto até o momento eram os controles do piso radiante, das persianas automáticas e do ar-condicionado.

Bryce bebia direto do gargalo enquanto vagava pelo porão. Academia, sala de vapor, sala de massagem e sauna ocupavam uma das alas. Na outra ala, encontrou uma piscina coberta, uma sala de projeção e o que parecia ser o QG de segurança do Rei Outonal. Todos os computadores e câmeras estavam escuros e bloqueados. Não conseguiu ativá-los, por mais que tentasse.

Ele tinha pensado em tudo.

Amaldiçoando-o até o mais sombrio dos Infernos, ela vagou pelo andar térreo: uma sala de estar formal, a sala de jantar, o escritório dele — portas fechadas em uma mensagem silenciosa para que não ousasse entrar —, a cozinha de novo, um salão e uma sala de jogos completa, com mesas de sinuca e de *shuffleboard*.

Nenhuma das televisões funcionou. Foi só verificar para notar que estavam sem os cabos. Também não encontrou roteadores de interweb.

Bryce tentou não imaginar a mãe ali, jovem, inocente e crédula.

No andar de cima, as portas foram deixadas abertas para revelar vários quartos de hóspedes, todos tão bonitos e sem graça quanto o dela. Uma ala estava trancada; decerto era a suíte particular do pai.

No entanto, as portas duplas no final da outra ala não haviam sido trancadas. Ao abri-la, sentiu um aroma familiar que provocou um aperto no peito.

Ruhn.

Cartazes de bandas de rock ainda estavam pendurados nas paredes. A enorme cama de dossel com lençóis de seda preta era o único sinal de riqueza principesca. Todo o resto exalava a rebeldia da juventude: canhotos de ingressos colados no espelho, um registro de todos os shows em que ele já fora. Um armário cheio de camisas pretas, jeans e botas, misturados com facas e espadas descartadas.

Era uma cápsula do tempo, congelada pouco antes de Ruhn retornar de Avallen após aguentar seu Ordálio e sair vitorioso, com a Áster. Será que ele sequer tinha voltado ali ou encontrara um novo lugar para morar, sabendo que, com a espada, tinha certa vantagem sobre o pai?

Ou talvez as coisas não tivessem se passado dessa forma. É possível que o Rei Outonal o tenha expulsado, por pura inveja e amargura por causa da Áster. Ou talvez Ruhn tivesse ido embora de repente, um dia.

Nunca perguntara sobre isso a Ruhn. Não perguntara tantas coisas.

Ela abriu as gavetas da escrivaninha perto da janela e descobriu um isqueiro, vários apetrechos para drogas, canetas baratas mastigadas e...

Sentiu um aperto no peito quando puxou o tubo de bálsamo de nitrato de prata. Coisa das boas, feita por medbruxas, para tratar queimaduras. Apertou o plástico com tanta força que ele rangeu. Colocou-o de volta na gaveta com cuidado e afundou na cama de Ruhn. As algemas gorsianas em seus pulsos tinham um brilho fraco em meio à penumbra.

Ruhn tinha conseguido sair daquele lugar de tanta amargura, e ela ficava feliz por isso. Orou em silêncio a Cthona para que um dia tivesse a oportunidade de dizer isso ao irmão.

Mas, naquele instante, estava sozinha. E era só uma questão de tempo até que a paciência do Rei Outonal se esgotasse.

* * *

O que a Corça havia feito beirava o milagre. Declan, Flynn e a Ophion tinham ajudado, mas Hunt sabia que a fêmea que dirigia o carro havia orquestrado tudo.

De algum jeito, ela encontrara Irithys, Rainha dos Duendes de Fogo, e a convencera a ser a faísca que iniciaria esse ataque enorme, sem precedentes. Para os Caídos, para os duendes que se tornaram Inferiores por ficarem ao lado deles — os menores entre os vanir, os párias —, aquele golpe fora para eles. Um golpe desferido pela pessoa de maior importância para quem procura um sinal.

Irithys não estava apenas livre no mundo. Ela estava atacando.

Hunt balançou a cabeça, maravilhado, e olhou para Ruhn, encostado na porta do passageiro.

O ataque tinha sido pela rebelião, Hunt sabia, mas a fuga... a fuga tinha sido por causa de Ruhn.

— O que você quer dizer com *pouso aéreo*? — quis saber Baxian, ofegante.

Lidia desviou da estrada pavimentada e seguiu por uma de terra que serpenteava entre as colinas secas, em direção às montanhas perto da costa. O veículo tremia e balançava no chão empoeirado, e cada um dos ferimentos de Hunt latejava. Ruhn gemeu.

Lidia não respondeu e levou o carro ao limite, subindo e contornando as colinas, passando pela sombra irregular das oliveiras que flanqueavam a estrada, o vento quente e seco batendo no rosto deles.

Sem avisar, Lidia pisou no freio e o carro derrapou no cascalho solto. Hunt bateu no encosto do banco do motorista, fazendo uma careta por causa do impacto.

— Merda — sibilou Lidia em meio ao redemoinho de poeira. — *Merda.*

A poeira baixou o suficiente para que Hunt enfim conseguisse ver o que havia causado aquela parada repentina. Alguns metros à frente, a estrada havia terminado. Um denso bosque de oliveiras bloqueava o caminho, cerrado demais para que fosse possível tentar passar com o carro.

— Lidia — disse Baxian com urgência, e ela se remexeu no banco, olhando para eles.

— Eu esperava que essa estrada nos levasse para mais perto da água — revelou ela, sem fôlego pela primeira vez desde que Hunt a conhecera. Ela olhou por cima do ombro, para Hunt e depois para Baxian. — Vocês vão ter que ir voando a partir daqui.

— Quê? — exclamou Ruhn, tentando se levantar de onde havia sido lançado contra a porta do passageiro.

Mas Lidia saltou do carro sem abrir a porta. Seus olhos estavam ferozes quando perguntou a Hunt e Baxian, abrindo a mala do carro.

— Acham que conseguem voar?

Hunt deu um jeito de sair do banco de trás e ficar em pé, com a cabeça girando de dor e exaustão. Com a mão apoiada na lateral do carro, abriu as asas recém-formadas.

A dor percorreu suas costas, aguda e profunda. Rangendo os dentes, Hunt moveu as asas. Fez elas baterem. Uma, duas vezes. Suas batidas agitavam a sujeira e a poeira em nuvens que se acumulavam a seus pés.

— Sim — disse, a voz rouca, lutando contra a dor agonizante —, acho que sim.

Do outro lado do jipe, Baxian fazia o mesmo, as asas pretas cobertas de poeira. O Cão do Inferno assentiu.

Lidia correu até a porta do passageiro, com a terra fazendo barulho sob as botas, e a abriu. Ruhn quase caiu no chão a seus pés, mas ela o pegou com o braço sem machucado. Arrastou-o até Hunt, recebendo um olhar irritado do príncipe feérico enquanto ele lutava para recuperar o equilíbrio. Lidia nem olhou para Ruhn quando ordenou a Hunt e Baxian:

— Carreguem ele entre vocês. O *Cargueiro das Profundezas* está à espera.

Hunt piscou, aproximando-se para ajudar Ruhn a ficar de pé. A dor voltou a atravessá-lo devido ao esforço.

— E você? — Baxian exigiu, mancando até o outro lado de Ruhn. Suas asas escuras se arrastavam na terra.

Lidia ergueu o queixo. A luz do sol reluziu sobre a prata de seu torque enquanto o fazia.

— Eu sou o grande prêmio. Mordoc virá atrás de mim. Desse jeito vocês ganham tempo.

— Posso carregar você — insistiu Baxian, ao mesmo tempo em que deslizava um braço por baixo dos ombros de Ruhn. Hunt poderia ter suspirado de alívio por ter o fardo diminuído.

Ruhn não disse nada. Nem sequer se moveu enquanto Baxian e Hunt o mantinham em pé.

Lidia balançou a cabeça para o Cão do Inferno.

— Vocês dois estão à beira da morte. Peguem Ruhn e caiam fora. — Sua expressão não deixava espaço para argumentos. — Agora — ordenou ela e, ao que parecia, a conversa havia chegado ao fim, porque ela se transformou.

Hunt nunca tinha visto Lidia em sua forma de cervo. Era bela — os pelos de um dourado tão claro que era quase branco. Os olhos dourados eram emoldurados por cílios grossos e escuros. Uma fileira dourada mais escura surgia entre seus olhos como se tivesse sido lambida pelas chamas.

Lidia, entretanto, tinha olhos apenas para Ruhn. Só para ele.

Meio oscilante entre Hunt e Baxian, Ruhn a encarou de volta. Ainda sem dizer nada.

O mundo pareceu prender a respiração quando a corça elegante caminhou até Ruhn e com gentileza, cheia de amor, acariciou seu pescoço.

Ruhn nem sequer se mexeu. Nem piscou os olhos quando Lidia se afastou, aqueles olhos dourados permanecendo em seu rosto — apenas por um instante a mais.

Então ela saltou para as árvores, como um raio de sol que estava ali e depois tinha desaparecido.

Como se ela nunca tivesse existido.

* * *

Ruhn examinou a floresta onde Lidia havia desaparecido e levou a mão ao pescoço. A pele ali estava quente, como se o toque dela tivesse se prolongado.

— Certo — grunhiu Athalar, abaixando-se para alcançar as pernas de Ruhn. — No três. — Baxian apertou os ombros de Ruhn com mais força.

Ele agitou as asas e Ruhn se mexeu com elas.

— Lidia — sussurrou ele.

Mas Athalar e Baxian saltaram para o céu, ambos os machos gemendo em agonia, o mundo inclinando-se. E então eles estavam voando, Athalar segurando as pernas de Ruhn, Baxian em seus ombros.

Ruhn estava pendurado como um saco de batatas. Sentia o estômago se revirar ao ver a distância em que estavam do chão seco, lá embaixo. A montanha se erguendo diante deles. O mar azul brilhante se estendendo além.

Atrás deles, disparando entre as oliveiras como um raio, corria aquele lindo animal quase branco. Uma corça.

Para chegar ao mar, ela teria que percorrer os bosques montanhosos e depois subir a montanha rochosa.

Era possível descer pelo outro lado? Ela tinha mencionado um pouso aéreo ao falar com Dec. Não um resgate pelo mar. Ou terrestre.

Lidia não viria.

A compreensão percorreu Ruhn como uma sentença de morte.

— Ah, merda — xingou Athalar, e Ruhn seguiu a direção do olhar do anjo atrás deles.

Cerca de duas dúzias de lobos ferais fluíam como formigas pela floresta. Todos iam direto para o cervo.

Um lobo maior que os outros liderava a matilha — Mordoc. Aproximando-se rapidamente de Lidia, que perdia terreno por causa das colinas.

— Parem! — pediu Ruhn, rouco. — Precisamos voltar.

— Não — disse Athalar friamente, apertando ainda mais as pernas de Ruhn.

O que era mais rápido: um cervo ou um lobo?

Se eles a alcançassem, tudo estaria acabado. Lidia sabia disso e, mesmo assim, fora embora.

— *Me coloquem no chão* — ordenou Ruhn, mas o malakim o segurou firme, com tanta força que sentiu o peso no corpo.

Os lobos diminuíram a distância, como se as colinas não significassem nada para eles. Mas Athalar e Baxian tinham apanhado uma corrente de ar e voavam rápido o bastante para que Lidia encolhesse cada vez mais à distância...

— *ME COLOQUEM NO CHÃO*! — rugiu Ruhn, ou tentou. Sua voz, rouca de tanto gritar, mal conseguia passar de um sussurro.

— Legião aérea vindo pelo leste — anunciou Baxian para Hunt.

Ruhn ergueu os olhos, seguindo a linha de visão de Athalar. E como uma nuvem de gafanhotos, os soldados avançavam na direção deles.

— Filhos da puta — sibilou Athalar, as asas batendo mais rápido. Baxian manteve o ritmo enquanto eles mergulhavam em direção ao mar.

Para mais longe de Lidia, que se aproximava do topo da imponente montanha. Foi o último vislumbre que Ruhn teve dela enquanto sobrevoavam o pico árido.

O oceano aberto se estendia diante deles. Ruhn se contorceu, tentando ficar de olho em Lidia.

Ele sentiu a barriga se revirar.

Como se a própria Ogenas a tivesse cortado ao meio, a encosta da montanha virada para o mar tinha sido partida. Não havia nada esperando por Lidia, a não ser um mergulho direto e letal na água, centenas de metros abaixo.

35

Hunt bloqueou da mente os gritos e xingamentos de Ruhn. Ele sabia que estaria no mesmo estado se fosse Bryce ali, sendo encurralada por duas dúzias de lobos ferais. Emitira esses mesmos sons uma vez, havia muito tempo — quando Shahar e Sandriel caíram em direção à terra, o sangue de Shahar pingando...

O brilho do sol no mar fazia sua cabeça latejar. Ou talvez fossem seus ferimentos e sua exaustão. A cada vez que batia as asas, uma nova onda de dor ecoava em seu corpo, ameaçando tirar seu fôlego. Mas ele acolhia a dor em seu coração, abraçava-a. Merecia sentir cada pontada dela.

Mas ali, emergindo da água como uma baleia saltando...

Uma escotilha de metal brilhante surgiu na superfície. Então uma pessoa irrompeu, acenando freneticamente. E Hunt só pôde imaginar se estaria alucinando ao perceber que era Tharion sinalizando para eles, incitando-os do estreito convés externo no topo do *Cargueiro das Profundezas*.

Hunt e Baxian mergulharam e Ketos saltou para a proa do poderoso navio, gritando algo que o vento levou.

Em direção à costa, os anjos ganhavam velocidade, aproximando-se. A espuma fresca das ondas batia no corpo de Hunt, o sal fazendo suas feridas abertas arderem. Os últimos três metros que faltavam até pousarem no metal encharcado do navio foram percorridos em meio a uma queda.

Tharion correu, a pressa evidente em seu rosto.

— Eu disse para pousar *na* escotilha! — gritou o tritão.

Hunt cerrou os dentes, mas Ruhn ficou em pé, cambaleando e chegando perigosamente perto de cair na água:

— Lidia — falou ofegante para Tharion, apontando para os penhascos. Ele cambaleou de novo e Tharion o segurou. Ruhn agarrou o antebraço musculoso do tritão com a mão. Os olhos de Tharion pousaram onde estaria a mão do príncipe, fazendo o tritão empalidecer.

Mas Ruhn resmungou:

— Você tem que ajudá-la.

— O navio não pode se aproximar mais da costa — disse Tharion, apaziguador.

— Não o navio — rebateu Ruhn com uma ameaça surpreendente —, *você*.

Hunt olhou para a montanha, para o penhasco se assomando como um gigante na costa distante.

— Ruhn, mesmo que Lidia consiga chegar até o pico da montanha... aquela queda é mortal.

Ela se espatifaria assim que tocasse a superfície da água.

— *Por favor* — implorou Ruhn, com a voz embargada enquanto examinava o rosto de Tharion.

O tritão olhou para Hunt. Depois para Baxian. Pareceu se dar conta de que não estavam mais em condições de voar um metro sequer.

Tharion suspirou, mas afirmou:

— Longe de mim abrir mão da oportunidade de dar uma de herói. — O tritão passou o príncipe para Baxian e tirou as roupas. Em nada preocupado com o fato de estar pelado, ele saltou nas ondas cor de cobalto e, um segundo depois, a enorme cauda surgiu na superfície. Ele não olhou para trás antes de desaparecer na água, um vislumbre laranja em meio ao azul.

Baxian começou a murmurar uma oração para Ogenas. Hunt não teve opção a não ser se juntar a ele.

Talvez isso também fosse culpa dele. Se tivesse impedido Bryce, impedido os outros de irem contra os asteri... nenhum deles estaria nesta situação. Nada disso teria acontecido.

Mas Ruhn permaneceu em silêncio. Olhos fixos na praia, rosto pálido como a morte. Como se pudesse ver todo o caminho até a metamorfa nos penhascos, correndo para salvar a própria vida.

* * *

Os pulmões de Lidia ardiam a cada respiração.

A cada passo galopante na subida, nada além de pedras secas e traiçoeiras e raízes serpenteantes por baixo. Tantas raízes, todas determinadas a fazê-la tropeçar em seus delicados cascos.

Isso não estava nos planos. Tinha sido uma tola ao escolher aquela estrada sem saber onde iria dar, sem saber que ficaria presa no sopé árido com uma montanha para escalar.

Mas Ruhn e os anjos haviam conseguido. Já estariam no navio àquela altura.

Irithys conseguira escapar para fazer o que precisava ser feito. Ao menos não estivera errada ao confiar na rainha. Ao menos essa parte dera certo.

Rosnados ecoavam no matagal atrás dela, e Lidia reconhecia todos.

Seus lobos ferais. Seus soldados. O rosnado mais profundo, terrivelmente próximo dela, era de Mordoc.

Lidia se forçou a correr mais rápido, a ganhar mais velocidade. Encontrou uma trilha em zigue-zague — uma trilha de cervos, que ironia — subindo a montanha. Uma legião de anjos se assomava como nuvens no céu.

Ela tinha que chegar à água. Se conseguisse atingir o mar, talvez tivesse a chance de nadar até o navio.

Um arbusto se mexeu à sua esquerda e Lidia saltou em direção a uma pedra no exato instante em que Mordoc atravessava o matagal e as árvores, com as mandíbulas estalando.

Por centímetros não conseguiu mordê-la.

Mordoc bateu na rocha e saltou de novo. Em breve passaria pela rocha e conseguiria alcançá-la. Logo atrás dele estavam Vespasian e Gegred, os torturadores e caçadores favoritos dele... os torturadores e caçadores favoritos *dela*. A espuma escorria de suas mandíbulas enquanto escalavam as pedras.

Lidia saltou de novo, escalando a rocha até chegar ao topo. Os lobos não conseguiam pular tão longe, mas ela não esperou para ver o que fariam enquanto corria pela larga rocha e depois subia mais uma vez.

Galhos e espinhos rasgavam seu pelo, suas pernas.

O cheiro do próprio sangue enchia seu nariz, acobreado e espesso. Os cascos escorregaram nas pedras soltas, o som como o de ossos estalando. Tinha que ter algum caminho contornando a encosta da montanha, alguma maneira de circundá-la e descer pelo outro lado até a água abaixo...

Ali. Mais quatrocentos metros. Uma borda que contornava a montanha. Ela mergulhou à frente e os rosnados atrás dela se aproximaram novamente. Ela tinha que chegar até a borda. Tinha que chegar até a água.

Não conseguia chorar naquele corpo, mas quase o fez quando enfim alcançou a curva ao redor da montanha. Quando a borda se projetou diante dela.

Como um longo dedo, estendia-se bem acima do mar que balançava a cento e cinquenta metros abaixo. O resto da montanha era um penhasco íngreme.

Não havia outro caminho para descer. E não teria como voltar.

Pela maneira como seus cascos cravavam na pedra, percebeu que a rocha era algum tipo de material macio que se desintegraria em suas mãos se tentasse descer o penhasco na forma humanoide. Isto é, se Mordoc e os outros não atirassem nela antes.

O rosnado cruel de Mordoc soou atrás dela, e Lidia olhou para trás, bem quando ele assumiu a forma humana. Os lobos atrás dele fizeram o mesmo.

Então Lidia também mudou para a sua forma humanoide. Ofegante, reorientando seus sentidos para este corpo, ela recuou um passo em direção à borda.

Vespasian, à esquerda de Mordoc, sacou uma espingarda e a apontou para ela.

— Isso me parece familiar — ofegou Mordoc, com um brilho selvagem nos olhos. — O que foi que você disse para aquela vadia pássaro-trovão?

Lidia recuou mais um passo, enquanto Gedred também sacava e apontava seu rifle.

Mordoc cuspiu no chão seco e depois limpou a boca com as costas da mão.

— Você é mais rápida do que uma bala? Foi isso que você perguntou a Sofie Renast naquela noite. — Seu capitão riu, mostrando dentes grandes demais. — Vamos ver, *Lidia*. Vamos ver o quanto você é rápida agora, traidora de merda.

O olhar de Lidia disparou entre Vespasian e Gedred. Não encontrou piedade alguma em seus rostos. Nada além de ódio e raiva. Eram lobos ferais chefiados por uma corça. E ela os traíra.

Então a fariam pagar por isso.

Os tiros não seriam para matá-la. Eles atirariam em algum membro seu, como ela fizera com Sofie Renast, para que pudessem arrastá-la de volta aos asteri e fizessem picadinho dela. Fossem eles ou Pollux.

Os gritos da legião aérea se aproximaram vindos de cima. Pollux estaria com eles? Liderando o enxame de anjos para capturá-la?

A morte estava atrás dela, no final da borda do penhasco. Uma morte rápida e misericordiosa.

Do tipo que os asteri não ofereceria a ela. Se conseguisse chegar ao fim do penhasco... seria rápido.

Ela cairia e sua cabeça se espatifaria nas pedras, e é bem provável que não fosse sentir muito. Talvez uma rápida explosão de dor, depois nada.

Mesmo que nunca visse os frutos daquilo pelo qual lutara, pelo qual tivera esperança.

Lidia afastou esses pensamentos. Como sempre fazia.

Gedred se ajoelhou, com a espingarda apoiada num ombro. Pronta para disparar.

Então Lidia estendeu a mão para a gargantilha prateada em volta do pescoço. Ela se soltou com um movimento de seus dedos.

— Já que estamos revivendo o passado, acho que devo dizer o que Sofie falou para mim naquela noite. — Ela jogou a gargantilha no chão, aquela coleira odiosa, e sorriu para Mordoc, para os lobos ferais. — *Vai para o Inferno.*

E começou a correr. Mais rápido do que já correra nesta forma humana, precipitando-se em direção à beira do penhasco. Duas balas chegaram perto de atingir seus calcanhares e ela desviou para o lado, se esquivando com facilidade da terceira.

Ensinara a esses lobos ferais tudo o que sabiam. Agora, usaria isso contra eles.

— *Acertem essa vadia*! — gritou Mordoc para seus atiradores.

A vida de Lidia se diluía a cada passo. A cada movimento dos braços. As balas espalhavam pedras e estilhaços a seus pés. Só faltavam alguns passos.

— *ACABEM COM ELA!* — rugiu Mordoc.

Mas a ponta do penhasco já estava ali — e, então, ela pulou.

Lidia soluçava enquanto saltava, enquanto o ar livre a abraçava. À medida que as rochas e as ondas surgiam abaixo.

Por um instante, ela pensou que a água poderia estar subindo para encontrá-la.

Mas era ela. Caindo.

Um tiro estalou como uma trovoada. A dor irrompeu em seu peito, ossos se quebrando, pontos vermelhos em sua visão.

Lidia deu uma risada entrecortada e cheia de sangue enquanto morria.

36

Jesiba Roga tirou Ithan do bar com rapidez quando ele revelou quem queria ressuscitar dos mortos. Ele se viu levado para um escritório — o escritório dela, ao que tudo indicava — abarrotado de engradados e caixas do que deviam ser relíquias de seu negócio.

Ela o empurrou para uma cadeira em frente a uma enorme mesa preta, sentou-se do outro lado em uma poltrona de veludo branco e ordenou que ele contasse tudo.

Ithan o fez. Precisava da ajuda dela e sabia que não conseguiria se não fosse sincero.

Quando terminou, Roga recostou-se na cadeira, a fraca luz dourada do abajur da mesa iluminando seus cabelos curtos e platinados.

— Bem, não era esse o rumo que eu achava que minha noite ia tomar — comentou a feiticeira, esfregando as sobrancelhas bem cuidadas. Na estante embutida atrás dela havia três terrários de vidro cheios de várias pequenas criaturas. Seriam pessoas que ela transformara em animais? Para o bem delas, Ithan esperava que não.

Mas talvez ela pudesse transformá-lo em um verme e pisar nele. Isso seria um golpe de misericórdia.

Os olhos de Jesiba brilharam, como se pudesse sentir o que se passava na cabeça dele. Mas ela disse, com a voz calma:

— Então você quer que um necromante ressuscite essa Sigrid Fendyr.

— Não foi há muito tempo — explicou Ithan —, o corpo dela ainda deve estar fresco o bastante para...

— Não preciso que um lobo me ensine as regras da necromancia.

— Por favor — implorou Ithan, a voz rouca. — Olha, eu... fiz merda.

— Fez? — Uma pergunta fria e curiosa.

Ele engoliu em seco, a garganta já arranhando enquanto assentia.

— Eu deveria tê-la resgatado... e ela faria os Fendyr melhores, salvaria a todos.

Roga cruzou os braços.

— Do quê?

— De Sabine. Dos lobos que se tornaram tão *tenebrosos*...

— Pelo que me lembro, foram os lobos que correram para os Prados de Asphodel nesta primavera.

— Sabine se recusou a nos deixar ir.

— Você a desafiou e foi mesmo assim. Os outros seguiram você.

— Não estou aqui para debater a politicagem dos lobos.

— Mas isso *é* politicagem. Você ressuscita Sigrid e... e depois? Já parou pra pensar nisso?

Ithan rosnou:

— Preciso consertar isso.

— E você acha que um necromante resolverá esse problema.

Ele exibiu os dentes.

— Sei o que está pensando...

— Você não sabe nem o que *você* está pensando, Ithan Holstrom.

— Não fale comigo assim...

Ela ergueu um dedo.

— Lembre-se que você está na *minha* Casa e me pedindo um favor de proporções colossais. Veio sem ser convidado, o que, por si só, é uma violação das nossas regras. Então, a menos que você queira que eu o entregue para as vampiras, para ser sugado e deixado para apodrecer no cais, sugiro que veja bem como fala, doguinho.

Ithan olhou irritado para ela, mas fechou a boca.

Roga deu um sorriso discreto.

— Bom garoto.

Ithan tentou não rosnar. Ela sorriu ainda mais ao perceber isso.

Mas, depois de um momento, ela perguntou:

— Cadê a Quinlan?

— Não sei.

Roga assentiu para si mesma.

— Não faço nada de graça, sabe como é.

Ele retribuiu o olhar dela, permitindo que visse que faria o que ela quisesse. Roga franziu os lábios de desgosto ao perceber o desespero dele. Ithan não se importou.

— A maioria dos necromantes — acrescentou ela — são uns idiotas arrogantes que vão te sacanear.

— Que maravilha — murmurou ele.

— Mas conheço alguém que pode ser confiável.

— Diga seu preço. E o da pessoa.

— Eu já te disse: preciso de um assistente competente. Pelo que me lembro, você se formou em História na UCLC. — Ao olhar questionador dele, ela explicou: — Quinlan costumava tagarelar *sem parar* do quanto se orgulhava de você. — O peito dele apertou demais. Roga revirou os olhos, seja pelas palavras que proferira ou pelo que quer que tenha visto no rosto de Ithan, então apontou para os engradados e as caixas ao seu redor. — Como pode ver, tenho mercadorias que precisam ser classificadas e enviadas.

Ithan piscou devagar.

— Quer dizer... eu trabalho para você e então você vai me colocar em contato com o necromante?

Ela abaixou levemente o queixo.

— Mas preciso que isso seja feito *agora* — reclamou ele — enquanto o corpo dela ainda está fresco...

— Vou providenciar para que o corpo seja transportado de onde a Rainha Víbora o jogou e seja mantido... no gelo, por assim dizer. São e salvo. Até que o necromante esteja disponível.

— E essa brincadeira vai demorar quanto tempo?

Os lábios dela se curvaram.

— Por que essa pressa toda?

Ele não conseguiu responder. Não achava que dizer *O peso da minha própria culpa está me matando e não aguento mais um instante sequer* faria qualquer diferença para ela.

— Vamos começar com alguns dias, Holstrom. Alguns dias honestos de trabalho... e avaliaremos se você foi bom o bastante para merecer a ajuda que procura.

— Eu poderia sair daqui e perguntar ao necromante mais próximo...

— Você poderia, mas as vampiras podem tirar uma casquinha antes disso. Ou pode ser que você pergunte para o necromante errado e acabe... insatisfeito.

Jesiba abriu seu laptop. Ela digitou a senha e disse, sem tirar os olhos da tela:

— Aquela caixa enorme marcada como *Lasivus* precisa ser desempacotada e catalogada. Há um laptop extra naquele aparador ali. A senha é *GeleiaGeladinha*. Ambas as palavras com a primeira letra maiúscula, sem espaço. Não me olhe desse jeito, Holstrom. A senha saiu da cabeça da Quinlan.

Ithan piscou de novo. Mas se levantou devagar. Caminhou até a caixa. Ele deixou as garras à mostra e, usando-as no lugar de um pé de cabra, arrancou a tampa da caixa, que desabou no chão acarpetado com um baque abafado e uma nuvem de poeira.

— Se você quebrar alguma coisa, Holstrom — a feiticeira falou devagar de sua mesa enquanto digitava — vai ter que pagar.

Um belo de um eufemismo aquele.

* * *

Bryce não viu o Rei Outonal pelo resto do dia. Ela foi atrás de alguma coisa para jantar na cozinha para não precisar suportar outra refeição e um jogo de perguntas com ele.

Estava carregando o prato para o quarto quando seu captor surgiu no topo da escada.

— Estava procurando você.

Bryce levantou o prato e o sanduíche de presunto e manteiga que estava em cima dele.

— E eu estava querendo comer. Tchau.

O Rei Outonal permaneceu em seu caminho enquanto ela subia os degraus de pedra.

— Quero falar com você.

Ela o olhou, odiando que fosse mais alto do que ela. Mas conseguiu lançar a ele um olhar de desprezo — um olhar que era bastante eficiente em irritar Hunt quando se conheceram. E, contra sua vontade e apesar de tudo o que havia acontecido entre eles, perguntou:

— Por que você não esvaziou o antigo quarto de Ruhn?

Ele inclinou a cabeça. Era óbvio que não estava à espera dessa pergunta.

— E por que eu faria uma coisa dessas?

— Me parece um tanto sentimental da sua parte.

— Tenho outros dez quartos nesta casa. Se algum dia precisar dele, eu o limparei.

— Isso não é uma resposta.

— Você está à procura de uma resposta específica?

Ela abriu a boca para responder, mas voltou a fechá-la. Examinou-o com frieza.

Ele disse baixinho:

— Vamos lá, pergunte.

— Você já parou pra pensar? — desabafou ela. — O que poderia ter acontecido se não tivesse enviado seus capangas para nos caçar, ou não tivesse me jogado na rua quando eu tinha treze anos?

Um lampejo passou pelos olhos dele.

— Todo santo dia.

— Então por quê? — A voz dela falhou. — Você bateu nela, e depois se sentiu mal por isso... ainda se sente mal. Mesmo assim, você nos perseguiu e quase a matou nesse processo. E quando eu apareci, anos depois, foi legal comigo por uns dois dias antes de me expulsar.

— Não devo satisfações a você.

Ela balançou a cabeça, o desgosto fazendo-a perder qualquer apetite que ainda restasse.

— Não entendo isso... não entendo *você*.

— O que há para entender? Eu sou um rei. Os reis não precisam se explicar.

— Os pais precisam.

— Achei que você não queria nada comigo.

— E isso não mudou. Mas, porra, por que não ser uma pessoa legal?

Ele a olhou por um longo e insuportável momento, com a expressão que ela sabia que, muitas vezes, exibia no próprio rosto. A expressão que herdara dele, fria e impiedosa.

Ele disse:

— E cá estava eu, pensando que você via Randall Silago como um pai *de verdade* e que não precisava de mim.

Ela quase deixou o prato cair.

— Você está... você está com *ciúmes* do Randall?

Não havia expressão alguma no rosto dele, mas sua voz ficou rouca ao dizer:

— No fim, foi ele quem ficou com sua mãe. E pôde criar você.

— Isso quase soa como arrependimento.

— Já disse, eu vivo com esse arrependimento todos os dias. — Ele a examinou, o prato de comida nas mãos dela. — Mas quem sabe um dia possamos superar isso. — Depois de um momento, ele acrescentou: — Bryce.

Não sabia o que sentir, ou pensar, quando ele falou seu nome. Sem o sobrenome junto, sem qualquer tipo de escárnio. Mas ela pigarreou e respondeu:

— Me ajude a encontrar um jeito de tirar Hunt e Ruhn dos calabouços dos asteri, e então poderemos conversar sobre você se tornar um pai melhor. — Ela disse as últimas palavras enquanto passava por ele, indo em direção ao quarto. Por mais que tivesse perdido a fome, precisava se distanciar um pouco dele, precisava pensar...

O pai a chamou:

— Quem disse que Athalar e Ruhn ainda estão nos calabouços? Já não estão mais, desde hoje de manhã.

Bryce parou e se virou devagar.

— Onde eles estão? — A voz dela estava falhando, baixa. Como ela sabia que acontecia com o pai quando estava irritado.

Mas ele apenas cruzou os braços, presunçoso como um gato.

— Eis a grande questão, não? Eles escaparam. Desapareceram no mar, se os boatos forem verdade.

Bryce deixou as palavras se assentarem.

— Você... você me deixou pensar que eles estavam nos calabouços. Sendo que sabia, esse tempo todo, que estavam livres.

— Eles *estavam* nos calabouços quando você chegou. Esse fato só mudou agora.

— Você sabia que isso ia acontecer? — Uma fúria intensa e ofuscante dominou a cabeça dela, os olhos. Por mais que parte dela se perguntasse se ele também precisava de alguma distância depois da conversa que tiveram, e que revelar essa verdade... era a maneira mais eficiente de afastá-la de novo.

— Respondi às suas perguntas, como você tinha estipulado. Você perguntou para onde os asteri os tinham levado depois que os encontraram. Eu disse a verdade. Você não me pediu atualizações hoje, então...

Num segundo, o prato e o sanduíche estavam nas mãos dela. No segundo seguinte, foram arremessados no ar, na direção da cabeça dele.

— Seu *babaca*.

O pai destruiu o prato e a comida com uma parede de fogo. Cinzas de pão torrado e presuntos queimados caíram no chão entre cacos de cerâmica quebrada.

— Quanta birra — provocou ele, analisando a bagunça no tapete — vindo de alguém que acabou de saber que o irmão e o parceiro estão livres.

— Que tal assim — falou Bryce, irritada, odiando mais do que nunca as algemas gorsianas em seus pulsos —, você me solta agora mesmo, e eu arremesso esse monte de merda que é você direto pelo portal que leva ao mundo original dos feéricos. Pode ir fazer as malas.

Ele riu.

— Você vai me levar para aquele mundo feérico, quer eu te solte ou não.

— É mesmo?

— Ouvi dizer que sua mãe e Randall adotaram um filho. Seria uma pena se algo acontecesse com o garoto.

Ela revirou os olhos.

— Não adianta vir chorar quando minha mãe e o Randall te derem uma surra. Já fizeram isso antes... tenho certeza de que vão ficar bem felizes em relembrar a você do que são capazes.

— Ah, eu não iria pessoalmente até a porta deles — sorriu ele, com confiança. — Basta chegar nos ouvidos de Rigelus, digamos, que seus pais abrigam um menino rebelde...

Bryce revirou os olhos de novo.

— Você fez uma matéria ou algo do tipo na escola? Introdução à Vilania? Cai na porra da real. Você não vai conquistar mundo nenhum.

— Se você abrir uma porta entre os mundos a meu pedido, Rigelus pode ficar grato o bastante para me conceder parte dele.

Bryce olhou para os cacos do prato quebrado. Afiados o bastante para cortar a garganta dele.

O pai deu um sorriso condescendente, como se soubesse o que ela estava pensando.

Seu pai não era a favor ou contra os asteri. Não passava de um oportunista. Se tivesse mais poder caso eles caíssem fora, lutaria contra eles. Se fosse mais lucrativo se curvar diante dos asteri, ele se prostraria à frente de seus tronos de cristal. Apesar de todo o papinho sobre ajudar os feéricos, não pensava em nada além do próprio sucesso.

Ela disse com firmeza:

— Você já é rei aqui.

— De um continente. O que é isso quando se pode ter um planeta inteiro?

— Sabe, você pode não ser o Estrelado Escolhido, mas acho que, dentre todos nós, é o que tem mais coisas em comum com Theia. Ela pensava desse mesmo jeito horroroso. Mas descobriu tarde demais que Rigelus não é fã de dividir nada.

— Com a faca que você trouxe em jogo, ele pode estar disposto a negociar.

Bryce olhou para ele, inexpressiva.

— O que faz você pensar que essas lâminas vão ter algum efeito contra ele?

— Quando unidas, essas lâminas podem ser o fim dele.

— Acredite, tentei isso em um asteri e não adiantou nada. Pelo menos não antes da interferência de Nestha.

Se ele ficou chocado com a revelação dela, não deu sinal.

— Você *ordenou* que elas funcionassem?

— É meio difícil ordenar, seu babaca, quando não faço ideia do que elas são capazes de fazer.

— Abrir um portal para lugar nenhum — disse o Rei Outonal, com a chama crepitando nos olhos.

— O que isso quer dizer? — exigiu Bryce.

— A Áster é Feita, como você a chamou. — Ele acenou distraidamente com a mão, faíscas na ponta dos dedos. — A faca pode Desfazer coisas. Feito e Desfeito. Matéria e antimatéria. Com o influxo certo de poder, um comando daquele destinado a exercê-los, elas podem ser fundidas. E podem criar um lugar onde não existe vida nem luz. Um lugar que não é nada. Em lugar nenhum.

Os joelhos dela tremeram.

— Isso não... isso não é possível.

— É, sim. Li a respeito disso nos Arquivos de Avallen há séculos.

— Então como faço isso? Basta dizer "se juntem em lugar nenhum" e *voilà*?

— Não sei — admitiu ele. — Minha pesquisa não revelou as instruções para fundir as lâminas. Só o que elas eram capazes de fazer.

Bryce olhou para o macho diante dela por um longo momento. Deu uma relanceada nos degraus até o nível inferior, em direção ao escritório dele.

— Quero ver essa pesquisa com meus próprios olhos.

— Fica em Avallen, e fêmeas não podem passar do saguão dos arquivos.

— Ah, claro, bem capaz de espalharmos menstruação nas páginas dos livros.

Os lábios dele se curvaram.

— Talvez tenha sido uma sorte você ter dado um jeito de fugir do noivado com Cormac. Essa grosseria não seria tolerada em Avallen.

— Ah, eles seriam afetuosos comigo assim que me vissem balançando a Áster e lembrassem quem e o que eu sou.

— Isso seria uma afronta por si só. Nenhuma fêmea jamais possuiu a lâmina.

— Quê? — A risada dela ecoou nas paredes de pedra. — Você está me dizendo que, em quinze mil anos, só machos puderam reivindicar isso aqui?

— Como as fêmeas não são permitidas na Caverna dos Príncipes, não tiveram a oportunidade de tentar reivindicá-la, mesmo que tivessem a luz estelar nas veias.

Bryce ficou boquiaberta.

— Você só pode estar de sacanagem. Proibiram fêmeas na Caverna dos Príncipes para evitar que a gente coloque as mãos na espada?

O silêncio dele era toda a resposta de que precisava.

Ela retrucou:

— Tenho quase certeza de que existem regras, mesmo neste império de merda, contra tratar fêmeas assim.

— Há muito que Avallen foi deixada para governar a si própria, suas políticas escondidas do mundo moderno por trás da bruma.

— Mas há informações, em algum lugar de Avallen, sobre o que essas lâminas podem fazer.

— Sim, mas você precisa ser convidada para atravessar a bruma. E levando em conta como anda sua relação com Morven...

Ela nunca entraria. Não sem a ajuda do macho diante de si.

A cabeça de Bryce parecia girar e, por um segundo, tudo o que havia feito e ainda tinha que fazer pesou tanto sobre seus ombros que mal conseguia respirar.

— Preciso ir me deitar — disse com voz rouca.

O Rei Outonal não a impediu quando ela foi em direção ao quarto. Como se ele soubesse que havia vencido.

Ela caminhou em silêncio pelo corredor, os passos abafados pela pedra.

Mas não para o quarto dela. Em vez disso, foi até o quarto de Ruhn, onde desabou na cama. Passou um longo tempo sem se mexer.

37

A vida de Ruhn se transformou em bipes de máquinas, monitores piscando e uma desconfortável cadeira de vinil que servia tanto de assento quanto de cama.

Tecnicamente ele tinha uma cama, mas ficava longe demais daquele quarto. Algumas vezes, Flynn e Dec vinham sedá-lo e arrastá-lo até lá para um tratamento restaurador, considerando que sua mão ainda estava em recuperação.

Os dedos já tinham se formado de novo, mas estavam pálidos e fracos. As medbruxas tinham um pequeno estoque de poções de primalux — uma raridade em um navio onde a primalux era proibida, fazendo com que dependessem de algum tipo de bioluminescência aumentada para iluminar tudo — mas Ruhn recusara as poções. Tinha exigido que dessem até a última gota para Lidia. Deixaria a mão se curar à moda antiga. Se ele e Baxian algum dia superariam a provação que levara sua mão a ser mastigada, era outra história.

Mas uma com a qual lidaria mais tarde.

— Durma um pouco — disse Flynn da porta, com uma xícara do que cheirava a café na mão. O amigo acenou com a cabeça para a cama, os fios e as máquinas diante de Ruhn. — Posso ficar de vigia.

— Estou bem — respondeu Ruhn, com a voz rouca. Mal falava desde o dia anterior. Não queria conversar com ninguém. Nem mesmo Flynn e Dec, ainda que tivessem ido atrás dele. Que o tivessem salvado.

Tudo por causa da fêmea diante dele.

Enquanto reconstruíam o que restava do corpo dela, Lidia quase morreu duas vezes. Mesmo com a poção de primalux curando as feridas do coração. Nas duas vezes, Ruhn estivera dormindo na cama dele, do outro lado do maldito navio.

Então ele parou de sair deste quarto.

Se havia sobrado alguma coisa de Lidia, era graças a Tharion, que lançara uma coluna de água amortecedora e a protegera do impacto total ao aterrissar nas rochas — mas o tritão ainda estivera longe demais para impedir por completo que ela sofresse com o baque da queda.

Mas isso não fazia diferença, porque já haviam aberto um buraco do tamanho de um punho no coração dela.

O buraco havia desaparecido, curado graças àquela rara e preciosa poção de primalux. E o coração dela voltara a funcionar, se o monitor que marcava cada batida servisse de indicação. Pulmões: reparados. Costelas: reconstruídas. Crânio rachado: remendado. Cérebro enfiado de volta no lugar.

Ruhn não conseguia parar de visualizar. O estado do corpo de Lidia quando Tharion a puxou para dentro do *Cargueiro das Profundezas*. O corpo mole. Tão pequeno. Nunca tinha se dado conta do quanto ela era menor que ele.

Ou de como seria o mundo sem ela.

Porque Lidia tinha morrido. Quando Tharion a carregou, vindo da costa, ela estava para lá de morta. Até mesmo suas habilidades de cura vanir tinham passado do limite.

Algo se partiu em Ruhn ao ver aquilo. Uma parte dele que nem Pollux, nem o Falcão e nem o calabouço dos asteri conseguiram alcançar.

Então as medbruxas do navio esvaziaram seus estoques de poção de primalux em Lidia. Athalar usou seu relâmpago para fazer o coração dela acelerar, porque mesmo os milagres líquidos não foram suficientes para fazê-lo bater. O relâmpago de Athalar já fora necessário três vezes, porque o carrinho de emergência demorou muito para ligar quando o coração parou de funcionar.

Quando Ruhn perguntou como ele sabia que isso funcionaria, o anjo murmurou algo sobre agradecer a Rigelus pela ideia e deixou por isso mesmo. Ruhn estivera aliviado demais com o som das batidas do coração de Lidia para perguntar mais.

— Ruhn, cara... você precisa dormir. — Flynn finalmente entrou na sala, sentando-se na cadeira ao lado da dele. — Se ela se levantar, eu te ligo. Se ela se *mexer*, eu te ligo.

Ruhn apenas ficou encarando a fêmea terrivelmente pálida na cama.

— Ruhn.

— A última coisa que disse a ela — sussurrou Ruhn — foi que ela estava morta para mim.

Flynn suspirou.

— Tenho certeza que ela sabia que você não estava falando sério.

— Eu estava falando sério.

O amigo engoliu em seco.

— Não sabia que as coisas entre vocês tinham ficado tão... intensas.

— Ainda assim, ela fez tudo isso para me salvar — disse ele, ignorando o pedido silencioso de Flynn para atualizá-lo.

Ele seria comido vivo pela culpa. Ela fizera coisas horríveis como Corça, antes e depois de se tornar Daybright, coisas que ele não conseguia esquecer, mas... A cabeça dele não parava de girar. De raiva, de culpa e daquela outra coisa.

Flynn apertou o ombro dele.

— Vá dormir, Ruhn. Eu cuido da sua garota.

Ela não era a garota dele. Não era nada dele.

Mesmo assim, ele continuou ignorando Flynn. Não se moveu da cadeira, embora tenha fechado os olhos. Concentrou-se em sua respiração até que o sono chegasse.

— Idiota teimoso — murmurou Flynn, mas o cobriu com uma manta de qualquer maneira.

Day, disse Ruhn para o vazio entre eles, como fazia quase todas as horas desde então. *Day... você consegue me ouvir?*

Nenhuma resposta.

Lidia.

Ele nunca a chamara pelo nome antes. Nem mesmo ali.

Tentou novamente, chamando o nome no vazio, como um apelo. *Lidia.*

Mas a escuridão apenas uivou em resposta.

* * *

— Então — disse Hunt a Tharion enquanto se sentavam no refeitório vazio do *Cargueiro das Profundezas* —, a Rainha Víbora, hein?

Tharion beliscou seu peixe escalfado e a salada de algas marinhas cortadas em tiras finas.

— Não vamos entrar nesse mérito, Athalar. — Eles tinham perdido o almoço, mas conseguiram umas sobras com os cozinheiros.

— Justo. — Hunt flexionou as asas, já de volta à força habitual, graças a primalux que Lidia conseguira dar para ele através de alguma maquinação sua. — Obrigado por ter vindo nos buscar.

Tharion ergueu o olhar — sombrio, vazio.

Hunt conhecia bem essa sensação. Estava tentando não se sentir desse jeito a cada segundo de cada minuto. Agora que ele e os amigos estavam ali, sãos e salvos, sem a tortura física como distração, ele se afogava nesse sentimento.

— Holstrom disse que somos uma matilha — disse Tharion. — Não curto muito essa comparação canina, mas gosto da ideia que expressa. Assim que a Lidia nos disse que faltavam dias para executarem vocês... tivemos que fazer o que fosse necessário. — Mais ou menos. Não fora tão fácil assim, lógico, mas depois de sair do Mercado da Carne, ele fora com tudo.

Hunt tinha recebido um resumo de tudo o que havia acontecido. Ou pelo menos parte disso. Considerando que Lidia permanecia inconsciente, ele ainda não fazia ideia do que ela tinha feito para organizar as coisas.

Era tudo tão improvável, tão impossível.

Ele acordara na noite anterior, encharcado de suor, convencido de que estava de volta àqueles calabouços. Foi necessário acender as luzes para aceitar que estava em outro lugar. Aqueles segundos iniciais na escuridão total, quando não sabia onde estava, tinham sido insuportáveis.

Desejou que Bryce estivesse com ele. Não apenas para dormir ao seu lado e para relembrá-lo de que havia conseguido escapar, mas... porque ele precisava da melhor amiga.

Porém, Bryce não estava ali. E esse fato também o fez despertar do sono. Sonhos em que ela caía pelo espaço, sozinha e perdida para sempre.

Tharion pareceu sentir a mudança em seus pensamentos, porque perguntou baixinho:

— Como você está, Athalar?

— As asas voltaram ao normal — afirmou Hunt, dobrando-as com firmeza atrás de si. — Emocionalmente...? — Ele deu de ombros. Ficara sentado no chuveiro por uma hora na noite anterior, a água quase escaldante enquanto enxaguava a sujeira e o sangue do calabouço. Como fizera naqueles dias antes de Bryce, deixara a água lavar a imundice e a escuridão nele. Mas havia uma marca que não podia ser removida.

Tharion olhou para a testa de Hunt.

— Eles são monstros por fazerem isso com você de novo. — A raiva ardente ficou estampada nas feições do tritão.

— Eles são monstros independentemente de terem colocado o halo de volta em mim. — Hunt ergueu o pulso, expondo a marca. O *C* que estava carimbado ali, negando isso, tinha sumido. — Você acha que um escravizado ainda pode ser príncipe?

— Tenho certeza de que aqueles feéricos idiotas têm alguns regulamentos que proíbem isso — disse Tharion com um sorriso irônico —, mas se tem alguém que conseguiria contorná-los, é a Bryce.

Hunt reprimiu a dor no peito. Não suportava imaginar a expressão de tristeza e raiva que surgiria no rosto dela quando visse o halo, a marca. Se ela algum dia voltasse.

Esse último pensamento era mais insuportável do que qualquer outro.

Hunt se forçou a superar isso e perguntou a Tharion:

— Como você está?

— Quase igual a você, mas aguentando firme. — Tharion mexeu na comida de novo. As sombras pareciam espreitar em seus olhos castanhos. — Vivendo uma hora por vez.

— Alguma notícia de Holstrom?

Tharion balançou a cabeça, os cabelos escuros acompanhando o movimento. O tritão enfim largou o garfo.

— E agora?

— Sendo sincero? — Hunt apoiou os antebraços na mesa de metal. — Não sei. Ontem, meu objetivo principal era não morrer. Hoje?

Só consigo pensar onde Bryce está, como encontrá-la. — E como viveria consigo mesmo nesse meio-tempo.

— Você acha mesmo que ela está em algum outro mundo?

As luzes fortes do refeitório refletiam na superfície metálica da mesa em um borrão brilhante.

— Se ela não estiver no Inferno, então sim... Espero que esteja em outro mundo, e em segurança.

— Vamos dar um jeito de trazê-la de volta para cá.

Hunt não se deu ao trabalho de dizer ao tritão que quase com certeza isso era impossível. Bryce era a única pessoa em Midgard que poderia abrir o portal capaz de trazê-la para casa.

Ele apenas disse:

— Bryce gostaria que eu divulgasse... o que ela descobriu sobre os asteri. Então acho que vou começar com a Rainha do Oceano. Ela não é aliada da Ophion, mas parece... que os ajuda. — Ele gesticulou para o navio ao redor deles.

— Ah — ironizou Ketos. — E eu que pensei que você tinha ido me buscar no beliche pra almoçar.

— E fui. Queria ver como você estava — respondeu Hunt, porém admitindo em seguida: — Mas também queria saber se você tinha como falar com ela.

— Com a Rainha do Oceano? — Tharion riu, frio e sem humor. — Seria mais fácil perguntar se tenho o contato da própria Ogenas.

— Ela passou por todo esse perrengue para ajudar os inimigos dos asteri — explicou Hunt, tamborilando os dedos na mesa. — Quero saber o motivo.

Tharion estudou o rosto dele com tamanho escrutínio que Hunt se lembrou por que Ketos havia sido nomeado Capitão da Inteligência da Rainha do Rio. Hunt deixou o tritão ver a pura determinação que fluía através dele.

— Tudo bem — disse Tharion com a voz grave —, vou ver o que posso fazer. Ainda que... — Ele estremeceu.

— O quê?

— Considerando o que aconteceu com a irmã e a sobrinha dela... pode não dar certo.

— Você está neste navio e ninguém tentou matá-lo ou mandá-lo de volta para a Rainha do Rio... isso deve significar alguma coisa.

— Acho que tem mais a ver com a importância da Lidia do que com a minha, por mais que me doa dizer isso. — Tharion suspirou. — E acredite, no instante em que pisei neste navio, passaram a encher o meu saco por ter desertado da Rainha do Rio. Sou um pária aqui.

— Bem... talvez isso possa ser usado a seu favor, para atrair a Rainha do Oceano para uma reunião.

Tharion cruzou os braços musculosos.

— Eu prefiro que não.

— Pense no assunto — pediu Hunt. — O que você conseguir fazer... eu agradeceria.

Tharion passou os dedos longos pelos cabelos ruivos.

— Tá, tá, eu sei. — Tharion se remexeu no banco de metal para tirar um celular de sua roupa de Neoprene colante. Ele começou a digitar.

— Vou ver se Sendes está livre para bater um papo. — Ele se levantou graciosamente. — Aviso se chegar a algum lugar.

Nem uma faísca do brilho habitual do tritão iluminava o seu olhar.

— Valeu — disse Hunt. — Me mantenha informado.

Tharion assentiu e saiu, ainda digitando.

Hunt terminou a refeição, o prato de peixe que tinha à sua frente, e depois comeu o que restava no prato de Tharion antes de sair do refeitório. Os corredores do navio estavam silenciosos. Usando a caminhada para se esticar e testar a força de suas asas curadas, andou em silêncio pelos corredores revestidos de vidro, com nada além do oceano escuro em volta. Toda aquela água esmagadora retida pela magia da Rainha do Oceano. Hunt não conseguia deixar de se impressionar com isso.

Ele não havia voltado para o biodomo alguns andares acima. Não suportava ver o lugar em que ele e Bryce tinham, oficialmente, se tornado parceiros.

Encontrou Baxian malhando na academia que fora designada para eles — uma entre dezenas naquele navio, e a que ficava mais próxima de seus alojamentos.

— Você precisa de um ajudante para pegar todo esse peso — avisou Hunt, parando perto do banco onde o metamorfo de anjo grunhia sob o peso das barras, as asas escuras abertas abaixo dele. — Devia ter pedido pra mim.

— Você não estava no quarto — retrucou Baxian enquanto abaixava a barra até o peito nu e musculoso. O suor escorria pelo sulco entre seus peitorais, a pele marrom brilhando. Partes da tatuagem sobre o coração *Por amor, tudo é possível*, escrita com a letra de Danika, ainda visíveis ali. Como conseguiria substituí-la... Hunt sentiu um aperto no coração ao pensar.

Baxian continuou:

— E quando perguntei às duendes se tinham te visto, elas disseram que você estava *almoçando*.

Hunt tinha parado na pequena sala onde Malana, Sasa e Rithi haviam se escondido desde que chegaram, para perguntar se queriam se juntar a ele e a Tharion. Elas estavam em um leve e constante pânico por estarem ali, embaixo da água. Mas não quiseram almoçar. Não queriam ver o navio nem qualquer indicação de que havia um oceano sem fim ao redor delas. Então, ficavam em seu quarto sem janelas, assistindo a algum reality show sem conteúdo sobre corretores de imóveis vendendo mansões na praia nas ilhas Coronal, e fingindo que não estavam cercadas por uma armadilha gigantesca e letal para a sua espécie.

Foi doloroso vê-las mais cedo, reunidas em volta da televisão. Lehabah as teria amado. Ela deveria estar ali com eles. Com todos eles.

Baxian manteve os olhos nos pesos que estivera levantando.

— Precisei me exercitar um pouco.

— Por quê?

— Pensando coisas ruins — foi tudo o que Baxian disse.

— Ah. — Pensamentos que deveriam voltar para o gosto do sangue de Ruhn em sua boca. Hunt parou atrás do banco em silêncio, ao alcance da barra, enquanto Baxian a erguia de novo, os braços tremendo. Tinha uns 270 quilos ali, fácil. — Quantas você já fez?

— Oitenta — grunhiu Baxian, os braços esticados, as asas abertas embaixo dele. Hunt assumiu a responsabilidade de guiar a barra de volta aos postes. — Quero chegar a cem.

— Um passo de cada vez, cara.

Baxian ofegava olhando para o teto. Então olhou para Hunt, observando-o de cabeça para baixo.

— Qual foi?

— Só estou vendo como meu amigo está.

— Estou bem — respondeu Baxian, curvando-se e apoiando as mãos nas coxas. As asas caídas sobre os ladrilhos de plástico preto.

Hunt sabia que era mentira, mas assentiu de qualquer maneira. Se Baxian quisesse conversar, ele o faria.

Ele contou para Baxian tudo o que acontecera enquanto estavam no quarto da medbruxa no dia anterior, entre suturas, poções e dor. Contou de Bryce, da Corça e de todas as merdas que haviam descoberto.

Baxian aceitou bem, ainda que seu choque pelo envolvimento da Corça fosse óbvio. Hunt não tinha como culpá-lo. Ele mesmo ainda tinha dificuldades em acreditar nisso. Mas Baxian trabalhava com Lidia havia mais tempo do que Hunt — provavelmente levaria mais tempo até que ajustasse a imagem que tinha dela.

Baxian acenou com a cabeça na direção do rosto de Hunt.

— Alguma sorte em remover essa parada escrota?

Hunt não ousou olhar para a parede de espelhos atrás do Cão do Inferno. Não tinha sido capaz de suportar a visão de seu rosto com aquele halo mais uma vez estragando sua testa. Poderia jurar que a tinta o queimava de vez em quando. Isso nunca tinha acontecido antes; mas esse novo halo, pintado por Rigelus, parecia diferente. Pior. Vivo, de alguma forma.

— Não — disse Hunt. — Hypaxia Enador se livrou dele da última vez. Então, a menos que tenham uma rainha-bruxa escondida neste navio, tenho que aprender a conviver com ela por enquanto.

— Rigelus é um babaca do caralho. Sempre foi.

Baxian enxugou o suor da testa com as costas da mão.

Hunt inclinou a cabeça.

— O que fez você mudar, falando a real? Este novo Baxian Argos é apenas o resultado de saber que Danika era sua parceira?

Era uma pergunta arriscada, trazer à tona a parceira morta dele. Perder uma parceira era como perder metade da alma; viver sem a pessoa era uma tortura.

— Não quero falar sobre o passado — disse Baxian, as asas batendo com firmeza em seu corpo, e Hunt deixou de lado.

— Então vamos falar dos próximos passos — sugeriu Hunt, dobrando as próprias asas, a sensação de aperto se demorando um pouco mais. Mais um dia e ele estaria de volta ao normal.

— O que tem para ser falado? O quadro geral é: os asteri precisam meter o pé.

Hunt bufou.

— Que bom que concordamos nisso. — Ele só podia orar para que Tharion conseguisse fazer com que Sendes contatasse a Rainha do Oceano, e que ela também pensasse que nem eles.

Ele examinou o macho que pensava conhecer havia tantos anos.

— É inocência demais torcer para que alguns dos antigos triários de Sandriel possam, também, ser anti-imperialistas em segredo?

— Melhor não abusar da sorte. Dois já é um belo número. Três, se incluirmos você.

Ainda bem que ele nunca tinha realmente feito parte dos triários. Só precisou aguentar todas as merdas que eles faziam durante os anos que esteve acorrentado a Sandriel. Hunt ignorou o familiar arrepio de pavor diante da lembrança daqueles anos e perguntou:

— Mas você e Lidia nunca suspeitaram que vocês dois eram...

— Não. Zero. Eu achava que ela era igual ao Pollux. — Baxian enxugou mais suor da testa, a respiração se estabilizando. — Você acha que a Lidia vai sobreviver?

Hunt esfregou o queixo.

— Espero que sim. Precisamos dela.

— Para o quê?

Hunt sorriu para o antigo inimigo, e agora amigo, ele supôs.

— Para fazer esses filhos da puta pagarem pelo que fizeram.

* * *

Tharion disse a si mesmo para não viajar. Para focar no fato de que, contra todas as possibilidades, tinham conseguido resgatar os amigos do calabouço dos asteri — deram até um passo além e salvaram Lidia Cervos da morte certa.

Mas isso não importava. Holstrom ficara para trás. Holstrom, cuja vida Tharion havia destruído.

E não apenas a vida de Holstrom, mas também o futuro dos lobos. A herdeira Fendyr estava morta por causa dele. Tecnicamente, por causa de Holstrom, mas... nada daquilo teria acontecido se não fosse pelas escolhas de Tharion.

Desde que entrara naquele navio, não dera a ninguém a pinta de que passara um dia inteiro vomitando as tripas. Em partes pela abstinência do veneno da Rainha Víbora, mas também por puro desgosto por tudo o que havia feito, pelo que havia se tornado.

Ariadne fora vendida, só os deuses sabiam para onde. Para quem. E tudo bem, tecnicamente ela não tinha sido *vendida,* porque a Rainha Víbora não era a sua dona, mas... ela fora embora para evitar ter que matar Holstrom. Ou pelo menos foi o que a Rainha Víbora fez com que ela pensasse, conseguindo uma troca vantajosa enquanto, durante todo aquele tempo, seu plano era colocar Sigrid no ringue contra Ithan.

Se havia um nível abaixo do fundo do poço, Tharion estava lá.

Ele se forçou a parar de ranger os dentes e a se concentrar em Sendes. Ela estava no centro da ponte, recebendo o relatório de um de seus soldados.

Nenhum dos outros técnicos ou oficiais na ponte falou com ele. Nem sequer olharam em sua direção.

Ao menos ninguém ali o chamava de traidor. Mas todos sabiam que ele havia desertado da Rainha do Rio. E levando em conta o fato de que ela não era exatamente unanimidade no navio, sabia que o rancor se dava pelo fato de ele ter desertado dos *seres do mar.* Dos seus.

Ele queria gritar para todos na ponte que, se pudesse, desertaria de si mesmo.

Sendes enfim se virou para ele, após dispensar o soldado.

— Desculpe por isso.

Tharion balançou a mão. Considerando o tamanho da dívida que tinham com Sendes e com aquele navio, ela nunca mais precisaria pedir desculpas a ele por nada que fosse.

— Tenho a sensação de que é tudo o que eu digo hoje em dia, mas queria pedir um favor.

Ela deu um sorriso fraco.

— Vá em frente.

Ele se preparou.

— Se eu quisesse entrar em contato com a Rainha do Oceano, marcar um encontro entre ela, eu e Hunt Athalar... você me ajudaria?

Sendes engoliu em seco. Não era um bom sinal.

— Se isso for pegar mal pra você — ressaltou Tharion — não esquenta. Mas eu disse a Athalar que te perguntaria, e...

— Você vai conseguir o que quer — disse ela com tristeza. — A Rainha do Oceano vem aqui amanhã.

Tharion engoliu em seco, disfarçando a surpresa.

— Tá — respondeu ele, com cuidado —, você parece... preocupada?

Sendes puxou a gola da roupa.

— Ela quer ver você. Todos vocês.

Ele ergueu as sobrancelhas.

— Problema resolvido, então.

— Pelo telefonema dela, tive a impressão de que ela não está... muito feliz com a sua presença aqui. — Sendes fez uma careta. — Algo a ver com a Rainha Víbora *e* a Rainha do Rio ameaçando declarar guerra por abrigar você?

Bom, que merda.

38

Ithan se lançou para cima do livro que, de alguma forma, havia deslizado para a porta do escritório, caindo em cima dele com um baque que ecoou pelo seu corpo inteiro.

Para sua consternação, o livro se agitou debaixo dele, tentando se esquivar em direção à porta e ao mundo além.

— Parem com esse barulho — reclamou Jesiba acima do som da sua digitação.

Ithan grunhiu, pressionando todo o seu peso considerável sobre o livro errante...

— *Chega* — retrucou Jesiba, e o livro parou ao comando em sua voz.

No entanto, Ithan não se mexeu até ter certeza de que o livro tinha de fato obedecido à dona. Retirando o corpo para olhar o livro com capa de couro azul, ele ficou tenso e então estendeu a mão para pegá-lo.

Mas o livro ficou ali, parado. Inerte. Como um livro normal...

O livro fez menção de morder os dedos de Ithan, que se jogou novamente em cima dele.

— Lehabah era muito mais eficiente... e comia muito menos. Para onde vai toda essa comida, lobo?

Ithan não foi capaz de responder enquanto lutava para fazer o livro obedecer de novo, envolvendo-o em seus braços. Agarrando-o contra o peito, ele ficou de pé e caminhou em direção à prateleira onde o livro *deveria* ter ficado enquanto Ithan abria outra caixa...

— Eu disse *chega* — disparou Jesiba, e o livro congelou nos braços de Ithan. Ele o colocou de volta na prateleira antes que pudesse escapar. Então deu outro empurrão como forma de mandar o livro *ir se foder.*

O livro foi para trás, como se quisesse pular da prateleira e atacá-lo uma terceira vez, mas uma onda dourada de luz brilhou em sua lombada — uma grade se assentando em seu lugar. Proteções para selar os livros mágicos. O livro se debateu contra a grade. E ali ficou.

Jesiba disse da mesa:

— Achei que tinha sido mais esperta do que ele com as proteções anteriores, mas quero ver como vai passar por essa.

Como se respondesse, o livro voltou a se chacoalhar na estante. Ithan mostrou o dedo do meio e se virou para a feiticeira.

Passara o último dia trabalhando sem parar, desempacotando caixas, inspecionando as mercadorias, catalogando o conteúdo, reembalando os artefatos ali dentro, colando novas etiquetas de remessa... Um trabalho pesado, que ao menos o mantinha ocupado.

Impedia-o de pensar no sangue em suas mãos. O corpo que ele só podia torcer para que de fato estivesse no gelo em algum lugar daquele labirinto subterrâneo.

Não saiu do escritório de Roga. Ela mandava entregarem comida das cozinhas particulares da Casa — e caso ele precisasse descansar, ordenou que ele se deitasse no tapete, todo enrolado como o cachorro que era.

E foi o que ele fez, ignorando o insulto, e caindo num sono tão profundo que ela precisou cutucá-lo com o pé para fazer com que acordasse.

Ele poderia ter protestado por esse comportamento, se ela não fosse a portadora de boas notícias: Hunt Athalar, Ruhn Danaan e Baxian Argos haviam escapado do calabouço dos asteri durante uma operação de resgate que incinerou toda a Espinha.

A Corça tinha conseguido. Tharion, Flynn e Dec tinham conseguido. De alguma forma, eles conseguiram. O alívio apertou sua garganta a ponto de doer, mesmo quando a vergonha por não ajudá-los revirou seu estômago.

Desde então, Ithan e Jesiba haviam trocado poucas palavras. Roga passara boa parte do tempo em reuniões com clientes ou nas da Casa, sobre as quais não falava com ele, mas agora... Ithan olhou para a estante, para o livro mágico que se debatia contra as proteções que o mantinham no lugar.

— Durante a Cimeira — comentou Ithan, ignorando o volume beligerante —, Micah disse que seus livros eram da Biblioteca de Parthos. — Amelie tinha fofocado a respeito disso depois. — Que são tudo o que restou de lá.

— Humm — murmurou Jesiba, continuando a digitar no teclado.

Ithan se jogou na cadeira diante da mesa dela.

— Achei que Parthos fosse um mito.

— Os livros afirmam o contrário, não é?

— Qual é a verdade, então?

— Nenhuma em que um vanir conseguiria acreditar com facilidade. — Mas ela parou de digitar. Seus olhos se ergueram acima da tela do computador para encontrar os dele.

— Amelie Ravenscroft afirmou que Micah disse que a biblioteca continha dois mil anos de conhecimento humano *antes* dos asteri.

— E? — O rosto dela não revelava nada.

Ele apontou para o livro puto da vida.

— Então os humanos tinham magia?

Ela suspirou pelo nariz.

— Não. Os livros mágicos que estão aqui... eles *deveriam* ser guardiões da biblioteca. Ao menos foi para isso que os encantei, séculos atrás. Para que atacassem qualquer um que tentasse roubá-los, e para que os defendessem. — Um livro desse tipo, Ithan se lembrou de Bryce contando, ajudou a salvá-la quando ela lutou contra Micah. — Mas os volumes ganharam vida e desejos próprios. Eles ficaram... conscientes. — Ela olhou para o livro malcomportado. — E quando tentei desfazer os feitiços de vida que haviam neles, sua existência havia se tornado permanente demais para ser desfeita. Então, precisei de monitores como Lehabah para proteger os guardiões. Para garantir que eles não escapassem e se tornassem um incômodo ainda maior.

— Por que não vendê-los?

Ela lançou um olhar fulminante para ele.

— Porque os *meus* feitiços estão escritos ali. Não vou deixar esse conhecimento ficar dando sopa mundo afora. — Roga fora uma bruxa antes de desertar para a Casa de Chama e Sombra e se autodenominar feiticeira. Ele só podia imaginar o que ela tinha visto em sua longuíssima vida.

— Então o que eles dizem? Os livros de Parthos?

O barulho das teclas recomeçou.

— Nada. E tudo.

Ithan bufou.

— Enigmática como sempre.

Ela parou novamente de escrever.

— A maioria das pessoas acharia que são chatos. Alguns são livros sobre matemática avançada, volumes inteiros sobre números imaginários. Outros são tratados filosóficos. Uns são peças... tragédias, comédias... e alguns são poesia.

— Tudo da vida humana antes dos asteri?

— Uma grande civilização viveu em Midgard muito antes de ser conquistada pelos asteri. — Ele poderia jurar que ela parecia triste. — Uma civilização que valorizava o conhecimento em suas variadas formas. Tanto que cem mil humanos marcharam em Parthos para salvar esses livros dos asteri e dos vanir que vieram queimá-los. — Ela balançou a cabeça, a expressão distante. — Um mundo onde as pessoas amavam e valorizavam tanto os livros e o aprendizado que estavam dispostas a morrer por eles. Você consegue imaginar como era essa civilização? Cem mil homens e mulheres marcharam em defesa de uma *biblioteca*... parece uma piada de mau gosto hoje em dia. — Os olhos dela brilhavam. — Mas eles lutaram e morreram. Tudo para dar às sacerdotisas da biblioteca tempo suficiente para contrabandear os livros em navios. Os exércitos vanir interceptaram a maioria deles, e as sacerdotisas foram queimadas, os seus preciosos livros sendo usados como lenha. Mas um dos navios... — Os lábios dela se curvaram para cima. — O *Griffin*. Ele conseguiu escapar das redes vanir. Navegou através do Haldren e encontrou um porto seguro em Valbara.

Ithan balançou a cabeça devagar.

— Como você sabe de tudo isso, quando ninguém mais sabe?

— Os seres do mar sabem um pouco — ela se limitou a dizer. — Eles ajudaram o *Griffin* a atravessar o mar, a mando da Rainha do Oceano.

— Por quê?

— Aí você vai ter que perguntar para os seres do mar.

— Mas por que *você* sabe disso? Como essa coleção veio parar nas suas mãos?

— Vou evitar fazer comparações com cachorros que não largam ossos. — Jesiba fechou seu laptop com um clique suave. Entrelaçou os dedos e apoiou as mãos no computador. — Quinlan sabia quando manter a boca fechada, entende? Ela nunca perguntou por que tenho esses livros, por que tenho os amuletos archesianos que as sacerdotisas de Parthos usavam.

Ithan sentiu a boca ficar seca. Ele sussurrou:

— O que... quem é você?

Jesiba caiu na gargalhada e vários livros da estante estremeceram. Ithan mal conseguia respirar quando Jesiba estalou os dedos.

Os cabelos curtos se soltaram em mechas longas e encaracoladas, emoldurando seu rosto. A maquiagem desapareceu, revelando traços que de alguma forma pareciam mais jovens... mais inocentes.

Era Jesiba, mas não era. Era Jesiba, como se estivesse presa no auge da juventude. Da inocência. Mas a voz dela estava cansada como sempre quando disse:

— Para que você não pense que estou mentindo... esse é o estado ao qual sempre retornarei... posso retornar, se assim desejar.

— Então você é... capaz de fazer transformações mágicas?

Ela não sorriu.

— Não. Fui amaldiçoada por um demônio. Por um príncipe que interceptou meu navio e os livros que levava nele.

O coração de Ithan batia cada vez mais forte.

— Já tínhamos quase chegado ao mar de Haldren quando Apollion encontrou o *Griffin*. — A voz dela não traía emoção. — Ele tinha ouvido falar da tentativa fracassada de resistência em Parthos, dos navios e das sacerdotisas queimadas junto com seus livros. Estava curioso para saber o que poderia ser tão valioso para os humanos que estivessem dispostos a morrer para defender. Não conseguiu compreender quando eu disse que não era nada além do poder do conhecimento... que não havia nenhuma arma além do aprendizado. — O sorriso dela se tornou mais amargo. — Ele se recusou a acreditar em mim. E me amaldiçoou pela minha insolência em não dizer a verdade.

Ithan engoliu em seco.

— Que tipo de maldição?

Ela apontou para os cabelos mais longos, o rosto mais suave.

— Viver, imutável, até que eu decidisse mostrar o verdadeiro poder dos livros — disse ela apenas. — Ele ainda acredita que são uma arma e que um dia ficarei tão cansada de viver que vou entregar todos os livros, revelando as supostas armas ali escondidas.

— Mas... pensei que você fosse uma bruxa.

Ela deu de ombros.

— Eu fui, por algum tempo. Como você categoriza uma mulher humana que parou de envelhecer? Que sempre volta à mesma idade, à mesma condição física de quando foi amaldiçoada? Eu apreciei meus anos com minhas colegas sacerdotisas em Parthos. Quando as dinastias das bruxas surgiram, pensei que poderia encontrar dentre elas uma companhia semelhante. Um lar.

— Você... você foi s*acerdotisa* em Parthos?

Ela assentiu.

— Sacerdotisa, bruxa... e agora feiticeira.

— Mas se você era humana, de onde veio sua magia? — Ela havia dito que Apollion lhe concedera uma vida longa, não poderes.

Os olhos cinzentos dela escureceram como o mar tempestuoso que ela navegara muito tempo atrás.

— Quando Apollion encontrou meu barco, estava cheio de poder. Tinha acabado de consumir Sirius. Acho que não era a intenção dele, mas, ao me tocar... transferiu algo para mim.

Pela forma como ela disse *tocar,* Ithan sabia exatamente como ela via o que ele fizera com ela.

— Demorei um pouco para perceber que tinha poderes além da juventude eterna — disse ela com suavidade — e, por sorte, tive quinze mil anos para aprender a dominar esses poderes. Para permitir que se tornassem parte de mim, que tivessem vida própria, como aconteceu com os livros.

Ele foi dominado pelo horror.

— Você quer... começar a envelhecer de novo?

Era uma pergunta bastante pessoal, mas, para a surpresa de Ithan, ela respondeu.

— Ainda não — disse Jesiba com a voz baixa —, não até que chegue a hora.

— Do quê? — Ele ousou perguntar.

Ela olhou por cima do ombro para a pequena biblioteca, para o livro agressivo que tinha por fim se acalmado, como se estivesse fazendo pirraça.

— De surgir um mundo onde esses livros enfim estarão a salvo.

39

Bryce encontrou o Rei Outonal em seu escritório, os cabelos ruivos brilhando sob a luz da manhã. Contemplando a Áster e a Reveladora da Verdade em sua mesa.

Então ele se deixara atingir pelo que ela havia dito na outra noite. Ótimo.

— Tão perto — ronronou ela ao fechar a porta e se aproximar da mesa —, mas tão longe. Tão indigno.

Chamas dançaram nos olhos dele.

— O que você quer, garota?

Ela deu a volta na mesa para ficar ao lado da cadeira dele, olhando as armas pelo ângulo do pai. Ele franziu a testa, como se a mera proximidade dela fosse desagradável.

— Minha mãe alguma vez te contou o que aconteceu naquela noite em que ela estava tentando me levar para um lugar seguro? Quando seus capangas alcançaram ela e Randall?

— Se eu fosse você, pensaria com cuidado no que vai dizer — retrucou ele.

Bryce sorriu.

— Fazia anos que Randall não pegava numa arma. Não desde que ele voltara do front e jurara que nunca mais usaria uma. Estava prestes a fazer seus votos para Solas quando recebeu um pedido de ajuda do Sumo Sacerdote, para ajudar uma mãe solo e a filha de três anos que precisavam fugir de você. E, naquela noite, seus guardas de merda nos encontraram... Foi a primeira vez que Randall voltou a pegar numa arma. Meteu uma bala bem na cabeça do seu chefe de segurança. Randall odiou cada maldito segundo disso. Mas o fez mesmo assim. Porque naquele momento, mesmo depois de apenas três dias fugindo juntos, já sabia que estava apaixonado pela minha mãe. E que não havia nada que ele não faria por ela.

O nariz do Rei Outonal se franziu de aborrecimento.

— Aonde você quer chegar com essa história?

— O que quero dizer — disse ela, aproximando-se do pai — é que não foi só com a minha mãe que aprendi o que é o amor. Com meu pai também. Meu *verdadeiro* pai. Meu pai humano e fraco, de quem você morre de ciúmes. Ele me ensinou a lutar pra cacete pelas pessoas que amo.

— Essa história está me cansando. — O Rei Outonal fez menção de se afastar, mas Bryce o agarrou pelo braço.

— Você está indo, e eu já estou voltando. Estou cansada de você desde o primeiro instante em que abriu a boca.

Ouviu-se o barulho da pedra.

O Rei Outonal recuou, mas era tarde demais. As algemas gorsianas já estavam presas em seu pulso.

— Sua putinha — sibilou ele, e Bryce deixou a algema de seu outro pulso cair no chão. — Você não faz ideia de com quem está mexendo...

— Faço sim. Um inútil, um perdedor patético.

Ele se levantou, mas ela já havia arrebatado a Reveladora da Verdade e a Áster. Ele parou quando ela desembainhou as lâminas, apontando as duas para ele.

Bryce disse, a voz suave, e a faca e a espada firmes em suas mãos:

— O negócio é o seguinte: é só não resistir que eu não vou empalar você com isso aqui e usar a sua barriga para testar como abrir o tal portal para lugar nenhum.

A chama queimou e depois desapareceu nos olhos dele enquanto as algemas o mantinham firme no lugar.

Ela sorriu, inclinando a cabeça.

— A propósito, valeu por todas aquelas informações a respeito das lâminas. Bem que eu achei que você poderia saber algo de útil. É uma pena que tenha mandado todos os criados embora, não é? Não tem ninguém para te escutar gritando.

Ele empalideceu de raiva.

— Você veio parar aqui de propósito.

— Pode crer nisso — respondeu ela, jogando os cabelos por cima dos ombros e balançando a cabeça. — Eu sabia que fazia séculos que você se dedicava a essas pesquisas. Você é a única pessoa obcecada pela Áster e seus segredos, tão tristinho por ser rejeitado, por não ser um Escolhido. Então, vim até aqui à procura de respostas. Para saber o que exatamente uma arma como essa poderia fazer. Como se livrar dos seus amiguinhos intergalácticos. — Ela sorriu. — E você presumiu que eu caí aqui porque...?

Ele a olhou com raiva.

— Ah, verdade — acrescentou ela —, porque eu sou a sua filha burrinha e destrambelhada. Caí aqui por acidente... é isso? — Ela riu, sem conseguir se conter. — Você deve até ter se convencido de que Luna tinha te enviado algum presente. Que tinha recebido um favor dos deuses e que tudo isso fora designado por Urd.

O silêncio era confirmação o bastante.

Ela fez um beicinho exagerado.

— Que azar. E *ainda* mais azar em relação às algemas. Por mais que eu ache apropriado ter usado a chave que Ruhn deixava guardada no quarto dele. Ruhn me contou isso certa vez, sabe. Era isso que ele tinha que usar quando você o prendia com as algemas para queimá-lo. Você colocou essas coisinhas lindas nele para que não pudesse revidar. E aconteceu tantas vezes que ele investiu em uma chave desarmadora que deixava na mesa do quarto, para que pudesse se libertar quando você o mandava de volta para lá para sofrer.

O Rei Outonal continuou em silêncio. O maldito nem negaria as acusações.

Bryce exibiu os dentes, uma raiva ofuscante e abrasadora invadindo sua visão. Mas a voz dela estava fria como gelo quando disse:

— Para ser sincera, eu queria mesmo era matar você, bem aqui, bem agora. Pela minha mãe, mas também pelo Ruhn. E acho que por mim também. — Ela indicou a porta com a cabeça. — Mas temos um acordo, não é? E eu tenho um date quentíssimo ainda hoje.

Ele lançou um olhar que ostentava a mais pura morte.

— Os asteri vão matar você.

— Talvez. Mas você não vai contar nada disso para ajudá-los. — Ela estendeu a Áster na direção do rosto dele. — É realmente uma pena que você tenha desconectado todos os seus aparelhos eletrônicos e desligado a interweb. Não vai ter como pedir ajuda de dentro do armário do porão.

Ele estava tão indignado que chegou a engasgar.

— O...

— Ah, não se preocupe — falou ela devagar. — Coloquei um balde e um pouco de água lá pra você. Deve ser o bastante até que um dos seus guardas imbecis se pergunte o que está acontecendo aqui e venha verificar. — Ela fingiu ponderar. — Mas pode ser que eles tenham certa dificuldade em passar pelas suas proteções.

— Assim como você terá.

— Infelizmente para você, não. Não vou ter dificuldades. Você não colocou proteções contra teletransporte. Um dom tão raro por aqui... nem passou pela sua cabeça se proteger disso, né? Que sorte a minha.

— Eu pensaria com *muito* cuidado nos seus próximos movimentos se fosse...

— Tá, tá. — Ela apontou com a espada para a porta. — Bora. Sua morada subterrânea o aguarda.

Ele não tentou nada enquanto ela o escoltava para baixo, evidentemente preocupado com o poder das armas que Bryce carregava.

Desde que Vesperus se contorcera sob as duas lâminas, um pensamento no fundo da mente de Bryce a incomodava. Lembrando-se de tudo o que Ruhn havia contado a respeito da obsessão do Rei Outonal pela Áster, ela apostou que ele também poderia saber sobre a adaga.

Foi a decisão mais difícil que já tinha tomado em sua vida: ir para lá, entrar nesse joguinho, em vez de fazer com que o portal a levasse direto para Hunt. Mas Hunt, como ela temia, ainda estava nos calabouços, e aparecer ali teria sido arriscado demais. E esse conhecimento era muito importante.

Mas agora ela sabia um pouco mais. A Áster e a Reveladora da Verdade poderiam abrir um portal para lugar nenhum, fosse ele qual fosse. Agora ela só precisava aprender como fazê-las agirem dessa maneira.

Ainda bem que ele também tinha dito onde encontrar mais informações sobre as lâminas em Midgard.

O Rei Outonal hesitou quando Bryce apontou com a espada para o armário aberto no porão. Como grande parte da casa, era à prova de fogo. Era possível que demorasse algum tempo para conseguir derrubar a pesada porta de aço, caso conseguisse se libertar das algemas gorsianas.

O Rei Outonal rosnou enquanto adentrava o armário:

— Vou matar você e a puta da sua mãe por isso.

Ela fez sinal para que ele entrasse mais no armário.

— Vou deixar agendado para amanhã.

E, com isso, ela bateu a porta na cara dele, trancando-a em seguida. Ele se jogou contra a porta um segundo depois. A porta estremeceu, mas aguentou.

Assobiando baixinho e apoiando a Áster no ombro, Bryce saiu do porão.

Tinha muito mais para fazer. Lugares para estar. Pessoas para ver.

E mais para aprender.

Cinco minutos depois, Bryce tirou o celular da gaveta da escrivaninha do escritório do Rei Outonal. Estava sem bateria, e uma busca rápida pelo escritório não mostrou nenhum indício de cabos de carregamento para fazê-lo voltar a funcionar. Ela o enfiou no cós da legging e pegou a Áster e a Reveladora da Verdade, que tinha deixado na mesa.

O dispositivo prismático do Rei Outonal estava onde ele o havia deixado. Um raio de luz solar brilhava através das janelas, refletindo o prisma e refratando um arco-íris em um dos planetas dourados do planetário — em Midgard. A luz se separou. Luz pura.

No caos daqueles momentos derradeiros com Vesperus e dos dias passados com o Rei Outonal, ela ainda não tivera oportunidade de explorar a magia que havia levado de Silene.

Imaginou que tinha reivindicado a magia para si, já que Silene certamente a havia deixado lá para ser tomada por futuros herdeiros. Mas por que não o fizeram? Por que o filho dela, que ouvira a verdade da boca da mãe, não o fez? Bryce sabia que talvez nunca fosse chegar à resposta. Mas poderia tentar aprender alguma coisa a respeito do poder que agora tinha dentro de si.

Com uma inspiração profunda, Bryce invocou sua magia. Ao expirar, ela enviou um fluxo de sua luz estelar para o prisma, seu poder mais rápido do que nunca.

Luz estelar bateu no prisma, passou por ele e...

— Hum.

Não foi um arco-íris que surgiu do outro lado. Não chegava nem perto disso.

Ela levou um momento para processar o que estava vendo: um feixe radiante de luz estelar. Onde o arco-íris deveria estar cheio de cores, surgia uma luz branca e cintilante que descia até a sombra.

Um antiarco-íris, por assim dizer. Luz caindo na escuridão, gotas de luz estelar chovendo do feixe mais alto para a faixa sombria na parte inferior, devorada pela escuridão abaixo.

Como a luz fraca do dia — do crepúsculo.

O que aquilo queria dizer? Ela tinha certeza de que sua luz era pura antes, mas agora, com o poder de Silene misturado... havia escuridão ali também. Escondida por baixo.

Et in Avallen ego.

Aquilo fazia alguma diferença para o seu poder? Para ela? Ter agora aquela camada de escuridão?

Bryce deixou as perguntas de lado. Poderia pensar nisso depois. Naquele instante...

Ela pegou o caderno sobre a mesa e colocou-o no bolso interno da jaqueta esportiva.

Então empurrou o prisma na mesa alguns centímetros para o lado, inclinando-o em direção ao dispositivo do outro lado da sala. Aquele que o Rei Outonal disse que poderia ser capaz de recapturar a luz, possivelmente com mais poder acrescentado a ela. Mas e se a luz explodisse de qualquer um dos prismas, encontrando-se no meio? O que aconteceria na colisão de tanta magia?

Toda aquela luz esmagadora, os pequenos pedaços de magia colidindo uns com os outros produziriam energia. E a abasteceriam como se fosse uma bateria.

Pelo menos era o que ela esperava.

— Só tem um jeito de descobrir — murmurou para si mesma.

Com uma prece a Cthona, ela enviou dois feixes idênticos de luz formando um arco ao redor dos prismas, disparando bem no meio deles.

Explosões também idênticas da mesma luz brilharam em ambos os prismas, disparando uma contra a outra. Faixas de luz caindo na escuridão, seu poder reduzido à sua forma mais elementar e básica. Eles brilhavam um no outro, e onde se encontravam, luz, escuridão, escuridão e luz se chocavam...

Bryce entrou bem no centro da explosão.

Entrou em seu poder.

Aquilo a iluminou por dentro, iluminou seu próprio sangue. Os cabelos flutuavam acima de sua cabeça, canetas, papéis e outros objetos do escritório subindo com ele.

Tanta luz e escuridão — o poder estava no encontro dos dois. Agora conseguia entender como a escuridão moldava a luz.

Mas todo aquele poder unido... era o impulso de que ela precisava.

Ela mostrou o dedo do meio para o chão a seus pés, para o irritado Rei Outonal que estava ali embaixo, e se teletransportou para fora da casa, para o lugar em que mais queria estar.

Lar. Onde quer que isso fosse em Midgard.

Porque seu lar já não era só um lugar físico, mas também uma pessoa.

Silene afirmou isso quando falou de Theia e Aidas... suas almas se encontraram através dos mundos, porque eram parceiros. Eles eram o lar um do outro.

E para Bryce, o lar era — e sempre seria — Hunt.

* * *

Ruhn estava tão cansado que, apesar da dor no pescoço, não se deu ao trabalho de mudar para uma posição mais confortável na cadeira. As máquinas apitavam sem parar, como grilos de metal marcando a passagem da noite.

Ele tinha a vaga noção de que Declan estava substituindo Flynn. Então Dec saiu e era Flynn de novo.

Não saberia dizer o que o despertou. Talvez uma alteração na máquina ou alguma mudança na cadência da respiração dela, mas... uma quietude o atravessou. Ele abriu os olhos, doloridos e pesados, e olhou para a cama.

Lidia ainda estava inconsciente. De uma palidez terrível.

Lidia.

Nenhuma resposta. Ruhn apoiou os braços nos joelhos e esfregou o rosto. Talvez ele pudesse dormir no chão de ladrilhos. Seria melhor do que se contorcer na cadeira.

— Bom dia — disse Flynn —, quer um café?

Ruhn grunhiu seu consentimento. Flynn deu um tapinha nas costas dele e saiu, a porta se abrindo e fechando com um ruído.

Deuses, o corpo inteiro dele doía. A mão... ele examinou os dedos finos e estranhamente pálidos, a falta de tatuagens ou cicatrizes. Ainda fraco.

Como se ainda estivesse reconstruindo as forças armazenadas em seu sangue imortal no dia de sua Descida.

Ele flexionou os dedos, estremecendo, então se sentou devagar e estalou o pescoço. Estava girando uma terceira vez quando olhou para a cama e percebeu que Lidia o encarava.

Ficou paralisado no lugar.

Os olhos dourados dela estavam turvos de dor e exaustão, mas abertos, e ela estava... ela estava...

Ruhn piscou, certificando-se de que não estava sonhando.

Lidia disse com a voz rouca.

— Estou viva ou morta?

Parecia que um buraco se abrira no peito dele.

— Viva — sussurrou ele, as mãos começando a tremer.

Os lábios de Lidia se curvaram devagar, como se fosse necessário todo o seu esforço para fazê-lo. O peso disso o atingiu, do que ela era, de quem ela era e do que havia feito.

A Corça estava diante dele. A *Corça*, porra! Como ele poderia sentir tanto alívio por alguém que odiava tão intensamente? Como ele poderia odiar alguém cuja vida era mais importante para ele do que a própria vida?

Os olhos vidrados dela desviaram dos dele. Olhou ao redor da sala sem janelas, observando as máquinas e o soro intravenoso. Suas narinas se dilataram, cheirando o ambiente sob os antissépticos e as várias poções. Algo se aguçou em seu olhar. Algo como reconhecimento.

Então Lidia perguntou bem baixinho:

— Onde estamos?

A pergunta o surpreendeu. Ela havia planejado aquela fuga. Será que a lesão afetara sua mente? Deuses, ele nem tinha pensado nas possíveis sequelas de ficar sem oxigênio por tanto tempo. Ruhn disse devagar:

— No *Cargueiro das Profundezas*...

Ela se mexeu.

Tubos e monitores voaram, arrancados de seu braço tão depressa que o sangue jorrou. As máquinas apitaram e Ruhn não conseguiu se mexer rápido o suficiente para detê-la quando ela saltou da cama, os pés escorregando no chão enquanto corria para a porta.

O vidro se abriu, revelando Flynn com duas xícaras de café na mão. Ele se esquivou para o lado com um "que porra é essa?".

Lidia disparou, mal conseguindo ficar de pé, e tudo que Ruhn pôde fazer foi correr atrás dela.

As poucas medbruxas no salão àquela hora soltaram exclamações de surpresa diante do metamorfo de corça que passou tropeçando em sua bata hospitalar azul-clara, debatendo-se nas paredes com a graça de um potro recém-nascido. Suas pernas tinham sido reconstruídas; ela nunca tinha usado essas antes.

— Que *Inferno* é esse? — disse Flynn, um passo atrás de Ruhn, cheirando ao café que havia derramado sobre si mesmo quando pulara para fora do caminho de Lidia.

Lidia chegou nas escadas e, pouco antes de a porta se fechar atrás dela, Ruhn a viu tropeçar, caindo de joelhos nos degraus e voltando a se levantar.

— Lidia — ofegou ele, cada passo fazendo seus pulmões arderem. Pra *puta que pariu* com o corpo dele, ainda se curando...

Ele bateu com tudo na porta que levava às escadas do poço, mas ela já estava na metade do caminho, as pernas longas, pálidas e finas contra os azulejos cinzentos.

Ela avançou cada vez mais, sem saber ou ignorando o fato de que Ruhn corria logo atrás. Ela abriu uma porta sem identificação e saiu em disparada pelo corredor. Pessoas à paisana se grudaram junto às paredes ao vê-la — depois a ele. As paredes ali estavam cobertas de arte com cores chamativas e panfletos.

Lidia respirava cada vez mais fundo. Soluçava, esticando o pescoço para ver pelas janelas dos quartos por onde passava. Ruhn leu as palavras em cada porta de madeira: *Terceiro Ano. Sétimo Ano. Quinto Ano.*

Ela derrapou até parar, agarrando-se ao batente da porta. Ruhn chegou ao lado dela no momento em que espiou pelo vidro.

Nono Ano.

Um grupo de adolescentes — a maioria seres do mar, de pele listrada e de diversas cores — estava sentado em fileiras de carteiras na sala de aula. Lidia pressionou a mão contra a porta. Lágrimas escorriam por seu rosto.

E então um garoto, de cabelos dourados e olhos azuis, desviou o olhar do professor e olhou para a janela. O garoto não era tritão.

Ruhn sentiu o chão sumir debaixo de seus pés. O menino era a cara de Lidia. Tinha a mesma cor de pele e de cabelo.

Outro menino à sua esquerda, também não tritão, tinha cabelos escuros e olhos dourados. Os olhos de Lidia.

Atrás deles, Flynn grunhiu de surpresa.

— Você tem irmãos neste navio?

— Eles não são meus irmãos — sussurrou Lidia. Seus dedos se curvaram no vidro. — São meus filhos.

40

Hunt encostou-se na parede da enorme sala tática do *Cargueiro das Profundezas,* os braços cruzados. Tharion e Baxian estavam ao seu lado, o primeiro fingindo indiferença, o último, o retrato da ameaça.

O único móvel na sala era uma mesa de conferência e, apesar de terem sido instruídos a se sentar quando entraram, cinco minutos antes, os três permaneceram de pé.

Hunt repassava mentalmente tudo o que precisava dizer. A Rainha do Oceano solicitara a Sendes que Tharion comparecesse à reunião, mas Athalar sabia que não teria outra oportunidade melhor para fazer as perguntas que queria. Presumindo que Tharion conseguisse se manter intacto até que Hunt começasse a falar. Caso contrário, isso poderia complicar os seus planos.

Se Tharion estava nervoso, não demonstrava. O tritão removia fiapos invisíveis de seu traje aquático e olhava de vez em quando para o relógio digital na parede oposta. Mas Hunt notou seu olhar inexpressivo. Um macho preparado para enfrentar seu fim. Que talvez pensasse que merecia o que estava por vir.

Algo fez o navio estremecer, como um terremoto submarino. Tão ameaçador e mortal quanto um tsunami. Antigo e frio como o fundo de uma fossa oceânica.

— Ela está aqui — murmurou Tharion.

As asas escuras de Baxian se fecharam com mais força e ele olhou de soslaio para Hunt.

— Já conheceu a Rainha do Oceano?

— Não — disse Hunt, dobrando as asas. Ele desejou ter uma arma, qualquer arma. Ainda que pudesse contar com seu relâmpago e sua força bruta, o peso de uma arma ou espada ao lado do corpo trazia certo conforto. Por mais que nenhuma das duas tivesse utilidade alguma contra o ser que havia chegado ao navio.

— Nunca nem a vi. Você?

Baxian passou a mão pelos cabelos pretos encaracolados.

— Não. Ketos?

— Não — foi a única resposta do tritão, os olhos fixos no relógio de novo.

Não era de surpreender que nem mesmo Tharion tivesse conhecido a Rainha do Oceano. Ela era mais enigmática do que a Rainha do Rio e, segundo os boatos, tinha nascido da própria Ogenas. A filha de uma deusa, que decerto poderia fazer com que a força de todo o oceano desabasse sobre o navio e...

A porta foi aberta. Sendes surgiu e anunciou:

— Sua Majestade das Profundezas, a Rainha do Oceano. — A comandante deu um passo para o lado, fazendo uma reverência exagerada conforme uma fêmea minúscula passava por trás dela.

Hunt ficou sem reação. Até Tharion parecia conter o choque, a respiração superficial.

Seu corpo voluptuoso media pouco mais de um metro e vinte. A pele era tão pálida quanto a barriga de um peixe; os olhos angulosos e tão escuros quanto os de um tubarão. Tinha o rosto em formato de coração, nem bonito nem simples, os lábios em formato de botão de rosa, do tom rosa-avermelhado de um pargo. Tinha uma estranha leveza ao caminhar... como se não estivesse acostumada à terra firme. E o vestido de algas e gorgônias que usava tinha uma cauda que se arrastava conforme andava, as conchas e corais de enfeite tilintando a cada movimento.

Os três se afastaram da parede e, seguindo o exemplo de Sendes, fizeram uma reverência.

Mas enquanto o fazia, Hunt manteve os olhos na Rainha do Oceano, notando o movimento lento de seus olhos ao analisar os três. Só os olhos se mexiam — nada mais. Uma predadora avaliando as presas.

Quando decidiu que já a tinham venerado o bastante, caminhou até a ponta da mesa. Cada passo deixava uma poça no formato dos seus pés nos ladrilhos, ainda que ela parecesse estar seca. Crustáceos adornavam alguns fios de seus cabelos como contas.

— Sentem-se — ordenou ela, a voz profunda e ondulante provocando arrepios.

Asas farfalharam e cadeiras rangeram enquanto eles a obedeciam. Hunt ponderou se hoje irritara Urd de algum modo, percebendo que havia reivindicado a cadeira mais próxima da ponta da mesa... e da monarca sentada ali. Baxian estava sentado do outro lado e Tharion, aquele verme, se enfiara no assento mais distante, a um salto de distância da porta.

Ajustando as asas no encosto da cadeira, Hunt cruzou olhares com Baxian. O Cão do Inferno retribuiu com um olhar que dizia: *Bom, estou quase me cagando nas calças.*

Hunt olhou para a própria cadeira como se dissesse *Não é você que está grudado nela.*

A rainha os examinou com olhos calmos e impiedosos.

Hunt não pôde evitar engolir em seco. Nunca se sentira tão pequeno, tão insignificante. Mesmo diante dos asteri, conseguia se lembrar de que ele era um guerreiro, dos bons, e que poderia ao menos oferecer resistência contra eles. Mas diante desta fêmea... ele via nos olhos dela, sentia em seu sangue: bastava um pensamento para que ela extinguisse a existência dele com uma onda de poder.

Sendes limpou a garganta e disse, a voz trêmula:

— Permita-me apresentar Hunt Athalar, Baxian Argos e Tharion Ketos.

— Os nossos convidados de Valbara — reconheceu a Rainha do Oceano. Suas palavras pareciam acompanhadas do uivo do vento, por mais que o tom de voz fosse suave. Hunt sentiu todo seu corpo ficar tenso.

Tão rápido quanto uma tempestade que varre o mar, ela pareceu crescer. Não, ela *estava* crescendo, cada vez mais alta, até se elevar sobre Sendes, quase da altura de Hunt.

Seu poder aumentou, enchendo a sala, arrastando suas almas insignificantes para dentro de seu coração abafado como um redemoinho.

A Rainha do Oceano voltou a atenção para Tharion e disse, com um tom ameaçador de fazer tremer os joelhos:

— Você trouxe muitos problemas para a minha casa.

* * *

Ruhn tentou, sem sucesso, processar o que ouviu. Lidia tinha... filhos?

Uma voz feminina atrás deles disse:

— Srta. Cervos.

Lidia não se virou. Continuou olhando para os meninos na sala de aula.

Mas Ruhn olhou e encontrou uma sereia robusta, de pele escura e rosto gentil parada ali. Ela se apresentou:

— Sou a diretora Kagani, a autoridade máxima desta escola.

Os dedos de Lidia se contraíam no vidro da janela da porta.

— Posso conhecê-los? — A pergunta saiu muito, muito baixa. A voz falhando.

Kagani deu um suspiro suave.

— Acho que seria bastante prejudicial e revelador demais se fossem retirados da sala de aula agora.

Lidia enfim se virou, mostrando os dentes.

— Quero conhecer meus filhos.

A mente de Ruhn ficou a mil com a expressão no rosto dela. Raiva, dor e a ferocidade indomável de uma mãe.

— Eu sei que quer — retrucou Kagani com uma calma imperturbável —, mas seria melhor conversarmos em meu escritório após a aula. Ele fica no fim do corredor.

A Corça nem ao menos se mexeu.

— Pense no que é melhor para *eles*, Lidia — encorajou Kagani. — Eu entendo, de verdade... Também sou mãe. Se eu tivesse... — Ela engoliu em seco. — Ia querer o mesmo se tivesse feito as escolhas que você fez. Mas também sou educadora e defensora dessas crianças. Por favor, coloque os gêmeos em primeiro lugar hoje. Assim como você tem feito todos os dias nos últimos quinze anos.

Lidia examinou o rosto da fêmea com uma receptividade que Ruhn nunca tinha visto nela. Olhou por cima do ombro, de volta para a sala de aula. O garoto loiro estava em sua mesa nesse instante, encarando Lidia com os olhos arregalados. O garoto de cabelos escuros a observava com atenção, mas continuava sentado.

Havia muito de Lidia nas feições deles. Quando estavam longe dela, era improvável que alguém conseguisse estabelecer a conexão, mas era impossível de ignorar ao vê-los tão próximos.

— Tudo bem — sussurrou Lidia, baixando a mão da janela —, tudo bem.

Kagani deu um suspiro discreto de alívio.

— Por que você não vai se limpar? A escola só termina daqui a cinco horas, então não tenha pressa. Coma alguma coisa. Quem sabe passar por um exame rápido com a sua medbruxa. — Ela acenou com a cabeça para os buracos semicicatrizados no braço de Lidia, de onde o soro tinha sido arrancado.

— Tudo bem — repetiu Lidia pela terceira vez, e afastou-se. Como se Ruhn e Flynn não existissem.

A diretora Kagani acrescentou com gentileza:

— Entrarei em contato com os pais adotivos de Brann e Actaeon para ver se eles podem participar também.

Lidia assentiu em silêncio e continuou andando.

Ruhn olhou para Flynn, que estava com as sobrancelhas erguidas, e ergueu as próprias sobrancelhas em concordância silenciosa.

Um movimento repentino atraiu sua atenção e Ruhn se virou em direção a Lidia, estendendo a mão indistintamente para ela.

Mas ele não foi rápido o bastante para segurá-la quando ela desmaiou e caiu no chão.

* * *

Tharion nunca havia conhecido ninguém tão assustador e atraente como a Rainha do Oceano. Nunca quis chorar, rir e gritar ao mesmo tempo... embora estivesse mais inclinado a fazer este último quando a rainha demonstrou toda a força de seu descontentamento.

— Tharion Ketos. — Ela pronunciou o nome dele como se deixasse um gosto ruim em sua boca. — Me explique como você tem não só uma, mas *duas* rainhas exigindo sua cabeça?

Ele estremeceu e usou todo o charme que tinha — a principal e melhor estratégia de defesa que tinha e poderia aplicar.

— É que eu costumo causar esse efeito nas fêmeas.

A monarca não sorriu, mas ele poderia jurar que Sendes, parada na porta, estava tentando não rir.

A Rainha do Oceano cruzou as mãos diante da barriga curva e macia.

— Recebi relatos de que a Rainha Víbora de Lunathion colocou uma recompensa pela sua cabeça no valor de três milhões de marcos de ouro. — Athalar, o desgraçado, soltou um assobio baixo. — *Cinco* milhões se você estiver vivo, para que ela mesma possa puni-lo.

Tharion prendeu a respiração.

— Pelo quê? — Ele acrescentou depressa em seguida: — Vossa Majestade.

— Não sei os detalhes nem quero saber — respondeu a Rainha do Oceano, os dentes perolados brilhando por trás dos lábios vermelho-vivo. — Mas acredito que tenha algo a ver com a sua presença trazer certos indivíduos que causaram danos incalculáveis à propriedade dela. Ela considera *você* o grande responsável.

Ele estava tão, mas tão fodido.

— Mas seus problemas não param por aí — continuou a rainha. Ele poderia jurar que aqueles dentes brilhantes ficaram mais afiados. — Minha suposta irmã do Istros também exige seu retorno. Ela está ameaçando uma guerra contra mim, *contra mim*, se você não for entregue. Acredito que para ser executado.

Ele mal conseguia respirar.

— Por favor — sussurrou ele —, meus pais...

— Ah, eu não me preocuparia com a sua família se fosse você. — A Rainha do Oceano fervia. Seus dentes agora eram curvos e parecidos com navalhas. Um verdadeiro tubarão. — A Rainha do Rio e a Rainha Víbora só querem *você*. Seria ótimo que me desse um bom motivo para não entregá-lo... e deixar que elas briguem pela sua carcaça.

Ele procurou por alguma forma de acalmar os ânimos, de conquistá-la, mas falhou. A maré de sorte, que costumava ser tão grande e profunda, tinha oficialmente secado...

— Se você o entregar — falou uma voz arrastada de fêmea vinda da porta aberta —, terá uma terceira rainha puta da vida com você.

Tharion sentiu o chão sumir debaixo dos pés.

Bryce Quinlan passou pela porta e deu uma piscadela para a Rainha do Oceano.

— Tharion serve a mim.

41

Hunt estava fora de seu corpo, fora de si. Vai ver tinha morrido. Era *Bryce* bem ali, na porta, sorrindo para a Rainha do Oceano.

Ela era Bryce e, ao mesmo tempo... não era.

Usava seus trajes de sempre — jeans justos e uma camiseta branca macia com uma jaqueta esportiva azul-marinho. Inferno, ela estava até com aqueles tênis rosa neon. Mas havia algo de diferente em sua postura, no jeito como a luz parecia brilhar nela.

Parecia mais velha, de alguma forma. Não em linhas de expressão ou em rugas, mas em seus olhos. Como se tivesse passado por acontecimentos grandes, bons e ruins. Hunt reconhecia isso, porque também estava gravado em seu próprio rosto.

A Rainha do Oceano olhou para Bryce com firmeza.

— E, por favor, me diga... quem é *você*?

Bryce não se abalou nem por um instante.

— Sou Bryce Danaan, rainha dos feéricos valbaranos.

Hunt soltou um som estrangulado — um soluço.

Bryce olhou para ele então, examinando seu rosto, as lágrimas que ele não conseguia conter. O olhar dela foi para o halo e depois para o pulso dele... mas a expressão dela não revelou nada. Ela apenas caminhou até onde ele estava sentado, e *era* ela, seu cheiro, a pele macia roçando em sua mão enquanto olhava para o rosto dele.

— Ei — disse ele, a voz rouca, os olhos ardendo.

Bryce apertou a mão dele, os olhos também se enchendo de lágrimas.

— Ei. — Ela piscou para afastar as lágrimas, voltando-se para a Rainha do Oceano, que monitorava cada movimento seu. Cada respiro.

A Rainha do Oceano disse a Bryce, os dentes de tubarão brilhando:

— Não reconheço nenhuma rainha com esse título.

— Eu reconheço — retrucou Hunt, dobrando as asas atrás de si enquanto se levantava, indo para o lado de Bryce. Os dedos dela roçaram os dele e um arrepio de prazer o percorreu. — Ela é minha parceira. — Ele esboçou uma reverência à Rainha do Oceano. — Príncipe Hunt Athalar Danaan, ao seu dispor. Posso atestar que Tharion Ketos serve à minha rainha e parceira. Quaisquer outras reivindicações por ele são falsas.

Bryce deu um olhar irônico que parecia dizer: *Você é um puta de um mentiroso, mas eu te amo.*

A Rainha do Oceano ainda observava Bryce com um rosto tão frio quanto a região norte do mar Haldren.

— Vou precisar verificar isso. — Ela apontou uma unha feita de pura madrepérola para o tritão. — Tharion Ketos, você está confinado a este navio até segunda ordem.

Tharion baixou a cabeça, mas permaneceu imóvel e em silêncio.

A Rainha do Oceano baixou o dedo e lançou um olhar penetrante para Bryce. Foi por puro instinto que Hunt preparou seus joelhos, pronto para saltar entre as duas e proteger sua parceira. Mas não havia relâmpago, arma ou espada que pudesse salvar Bryce caso a Rainha do Oceano trouxesse toda a ira do mar sobre eles. Naquela profundidade, não teria a menor chance de chegar à superfície a tempo. Isto é, se seus corpos não explodissem primeiro devido à pressão.

Mas o ser quase divino afirmou, com traços de altivez:

— Rainha ou não, vocês agora são todos convidados em meu navio... e só partirão quando eu mandar.

Hunt se absteve de dizer que essa política de check-out não era muito favorável aos hóspedes. Sobretudo quando a Rainha do Oceano perguntou a Bryce, estreitando os olhos escuros:

— Seu pai, o Rei Outonal, ainda respira?

Bryce sorriu devagar.

— Por enquanto.

A Rainha do Oceano pesou as palavras. Depois respondeu ao sorriso de Bryce com um sorriso próprio, revelando todos aqueles dentes de tubarão em forma de gancho.

— Não me lembro de ter convidado você para este navio.

Bryce verificou as unhas. Era um movimento tão característico dela que o peito de Hunt se apertou.

— Bem, *alguém* me enviou um convite virtual.

Hunt abaixou a cabeça para esconder o sorriso no rosto. Ele tinha se esquecido como era divertido ver Bryce em ação. Liderando todos aqueles idiotas com maestria. Isso ajudava a aliviar o peso que sentia, afastava um pouco daquele terror primitivo. Mas só um pouco.

A Rainha do Oceano disse, categórica:

— Desconheço tal coisa.

Os olhos cor de uísque de Bryce brilharam, deixando nítido que estava se divertindo com isso, mas seu tom era muito sério quando explicou:

— Eu me teletransportei para cá. Precisava encontrar meu parceiro.

— Você e seu parceiro estão dispensados — anunciou a Rainha do Oceano, agitando a mão com unhas de madrepérolas. Um caranguejo-eremita passou por seus cabelos escuros e voltou a desaparecer. — Tenho assuntos importantes a tratar com o Capitão Ketos.

Tharion olhou para a frente, fazendo uma careta. Talvez sua sentença de morte não tivesse sido adiada, afinal.

Mas Bryce, mesmo assim, não se deixou levar.

— É, mas veja bem, *meus* assuntos são um pouco mais urgentes.

— Isso me parece altamente improvável.

Duas rainhas se enfrentando. E não havia dúvida para Hunt de que Bryce *era* uma rainha agora. A postura, a força que irradiava dela... Ela não precisava de uma coroa para governar aquela sala.

Bryce respirou fundo, o único sinal de nervosismo. E disse à governante dos mares:

— Você está errada.

* * *

Bryce precisou de toda a sua força de vontade para não agarrar Hunt ali mesmo e beijá-lo até que ficasse tonto. Precisou de toda a sua força de vontade para não se deixar dominar pela fúria e chorar ao ver o halo tatuado de novo na testa dele, a marca estampada em seu pulso.

Ela mataria os asteri por terem feito isso.

Matá-los já estava em seus planos, lógico, mas depois do que fizeram com Hunt enquanto ela estava fora... ela se certificaria de que tivessem uma morte bem lenta.

Isto é, quando enfim descobrisse como matá-los.

E quando abraçasse Hunt, ela não o soltaria. Nunca mais. Mas eles tinham tantas coisas para resolver agora que ceder não estava entre as opções, nem abraçá-lo e amá-lo.

Ela não se atreveu a perguntar onde estava Ruhn, não com a Rainha do Oceano presente. Baxian estava com Hunt, então talvez o irmão também estivesse por perto. O Rei Outonal dissera que todos haviam sido resgatados. Ruhn tinha que estar lá. Em algum lugar.

Mas ela não podia esperar pelo irmão. Ele teria que ser colocado a par disso depois.

— Viajei ao mundo original dos feéricos — falou ela —, através de um Portão do Palácio Eterno. Possuo o Chifre de Luna, que ajudou a abrir o caminho entre os mundos.

Um silêncio atordoado encheu a sala. Hunt quase vibrava com seus relâmpagos e curiosidade, mas Bryce não desviou o olhar da Rainha do Oceano enquanto a fêmea dizia, a voz neutra:

— Presumo que você tenha descoberto alguma coisa.

Bryce assentiu brevemente.

— Eu já sabia que os asteri são parasitas intergalácticos. Mas descobri que eles infectaram as águas de Midgard ao invadir este mundo.

— Infectaram — ponderou a Rainha do Oceano.

Bryce assentiu de novo.

— Os asteri colocaram um parasita de verdade na água... ou algo parecido com um. Não sei explicar o que é de uma forma mais específica. Seja o que for, todos em Midgard *têm* que oferecer primalux através da Descida por causa disso. Ou então perderemos nossos poderes... murcharemos e morreremos.

— Caralho — murmurou Hunt. Bryce ainda não olhou para ele. Nem para Tharion, Baxian ou Sendes, que estavam todos boquiabertos com o mais absoluto pavor.

Apenas a Rainha do Oceano não pareceu surpresa.

Ao perceber, Bryce disse, estreitando os olhos:

— Você... você sabia disso.

A Rainha do Oceano balançou a cabeça.

— Não. Mas sempre me perguntei por que meu povo ainda precisava fazer a Descida, mesmo aqui embaixo. Mas agora que revelou esta terrível verdade, o que *você* irá fazer?

— Acho que vou enfrentar os asteri — respondeu Bryce. — Bani-los deste mundo.

— Como? — A Rainha do Oceano se mexeu, as contas de coral em seu vestido tilintando.

Bryce se esquivou, não disposta a contar *tudo* para aquela estranha.

— Suponho que um aviso de despejo não resolveria o problema?

Os três machos ao redor delas nem piscaram, mas Sendes se mexeu.

A Rainha do Oceano disse com todas as letras:

— Isso é um absurdo. Você precisaria de exércitos inteiros para combater os asteri.

— Não gostaria de fornecer um? — rebateu Bryce.

— Meu povo é habilidoso na água, não em terra. Mas a Ophion tem forças, ainda que restem poucas. Acredito que Lidia Cervos as tenha reunido outro dia, com consequências devastadoras. Mas ainda não fui informada de quantos sobreviveram à missão.

Bryce perguntou à rainha:

— Então você *trabalha* com a Ophion?

— Nós nos ajudamos quando podemos... Abrigo os agentes dela, caso consigam chegar aqui. Mas a Ophion tem tantos preconceitos contra nós quanto um vanir tem com um mortal. Acham que aceitar nossa ajuda é... degradante.

— Muitos vanir ajudaram a Ophion ao longo dos anos — interveio Baxian com suavidade.

Bryce sentiu um aperto no peito quando o rosto de Danika surgiu em sua mente. Se Danika não podia estar ali, nada mais apropriado que o seu parceiro estar.

— E a Ophion se ressente de todos eles — contrapôs a Comandante Sendes ainda ao lado da porta. — Precisaríamos de um vínculo sólido entre nós para iniciar negociações sobre a unificação dos exércitos.

Hunt virou-se para Bryce e perguntou baixinho:

— E Briggs?

O sangue dela gelou.

— Mas nem fodendo. Ele vai se virar contra nós e nos matar. — O rosto magro e vazio do ex-líder rebelde brilhou em sua mente, junto com aqueles profundos olhos azuis que pareciam perfurá-la.

— Ela tem razão — acrescentou a Rainha do Oceano, cruzando mais uma vez as mãos sobre a barriga como num retrato de porte régio. — Precisamos recalcular a rota.

Bryce disse, tão calma quanto pôde:

— O Inferno vai nos ajudar.

A Rainha do Oceano desdenhou.

— Você confia nesses demônios?

— Confio. — Diante das sobrancelhas erguidas da governante, Bryce continuou, a mandíbula cerrada: — O Inferno sabe de tudo isso há milênios. E tentaram nos ajudar de todas as formas. Nos libertar. Era isso que estavam tentando fazer durante as Primeiras Guerras.

Mais uma vez, seus amigos ficaram em silêncio.

Mas a Rainha do Oceano bufou, incrédula.

— Você aprendeu isso nesse outro mundo também?

— Sim. — Bryce manteve o tom calmo, recusando-se a cair na provocação.

— Você confia no Inferno o bastante para escancarar a Fenda do Norte e permitir a passagem de seus exércitos?

— Se for a nossa única chance de derrotar os asteri...

— Você trocaria um mal pelo outro.

Bryce não conseguiu impedir a luz estelar de pulsar sob sua pele, condensando-se e afiando-se naquela *coisa* que poderia cortar pedras.

— Eu não diria que os Príncipes do Inferno são maus, já que, durante todos esses anos, se recusaram a deixar os asteri vencer. Quando se esforçaram para tentar nos ajudar, por mais que tivessem que pagar um preço por isso. O Inferno não nos deve nada, mas estão tão convencidos da importância de livrar o universo dos asteri que se dedicam a isso há milhares de anos. Eu diria que é um compromisso bastante contundente.

A Rainha do Oceano pareceu crescer quase cinco centímetros. Ela apontou o queixo para Hunt.

— Seu parceiro caçou demônios durante séculos... viu de perto a brutalidade e a sede de sangue que eles têm. O que tem a dizer sobre o suposto altruísmo deles?

Hunt endireitou os ombros, inabalável. A garganta de Bryce se apertou ao ver isso, ao saber, mesmo antes que ele começasse a falar, que ficaria ao lado dela.

— Tenho certa dificuldade em aceitar, ainda mais após terem destruído Lunathion nesta primavera, mas se Bryce confia neles, eu também confio. Além disso, não é como se tivéssemos muitas opções.

Bryce o poupou de se aprofundar no assunto:

— Tem mais uma coisa.

Todos eles se voltaram para ela. Hunt, pelo menos, teve o bom senso de parecer nervoso.

Bryce manteve o olhar fixo na Rainha do Oceano enquanto dizia:

— Precisamos ir para Avallen.

— Por quê? — exigiu saber a Rainha do Oceano. O tom de sua voz parecia conter em si um tsunami.

— Tenho algumas pesquisas que preciso fazer em seus arquivos que podem ajudar a nossa causa. — Ao menos havia *certa* verdade nisso. — Sobre as Primeiras Guerras e o envolvimento do Inferno.

Tá, a última parte era mentira. Mas ela não iria explicar o que queria de fato procurar naquela ilha envolta pela bruma.

A Rainha do Oceano falou devagar:

— Não me lembro de ter me tornado um serviço de balsa. Você acha que meu navio-cidade está à sua disposição?

— Você quer vencer esta guerra ou não?

Foi possível sentir o choque que se abateu sobre a sala após aquelas palavras. Hunt ficou tenso, preparando-se para um confronto físico.

Mas Bryce emitiu luz estelar ao dizer:

— Olha, eu sei que nada é de graça. Mas, porra, vamos abrir o jogo aqui. Diga qual é o seu preço. Você se esforçou durante anos para ajudar as pessoas, trabalhando para derrubar os asteri. Então, por que está tornando tudo tão difícil quando enfim temos uma chance de vencer?

— Estou começando a ficar entediada — disse a Rainha do Oceano. — Não vim aqui para receber ordens de uma rainha impostora.

— Pode me chamar do que quiser — retrucou Bryce —, mas quanto mais demorarmos para tomar uma atitude, mais fácil será para Rigelus e o resto dos asteri agirem contra nós.

— Tudo é tão urgente para os jovens.

— Sim, eu entendo, mas...

— Eu não terminei de falar.

Bryce escondeu o ar de espanto enquanto a Rainha do Oceano a observava.

— Você *é* jovem. Idealista. E inexperiente.

— Não se esqueça que sou pouco qualificada e nunca me visto da forma apropriada.

A fêmea lançou um olhar de advertência. Bryce ergueu as mãos fingindo se render.

A Rainha do Oceano deu um longo suspiro.

— Não conheço você, Bryce Danaan, e tudo que vi até agora não a colocaria na categoria de uma aliada confiável. O meu povo conseguiu escapar da influência dos asteri durante milênios... para permanecer seguro aqui, lutando contra eles da melhor forma que podemos. E ainda assim, você me diz que mesmo aqui não estamos fora do alcance deles. Mesmo aqui, em meus domínios, o parasita dos asteri infecta todos nós.

— Lamento ter sido a portadora de más notícias — disse Bryce —, mas você preferiria que eu escondesse isso de você?

— Sendo sincera? Não sei. — A Rainha do Oceano estudou a própria mão, uma cobra marinha listrada enrolada como uma pulseira viva, preta e branca. Venenosa como o Inferno. A governante perguntou, a voz calma: — Você já pensou em uma evacuação?

Bryce a encarou.

— Para onde? Não há nenhum lugar em Midgard, exceto talvez este barco, que não esteja sob o controle deles. — Avallen em teoria estava protegida por suas brumas, sim, mas o rei Morven também se curvava diante dos asteri.

A rainha levantou a cabeça.

— Para o mundo natal dos feéricos.

Hunt se remexeu, as asas farfalhando.

— Você quer dizer deixar este planeta de vez?

A Rainha do Oceano não tirou os olhos de Bryce ao responder:

— Sim. Usando o Chifre, permita a passagem de tantos quantos puder e então sele o caminho para sempre.

O horror se revirou dentro dela.

— E o quê... abandonar o restante aqui? Para serem escravizados dos asteri e servirem de alimento? — Ela não seria melhor do que Silene.

A Rainha do Oceano perguntou:

— Não é melhor libertar alguns do que deixar todos morrerem?

Hunt deu uma risada baixa, aproximando-se de Bryce enquanto dizia à Rainha do Oceano:

— Você não pode estar falando sério. Quem que seria escolhido para vir, porra? Seu povo? Nossas famílias? Em que universo isso é justo?

Sentado à mesa de conferência, Baxian acenou com a cabeça em concordância, mas Tharion manteve-se imóvel como uma pedra. Talvez ele não quisesse atrair novamente a atenção ou a ira da rainha. Babaca covarde. Mas Bryce reprimiu seu desgosto. Ela precisava de todos os aliados que pudesse conseguir.

— Não digo que seja justo — disse a Rainha do Oceano, acariciando a cobra do mar no pulso —, mas pode ser o necessário.

Bryce engoliu em seco para aliviar a secura da boca.

— Voltei aqui para ajudar a todos, não para abandoná-los à mercê dos asteri.

— Talvez Urd tenha enviado você para aquele outro mundo para definir se poderia ser um porto seguro. Já parou pra pensar nisso?

Bryce explodiu:

— Para que tudo isso, então? A furtividade, os barcos, os contatos da Ophion? Para que fazer tudo isso se, no fim, você só quer fugir dos asteri?

Olhos mais pretos que a Fossa Melinoë a prenderam no lugar.

— Não ouse questionar minha dedicação, garota. Eu lutei e me sacrifiquei por este mundo quando ninguém mais o faria. Antigamente, meu reino era mais vasto do que você pode imaginar... mas os asteri vieram e ilhas inteiras murcharam no mar em desespero, levando consigo o próprio coração deste mundo. O próprio coração das sereias e dos tritões também. Se tem alguém aqui que entende o quanto é inútil enfrentar os asteri, esse alguém sou eu.

Bryce ficou tensa.

— Espere... você estava aqui *antes* dos asteri? As sereias e os tritões estiveram aqui? Eu pensei que apenas humanos viviam em Midgard naquela época.

A expressão da Rainha do Oceano pareceu mais distante enquanto ela mergulhava em lembranças.

— Eles tinham a terra... nós tínhamos os mares. O nosso povo só se encontrava de vez em quando, o que deu início às lendas humanas sobre os seres do mar. — Um sorriso melancólico, então seus olhos focaram em Bryce, afiados e calculistas. — Mas sim, sempre estivemos aqui. Midgard sempre teve magia, pois a magia é inerente a toda natureza. Os asteri só não se dignaram a reconhecer isso.

Bryce guardou essa informação para depois.

— Tudo bem. Você ganhou o prêmio de quem sofre há mais tempo em Midgard. Ainda assim, não tem o direito de saltar para a frente da fila de Evacuação de Midgard. — Hunt tocou o ombro dela de leve, um aviso gentil. Mas Bryce o ignorou e apoiou as mãos espalmadas sobre a mesa, inclinando-se para ficar cara a cara com a Rainha do Oceano. — Me *recuso* a abrir um portão desses. Não vou ajudar a condenar a maioria do povo de Midgard enquanto alguns poucos metem o pé para serem felizes em outro lugar.

A cobra do mar no pulso da Rainha do Oceano sibilou para Bryce. Ainda que o rosto de sua dona permanecesse tão frio quanto os blocos de gelo do norte.

— Você vai mudar de ideia quando seus amigos e entes queridos começarem a morrer ao seu redor.

— Não ouse ser condescendente com ela — rosnou Hunt para a rainha.

Sendes pigarreou, tentando tirá-los dessa confusão, mas tudo que Bryce podia ouvir era um rugido em seus ouvidos, tudo que ela podia ver era um branco ofuscante nos cantos de sua visão...

— Você é uma covarde — disparou Bryce para a Rainha do Oceano. — Você se esconde atrás do seu poder. É uma *covarde.*

O navio estremeceu, como se o próprio mar estivesse com raiva.

Mas a Rainha do Oceano respondeu:

— Contrariando todos os meus instintos, levarei você e os seus para Avallen, conforme solicitado. Considere esse meu último presente.

Bryce cerrou os dentes com tanta força que seu maxilar doeu.

— Mas quando você fracassar em seja lá que rebelião que acha que consegue arquitetar — acrescentou a Rainha do Oceano em tom de despedida, caminhando para a porta e deixando um rastro de água em seu encalço —, quando você perceber que tenho razão e que fugir é a melhor opção, peço apenas isto em troca dos meus serviços: leve o máximo de meu pessoal que puder.

42

Bryce não conseguiu não se impressionar com o fato de Hunt, Tharion e Baxian terem se aguentado em silêncio até que voltassem para um quarto que mal acomodava todos eles, quanto mais seus egos. Decerto ela teria um tempo dos Infernos ali.

Mas assim que a porta foi fechada, o caos absoluto reinou.

— Mas que *porra*... — explodiu Hunt.

— Você está bem... — começou ela.

— O *mundo natal dos feéricos*? — exigiu saber Tharion ao mesmo tempo que Baxian riu.

— Isso foi épico.

Tharion afundou em um dos beliches. A pele dele estava mais pálida do que o normal.

— Só você pra enfrentar a Rainha do Oceano, Pernas.

Baxian disse ao tritão:

— Confinado ao navio, é?

Tharion estremeceu.

— Eu tô fodido.

Bryce virou-se para Hunt, que estava encostado na porta que havia fechado. Ela arqueou as sobrancelhas para o parceiro, diante de sua expressão calma demais. Conhecia esse olhar. Ele estava, sem dúvidas, se perguntando quando poderia expulsar todo mundo e transar com ela até os dois estarem exaustos.

Os dedos dos pés dela se contorceram dentro dos tênis e ela deu uma piscadela para ele. Hunt revirou os olhos, um dos cantos da boca se erguendo.

Mas ela não deixou de notar a escuridão que agora toldava o olhar dele. O que quer que tenha acontecido enquanto ela estivera fora, também deixou uma marca por dentro.

Mas eles falariam disso mais tarde. Bryce perguntou:

— Onde está Ruhn?

— Com Lidia — disse Hunt, a voz calma.

— *Lidia*?

Baxian assentiu, sentando-se ao lado de Tharion, suas asas pretas brilhando como penas de corvo.

— Sim. Ela nos tirou de lá. Ela está, hum... um tanto ferrada. Ruhn está cuidando dela.

Bryce sentiu um aperto no peito.

— Ela vai...

Antes que Bryce pudesse terminar, a porta se abriu. O relâmpago de Hunt formou uma parede instantânea e crepitante diante dela.

Mas Bryce soltou uma exclamação de alegria quando viu Ruhn ofegante na porta, os olhos do irmão arregalados de choque.

Então eles estavam se abraçando e rindo, e tanta alegria emanava dela que sua luz estelar se intensificou, causando sombras nítidas no quarto apertado.

— Bryce — disse ele, o sorriso e o orgulho em sua voz fazendo ela sentir um nó na garganta. Ela agarrou a mão do irmão, incapaz de falar, mas então olhou para os braços dele.

As tatuagens tinham se transformado em linhas finas. Como se a pele dele tivesse sido aberta de um jeito tão profundo...

Sua luz estelar apagou.

— Ruhn — arfou ela.

— Estou inteiro — disse Ruhn, e olhou para Baxian. — De novo.

— Não quero saber o que esse olhar significa — contestou Bryce enquanto Baxian estremecia, se desculpando.

— E não quer mesmo — concordou Hunt, deslizando um braço em volta dos ombros dela e guiando-a até o beliche oposto, onde Baxian e Tharion estavam sentados. Ele se sentou perto o suficiente para que sua coxa encostasse na dela, e chegou ao ponto de colocar uma asa por cima dela. Como se nunca mais quisesse perdê-la de vista.

Ela respirou seu perfume, seu calor, repetidas vezes. As coisas mais maravilhosas do universo.

Ruhn piscou para Bryce, como se não estivesse convencido de que ela de fato estava ali.

— Não estou tendo alucinações, certo? — perguntou ele.

— Não. — Bryce deu um tapinha na cama ao lado dela.

Mas Ruhn permaneceu perto da porta, com o rosto sério.

— Não acredito que vou dizer isso, mas não posso ficar muito tempo.

— O que aconteceu? — perguntou Baxian.

— Lidia acordou — anunciou Ruhn — e, ah... ela tinha algumas surpresas pra compartilhar.

* * *

— Então — disse Hunt a Ruhn no silêncio atordoado, cinco minutos depois. — Sua namorada tem... filhos.

A mente de Bryce estava a mil com tudo o que fora revelado pelo irmão.

Ruhn apenas lançou um olhar funesto para Hunt. Recado dado: sem provocações. Ela soltou um assobio baixo.

— Como Inferno a Lidia escondeu tudo isso? Quando foi que ela *teve* esses filhos?

Baxian disse, sombrio:

— Acho que a pergunta certa é se são de Pollux.

— Eles não tinham asas — disse Ruhn tenso —, mas isso não quer dizer nada.

— Mas ela está bem? — perguntou Bryce. Ela devia tudo àquela fêmea. *Tudo.* Se pudesse fazer alguma coisa para ajudá-la...

— Ela está dormindo de novo — explicou Ruhn. — Acho que a corrida escada acima a esgotou.

— Acho que conseguiu correr antes só por causa da adrenalina — refletiu Tharion.

Os olhos de Ruhn ficaram turvos, preocupados, então Bryce supôs que Hunt fez um grande favor ao mudar de assunto. Ele se virou para ela.

— Bom, vamos ouvir. Como *caralhos* você veio parar nesse navio? Como foi que nos encontrou?

Ela entendeu a necessidade de distrair Ruhn e falou:

— Eu já disse: eu me teletransportei. — Ela encontrou os olhos de Hunt, enxergando o amor e a dor presentes ali, e disse baixinho: — Você é o meu lar, Hunt. Nosso amor se estende pelas estrelas e por mundos, lembra? — Ela sorriu devagar. — Eu sempre vou encontrar você.

Ele engoliu em seco, sem dúvidas se relembrando de quando dissera essas exatas palavras para ela antes de Bryce pular pelo Portão do Palácio Eterno. Mas ele desviou o olhar como se não conseguisse suportar e perguntou:

— *De onde* você se teletransportou?

Tudo bem, então. Ela daria tempo para que ele pudesse resolver suas questões.

— Da casa do meu papai querido. Onde ele achou que estava me mantendo como refém.

— Ele *achou*? — exigiu saber Ruhn.

Bryce deu de ombros.

Dessa vez foi Hunt que a ajudou.

— Você pode explicar o que falou para a Rainha do Oceano? Dos parasitas na água e dos asteri?

— O que mais há para ser dito? Eles infectaram as águas de Midgard com isso. Está em todos nós. Nos obrigam a fazer a Descida, para que nosso poder não seja sugado.

— Como é que é? — disse Ruhn, assustado.

Bryce suspirou. E explicou tudo de novo.

Mas dessa vez explicou tudo — desde o começo. A chegada no outro mundo, o tempo que ficou presa no calabouço. Como escapou e percorreu os túneis com Azriel e Nestha. O que aprendeu naquela câmara secreta: do mundo dos feéricos, dos daglan, de Theia, Fionn e Pelias, de Silene e Helena, da ajuda do Inferno. A reivindicação do poder de Silene e como sua própria luz estelar estava diferente desde então. Depois o encontro com Vesperus e o roubo da Reveladora da Verdade de Azriel.

Levou uma hora para explicar tudo, ainda que tenha omitido qualquer menção à Máscara ou aos Tesouros. Quanto menos pessoas soubessem a respeito disso, melhor. Quando chegou à parte em que ia explicar como foi capaz de se concentrar em Hunt e surgir próxima a ele, os olhos de Athalar brilharam, tão cheios de amor que ela sentiu um aperto no peito.

Ruhn ficou em silêncio o tempo inteiro, apesar de seu celular ter vibrado várias vezes enquanto ela falava. Ela tinha a sensação de que ele estava recebendo atualizações de alguém sobre o estado de Lidia.

Hunt se inclinou para a frente, apoiando os antebraços nas coxas. Deu um longo suspiro.

— Tá. Isso foi... muita coisa. Preciso de um momento.

Bryce esfregou distraidamente o próprio peito, a cicatriz da estrela de oito pontas ali. Ela disse baixinho:

— Me contem o que aconteceu aqui. Por favor.

* * *

Quando eles terminaram de falar, era Bryce que precisava de um minuto.

Dez minutos, na verdade.

Ela saiu da sala com um silencioso "com licença" e então estava no corredor, com o estômago embrulhado, a respiração ofegante...

— Bryce — disse Hunt alguns passos atrás, com as botas batendo no piso de ladrilhos.

Ela não conseguia se virar para encará-lo. Tinha abandonado todos eles. O quanto tinham sofrido...

— Quinlan — apelou ele. Segurou-a pelo cotovelo para fazer com que parasse. O corredor estava vazio, a janela dava para o esmagador mar escuro.

— Bryce — chamou ele de novo, virando-a com delicadeza. Ela não conseguiu evitar a cara de choro.

Em um instante, Hunt estava ali, envolvendo-a em seus braços, as asas dobradas ao redor deles, cercando-a com o cheiro familiar e convidativo de chuva no cedro.

— Xiiiu — sussurrou ele, e ela percebeu que tinha começado a chorar, o impacto de tudo o que havia acontecido com ele, com ela, fazendo-a desabar.

Bryce deslizou os braços em volta da cintura dele, agarrando-se com força.

— Eu estava tão preocupada...

— Estou bem.

Ela examinou o rosto dele, seu olhar otimista.

— Naqueles calabouços não dá para... ficar bem, Hunt.

— Eu sobrevivi.

Mas as sombras escureceram o rosto dele ao dizer isso. Ele inclinou a cabeça, apoiando a testa na dela. Aquele halo odioso encostou na pele dela.

— Foi por pouco — admitiu ele. Ela o abraçou, tremendo. — Pensar em você me fazia seguir em frente.

O efeito das palavras foi como um soco no coração dela.

— Você também me fez seguir em frente.

— Ah, é? — O amor na voz dele ameaçava partir o coração de Bryce. — Eu sabia que a minha beleza deslumbrante seria útil um dia.

Ela deu uma risadinha. Levou a mão ao rosto e traçou suas linhas fortes e lindas.

— Me desculpe — ele sussurrou, e a dor nas palavras a deixou abalada.

— Pelo *quê?*

Ele fechou os olhos, engolindo em seco.

— Por nos enfiar nessa confusão.

Ela se afastou.

— *Você? Você* nos meteu nessa confusão?

Ele abriu os olhos de novo, o olhar tão sombrio quanto o mar além da parede de janelas atrás deles.

— Eu deveria ter avisado você, deveria ter feito a gente pensar duas vezes antes de nos enfiarmos nesse pesadelo...

Ela estava boquiaberta.

— Você me avisou. Você avisou todos nós. — Ela segurou a bochecha dele. — Os únicos culpados por tudo isso são os asteri, Hunt.

— Eu deveria ter tentado mais. Nenhum de nós estaria nesta situação...

— Pode ir parando aí mesmo — disse ela com veemência, pousando a palma da mão no peito dele. — Eu me arrependo de toda dor e sofrimento que vocês passaram? Por Solas, com certeza. Mal consigo pensar nisso. Mas me arrepender da atitude que tomamos, da atitude que *vamos* tomar? Não. Nunca. E você não poderia ter me impedido de começar aquela luta. — Ela franziu a testa. — Achei que a gente concordasse com o que é necessário ser feito.

Ele ficou sério.

— A gente concordava... concorda.

— Você não parece muito certo disso.

— Não foi você quem viu seus amigos serem torturados.

Ela soube, ao olhar nos olhos dele, que ele se arrependera das palavras no instante em que terminou de falar. Ainda assim, isso não a impedia de ficar magoada, não desviava as pedras que atingiam seu coração. Não a impedia de ferver de raiva.

Mas ela olhou para o oceano escuro através do vidro, toda aquela morte a poucos centímetros de distância. Ela disse baixinho:

— Tive que conviver com o medo de talvez nunca mais voltar para casa, nunca mais te ver, me perguntar se você ainda estava vivo a todo instante. — Ela olhou de soslaio para Hunt a tempo de ver a frieza que passou por seu rosto. Não via aquela frieza havia muito, muito tempo.

O rosto do Umbra Mortis.

A voz também estava gelada quando ele disse:

— Que bom que estamos os dois vivos, então.

Não era o fim da conversa. Nem de perto. Mas não era disso que ela queria falar. Não naquele instante. Então ela respondeu com a voz suave, afastando-se das janelas na parede:

— Sim. Que bom.

— Então vamos mesmo para Avallen? — perguntou Hunt com cuidado, deixando o assunto de lado, a expressão do Umbra Mortis se esvaindo. — Você está pronta para lidar com o Rei Morven?

Bryce assentiu, cruzando os braços.

— Não vamos conseguir fazer nada com os asteri se eu não descobrir o que é esse portal para lugar nenhum e como ele pode servir para matar todos eles. O Rei Outonal deu a entender que os Arquivos de Avallen continham informações preciosas a respeito das lâminas. E quanto ao Morven... Acabei de passar alguns dias com um Rei Feérico babaca. Morven não vai ser pior do que isso.

Hunt se mexeu, as asas bem fechadas.

— Concordo com o plano e tudo isso, mas... você acha mesmo que tem alguma coisa nos Arquivos de Avallen que ainda não foi descoberta?

— Se tem algum lugar em Midgard em que podemos encontrar pistas, é lá. O coração de tudo o que é Estrelado. E foi lá que o Rei Outonal disse que leu sobre o portal para lugar nenhum.

— Aceito qualquer chance que tivermos, mas repito: o Rei Morven não é dos mais amigáveis.

Bryce olhou para o próprio peito, a cicatriz em forma de estrela mal visível acima da bainha da camiseta.

— Ele vai nos receber.

— Por que você tem tanta certeza?

Ela enfiou a mão no bolso interno da jaqueta esportiva preta. Com um floreio, ela mostrou o caderno do pai.

— Porque eu tenho os segredinhos escusos do Rei Outonal.

43

Lidia Cervos olhava para os filhos. Os pais adotivos tritões estavam sentados um de cada lado deles, observando-a com olhos de caçadores. Davit e Renki. Ela só tinha descoberto os nomes deles naquele instante. Mas a julgar pela maneira como se portavam, como se estivessem prontos a atacar a qualquer momento, seus meninos tinham sido bem cuidados. Amados.

A diretora Kagani estava sentada à frente deles em sua mesa, com as mãos entrelaçadas diante de si. O silêncio era palpável. Lidia não fazia ideia de como quebrá-lo.

Não fazia ideia de quem ela mesma era, sentada ali com um dos macacões táticos azul-escuros do *Cargueiro das Profundezas*. Um uniforme muito mais confortável que o que costumava usar, projetado para um estilo de vida aquático. Nem sinal da gargantilha de prata nem das medalhas imperais, ou de qualquer uma das armadilhas daquela vida falsa que havia criado.

Ela voltou a acordar algumas horas depois de desmaiar, em uma cama de hospital diferente, sem tubos e máquinas. Esperava que a medbruxa que a ajudara a sair da cama presumisse que suas pernas tremiam devido a uma fraqueza persistente.

Por mais que a sensação perdurasse naquele instante, sentada diante dos filhos.

Brann, de cabelos dourados e olhos azuis, vestindo uma camiseta verde-floresta e jeans com buracos nos joelhos, sustentou o olhar dela. Não desviou os olhos da mãe como fez Actaeon, de cabelos escuros e olhos dourados. Mas foi para Actaeon, de camiseta preta e calça jeans combinando, que ela falou, suavizando a voz o máximo que pôde:

— Tenho... muita coisa pra contar. Pra vocês dois.

Actaeon olhou para o pai adotivo à sua esquerda. Davit. O macho de pele marrom e uniforme de oficial azul-escuro assentiu encorajadoramente. Lidia sentiu um aperto no peito. Ela optara por aquilo. É claro que não tivera outra escolha senão aceitar, mas ainda assim...

Ela olhou para Brann, cujos olhos brilhavam com uma luz interior. Destemido; imprudente. Um líder nato. Ela já tinha visto aquela expressão no rosto dele antes, mesmo quando era bebê.

Brann perguntou:

— Então, o quê... a gente tem que ir morar com você agora?

Actaeon olhou para os pais, alarmado. Lidia reprimiu a mágoa por causa daquela reação, mas respondeu:

— Não.

Foi tudo o que ela conseguiu dizer.

Renki, de pele clara e cabelos escuros, garantiu a Actaeon:

— Isso não muda nada. Vocês vão ficar com a gente. E além disso, sua mãe tem que cuidar de algumas coisas. — Ele estava vestido com um macacão azul-marinho de médico de navio. Devia ter vindo correndo do trabalho.

Brann ergueu as sobrancelhas, como se fosse perguntar alguma coisa, mas Actaeon disse, a voz baixa:

— Ela não é nossa mãe.

As palavras atingiram seu âmago como um golpe físico.

Davit disse, um pouco brusco:

— Ela é sim, Ace.

E uma espécie de ciúme a dominou por causa do apelido. O filho de cabelos escuros ergueu a cabeça e...

Poder puro brilhou em seus olhos. Ela já tinha visto aquela expressão no rosto dele antes — muito, muito tempo atrás. Pensativo e silencioso, enquanto Brann era todo incêndio.

Lidia não pôde deixar de sorrir, apesar das palavras que a machucavam. Ela disse a Actaeon, a Brann:

— Vocês são do mesmo jeitinho desde crianças.

Brann sorriu de volta para ela. Actaeon não.

A diretora Kagani interrompeu:

— Não vamos colocar rótulos em nada nem ninguém neste momento. Lidia realmente tem... um trabalho que a impedirá de se estabelecer no momento, e mesmo quando isso acontecer, vamos conversar juntos para decidir o que é melhor pra vocês. E seus pais.

Lidia encontrou o olhar de Renki. O domínio e a proteção nele. E enxergou também a súplica por baixo de tudo. *Por favor, não tire meus filhos de mim.*

Era o mesmo sentimento que uma vez transmitira à Rainha do Oceano. Um apelo que não levara a nada.

Aqueles eram os filhos dela, os bebês que a fizeram mudar o rumo de sua vida, mas que haviam sido criados por aqueles dois machos. Actaeon e Brann *eram* filhos deles. Não de sangue, mas de amor e carinho. Eles os protegeram e os criaram bem.

Era o melhor que ela poderia ter pedido — que os meninos tivessem uma ligação tão forte com os pais que ia além de qualquer esperança que ela tivesse alimentado.

Então Lidia disse, mesmo com parte de sua alma desmoronando:

— Não tenho intenção alguma de tirar vocês dos seus pais. — Seu coração trovejou, e ela sabia que todos podiam ouvir. Mas ela ergueu o queixo de qualquer maneira. — Não sei quando meu trabalho vai terminar, se é que esse dia chegará. Mas se isso acontecer, se me permitirem voltar aqui... gostaria muito de vê-los novamente. — Ela olhou para os pais dos gêmeos. — Todos vocês.

Renki assentiu com gratidão no olhar. Davit colocou a mão no ombro de Actaeon.

Brann disse:

— Você quer dizer o trabalho que você faz... como Corça?

Lidia olhou alarmada para a diretora Kagani. Ela os fez prometer que não contariam aos meninos quem e o que ela era...

— Temos televisão aqui — explicou Brann, percebendo sua surpresa e consternação. — Nós reconhecemos você hoje. Não tínhamos ideia de que você era nossa mãe biológica até agora, mas sabemos o que você faz. Para quem você trabalha.

— Trabalho para a Rainha do Oceano — retrucou Lidia. — Para a Ophion.

— Você serve aos asteri — cortou Actaeon friamente. — Você mata rebeldes para eles.

— Ace — chamou Davit de novo.

Mas Actaeon não recuou. Ele olhou para o gêmeo e exigiu:

— Você aceita isso? Aceita ela? Você sabe o que ela faz com as pessoas?

Fogo brilhou no olhar de Brann mais uma vez.

— Sim, babaca, eu aceito.

— Olha a boca — alertou Renki.

Actaeon o ignorou e pressionou Brann:

— O namorado dela é o *Martelo.*

— Pollux não é meu namorado — interveio Lidia, enrijecendo as costas.

— O cara que ela pega, então — retrucou Actaeon.

— *Actaeon* — repreendeu Renki.

A diretora Kagani disse, em tom de repressão:

— Agora já chega, Actaeon. — Ela suspirou, encarando Lidia. — E talvez seja o bastante para todos nós, por hoje.

Actaeon deu uma risada sem humor.

— Estou só começando. — Ele apontou para o irmão. — Você quer dar uma de cachorrinho leal, boa sorte. Vai se dar bem com os lobos ferais dela.

— Você é um idiota, sabia disso? — disparou Brann.

— Meninos — disse Davit —, *já chega.* — O macho fez uma careta para Lidia. — Sinto muito por isso. Eles costumam ser mais educados.

Lidia assentiu com um nó na garganta. Mas disse a Actaeon:

— Eu entendo. De verdade.

Ela se levantou, o peso dos olhares ameaçando fazê-la cair de joelhos. Mas disse a Davit e Renki:

— Obrigada por cuidarem deles. Por amarem os dois.

Seus olhos ardiam e algo enorme ameaçava explodir em seu peito, então Lidia não disse mais nada antes de sair do escritório da diretora, fechando a porta ao passar. Ela acenou em despedida para a assistente administrativa sentada do outro lado da porta, depois saiu para o corredor, ofegando, lutando contra aquela implosão...

— Lidia — disse uma voz de macho atrás dela, e ela se virou e se deparou com Renki.

Havia dor no rosto dele.

— Sinto muito que tenha sido dessa forma. Davit e eu discutimos essa possibilidade há anos e nunca planejamos que fosse assim. — Ele passou a mão pelos cabelos escuros. — Não quero que você pense que nós, bem... que tentamos colocar os meninos contra você.

Ela balançou a cabeça.

— Isso nunca nem passou pela minha cabeça.

Renki se mexeu, as botas pretas de trabalho raspando com suavidade no piso de ladrilhos.

— Também não sabíamos quem você era. Até hoje. Sabíamos que a mãe deles trabalhava infiltrada para a Ophion, mas a gente não sabia *até que ponto* estava infiltrada.

— Só a diretora Kagani e a Rainha do Oceano sabiam.

— Eu adoraria ouvir a história toda, se você tiver permissão para contar. Davit também ia adorar.

Ela engoliu em seco.

— Outro dia, quem sabe.

— Sim... você deveria descansar. — Ele fez uma careta, examinando-a. — Eu sou, hã, médico aqui. Estava inclusive na equipe que cuidou da sua recuperação. Fico feliz em ver que esteja de pé de novo.

Ela assentiu, sem saber o que dizer.

Renki continuou:

— Davit comanda um dos submersíveis que fazem reconhecimento, então, de vez em quando ele fica fora por dias ou semanas seguidas... Às vezes somos só eu e os meninos — acrescentou ele. — Bem, eu, meus pais e os do Davit, que ajudam muito. Eles adoram os meninos.

Avós. Algo que os meninos não teriam tido de outra forma.

— Você tem irmãos? — perguntou ela ao macho.

Renki assentiu.

— Tenho dois irmãos e Davit tem uma irmã. Portanto, há vários primos correndo por aí. Os meninos cresceram com eles.

Ela deu um sorriso discreto.

— Foi difícil para eles morarem aqui sem serem tritões?

— Às vezes — disse Renki. — Quando eram pequenos, não entendiam por que não podiam pular na água com as outras crianças. Faziam muita birra. Mais o Brann. — Uma risada suave e amorosa. — Mas Actaeon é um gênio mirim. Ele inventou capacete e nadadeiras para os dois usarem, para que pudessem acompanhar os outros. Mesmo nas profundezas.

Ela sentiu o orgulho florescendo em seu peito.

— É por isso que você o chama de Ace, alguém muito bom no que faz?

Renki sorriu.

— Sim. Ele desmonta coisas e monta de novo, de uma forma mais inteligente e divertida, desde que era bebê.

— Eu me lembro disso — disse ela baixinho —, ele sempre desmontava todos os brinquedos que eu dava pra ele... — Ela parou de falar.

Mas o sorriso de Renki permaneceu.

— Ainda desmonta. É a única desvantagem de viver neste navio. A diretora Kagani consegue os melhores professores que pode, mas estamos limitados no tipo de ensino superior que podemos oferecer a ele.

— E Brann?

Renki deu uma risada.

— Brann é... então, ele é bem naquele estilo em que a descrição corresponde com o produto. Um atleta nato... destemido. Se irrita com rapidez e ri ainda mais rápido. Ele vai bem na escola, mas agora está mais interessado em sair com os amigos. É o estereótipo do atleta. Gostamos de deixar os dois serem do jeito que são.

— Eles são como o sol e a lua, então — disse ela com a voz calma.

O sorriso de Renki suavizou-se.

— Sim. É bem isso mesmo. — Ele enfiou a mão no bolso e tirou um cartão de visita. — Aqui estão meus contatos, caso você precise de alguma coisa. Se quiser conversar comigo, ou com Davit, ou se tiver alguma dúvida...

Lidia pegou o cartão dele, assentindo em agradecimento, sem conseguir encontrar palavras.

Renki disse:

— Ace pode ter dito algumas... coisas nada simpáticas ali, mas não pense nem por um momento que ele não quis saber sobre você todo esse tempo. Os dois têm algumas lembranças vagas de você, eu acho. A diretora Kagani diz que eles eram muito pequenos na época, mas eu juro que lembram. Uma vez me disseram que você tinha cabelos como os de Brann e olhos como os de Ace. Como eles só descobriram quem você era hoje, agora posso acreditar.

— Muita gentileza da sua parte me contar isso.

Renki sustentou o olhar dela, com tristeza e algo a mais.

— Vou falar com o Ace por você. Mas por enquanto, dê tempo ao tempo.

Ela inclinou a cabeça.

— Obrigada.

Lidia não confiava em si mesma para dizer mais nada antes de se virar, andando pelo corredor.

Ela estava quase chegando à escada, quase tendo conseguido reprimir as lágrimas que ameaçavam crescer dentro de si, quando pés apressados se arrastaram atrás dela. Ela diminuiu o passo e parou diante da porta da escada, sem abri-la.

Só quando o mensageiro estendeu um pedaço dobrado de alga marinha é que Lidia se virou.

O mensageiro, um jovem tritão que a olhava com um misto de curiosidade e cautela, anunciou:

— De Sua Majestade das Profundezas — disse, antes de se afastar para esperar por uma resposta.

Lidia desdobrou a folha larga e achatada da alga. Ela leu o que havia dentro e acenou com a cabeça para o mensageiro:

— Vou direto até ela.

Não se permitiu olhar para trás, para o corredor, para seus filhos atrás da porta do escritório, no meio do caminho, antes de subir a escada. Mas quando a porta bateu, o som ecoou por todo seu ser.

Cinco minutos depois e dez andares abaixo, Lidia se viu diante da governante dos mares. A Rainha do Oceano estava junto a uma parede de janelas com vista para a escuridão eterna do oceano profundo, os cabelos pretos flutuando à sua volta como se estivesse realmente debaixo de água.

Fazia quinze anos desde que Lidia a vira pela última vez. Falara com ela pela última vez.

Tal como naquela época, a Rainha do Oceano batia no peito de Lidia em termos de altura, mas Lidia endireitou a coluna em meio ao poder que enchia a sala.

Ela passara décadas aguentando a presença dos asteri. O poder desta fêmea, por maior que fosse... ela também resistiria. Talvez por isso a Rainha do Oceano a tenha escolhido, tantos anos atrás: Lidia conseguia encará-la e não tremer.

— Ouvi dizer que você reencontrou seus filhos — disse a Rainha do Oceano sem se virar.

Lidia inclinou a cabeça de qualquer maneira.

— Agradeço a Ogenas por tal presente.

— Não me lembro de ter dado autorização para que abandonasse seu posto.

Lidia ergueu o queixo, mantendo a respiração estável enquanto a Rainha do Oceano se virava com lentidão. Seus olhos eram pretos como o oceano lá fora.

A Rainha do Oceano continuou:

— Também não me lembro de ter dado autorização para que trouxesse todos esses fugitivos para dentro de um dos meus navios-cidade.

Lidia permaneceu em silêncio, consciente de que não fora dada permissão para falar.

A Rainha do Oceano piscou algumas vezes. Pelo menos tinha ficado satisfeita com esta pequena demonstração de obediência.

— Nosso trabalho depende de nosso sigilo... depende de os asteri nos considerarem uma ameaça vaga demais para se darem ao trabalho de investigar. Evitamos os barcos ômega e oferecemos refúgio a alguns poucos agentes Ophion. Nada além disso. Sem ataques, sem conflito direto. Mas agora você deu motivos para que os asteri começassem a se perguntar o que, exatamente, nada nessas profundezas. O que *eu* estou fazendo aqui embaixo.

Como Lidia não respondeu, a Rainha do Oceano acenou com a mão. Permissão para falar.

— Não tive escolha — justificou Lidia, mantendo os olhos fixos no piso de cerâmica. — Não podíamos correr o risco de perder aliados tão valiosos para a nossa causa. Mas posso assegurar que, antes da minha partida, Rigelus e os outros ainda não consideravam você e seu povo uma prioridade.

— Talvez não — ponderou a Rainha do Oceano, ficando alguns centímetros mais alta, arrancando quase todo o ar da sala. — Mas agora os inimigos mais procurados dos asteri estão neste navio. É uma questão de dias até os místicos nos encontrarem.

— Então será um alívio quando todos eles partirem para Avallen amanhã.

As palavras insolentes foram pronunciadas antes que Lidia pudesse reprimi-las. Ela ouviu a notícia de um grupo de agentes que conversavam entre si ao passarem por ela — e que se afastaram de Lidia ao perceberem quem estava andando pelo corredor em direção a eles. Mas a Rainha do Oceano apenas sorriu. O sorriso de um tubarão.

— E *você* — disse a governante com suavidade ameaçadora — partirá amanhã também.

Cada palavra pareceu atingir a cabeça de Lidia. Apesar dos anos de treinamento e autocontrole, tudo o que conseguiu dizer foi:

— Meus filhos...

— Você já os viu. — Os dentes afiados da governante brilharam. — Considere-se de fato abençoada por Ogenas por isso. Agora, retome suas funções.

A partida insuportável e devastadora quase destruíra Lidia quinze anos atrás. E agora...

— Você me detesta — disse a Rainha do Oceano, parecendo encantada por isso.

Lidia sufocou qualquer desespero, qualquer desafio, no âmago de seu ser. Seus sentimentos não importavam. Apenas Actaeon e Brann importavam.

Então o tom dela era brando e sem emoção quando falou. Tão vazio e sem alma como tinham sido todos aqueles anos com os asteri, com Pollux.

— Me diga o que devo fazer.

* * *

Ruhn andava de um lado para o outro no quarto, rangendo os dentes até doerem. Bryce fora para o mundo natal de seu povo. E o pai deles a mantivera como refém. Tudo bem que ela tinha arquitetado isso, mas...

Ele só sentiu o peso de todas essas informações depois, quando se separaram.

Talvez fosse bom dar um pulinho na academia. Descontar um pouco da raiva que rugia em seu corpo, anulando a alegria de ter visto Bryce. Para ignorar a vontade de encontrar o pai e apagá-lo da terra de Midgard pelo que tentou fazer com Bryce. Pelo fato de Ruhn não estar lá para impedir, para protegê-la dele.

Ele desamarrou as botas e tirou a camisa de mangas compridas, a caminho do pequeno armário no extremo oposto do quarto, onde estavam as roupas e o tênis que haviam sido fornecidos a ele. Uma corrida de dezesseis quilômetros na esteira seguida de uma tonelada de levantamento de peso ajudaria. Talvez ele tivesse sorte e alguém estivesse na academia para ser seu parceiro de treino.

Ruhn pegou uma camiseta branca, carregando-a consigo enquanto abria a porta, com a intenção de vesti-la ao ir em direção à academia...

Ele deu de cara com Lidia.

O cheiro dela o atingiu, confundindo seus sentidos, e ele deu um passo para trás para fugir.

— Ei — disse ele, depois deixou escapar: — Você acordou.

Ela ergueu o queixo, os olhos um pouco vidrados.

— Sim.

Ruhn retorceu a camisa nas mãos. Ela estava vestindo um dos trajes aquáticos do navio que deixava pouco para a imaginação. Podia não ter explorado o corpo dela — ao menos não neste plano —, mas suas almas com certeza tinham estado juntas, e ele não fazia ideia de como estava a situação entre eles.

— Eu, hã, estava prestes a ir para a academia — anunciou ele, e ergueu a camisa. A palma das mãos suada. — Como você está se sentindo?

— Mais forte. — Não era exatamente uma resposta. Ela acenou com a cabeça para uma porta do outro lado do corredor. — Fui transferida para aquele quarto.

Ruhn avançou no corredor, fechando a porta atrás de si. Quando fez isso, o cheiro dela o envolveu, vertiginoso, inebriante e tão sedutor que ele chegou a salivar; e então ele viu o gelo no olhar dela.

Ele deu um passo para trás, erguendo as sobrancelhas.

— E esses são aposentos apropriados para a Agente Daybright?

Lidia olhou para ele sem achar graça alguma, sem passar qualquer impressão de que haviam compartilhado suas almas. Dois agentes que passavam os contornaram. Ele ouviu alguns de seus sussurros enquanto se dirigiam para o elevador no final do corredor. *Lá está ela. Puta que pariu, é ela.*

Lidia os ignorou.

O elevador se abriu no corredor e Ruhn não pôde deixar de pensar na última vez que ele e Lidia entraram em um desses, quando ela enfiou uma bala na cabeça do Falcão e matou aqueles lobos ferais. Estava então com um olhar franco e suplicante. Aquilo havia mudado.

Ele não pôde deixar de perguntar:

— Você já viu seus filhos?

— Sim. — Ela colocou uma chave na fechadura.

— Como... ah... como foi?

Ela não o encarou.

— Sou uma estranha para eles. — Nem um pingo de emoção nas palavras.

— Como são os pais adotivos?

A fechadura fez um clique.

— Um casal simpático de tritões.

O que aconteceu? Quem era o pai? Como você veio parar aqui?

Ele queria saber tantas coisas. Como ela conseguiu manter isso escondido? A família dela...

Porra, a família dela. Aqueles meninos eram os machos herdeiros da linhagem Enador. Hypaxia era tia deles.

Mas Lidia enfim se virou para olhar para ele, dizendo de uma maneira distante:

— Tudo o que eu fiz foi por eles, sabe.

Ele sentiu um aperto no peito.

— Pelos seus filhos?

Ela estudou as mãos, o imponente anel de rubi em um dos dedos.

— Não os vejo desde que tinham um ano e meio. Nem mesmo uma foto.

Mas ela os tinha reconhecido de primeira hoje. Sabia em que série eles estariam, lembrava onde ficava a escola no navio e correu direto até lá.

Ele permaneceu em sua porta. Por um segundo, se permitiu olhar para o rosto dela. A perfeição quase irreal, a luz dos seus olhos dourados, o brilho dos cabelos. A fêmea mais linda que ele já tinha visto, e ainda assim isso nem importava. Nada disso importava quando se tratava dela.

Ele perguntou:

— O que aconteceu?

— Que diferença faz? — perguntou ela, cautelosa e afiada. — Achei que você não quisesse ouvir meu *draminha*, como você mesmo disse.

Bem, ele mereceu essa.

— Olha — disse ele tenso —, você não pode esperar que eu descubra quem você é, o que você é, e aceite tudo logo de cara, tá? Ainda estou processando essa merda toda.

— O que há para processar? Eu sou quem sou e fiz o que fiz. Ter filhos não apaga isso.

Tudo bem. Ela estava puta da vida.

— É quase como se você quisesse que eu me ressentisse de você.

— Eu queria que você *ouvisse* — disparou ela —, mas você não quis. E agora que me encaixo em algum tipo de história feminina triste e aceitável, você está disposto a me ouvir.

— Isso não tem nada a ver. — Porra, ela e Bryce se dariam bem. O fato de ambas estarem neste navio... Parte dele queria correr e se esconder.

Lidia continuou:

— Você teria ouvido se eu não tivesse outra história além de perceber o que era certo e querer lutar por isso? De fazer o que fosse necessário para garantir que o bem prevalecesse contra a tirania? Ou o fato de eu ser mãe de alguma forma torna minhas escolhas mais palatáveis para você?

— A maioria dos caras mete o pé quando descobre que a fêmea que eles gostam tem filhos.

Seus olhos brilharam com fogo frio.

— Um belo indicador da força que os homens têm.

— Você pareceu gostar bastante da minha força, querida.

Ela bufou, voltando-se para a porta. Dispensando-o.

Ruhn deixou o temperamento aflorar.

— Então qual é o *draminha,* Lidia?

Ela se virou para trás devagar. O rosto era uma máscara de total desprezo ao dizer, antes de fechar a porta bem na cara dele:

— Você não merece ouvir.

44

Ithan estava ajeitando com cuidado uma estatueta de Cthona dando à luz de quatro — o planeta Midgard coroando entre suas pernas — quando o telefone de Jesiba tocou. O som estridente rompeu o silêncio, mas os reflexos de solebol de Ithan o impediram de deixar cair a frágil bola de gude.

— Que foi.

Mesmo a audição lupina aguçada de Ithan não conseguia distinguir a pessoa do outro lado da linha.

— Beleza.

Ela desligou, olhando para Ithan no mesmo instante. Ele aninhou com cuidado a estátua em uma caixa, a espuma de proteção farfalhando.

— O que aconteceu? — perguntou ele com cuidado.

— Venha comigo. — Ela se levantou e atravessou a sala com uma velocidade surpreendente, considerando os saltos azul-escuros de dez centímetros. Ela não se deu ao trabalho de mudar os cabelos para o comprimento curto de sempre, e a visão de seus cachos dourados balançando foi... estranha. O mesmo se deu com o rosto, sem a maquiagem de sempre. Com sua aparência atual ela poderia ser apenas alguns poucos anos mais velha do que Ithan.

Ela parou na porta e apontou para a parede adjacente à estante.

— Traga isso com você. Está carregado.

Ithan olhou para a arma ali. Tinha ficado sabendo do que Bryce fizera com Micah usando aquela arma.

Mas Ithan não hesitou ao cruzar a sala e pegar o Rifle Matador de Deuses da parede.

* * *

Jesiba conduziu Ithan através de um labirinto de pedras escuras, iluminadas por chamas douradas e crepitantes. Os corredores estavam estranhamente silenciosos e ele percebeu que não fazia a menor ideia de que horas eram. A julgar pelo silêncio, deduziu que estivesse no meio da noite. Mas na Casa de Chama e Sombra, onde viviam tantos predadores noturnos, pode ser que essa informação não fosse tão precisa.

E, na verdade, fazia diferença.

Os sons de uma multidão reunida ecoaram pelas pedras muito antes de ele chegar à câmara redonda.

Os pilares eram formados por estalactites e estalagmites que se fundiram — ele vasculhou o cérebro e não conseguiu lembrar qual era o nome *daquilo* — e, ao contrário dos outros salões, que eram rebuscados e elegantes, as paredes eram de pedra bruta. O teto abobadado era tosco e ecoava os murmúrios e as conversas da multidão, carregado demais para identificar palavras isoladas.

As pessoas foram se acalmando conforme Jesiba atravessava o arco para entrar na sala, Ithan um passo atrás dela, com a célebre arma em mãos. Era mais leve do que ele pensava que seria, mas nunca segurara algo tão eletrizante.

A multidão se abriu para permitir a passagem de Jesiba. Ela olhava para a frente enquanto caminhava para o centro da sala, a saia azul-escuro arrastando-se atrás de si, os saltos batendo em um ritmo ondulante e objetivo. Se alguém ficou chocado com o novo penteado e a falta de maquiagem, ninguém ousou dizer nada. Nem manter o olhar fixo nela por muito tempo.

Mas Ithan olhou para a frente, para o que — quem — estava no meio da câmara, e seu coração disparou.

O Astrônomo ergueu um dedo cheio de calos e apontou para Ithan:

— *Você está morto, ladrão* — rosnou o velho.

* * *

Tharion sabia que tinha escapado por um triz. Sabia que a chegada de Bryce o poupara de ser enviado de volta para Lunathion pela Rainha do Oceano.

Uma recompensa por sua cabeça. Puta que pariu.

Mas ficar confinado ao navio... Seria isso melhor do que cair nas mãos da Rainha do Rio ou da Rainha Víbora? Confinado como *hóspede*, afirmara a Rainha do Oceano. Mas ele sabia a verdade por trás das palavras.

— Avallen sempre me deu arrepios — dizia Flynn enquanto todos se espremiam ao redor de uma mesa no refeitório do deque, discutindo a chegada à ilha cercada por brumas no dia seguinte. A esta hora da noite, todas as mesas estavam repletas de pessoas para jantar, as conversas e risadas eram tão intensas que tornava quase impossível para Tharion ouvir os seus companheiros. — Mas Morven é terrível. Eu o conheço desde criança e ele é uma verdadeira cobra. Ele e os gêmeos assassinos.

— Gêmeos assassinos? — perguntou Athalar com uma mistura de alarme e diversão, sentado ao lado de Bryce, com um braço em volta da cintura dela, os dedos brincando com as pontas dos cabelos. Tharion sabia que mesmo que não houvesse pouco espaço à volta da mesa, os parceiros teriam se mantido próximos.

— Um apelido que demos aos meus primos distantes — disse Ruhn com a boca cheia de pão. — Depois que eles se juntaram ao Cormac na tentativa de nos matar diversas vezes na Caverna dos Príncipes. — Os olhos do príncipe brilharam de pesar enquanto falava o nome de Cormac.

Tharion bloqueou a imagem que surgiu... dos momentos finais de Cormac, de correr enquanto o macho feérico se imolava. Ele apertou o garfo com tanta força que os nós dos dedos ficaram brancos.

Mas Ruhn continuou:

— Eles conseguem ler mentes... quer você queira ou não. — Ele apontou com o pedaço de pão meio comido para Bryce. — Eles não vão pedir permissão como aquele cara da Corte Noturna.

Bryce fez uma careta.

— Alguém consegue se defender contra as habilidades deles?

— Sim — respondeu Ruhn —, mas você tem que estar atento o tempo todo, mesmo quando não consegue vê-los perto de você. E eles obedecem a Morven sem pensar duas vezes.

Bryce examinou as unhas.

— Eu adoro alguns bons capangas à moda antiga.

Tharion sorriu, afrouxando o aperto no garfo.

Mas Ruhn balançou a cabeça.

— Eles não são um tipo convencional de capanga, e Morven não é o tipo convencional de babaca. Durante meu Ordálio...

— Eu sei — disse Bryce, pegando um pouco de arroz, cultivado em uma das muitas hortas hidropônicas do navio. — O tio malvadão. Você o irritou, ele te mandou para a Caverna dos Príncipes como punição, você mostrou pra ele quem manda...

— Ele é o pai de Cormac — explicou Declan com cuidado. — Não esqueça que ele acabou de perder um filho e herdeiro.

Tharion olhou para o seu prato de arroz e peixe, embora o seu apetite tivesse desaparecido como espuma do mar na areia.

— Ele foi rápido em renegá-lo — disse Lidia Cervos do outro lado da mesa.

Tharion quase desmaiou de choque quando ela se sentou com eles. Mas... onde mais ela se sentaria no salão lotado?

Ele não deixou de notar que Ruhn estava sentado na extremidade oposta da mesa.

Lidia acrescentou:

— Mas vou repetir o aviso: o Rei Morven só concorda com coisas que sejam vantajosas para ele. Se você quiser convencê-lo a não te entregar para os asteri no mesmo instante, precisa agir da maneira certa.

— O meu plano era ir direto para os arquivos — explicou Bryce —, sem fazer nenhuma visitinha real.

— As brumas — retrucou Ruhn — contam tudo para ele. Vai saber que chegamos. E vai ficar furioso se você... não pagar o tributo.

— Então vamos no sapatinho — disse Athalar, esvaziando o copo de água. As pessoas jantando nas outras mesas olhavam para a mesa deles a todo instante, com admiração, pavor, curiosidade. Todos no grupo de Tharion fingiam não notar.

— E — acrescentou Ruhn, estremecendo — fêmeas não são permitidas nos arquivos.

Tharion revirou os olhos.

— Que palhaçada — murmurou ele.

— Sim, sim — disse Bryce, acenando com a mão em um gesto de desdém. — O Rei Outonal fez *questão* de me avisar de todas essas regras de proibição de fêmeas. Mas, para o azar de Morven, eu vou entrar.

Hunt cutucou-a com uma das asas cinzentas.

— Presumo que você tenha algum plano na manga e que vá nos contar no pior momento possível.

— Acho que você quis dizer o momento mais maneiro possível — disse Bryce e, apesar de estar tenso, Tharion sorriu.

— Repare que ela não respondeu — disse Hunt para Baxian, a voz sombria.

Ele riu e respondeu:

— Danika era igualzinha.

Uma corrente de saudade e tristeza fluía sob o tom leve do Cão do Inferno. Um macho que perdeu sua parceira. Segundo rumores, era pior do que perder a alma. Tharion não conseguia decidir se sentia pena do macho pela perda ou se o invejava por ter tido a sorte de ter encontrado a parceira antes de mais nada. Ele se perguntava o que Baxian teria preferido: nunca ter conhecido Danika, ou ter seus séculos juntos encurtados de forma tão brutal.

Bryce esticou o braço por cima da mesa e apertou a mão do Cão do Inferno, com amor e dor estampados no rosto. Tharion desviou o olhar da expressão semelhante que Baxian deu em direção a ela enquanto apertava sua mão de volta. Um momento particular e íntimo de luto.

Depois de um momento de silêncio para os dois lamentarem a falta da loba que ambos amavam, Flynn disse:

— Avallen é um lugar velho e fodido. Precisamos ser rápidos, e ir embora igualmente rápido daquele Inferno.

Bryce soltou a mão de Baxian e disse afetadamente:

— A pesquisa leva tempo — disse Bryce em um tom professoral. Mas ela desistiu da brincadeira e acrescentou depressa: — Além disso, quero visitar a Caverna dos Príncipes.

Tharion tinha ouvido apenas lendas sobre as famosas cavernas. Nenhuma delas boa.

Ruhn ficou boquiaberto:

— E você acha que pode fazer isso sem nem dizer olá para Morven? Fêmeas também não podem entrar lá.

Bryce cruzou os braços, inclinando-se para o lado de Athalar.

— Tá, talvez a gente passe para tomar um chá.

O irmão não estava engolindo a atitude dela.

— A Caverna dos Príncipes... por quê? O que isso tem a ver com a coisa do portal para lugar nenhum?

Bryce deu de ombros, voltando a comer.

— É onde a Áster sempre ficou. Acho que pode haver alguma informação ali.

— De novo... não foi bem uma resposta — observou Hunt baixinho para Baxian. Tharion reprimiu o seu sorriso. Ainda mais quando Bryce olhou para seu parceiro. Athalar apenas deu um beijo em sua testa, um gesto descontraído de carinho que fez Baxian desviar o olhar.

Tharion desejou ter algo para oferecer ao Cão do Inferno, um tipo de conforto. Mas os deuses sabiam que ele estava longe de ser qualificado para oferecer qualquer tipo de conselho amoroso. Perda, talvez — aprendera a viver com um buraco no peito depois que Lesia foi assassinada —, mas duvidava que Baxian quisesse ouvir alguém tentar comparar a perda de uma irmã com a perda de uma parceira.

— Seria melhor não ficar mais do que o necessário em Avallen — insistiu Flynn, chamando mais uma vez a atenção de Tharion. — Estou falando, toda vez que estive na ilha, minha magia ficou... infeliz. — Para dar ênfase, uma delicada videira se enrolou na mão dele, entre os dedos. — Literalmente murcha e morre quando estou lá. — Foi o que a videira fez, murchando e virando pó, que se espalhou sobre seu prato meio comido de peixe e arroz. Flynn deu uma mordida mesmo assim.

— Eu sempre me esqueço que você tem magia — disse Bryce —, mas vou me abster de fazer a piadinha óbvia sobre problemas de desempenho em Avallen.

— Obrigado — murmurou Flynn, enfiando outra garfada de comida na boca.

— Vai ser melhor nos separarmos quando estivermos lá — afirmou Declan, empurrando de lado sua própria refeição. — Alguns de nós podem consultar os arquivos, e os outros podem ir à Caverna dos Príncipes. Todos procuraremos informações extras a respeito da Áster e sua conexão com a adaga.

Olhando para a enorme janela na parte de trás do refeitório, com vista para o esmagador oceano escuro, Tharion disse:

— E eu estarei aqui, rezando para Ogenas para que vocês encontrem algo que ajude a destruir os asteri com aquelas lâminas.

Ogenas, Guardiã dos Mistérios. Se tinha um deus para quem implorar por conhecimento, era ela.

— Arquivos — disseram Ruhn, Flynn e Declan, erguendo as mãos.

Bryce olhou com irritação para eles.

— Seus babacas. Contava com um de vocês para nos guiarem, já que já estiveram na Caverna dos Príncipes. — Ela se virou para Athalar e Baxian e suspirou. — Parece que nos resta dar uma explorada por lá.

— Só para você saber — disse Ruhn —, durante nosso Ordálio, nós três demoramos um pouco para chegar ao túmulo de Pelias e da Áster. Mas isso também aconteceu porque estávamos sendo perseguidos e caçados por espíritos malignos, por Cormac e pelos gêmeos assassinos. Então pode ter uma rota mais direta... ainda que as brumas tentem confundir você a cada passo.

— Ótimo — disse Bryce, mas Tharion não deixou de perceber como seus olhos pareceram brilhar, como se as palavras do irmão tivessem despertado alguma coisa.

— E — acrescentou Ruhn — tem entalhes espalhados pelas cavernas, inclusive na câmara mortuária. Pode demorar um pouco para vocês encontrarem alguma coisa. É melhor levar suprimentos para alguns dias.

— Entendido — disse Athalar carrancudo.

— Fantástico — resmungou Baxian ao seu lado.

Tharion sentiu um aperto no peito, se dando conta do que dissera momentos antes. Ele de fato *ficaria* no navio. Enquanto eles partiam. Iriam se separar no dia seguinte. Essas pessoas que Urd colocara em sua vida, que ele não merecia...

— Vou com vocês — avisou Lidia. — Para Avallen. — Ela estivera tão calada que Tharion tinha se esquecido da sua presença na outra ponta da mesa.

Ruhn nem olhou para ela enquanto falava. Tharion notou que a Corça também se esforçava para não olhar para ele. Só para Bryce.

— Por quê? — perguntou Bryce. — Você, ah... Seus filhos estão neste navio.

Lidia se empertigou.

— A Rainha do Oceano deixou bem explícito que se eu não retomar minhas funções como Agente Daybright, a proteção que ela cedeu para eles... acabaria. — Todos olharam surpresos para ela, mas Lidia continuou: — Os asteri criaram um tipo pior de mec-traje... pior ainda que os híbridos de algumas semanas atrás. Esse mec-traje não requer mais um piloto para operá-lo, apenas técnicos em uma sala distante. Rigelus ordenou que os trajes fossem posicionados no topo do Monte Hermon. — Um olhar para Hunt, cujo rosto estava inflexível com a notícia. — A Rainha do Oceano quer que eu aprenda como detê-los, mas temo que não consiga descobrir muito além das informações que já chegaram para nós. Os trajes já estão construídos e prontos para serem liberados. Não há nada que possamos fazer.

— Avallen fica na direção oposta da Cidade Eterna — resmungou Hunt. — Estaríamos levando você muito para o norte.

Lidia balançou a cabeça.

— É inútil gastar meu tempo procurando uma maneira de parar os mec-trajes... Uma solução que talvez nem exista. Convenci a Rainha do Oceano de que seria de maior utilidade se acompanhasse vocês até Avallen para ver o que vão descobrir por lá.

— Então — disse Bryce — você se ofereceu para... o quê, nos espionar para a Rainha do Oceano? E está nos contando?

Ela concordou devagar.

— Você a deixou nervosa, Bryce Quinlan, e isso não é bom. Mas como tenho... ligações com o seu grupo, ela viu vantagem em me enviar. — Ela enfim olhou para Ruhn. O príncipe feérico continuou a ignorá-la.

— Você acha mesmo que não há nada que possa ser feito em relação a esses novos trajes? — perguntou Bryce. — Eles parecem perigosos.

O rosto de Lidia permaneceu solene.

— Para destruí-los, seria necessário juntar uma força que marchasse até a Cidade Eterna. Força essa que não temos. Então vou com vocês por enquanto. Até descobrirmos como acabar com isto.

Um silêncio atordoante pairou na sala. A respiração de Tharion falhou ao pensar no que Lidia estava insinuando.

— Tá. Ótimo — murmurou Flynn, recebendo um olhar penetrante de Lidia. — Você é Time Arquivos ou Time Cavernas?

— Ainda vou decidir isso — retrucou Lidia friamente. — Resta saber se vocês vão conseguir convencer Morven a permitir que entrem em qualquer um dos lugares. *Ainda mais* se fêmeas são proibidas.

— Vamos convencê-lo — disse Bryce, abrindo um sorriso desarmante. Tharion não deixou de captar o olhar suspeito que Hunt lançou na direção dela.

Tharion se preocuparia com isso mais tarde. Seus amigos estavam indo embora. E ele continuaria naquele navio, sob o comando da Rainha do Oceano. Não fazia diferença se Bryce o reivindicava como seu súdito; não havia como enfrentar a governante dos mares.

Não se surpreenderia se, ao olhar para baixo, visse seu peito se desfazendo.

Mas os amigos continuaram falando, e Tharion tentou aproveitar cada instante. A cumplicidade, os sons e ritmos de suas vozes.

Muito em breve, era provável que nunca mais voltasse a vê-los.

* * *

— Este navio é só uma versão maior do anel do Astrônomo — disse Sasa, a voz calma, flutuando acima da mesa de conferência de vidro. — Isso está acabando com a Malana desde que embarcamos. — E, realmente, não havia nem sinal da terceira duende.

— Ela está bem? — perguntou Bryce.

— Vai ficar quando formos embora — respondeu Rithi, admirando o próprio reflexo na superfície de vidro da mesa. Mas a duende parou de repente e olhou para Bryce. — Quando estivermos ao ar livre de novo.

— Foi sobre isso que viemos falar — explicou Lidia, olhando entre as irmãs de onde estava sentada, do outro lado da mesa. — O próximo passo de vocês.

Bryce tinha ficado surpresa e um pouco nervosa quando Lidia a chamara de lado depois do jantar e explicara seu plano. Bryce tinha uma ligação próxima com a comunidade de duendes e Lidia precisava que as trigêmeas fossem enviadas para uma tarefa crucial. O melhor seria que esse pedido viesse de alguém de confiança, insistiu a Corça.

As duendes trocaram olhares.

— Nosso plano era seguir vocês até Avallen — afirmou Sasa, de queixo erguido —, a não ser que vocês prefiram não ter três duendes...

— Seria uma honra e uma alegria ter três duendes comigo — falou Bryce, esperando que seu tom sério provasse que o que falava era verdade. Estava com o coração apertado desde que Lidia a puxara de lado mais cedo, a lembrança do lindo rosto de Lehabah brilhando com intensidade em sua mente. — E, sendo bem sincera, vocês seriam muito úteis para nós por lá. — Na escuridão da Caverna dos Príncipes, mesmo com a luz estelar de Bryce, três chamas extras seriam de *grande* ajuda. — Mas... — Ela considerou suas próximas palavras com cuidado.

Lidia a poupou do esforço.

— Irithys está livre.

As duendes arfaram, ambas se iluminando em uma cor laranja vibrante.

— Livre? — sussurrou Rithi.

— Fugiu — corrigiu Lidia. — Eu a ajudei a sair do palácio dos asteri, em troca de uma ajuda para resgatar nossos amigos nos calabouços.

— Onde ela está agora? — exigiu saber Sasa, a chama esquentando, trocando de cor para um tom mais claro.

— É por isso que viemos conversar com vocês — explicou Bryce. — Não sabemos onde ela está.

— Vocês... perderam nossa rainha? — perguntou Sasa com suavidade.

— Quando nos separamos — acrescentou Lidia depressa, já que Rithi e Sasa agora estavam ficando incandescentes de raiva — sugeri que Irithys fosse encontrar uma fortaleza de seu povo. Ela parecia...

hesitante em fazer isso. Acho que ficou preocupada ao pensar em como seria recebida.

As duendes se eriçaram de raiva.

— Então — interveio Bryce —, estávamos nos perguntando se vocês poderiam ir à procura dela. Para se certificar de que está... segura. E se oferecerem para fazer companhia a ela.

— Nossa rainha não quer ver o próprio povo? — A voz de Rithi estava perigosamente baixa, sua chama ainda branca e fervilhante.

— Irithys — disse Lidia com calma — passou a maior parte de sua existência trancada em uma bola de cristal. Talvez vocês possam entender melhor do que qualquer outra pessoa em Midgard... se ver livre do cativeiro de repente, sozinha no mundo, não é das coisas mais fáceis. Então eu... — uma olhada para Bryce — *nós* estamos pedindo que vocês a encontrem. Para oferecer companhia e ajuda, lógico, mas também...

— Para nos ajudar — concluiu Bryce. — Precisamos de vocês três para falar em defesa de Midgard... ajudá-la a entender pelo que estamos lutando. E talvez convencê-la a ajudar mais uma vez contra os asteri. Quando for a hora certa.

As duendes as observaram por um longo momento.

Sasa perguntou:

— Você confiaria uma tarefa dessas a Inferiores e escravizadas?

— Não confiaríamos em mais ninguém para uma tarefa dessa magnitude — respondeu Lidia.

Não havia muitos vanir em Midgard que diriam isso. E que falassem sério. Bryce sentiu que estava perigosamente perto de começar a gostar da Corça.

Mas Rithi questionou:

— Você não pode achar mesmo que algumas duendes de fogo fariam diferença contra os asteri. Os nossos antepassados não o fizeram durante a batalha com os Caídos... E olha que ali, batalharam contra os malakim.

— Lehabah fez a diferença contra Micah — disse Bryce, com um nó na garganta. — Uma duende de fogo enfrentou um arcanjo e acabou com ele. Foi graças à presença dela que tive tempo para matá-lo. Para matar um arcanjo.

As duendes arregalaram os olhos.

— Você *matou* Micah? — murmurou Rithi.

Lidia não pareceu surpresa. Como Corça, era bem capaz que tenha sido informada logo depois que tudo aconteceu.

— Com a ajuda de Lehabah — acrescentou Bryce. — *Por causa* da ajuda de Lehabah. — Ela engoliu o nó na garganta. — Então sim... acredito que os duendes de fogo podem e farão a diferença contra os asteri.

As irmãs se entreolharam, como se pudessem falar entre mentes como Ruhn.

Então Sasa encontrou o olhar de Bryce. E disse, sem um pingo de medo:

— Vamos encontrar Irithys — as duendes brilharam em um tom profundo e intenso de azul — e, com ela, lutar contra os asteri quando chegar a hora.

* * *

— Correu tudo bem — disse Bryce minutos depois, enquanto ela e Lidia caminhavam pelo corredor de volta aos seus dormitórios. — Fico feliz de você me ter feito falar com elas.

A Corça não disse nada, o olhar fixo na passagem à frente.

— Você está bem? — Bryce ousou perguntar. Apesar de ter sentado com eles durante o jantar, a Corça passou boa parte do tempo calada. E não olhou nenhuma vez para Ruhn. O irmão também fingiu não notar a presença de Lidia.

— Sim — respondeu Lidia, e Bryce percebeu que era mentira.

Elas não disseram mais nada durante o resto do caminho, parando apenas quando chegaram aos dormitórios. Hunt esperava por Bryce no quarto deles. Mas ela esperou um instante e disse, antes que Lidia pudesse entrar no próprio quarto:

— Obrigada.

Lidia parou e se virou na direção dela.

— Pelo quê?

— Por salvar meu parceiro. Meu irmão. O parceiro da minha melhor amiga. Sabe, três das pessoas mais importantes na minha vida. — Ela deu um sorriso hesitante.

Lidia inclinou a cabeça, majestosa e graciosa.

— Era o mínimo que eu poderia fazer. — Ela se virou para abrir a porta.

— Ei — disse Bryce. Lidia parou de novo. Bryce apontou com o queixo para Lidia e para o quarto da Corça, onde ela dormiria sozinha. — Sei que a gente, hum, não se conhece nem nada, mas se precisar de alguém pra conversar... alguém que *não* seja o Ruhn... — Ela deu de ombros. — Estou a uma porta de distância.

Deuses, ela soava tão ridícula.

Mas Lidia deu um sorriso discreto, algo parecido com surpresa em seus olhos.

— Obrigada — agradeceu ela, e entrou em seu quarto, fechando a porta silenciosamente.

* * *

Hunt tinha passado o dia todo contando os minutos até que pudesse estar sozinho com Bryce no quarto, para tirar as roupas dela. Mas agora que estava deitado no beliche estreito demais com ela, as luzes apagadas e suas respirações o único som no quarto... ele não sabia por onde começar.

A discussão de merda que tiveram mais cedo também não ajudava. Ele dissera a verdade e ela não quisera escutar. Não conseguia aceitar.

Mas a culpa *era* dele. Dentre todos, ele deveria ter pensado melhor antes de conduzi-los por esse caminho mais uma vez. Não entendia como ela não enxergava isso.

— Posso ser sincera? — perguntou ela na escuridão. Não esperou pela resposta dele antes de dizer: — Para além de mostrar as anotações do Rei Outonal para Morven, não tenho um plano concreto de como lidar com ele. Ou um plano reserva, caso ele não dê a mínima para os cadernos.

Hunt deixou de lado os pensamentos sobre a briga anterior e disse:

— Ah, eu sei disso. Você não foi tão arrogante quanto costuma ser quando tem um plano secreto genial.

Ela bateu no ombro dele.

— Estou falando sério. Além das anotações do Rei Outonal, minha única outra moeda de troca com ele é meu potencial reprodutivo. E já que você e eu somos casados...

— Você está pedindo o divórcio?

Ela riu.

— Não. Estou dizendo que não tenho valor para esses idiotas. Já que o meu útero está... comprometido.

— Humm. Sexy. — Ele mordeu a orelha dela. — Senti a sua falta.

— Eles poderiam entrar no âmago da discussão mais tarde. Amanhã. Nunca.

Ele passou a mão pelo quadril dela, pela coxa. O pau ficando duro contra a maciez dela, o cheiro doce de lilás e noz-moscada.

— Por mais que eu queira transar com você até alguém precisar vir checar se ainda estamos vivos, Athalar — disse ela, e Hunt riu em seus cabelos —, podemos só... ficar abraçados hoje?

— Sempre — respondeu Hunt com o coração pesado. Ele a abraçou com mais força, tão grato pelo cheiro dela em seu nariz, pela exuberância de seu corpo contra o dele. Não merecia isso. — Eu te amo.

Ela se aproximou ainda mais, o braço envolvendo sua cintura.

— Eu também te amo — sussurrou de volta. — Time Cavernas, até o fim.

Ele deu uma risada abafada.

— Vamos mandar fazer camisetas.

— Não me tente. Se Avallen não fosse uma ilha atrasada e sem interweb, eu já teria feito o pedido, para serem entregues no castelo de Morven.

Ele sorriu, o peso no peito se dissipando por um momento precioso.

— Não tem mesmo interweb lá?

— Não. As brumas bloqueiam tudo. Reza a lenda que nem mesmo os asteri conseguem penetrá-las. — Ela fez um *uuuuuuu*, mexendo os dedos. Depois fez uma pausa, como se refletisse, antes de acrescentar: — Vesperus mencionou coisas chamadas *lugares tênues*, envoltos em bruma. A Prisão no mundo feérico era um deles. E parece coincidência demais que os antigos Feéricos Estrelados *também* tenham estabelecido uma fortaleza num local envolto na mesma bruma que serve para afastar os inimigos.

Hunt ergueu as sobrancelhas.

— Como as brumas podem ser uma parede contra os asteri?

— A pergunta certa seria: por que os asteri deixariam Avallen em paz por tanto tempo se ela *é* capaz de mantê-los afastados?

Hunt deu um beijo no topo da cabeça dela.

— Suspeito que você vá descobrir as respostas do jeito mais dramático possível.

Ela se aconchegou mais perto dele, e ele a abraçou com mais força.

— Você me conhece bem, Athalar.

* * *

Ithan não se atreveu a apontar o Rifle Matador de Deuses para o Astrônomo. Mas ele permaneceu preparado para fazê-lo quando Jesiba perguntou:

— Que fuzuê é esse?

A multidão — drakis, vampiros, daemonakis e muitos outros que ele não conseguia identificar — estava em um silêncio mortal. Todos tinham vindo testemunhar a retaliação. Ithan sentia a boca seca.

Os olhos cinza-ardósia do Astrônomo brilharam de ódio.

— O lobo roubou uma coisa de mim.

Jesiba deu de ombros.

— A questão das duendes e da dragoa já foi resolvida entre nós.

— Não brinque comigo, Jesiba — retrucou o Astrônomo —, nós dois sabemos que ele levou mais do que seres de fogo.

Ithan deu um passo para a frente. Estava com as mãos suadas pressionadas na madeira lustrosa e no metal do rifle.

— Lobos não devem ser mantidos em tanques. — *Ninguém deve*, ele pensou. — Além disso, ela nem era sua, para começo de conversa. Ela não tinha marca de escravizada.

— Foi vendida para mim pelo pai. Foi uma transferência não oficial de propriedade.

— Ela era uma criança, e você não tinha o direito...

Ithan a tinha matado. Ele não tinha o *direito* de falar dela como se ele mesmo não fosse tão ruim quanto o homem diante de si...

— Você é um *ladrão*, lobo, e eu exijo pagamento! Exijo que ela seja devolvida para mim!

As palavras não queriam sair. Ithan não conseguia falar.

Mas uma adorável e melodiosa voz de fêmea disse por trás da multidão:

— A herdeira Fendyr nunca mais será sua, Astrônomo.

A multidão sibilou e se abriu para revelar a Rainha Hypaxia Enador entrando na câmara, com as vestes flutuando atrás de si com um vento fantasma.

Pelo canto do olho, Ithan percebeu o sorriso de Jesiba.

— Hypaxia — disse a feiticeira. — Justo a necromante que eu estava procurando.

45

O fato de Jesiba ter conseguido dispersar a multidão sem dizer uma única palavra demonstrava seu domínio sobre aquele lugar, aquela Casa.

Ithan se viu dividido entre olhar para Hypaxia e o Astrônomo ou evitar o olhar de ambos.

O Astrônomo esperou até que a multidão se dispersasse antes de dizer à rainha-bruxa:

— Se você sabe o paradeiro da loba e está ocultando essa informação, então a lei diz que você está...

— Nenhuma lei se aplica aqui — cortou Hypaxia — já que a herdeira Fendyr não era, legalmente, uma escravizada. Você mesmo disse isso. — Deuses, Ithan desejou ter uma mísera porcentagem da firmeza dela, da inteligência serena. Hypaxia continuou: — Então não havia nada para Ithan Holstrom roubar. Ele apenas permitiu que uma cidadã livre escolhesse se permaneceria naquele tanque miserável... ou se partiria.

E então ele a matou.

Jesiba olhava para ele em advertência, como se dissesse: *Não fale uma única sílaba sobre isso.* Ithan retribuiu o olhar como se retrucasse *Você acha que sou burro nesse nível?*

Ela olhou incisivamente para a camiseta dele, em que estava estampado *SOLEBOL UCLC.*

Ele revirou os olhos e virou-se para a rainha-bruxa enfrentando o Astrônomo.

— Aquela loba me custou uma quantia incalculável de ouro. Perdi um místico...

— Eu pago — disse Ithan com voz rouca. Seus pais fizeram alguns bons investimentos antes de morrerem. Ele tinha mais dinheiro do que poderia gastar.

— Exijo então dez milhões de marcos de ouro.

Ithan começou a tossir. Ele até tinha uma grana, mas...

— Pago — disse Jesiba em um tom frio.

Ithan se virou para ela, mas a feiticeira sorria tranquilamente para o Astrônomo.

— Pode acrescentar à minha conta mensal.

O Astrônomo olhou com irritação para ela, depois para Ithan e enfim para Hypaxia, que retribuiu com um olhar de desdém. Mas ele apenas cuspiu no chão e saiu batendo os pés, os cabelos longos e oleosos voando atrás dele.

No silêncio, Jesiba encarou Hypaxia e disse:

— Faz dias que liguei pra você e pedi para vir *na mesma hora*. Sua vassoura não está funcionando?

Ithan se virou para Jesiba.

— É *esta* a necromante que você tinha em mente?

Sendo sincero, ele não sabia por que não tinha pensado nisso antes. Tinha acabado de trabalhar com ela, puta que pariu, quando tentaram conjurar Connor no Equinócio de Outono. Talvez ele a tenha descartado porque *não* tinha dado certo e, em vez disso, quem apareceu foi o Sub-Rei, mas...

— O pai de Hypaxia foi o melhor necromante que já conheci — explicou Jesiba, cruzando os braços. — Ela possui o dom dele. Se tem alguém a quem confiar sua tarefa, Holstrom, é ela.

As sobrancelhas de Hypaxia se ergueram em leve surpresa, como se não fosse comum ouvir aquele elogio. Mas ela disse a Jesiba:

— Seria melhor conversarmos no seu escritório.

— Por quê?

Hypaxia pareceu debater se deveria responder, mas por fim disse:

— Quer saber o que me atrasou tanto tempo? O que eu temia neste outono aconteceu. Morganthia Dragas e seu clã deram um golpe em nome do que consideram a preservação dos velhos costumes da bruxaria. Não sou mais a Rainha das Bruxas Valbaranas. — Ela tocou o peito, onde seu habitual alfinete dourado de Cthona estava quebrado em dois. — Para escapar dos seus algozes, jurei fidelidade à Casa de Chama e Sombra.

* * *

Lidia deixou Renki decidir o local daquela reunião matinal. Algum lugar neutro e com privacidade, que fosse "tranquilo", como o tritão havia descrito.

Lidia desejou ter um pouco de *tranquilidade* enquanto se sentava no sofá da área de recreação estudantil, tão silenciosa — a diretora Kagani havia reservado a sala para eles por uma hora — e olhava para os filhos. Estavam sentados no sofá oposto, que era velho e manchado, condizente com uma sala de estudantes.

Davit fora chamado tarde na noite anterior para trabalhar, então apenas Renki comparecera. O macho agora estava sentado onde ficavam as bebidas, no extremo oposto da sala. Permitindo que eles tivessem certo espaço. Uma ilusão de privacidade.

Ela preferiria que ele tivesse sentado junto a eles.

Havia uma boa chance de Morven não deixá-los sair vivos de Avallen. Ela precisava ver seus meninos antes de partir, só mais uma vez, mas isso não significava que a situação fosse confortável.

Ace estava recostado nas almofadas, de braços cruzados, olhando para a televisão acima da mesa de pebolim, em que passavam os melhores momentos de um jogo de solebol. Mas Brann a olhava com franqueza, os olhos brilhantes deixando entrever seu intelecto aguçado e sua natureza combativa. Um guerreiro dos pés à cabeça. Ele disse sem preâmbulos:

— Por que você quis nos encontrar tão cedo?

Lidia enxugou com discrição a palma das mãos suada nas pernas do macacão tático. Ela sabia que os dois meninos tinham notado o movimento.

— Achei que poderia me colocar à disposição de vocês, caso tivessem alguma dúvida a meu respeito. Sobre o meu passado.

Ela tinha passado por situações horríveis sem vacilar, e ainda assim... aquele momento fazia seu coração disparar.

A boca de Brann se retorceu para o lado enquanto ele pensava a respeito. Sem tirar os olhos da televisão, Actaeon disse:

— É porque ela está indo embora.

Inteligente demais. Lidia olhou para ele, embora Ace fingisse não vê-la, e falou:

— Sim. Hoje.

Brann olhou de um para o outro.

— Para onde?

Ace respondeu antes de Lidia:

— Ela não vai contar. Melhor nem perder seu tempo perguntando. Ela não faz ideia do que a palavra *sinceridade* quer dizer.

Lidia cerrou a mandíbula.

— Eu gostaria de poder contar. Mas a nossa missão depende do sigilo.

Ace se virou para encará-la.

— E nós, crianças, vamos divulgar sua localização pra todo mundo, né?

Que os deuses a ajudassem.

— Eu gostaria de poder contar a vocês — repetiu ela.

Brann perguntou, a voz embargada:

— Você vai voltar?

Lidia respondeu com sinceridade:

— Espero que sim.

Actaeon voltou a olhar para a televisão.

— Você conseguiu escapar de todas as enrascadas até agora. Não vejo por que isso seria diferente.

As palavras a atingiram como uma pancada em uma parte sensível e desprotegida.

Brann olhou para o gêmeo como que o advertindo.

— Ace, para. — Era óbvio que tinham conversado antes. Decidido como iriam agir.

E era óbvio que Ace a odiava.

Tudo bem. Ela poderia conviver com aquilo. Ele estava a salvo e era amado.

Para ter isso, ela poderia lidar com o ressentimento.

— Estamos em guerra — explicou Lidia para eles. — E a coisa vai ficar bem feia. Não posso dizer para onde vou, mas posso dizer que talvez não volte. A cada vez que me aventuro, ainda mais agora que meus inimigos sabem a verdade sobre mim, há uma boa chance de que eu não retorne.

Ace retrucou:

— Era pra gente se sentir mal e chorar pela nossa mamãezinha?

Ela precisou de todas as suas forças para não desmoronar. Recobrando a frieza que havia aperfeiçoado ao longo dos anos, ela respondeu:

— Alguns minutos atrás você alegou que eu não sei o que é sinceridade. Bom, estou sendo sincera agora. Se você acha que isso é uma forma de manipulação, não posso fazer nada. Mas eu queria ver vocês dois antes de ir embora hoje. Para me despedir.

Brann olhou novamente de um para o outro. Então disse:

— Acho que minha maior dúvida é por quê. Por que você nos deixou aqui.

— Eu não tive escolha — respondeu Lidia apenas, muito consciente da presença de Renki do outro lado da sala. — Era deixar vocês aqui, seguros e com pessoas que iriam amar e cuidar de vocês, ou arriscar levá-los para um mundo que só teria o contrário disso para oferecer. Eu... pensei em vocês todos os dias.

Aquilo era entrar em um território que ela desejava evitar. Não tinha planejado falar disso durante esta visita. Talvez nunca. E sabia que se ficasse por um instante a mais, talvez falaria mais do que deveria, coisas que não estava preparada para dizer em voz alta. Coisas que, talvez, os meninos não estivessem preparados para ouvir.

Em vez disso, com os dedos ligeiramente trêmulos, ela tirou o anel de rubi e o colocou na mesa entre eles.

— Quero que fiquem com isso. — Ela ignorou o nó na garganta. — É uma herança da casa do meu pai. Ele não é alguém digno de ser lembrado, mas esse rubi... — ela não conseguiu olhar para ver a expressão no rosto deles — é muito valioso. Vocês podem vender para pagar a faculdade, moradia... quando tiverem idade para isso, quer dizer. Se algum dia saírem deste navio. Não que tenham que sair. — Ela estava divagando. Engoliu em seco e enfim olhou para eles.

Ace estava inexpressivo, mas Brann olhava para o rubi gigantesco com os olhos arregalados. — Ou se quiserem ficar com ele — concluiu ela baixinho —, tudo bem também.

Ela desejou ter algo mais para deixar para eles, alguma outra parte dela que não estivesse ligada ao monstro que a gerou, mas aquilo era tudo o que possuía.

Tarefa concluída, Lidia se levantou e Renki olhou em sua direção. Ela assentiu para ele.

Olhou para os filhos, corajosos, fortes e capazes, não graças a ela.

— Sei que não vão ligar para isso — disse ela, olhando para Ace, que tinha voltado a assistir à televisão —, mas tenho muito orgulho de vocês. Dos machos que são e que estão se tornando. Ao olhar para vocês, sei que... fiz a escolha certa. — Ela deu um sorriso discreto para Brann.

Os olhos dele brilhavam.

— Obrigado por isso. Por nos dar nossos pais. — Ele fez um gesto para Renki. Lidia baixou a cabeça. — Boa sorte — disse Brann —, aonde quer que você vá.

Ela levou a mão ao coração.

Brann cutucou o irmão com o cotovelo. Ace deslizou seus olhos dourados de volta para ela e disse:

— Tchau.

Lidia manteve a mão no peito, batendo uma vez, e se virou.

Saiu, sem saber para onde ia, ciente apenas de que precisava continuar andando, caso contrário encontraria um lugar para se encolher e morrer.

Ela caminhou pelos corredores reluzentes do navio. Caminhou, caminhou e caminhou, e não se permitiu olhar para trás.

* * *

Ithan esperou até que a porta do escritório de Jesiba se fechasse antes de correr até Hypaxia.

— O que aconteceu? — exigiu saber Ithan.

Jesiba o havia avisado antes de sair pelos corredores para *ficar quieto*, e ele obedecera, mesmo quando pararam no refeitório escuro para a ex-rainha-bruxa pegar um pouco de comida. Segundo ela, fazia dias que não comia — tempo esse que aumentou a já crescente impaciência dele. Mas agora, em segurança, atrás das portas trancadas do escritório de Jesiba, eles obteriam respostas.

— Aconteceu do jeito que eu falei — respondeu Hypaxia, a voz um pouco seca enquanto colocava a bandeja de comida na mesa. — A ex-general da minha mãe, Morganthia, fez com que suas forças cercassem minha fortaleza. Fui apresentada às seguintes opções: entregar a coroa de amoras-brancas ou morrer. Ofereci a coroa, mas de alguma forma entenderam que eu escolhi *morrer*.

— E elas podem fazer isso? — questionou Ithan. — Expulsar você... Simples assim?

— Sim — disse Jesiba, sentando-se em sua poltrona de couro. — As dinastias das bruxas foram fundadas com base na justiça e no direito de remover um governante inadequado. O objetivo era proteger o povo, mas Morganthia usou isso a seu favor.

Hypaxia afundou-se em uma das cadeiras diante da mesa de Jesiba e esfregou os olhos com o polegar e o indicador. Foi o gesto mais normal que Ithan já tinha visto a rainha fazer.

— O primeiro ato de Morganthia como rainha foi ordenar a minha execução. O segundo foi desfazer o feitiço de animação que minha mãe tinha colocado em meus tutores. — Ao ver as sobrancelhas erguidas de Ithan, ela acrescentou: — Eles são... eram... fantasmas.

Como isso era possível, ele não fazia ideia, mas mesmo assim disse:

— Sinto muito.

Ela assentiu em agradecimento, a voz carregada de tristeza.

— O feitiço estava ligado à coroa. E uma vez que aquela coroa fosse dela... — Ela olhou para Jesiba, o rosto suplicante.

— Você está de luto por três pessoas há muito tempo mortas — disse Jesiba com frieza, e Ithan a odiou por isso. — Em vez disso, chore por seu povo, que agora está preso a uma rainha desequilibrada e o clã dela.

Hypaxia se empertigou.

— Você parece achar que eu deveria ter lutado com ela.

— E deveria — rebateu Jesiba, o fogo escuro brilhando em seus olhos. Uma semente do poder de Apollion, transformada em algo novo. — Você ao menos tentou proteger sua coroa antes de ceder?

— Eu teria morrido.

— E mantido sua honra. Sua mãe teria ficado orgulhosa.

— Um golpe sem derramamento de sangue era uma alternativa melhor do que lutar, fazer com que inocentes morressem em meu nome...

— Assim que o reinado dela começar, Morganthia derramará muito mais sangue do que poderia ter sido derramado por você. — Jesiba fechou os olhos e balançou a cabeça com desgosto.

— Não vim até aqui para ser julgada por você, Jesiba — sibilou Hypaxia, mais selvagem do que Ithan já a testemunhara.

— Sou a segunda em posição de autoridade desta Casa. Então você agora responde a mim.

Ithan se esforçou para não deixar transparecer o choque. Jesiba era a *segunda* em comando na Casa de Chama e Sombra?

E ela achava que *Hypaxia* era a melhor necromante para Ithan? Quando tinha tantos outros à disposição?

— E — acrescentou Jesiba para Hypaxia, pouco se importando com a surpresa de Ithan —, como alguém que passou séculos com as bruxas, minhas observações são dignas de sua atenção.

Hypaxia se irritou:

— Você abandonou o nosso povo.

— E você fez o mesmo.

Um silêncio tenso e carregado dominou a sala. Hypaxia deu uma mordida — só uma — em seu sanduíche de presunto e queijo.

Hypaxia não sabia, percebeu Ithan, o que Jesiba era, lá no fundo. Ela ainda a considerava uma bruxa desertora.

— Olha — disse ele —, sei que vocês têm muita coisa para resolver, mas... eu tenho um assunto bastante urgente.

A antiga rainha-bruxa se virou para ele, a expressão mais suave. Ela deu outra mordida no sanduíche e disse, após engolir:

— Jesiba me informou da situação quando me ligou. Devo admitir que fiquei surpresa com o envolvimento da minha irmã. Mas sinto muito pelo que aconteceu.

Ele abaixou a cabeça, sentindo um arroubo de vergonha.

Hypaxia continuou, terminando o sanduíche após mais umas mordidas:

— Mas a necromancia não é uma coisa fácil, Ithan.

— Eu me lembro — disse ele.

Ela pressionou os lábios. Sim, ela também se lembrava de cada minuto do breve encontro deles com o Sub-Rei. Mas Hypaxia disse, com os olhos brilhantes de determinação:

— Vou tentar te ajudar.

Ele quase parou de respirar.

Hypaxia acrescentou:

— Começo amanhã. Hoje tenho obrigações. Juramentos para fazer.

Juramentos ao Sub-Rei, que ficou impressionado o bastante com as habilidades dela no Equinócio de Outono para afirmar que a receberia ali. Até mesmo Morganthia Dragas hesitaria antes de se envolver com o Sub-Rei.

— Não tenho muito tempo — avisou Ithan.

— Esses juramentos não podem esperar — retrucou Jesiba. Ela apontou para a porta de seu escritório, uma ordem para Hypaxia. — Eles devem ser feitos no Cais Preto antes do nascer do sol, garota. Você já fez sua última refeição. Agora vá.

Hypaxia não hesitou. Ela saiu, as vestes flutuando atrás de si, e fechou a porta.

— Tola — disse Jesiba, afundando-se na cadeira. — Tola, inocente e idealista.

Ithan ficou imóvel, perguntando-se se ela havia se esquecido de que ele estava ali.

Mas Jesiba ergueu os olhos para ele.

— Ela sempre foi assim. Pior que a Quinlan. Deixando o coração guiá-la como um cachorrinho na coleira. A culpa é da mãe, que a manteve isolada. Não me admira que Celestina a tenha feito ficar caidinha quando...

Ithan teve um sobressalto.

— Calma aí. Hypaxia e Celestina? — Jesiba assentiu. Ithan inclinou a cabeça para o lado. — A Corça disse que foi por causa da Celestina que os asteri descobriram que Bryce estava indo para a Cidade Eterna. Hypaxia não teria...

— Elas já terminaram — interrompeu Jesiba. — Sei de fonte segura que Hypaxia... não ficou satisfeita quando descobriu que Celestina havia traído seus amigos. Mas mesmo essa traição não fez com que Hypaxia abrisse os olhos e percebesse o que Morganthia estava arquitetando.

— Ela percebeu — retrucou Ithan. — Veio aqui nesta primavera, pedindo proteção a Ruhn contra Morganthia. Eu a protegi...

— *Proteção* — zombou Jesiba —, *se preservar*. Isso não é *agir*. Ela sabia que Morganthia era uma ameaça e escolheu esperar que atacasse em vez de desferir seu próprio golpe contra ela. Em vez de encontrar aliados, ela brincava de medbruxa na cidade, fazia amor com aquela arcanjo. Em vez de reunir poder, ela correu para um príncipe feérico e um lobo para protegê-la. — Ela balançou a cabeça de novo. — Hecuba quis protegê-la todos estes anos, mantendo-a isolada dos clãs corruptos. Ao fazer isso, impediu-a de criar uma casca grossa. — Jesiba cruzou os braços e olhou para o nada, fúria e desdém em sua expressão.

Ithan ousou perguntar:

— Por que você desertou das bruxas?

— Não gostei dos rumos que estavam tomando.

— Quando Hecuba era rainha?

— Muito antes disso. As bruxas estão em declínio há gerações. Uma podridão mágica e moral. — Ela apoiou a cabeça no encosto da cadeira. — Menina ingênua — murmurou Jesiba para si mesma.

— Que tipo de juramentos Hypaxia precisa fazer no Cais Preto antes do nascer do sol?

— Do tipo antigo.

— Isso não é...

— Os mistérios da Casa de Chama e Sombra não são da sua conta.

— Hypaxia... vai mudar?

— Não. Os juramentos dela não são nada parecidos com os que os ceifadores fazem. Estabelecer a lealdade é um processo legal, mas que deve ser honrado conforme decretado pelo Sub-Rei.

O Sub-Rei... a quem Jesiba servia como segunda em comando.

— Eu não sabia que você era tão importante aqui.

— Fico lisonjeada. E antes que você pergunte, não, Quinlan não sabe. As pessoas nesta Casa não falam pelos cantos. Mas os Mestres da Cidade estão cientes.

— E o Astrônomo... ele sabe. — Ela assentiu. — Qual é sua questão com ele? Você disse que tinha uma conta mensal. — Ele suspirou. — Cacete, não tenho esse dinheiro todo pra te pagar...

— É uma redução de impostos para a Casa — disse Jesiba, acenando com a mão. — E estou ficando cansada de todas essas perguntas. Você está perguntando coisas que não tem o direito de saber.

— Então pare de me contar tanto.

Ela sorriu.

— Você não é tão chato quanto parece.

— Fico lisonjeado — disse ele.

Jesiba riu baixinho. E então disse:

— Alguns séculos depois que Apollion me transformou, ele ouviu rumores de que eu tinha... poderes. Como o maldito preguiçoso que é, enviou o irmão, Aidas, para investigar. E acredito que para me matar se eu de fato fosse uma ameaça.

Ela falava os nomes dos príncipes demônios como se fossem velhos conhecidos.

— Mas Aidas descobriu que eu não representava ameaça alguma e que eu ainda mantinha a biblioteca, desafiando as exigências do irmão para revelar os poderes que ela, em teoria, continha. Como nada neste mundo faz sentido, Aidas e eu nos tornamos amigos, de certa forma. Ainda somos. Suponho que seja porque já estamos tão acostumados um com o outro agora. Já faz... muito tempo.

— Então o que ele relatou a Apollion?

— Que eu deveria ser respeitada, mas deixada em paz.

— E Apollion deu ouvidos?

Ela deu de ombros.

— Ele manda Aidas vir dar uma olhada em mim de vez em quando.

— E o que isso tem a ver com o Astrônomo?

— Faz alguns anos que pago ao Astrônomo para que procure uma forma de desfazer o domínio que Apollion tem sobre a minha alma.

Ele sentiu um arrepio de nojo.

— Então você paga a ele para que cumpra suas ordens?

— Eu pago a ele — retrucou ela —, mas ele também vai se beneficiar com qualquer coisa que descobrir.

— Por quê?

— Ele quer encontrar a resposta para que possa voltar à juventude. Ele é humano... ou costumava ser, antes de ter tanta magia corrompendo sua alma. Ele tem mais medo da morte do que de qualquer outra coisa. Vai ter muito a ganhar se for bem-sucedido em sua busca. Suponho que somos duas criaturas miseráveis alimentando-se uma da outra. — Ela olhou para Ithan. — Ele pode parecer frágil, mas é bem ardiloso. Vai procurar outras formas de te sacanear.

Ele apontou com a cabeça para o Rifle Matador de Deuses, que Ithan tinha colocado de volta na parede.

— Você teria me dado ordens para matá-lo hoje?

— Não — respondeu Jesiba —, o fuzil era só para ameaçar. Ainda preciso dele.

— Acho que os cientistas chamam isso de relação simbiótica.

— Bem, é uma relação que venho construindo há muito, antes de ele surgir.

— Então você tem usado esse canalha e seu domínio sobre inocentes...

— Você não pareceu ter nenhum escrúpulo em usá-lo quando foi atrás de informações do seu irmão.

O Astrônomo deve ter contado a ela da visita que Ithan fizera. Ele continuou falando.

— Você pode... explicar melhor? — Ao ver o olhar inexpressivo dela, ele acrescentou: — Por favor? Antes de mais nada, por que decidiu usar o Astrônomo?

— Achei que fossem os gatos que fossem curiosos demais.

— A culpa é da parte de mim que escolheu cursar história na faculdade.

Ela deu um sorrisinho, mas suspirou para o teto antes de falar:

— Em minhas próprias pesquisas ao longo dos milênios, aprendi que o fogo do dragão é uma das poucas coisas que podem fazer um Príncipe do Inferno hesitar.

— Você pretendia usá-lo contra *Apollion*? — Ithan não pôde deixar de ficar chocado com a audácia dela.

Ela estudou as unhas bem cuidadas.

— Achei que poderia ser uma boa... ferramenta de negociação.

Ithan deu uma risada de admiração.

— Uau. E o que aconteceu?

— Corria um boato na cidade de que o Astrônomo tinha uma dragoa. Eu o procurei e me ofereci para comprar Ariadne na hora. — Ela cruzou os braços de novo. — O desgraçado não quis vender, nem por todo o dinheiro do mundo. Mas naquele mesmo dia, me dei conta de que tinha outra oportunidade em mãos: poderia usar os místicos dele para revirar o Inferno em busca de respostas que ajudassem a me libertar, e fazer com que esses mesmos místicos fossem protegidos por Ariadne enquanto trabalhavam.

— Mas você disse que queria esperar até... que os livros estivessem seguros antes de deixar de ser jovem.

— Sim, mas quando a hora chegar, quero ter a solução em mãos.

— Por quê?

— Para que não me convença a não fazer isso. — Ele sentiu, mais do que viu, o peso de todos aqueles anos curvando os ombros dela. — Você não é como a maioria dos lobos que conheci.

— Isso é um insulto ou um elogio? — Ele honestamente não sabia diferenciar.

Ela descruzou os braços e tamborilou os dedos na mesa.

— Tem muitas coisas que você não sabe, Ithan Holstrom, muitas verdades. São tantas coisas que não teria como me aprofundar aqui e agora. — Ela parou de tamborilar os dedos, o olhar brilhando com mágoas e ressentimentos antigos. — Mas foram as matilhas de lobos que chegaram primeiro a Parthos. Quem iniciou o massacre e as queimadas. Foram as matilhas de lobos, farejadores criados pelos asteri que caçaram minhas irmãs. Jamais me esquecerei disso.

O estômago de Ithan se revirou com a vergonhosa história de seu povo, mas ele perguntou:

— Criados?

Um sorriso irônico.

— Esse dom já existia entre os lobos, mas os asteri os incentivaram. Criando-os de maneiras específicas. Ainda fazem isso.

— Como a Danika.

Jesiba voltou a tamborilar na mesa.

— Os Fendyr são... uma linhagem cuidadosamente criada pelos asteri.

— Como assim?

Ela fixou seus olhos brilhantes nele. Aquela fêmea vivenciara toda a história dos asteri de Midgard. Era mais do que ele era capaz de compreender.

— Você nunca se perguntou por que os Fendyr são tão dominantes? Geração após geração?

— Genética.

— Sim, genética criada pelos asteri. Sabine e Mordoc foram ordenados a procriarem.

— Mas Sabine tirou o título do irmão...

— A mando de quem? Ela é uma fêmea raivosa e mesquinha. O irmão era mais inteligente, mas evidentemente não era um macho de valor, se vendeu a própria filha para o Astrônomo. Deve ter sido considerado inapto pelos asteri, que persuadiram Sabine a enfrentá-lo. E quando Sabine enfim exerceu seu domínio, eles garantiram que Mordoc fosse enviado para produzir uma linha de Fendyr mais... *competentes.*

— Bem, Micah ferrou com os planos deles.

— E quem você acha que mexeu os pauzinhos para que Micah fizesse isso?

Ithan estava grato por estar sentado.

— Você acha que os asteri fizeram com que Micah matasse Danika? Depois de todo o trabalho que tiveram para criá-la?

Sem falar ainda que Connor e a Matilha dos Demônios tinham sido destruídos como resultado dessa conspiração...

— Acho que Danika era imprudente e obstinada, e os asteri sabiam que nunca conseguiriam controlá-la como fizeram com Sabine. Acho que eles perceberam que, com Danika, produziram uma loba tão poderosa que fazia frente contra aqueles que combati nas Primeiras Guerras. Lobos *de verdade.* E ela não estava do lado deles. Precisava ser eliminada.

Ithan afundou na cadeira, mas então um pensamento lhe ocorreu.

— O Sub-Rei disse para Hypaxia e para mim que Connor... que o Sub-Rei recebeu ordens de não encostar um dedo no meu irmão. Por quê?

O rosto de Jesiba estava inescrutável.

— Não sei. Deve ser porque ele era um recurso importante em vida, e continuou a ser após a sua morte.

— Para quem?

— Os asteri. Eles sabem o que Connor significa para Quinlan, para você... isso torna a alma dele extremamente valiosa.

Ithan se sentia atordoado.

— Eu não sou ninguém.

Jesiba o encarou com desdém, mas seu telefone tocou antes que ela pudesse respondê-lo. Quando ele tocou uma segunda vez, ela atendeu a ligação.

Ela ouviu em silêncio até dizer em um tom seco:

— Certo. — A feiticeira desligou e encarou Ithan. — Sua presença foi requisitada lá embaixo, no necrotério.

— Vocês têm um necrotério particular aqui?

Ela revirou os olhos.

— Hypaxia terminou os votos em tempo recorde... E está esperando por você lá embaixo. Com o cadáver de Sigrid.

46

— O navio só pode trazer vocês até aqui — avisou a Comandante Sendes enquanto Bryce e Hunt se firmavam no topo do *Cargueiro das Profundezas,* agitado pelas ondas. O mar cinzento rebentava ao redor deles, o vento úmido soprava através da jaqueta frágil de Bryce, dando agulhadas em seu corpo.

Não era bem assim que Bryce imaginava a entrada na lendária terra natal dos feéricos.

Hunt abriu as asas, quase da mesma cor da água, como se buscasse testar as correntes de ar. Do outro lado, Baxian espiava por cima da água, as asas pretas protegendo-o do vento.

Não que eles tivessem que voar muito longe.

A parede de bruma erguia-se do próprio mar, estendendo-se até as nuvens. Talvez continuasse acima delas. Era impossível ver.

Como ela suspeitava, a bruma era quase idêntica à que circundava o Quarteirão dos Ossos. Impenetrável, sinistra... Seriam esses os verdadeiros lugares tênues entre os mundos? E o que tinha *nessas* brumas que os asteri não conseguiam atravessar?

— Você não consegue navegar sob a bruma? — perguntou Hunt a Sendes, indicando a massa rodopiante à frente.

Sendes balançou a cabeça, o vento cortante fazendo voar fios de seus cabelos escuros da trança apertada.

— Não. Não há bruma sob a água, há uma barreira... invisível, mas sólida como pedra.

— Proteções, então? — perguntou Bryce, estremecendo de novo. As duendes de fogo, que estavam empoleiradas em seus ombros quando ela subiu no ar gelado, haviam partido momentos antes, três chamas zunindo através das ondas em direção à distante massa de terra de Pangera. Ela fez uma oração a Solas enquanto elas desapareciam velozes no horizonte.

— Não proteções como as conhecemos — explicou Sendes, que mal tremia diante das ondas gélidas que batiam na lateral do navio, respingando nela. Bryce, a poucos passos de distância, teve um sobressalto com os respingos, recuando um passo. — Elas parecem... ocorrer de forma natural, em vez de serem lançadas por feitiços. Nem mesmo a Rainha do Oceano dá ordens para tentar romper a bruma. É como se fossem feita pela própria Midgard.

Bryce enfiou as mãos geladas e molhadas nos bolsos da jaqueta. De nada adiantou para aquecê-las.

— Eu disse que valia a pena analisar essa bruma.

Na noite anterior, quando estavam deitados, ela quisera conversar a respeito da briga que tiveram. Mas estivera tão exausta e tão grata por estar ao lado dele que não disse nada.

Hunt olhou para a enorme barreira de bruma, com as penas ondulando ao vento.

— Então, como é que os feéricos conseguiram acesso para início de conversa?

— Esses malditos conseguem se infiltrar em qualquer lugar. Não era diferente com os antigos — lembrou Bryce.

Sendes concordou com um grunhido, mas seu celular tocou e a comandante se afastou para ler a mensagem que tinha recebido.

Baxian se aproximou do outro lado de Hunt, fazendo uma careta quando outra onda rugiu, molhando todos eles. *Porra,* mas estava gelada pra cacete.

— Qual é o plano? — perguntou o Cão do Inferno. Ele apontou para Hunt com o queixo. — Você e eu fazemos um voo de reconhecimento ao longo da parede, pra procurar por uma forma de entrar?

Hunt assentiu com seriedade e disse:

— Quem sabe a gente não encontra uma campainha em algum lugar.

— Seu irmão está atrasado — reclamou Baxian para Bryce. — Seria bom não ficar aqui mais tempo do que o necessário. Devem ter barcos ômega por perto.

— O navio sabe como evitá-los — rebateu Bryce, esquivando-se atrás de Hunt para evitar outra chuva de água gelada.

— Sim, mas não queremos que sejam avisados de que estamos indo para Avallen — disse Baxian. Ele abriu as asas, batendo-as uma vez, espirrando gotas de suas penas pretas. — Vou para oeste ao longo da muralha — acrescentou o Cão do Inferno a Hunt. — Nos encontramos aqui em dez minutos?

Antes que Baxian pudesse saltar para o céu, a escotilha atrás deles rangeu e Ruhn surgiu dela, Flynn e Dec vindo logo atrás. Todos os três armados, assim como Bryce, Hunt e Baxian, com armas do arsenal do *Cargueiro das Profundezas*. Revólveres e facas em sua maioria... Melhor do que nada.

— Foi mal, foi mal — disse Ruhn ao ver que Hunt olhava com irritação para ele. — Flynn e Dec descobriram a estação de waffles no refeitório e caíram de boca.

Flynn deu um tapinha na barriga.

— Vocês tritões sabem como fazer um café da manhã — disse ele para Sendes, que tinha guardado o celular no bolso e se aproximava.

Bryce poderia ter rido se Tharion não tivesse saído da escotilha atrás deles, com o rosto tenso e pálido. Ele retribuiu o olhar de Bryce quando chegou ao lado dela, estava desolado e exausto.

Bryce estendeu a mão e segurou a mandíbula forte do tritão.

— Aguente firme — murmurou ela.

— Valeu, Pernas. — Tharion recuou para a beira da amurada, sem expressão.

Ela desejou ter mais a dizer, mais conforto para oferecer a ele. Depois de tudo o que ele havia feito para ajudá-los nos últimos meses, isso era o melhor que ela podia fazer? Deixá-lo para trás?

O movimento na escotilha chamou sua atenção de novo, a cabeça dourada de Lidia surgindo. E por mais que Ruhn e os amigos continuassem a debater se waffles combinavam mais com calda quente ou com chantilly — dentre tudo o que tinham para falar naquele instante, esse era o assunto escolhido —, ela poderia jurar que o irmão enrijeceu o corpo.

Mas Lidia não olhou para Ruhn. Não falou nada, apenas observou a bruma rodopiante. Se ficou surpresa com sua presença sinistra, não deixou transparecer em sua expressão. Ela não deu explicação alguma, tampouco se desculpou pelo atraso.

A Corça olhou para trás, para a escotilha aberta. Sem dúvida pensando nos filhos lá embaixo.

Baxian a observava, como se ela o intrigasse. Bryce não o culpava. O Cão do Inferno tinha trabalhado lado a lado com a Corça, mas ali estava ela, com a mesma aparência que ele conhecia, mas tão diferente. Por mais que ele também tivesse escondido suas verdadeiras lealdades atrás de sua própria máscara.

Mas Bryce não conseguia sequer imaginar como Lidia estava se sentindo. Ela foi até a Corça e disse, baixinho:

— Lamento que você não possa ficar com eles.

Os olhos dourados de Lidia fixaram-se em seu rosto. Por um momento, Bryce se preparou para uma resposta atravessada. Mas então os ombros de Lidia baixaram e ela respondeu:

— Obrigada. — A expressão dela ficou mais suave, como se tivesse se lembrado de que Bryce se oferecera para conversar na noite anterior, e Lidia repetiu, dessa vez mais baixo: — Obrigada.

Bryce assentiu e se virou para encontrar Ruhn observando-as de perto. A expressão inescrutável, dura como pedra. O que quer que tenha acontecido entre ele e Lidia, Bryce não iria se intrometer nem que lhe pagassem. Nem que lhe pagassem um caminhão de dinheiro.

Em vez disso, Bryce disse ao irmão, a Flynn e Dec:

— Estávamos prestes a fazer uma missão de reconhecimento, mas aí me lembrei que vocês três já estiveram aqui antes. — Ela gesticulou para a bruma. — Como fazemos para entrar?

Uma onda particularmente grande balançou o *Cargueiro das Profundezas*, e Hunt surgiu ao lado dela no mesmo instante, apoiando uma das mãos nas costas de Bryce para firmá-la.

— Alfa babaca — ela murmurou para ele, mas permitiu que Hunt visse em seu olhar que não estava falando sério.

Ruhn e os dois amigos franziam o cenho um para o outro. O irmão dela disse:

— Normalmente, seria preciso um convite de Morven. Mas durante o Ordálio, aprendi que ter a Áster em mãos concede... certos privilégios de entrada.

Bryce ergueu as sobrancelhas, mas estremeceu quando outra rajada de vento frio e úmido a atingiu. Ela se aproximou do calor de Hunt, e o parceiro a envolveu em uma de suas asas cinzas para bloquear o vento.

— Como?

Ruhn indicou com o queixo a espada nas costas dela.

— Pega ela aí e você vai ver. — Bryce e Hunt trocaram olhares cautelosos e Ruhn suspirou. — O que, você acha que é algum tipo de pegadinha?

Bryce disse:

— Eu sei lá! Você está todo cheio dos enigmas!

Baxian riu do outro lado de Hunt, aproveitando o show. Deuses, ele e Danika tinham sido feitos um para o outro.

Apesar da sensação de perda com o pensamento, Bryce olhou para o Cão do Inferno e então desembainhou a espada com um movimento suave. A lâmina preta sequer brilhou na luz cinzenta. A faca ao seu lado parecia pesar mais, como se estivesse sendo arrastada em direção à lâmina...

— Ora, ora — disse Tharion devagar, olhando para a parede de bruma.

— É uma campainha mesmo — murmurou Hunt.

Uma porta triangular — como a das cavernas de Silene — tinha se aberto.

Os pelos dos braços de Bryce se arrepiaram quando um barco branco, o oposto daqueles do Cais Preto, surgiu. A proa arqueada tinha sido esculpida como a cabeça de um cervo, com lanternas iguais penduradas nos galhos de seus poderosos chifres.

E então o cervo falou, os olhos brilhando, a boca se movendo enquanto uma voz profunda de macho, vinda de dentro dele, ecoava; sem dúvida transmitida por um rei a quilômetros de distância.

— Bem-vinda, Bryce Danaan. Estava à sua espera.

* * *

Tharion observou os amigos subirem no barco branco, os anjos fechando as asas com força. O barco manteve-se firme nas ondas agitadas, guiado pela magia que o enviara até ali. Flynn manteve um olhar atento sobre Lidia quando ela saltou atrás de Ruhn, mas hesitou antes de pular. Ele se virou para Tharion e estendeu uma mão.

— Vejo você por aí, tritão.

Tharion observou a mão larga e calejada do macho, a pele salpicada de água do mar. Atrás de Tharion, Sendes já tinha acenado para os amigos e dirigia-se agora para a escotilha.

Se ele fosse tomar uma atitude, precisaria ser agora. Porque se ficasse neste navio mais um dia... as coisas não acabariam bem para ele.

O que o deixava com uma única escolha, sendo honesto.

Sendes parou na escotilha aberta e fez sinal para Tharion descer. Tinha coisas a fazer e tudo o mais.

Flynn franziu a testa para a mão que ainda mantinha estendida, para Tharion, parado ali...

Tharion se moveu.

Apoiando as mãos na amurada, ele saltou para o outro lado, aterrissando no barco branco com um baque que fez todos os outros xingarem.

— Ketos — disse Athalar, segurando com força a lateral do barco que balançava —, que porra é essa?

Mas Flynn pousou atrás de Tharion um segundo depois, dizendo:

— *Vai, vai, vai* — para o barco ou sabe-se lá que magia que o controlava.

O sangue de Tharion parecia correr mais depressa em suas veias quando o barco começou a se afastar do *Cargueiro das Profundezas*, e então Sendes estava na amurada, com os olhos arregalados de choque.

— Ela vai te *matar* — gritou Sendes. — Tharion...

Tharion abriu um sorriso para a comandante.

— Ela vai ter que passar pela bruma primeiro.

Ele mal pronunciou a última palavra e a proa do barco já entrou nas famosas brumas.

No entanto, ele poderia jurar que o oceano inteiro atrás deles estremecia, como se um grande leviatã de poder já estivesse surgindo, erguendo-se para ele...

Eles atravessaram a bruma densa. A sensação de puro poder desapareceu. Nada restou, exceto a água cinzenta ao redor do barco e a bruma flutuante, densa demais; só se podia ver alguns metros além do brilho dos olhos do cervo.

Tharion enfim olhou para a frente e se deparou com os amigos o encarando com graus diferentes de choque. Lidia Cervos balançava a cabeça devagar, como se entendesse a gravidade do que ele tinha feito melhor do que qualquer um deles.

— Bem — disse ele, da forma mais casual que pôde, sentando-se e cruzando as pernas —, sem querer me convidar para a festa, mas decidi ir com vocês.

47

— Você não faz ideia de quantas pessoas já tive que convencer a não comer a carcaça dela no caminho até aqui — mencionou Jesiba.

Ithan não conseguia parar de olhar para o formato do corpo sob o lençol branco no necrotério.

Para o ponto entre o pescoço e a cabeça.

Trabalhando em alguma coisa no balcão, Hypaxia gritou:

— Pode ser que demore um pouquinho.

Ithan olhou ao redor do necrotério sem vida e azulejado, e conseguiu perguntar:

— *Por que* vocês têm um necrotério aqui?

Jesiba estava sentada ereta em um dos banquinhos, que pareciam ser usados para propósitos médicos.

— E onde mais a gente deveria ressuscitar cadáveres?

— Nem sei por que perguntei.

— Você fez um belo estrago nela, sabia?

Ithan olhou de cara fechada para a feiticeira. Jesiba retribuiu com uma piscadela para ele.

Mas quando Hypaxia se virou para os dois, Ithan conseguiu olhar com atenção para seu rosto pela primeira vez desde que ela havia chegado ali. Suas feições estavam marcadas pela exaustão, os olhos sombrios. Sem esperança.

Qual o preço que tivera que pagar para jurar lealdade àquela Casa? Jesiba dissera que o ritual fora rápido, o que era raro. Era por isso que parecia tão esgotada? Uma parte dele preferia não saber.

Ele abriu a boca para dizer que ela não precisava fazer isso por ele, que deveria descansar, mas... ele estava ficando sem tempo. Quanto mais esperassem, menos chances teriam de conseguir ressuscitar a decapitada...

Decapitada...

O estômago dele revirou.

— Sente-se, Ithan — disse Hypaxia com gentileza. Uma luz esverdeada envolvia os dedos dela quando se aproximou da mesa, com um embrulho em mãos.

— Isso é um kit de costura? — Ele ia vomitar.

Jesiba bufou.

— É melhor torcer para que a cabeça dela esteja de volta quando Hypaxia a acordar.

A antiga rainha-bruxa tirou uma seringa reluzente de primalux de um armário e colocou-a numa bandeja em cima de um carrinho com rodas.

— Assim que ela acordar, uma injeção de primalux vai dar conta dos estragos. Mas primeiro é preciso colocar a cabeça no lugar, para que os tendões possam voltar a crescer e se fixarem.

— Tá — disse Ithan, respirando fundo, tentando controlar a náusea crescente. — Tá. — Porra, ele era um monstro por tornar aquilo necessário.

— E lá vamos nós — disse Hypaxia.

Jesiba chamou a atenção de Ithan.

— Tem certeza de que quer ressuscitar um Fendyr?

Ele não respondeu. Não conseguia responder. Então ficou quieto.

Hypaxia começou a cantar.

* * *

Hunt estava na sala do trono de Morven Donnall havia dez segundos e já a odiava.

Depois que o barco branco e brilhante os guiou através da bruma, ele esperara encontrar algum tipo de paraíso de verão. Não um céu nublado sobre uma terra de densas colinas verdes e um castelo de pedras cinzentas empoleirado num penhasco acima de um rio sinuoso, e também cinzento. Ao longe, casas de campo com telhados de palha sinalizavam as fazendas, e uma pequena cidade de prédios de dois e três andares cobria a colina, até o próprio castelo.

Sem arranha-céus. Sem rodovias. Sem carros. As lâmpadas que conseguia distinguir eram de chamas, não de primalux.

O barco navegou rio abaixo em direção ao penhasco, entrando no castelo através de uma caverna aberta em sua base. Todos ficaram em silêncio durante a viagem, presumindo que o cervo na proa tivesse ouvidos que funcionavam tão bem quanto sua boca, e pudesse transmitir cada palavra ao macho que os esperava no castelo.

Macho esse que agora estava sentado na frente deles, em um trono que parecia feito de um único conjunto de chifres. A fera a quem tinha pertencido deveria ser colossal, algo que não existia em nenhum outro lugar de Midgard. Havia cervos tão grandes por ali? O pensamento não era nada... reconfortante.

Mas tampouco eram as sombras que se enrolavam como cobras ao redor do rei, selvagens e retorcidas. Havia uma coroa delas no topo da cabeça escura de Morven, mais preta do que o Fosso.

Bryce e Ruhn estavam à frente do pequeno grupo, e Hunt trocou um olhar com Baxian, cujo cenho franzido deixava transparecer que não estava nem um pouco impressionado com aquele lugar.

— Uma reforma cairia bem, na minha opinião — murmurou Tharion do outro lado de Hunt, que curvou a boca para cima.

O tritão era um belo de um cara de pau, fazendo piadinha logo depois de desobedecer às ordens da Rainha do Oceano. Sim, Hunt estava feliz por ter Ketos com eles, mas, caralho, o que passou na cabeça do tritão quando pulou naquele barco?

Hunt sabia bem o que tinha passado na cabeça dele, sendo honesto. E não culpava o tritão pela escolha que fizera, mas eles já tinham uma coleção e tanto de inimigos. Se aquilo, de alguma forma, levasse a Rainha do Oceano a agir contra eles...

Pelos olhares irritados que os outros continuavam lançando na direção de Ketos, também não estavam nem um pouco felizes com o andar da carruagem. Mas, naquele instante, precisavam se preocupar com outro governante.

— Você traz traidores e inimigos do império para o meu lar — entoou o Rei Feérico. As sombras ao seu redor pararam de se entrelaçar; predadores se preparando para o ataque.

Mas Bryce apontou para si mesma, depois para Ruhn, o rosto dela fingindo ser o retrato da mais pura perplexidade, e perguntou:

— Você está falando comigo ou com ele?

Baxian abaixou a cabeça, como se tentasse não sorrir. Hunt sentiu-se inclinado a fazer o mesmo, mas não ousou desviar o foco do governante de rosto impassível ou das sombras sob seu comando.

— Esse macho — um olhar desdenhoso para Ruhn — foi renegado pelo pai. Você é a única realeza diante de mim.

— Nossa — disse Bryce para Ruhn —, essa foi pesada. — Os olhos de Ruhn brilharam, mas ele não disse nada. Ela apontou para o pequeno castelo escuro ao redor deles. — Sabe, estou meio surpresa com toda essa desgraça e tristeza. Cormac disse que seria melhor.

Os olhos escuros de Morven brilharam. A coroa sombria no topo de sua cabeça pareceu escurecer ainda mais.

— Esse nome não é mais reconhecido ou aceito por aqui.

— Ah, é? — desafiou Ruhn, cruzando os braços. — Bem, ele é entre nós. Cormac deu a vida para tornar este mundo um lugar melhor.

— Ele era um mentiroso e um traidor... não apenas do império, mas de seu direito de nascença.

— E não podemos permitir isso — cantarolou Bryce. — Todo aquele precioso potencial de reprodução... desperdiçado.

— Preciso relembrá-la de que, apesar de ser da realeza, você ainda é uma fêmea. E as fêmeas feéricas só podem falar quando alguém se dirigir a elas.

Bryce sorriu devagar.

— Agora você conseguiu — resmungou Hunt, e decidiu que era um bom momento para ficar ao lado da parceira. Ele disse ao rei: — Mandar ela calar a boca não acaba bem para ninguém. Confie em mim.

— Não trocarei palavras com um escravizado — disparou Morven, apontando para o pulso de Hunt, onde a manga preta revelava a marca quase invisível. Ele acenou com a cabeça para a testa de Hunt marcada por um halo. — Muito menos um anjo Caído, desgraçado pelo mundo.

— Nossa — disse Bryce, suspirando para o alto. Ela se virou para o grupo. — Vamos fazer uma contagem, então. Se você foi rejeitado, desonrado ou ambos, levante a mão.

Tharion, Baxian, Lidia, Hunt e Ruhn ergueram as mãos. Bryce examinou Flynn e Dec, ambos ainda com seus habituais jeans pretos e camisetas, e suspirou de novo. Ela gesticulou expansivamente, concedendo a palavra para eles.

Flynn sorriu, caminhando para o lado de Bryce.

— Até onde sei, ainda sou herdeiro do meu pai. É bom te ver de novo, Morven.

Hunt poderia jurar que as sombras de Morven sibilaram.

— Seria do seu interesse, Tristan Flynn, ter respeito ao falar comigo.

— Ah, é? — Flynn cruzou os braços, transbordando arrogância.

Morven apontou para alguém atrás deles, o delicado bordado prateado ao longo dos pulsos e da gola de sua jaqueta preta de corte imaculado brilhando à luz do fogo, e Hunt se virou enquanto dois guardas robustos surgiam das sombras. Ele não os tinha sentido nem escutado...

Pela expressão de choque de Tharion e Baxian, sabia que os dois estavam tão surpresos quanto ele.

Mas Ruhn, Flynn e Declan fizeram cara feia. Como se reconhecessem os machos que se aproximavam, ambos imponentes e armados até os dentes. Era óbvio que eram gêmeos.

Os gêmeos assassinos que Ruhn havia mencionado, capazes de bisbilhotar mentes como bem entendessem.

Mas essa não era a principal preocupação de Hunt. Ainda não.

Porque entre os dois, de legging preta e suéter branco, os cabelos castanho-claros caindo em volta de seu rosto... Hunt não fazia ideia de quem era a fêmea feérica. Mas ela estava furiosa. Furiosa com os guardas, com o rei e...

— Que porra é essa? — explodiu Flynn.

— Sathia? — perguntou Declan, boquiaberto.

— Parece — disse Morven devagar enquanto os gêmeos assassinos arrastavam a fêmea feérica para a frente, apertando seus braços com os nós dos dedos brancos, com força suficiente para machucar — que sua irmã arrumou um belo de um problema, Tristan Flynn.

48

Bryce não sabia em quem focar: Sathia Flynn cheia de fúria na sala do trono de Morven, ou o rosto chocado de Tristan enquanto processava a cena. Bryce optou pelo último, sobretudo quando Flynn falou, furioso, para o Rei de Avallen:

— O que você quer dizer com *problema*?

Morven respondeu devagar:

— Muitos dos féericos valbaranos sentem... a inquietação se aproximando, e têm buscado abrigo em minhas terras. — As sombras serpenteantes se contorciam em seu pescoço, em seus ombros, com algo de ameaçador.

As sombras do rei, as dos gêmeos assassinos... pareciam diferentes das de Ruhn: mais selvagens, mais cruéis. As sombras de Ruhn eram uma noite suave e furtiva; as deles eram as trevas das cavernas sem luz.

— Se você saiu por aí dizendo que estar aqui era como tirar férias luxuosas, melhor se preparar para muitas avaliações de uma estrela — murmurou Bryce, arrancando uma risadinha de Tharion. Ela não sorriu para o tritão, porém. Ele fez com que outra governante toda-poderosa os adicionasse em sua lista de inimigos, e não queria falar com ele naquele instante. Pela forma como Tharion parou de rir de repente, sabia que Bryce não estava contente.

Então Bryce observou Flynn, muito sério, talvez pela primeira vez na vida, dizer ao Rei Cervo, com a voz cheia de desdém:

— Deixa eu adivinhar, meus pais vieram correndo. — Ele olhou ao redor da sala do trono. — Cadê meu pai tão corajoso? E todos os outros, aliás?

O rosto de Morven poderia muito bem ter sido esculpido em pedra.

— Algumas pessoas seletas foram autorizadas a entrar. A maioria foi enviada de volta para Lunathion. Mas para aqueles que permanecem aqui, há um preço a ser pago, lógico.

Flynn virou-se devagar para a irmã.

— O que você prometeu a ele? — Havia uma raiva intensa e uma pitada de medo em sua pergunta. Mas Flynn não foi até a fêmea e aos gêmeos que a seguravam.

Bryce os avaliou e encontrou os dois machos já sorrindo para ela. E então, no fundo de sua mente, sombras gêmeas sombrias rosnaram, preparando-se para atacar...

Ela os incinerou com uma parede mental de luz estelar.

Os gêmeos sibilaram, um deles piscando como se aquela luz o tivesse ofuscado de verdade. Bryce mostrou os dentes e manteve a parede brilhante em sua mente. Um segundo depois, houve uma batida educada à parede e Ruhn disse, *Continue assim. Não importa o que aconteça.*

Diga a Hunt e aos outros para erguerem um muro também, respondeu Bryce, lançando olhares furiosos para os gêmeos.

Já fiz isso, respondeu Ruhn. *Você deveria ver os relâmpagos ao redor da mente de Athalar. Ele queimou as sondas deles até virarem pó.*

Que nojo. Não diga sondas.

Ruhn bufou, e sua presença desapareceu da mente dela, enquanto Morven continuava falando:

— Sathia não me prometeu nada. Na verdade, ela se recusou a pagar o preço que pedi. Um bem generoso, aliás: o poder de escolher entre os machos que estão ao lado dela. E como uma fêmea não tem valor aqui além da prole que pode gerar para Avallen, não vejo razão para que sua irmã permaneça neste refúgio por mais um instante.

As palavras de Morven caíram como uma bomba na sala.

— Calma aí — disse Bryce, olhando entre o rosto bonito e indignado de Sathia e o Rei Cervo e suas sombras sanguinárias —, só pra deixar explicado: você está dizendo que exige que qualquer fêmea que busque refúgio aqui se *case*?

— Não seria seguro para tantas fêmeas solteiras andarem por aí sem um parente ou marido macho — afirmou Morven, cutucando uma mancha invisível de sujeira em sua calça preta.

— Sim — ironizou Bryce —, imagina só o que aconteceria se todas nós, fêmeas, ficássemos andando por aí sem supervisão. Anarquia absoluta. As cidades viriam abaixo.

Mas Flynn disse a Morven:

— Então traga os irmãos e maridos delas.

Bryce olhou com irritação para ele, mas Morven retrucou:

— Não preciso de mais machos nesta terra.

Bryce rangeu os dentes com força suficiente para doer. Este era o macho que havia feito um acordo com o pai para que ela se casasse com Cormac, injetando mais poder e dignidade à linhagem real feérica.

Flynn perguntou:

— E meus pais?

Morven fungou.

— Permiti que Lorde e Lady Hawthorne permanecessem aqui, pois nossos laços remontam às Primeiras Guerras. No momento, eles residem em meu pavilhão de caça particular, no norte.

— Então mande Sathia para o meu pai — retrucou Flynn.

— Ele não quer — disse Sathia enfim. Embora sua voz feérica fosse suave e refinada, Bryce não deixou de notar a determinação férrea que a percorria. — Ou eu me caso aqui, ou sou enviada de volta para Lunathion.

— Então volte — ordenou Flynn para a irmã.

Sathia balançou a cabeça devagar.

— Não é seguro lá.

— Você tem a sua casa confortável — lembrou Ruhn com uma dureza pouco característica —, vai ficar bem.

Sathia balançou a cabeça de novo, o olhar fixo no irmão.

— Não é seguro por *sua* causa.

— O quê? — surpreendeu-se Flynn.

— A notícia se espalhou — explicou Morven de seu trono de chifre e sombra — sobre sua ajuda naquela — um aceno para Ruhn — fuga. Junto com a fuga de outros dois inimigos do império. — Relanceou com frieza para Baxian e Hunt, que o encaravam ameaçadores.

— Toda a família Hawthorne agora é procurada pelos asteri para ser interrogada.

— Eles querem nos matar para punir você — desabafou Sathia, apontando um dedo condenatório para Flynn. — Tivemos que sair no meio da noite, quando recebemos um alerta de que a 33ª estava vindo atrás da gente. Essas roupas são tudo o que trouxe comigo.

— Que sacrifício você teve que fazer — zombou Flynn. Mas Bryce percebeu o lampejo de culpa em seus olhos. Declan já havia pegado o celular, sem dúvida para verificar sua família e Marc...

— Não tem sinal aqui, graças à bruma — disse Sathia a Declan.

O rosto do macho empalideceu e ele murmurou:

— Eu me esqueci disso.

Mas Sathia acrescentou baixinho:

— Liguei para seus pais antes de sairmos. Disseram que também entrariam em contato com seu namorado.

Flynn ficou boquiaberto, mas Declan inclinou a cabeça em agradecimento.

— Que foi? — Sathia olhou de cara fechada para o irmão. — Você acha que eu sou um monstro?

Flynn deu outro sorriso de escárnio que dizia: *Sim*, e Bryce interveio para poupar todos da briguinha entre os dois.

— Tudo bem — disse ela para Morven —, então você está insistindo para que a irmã de Flynn se case com um desses... esquisitões? — Bryce gesticulou para os gêmeos assassinos segurando Sathia, certificando-se de que a parede mental da luz estelar ainda estivesse intacta. Não deixaria que chegassem perto da mente dela.

— Seamus e Duncan são lordes dos feéricos — rebateu Morven para Bryce. — Você vai se dirigir a eles com o tom de deferência que as fêmeas devem usar.

Ah, mas puta que pariu!

— Você não respondeu minha pergunta — protestou Bryce. A expressão de Sathia era do mais puro pânico. — Você vai mesmo forçar ela a se casar ou ser deportada para ser morta pelos asteri?

Morven girou uma sombra em torno de um de seus dedos longos e largos.

— O pai dela concordou que o casamento era a melhor opção. E concordou que, caso ela se recusasse, deveria ser enviada de volta para Lunathion. — Ele cerrou o punho, esmagando a sombra dentro dele. — Por muito tempo ela recusou qualquer macho que ele apresentasse. A paciência do pai chegou ao fim e ele me implorou para cuidar disso.

— Pai do ano — grunhiu Baxian.

Bryce resmungou em acordo.

Sathia disse com uma frieza impressionante:

— É meu direito recusar qualquer pretendente que me seja apresentado.

Morven olhou com desgosto para ela.

— É, garota. Assim como é direito de seu pai renegá-la por falhar em seu dever de dar prosseguimento à linhagem familiar.

Bryce resmungou:

— Então qual é o sentido de permitir que as fêmeas se recusem se vão ser punidas por isso?

— Isso não é problema nosso — resmungou Flynn, e até Ruhn se virou para ele em estado de choque. — Não viemos aqui para lidar com isso.

— Então vocês vieram aqui para também pedir asilo? — perguntou Morven, apoiando o queixo no punho.

— Não — disparou Hunt, dando um passo à frente, abrindo as asas. — Não por isso. — Ele olhou para Bryce, fazendo-a avançar de novo.

Trocando um olhar com Ruhn que dizia que lidariam com a questão de Sathia mais tarde, Bryce deixou de lado sua preocupação e ergueu o queixo enquanto se aproximava de Hunt.

— Estou aqui para acessar os Arquivos de Avallen e a Caverna dos Príncipes.

— Acesso negado — anunciou Morven.

— Você não me entendeu direito — disse Bryce com aquele tom peremptório. — Eu não estava pedindo sua permissão. — A estrela em seu peito começou a brilhar, iluminando sua camiseta e jaqueta esportiva. — Como Princesa Estrelada, nenhuma parte de Avallen me é proibida.

— Eu decidirei quem é digno de acessar meu reino — rebateu Morven.

— A luz estelar diz o contrário — ironizou Bryce. Ela puxou a Áster e a faca. — E estas duas também.

Como se suas bainhas tivessem mantido seu poder contido, o metal nu agora pulsava na sua mão, subindo por seus braços, puxando um contra o outro com tanta violência que Bryce precisou de toda a sua força para mantê-los separados.

Morven empalideceu. Até suas sombras recuaram.

— O que é isso na sua mão esquerda? — Mesmo os gêmeos assassinos e Sathia estavam com os olhos fixos nela, como se não conseguissem desviar o olhar.

— Alguma grande profecia sendo cumprida — afirmou Bryce, torcendo para que estivesse escondendo o tremor em seus braços por manter as lâminas pretas firmes, por ignorar aquele instinto que murmurava para juntá-las, e não mantê-las separadas.

— Onde você conseguiu essa faca? — sibilou Morven.

— Então você sabe o que é? — retrucou Bryce.

— Sim — disparou ele —, posso sentir o poder.

— Bem, isso torna tudo mais fácil — disse Bryce. Ela embainhou ambas as armas. Felizmente, a atração entre elas diminuiu. — Uma explicação a menos que preciso dar. — Ela acenou com a cabeça para Morven, e ele a olhou carrancudo. — Vou entrar e sair antes que você perceba.

As sombras dele retornaram, escurecendo o ar atrás de seu trono de chifre até parecer que Morven estava sentado diante do vazio.

— Fêmeas são proibidas tanto nos Arquivos de Avallen quanto na Caverna dos Príncipes.

— Eu não dou a mínima — retrucou Bryce.

— Você cospe em nossas tradições sagradas.

— Supera.

As narinas de Morven dilataram-se.

— Devo lembrar a você, garota, que basta uma palavra minha para que os asteri tenham você na palma da mão.

— Você teria que abrir a bruma para eles primeiro — rebateu Bryce. — E me parece que teve *muito* trabalho para não fazer isso... ou para dar um motivo para que eles viessem até aqui.

— Você pode ser removida pelos guardas.

Bryce gesticulou para Hunt, depois para Baxian e em seguida para os outros.

— Meus próprios guardas podem deixar tudo mais difícil.

— Este é o *meu* reino...

— E eu não disse o contrário. Só quero dar uma olhada em seus arquivos. Alguns dias, e vamos cair fora daqui. — Ela tirou da jaqueta o caderno do Rei Outonal. — Vou até deixar o acordo mais interessante: eis aqui o diário particular do meu pai. Bom, o mais atual deles. Todos os planos secretos dele, escritos bem aqui. É um monte de merda, se quer saber a minha opinião. *Querido diário, hoje eu fiz uma lista de todos os meus inimigos e como pretendo matá-los. É tão difícil ser rei... Queria ter um amigo!*

Ela sorriu quando os olhos de Morven se estreitaram para o caderno com capa de couro, e exibiu a primeira página, onde era possível ver a caligrafia característica de seu pai. Ele a conhecia muito bem, já que os dois velhos babacas se comunicavam sobretudo por meio de cartas escritas à mão, pois Avallen não tinha computadores.

— Se nos deixar ficar aqui, será seu quando partirmos.

Os dedos de Morven tamborilaram no braço de seu trono. Tinha mordido a isca.

Mas ele disse, as sombras enfim se iluminando:

— Sua presença aqui ameaça trazer a ira dos asteri sobre mim.

Bryce considerou, piscando.

— Bem, parece que você não vê problema algum em abrigar fugitivos, se deixou os pais de Flynn entrarem.

Ele a encarou, a mais pura escuridão em seus olhos.

Bryce continuou:

— Quer dizer, você poderia compensar a *desonra* de Cormac nos entregando para os asteri... mas se fizer isso, terá que entregar os pais de Flynn e os outros nobres também. E duvido que você vá ganhar a simpatia do seu povo se trair uns nobres chiques desses. — Ela cruzou os braços. — Um puta problemão, hein?

Morven bateu a bota no chão.

— É superdifícil — continuou Bryce — tentar jogar dos dois lados, não é?

— Não estou jogando em nenhum dos lados — retrucou Morven —, sou leal aos asteri.

— Então abra a bruma. Deixe eles entrarem. Vamos convidar todo mundo para um brunch.

O silêncio de Morven foi condenatório.

Bryce sorriu.

— Foi o que eu achei. — Ela apontou para Sathia com a cabeça. — Mais uma coisa: ela não casa com ninguém e vem com a gente.

Sathia olhou chocada para Bryce, que lançou um olhar de advertência à fêmea feérica. Bryce só tinha visto Sathia Flynn de longe, nas festas. Os cabelos da fêmea costumavam estar tingidos em vários tons de castanho-escuro brilhante ou loiro. Agora eram de um castanho-claro comum. Sua cor natural, talvez. Foi como ver a verdadeira fêmea.

— Não posso permitir isso — retrucou Morven —, ela é uma fêmea solteira.

— O irmão dela está aqui — disse Bryce, indicando Flynn. — Por mais que seja um irresponsável e adore uma festa, ao menos ele tem as partes que você considera importante.

Flynn fez uma carranca, mas Dec deu uma cotovelada nele com força suficiente para que ele se aproximasse e dissesse:

— Eu vou, hã, assumir a responsabilidade por Sathia.

Sathia se eriçou como um gato furioso, mas manteve a boca fechada.

— Não — disse Morven, uma sombra envolvendo seu punho como uma pulseira. Um pouco de magia ociosa e simples. — Você é um acompanhante inadequado, como já demonstrou repetidas vezes.

Hunt lançou um olhar para Bryce e ela sabia o que passava pela cabeça dele. Era a mesma coisa que Ruhn disse em sua mente um segundo depois:

Por mais que eu odeie dizer isto... talvez seja melhor deixar isso de lado. Sathia é irmã do Flynn e tal, mas essa briga não é nossa.

Bryce balançou a cabeça discretamente. *Você quer mesmo deixá-la à mercê de Morven?*

Confie em mim, Bryce, Sathia sabe cuidar de si mesma.

Mas Bryce olhou para Lidia, que estava observando tudo com frieza e concentração. Ficar o tempo todo em silêncio daquela forma fazia com que os outros se esquecessem de sua presença. Mesmo Morven, ao que parecia, não tinha notado quem estava na sala do trono, porque soltou um grunhido baixo de surpresa ao vê-la.

No entanto, a Corça encontrou o olhar de Bryce. *O que você faria?*, Bryce tentou transmitir.

Lidia pareceu captar a direção dos pensamentos dela, pois disse baixinho:

— Nunca tive ninguém que lutasse por mim.

Bom, isso resolvia a questão.

Bryce abriu a boca, reunindo poder em sua estrela, mas Tharion falou por trás deles.

— Eu me caso com Sathia.

* * *

Hypaxia levou sete horas, sete minutos e sete segundos para ressuscitar Sigrid.

Ithan mal se moveu do banco durante todo o tempo em que Hypaxia ficou ao lado do cadáver, entoando. Jesiba saiu, voltou com seu laptop e passou algum tempo trabalhando. Ela até ofereceu um pouco de comida a Ithan, que recusou.

Ele não estava com fome. Se aquilo não funcionasse...

O canto agora rouco de Hypaxia parou de repente.

— Eu...

Ithan não tinha conseguido assistir enquanto ela costurava a cabeça de Sigrid. Foi só quando ela voltou a cobrir o corpo que ele continuou a observar o que ela fazia.

Hypaxia cambaleou para longe da mesa. Para longe do corpo sob o lençol. Ithan se levantou no mesmo instante, segurando-a com destreza.

— O que é que você fez? — exigiu saber Jesiba, fechando o laptop com um clique.

Ithan ajudou Hypaxia a ficar de pé, e a antiga rainha-bruxa olhou de um para o outro, impotente e... aterrorizada. Pelo canto do olho, algo branco se mexeu.

Ithan se virou quando o corpo na mesa se sentou. À medida que o lençol ondulou, revelando o rosto acinzentado de Sigrid, os olhos dela se fecharam. Os pontos grossos e firmes em uma linha irregular ao longo do pescoço. Ela ainda usava as próprias roupas, rígidas devido ao sangue seco.

Com os pontos estalando, Sigrid virou a cabeça devagar.

Mas o peito dela... não subia nem descia. Ela não estava respirando.

A herdeira perdida dos Fendyr abriu os olhos. Ardendo em uma cor verde-ácido.

— Ceifadora — sussurrou Jesiba.

49

— Estou te dizendo, Ketos, ela é *péssima* — avisou Flynn para Tharion nas sombras dos pilares que flanqueavam um dos lados da sala do trono. Sombras normais, felizmente. Não aquelas horríveis comandadas pelo Rei Feérico. — É uma ideia terrível. Vai acabar com sua vida.

— Minha vida já está arruinada — lembrou Tharion, a voz tão vazia quanto se sentia. — Se sobrevivermos a isso, podemos nos divorciar.

— Feéricos não se divorciam. — Flynn agarrou o braço dele com força. — É literalmente até que a morte nos separe.

— Bem, eu não sou feérico...

— Mas ela é. Se vocês se divorciarem, ela não terá nenhuma chance de se casar de novo. Vai ficar corrompida. Após o primeiro casamento, as únicas saídas são a morte ou a viuvez. Uma viúva pode voltar a se casar, mas uma divorciada... Isso nem existe. Ela seria *persona non grata*.

No lado oposto da sala, Declan e Ruhn conversavam com Sathia em voz baixa. Era bem capaz de que estivessem falando as mesmas coisas.

Morven os observava carrancudo em seu trono, as sombras um ninho sibilante de víboras ao seu redor, os gêmeos monstruosos flanqueando-o de cada lado. Tharion detectou as sombras nojentas que se aproximavam da sua mente no momento em que os gêmeos chegaram. Por instinto, ele ergueu um rio, criando um fosso mental ao redor de sua mente. Não fazia ideia do que estava fazendo, mas deu certo. As sombras se afogaram.

Aquilo só bancava ainda mais a decisão que havia tomado. Ter alguém forçado a suportar a presença dos gêmeos assassinos, a se *casar* com alguém que poderia bisbilhotar a sua mente...

Então Tharion disse para Flynn:

— Sua irmã só seria uma pária entre os feéricos. Pessoas normais não veem problemas no divórcio.

Flynn não recuou nem um centímetro, os dentes brilhando.

— Ela é filha de *Lorde Hawthorne*. Sempre vai querer se casar com um feérico.

— Ela aceitou minha oferta. — Com o *sim* mais baixo e brando que ele já ouvira, mas mesmo assim. Estava claro que tinha aceitado.

Flynn retrucou:

— Porque ela está desesperada e assustada. Você acha que é um bom estado de espírito para tomar qualquer tipo de decisão?

Tharion sustentou o olhar do macho.

— Não vejo mais ninguém se oferecendo para ajudá-la.

Flynn resmungou:

— Olha, ela é mimada, mesquinha e cruel feito uma cobra, mas é minha irmã mais nova.

— Então encontre alguma alternativa para tirá-la dessa e que de preferência não envolva a morte dela.

Flynn o encarava, furioso, e Tharion retribuiu o olhar na mesma medida.

Do outro lado, Sathia passou por Dec e Ruhn e avançou na direção deles. Ela era baixa, mas tinha uma presença que dominava a sala. Os seus olhos escuros eram puro fogo quando encontraram os de Tharion.

— Vamos logo com isso?

O tom calmo e brando se fora.

Bryce, Athalar e Baxian observavam do fundo da sala, a Corça alguns passos ao lado.

Nenhum deles esperava que o dia fosse correr desse jeito. A começar com Tharion fugindo da Rainha do Oceano, e por fim essa zorra total. Mas se fosse Lesia no lugar de Sathia... Ele gostaria que alguém se oferecesse para ajudá-la, fosse um desertor ou não.

Tharion disse a Sathia:

— Sim. Vamos em frente.

Morven não perdeu tempo em convocar uma Sacerdotisa de Cthona. Como se o desgraçado estivesse tentando descobrir se Tharion estava blefando.

Menos de cinco minutos depois, Tharion tinha uma esposa.

* * *

— *Você* — disparou Sigrid para Ithan, a voz pouco mais que um sussurro.

Ithan mal conseguia processar o que estava ouvindo... o que estava vendo.

— O que aconteceu? — Jesiba gritou para Hypaxia, que ainda se agarrava a Ithan, que, por sua vez, encaminhava os dois em direção à porta.

Mas foi Sigrid quem respondeu, uns pontos arrebentando enquanto seu pescoço se movia, revelando uma cicatriz brutal ali.

— Chegamos a uma porta. *Ela* queria ir para um lado... — Um sorriso torceu seu rosto. — Eu fui para o outro.

Hypaxia balançou a cabeça, frenética.

— Ela não queria vir, soltou minha mão...

— Eu não tinha interesse algum em deixar um prêmio desses escapar — soltou uma voz fria.

Até Jesiba se levantou quando o Sub-Rei apareceu na porta do necrotério.

Assim como na noite do Equinócio de Outono, ele usava vestes escuras e desgastadas que flutuavam em uma brisa fantasma.

— Você não tinha esse direito — desafiou Hypaxia, passando por Ithan enquanto todos os seus sentidos entravam em ação com a presença sobrenatural do Sub-Rei, com seu poder eterno. — Não tinha o direito de transformá-la...

— Não sou o senhor dos mortos? — Ele permaneceu na porta, como que pairando. — Ela não tinha Veleiro. Sua alma estava lá para ser reivindicada. Você ofereceu uma opção, bruxa. Eu ofereci outra.

Ele acenou para que Sigrid se aproximasse, e ela saiu da mesa como se estivesse viva. Como se nunca tivesse morrido. Se não fossem os olhos verde-ácido e as cicatrizes, Ithan poderia ter acreditado.

A Fendyr era uma *ceifadora*. Uma meia vida, um cadáver ambulante... Era um sacrilégio. Uma desgraça.

E era tudo culpa dele.

— Qual é a escolha mais atraente? — refletiu o Sub-Rei enquanto Sigrid segurava sua mão. — Ter sido trazido de volta por você, Hypaxia, estar sob seu comando e ordens... ou ser livre?

— Para servir a você — corrigiu Hypaxia com uma firmeza impressionante.

— Melhor a mim do que a você — rebateu o Sub-Rei. Ele então inclinou a cabeça para Ithan. — Jovem Holstrom. Você tem a minha gratidão. A alma dela poderia ter vagado para sempre. Ela está em boas mãos agora.

— O que... o que você vai fazer? — Ithan ousou perguntar.

O Sub-Rei olhou para Sigrid e sorriu, revelando dentes marrons e grandes.

— Venha, meu animal de estimação. Você tem muito a aprender.

Mas Sigrid voltou-se para Ithan, e ele sentiu um turbilhão de repulsa por si mesmo ao ouvir a voz rouca de ceifadora:

— Você me matou.

— Sinto muito. — As palavras não eram o bastante. Nunca seriam o bastante.

— Não vou me esquecer disso.

Ele também não esqueceria. Enquanto vivesse. Ele sustentou o olhar dela, odiando aqueles olhos verde-ácido, a morte estampada neles...

— Nos falamos em breve — disse o Sub-Rei a Jesiba, mais um aviso do que um convite. Antes que Jesiba pudesse responder, o Sub-Rei e Sigrid desapareceram num vento escuro.

Somente quando seus fragmentos de sombra desapareceram do necrotério é que Jesiba disse:

— Que desastre.

Hypaxia estava encarando as próprias mãos, como se estivesse tentando superar seu erro.

Ithan não conseguia impedir o tremor que o dominava da cabeça aos pés, até os ossos.

— Conserte isso.

Hypaxia não ergueu os olhos.

Ithan rosnou, o coração disparando:

— *Conserte* isso.

Jesiba estalou a língua.

— O que está feito, está feito, doguinho.

— Me recuso a aceitar isso. — Ithan mostrou os dentes para ela e depois apontou para Hypaxia. — Desfaça o que acabou de fazer.

Hypaxia olhou devagar para ele. Desolada, suplicante, cansada.

— Ithan...

— CONSERTE! — rugiu Ithan, os instrumentos necromânticos da bruxa chacoalhando ao som de sua voz. Ele não se importou. Nada importava além disso. — *CONSERTE ELA*! — Ithan foi para cima de Jesiba. — Você sabia que isso iria acontecer? — Sua voz falhou.

Jesiba lançou-lhe um olhar inexpressivo.

— Não. E se você usar esse tom comigo de novo...

— Pode ser que tenha um jeito — comentou Hypaxia baixinho.

Até Jesiba pareceu surpresa, virando-se junto de Ithan para encarar a antiga rainha-bruxa.

— Quando os mortos cruzam o umbral da Casa dos Ceifa...

O olhar de Hypaxia encontrou o de Ithan e se manteve firme, a dor cedendo lugar à mais pura determinação.

— A necromancia pode levá-la a esse limiar e também pode puxá-la de volta.

— Como? — perguntou Jesiba. Ithan mal conseguia respirar.

— Precisamos de um pássaro-trovão.

Jesiba ergueu as mãos.

— Não sobrou nenhum.

— Sofie Renast era um trovão — disse Ithan, mais para si mesmo do que para as outras fêmeas. — Achamos que o irmão dela também poderia ser, mas...

— Sofie Renast está morta — disse Jesiba.

Hypaxia apenas perguntou:

— Onde está o corpo dela? — A pergunta soou como um sinal de morte no necrotério.

Jesiba conseguiu responder antes de Ithan.

— Depois desse desastre — disse ela, apontando para a mesa de exame onde Sigrid havia sido colocada momentos antes, o lençol por fim descartado no chão ao lado —, você quer mesmo tentar ressuscitar os mortos de novo?

— Sofie está morta há tempo demais para ser ressuscitada — lembrou Ithan, a náusea revirando seu estômago. E, ele não acrescentou, não podia deixar de concordar com Roga sobre o histórico da Hypaxia.

— Se ela não recebeu um Veleiro, então deve funcionar. Embora o estado de decomposição do corpo dela deva estar... deplorável. — Hypaxia andava pela sala. — Ela ainda deve ter relâmpagos suficientes em suas veias para preencher a lacuna entre a vida e a morte. Os pássaros-trovões já foram capazes de ajudar os necromantes, de usar seus relâmpagos para segurar as almas dos mortos. Eles conseguiam até mesmo imbuir seu poder em objetos comuns, como armas, e conferir propriedades mágicas...

— E você acha que isso de alguma forma pode fazer com que Sigrid deixe de ser uma ceifadora? — perguntou Ithan.

— Acho que o relâmpago poderá trazer a alma dela de volta à vida — disse Hypaxia —, e dar a ela a chance de fazer a escolha de novo. Alguns dias como ceifadora podem fazê-la mudar de ideia.

O silêncio reinou. Ithan olhou para Jesiba, mas a feiticeira permaneceu em silêncio, como se estivesse pesando cada palavra de Hypaxia.

Ithan engoliu em seco.

— Será que vai dar certo?

Jesiba não tirou os olhos de Hypaxia enquanto dizia baixinho:

— Talvez.

— Mas onde está o corpo dela? — pressionou Ithan. — A última notícia que tive dos meus amigos foi de que o corpo estava com a Rainha do Oceano, em seu navio. Ela pode ter enviado pela câmara de ar, pelo que sabemos...

— Me dê trinta minutos — pediu Jesiba, e não esperou por uma resposta antes de sair da sala.

* * *

Não havia o que fazer senão esperar. Ithan não tinha vontade de fazer nada, exceto sentar-se à mesa e encarar as próprias mãos.

Suas mãos inúteis e manchadas de sangue.

Ele tentara salvar Sigrid do Astrônomo e acabara matando-a. E depois fez com que seu cadáver fosse transformado em uma ceifadora. Cada escolha que fizera os levara de mal a pior e, por fim, à catástrofe.

Jesiba passou pelas portas metálicas do necrotério exatamente trinta minutos depois.

— Bem, foram necessárias mais propinas do que eu gostaria, mas tenho boas e más notícias — afirmou ela.

— A boa primeiro — disse Ithan, enfim erguendo os olhos das mãos. Hypaxia ficou sentada na outra cadeira o tempo todo, silenciosa e pensativa.

— Eu sei onde está o corpo da Sofie — disse Jesiba.

— E as más notícias? — perguntou Hypaxia baixinho.

Jesiba olhou de um para o outro, os olhos cinzentos brilhando.

— Está em Avallen. Com o Rei Cervo.

50

Ruhn não fazia ideia de como Bryce tinha se segurado para não matar Morven. Ele também não sabia dizer como conseguiu fazer o mesmo.

Mas eles não perderam tempo para colocar mãos à obra. Ainda que, pelo que tinham combinado, Bryce estivesse no Time Cavernas, ela insistiu em verificar os arquivos primeiro.

Os Arquivos de Avallen eram tão imponentes e enormes quanto Ruhn se lembrava, da última e única visita que fizera a Avallen. É verdade que nunca tivera permissão para entrar, mas pelo seu exterior cinza, o prédio rivalizava com o *Cargueiro das Profundezas* em tamanho. Uma cidade inteira de aprendizagem, trancada atrás de portas de chumbo.

Apenas para acesso das linhagens reais — os machos reais.

— Temos mesmo que *trabalhar*? — reclamou Flynn, esfregando a cabeça. — Não podemos ficar de boa um pouco? Este lugar me dá arrepios... Preciso dar uma relaxada.

Athalar lançou um olhar para Flynn.

— Ele causa arrepios em todos nós.

— Não — retrucou Flynn com seriedade, balançando a cabeça. — Eu já disse... Minha magia *odeia* esse lugar.

— O que você quer dizer? — perguntou Bryce, olhando para ele por cima do ombro.

Flynn deu de ombros.

— A terra parece... podre. Como se não houvesse nada em que minha magia pudesse se agarrar ou se identificar. É estranho. Também me incomodou a primeira vez que estivemos aqui.

— Ele não parava de reclamar quando estávamos aqui — concordou Declan, e Flynn deu uma cotovelada nas costelas dele.

Mas Flynn apontou com o queixo para Sathia, que estava sozinha a alguns metros de distância.

— Você também sente isso, certo?

A irmã retorceu a boca elegante e admitiu:

— Minha magia também fica estranha em Avallen. O que meu irmão está falando não é totalmente sem razão.

— Bem — disse Bryce —, aguenta firme, Flynn. Acho que um macho feérico grande e durão como você consegue superar isso. Vamos *dar uma relaxada* esta noite. Amanhã nos dividiremos em Time Arquivos e Time Cavernas e trabalharemos o mais rápido que pudermos.

Ela ergueu a mão para uma das portas de chumbo, mas sem tocar nela.

— Mas, acredite, não quero ficar nesta ilha miserável nem um segundo a mais do que for necessário.

— Concordo — murmurou Athalar, aproximando-se de Bryce —, vamos encontrar o que precisamos e dar o fora.

— O que estamos procurando, exatamente? — perguntou Sathia. — Tudo o que você me contou sobre o outro mundo feérico e o que você aprendeu... Me desculpe, mas preciso de um pouco mais de orientação para continuar quando chegarmos lá.

Já que todos somos inimigos dos asteri, qual o problema de mais uma pessoa saber das nossas paradas?, Bryce perguntou quando Flynn exigiu que Sathia ficasse para trás.

E Sathia recusou-se a ser deixada sozinha, mesmo com a segurança de seu status de fêmea casada lhe garantindo o direito de se movimentar com liberdade. *Não vou ficar trancada em algum quarto para apodrecer*, dissera, e foi andando atrás de Bryce, que começou a explicar tudo o que aprendera sobre Theia e suas filhas e a história dos feéricos dentro e fora de Midgard. Sathia não tinha falado uma palavra com Tharion desde que trocaram os votos; e o tritão também parecia aceitar bem isso.

Era tudo uma grande loucura. Mas Ruhn tinha ouvido o que Lidia dissera a Bryce, sobre nunca ter tido ninguém para lutar por ela. Não se sentiu nada bem ao ouvir aquilo.

Ruhn ousou olhar para onde Lidia estava, observando a imponente entrada dos arquivos. Ele não deixou de notar como Morven ficara chocado ao perceber que ela estava na sala do trono. E quando eles partiram, o Rei Cervo parecia prestes a tentar falar com Lidia, mas a Corça passou por ele antes que tivesse a chance de fazê-lo.

Seus olhos dourados cruzaram com os de Ruhn, e ele poderia jurar que fogo puro pulsou através de seu corpo...

Ele desviou o olhar depressa.

Sathia perguntou a Bryce:

— E se você não encontrar as respostas que procura?

— Então estamos fodidos — disse Bryce com todas as letras, e por fim encostou a palma da mão nas portas dos arquivos. Um tremor pareceu percorrer o metal.

Com um rangido, as portas se abriram para dentro, revelando nada além de uma escuridão salpicada de luz do sol. Ruhn trocou olhares com Dec, cujas sobrancelhas estavam erguidas diante da demonstração de submissão por parte do prédio. Mas Bryce passou depressa, Athalar e Baxian logo atrás.

— Então você pretende mesmo entrar na Caverna dos Príncipes? — perguntou Sathia a Bryce ao adentrarem no espaço escuro.

— Sei que é provável que a presença de uma fêmea vá fazer com que as paredes das cavernas venham abaixo por pura indignação — disse Bryce, a voz ecoando na enorme cúpula acima deles —, mas sim.

Ruhn riu e olhou para a cúpula. Era um mosaico de pedras de ônix, entremeado de pedaços de opala e diamante — estrelas. Uma lua crescente de pura madrepérola ocupava o topo dela, brilhando na penumbra. Tinha uma estranha semelhança com as unhas afiadas da Rainha do Oceano.

Sathia seguiu Bryce e perguntou baixinho:

— E... é ela mesmo? A faca?

— Chocante, eu sei — disse Bryce. — A garota festeira carregando a proféti...

— Não — interrompeu Sathia —, não foi essa a minha intenção.

Bryce fez uma pausa, virando-se, e Ruhn sabia que Athalar estava monitorando cada palavra, cada movimento de Sathia enquanto a irmã de Flynn explicava:

— Eu estava pensando no que isso significa. Não apenas em relação aos asteri e ao seu conflito com eles. Mas o que isso significa para os feéricos.

— Um monte de nada — bufou Flynn.

— Nos disseram que nosso povo voltaria a se unir quando essa faca fosse devolvida — rebateu Sathia, ríspida. Seu tom foi mais suave quando ela perguntou a Bryce: — Isso faz parte de... algum plano seu? Unir os feéricos?

Bryce examinou as fileiras e mais fileiras de prateleiras e disse friamente:

— Os feéricos não merecem serem unidos.

Até Ruhn congelou. Ele nunca pensou no que Bryce poderia fazer como líder, mas...

— Anda, Quinlan — protestou Athalar, passando o braço pelos ombros dela, decidido a mudar de assunto —, vamos explorar.

— Tá, tá — murmurou Bryce —, suponho que seja esperança demais achar que teria um catálogo digital aqui, então... acho que teremos que fazer à moda antiga. — Ela apontou para a frente, para a parede ocupada por um catálogo de fichas. — Procurem qualquer menção à espada e à faca, qualquer coisa sobre as brumas que guardam este lugar, Pelias e Helena... Talvez até mesmo coisas sobre os primeiros dias de Avallen, seja durante as Primeiras Guerras ou logo depois.

— Isso é... muita coisa para procurar — comentou Flynn.

— Aposto que você gostaria de ter aprendido a ler — comentou sarcasticamente Sathia, caminhando em direção ao catálogo.

— Eu sei ler! — resmungou Flynn. Depois murmurou: — Só acho chato.

Ruhn riu, e o som ecoou perto dele. Lidia.

Aquela troca de olhares entre eles de novo. Ruhn disse, um pouco sem jeito, para ela:

— Melhor a gente começar a trabalhar.

Um catálogo tão grande poderia levar dias para ser examinado. Ainda mais porque não havia nenhum bibliotecário ou acadêmico à vista. Pensando bem, o lugar tinha um ar de abandono. Vazio. O castelo também, assim como a pequena cidade e as terras vizinhas.

Tudo parecia tão misterioso, tão estranho quando ele chegara ali, décadas antes: a famosa ilha enevoada de Avallen. Agora, só conseguia pensar em Cormac, crescendo na escuridão e no silêncio. Todo aquele fogo, amortecido por este lugar.

E ainda assim, ele amava seu povo. Queria fazer o que era certo por eles. Por todos em Midgard também.

Cormac viera daqui. Tinha que ter algo de bom nesse lugar. Ruhn só não fazia ideia do que seria.

Os feéricos não merecem serem unidos.

As palavras de Bryce pairavam no ar, como se ainda ecoassem na cúpula. E Ruhn não sabia por quê, mas à medida que as palavras se assentavam na escuridão... elas o deixavam triste.

Depois de alguns minutos tensos, Declan falou:

— Bem, isso é interessante.

Ele estava na mesa mais próxima, o que parecia ser uma pilha de mapas desenrolada diante dele. Um mapa grande — de Midgard — estava aberto no topo.

Ruhn caminhou até seus amigos, grato pela pausa na tarefa.

— O que foi? — Os outros seguiram seu exemplo, reunindo-se em volta da mesa.

Dec apontou para Avallen no mapa, o papel amarelado pelo tempo, apesar dos feitiços de preservação existentes nele.

— Achei que olhar mapas antigos poderia nos dar algumas dicas sobre as brumas... Sabe como é, ver como os cartógrafos antigos as representavam e tal. E então eu encontrei isso.

Athalar esfregou o pescoço e disse:

— Correndo o risco de ser sacaneado... para o que eu estou olhando?

— Há ilhas aqui — explicou Declan —, dezenas.

A ficha caiu.

— Não deveria haver ilhas ao redor de Avallen — disse Ruhn.

Bryce se aproximou, passando os dedos pelo arquipélago.

— De quando é esse mapa?

— Das Primeiras Guerras — respondeu Dec, e puxou outro mapa do fundo da pilha. — Aqui é Midgard agora. Não há ilhas nesta área, exceto aquela em que estamos.

— Ou seja... — disse Baxian.

— *Ou seja* — disse Dec, irritado —, não é estranho que *tivessem* ilhas há quinze mil anos e que tenham desaparecido?

Tharion limpou a garganta.

— Quer dizer, o nível do mar sobe...

Dec lançou um olhar fulminante para todos e tirou um terceiro mapa.

— Este mapa é de cem anos depois das Primeiras Guerras — Ruhn o examinou. Nenhuma ilha.

Do outro lado da mesa, Lidia avaliava os diferentes mapas em silêncio. Ela ergueu o olhar para Ruhn, e ele não conseguiu impedir que seus batimentos cardíacos acelerassem, seu sangue vibrasse com a proximidade dela...

— Todas aquelas ilhas — murmurou Bryce — desapareceram em cem anos.

— Logo depois que os asteri chegaram — acrescentou Athalar, e Ruhn desviou o olhar de Lidia por tempo suficiente para considerar o que estava diante deles.

Ele disse:

— Bem, apesar das brumas, Avallen não parece ter problemas em revelar sua forma e seu litoral para os asteri, para os mapas oficiais do império. Por que esconder as ilhas?

— Não tem ilha nenhuma — disse Sathia baixinho. — As daquele primeiro mapa... — Ela apontou ao longo da costa noroeste. — Nós navegamos daquela direção. Não vimos uma ilha sequer. A bruma poderia ter escondido algumas delas, mas deveríamos ter visto pelo menos uma que fosse.

— Nunca vi ou ouvi qualquer menção a outras ilhas aqui — concordou Flynn.

Eles ficaram em silêncio, olhando para os três mapas como se fossem revelar algum grande segredo.

Por fim, Dec balançou a cabeça.

— Algo aconteceu aqui há muito tempo... algo grande. Mas o quê?

— E — murmurou Lidia, a cadência de sua voz provocando arrepios de prazer nas costas de Ruhn — esse conhecimento é útil pra gente?

Bryce bateu com a mão no mapa mais antigo e Ruhn quase podia ver as engrenagens girando em sua cabeça.

— Silene disse algo em suas memórias sobre a ilha que um dia havia sido de sua corte. — O rosto de Bryce assumiu uma expressão distante, como se estivesse tentando lembrar as palavras exatas. — Ela disse que a terra... murchou. Que quando ela começou a abrigar aqueles monstros para esconder a presença da Harpa, a ilha da Prisão tornou-se estéril. E a Rainha do Oceano disse que as ilhas literalmente murcharam no mar em desespero quando os asteri chegaram.

— Então? — perguntou Flynn.

O olhar de Bryce voltou a ficar aguçado.

— Parece estranho que dois redutos feéricos, ambas ilhas, já tenham sido arquipélagos, e que *ambos* tenham perdido tudo, exceto a ilha central, como consequência da chegada de... forças desagradáveis.

Ruhn ergueu as sobrancelhas.

— Não acredito que você está mesmo falando o que pensa, pela primeira vez.

Bryce deu o dedo do meio para ele enquanto Athalar ria. Ela assentiu, decidida.

— Time Arquivos: continuem investigando isso.

Os outros se dispersaram de novo para retomar a pesquisa, mas Bryce agarrou Ruhn pelo cotovelo antes que ele pudesse se mover:

— Que foi? — perguntou ele, olhando para onde a mão dela o segurava.

O olhar de Bryce era resoluto.

— Não podemos nos dar ao luxo de perder tempo.

— Eu sei — disse Ruhn —, vamos procurar o mais rápido que pudermos.

— Alguns dias — disse Bryce, soltando seu braço. Ela olhou para as portas frontais lacradas dos arquivos, para a ilha além. — Não acho que tenhamos mais do que isso antes de Morven decidir que é do interesse dele contar aos asteri que estamos aqui, e que se fodam os riscos que isso traria ao povo dele. Ou antes que os místicos dos asteri descubram a nossa localização.

— Talvez as brumas também possam impedir a entrada de olhos místicos — sugeriu Ruhn.

— Talvez, mas prefiro não descobrir do jeito mais difícil. Alguns dias, Ruhn... depois metemos o pé daqui.

— Pode levar mais tempo para explorar as cavernas — alertou Ruhn. — Tem certeza de que há alguma coisa lá que valha a pena? Pelo que pude ver, havia algumas coisas inúteis como decoração nas paredes e muitos túneis enevoados. Seria muito mais rápido revirar os arquivos se todos analisassem o catálogo juntos.

— Tenho que dar uma olhada nas cavernas — disse Bryce baixinho —, só para garantir.

Foi então que ele entendeu, e a percepção foi como um balde de água gelada. Bryce não tinha certeza se *conseguiria* encontrar algo que a ajudasse a unir as lâminas. Para matar os asteri.

Então Ruhn apertou o ombro dela.

— Nós vamos descobrir, Bryce.

Ela deu um sorriso funesto. Tudo o que Ruhn pôde fazer foi retribuir.

* * *

Não encontraram mais nada sobre as ilhas desaparecidas, as brumas ou a espada e a faca nas horas que passaram vasculhando o catálogo. Eles mal tinham começado a analisar o vasto catálogo quando Bryce decidiu que era hora de parar e ir jantar, as mãos tão secas que chegavam a doer, por causa de toda a poeira.

Em silêncio, o grupo caminhou até a sala de jantar do castelo. Que dia longo e maldito! Cada um de seus passos penosos parecia ecoar o sentimento.

A sala de jantar estava vazia, embora um pequeno bufê de comida tivesse sido servido para eles.

— Acho que chegamos cedo — disse Tharion enquanto o grupo observava a sala iluminada pela fogueira, suas tapeçarias desbotadas retratando caçadas feéricas de tempos passados. A presa estava no centro de uma delas: um cavalo branco acorrentado e com coleira.

Bryce teve um sobressalto. Não era um cavalo. Era um cavalo *alado.*

Então eles tinham sobrevivido ali; pelo menos por algumas gerações. Antes que morressem ou os feéricos os caçassem até a extinção.

— Não chegamos cedo — disse Sathia ao lado de Tharion, o rosto tenso. — O jantar formal começou há quinze minutos. Se eu fosse chutar, diria que foi movido para outro local.

— Ninguém quer comer com a gente? — perguntou Hunt.

Bryce disse:

— Devem nos considerar indignos da presença deles. — Hunt, Baxian e Tharion viraram-se para ela com expressões incrédulas. Bryce deu de ombros. — Bem-vindos à minha vida. — Hunt estava franzindo a testa profundamente, e Bryce acrescentou, sem conseguir se conter: — Você não precisa se sentir culpado por isso, sabe.

Ele olhou irritado para ela e os outros rapidamente foram se ocupar com outras coisas.

— O que isso quer dizer? — perguntou Hunt baixinho.

Não era a hora nem o lugar, mas Bryce disse:

— Não consigo entender você. Tipo, se você quer estar aqui ou não.

— Óbvio que quero — respondeu Hunt, os olhos brilhando.

Ela não recuou.

— Num momento você está todo envolvido, no outro você está todo taciturno e culpado...

— Não tenho o direito de me sentir assim? — sibilou ele. Os outros já haviam chegado à mesa.

— Tem — afirmou ela, mantendo a voz baixa, embora soubesse que os outros podiam ouvi-los. Uma das desvantagens de conviver com vanir. — Mas cada um de nós fez escolhas que nos levaram a tudo isso. O peso dessas escolhas não recai apenas sobre você, e não é...

— Não quero falar sobre isso. — Ele começou a caminhar em direção ao centro da sala.

— Hunt? — chamou ela. Ele continuou andando, as asas bem fechadas.

Do outro lado da sala, ela encontrou o olhar de Baxian, que puxava uma cadeira da mesa. *Ele precisa de tempo,* o Cão do Inferno parecia dizer. *Seja gentil com ele.*

Bryce suspirou, balançando a cabeça. Ela poderia fazer isso.

Eles se serviram e sentaram-se em lugares aleatórios ao longo da enorme mesa, grande o suficiente para acomodar quarenta pessoas: Ruhn, Flynn, Sathia e Dec em um grupo; Tharion, Baxian, Hunt e Bryce em outro. Lidia reivindicou uma cadeira ao lado de Bryce, definitivamente *sem* olhar para onde Ruhn os observava.

— Então essa é Avallen — comentou Lidia, quebrando o silêncio constrangedor.

— Nem me fala — murmurou Bryce —, estou tentando não me impressionar com o tanto que é glamouroso.

— Isso me lembra a casa do meu pai — disse Lidia baixinho, comendo as batatas e o carneiro. Comida farta e simples. Com certeza não era o belo banquete que Morven e sua corte estavam comendo em outro lugar.

— Os dois devem assinar a *Vida Medieval* — ironizou Bryce, e a boca de Lidia se curvou em um sorriso.

Era tão estranho ver a *Corça* sorrir. Como uma pessoa.

Os machos deviam estar pensando a mesma coisa, pois Baxian perguntou:

— Quanto tempo, Lidia? Há quanto tempo você virou espiã?

Lidia cortava a carne com delicadeza.

— Há quanto tempo *você* começou a acreditar na causa?

— Desde que conheci minha parceira, Danika Fendyr. Quatro anos atrás.

O peito de Bryce se apertou com o orgulho em sua voz — e com a dor. Seus dedos coçavam com a vontade de esticar o braço sobre a mesa para pegar a mão dele, assim como fizera na noite anterior.

Mas Lidia piscou devagar. E disse, com a voz suave:

— Eu sinto muito, Baxian.

Baxian assentiu em reconhecimento. Então disse a Lidia e Hunt:

— Eu meio que não consigo superar o fato de estar aqui com vocês dois. Considerando onde estávamos há não muito tempo. Quem éramos.

— Entendo bem — murmurou Bryce.

Hunt testou o corte de uma faca com o polegar e depois fatiou a carne em seu prato.

— Urd age de maneiras misteriosas, imagino.

Os olhos de Lidia brilharam. Hunt ergueu o copo de água para ela.

— Obrigado por salvar a gente.

— Não foi nada — respondeu ela, cortando o carneiro de novo.

Baxian largou o garfo.

— Você arriscou tudo o que tinha. Estamos te devendo uma.

Bryce olhou para a mesa e percebeu que Ruhn os observava. Ela olhou de cara fechada para o irmão, como se dissesse: *Entre na conversa, seu idiota,* mas Ruhn a ignorou.

A boca de Lidia se abriu num meio-sorriso.

— Encontre uma maneira de matar os asteri e estaremos quites.

O resto do jantar foi tranquilo, e Bryce se pegou tão cansada que, quando terminasse o prato, só queria se deitar em algum lugar. Felizmente, *uma* pessoa no castelo se dignou a falar com eles: uma fêmea feérica mais velha que, mal-humorada, disse que lhes mostraria seus quartos.

Ainda que não fossem bem-vindos, pelo menos receberam acomodações decentes, todas no mesmo corredor. Bryce não notou quem foi dormir com quem, concentrando-se apenas em ser conduzida ao seu próprio quarto, mas não deixou de reparar o constrangimento entre Tharion e Sathia ao serem conduzidos juntos para uma porta no meio do corredor.

Bryce suspirou quando ela e Hunt entraram no quarto deles. Ela desejou ter tido energia para conversar com Ruhn, para realmente se aprofundar e saber como tinha sido passar pelo que ele passara, o que ele estava sentindo, mas...

— Preciso me deitar — disse Bryce, e caiu de cara na cama.

— Hoje foi estranho — comentou Hunt, ajudando a retirar a espada e a adaga embainhadas. Ele as colocou com cuidado ao lado da cama e depois a virou devagar. — Você está bem?

Bryce olhou para o rosto dele, para o halo na testa dele.

— Espero mesmo que a gente encontre alguma coisa aqui que faça tudo isso valer a pena.

Hunt sentou-se ao lado dela, tirando suas próprias armas e colocando-as sobre uma mesa lateral.

— Você ficou preocupada que não vamos encontrar nada, assim de repente?

Bryce levantou-se, incapaz de ficar parada apesar da exaustão. Ela andou de um lado para o outro na frente do fogo crepitante.

— Não sei. Não é como se eu estivesse esperando um letreiro de neon gigante nos arquivos dizendo *Respostas aqui!*, mas se os asteri estão indo atrás da família de Flynn... — Ela não tinha se permitido pensar nisso antes. Não havia nada que pudesse fazer dali, sem telefone ou interweb. — Então eles vão atrás da minha.

— Randall e Ember sabem se cuidar. — Mas Hunt se levantou, caminhando até ela e pegando suas mãos. — Eles vão ficar bem. — As mãos dele eram quentes em volta das dela, sólidas. Ela fechou os olhos ao toque, saboreando seu amor e conforto. — A gente vai chegar lá, Quinlan. Você viajou entre mundos. Isso não é nada em comparação.

— Não provoque Urd.

— Não estou. Só estou dizendo a verdade. Não perca a fé agora.

Bryce suspirou, examinando a tatuagem na testa dele.

— Precisamos encontrar um jeito de tirar isso de você.

— Não é a maior das prioridades.

— É, sim. Eu preciso de você com o seu poder pleno. — As palavras saíram erradas, e ela emendou: — Preciso que você esteja livre deles.

— Eu vou. Todos nós vamos.

Olhando em seus olhos escuros, ela acreditou nele.

— Sinto muito por mais cedo. Se eu te pressionei demais.

— Estou bem. — A voz dele não soava bem.

— Eu não estava tentando te dizer como você deve se sentir — disse ela. — Só quero que você saiba que nenhum de nós, principalmente eu, responsabiliza você por essa merda toda. Somos uma equipe.

Ele baixou o olhar, e ela odiou ver isso, ver suas asas caírem.

— Não sei se consigo fazer isso de novo, Bryce.

Ela sentiu um aperto no coração.

— Fazer o quê?

— Fazer escolhas que custem a vida das pessoas. — Ele voltou a olhar para ela, o olhar sombrio. — Era mais fácil para Shahar, você sabe. Ela não se importava com a vida das outras pessoas, não de fato. E morreu tão rápido que não teve que aguentar o peso da culpa que poderia ter surgido mais tarde. Às vezes eu a invejo por isso. Eu a invejei por isso, naquela época. Por escapar de tudo por meio da morte.

— Esse é o antigo Umbra Mortis falando — disse Bryce, procurando humor em meio à onda fria de dor e preocupação com suas palavras, seu tom sem vida.

— Talvez precisemos do Umbra Mortis agora.

Ela não gostou disso. Nem um pouco.

— Eu preciso de Hunt, não de um assassino de armadura. Eu preciso do meu parceiro. — Ela beijou a bochecha dele. — Eu preciso de *você*.

A escuridão em seus olhos se iluminou, trazendo certo alívio para seu coração, tranquilizando-a.

Ela beijou a bochecha dele de novo.

— Eu sei que seria melhor ir tomar banho para dormir e usar o penico ou qualquer merda que chamam de banheiro neste museu, mas...

— Mas? — Ele ergueu as sobrancelhas.

Bryce ficou na ponta dos pés, roçando a boca na dele. E o gosto dele... Deuses, sim.

— Mas preciso sentir você primeiro.

Ele apertou a cintura dela.

— Porra, demorou, hein?

Havia mais a ser discutido, lógico. Mas agora...

Ele abaixou o rosto para o dela, e Bryce o encontrou no meio do caminho, um beijo intenso, livre e... feliz. Lar, eternidade e tudo aquilo pelo que ela tinha lutado. Tudo aquilo pelo que continuaria lutando.

Pela maneira como ele retribuía o beijo, ela sabia que Hunt também tinha percebido. Esperava que ele deixasse arder qualquer resquício de remorso.

— Eu te amo — disse ele contra a boca de Bryce, e aprofundou o beijo. Ela sufocou um soluço de alívio, abraçando o pescoço dele. As mãos de Hunt deslizaram para sua bunda e ele a ergueu, caminhando devagar até a enorme cama com dossel.

Roupas foram arrancadas. Bocas se encontraram, exploraram e provaram. Dedos acariciavam e apertavam. Então Hunt estava em cima dela e Bryce deixou sua felicidade, toda sua magia brilhar através dela.

— Olha só você — Hunt sussurrou, os quadris flexionando sob as mãos dela, o pau provocando sua entrada. — Olha só você.

Bryce sorriu enquanto deixava mais daquele poder brilhar através dela: a luz Estrelada era tão prateada que criava sombras na cama.

— Gostou?

A estocada de Hunt, penetrando-a até o fundo, foi a resposta.

— Porra, você é tão linda — sussurrou ele. Relâmpagos se formavam nas asas dele, em sua testa. Como se aquele poder não pudesse deixar de respondê-la, mesmo com o halo que o diminuía.

Bryce gemeu quando ele tirou, quase saindo dela, só para voltar a fodê-la.

Hunt inclinou os quadris dela para poder enfiar mais fundo. E quando seu pau roçou a parte mais interna de Bryce, um relâmpago tremeluziu acima dela, nela...

Parceiro. Marido. Príncipe. *Hunt.*

— Sim — disse Hunt, e ela deve ter expressado seus pensamentos em voz alta, porque ele a fodia mais fundo, com mais força. — Eu te amo pra caralho, Bryce.

A magia dela aumentou com as palavras dele, uma onda crescente. Ou talvez fosse o clímax dela chegando, aumentando junto com o dele. Tudo o que tinha dele não era o suficiente. Queria mais, estar mais perto, queria estar *nele,* em seu sangue...

— Solas, Bryce — Hunt grunhiu, estocando nela em um movimento longo e sensual. — Não consigo... — Ela não queria que ele fizesse isso. Agarrou a bunda dele, cravando as unhas bem fundo em um impulso silencioso. — Bryce — avisou ele, sem parar de fodê-la. Relâmpagos crepitavam e serpenteavam ao redor deles, uma avalanche correndo em sua direção.

— Não pare — implorou ela.

Suas magias colidiram — suas almas. Ela se espalhou pelas estrelas, pelas galáxias, relâmpagos deslizando em seu rastro.

Ela teve a vaga sensação de Hunt sendo jogado junto com ela, de seu grito de êxtase e surpresa.

Sabiam que seus corpos permaneciam unidos em algum mundo distante, mas aqui, neste lugar entre lugares, eles dois se fundiram em um só, atravessados e transferidos e se tornando algo *mais.*

Estrelas, planetas e nuvens de arco-íris giravam em torno deles, a escuridão cortada por relâmpagos mais brilhantes que o sol. Sol e lua mantidos juntos em perfeito equilíbrio, suspensos no mesmo céu.

E abaixo deles, muito abaixo, ela podia ver Avallen, vibrando com sua magia, tanta magia, como se Avallen fosse a própria fonte dela, como se *eles* fossem a própria fonte de toda magia, luz e amor...

Depois desapareceu. Tudo voltou a ser cores suaves, ar quente e respiração pesada. O peso do corpo de Hunt sobre o dela, o pau ainda pulsando dentro dela, as asas abertas acima dos dois.

— Puta que pariu — disse Hunt, levantando-se o suficiente para olhar para ela. — Puta que... *pariu*.

Tinha sido mais do que foder, ou sexo, ou fazer amor. Hunt olhou para ela, a luz estelar brilhando em seus cabelos. Assim como ela sabia que o relâmpago passava pelo seu.

— Foi como se meu poder tivesse entrado em você — disse Hunt, os olhos rastreando o relâmpago enquanto ele deslizava pelo corpo dela. — É seu.

— Assim como o meu é seu — disse ela, tocando uma mecha de luz estelar brilhando entre as mechas pretas de seus cabelos.

— Me sinto estranho — admitiu ele, mas não se mexeu. — Eu sinto...

Ela sentiu, então. Enfim entendeu. O que sempre foi, o nome que ela havia aprendido no outro mundo.

— Feito — sussurrou Bryce com uma sombra de medo. — É assim que parece. Qualquer poder que possa fluir entre nós... meu poder Feito do Chifre também pode.

Hunt olhou para si mesmo, para onde seus corpos permaneciam unidos. Ela sentiu uma pontada de culpa, então, por não ter contado ainda a ele tudo o que sabia sobre os outros objetos Feitos no universo — sobre a Máscara, os Tesouros.

— Acho que flui nos dois sentidos: meu poder para você e o seu para mim.

Hunt sorriu e examinou o quarto ao redor deles.

— Pelo menos não parece que vamos ficar parando em um lugar novo a cada vez que transarmos.

Bryce riu.

— Isso é um alívio. Eu não acho que Morven teria apreciado nossas bundas nuas surgindo no quarto dele.

— Com certeza não — concordou Hunt, beijando a testa dela. Ele afastou uma mecha de cabelo. — Mas que diferença isso faz? Estarmos conectados dessa maneira?

Bryce levantou a cabeça para beijá-lo.

— Outra coisa pra gente descobrir.

— Time Cavernas até o fim — disse ele junto à boca de Bryce.

Ela riu, suas respirações se misturando, entrelaçando-se como suas almas.

— Eu disse que a gente deveria ter encomendado camisetas.

51

Tharion estava naquele quarto antigo, todo de pedra, completo com uma cama com cortinas e tapeçarias na parede, e não fazia ideia do que dizer à sua esposa.

E parece que Sathia Flynn também não fazia ideia do que falar, porque foi sentar em uma cadeira de madeira entalhada diante da lareira crepitante para olhar o fogo.

Eles mal haviam trocado duas palavras durante todo o dia. Mas ali, tendo que dividir um quarto...

— Pode ficar com a cama — disse ele, o tom alto, ressoando no quarto.

— Obrigada — respondeu ela, abraçando o próprio corpo. A luz do fogo cintilava em seus cabelos castanho-claros, fazendo as mechas douradas brilharem.

— Eu não, hã... não espero que nada aconteça.

Ela lançou para ele um olhar irônico por cima do ombro.

— Que bom. Eu também não.

— Que bom — repetiu ele, estremecendo enquanto caminhava até a janela. A noite sem estrelas era uma parede escura além, interrompida apenas por algumas fogueiras brilhantes nas casas das fazendas. — Será que fica... menos sombrio por aqui?

— É minha primeira visita, então não sei dizer. — O tom dela era um pouco ríspido, como se não estivesse acostumada a falar normalmente com as pessoas, mas ela acrescentou: — Espero que sim.

Tharion caminhou até a cadeira de madeira em frente à dela e afundou-se nela. A maldita coisa era dura como o Inferno. Ele se mexeu, tentando encontrar um ângulo mais confortável, mas desistiu depois de alguns instantes e disse:

— Vamos começar do início. Meu nome é Tharion Ketos. Ex-capitão da Inteligência da Rainha do Rio...

— Eu sei quem você é — disse ela baixinho, o tom suave contrariando a tranquilidade férrea em seu olhar.

Ele arqueou uma sobrancelha.

— É mesmo? Isso é bom ou ruim?

Ela balançou a cabeça.

— Sou Sathia Flynn, filha de Lorde Hawthorne.

— E?

Ela inclinou a cabeça para o lado, mechas dos longos cabelos caindo sobre um ombro.

— O que mais precisa ser dito?

Ele fingiu pensar.

— Cor favorita?

— Azul.

— Comida favorita?

— Torta de framboesa.

Ele soltou uma risada.

— É sério?

Ela franziu a testa.

— Qual o problema nisso?

— Nada — disse ele, acrescentando: — Eu gosto de salgadinho de queijo.

Ela fez um barulho que parecia uma risada. Mas o som desapareceu quando ela perguntou:

— Por quê?

Ele marcou os motivos nos dedos.

— São crocantes, cheios de queijo...

— Não. Quis dizer... por que você fez isso? — Ela gesticulou entre eles.

Tharion hesitou sobre como contar sua história, mas...

— Não vejo por que não abrir o jogo e fazer com que este nosso acordo seja baseado na honestidade. — Ele suspirou. — Sou um macho procurado. A Rainha Víbora tem uma recompensa de cinco milhões de marcos de ouro pela minha cabeça.

Ela engasgou.

— Quê?

— Surpresa! — disse ele, acrescentando a seguir: — Desculpe. Acho que... talvez tivesse sido melhor mencionar isso antes.

— Ah, você acha? — Mas ela se recompôs, assumindo uma expressão calma e treinada nas feições pálidas antes de dizer pela terceira vez: — Por quê?

— Eu... posso ter sido indiretamente responsável pelo incêndio do Mercado da Carne, e agora ela quer me matar. Isso foi depois que eu desertei da Rainha do Rio, que, ah, também quer me matar. E depois a Rainha do Oceano me acolheu e me proibiu de sair do navio dela, mas eu desobedeci as ordens e fugi, e agora aqui estou e... não estou fazendo um bom trabalho para parecer um bom partido, né?

— Meu pai vai ter um piripaque — disse Sathia. Algo parecido com uma diversão travessa brilhou em seus olhos.

Um pouco de senso de humor era uma esperança para ele.

— Por mais feliz que eu esteja em ouvir isso — disse Tharion, o sorriso aumentando alguns milímetros —, foram muitas palavras para dizer... que ferrei com tudo. — A lembrança do cadáver de Sigrid passou diante de seus olhos e ele a empurrou para longe. — Muito — acrescentou.

— Então isso é alguma tentativa de redenção? — Qualquer diversão desapareceu do rosto dela.

— É uma tentativa de poder voltar a me olhar no espelho — disse ele de forma deliberada. — Saber que fiz algo de bom, em algum momento, para outra pessoa.

— Tudo bem — disse ela, depois voltou a olhar para o fogo.

— Você parece, hã... um tanto tranquila com essa coisa toda de casamento.

— Cresci sabendo que meu destino seria um dia me casar. — As palavras eram monótonas.

— Mas você pensou que se casaria com um feérico...

— Não estou a fim de falar das expectativas que foram colocadas em mim durante toda a minha vida — disse ela com a autoridade de uma rainha. — Ou das portas que agora estão fechadas para mim. Estou viva e não precisei me casar com o Bronco Um ou com o Bronco Dois, então... sim, estou *bem* com isso.

— Essa coisa de bisbilhotar mentes não te atraiu, né?

— Eles são brutos e ameaçadores, mesmo sem os dons mentais. Abomino os dois.

— É bom saber que você tem padrões. — Tharion estendeu a mão para ela. — Prazer em conhecê-la, Sathia.

Ela pegou a mão oferecida com cuidado, seus dedos delicados contra os dele. Mas o aperto de mão foi firme; inabalável.

— Prazer em conhecer você também... marido.

* * *

Amanheceu em Avallen, embora Lidia nunca tivesse visto um nascer do sol tão sombrio. É verdade que, devido ao sono agitado da noite anterior, ela não estava com disposição nenhuma para apreciar o nascer do sol, fosse ele límpido ou nublado. Mas enquanto estava numa das pequenas varandas do castelo com vista para a paisagem montanhosa, com os braços apoiados na grade de pedra incrustada de líquen, não pôde deixar de se perguntar se Avallen alguma vez tinha visto a luz do sol.

A cidade — que era mais um vilarejo, na verdade — fora construída no topo de uma colina escarpada e oferecia vistas de todas as ruas da paisagem verde circundante, a terra era uma colcha de retalhos de pequenas fazendas e propriedades pitorescas. Uma terra perdida no tempo, e não no bom sentido.

Até Ravilis, o antigo reduto de Sandriel, era mais moderno do que isto. Não havia sequer um traço de primalux em parte alguma. Os feéricos ali usavam velas.

E, ao que parece, haviam recebido ordens, se as ruas excepcionalmente silenciosas servissem de indicação, para evitar os visitantes o máximo possível. Mas ela poderia jurar que inúmeros feéricos a observavam das janelas fechadas das casas de aparência antiga que ladeavam as ruas que levavam ao castelo. Ela sempre soube que Morven governava com mão de ferro, mas essa submissão estava além do esperado.

Quase não pregara o olho na noite anterior. Não conseguia parar de ver os rostos dos filhos quando saiu daquela sala, ou como eles se misturaram com a memória de seus rostos quando bebês, dormindo de forma tão pacífica, tão lindos, em seus berços na noite em que ela olhou para eles uma última vez antes de partir. De ir embora do *Cargueiro das Profundezas* e entrar na cápsula submersível.

Sentia como se estivesse morrendo, tanto naquela época quanto agora. Parecia que Luna havia atirado uma flecha envenenada e ela estava sangrando, uma ferida invisível vazando para o mundo, e não havia nada que pudesse ser feito para curá-la.

Lidia esfregou as mãos no rosto, sentindo as bochechas geladas. Talvez teria sido melhor que não os tivesse visto de novo. Nunca mais ter voltado ao navio e não ter reaberto aquela ferida.

Nenhuma tortura que Pollux ou Rigelus inventassem doeriam mais do que esta. O vento frio soprava, sibilando pelas ruas estreitas da antiga cidade envolta em bruma.

Abaixo dela, no pátio, Bryce e Athalar, Baxian, Tharion e a nova noiva do tritão se preparavam para partir. Ruhn e seus dois amigos estavam com eles, falando em voz baixa. Sem dúvida repassando mais uma vez tudo o que sabiam sobre a Caverna dos Príncipes.

Ela não sabia por que viera até ali. Eles não se preocuparam em avisar que estavam indo ou em convidá-la para ir junto. Baxian enfim ergueu os olhos, sentindo ou avistando Lidia, e ergueu a mão em despedida. Lidia retribuiu o gesto.

O restante do grupo também se virou, Bryce acenando com um pouco mais de entusiasmo do que os outros.

Flynn e Dec apenas deram um aceno de cabeça. Ruhn olhou para cima e desviou o olhar no mesmo instante. Com um último abraço na irmã, o príncipe feérico regressou ao castelo e desapareceu de vista, acompanhado pelos dois amigos. Bryce e sua equipe foram em direção aos portões do castelo. Para o campo além, ainda meio adormecido sob a luz acinzentada.

Sombras sussurravam sobre as pedras da varanda, e Lidia não se virou para olhar para Morven quando este se aproximou dela.

— Quanto sentimentalismo, você se despedindo deles.

Lidia manteve o olhar fixo no grupo que partia em direção a um aglomerado de colinas mais altas que se erguiam no horizonte.

— O que você quer?

Ele sibilou diante de seu atrevimento.

— Você é uma traidora imunda.

Lidia enfim deslizou o olhar para o Rei Feérico. Contemplou seu rosto pálido e detestável.

— E você é um medroso covarde que rejeitou o próprio filho ao primeiro sinal de problema.

— Se você tivesse alguma honra, alguma compreensão dos deveres reais, entenderia por que fiz isso. — Sombras se entrelaçavam nos ombros de sua bela jaqueta preta, com bordado prateado. O Rei Cervo, eles o chamavam. Era um insulto para os metamorfos de cervos. O macho feérico não tinha afinidade alguma com as feras, apesar de seu trono, feito a partir dos ossos de alguma fera nobre e abatida. — Você saberia que há coisas mais importantes do que os próprios filhos.

Não havia nada mais importante. Nada. Ela estava ali, naquela ilha, de volta ao trabalho mais uma vez, porque nunca haveria nada mais importante do que os dois garotos que ela deixara no *Cargueiro das Profundezas*.

— Gostei de ver você se humilhar, sabe — provocou Lidia. E ela tinha gostado... apesar de tudo, adorou cada segundo de Morven ajoelhado diante dos asteri. Assim como estava adorando ver a fúria que o dominou ao ter esta humilhação foi jogada na sua cara.

— Não tenho dúvidas de que alguém sem coração como você adorou — zombou Morven. — Mas eu me pergunto: se surgir uma oferta melhor, será que você vai trair esses amigos com a mesma facilidade com que traiu seus mestres?

Os dedos de Lidia se curvaram ao lado do corpo, mas ela manteve o rosto impassível.

— Você está de mau humor porque não conseguiu ver quem eu era de verdade, Morven, ou porque testemunhei seu momento tão vergonhoso? O instante em que você trocou a lealdade ao seu filho pela sua própria vida?

Ele fervia, suas sombras prontas para atacar.

— Você não sabe nada sobre lealdade.

Lidia deu uma risada baixa e olhou para as cinco figuras que se dirigiam para a vegetação do campo. Em direção à fêmea ruiva no centro do grupo.

— Nunca tive uma líder que despertasse o sentimento.

Morven notou a direção de seu olhar e fez uma careta.

— Você é uma idiota por segui-la.

Lidia olhou de soslaio para ele, afastando-se da parede de pedra da varanda.

— Você que é um idiota se não o fizer — disse ela baixinho, caminhando em direção ao arco que levava para dentro do castelo. — Será a sua ruína. E de Avallen.

Morven rosnou:

— Isso é uma ameaça?

Lidia continuou caminhando, deixando para trás o inimigo e o crepúsculo soturno.

— Apenas um conselho profissional.

* * *

— Então, todo aquele papinho, todos aqueles mitos e angústias sobre a Caverna dos Príncipes — disse Hunt para Bryce, suando um pouco por causa da jornada de horas de duração pelos campos ondulados até esse aglomerado escarpado de colinas, o castelo agora um pico solitário no horizonte atrás deles: — E é *disso* que se trata?

Bryce olhou de volta.

— Decepcionante, não é?

A entrada da caverna era pouco maior do que uma fresta entre duas pedras. Runas antigas e desgastadas pelo tempo estavam gravadas nas pedras, mas isso era tudo o que diferenciava este lugar de qualquer outra rachadura da rocha.

Isso e a bruma saindo da escuridão.

— Morven precisa de um decorador — comentou Tharion, perscrutando a escuridão. — Acho que ele poderia ir além do tema sombras e infelicidade de seus ancestrais.

— Ele gosta assim — disse Sathia. — Do jeito que Avallen era quando foi construída... logo após o fim das Primeiras Guerras. O pai dele manteve tudo como estava, e o avô dele também, até chegar no próprio Pelias.

Hunt trocou um olhar com Bryce. Era exatamente o motivo de estar ali. Se havia um lugar onde alguma verdade pudesse ser preservada, era ali. Ele não gostava da ideia de entrar em uma caverna; alguma parte intrínseca dele resistia à ideia de estar tão longe do vento, tão abaixo do solo, preso novamente. Mas se forçou a superar o lampejo de pânico e pavor e disse a Sathia:

— *Você* sabe dizer como as brumas mantêm os asteri longe de Avallen? — Ela não deu a informação por conta própria no dia anterior, mas talvez fosse porque eles não tinham pensado em perguntar.

— Não — respondeu Sathia. — O boato é que a magia das brumas é tão antiga que antecede até mesmo a chegada dos asteri.

— Bem — disse Tharion, gesticulando de forma dramática —, primeiro as damas, Pernas.

— Que cavalheiro — retrucou Bryce.

— Você é quem tem uma lanterna embutida — Hunt lembrou a ela.

Ela revirou os olhos e disse a Sathia, que estava cautelosa.

— Um conselho: não deixe eles ficarem mandando em você.

— Não vou — disse Sathia. Por alguma razão, Hunt acreditou nela.

Bryce olhava para a irmã de Flynn como se ela estivesse pensando a mesma coisa.

— É bom ter outra fêmea por aqui. — Ela acenou com a cabeça para Baxian, Tharion e Hunt. — O Clube dos Alfas babacas estava ficando lotado demais para o meu gosto.

Bryce parou no limite entre a luz e a sombra. A bruma que escorria pelo chão da caverna alcançou seus tênis cor-de-rosa com garras brancas e curvas. Sua luz estelar não perfurava a escuridão além de alguns metros à frente. Iluminava apenas nuvens mais espessas de bruma, mascarando quaisquer ameaças que estivessem esperando.

Ela não conseguia cruzar essa linha.

— Este lugar parece todo errado — murmurou Baxian, aproximando-se de Bryce.

— É torcer para voltarmos a ver a luz do dia — disse Tharion também baixo, um passo atrás deles.

— Vamos ver — disse Hunt, ajustando a mochila pesada que fora amarrada entre as asas. — Não há nada com que se preocupar, exceto alguns espíritos malignos. E fantasmas. E "coisas assustadoras", como disse Ruhn.

— Ah, só isso — disse Bryce, dirigindo a ele um olhar irônico. Ela acrescentou para Sathia, apontando para as torres que mal se projetavam no horizonte verde: — Ainda não é tarde para voltar ao castelo.

— Não vou ficar sentada com aquele pessoal que lê mentes à espreita — sibilou Sathia.

Todos se viraram para ela.

— Aconteceu alguma coisa? — perguntou Hunt com cuidado. Tharion a observava com atenção.

— Não vou ficar sozinha naquele castelo — insistiu Sathia, abraçando o próprio corpo, dedos enfiados em seu suéter branco, e Bryce soube que ela não queria falar desse assunto.

— Justo — declarou Hunt, percebendo também o tom de Sathia —, mas Ruhn me avisou que a maior parte do que está aqui é velho, perverso e gosta de beber sangue. E de comer almas. Não sei dizer qual a ordem de preferência.

— Que nem qualquer feérico da nobreza, então — comentou Bryce, erguendo a mochila pesada. Ela piscou para Sathia. — Você vai se sentir em casa.

A fêmea feérica deu um sorriso fraco, mas não fugiu gritando da caverna e de seus dedos de bruma, prontos para agarrar. Se Sathia de fato preferia enfrentar o que se escondia naquela caverna em vez de os gêmeos assassinos, talvez fosse dever de Bryce descer a porrada quando voltasse, em nome dela e de todas as fêmeas.

Isso se eles voltassem.

— Certo — disse Hunt —, segundo Declan, o túmulo de Pelias e o local de descanso da Áster ficam bem no centro da rede de cavernas. — Eles pegaram comida e água com os funcionários da cozinha, que foram pegos de surpresa, para prepararem-se para a viagem de alguns dias. — Mas há muitas coisas que vão tentar nos devorar pelo caminho.

Bryce ignorou seu estômago se revirando. Ela fora para outro mundo e enfrentara uma asteri, era capaz de lidar com alguns espíritos malignos e fantasmas. Tinha três machos fodões com ela. E Sathia. Ela conseguia fazer isso.

Bryce encarou os outros e estendeu a mão.

— Vai Time Cavernas no três?

Todos a olharam, mas não cobriram a mão dela com as deles. Nem mesmo Hunt, o maldito. Depois da transa na noite anterior, o mínimo que ele poderia fazer era contribuir com algum espírito de equipe. Mas ele a olhava, como se dissesse *Gravitas, Quinlan*.

Que se foda. Ela ergueu a mão no ar e gritou:

— Vaaaaai, Time Cavernas!

As palavras ecoaram nas pedras, na passagem e na escuridão enevoada. Pararam de repente, como se as próprias cavernas as tivessem devorado.

— Isso não é nada assustador — murmurou Hunt.

— Tudo normal — concordou Baxian.

— Não se preocupem — cantarolou Bryce. — Vou proteger vocês da caverna assustadora. — E, após dizer isso, ela caminhou para a escuridão.

* * *

Morven encurralou Ruhn do lado de fora do refeitório pouco antes de ele e seus amigos voltarem para os arquivos, após o café da manhã.

— Uma palavrinha — disse Morven, apontando um dedo para ele. O amontoado de sombras do dia anterior havia desaparecido, mas a coroa feita delas permanecia flutuando sobre a cabeça dele.

— E eu achando — falou Ruhn devagar, gesticulando para que Flynn e Dec continuassem andando — que eu nem existia pra você.

Morven o olhou com tanta frieza que fazia o pai de Ruhn parecer alegre em comparação. Mas Ruhn percebeu que o rei esperou para falar até que Lidia saísse pela porta, sem olhar para nenhum dos dois.

— Quais são as intenções da sua irmã ao vir para cá?

— Bryce já disse — disse Ruhn com firmeza. — Ela quer informações.

— A respeito do quê?

— Da espada e da faca, para começar. O restante é segredo. — *Babaca*, ele não precisou acrescentar.

Os olhos de Morven se tornaram mais escuros que a noite.

— E ela planeja reivindicar Avallen?

Ruhn começou a rir.

— O quê? Não. Se planejasse eu não te contaria, mas acredite em mim, esse lugar... — Ele olhou para o corredor, tão escuro quanto uma cripta. — Não faz o estilo dela. Se não acredita, pergunte ao meu pai.

— Isso é outra coisa que eu queria falar. Sua irmã deve ter feito alguma coisa com ele. De que outra forma teria o diário dele?

— Se fez, não envolveu tentar reivindicar a coroa. Ela não falou nada disso. — Ruhn olhou de cara fechada para o rei. — E de novo, se ela estivesse planejando algum tipo de golpe feérico, por que Inferno eu contaria pra você?

— Porque você é um feérico *verdadeiro*, não um semifeérico...

— Acho melhor tomar cuidado ao falar da minha irmã.

As sombras de Morven se reuniram ao redor de seus dedos e ombros. Sombras selvagens e raivosas que as de Ruhn se recusavam a enfrentar. Pareciam corrompidas, como as que Seamus e Duncan controlavam mentalmente.

— Você é Estrelado. Tem uma obrigação com nosso povo.

— Para fazer o quê?

— Para garantir que eles sobrevivam.

— Bryce é Estrelada também.

Ruhn, Dec e Flynn deram à irmã e aos outros todas as dicas que puderam sobre o que enfrentariam no labirinto escuro da Caverna dos Príncipes, mas a jornada deles pela rede de cavernas cheia de bruma foi tão caótica que tinham pouco a oferecer quando se tratava de uma rota direta para o túmulo de Pelias. Bryce não parecia muito preocupada, apesar do comentário que fizera na noite anterior a respeito do pouco tempo que tinham. Mas pode ser que ela só estivesse se fazendo de corajosa.

— Sim — zombou Morven —, e o que sua irmã fez com essa herança Estrelada além de demonstrar desprezo pelos feéricos?

— Você não sabe nada a respeito dela.

— Sei que ela cuspiu em sua linhagem feérica quando anunciou que se casaria com aquele *anjo*. — As sombras dele tremiam de raiva.

— Beleza — anunciou Ruhn, virando-se para ir embora. — Conversa oficialmente encerrada. Tchau.

Morven o agarrou pelo braço. Sombras deslizaram de sua mão para o antebraço de Ruhn, apertando com força.

— Depois de lidar com sua irmã ontem, orei a noite toda para Luna pedindo orientação. — Seus olhos brilhavam com um fervor fanático. — Ela me permitiu ver que você, apesar de suas... transgressões... é a única esperança que nosso povo tem para recuperar alguma credibilidade nas gerações futuras.

Ruhn enviou as próprias sombras pelo braço, mordendo as de Morven para se libertar com uma facilidade satisfatória.

— Luna não me parece do tipo que se rebaixaria para falar com idiotas como você.

Apesar das sombras retalhadas, Morven cravou os dedos no braço dele.

— Tem fêmeas aqui que...

— Não — Ruhn se livrou da mão do tio. Manteve uma parede de sombras às suas costas enquanto se afastava. — *Tchau.*

— Tolo egoísta — sibilou Morven. Ruhn poderia jurar que as sombras do rei também sibilaram.

Mas Ruhn ergueu o braço acima da cabeça e mostrou o dedo do meio, sem olhar para trás. Dec e Flynn o esperavam perto de uma fonte no pátio do lado de fora, a uma distância segura de Lidia.

— O que ele queria? — perguntou Flynn, acompanhando Ruhn.

— Não vale a pena explicar — respondeu Ruhn, mantendo os olhos na cúpula dos arquivos a algumas ruas de distância.

Declan perguntou a Lidia:

— Alguma chance de Morven ir correndo falar com os asteri?

— Ainda não — respondeu ela baixinho. — Bryce disse a verdade ontem... Ela soube lidar bem com ele — acrescentou, virando-se para Ruhn. — Você poderia aprender um pouco com sua irmã.

— O que isso quer dizer? — exigiu Ruhn.

Flynn e Dec fingiram estar ocupados olhando um açougue fechado enquanto passavam.

— Você é um príncipe — disse Lidia com frieza. — Comece a agir como tal.

52

Você é um príncipe. Comece a agir como tal.

Porra, Lidia sabia exatamente o que dizer para irritá-lo. Para fazer com que ele passasse todas as horas seguintes pensando nela, durante todas as infrutíferas buscas por qualquer informação a respeito das ilhas desaparecidas, de Áster, da faca ou daquela bruma.

Ela saiu para caminhar por meia hora e voltou, cheirando a mar, e ainda sem falar com ele.

— Você poderia, hum, falar com ela — disse Flynn ao lado de Ruhn, fechando mais uma gaveta inútil cheia de fichas de catálogo. — Consigo sentir você pensando, literalmente.

— Não estou pensando.

— Você está pensando — disse Declan, do outro lado de Ruhn.

— *Você* está pensando — disse Ruhn, acenando para a expressão tensa de Dec.

— Tenho bons motivos para isso. Não consigo entrar em contato com minha família ou Marc...

Ruhn se acalmou.

— Tenho certeza que eles estão bem. Você avisou para ficarem na surdina durante toda aquela merda no Mercado da Carne, e Sathia disse que os procurou. Marc vai garantir que eles permaneçam seguros.

— Ainda assim, não é fácil. Eu nem posso falar com eles porque estamos nesse parque medieval.

Ruhn e Flynn grunhiram em concordância.

— Este lugar é uma merda — disse Dec, e fechou com força a gaveta que estava vasculhando. — E o sistema de catalogação deles também. — Dec olhou para a ponta da longa mesa e gritou: — Alguma coisa?

Ruhn tentou, mas não conseguiu evitar olhar para Lidia. Ela havia pegado o final do catálogo, com certeza de propósito, e ainda não tinha dito uma palavra durante as horas que passaram juntos.

— Não — disse ela, e continuou o trabalho.

Beleza.

Tudo beleza.

* * *

— Bem — sussurrou Hunt, a voz ecoando na pedra preta lisa antes de ser engolida pelas densas brumas —, isso é assustador.

O cheiro de mofo e podridão já estava dando dor de cabeça, perturbando todos os instintos que o mandavam sair daquele espaço fechado e cheio de bruma e ir para o céu, para a segurança do vento e das nuvens...

— Se você já tiver visto um Verme de Middengard se alimentando — murmurou Bryce na escuridão densa, mal conseguindo afastar a bruma diante de seu rosto —, nada parece tão ruim.

— Não quero saber do que se trata — disse Baxian.

Hunt gostou de não precisar pedir para que Baxian ficasse do outro lado de Bryce. Tharion e Sathia vinham logo atrás, falando pouco enquanto o caminho surgia à frente deles. Ruhn dissera que os entalhes nas paredes começavam um pouco mais adiante, mas ainda não haviam encontrado qualquer indício. Apenas rocha — e bruma tão espessa que só conseguiam ver alguns metros à frente.

Bryce disse:

— Pense em uma minhoca com a boca cheia de fileiras duplas de dentes. Do tamanho de dois ônibus.

— Eu *disse* que não queria saber do que se tratava — resmungou Baxian.

— Não é tão ruim assim, comparado com algumas das outras merdas que já vi — Bryce continuou. E então concluiu que se eles a estavam seguindo naquela escuridão mortal, mereciam saber toda a verdade: — Eles têm uma coisa chamada Máscara... Uma ferramenta que pode literalmente ressuscitar os mortos. Sem precisar de necromantes. E sem que o corpo precise estar fresco também.

Todos olharam para ela.

— É sério? — perguntou Tharion.

Bryce assentiu com seriedade.

— Eu vi a Máscara ser usada para animar um esqueleto que estava morto há muito tempo. E ele tinha força o bastante para enfrentar o verme.

Hunt assobiou.

— Isso é uma magia letal muito poderosa.

Ele se absteve de reclamar por ela não ter mencionado isso antes, porque também não tinha contado que Rigelus se aproveitara de seu relâmpago para fazer algo parecido, e Baxian, felizmente, também não disse nada. Não faziam ideia do que tinha acontecido depois, mas não devia ser bom.

Outra coisa pela qual se redimir.

Tinha entendido o que Bryce estava tentando dizer na noite anterior. Todos tinham uma parte de culpa pelas ações em grupo. O que não o impedia de sentir uma culpa só dele. Não queria mais tocar no assunto. Não queria mais sentir.

— É — disse Bryce, continuando na escuridão —, os poderes daquele mundo feérico... superam as expectativas.

— E ainda assim os asteri querem mexer com eles de novo — comentou Baxian.

— Rigelus sabe guardar rancor — disse Bryce, parando de repente.

Todos os instintos de Hunt estavam em alerta.

— O quê? — perguntou ele, examinando a escuridão enevoada à frente. Mas Bryce fitava a parede à sua esquerda, onde se via um entalhe gravado com surpreendente precisão na pedra.

— Uma estrela de oito pontas — disse Baxian.

Bryce levou a mão ao peito, a sombra dos dedos projetada no brilho que surgia ali.

Hunt examinou a estrela e depois as imagens que começavam alguns metros adiante, mergulhando na bruma, como se aquele lugar marcasse o início de uma passarela. Bryce voltou a andar, virando a cabeça de um lado para o outro enquanto observava os entalhes ornamentados e artísticos ao longo da rocha preta. A única coisa que Hunt podia fazer era acompanhá-la, sem deixar que a bruma a ocultasse de vista.

Feéricos em armaduras elaboradas foram desenhados nas paredes, muitos segurando o que pareciam ser cordas de estrelas. Cordas amarradas em volta do pescoço de cavalos voadores, as feras gritando furiosas enquanto eram puxadas para o chão. Algumas afundavam no que parecia ser o mar, afogando-se.

— Uma caçada — disse Bryce baixinho. — Então os primeiros feéricos mataram todos os pégasos de Theia.

— Por quê? — perguntou Sathia.

— Eles não eram fãs das bonecas Luz Estelar Chique — sugeriu Hunt.

Mas Bryce não sorriu.

— Os entalhes são semelhantes aos das cavernas de Silene. A arte é diferente, mas o estilo de contar histórias é parecido.

— Faria sentido — disse Tharion, passando a mão em um cavalo que se debatia e se afogava —, considerando que a arte é da mesma época.

— Sim — murmurou Bryce, e continuou, sua luz estelar lançando um relâmpago através das brumas. Apontando para a frente. Não havia privacidade para encurralá-la e perguntar no que Inferno estava pensando, sobretudo quando algo nas sombras se moveu, à esquerda de Hunt.

Ele estendeu a mão por cima do ombro para pegar a espada, com o relâmpago de prontidão. Ou de tanta prontidão quanto poderia estar com o maldito halo limitando-o...

— Espíritos malignos — disse Baxian, desembainhando a espada rapidamente. As sombras se contorciam, sibilando como um ninho de cobras.

— Eles não estão se aproximando — sussurrou Sathia, seu medo denso como a bruma ao redor deles.

Hunt envolveu o punho com o relâmpago, as faíscas fazendo as paredes úmidas brilharem como a superfície de um lago. Mas a luz brilhou em Bryce e os espíritos malignos recuaram ainda mais.

— Benefícios de ser a Princesa Estrelada Superpoderosa com Magia Especial — falou Bryce devagar, caminhando sem se preocupar pelos cantos e alcovas na pedra repleta de espíritos malignos. — Ruhn disse que eles fugiram da luz estelar dele durante o Ordálio. Parece que também não curtem muito a minha.

Sathia passou pelo grupo de espíritos malignos mais próximo, mantendo-se um passo atrás de Bryce.

Uma mão com crostas e cor de azeviche saiu de um profundo nicho de sombras, com as unhas compridas e rachadas, cavando na pedra...

Antes que o relâmpago de Hunt o atingisse, a luz estelar de Bryce brilhou de novo. A mão recuou, um sibilar baixo ecoando nas pedras.

— Princesa Estrelada Superpoderosa com Magia Especial mesmo — comentou Hunt, impressionado.

Mas Bryce virou-se para as linhas que o espírito maligno havia escavado na rocha, passando a mão sobre elas. Ela esfregou os pedaços de poeira e detritos entre o indicador e o polegar, cheirou uma vez e depois desviou o olhar para Hunt.

— Flynn tem razão: não gosto daqui. — Ela lambeu, lambeu, *caralho,* a substância escura em seus dedos e fez uma careta. — Não. De jeito nenhum.

Sathia, ainda alguns passos atrás de Bryce, estremeceu.

— Você consegue sentir? Como... tudo parece morto? Como se tivesse algo em putrefação.

Hunt não fazia ideia de que Inferno a fêmea estava falando, e, pelas expressões chocadas de Tharion e Baxian, eles também não tinham entendido.

Bryce continuou avançando na escuridão e na névoa. Eles não tinham outra escolha senão ir atrás dela, permanecer naquela bolha protetora de luz estelar.

— Tem água mais à frente — disse Baxian, sua audição avançada captando o barulho antes que Hunt conseguisse ouvir. — Um rio... grande, pelo que parece.

Bryce olhou para Hunt.

— Ainda bem que temos dois caras bonitões com asas.

E lá estava de novo, o brilho nos olhos dela. Apareceu e sumiu, mas... ele quase podia ouvir as engrenagens do cérebro dela. Conectando alguns pontos que ele não conseguia ver.

— Fiquem por perto — murmurou Bryce, conduzindo-os mais fundo na caverna. — Tenho passado muito tempo no subsolo e posso afirmar que não há nada de bom vindo em nossa direção.

* * *

Flynn e Dec saíram para buscar almoço para todos, e Ruhn resignou-se a trabalhar em silêncio com Lidia, apenas o farfalhar de papel e o bater de gavetas inúteis como trilha sonora.

Ele não encontrou nada. Ela também não, foi o que Ruhn concluiu ao perceber alguns de sinais de frustração dela. Eram tão diferentes de seus suspiros satisfeitos e quase ronronantes, naquela vez em que ela esteve em seus braços e suas almas se fundiram, enquanto ele se movia dentro dela...

Primo.

Ruhn se virou devagar em direção à imponente porta aberta. Não tinha ninguém. Só o dia cinzento o esperava.

À sua esquerda.

Seamus encostou-se a uma pilha próxima, com os braços cruzados. Tinha uma faca presa ao peito largo, assim como décadas antes. Como naquela época, os cabelos do macho estavam cortados rente à cabeça — para evitar que um inimigo o agarrasse, Ruhn sabia. E se Seamus estava lá, significava...

À sua direita, Duncan falou entre mentes, e Ruhn virou o rosto para encontrar o irmão de Seamus inclinado na mesma posição, na pilha oposta. Em vez de uma adaga, Duncan carregava uma espada fina presa em suas costas.

Ruhn manteve os dois em sua linha de visão. *O que vocês querem?*

O instinto já mantinha sua mente protegida por estrelas e sombras, mas ele fez uma rápida varredura mental para garantir que suas paredes estavam intactas.

Duncan zombou. *Nosso tio nos mandou verificar se a fêmea estava se comportando bem.*

Ruhn olhou para Lidia, ainda pesquisando o catálogo. *Porra,* a mente dela estava desprotegida...

Na verdade, era quase natural pular na mente dela. Como se, de alguma forma, pudesse protegê-la deles.

Mas, do outro lado dessa ponte mental, uma parede de fogo ardia. Não era apenas fogo; era uma conflagração que girava nas alturas, como se gerasse seus próprios ventos e temperatura. O magma parecia agitar-se, visível através das rachaduras na tempestade rodopiante de chamas.

Bom, então ele não precisava se preocupar com ela.

Você estraga a nossa diversão, primo, disse Seamus.

Seria divertido vasculhar ela, acrescentou Duncan.

Ruhn olhou para os machos. *Caiam fora.*

A presença dela contamina este lugar, disse Seamus, olhando para Lidia e concentrando-se em suas omoplatas com uma intensidade que Ruhn não gostou nem um pouco.

A sua também, respondeu Ruhn.

Os olhos escuros de Seamus se voltaram para Ruhn mais uma vez. *Podemos sentir seu cheiro nela, sabe.* Os dentes de Seamus brilharam. *Me conta: foi como foder uma ceifadora?*

Um grunhido baixo escapou de Ruhn e Lidia se virou ao ouvir o som. Ela não demonstrou surpresa. Como se estivesse ciente da presença deles o tempo todo e à espera de algum tipo de sinal para interferir.

Ela olhou com frieza para os primos dele.

— Seamus. Duncan. Agradeço se ficarem fora da minha mente.

Seamus se irritou, pura ameaça feérica.

— Alguém falou com você, vadia?

Ruhn cerrou a mandíbula com tanta força que doeu, mas Lidia ergueu os olhos dourados para os príncipes gêmeos e disse:

— Devo demonstrar como *faço* machos que nem vocês falarem comigo?

Duncan rosnou.

— Sorte sua que nosso tio mandou que ficássemos longe. Ou a gente já teria avisado para os asteri que você está aqui, Corça.

— Bons garotos — ironizou Lidia —, vou me certificar de dizer ao Morven que vocês merecem um petisco.

Os lábios de Ruhn se contraíram. Mas... ela tinha dito que ele deveria agir como um príncipe. Então ele treinou sua expressão para assumir uma naturalidade fria. Uma máscara tão dura quanto a de Lidia.

— Diga a Morven que se precisarmos da ajuda dele, vamos pedir — disse ele aos primos.

A dispensa teve um impacto mais profundo do que qualquer provocação. Duncan se afastou da estante, a mão fechada ao lado do corpo, sombras envolvendo os nós dos dedos. Mais escuras e mais selvagens que as de Ruhn. Como se tivessem sido capturadas em uma noite de tempestade.

— Você é uma vergonha para o nosso povo — disse Duncan —, uma desgraça.

Seamus caminhou até seu gêmeo, o rosto idêntico exibindo um desdém similar.

— Não perca seu tempo com ele.

Seamus falou entre mentes com Ruhn: *Você vai ter o que merece.*

Ruhn manteve o rosto impassível, *principesco*, alguns diriam.

— Bom ver vocês dois.

Mais uma vez, o fato de não revidar só os deixou ainda mais furiosos, e seus dois primos rosnaram antes de se unirem e saírem dos arquivos.

Só quando desapareceram pelas portas maciças é que Ruhn disse baixinho a Lidia:

— Você está bem?

— Sim — respondeu ela, seus olhos dourados encontrando os dele. Ruhn não conseguia respirar. — Eles não são diferentes de nenhum outro bruto que encontrei. — Como Pollux. Ela voltou para o catálogo. — Eles se dariam bem com os triários da Sandriel.

— Devo lembrar que boa parte desse triário está do nosso lado desde então — disse Ruhn. Mas ele não conseguia pensar em mais nada para dizer, e o silêncio voltou a reinar, dentro de sua cabeça e nos arquivos, então ele voltou a procurar.

Depois de longos minutos, tornou-se insuportável. O silêncio. A tensão. E para dizer alguma coisa, para acabar com aquela miséria, ele perguntou:

— Por que fogo?

Ela se virou devagar para ele.

— O quê?

— Você sempre apareceu como uma bola de fogo para mim. Por quê?

Ela inclinou a cabeça, um brilho fraco nos olhos.

— As estrelas e a noite já tinham sido reivindicadas. — Ela sorriu, e ele sentiu um alívio no peito com esse pouco de normalidade. De como era quando eles eram só Day e Night. Apesar de não querer, ele percebeu que sorria de volta.

Mas ela o observou.

— Como...

Ele encontrou seus olhos grandes e penetrantes.

— Como o quê?

— Como você ficou assim? — perguntou ela, a voz suave. — Seu pai é...

— Um idiota psicótico.

Ela riu.

— Sim. Como você escapou da influência dele?

— Meus amigos — explicou ele, apontando para a porta pela qual haviam saído. — Flynn e Dec me mantiveram são. Me deram perspectiva. Bem, o Flynn talvez não, mas o Dec sim. E ele ainda faz isso.

— Ah.

Ele se permitiu observar o rosto dela, sua expressão. Notou a sua preocupação e perguntou:

— Como foi com seus filhos antes de a gente ir embora ontem? — Ele soube que ela tinha ido se despedir, mas não soube como foi o encontro. E dada a aparência perturbada de seu rosto quando saíram do *Cargueiro das Profundezas*...

— Ótimo. — A resposta foi concisa o suficiente para que ele acreditasse que ela não falaria mais nada, porém Lidia se corrigiu. — Terrível. — Um músculo latejou em sua mandíbula. — Acho que Brann gostaria de me conhecer, mas Ace... Actaeon... Ele me detesta.

— Essas coisas levam tempo.

Ela mudou de assunto.

— Você acha que sua irmã vai mesmo encontrar alguma coisa que seja útil contra os asteri?

Levando em conta a quantidade de pessoas que devem ter procurado por essa mesma coisa ao longo dos séculos, Ruhn não se ressentiu da pergunta.

— Conhecendo Bryce, imagino que esteja tramando algo. Ela sempre tem cartas escondidas na manga. Mas... — Ele suspirou. — Agora que ela está na porra da Caverna dos Príncipes, parte de mim não quer saber o que essas cartas podem implicar.

— Sua irmã é uma força da natureza. — Não havia nada além de admiração naquelas palavras.

O peito dele quase explodiu de orgulho diante do elogio, mas a resposta de Ruhn foi simples:

— Ela é.

E não disse mais nada.

Mas o silêncio que se seguiu foi diferente. Mais leve. E ele poderia jurar que pegou Lidia olhando para ele com a mesma frequência com que ele olhava para ela.

* * *

Ithan caminhou pelos corredores da Casa de Chama e Sombra, com Hypaxia ao seu lado, a barriga cheia e satisfeita depois de um café da manhã surpreendentemente bom no refeitório escuro. Eles chegaram tão cedo que a maioria das pessoas ainda não estavam lá.

Ele comeu muito, até mesmo para ele, mas como partiriam para Avallen no dia seguinte, queria estar tão abastecido quanto possível. A exigência era de que partissem *imediatamente*, mas pelo que disseram, Jesiba precisava providenciar transporte e permissão para entrarem na ilha, e como eles não iriam contar a ninguém o verdadeiro motivo da viagem, ela também precisou tecer uma teia de mentiras para quem quer que fosse seu contato na ilha feérica.

Mas logo ele poderia corrigir esse terrível erro. Eles encontrariam o corpo de Sofie, pegariam seu relâmpago e então consertariam tudo. A esperança era pouca, mas ele se agarrava a ela mesmo assim. Era o que o impedia de desmoronar na mais absoluta ruína.

Ainda bem que tinha ao seu lado a fêmea que não pensou duas vezes antes de ajudá-lo tantas vezes. Era por causa dela que ele se obrigava a manter o tom leve enquanto passava a mão na barriga cheia e dizia:

— Você sabia que a comida aqui era tão boa?

Hypaxia sorriu.

— Por que você acha que desertei com tanta facilidade?

— Entrou nessa pela comida, é?

Hypaxia sorria, e ele sabia que aquela era uma expressão rara para a rainha solene.

— Eu *sempre* topo qualquer coisa pela...

Um tremor ressoou pelos corredores escuros, nuvens de poeira caindo do teto. Ithan manteve o equilíbrio, segurando Hypaxia pelo cotovelo para firmá-la.

— Que porra foi essa? — murmurou Ithan, examinando a pedra escura acima deles.

Outro estrondo, e Ithan começou a correr, Hypaxia logo atrás dele, em direção ao escritório de Jesiba. Ele passou pelas portas duplas um momento depois, revelando Jesiba em sua mesa, o rosto tenso, os olhos arregalados...

— O que Inferno está rolando? — exigiu saber Ithan, correndo o feed aberto no computador dela, em que era possível ver bombas explodindo.

Outro impacto atingiu o lugar e Ithan fez sinal para Hypaxia ficar embaixo da mesa. Mas a antiga rainha-bruxa não obedeceu. Ela perguntou:

— Essas imagens são daqui de cima?

— Não — respondeu Jesiba, com a voz tão rouca que quase parecia uma ceifadora. — Barcos ômega atracados no Istros. — No computador, edifícios desmoronavam. — Os lançadores de convés deles acabaram de disparar mísseis de enxofre nos Prados de Asphodel.

53

Ithan e Hypaxia corriam pela cidade, os quarteirões lotados de moradores e turistas em pânico ou em um silêncio assustador e absoluto. Pessoas sentadas nas calçadas em estado de choque. Ithan se preparou para o que encontraria no bairro a nordeste, mas não foi o suficiente para o terror de ver humanos ensanguentados, parecendo fantasmas devido à poeira e às cinzas que os cobriam, correndo desesperados. Crianças aos berros em seus braços. Conforme entrava nos Prados de Asphodel, as ruas rachadas estavam cobertas de corpos imóveis e silenciosos.

Mais adiante nas ruínas que exalavam fumaça, viu carros derretidos. Pilhas de entulho onde antes ficavam edifícios. Corpos carbonizados. Alguns deles eram tão pequenos que era quase impossível suportar a visão.

Ele vagou para algum lugar muito, muito longe de si mesmo. Não ouvia as sirenes que soavam ou os prédios que ainda caíam. Ao lado dele, Hypaxia não dizia nada, o rosto rígido marcado por lágrimas silenciosas.

Mais perto da origem das explosões não havia nada. Nem corpos, nem carros, nem edifícios.

No coração dos Prados de Asphodel, não havia sobrado nada além de uma cratera enorme ainda fumegante.

Os mísseis de enxofre eram tão quentes, tão letais, que derreteram tudo. Qualquer um que tivesse sido atingido morreria no mesmo instante. Talvez ser eliminado tão rápido fosse um golpe de misericórdia.

Ser apagado antes de entender o pesadelo que se desenrolava à sua volta. Antes de poder sentir medo.

O instinto de lobo de Ithan aguçou seu foco. Fez com que ele virasse de repente enquanto via Hypaxia tirar um frasco de poção de cura primalux de sua bolsa e corria até os humanos mais próximos, além do raio da explosão — dois jovens pais e uma criança pequena, cobertos da cabeça aos pés com poeira cinza, agrupados na porta de um edifício que tinha desabado parcialmente.

Ainda que Hypaxia tivesse aberto mão de ser rainha, ela era, antes de mais nada, uma curandeira. E com seu treinamento do Aux e de matilha, Ithan também poderia fazer a diferença. Mesmo sendo um lobo sem matilha, um exilado e assassino em desgraça. Ele ainda poderia ajudar. Ainda *ajudaria*, não importava como o mundo o chamasse. Não importava as coisas imperdoáveis que tinha feito.

Então Ithan correu em direção ao humano mais próximo, uma adolescente com uniforme escolar. Os filhos da puta escolheram atacar pela manhã, quando a maioria das pessoas estaria nas ruas a caminho do trabalho, crianças indo para a escola, todas elas indefesas ao ar livre...

Ele deixou escapar um rosnado e a garota, com a testa sangrando e parte do corpo presa sob um bloco de cimento, se encolheu. Ela tentou empurrar o bloco de cimento, tirá-lo de suas pernas, mas era ele — a presença *dele* que a assustava...

Ele reprimiu o lobo e a raiva dentro de si.

— Ei — disse ele, ajoelhando-se ao lado dela, pegando o bloco de cimento. — Eu vim ajudar.

A garota parou de tentar empurrar o bloco de concreto e ergueu os olhos ensanguentados para Ithan, que o removeu com facilidade de suas canelas. A perna esquerda dela estava quebrada.

— Hypaxia! — gritou ele para a bruxa, que já estava em pé.

Mas a garota agarrou a mão de Ithan, o rosto pálido enquanto perguntava:

— Por quê?

Ithan balançou a cabeça, incapaz de encontrar as palavras para responder. Hypaxia se jogou de joelhos diante da garota, pescando outro frasco de primalux de sua bolsa. Um dos poucos, Ithan viu com um sobressalto. Eles precisariam de muito mais.

Mas mesmo que todas as medbruxas da Cidade da Lua Crescente fossem até ali... seria o suficiente?

Seria o suficiente para curar o estrago que fora feito?

* * *

— Você está entendendo alguma coisa? — perguntou Hunt a Tharion enquanto eles estavam na margem de um rio largo e profundo que corria nas cavernas. Parada a poucos metros de distância, Bryce deixou os machos conversarem enquanto analisava o rio, com a névoa bloqueando sua origem e fim. Os entalhes na parede continuavam do outro lado do rio. O lugar cheirava a mofo e umidade.

Até aquele instante, não tinham encontrado qualquer informação nova a respeito das lâminas, da bruma ou do que ajudasse a acabar com os asteri, mas ela guardava em sua mente tudo o que via.

— Não — disse o tritão. Bryce o ouvia, em partes. — Minha magia só sente que está... frio. E flui por todas essas cavernas.

— Acho que isso é bom — disse Baxian, dobrando as asas. Ele piscou para Bryce, chamando a atenção dela. — Nada de vermes nadando por aí.

Bryce franziu a testa.

— Você não estaria brincando se tivesse visto um. — Ela não esperou o Cão do Inferno responder antes de dizer para ele e Hunt: — Asas levantadas para nos carregar?

Com a mente a toda, ela mal conseguia conversar enquanto eles atravessavam o rio, desajeitados, Hunt carregando Sathia e Bryce enquanto Baxian carregava Tharion. Bryce estendeu sua bolha de luz estelar para que todos pudessem permanecer dentro dela, o que era o máximo de atividade extra com a qual poderia se preocupar enquanto observava os entalhes.

Eles não contavam a mesma história que Silene havia narrado. Não havia qualquer menção a um mal que dormia sob seus pés. Só um rio de luz estelar, no qual os antigos feéricos, ao que parecia, arrastaram aqueles pégasos para que se afogassem.

Sim, os feéricos dali não eram nem um pouco melhores do que aqueles no mundo de Nestha.

Eles caminharam por horas e horas, quilômetros e quilômetros. Paravam de vez em quando, alternando quem vigiava e quem dormia, por mais que cair no sono fosse difícil.

Os espíritos malignos espreitavam em fendas e alcovas ao redor, restos de sombras malévolas. Eles sibilavam com sede de sangue quente — e com medo da luz estelar de Bryce. Somente alguém com o dom Estrelado — ou sob a proteção de alguém que tivesse tal dom — poderia sobreviver ali.

Ela carregava a Áster nas costas e a adaga em seu quadril. Faziam cada passo ser mais pesado, travando uma estranha batalha para se aproximarem uma da outra, e a atração ficava mais intensa conforme avançavam caverna adentro.

Bryce as ignorou e, em vez disso, continuou analisando os entalhes nas paredes. No teto, imagens brutais esculpidas com cuidado e precisão: batalhas impiedosas e intermináveis e derramamento de sangue. Cidades em ruínas. Terrenos que desmoronavam. Tudo caindo naquele rio de luz estelar, como se o poder Estrelado os tivesse varrido em uma grande maré de destruição.

— Eu tenho uma dúvida. — A voz de Sathia ecoou pelo túnel. — Que pode ser considerada impertinente.

Bryce riu.

— Não ficou sabendo? Esse é o lema do Time Cavernas.

Sathia acelerou o passo até ficar ao lado de Bryce.

— Bem, você parece não querer nada com os feéricos.

— Bingo — disse Bryce.

— Mesmo assim você está aqui, carregando nossos dois artefatos mais sagrados...

— Três, se contar o Chifre nas minhas costas.

O silêncio atordoado de Sathia pareceu ecoar pela caverna.

— O... o *Chifre?* Como?

— Uma tatuagem mágica chique — explicou Bryce, balançando a mão. — Mas pode continuar.

Sathia conseguiu voltar a falar.

— Você tem *três* de nossos artefatos mais sagrados. E ainda assim, seu plano é... o que você quer fazer com os feéricos?

— Nada — respondeu Bryce. — Você tem razão: não quero nada com eles. — Os entalhes ao redor deles só fortaleciam essa determinação. Ainda mais aquele que mostrava o massacre dos pégasos. Ela olhou de soslaio para a fêmea. — Sem ofensa.

Mas Sathia perguntou:

— Por quê?

Bryce não estava nem um pouco a fim daquela conversa, e o jeito como olhou para a fêmea demonstrava isso. Mas Sathia retribuiu o olhar, com franqueza e sem medo.

Então, Bryce suspirou.

— Os feéricos não são... meu povo favorito. Nunca foram, mas ficou ainda pior depois da última primavera. Eu não quero, *de verdade,* ter nada a ver com um grupo de covardes que trancou inocentes para fora no dia em que os demônios invadiram nossa cidade, e que parecem decididos a repetir o feito e em uma escala muito maior aqui em Avallen.

— Alguns de nós não tivemos escolha a não ser ficar trancados em nossas casas — retrucou Sathia com firmeza. — Meus pais me proibiram de...

— Eu nunca deixei que qualquer tipo de proibição me impedisse de fazer o que precisava — provocou Bryce.

Sathia a olhou feio, mas continuou.

— Se você... se nós... sobrevivermos a tudo isso, o que vai acontecer?

— Como assim, *o que vai acontecer*?

— O que você vai fazer com a espada e a adaga? Com o Chifre? Digamos que suas esperanças mais fantasiosas a respeito dos asteri se concretizem e a gente consiga encontrar o tal conhecimento, seja aqui ou nos arquivos, que pode nos ajudar a derrotá-los. Quando eles tiverem ido embora, você vai guardar esses objetos e não vai mais querer saber do seu povo?

— Você está querendo dizer que eu não deveria ficar com eles?

— Eu estou perguntando qual é *seu* plano, o que quer fazer com eles, da sua vida.

— O lema do Time Cavernas mudou — anunciou Bryce. — Agora é *cuide da sua vida.*

— Eu estou falando sério — ratificou Sathia, sem aceitar aquele papo de Bryce nem por um segundo. — Você vai abandonar tudo?

— Não vejo motivos para continuar por perto — respondeu Bryce com frieza. — E nem sei por que você ia querer isso. Para eles, você tem o mesmo valor que um móvel. Para o Rei Outonal, para o Morven, para o seu pai. Seu único valor vem do seu potencial reprodutivo. Pouco importa se você é inteligente, corajosa ou gentil. Só querem saber do seu útero, e que Luna te poupe de ter problemas nesse quesito.

— Eu sei — respondeu Sathia, a voz também fria. — Já sei de tudo isso desde que era criança.

— E você aceita? — rebateu Bryce, incapaz de conter a aspereza em sua voz. — Você aceita ser usada e tratada dessa forma? Como se valesse menos do que eles? Você aceita não ter direitos e não decidir seu próprio futuro? Concorda com uma vida em que deve pertencer aos seus parentes machos ou ao seu marido?

— Não, mas é a realidade em que nasci.

— Bom, agora você é a Sra. Ketos — disse Bryce, acenando de volta para Tharion, que as observava com atenção. — Melhor se preparar para essa realidade.

— E o que *isso* quer dizer? — protestou Tharion.

Mas Sathia ignorou as provocações de Bryce e perguntou:

— O que você vai fazer com os feéricos?

— *Fazer?* — questionou Bryce, parando.

Sathia não recuou.

— Com todo o seu poder. Com quem você é, com o que você carrega.

Hunt assobiou baixo em advertência.

Mas Bryce fervia de raiva quando respondeu Sathia.

— Eu só quero que os feéricos me deixem em paz, porra. E eu também vou deixá-los em paz.

Sathia apontou para a Áster nas costas de Bryce.

— Mas a profecia... quando essas lâminas estiverem reunidas, nosso povo também estará. Só pode ser sobre você, unindo todos os povos feéricos...

— Eu já fiz isso — cortou Bryce —, conectei os feéricos de Midgard aos do nosso mundo natal. Profecia cumprida. Ou você esperava que outra coisa acontecesse?

O olhar de Sathia era de puro ódio. Uma fêmea indomada, apesar da vida que levava.

— Eu estava torcendo por uma rainha feérica. Alguém capaz de mudar as coisas para melhor.

— Mas em vez disso, recebeu a mim — rebateu Bryce, e continuou avançando na escuridão, mãos fechadas ao lado do corpo. Talvez usasse o poder do laser para arrancar aqueles entalhes da parede. Com a mesma facilidade com que Rigelus destruíra as estátuas do Palácio Eterno. Talvez ela enviasse uma explosão de luz tão cruel que destruiria todos os espíritos malignos ao seu redor. — Os feéricos cavaram a própria cova. Agora podem se deitar nela.

Sathia não falou mais nada.

Hunt acompanhou Bryce, colocando a mão em seu ombro como se quisesse oferecer apoio, mas ela poderia jurar que até mesmo seu parceiro estava decepcionado com ela.

Tanto faz. Se eles queriam preservar uma linhagem longa e toda ferrada de tiranos feéricos, que o fizessem por conta própria.

* * *

Flynn e Dec abandonaram Ruhn assim que saíram dos arquivos, para que ele e Lidia dividissem uma refeição dolorosamente silenciosa na sala de jantar vazia do castelo.

Ele tinha tantas coisas para perguntar, para conversar, tantas coisas que queria saber. Mas não conseguia encontrar as palavras certas. Então, tudo o que fazia era comer, o barulho insuportável do garfo batendo no prato, cada mordida como vidro quebrando. E quando terminaram, voltaram para seus quartos em silêncio, cada passo ecoando no corredor, alto como um trovão.

Mas antes de se separarem, quando Ruhn estava prestes a entrar em seu quarto, ele deixou escapar:

— Você acha que minha irmã está bem?

— Você já esteve na Caverna dos Príncipes antes, não eu — disse Lidia, mas virou-se para ele. — É você quem tem que me dizer.

Ele balançou a cabeça.

— Para ser sincero, eu não sei. Tem muita coisa rolando com a Bryce agora. Essas cavernas são confusas, na melhor das hipóteses. Se não tiver foco total, elas podem ser letais.

Lidia cruzou os braços.

— Bem, tenho fé que entre ela, Athalar e Baxian, sua irmã vai ficar bem.

— Tharion vai ficar ofendido.

— Não conheço Ketos o bastante como guerreiro para julgá-lo.

— Ithan Holstrom o chama de Capitão Qualquer Coisa, mas acho sacanagem com ele. Quando quer, Tharion sabe ser bem durão.

Ela sorriu e, caramba, aquilo provocava sensações estranhas em Ruhn. Ela repetiu:

— Sua irmã vai ficar bem.

Ele assentiu com um suspiro.

— Você e Hypaxia têm algum contato?

— Não. Não desde o baile.

Antes que pudesse pensar melhor, ele já estava perguntando:

— Naquela noite... você ia me encontrar no jardim?

A surpresa invadiu o olhar dela e depois desapareceu. Lidia franziu a boca, como se estivesse pensando bem no que deveria responder.

— A Harpia chegou antes de mim — disse, por fim.

Ele deu um passo em direção a ela, o corredor ficando pequeno demais de repente.

— Mas você ia aparecer, como tínhamos combinado?

— Isso importa?

Ele ousou dar outro passo. Não tinha notado como os quadris dela eram largos, tão convidativos, antes de chegarem na cintura.

Ele abriu e fechou as mãos, se odiando pela onda de luxúria que o dominou, quase tirando todo o ar de seus pulmões. Ele a queria. Queria que ela estivesse nua embaixo dele, gemendo seu nome, queria que ela contasse *tudo* para ele e queria... queria a amiga de volta. A amiga com quem podia conversar com toda a sinceridade, que sabia coisas a respeito dele que ninguém mais sabia.

Ele deu mais um passo e percebeu que ela tremia. Se era de medo ou por ter que se conter, não saberia dizer.

— Lidia — murmurou ele, enfim parando em frente a ela, e Lidia fechou os olhos, engolindo em seco.

O cheiro dela mudou — como flores desabrochando em uma manhã de sol. Aquele cheiro era um tesão. O pau dele latejava tanto que chegava a doer.

Não importava que estivessem no meio do corredor, os primos terríveis à espreita. Ele colocou a mão na cintura dela, quase gemendo com a curva acentuada de seu corpo, que se encaixou com perfeição na mão dele.

Ela ficou de olhos fechados, os batimentos ainda acelerados. Então, ele usou a outra mão para inclinar a cabeça dela. Abaixou-se e esfregou a boca naquele ponto vibrante.

Ela ficou ofegante e ele quase sentiu os olhos saírem da órbita. O gosto dela... porra! Ruhn queria mais. Seus dentes roçaram a pele macia do pescoço de Lidia, a língua deslizando para logo abaixo da orelha. O pau dele pulsava em resposta.

Ela relaxou, dócil nas mãos dele, inclinando mais a cabeça. Um convite. Ele lambeu a base do pescoço dela, deslizando a mão da cintura para sua bunda...

Ela enrijeceu. Se afastou.

Como se tivesse que se conter. Como se tivesse lembrado quem ela era. Quem ele era.

Ele ficou ali parado que nem um idiota, ofegante, o pau duro pressionado contra a calça enquanto ela... o encarava. Com os olhos arregalados.

— Eu... — Ele não fazia ideia do que dizer. Do que fazer.

Sua cabeça girava. Aquela fêmea tinha tanto sangue nas mãos, mas...

— Boa noite — disse ele, e voltou para o quarto antes de começar a pagar de bobo, ainda mais.

Ela não o impediu.

54

Deitada no chão duro e frio, Bryce tentava fingir que estava de volta à cama, que não tinha uma pedra cutucando o osso de seu quadril, que o braço era o *mais* confortável de todos os travesseiros...

Pela forma como Sathia se revirava por perto, ela sabia que a fêmea também não estava conseguindo arranjar uma posição para dormir.

Hunt adormeceu quase de imediato, a respiração profunda em um ritmo suave no qual ela tentava se concentrar, para cair no sono. Ela acreditava que os dias de guerreiro fizeram com que ele se acostumasse a condições difíceis como aquelas, mas... não era bem assim. Não quis pensar em tudo o que Hunt havia passado, tudo o que fazia com que dormir naquela superfície dura fosse fácil para ele. Sobretudo quando era óbvio que ele estava remoendo uma culpa que não deveria ser só dele.

Tinha sido mais fácil no mundo feérico, porque ficava tão cansada que não havia outra escolha *a não ser* dormir. Mas ali, por mais que estivesse protegida por Baxian, que estava de vigia, o sono parecia distante.

Bryce deitou de costas, sua luz estelar se mexendo com ela, transmitindo cada um de seus movimentos como um farol. Porra, como ia conseguir dormir com *aquele* farol em seus olhos...

Ela olhou para o teto, com entalhes que pareciam ser os galhos de uma floresta. Um trabalho lindo e notável que nunca foi documentado, nunca foi revelado ao mundo. Apenas a poucos machos feéricos da realeza que vinham à procura da Áster.

Espada essa que agora se encontrava à sua esquerda, uma presença vibrante e pulsante estimulada pela Reveladora da Verdade à sua direita, pulsando em resposta. Como se as lâminas estivessem conversando.

Que ótimo. Era como uma festa do pijama. Bryce ignorou a tagarelice das lâminas como podia, voltando seu foco para as cavernas e os entalhes.

Fêmeas nunca tiveram permissão para entrar, mas agora havia *duas* fêmeas feéricas ali. Torcia para que todos os príncipes há muito falecidos e enterrados nas cavernas estivessem se revirando em seus sarcófagos.

Tanto medo das fêmeas, tanto ódio. Por quê? Por causa de Theia? Foi Pelias quem fundou a linhagem Estrelada de Midgard. Todas as proibições e restrições eram fruto do medo de que surgisse alguém como ela?

Bryce acreditava que acadêmicos e ativistas tenham passado séculos pesquisando e debatendo o assunto, então a probabilidade de que ela encontrasse alguma resposta, mesmo sabendo a verdade a respeito de Theia, era quase nula. O que não tornava tudo aquilo mais fácil de engolir.

Então, ela se deitou de lado, olhando para o rio esculpido de estrelas, iluminado por sua luz estelar. O rio de sua linhagem, destinado a durar milênios. Sangue de seu sangue, em forma literal e cheia de estrelas. A linhagem dela corria por aquelas cavernas. Uma herança de dor e crueldade.

Desejou que Danika estivesse com ela. Se tinha alguém que poderia entender a complexidade de uma herança de merda dessas, o peso de ter o futuro de um povo em seus ombros, era Danika.

Danika, que desejava mais para este mundo, para Bryce.

Acenda.

Mas talvez os feéricos e sua linhagem não merecessem a luz de Bryce. Talvez eles merecessem cair na escuridão eterna.

* * *

Flynn e Dec, os desgraçados, não apareceram para o café da manhã. Ruhn e Lidia tiveram que comer a sós de novo.

Ruhn passara a maior parte da noite acordado, o pau duro e latejando — e depois, preocupado com o que Bryce e os outros estavam enfrentando na Caverna dos Príncipes. Talvez tivesse sido melhor ir com eles. Talvez ficar ali tivesse sido covardia, por mais que precisassem das informações que havia nos arquivos. Flynn e Dec poderiam ter encontrado.

As portas da sala de jantar se abriram quando estavam terminando a refeição, e Ruhn se preparou para ver um dos primos babacas. Mas um macho feérico alto entrou, olhando em volta antes de fechar a porta com cuidado. Como se não quisesse ser visto.

— Lidia Cervos. — A voz do macho tremeu.

Ruhn levou a mão até a faca em sua bota enquanto o macho se aproximava da mesa. Lidia o observava com uma expressão impassível.

Ruhn tentou, sem conseguir, controlar seus batimentos. Abriu a boca. Ia mandar o estranho dizer quem era, exigir que fosse embora...

— Eu vim agradecer — disse o macho, e enfiou a mão no bolso.

Ruhn sacou a faca, mas o macho puxou apenas um pedaço de papel.

Um pequeno retrato de uma fêmea e três crianças pequenas. Todos feéricos.

Mas Lidia não olhou. Como se ela não pudesse suportar.

O macho disse:

— Há dez anos, você salvou minha vida.

Ruhn não sabia o que fazer, como se mexer. Lidia continuava olhando para o chão.

O macho continuou:

— Minha unidade ficava na base de Kelun. Você entrou de repente no meio da noite e achei que íamos todos morrer. Mas você nos disse que o Martelo estava chegando... que a gente precisava fugir. Nós sete estamos vivos hoje, com nossas famílias, graças a você.

Lidia assentiu, mas seu movimento parecia dizer *obrigada, por favor, pare.*

Não por humildade ou vergonha, mas pela dor estampada em seu rosto abaixado. Como se não conseguisse aguentar ouvir tudo aquilo.

Ele estendeu de novo o retrato da família.

— Achei que você ia gostar de ver o resultado das suas escolhas naquela noite.

Mesmo assim, Lidia não ergueu o rosto. Ruhn não conseguia se mover. Não conseguia respirar.

O macho continuou:

— Alguns dos que faziam parte daquela unidade ainda estão aqui, em segredo. O príncipe Cormac nos convenceu a nos juntarmos à causa. Mas nunca contamos nem para ele nem para ninguém quem foi que nos salvou. Não queríamos comprometer o que você estava fazendo, seja lá o que fosse. Mas ouvimos dizer que você, ou melhor, a Corça tinha desafiado os asteri, retomamos o contato entre nós.

O macho, enfim notando o desconforto de Lidia, acrescentou:

— Talvez seja muito cedo para você reconhecer tudo o que fez, as vidas que salvou, mas... só queria dizer que somos muito gratos. Temos uma dívida com você.

— Não têm dívida nenhuma — respondeu Lidia, por fim, olhando nos olhos do macho. — É melhor você ir embora.

Ruhn ficou sem reação diante da rejeição, mas Lidia explicou:

— Imagino que você tenha mantido suas atividades e associações em segredo, que Morven não saiba de nada disso. É melhor não arriscar irritá-lo agora.

O macho assentiu, entendendo.

— Obrigado — repetiu ele, e depois foi embora.

No silêncio que se seguiu, Ruhn perguntou:

— Você deixou que eles vissem quem você era de verdade?

— Ou eu arriscava ter minha identidade revelada ao mundo ou os deixava para morrer — explicou Lidia baixinho, enquanto se dirigiam para a porta. — Não ia conseguir viver em paz se tivesse escolhido a segunda opção.

Ruhn arqueou uma sobrancelha.

— Longe de querer ser insensível, mas por quê? Eles eram só sete. Não faria diferença nenhuma na rebelião.

— Talvez não para a Ophion como um todo, mas teria feito diferença para a família deles. — Ela não olhou para ele. — Parceiros, parceiras, filhos, pais... todos aqueles que esperavam que voltassem em segurança.

— Não pode ser só isso — pressionou ele. — Você tinha muita coisa em jogo.

Ela abriu a porta e não voltou a falar até que estivessem no corredor.

— Acho que, no fundo, eu esperava que... se meus filhos estivessem em uma situação parecida, alguém fizesse o mesmo por eles.

Ele sentiu uma pontada no peito ao ouvir aquelas palavras, a verdade contida nelas.

— Você passou por muitos momentos difíceis, Lidia. Caramba, acho que eu não conseguiria passar por nada disso. Mas o que você fez foi incrível. Não se esqueça.

— Eu poderia ter salvado ainda mais — disse ela baixinho, os olhos grudados no chão enquanto caminhavam pelo corredor vazio. — Eu deveria ter salvado ainda mais.

* * *

Lidia não fazia ideia do que pensar do encontro com o ex-rebelde naquela manhã.

Talvez Urd o tivesse enviado para fazê-la lembrar que as escolhas e os sacrifícios que fizera tinham, de alguma forma, feito diferença no mundo. Por mais que a tivessem destruído.

A Rainha do Oceano não a deixou escolher se poderia ou não ficar no navio, nem doze anos antes nem naquele instante. Mas ali, naquela ilha feérica tão sem graça... ao menos podia encontrar pessoas que colheram os benefícios da posição horrível em que ela fora colocada.

Flynn e Declan ainda não tinham chegado aos arquivos, e o silêncio se tornava insuportável enquanto ela e Ruhn iniciavam a busca; os únicos aromas eram das fichas de catálogo mofadas e do cheiro convidativo e tranquilizador de Ruhn. Lidia se pegou falando para a fileira de fichas do catálogo:

— Vou ver se encontro café. Quer vir?

Ruhn olhou para ela e, pelos deuses, ele era lindo. Ela nunca se permitia pensar na beleza dele. Mesmo com aquelas tatuagens tão finas, a prova do que Pollux fizera...

Seus olhos azuis piscaram, como se notasse o rumo dos pensamentos dela.

— Com certeza, vamos lá.

Até o jeito de falar, o timbre da voz... ela poderia se deleitar nisso o dia todo. E quando ele a tocou na noite anterior, lambendo-a...

Será que sabia como ela chegou perto de implorar que ele arrancasse as roupas dela, que a lambesse da cabeça aos pés, demorando-se mais no meio das pernas?

— Por que você está me olhando assim? — perguntou Ruhn, a voz baixa, grossa. Ela notou cada movimento dos músculos em seus ombros, braços, nas coxas poderosas enquanto se aproximava. Como a luz do sol brilhava em seus longos cabelos escuros, uma cascata sedosa como a noite. A lateral raspada da cabeça que parecia implorar para que Lidia deslizasse os dedos nos cabelos macios enquanto mordiscava a orelha pontuda...

Ela começou a andar quando ele a alcançou, porque a alternativa seria agarrá-lo.

— Dei uma viajada. Preciso de café.

Ela não tinha dormido bem na noite anterior, mais uma vez. No começo, não conseguia parar de pensar no que tinham feito no corredor, mas depois seus pensamentos se voltaram para Brann e Actaeon, para a última conversa com eles, e ela desejou poder recorrer à ponte mental, ao amigo Night sentado na poltrona ao lado dela.

Não apenas porque precisava de alguém com quem conversar, mas porque queria falar com *ele*. Sobre... tudo.

Ruhn andava ao lado dela.

— Quem diria que a Corça era viciada em cafeína?

O sorriso discreto que ele deu fez com que ela sentisse uma fraqueza nos joelhos. Mas Ruhn não disse mais nada enquanto exploravam o corredor dos fundos dos arquivos, abrindo e fechando portas. Um armário abarrotado de vassouras e esfregões meio apodrecidos, outro mais próximo adornado com bandejas de vários cristais de quartzo — sem dúvida algum tipo de dispositivo de registro acadêmico necessário para esta ilha livre de tecnologia — e algumas salas vazias com mesas lascadas que já deviam ter sido usadas como escritórios privativos.

— Morven precisa muito investir nessa sala de descanso — comentou Ruhn quando enfim encontraram a cozinha. — Os funcionários não devem gostar muito dela.

Lidia observou o espaço escuro e empoeirado, o balcão de madeira coberto de fezes de rato encostado na parede, as teias de aranha tecidas sob a fileira de armários.

— Isso parece um clichê medieval ruim — disse ela, aproximando-se do caldeirão coberto de sujeira na lareira escura. — Isso é... mingau?

Ruhn se aproximou dela, e seu cheiro a fez derreter entre as pernas.

— Não sei por que todo mundo achava que Avallen seria um paraíso de contos de fadas. Faz anos que digo para Bryce o quanto este lugar é horrível.

Lidia deixou de lado a gosma que havia no caldeirão e começou a abrir os armários. Um rato havia se instalado em uma caixa de biscoitos velhos, mas pelo menos havia um pote lacrado de saquinhos de chá.

— Eu devia saber que não ia encontrar café. — Ela procurou uma chaleira e encontrou Ruhn parado com uma perto da pia antiga, bombeando água nela.

— Sua irmã — disse Lidia — tinha razão em se perguntar o que estava acontecendo com este lugar. Você acha que Morven está escondendo alguma coisa?

— Você é a superdestruidora de espiões — ironizou Ruhn, indo até a lareira e jogando lenha nas cinzas. — Me diga você.

Os músculos do antebraço dele se tensionavam quando pegou alguns gravetos e pedaços de madeira para acender o fogo, com uma eficiência que não deveria deixá-la com água na boca. Ele olhou por cima do ombro, aqueles olhos azuis brilhantes curiosos, e ela se deu conta de que ele tinha perguntado alguma coisa, enquanto ela só... olhava para ele. Para seus braços.

Ela pigarreou e começou a procurar duas canecas.

— Morven nunca deu motivos para que os asteri ou eu tivéssemos que investigar este lugar. Ele sempre aparecia quando convocado e oferecia seus serviços sem questionar. Ele era, como Rigelus dizia, um servo perfeito.

— Então ninguém nunca se perguntou nada a respeito das brumas e do fato de Morven poder se esconder atrás delas sempre que quisesse? — O fogo ganhou vida e Ruhn se levantou, recuando para monitorá-lo.

— Não — respondeu Lidia. — Acho que Rigelus acredita que as brumas são alguma... peculiaridade encantadora de Midgard e dos feéricos. Algo que dava um pouco de personalidade para este mundo. E como Morven e seus antepassados andavam sempre na linha, eram deixados em paz.

Ruhn enfiou as mãos nos bolsos da calça jeans preta.

— O que me surpreende é que os asteri não tenham vindo bisbilhotar Morven depois que a verdade sobre Cormac foi revelada, para ver o que levou o príncipe a se rebelar.

— Morven colocou a culpa na Cidade Eterna — explicou Lidia, a mandíbula cerrada — e deserdou o filho no mesmo instante.

— Óbvio, com meu pai fazendo o mesmo.

Ela analisou o rosto dele, a dor e a raiva que ele não fazia questão de esconder.

— Ontem, quando eu disse que você deveria agir mais como um príncipe...

— Não se preocupe com isso.

— Sei os tipos de monstros que você enfrenta. — Ela baixou os olhos para os antebraços dele, as cicatrizes de queimaduras da infância já haviam quase desaparecido, mas algumas listras rosadas e brilhantes permaneciam intactas até mesmo depois de tudo o que Pollux fizera.

— Eu sei me cuidar — disse ele com firmeza, encaixando a chaleira no gancho sobre o fogo e balançando-a acima da chama.

— Eu sei que você sabe — tentou dizer, sem conseguir se explicar. — Eu só... Eu sei o quanto você é bom, Ruhn. Você demonstra suas emoções porque é capaz de *sentir* de um jeito que nem Morven nem o Rei Outonal conseguem. Não quero que usem isso contra você. Para descobrir como machucar você.

Ele a encarou devagar, aqueles lindos olhos azuis cautelosos, mas ternos.

— Isso foi um elogio?

Ela deu risada e colocou dois saquinhos de chá nas canecas menos empoeiradas que encontrou.

— É um elogio, Ruhn. — Ela encontrou o olhar dele e deu um sorriso discreto. — Aceite e siga em frente.

* * *

Não descobriram nada de novo naquele dia. Flynn e Dec pareciam satisfeitos em deixá-los trabalhar sozinhos, porque mais uma vez não deram as caras. Ou pode ser que tenham saído para fazer alguma tarefa importante e, sem conseguir mandar mensagem ou ligar, não tenham conseguido avisar.

— Escute isto — disse Lidia, e Ruhn interrompeu sua interminável procura para caminhar até onde ela havia aberto um pergaminho antigo.

Ele notou o jeito que ela o observara mais cedo, o desejo estampado em seu olhar, seu cheiro. Ficou tão distraído que quase não conseguiu acender o fogo naquele covil que chamavam de cozinha.

Mas Ruhn refreou a vontade de cheirá-la, de enterrar o rosto em seu pescoço e lamber a pele macia dela. Lidia apontou para o pergaminho estendido diante de si.

— O catálogo listou o título deste pergaminho como *As raízes da magia terrestre.*

— E?

Lidia retorceu a boca.

— Acho estranho que tanto Flynn quanto Sathia não suportem Avallen.

— O que isso tem a ver com derrotar os asteri?

— Achei que talvez valesse a pena extrair alguns dos primeiros escritos sobre magia da terra, o papel que ela desempenhou nas Primeiras Guerras, ou logo depois. Este pergaminho foi o mais antigo que consegui encontrar.

Flynn escolheu um péssimo momento para não estar por perto.

— E…?

— Não tem muitas informações além do que já sabemos a respeito da magia da terra dos feéricos, mas *menciona* que aqueles com magia da terra eram enviados antes para avaliar os terrenos, para entender os melhores lugares para construir. Não só no quesito geográfico, mas mágico também. Eles conseguiam sentir as linhas ley, os canais de energia correndo por toda a terra, por Midgard. Eles informaram aos asteri que suas cidades deveriam ser construídas onde essas linhas se encontravam, em encruzilhadas naturais de poder, e escolheram esses lugares para os feéricos se estabelecerem também. Mas Avallen foi escolhida *só* para os feéricos. Para ser a fortaleza pessoal e eterna deles.

Ruhn parou para refletir.

— Ok, então se Flynn e Sathia dizem que esse lugar parece estar morto e apodrecendo...

— Não se alinha com as afirmações registradas aqui sobre Avallen.

— Mas por que os anciãos feéricos mentiriam sobre a existência de linhas ley aqui?

— Não acho que mentiram — disse Lidia, e apontou para os mapas na outra mesa, onde Dec os havia descartado. — Acho que a Avallen que visitaram pela primeira vez, com todas aquelas linhas ley e magia... Acho que existiu. Mas então algo mudou.

— Mas a gente já sabia disso — comentou Ruhn, com cautela. — Que algo mudou.

— Sim — concordou Lidia —, mas as brumas não mudaram. Isso poderia ser intencional? Eles deixaram as brumas intactas, mas o restante foi alterado... ilhas inteiras desapareceram, a própria terra ficou putrificada.

— Mas só os feéricos sairiam prejudicados... e todos nós sabemos que eles são uns escrotos egoístas. Eles nunca abririam mão de poder de forma voluntária.

— Talvez não fosse a intenção — ponderou Lidia. — O que quer que tenha acontecido, as brumas mantiveram tudo escondido dos asteri.

— O que você acha que eles queriam esconder? Por que apodrecer as próprias terras?

Lidia apontou para o catálogo atrás deles.

— Talvez a resposta esteja aí em algum lugar.

Ruhn assentiu. Mesmo enquanto ele se perguntava se estariam prontos para qualquer que fosse a resposta.

* * *

Bryce estava com Baxian na margem de um segundo rio, examinando o caminho na margem distante, sua estrela brilhando fraca naquela direção. A passagem do rio era estreita o bastante para que tivesse que teletransportá-los. Ela manteve a luz das estrelas brilhando, os espíritos malignos sussurrando maldades ao seu redor.

Não havia nada de útil nos entalhes até aquele instante. Feéricos matando dragões, feéricos dançando em círculos, feéricos desfrutando de sua própria glória.

Nada de útil. Todo tipo de merda insignificante. Bryce rangeu os dentes.

— Danika era assim também, sabe — disse Baxian, baixinho, para que os outros não ouvissem —, com os lobos. Odiava o que muitos deles tinham se tornado e queria entender por que isso tinha acontecido.

Bryce se virou para ele, sua luz estelar brilhando um pouco mais enquanto iluminava a descida do rio. A intensidade diminuiu quando ela encarou o Cão do Inferno.

— Os lobos são, em geral, *muito* melhores do que os feéricos.

— Talvez. — Baxian olhou para ela. — Mas e o seu irmão? Ou Flynn e Declan? — Um aceno para onde Sathia, Tharion e Hunt estavam sentados juntos: — E ela? Você acha que todos eles são uma causa perdida?

— Não — admitiu Bryce. Baxian esperou. Ela deu um longo suspiro. — E os feéricos que conheci no outro mundo também não eram tão ruins. Eu até poderia ter me tornado amiga deles se as circunstâncias tivessem sido diferentes.

— Então os feéricos não são inerentemente maus.

— Óbvio que não — sibilou Bryce —, mas a maioria dos que estão neste mundo...

— Você conhece todos os feéricos de Midgard?

— Posso julgá-los por suas ações enquanto povo — retrucou Bryce. — Como terem trancado as pessoas para fora durante o ataque...

— Sim, foi uma merda. Mas até Holstrom desafiar as ordens, os lobos também não ajudaram ninguém.

— Aonde você quer chegar?

— Quero dizer que o líder certo faz toda a diferença.

Bryce recuou ao ouvir as palavras: *o líder certo.* Baxian continuou:

— Os feéricos valbaranos podem não ser as pessoas mais caridosas do nosso mundo, mas lembre-se de quem os liderou nos últimos quinhentos anos. E muito antes disso. O mesmo acontece com os lobos. O Primo não é ruim, mas é um único cara decente em meio a diversos líderes brutais. Danika estava trabalhando para mudar as coisas, e foi por isso que a mataram.

— Rigelus me disse que eles a mataram para manter as informações sobre a verdadeira natureza deles sob controle — disse Bryce.

Baxian olhou para ela.

— E você acredita em tudo que Rigelus diz? Além disso, um motivo não exclui o outro, né? Eles queriam manter os segredos a salvo, sim, mas também destruir o fio de esperança que Danika oferecia. Não apenas para os lobos, mas para toda Midgard. Que as coisas poderiam ser diferentes. Poderiam melhorar.

Bryce massageou o peito dolorido, a luz estelar estranhamente fraca.

— Eles com a certeza a teriam matado por isso.

O rosto de Baxian se contraiu de dor.

— Então faça a morte dela valer alguma coisa, Bryce.

Era como se ele tivesse dado um soco na cara dela.

— E o que — exigiu ela —, tentar resgatar os *feéricos*? Comprar uns livros de autoajuda e fazer com que eles se juntem numa rodinha para falar sobre sentimentos?

Ele continuou sério.

— Se você acha que daria certo, então pode ser.

Bryce franziu a testa. Mas deu um longo suspiro.

— Se sobrevivermos a essa merda com os asteri, vou pensar nisso.

— Uma coisa pode estar ligada à outra — retrucou ele.

— Se você começar a falar besteiras sobre reunir um exército feérico para enfrentar os asteri...

— Não. Não estamos num filme épico. — Ele inclinou a cabeça. — Mas se você acha que conseguiria...

Bryce, riu, apesar de contrariada.

— Tá certo. Vou acrescentar à minha lista de tarefas.

Baxian deu um sorriso discreto.

— Eu só queria que você soubesse que Danika estava com esses mesmos pensamentos.

— Queria que ela tivesse falado comigo a respeito disso. — Bryce suspirou. — E de muitas outras coisas.

— Ela queria — disse ele com gentileza —, e acho que colocar aquele Chifre nas suas costas foi a maneira dela de talvez... guiar você para um caminho semelhante.

— Típico da Danika.

— Ela viu algo em você... viu o que você poderia representar para os feéricos. — A tristeza na voz dele era insuportável. — Ela era boa em ver esse tipo de coisa nas pessoas.

Bryce tocou o braço dele.

— Que bom que ela podia conversar com você. Fico muito feliz.

Ele deu um sorriso triste.

— Também fico muito feliz porque ela tinha você. Eu não pude estar ao lado dela, não podia sair de perto de Sandriel, e sou grato pra caralho por ela ter alguém que a amava incondicionalmente por perto.

Bryce sentiu um aperto na garganta. Poderia dizer alguma besteira sobre se encontrarem na vida após a morte, mas... a vida após a morte era uma farsa. E a alma de Danika já havia partido.

— Pessoal — disse Hunt de onde ele e os outros haviam se levantado. — Precisamos continuar.

— Por quê? — perguntou Bryce se aproximando. Sua luz estelar diminuiu, como se dissesse que ela estava indo na direção errada. *Eu sei*, ela respondeu baixinho.

— Por mais que a gente tenha a Princesa Mágica Estrelada cuidando de todos nós, é melhor não demorar — disse Tharion piscando. — Acho que está ficando muito tentador para os espíritos malignos. — Ele apontou a cabeça em direção à massa contorcida de sombras, pouco visível dentro da bruma. O sibilar deles subiu tanto que reverberava em seus ossos.

— Tudo bem — disse Bryce, resistindo à vontade de tapar os ouvidos contra o barulho profano. — Vamos.

— Essa é a primeira decisão sábia que você tomou — falou uma voz masculina vagarosa, ecoando profundamente no túnel atrás deles.

E não tinham para onde correr, nada a fazer a não ser ficar em pé e enfrentar a ameaça, enquanto Morven saía da bruma. E atrás dele, com chamas fervendo nos olhos, caminhava o Rei Outonal.

55

Hunt invocou o relâmpago em seus dedos, deixando-o serpentear pelos cabelos conforme os dois reis feéricos se aproximavam, um envolto em chamas, o outro em sombras. O sibilar dos espíritos malignos e o mau cheiro tinham encoberto a aproximação dos reis. A não ser que Morven tivesse *desejado* que os espíritos malignos fizessem tamanho barulho, para que se aproximarem sem que Baxian os ouvisse.

O relâmpago de Hunt era apenas uma faísca do que poderia ser se não tivesse o halo, mas seria o bastante para fritar aqueles dois filhos da puta...

O Rei Outonal só tinha olhos para Bryce, o mais puro ódio distorcendo suas feições.

— Você achou mesmo que aquele armário era o bastante para me deter?

O relâmpago de Hunt chiou ao seu redor, retorcendo-se em seu antebraço. Percebia Tharion formando uma coluna de água vinda do rio e prestes a ser mirada nos dois reis. Baxian estava com a espada em punhos, rosnando...

Bryce não parecia nem um pouco preocupada quando respondeu o pai:

— Prendi Micah em um banheiro, então um armário me pareceu de bom tamanho pra você. Preciso admitir que achava que você ia ficar por lá mais um tempinho.

As sombras de Morven se contorciam ao seu redor como cães de caça puxando a coleira.

— Você deve retornar ao meu castelo e enfrentar as consequências por ter tratado seu soberano de forma tão ultrajante.

Bryce riu.

— Não vamos a lugar nenhum com vocês.

Morven sorriu e suas sombras se acalmaram.

— Acho que vão sim. — Mãos escuras e desprezíveis arrastaram Flynn e Declan para fora das sombras. Os machos se debatiam, mas os espíritos malignos os mantiveram sob controle. Apenas as mãos das criaturas estavam visíveis. O restante de seus corpos permanecia escondido nas sombras, como se não suportassem estar tão perto da luz estelar de Bryce.

Sathia chiou baixinho, chocada com o que via. Mas Hunt exigiu:

— Cadê o Ruhn, caralho?

— Muito ocupado cortejando aquela vadia traidora — respondeu Morven. — Ele nem percebeu quando meus sobrinhos roubaram esses dois idiotas.

Duas vozes disseram na mente de Hunt: *Vamos matar você e foder a sua parceira até...*

Luz estelar brilhou, silenciando as vozes, mas revelando os gêmeos assassinos escondidos atrás dos dois reis. A poucos passos de Dec e Flynn, como se os irmãos ordenassem aos espíritos malignos que segurassem os machos.

Bryce brilhou, o branco cintilante contra o azul e dourado das chamas do Rei Outonal, a escuridão impenetrável das sombras de Morven.

— O que caralho vocês querem?

Flynn e Declan soltaram gritos agudos e estridentes. Ainda que as mãos dos espíritos malignos não tivessem se mexido, o sangue escorria do nariz dos amigos deles. Pingando no chão.

Seamus e Duncan sorriram. O que quer que aqueles idiotas estivessem fazendo com a mente de Dec e Flynn...

— Sua pirralha traiçoeira — Morven cuspiu para Bryce, as sombras preparadas para atacar. — Tentando me conquistar com as anotações do seu pai. Ele nunca teria deixado você colocar essas mãos imundas naquele caderno se não tivesse sido incapacitado de alguma forma. Fui investigar na mesma hora.

Hunt ficou boquiaberto quando Bryce fingiu bocejar.

— Foi mal. Achei que você ia gostar de ter certa vantagem sobre esse idiota aí. — Ela apontou com o polegar para o Rei Outonal. — Não esperava que você fosse tão burro a ponto de não conseguir interpretar o que estava nas anotações sem a ajudinha dele.

Hunt segurou o riso, apesar do perigo que corriam. O olhar ofendido de Morven era um pouco forçado demais. Era óbvio que Bryce tinha acertado em cheio. O Rei Outonal olhou feio para ele.

— Soltem os dois — ordenou Bryce —, e vamos conversar que nem gente grande.

— Eles serão libertados quando você retornar ao meu castelo — ameaçou Morven.

— Então pode matar os dois agora mesmo, porque eu não vou voltar com você.

Flynn e Dec olharam indignados para ela, mas os espíritos malignos os mantiveram firmes. Morven não disse nada. Nem mesmo suas sombras se moviam. Os gêmeos assassinos apenas olharam para Bryce, se preparando para uma briga.

Mandem ver, babacas, Hunt queria dizer. Pela forma como os gêmeos o olharam, ele se perguntou se haviam captado seus pensamentos.

Mas Bryce riu de Morven, zombeteira.

— Mas eu sei que você não quer matar nenhum dos dois. São valiosos demais para manter a linhagem. E tudo se resume a isso, né? Se reproduzir.

A voz do Rei Outonal era fria ao dizer, a chama incandescente fervendo na ponta de seus dedos:

— Os feéricos devem manter o nosso poder e direito natos. As linhagens reais estão desaparecendo, ficando fracas e frágeis na sua geração.

— A covardia de Cormac é prova disso — atestou Morven. — Precisamos fazer tudo o que for preciso para fortalecer nossa linhagem.

— Cormac foi mais guerreiro do que você jamais será — retrucou Tharion, aquela coluna de água se estreitando até ficar afiada como uma agulha.

Faria um buraco no rosto de quem estivesse na frente dela.

— É uma pena que agora sou casada — refletiu Bryce — e vocês não acreditam em divórcio.

Morven riu, irônico.

— Exceções podem ser feitas para fins de reprodução.

A raiva de Hunt rugiu através dele.

— Toda essa conversa sobre reprodução é tão familiar que *dói* — disse Bryce, bocejando de novo. — E, pensando bem, toda essa coisa de Rei Feérico versus Rainha Feérica também parece a história se repetindo. — Ela franziu a testa, fingindo pensar. — Mas sabe... — Ela deu um tapinha no cabo da Reveladora da Verdade. — Algumas coisas podem ser diferentes hoje em dia. — Hunt poderia jurar que a Áster cantarolou baixinho, como se em resposta.

— Você desonra nosso povo e a nossa história ao portar essas lâminas — acusou Morven.

— Não esqueça que eu também carrego isso — disse Bryce, e ergueu a mão. Uma luz, pura e concentrada, brilhava ali.

— Ah, você acha que essa luzinha de nada pode destruir a verdadeira escuridão? — provocou Morven, as sombras erguendo-se atrás dele em uma onda tenebrosa. Eram profundas, sufocantes, sem vida.

Hunt invocou seu relâmpago de novo, uma corrente enrolada em seu pulso e antebraço. Uma chicotada e ele fritaria os espíritos malignos que seguravam Dec e Flynn, liberando mais dois aliados nesta luta...

Mas o Rei Outonal contemplou aquela semente concentrada de luz no dedo de Bryce. Suas chamas se adensaram. Qualquer diversão ou raiva desapareceu de sua expressão enquanto ele murmurava para Morven:

— Corra.

— *Essa* é a primeira decisão sábia que *você* tomou — zombou Bryce.

Um feixe de luz cortante e ardente disparou de sua mão em direção ao teto:

E uma chuva de pedras caiu sobre eles.

* * *

Ruhn tinha acabado de decidir que precisava procurar os amigos, que não tinham dado as caras o dia inteiro. Estava prestes a fazê-lo ao saírem dos arquivos naquela noite, quando se viu voltando para os quartos com Lidia.

— Eu sei que é uma situação incomum — disse ela quando chegaram à porta dele —, mas gostei de trabalhar com você hoje.

Ele parou, engasgando um pouco antes de conseguir dizer:

— Deve ser legal enfim conseguir... ser você mesma. Sem se esconder.

— É complicado — comentou ela, baixinho.

Ela se mexeu, como se quisesse dizer mais, mas não soubesse como, então Ruhn decidiu fazer um favor ao perguntar:

— Quer entrar um pouco? — Diante da sobrancelha arqueada dela, ele acrescentou: — Só pra conversar.

Seus lábios se curvaram, mas ela assentiu. Ele abriu a porta, afastando-se para deixá-la entrar. Sentaram-se nas poltronas surradas diante do fogo crepitante e, por um instante, Lidia olhou para as chamas como se estivessem falando com ela.

Ruhn estava prestes a oferecer uma bebida quando ela disse:

— Tudo na minha vida é complicado. Todos os relacionamentos, verdadeiros e falsos... tem vezes que nem consigo diferenciar uns dos outros. — A voz dela era suave... triste. E muito cansada.

Ruhn pigarreou.

— Quando você e eu... — *trepamos* — dormimos juntos, você sabia quem eu era. Para além do codinome, quero dizer.

Os olhos dela encontraram os dele, as chamas cintilando.

— Sim.

— Isso complicou as coisas pra você?

Ela sustentou seu olhar, os olhos tão dourados quanto as chamas diante deles, e o coração dele acelerou.

— Não. Fiquei chocada, mas não complicou nada.

— Chocada?

Ela apontou para ele.

— Você é... você.

— E isso é... ruim?

Ela deu risada, tão típico de Day que ele mal conseguia respirar.

— Você é o príncipe desafiador e festeiro. Com todos aqueles piercings e tatuagens. Não achei que seria um rebelde.

— Acredite, também não estava no meu plano a médio prazo.

Ela riu de novo, o som ofegante indo direto para o pau dele, envolvendo-o com força. A voz dela tinha esse efeito.

— Por que arriscar?

— No começo? — Ele deu de ombros, lutando contra a luxúria crescente que latejava por seu corpo. — Cormac me chantageou. Disse que ia contar para o meu pai sobre a minha habilidade de falar entre mentes. Mas então me dei conta de que era... a coisa certa a se fazer.

— O Agente Silverbow vai fazer muita falta. Já está fazendo.

— Você conheceu Cormac, então?

— Não, mas eu sabia das coisas que ele tinha feito pela Ophion, pelas pessoas surpreendidas pela guerra. Ele era um bom macho. — Ela olhou para a porta fechada. — O pai dele não merecia um filho como ele.

Ruhn assentiu.

Ela o olhou com atenção.

— Seu pai também... não merece um filho como você.

Aquelas palavras não deveriam significar nada, sobretudo quando vindas da Corça, mas Ruhn sentiu um aperto na garganta diante de sua sinceridade.

— Posso perguntar — arriscou ele — sobre o seu acordo com a Rainha do Oceano?

A mandíbula de Lidia se contraiu.

— Eu era jovem e estava com medo quando fiz o acordo com ela. Mas se fosse hoje, teria feito as mesmas escolhas. Em nome dos meus filhos.

— O que aconteceu? — Ele olhou nos olhos dela. — Eu sei que não é da minha conta, mas...

— Pollux não é o pai deles. — Ele quase suspirou de alívio. — É... — Ela lutou para encontrar as palavras. — Venho de uma longa linhagem de poderosos metamorfos cervos. Temos rituais. Secretos, antigos. Não necessariamente adoramos os mesmos deuses que vocês. Acho que nossos deuses são anteriores a este mundo, mas nunca confirmei isso.

— Deixa eu adivinhar: você participou de algum tipo de rito sexual secreto e engravidou?

Ela arregalou os olhos e depois riu, o som vindo do fundo de sua garganta — um som profundo e gutural.

— Em resumo, sim. Um ritual de fertilidade, nas profundezas da Floresta Aldosiana. Fui selecionada dentre as fêmeas da minha família. Um macho de outra família foi escolhido. Não nos conhecíamos, nem sabíamos a qual família o outro pertencia. Foi algo rápido e nem um pouco interessante, e se teve uma magia da fertilidade, não faço ideia de como Inferno funcionou.

— Você já estava com Pollux, então?

— Ruhn... — Ela olhou para as mãos. — Meu pai me tirou da minha mãe quando eu tinha três anos. Eu me lembro de ter sido levada, sem entender nada. Foi só depois, um pouco mais velha, que descobri que meu pai era um monstro sedento por poder. Ele não vale o esforço de sequer ser mencionado, e culpei minha mãe por ter permitido que ele me levasse. Eu me tornei a protegidinha dele, acho que com alguma esperança de que ela ficaria magoada quando soubesse que eu tinha puxado ao meu pai

Ela respirou fundo.

— Treinei, planejei e acabei no triário de Sandriel, uma grande honra para a minha família. Fazia dez anos que servia Sandriel quando meu pai me escolheu para o tal ritual. Eu tinha me tornado especialista em... fazer as pessoas falarem. Pollux e eu estávamos de olho um no outro, mas eu ainda não tinha decidido se dormiria ou não com ele. Então, fui para o ritual.

Ruhn não conseguia se mover, não poderia falar mesmo se quisesse.

— Algumas semanas depois, eu sabia que estava grávida. Um bebê de um ritual sagrado seria motivo de celebração. Eu deveria ter corrido direto para o meu pai e anunciar a boa notícia, mas hesitei. Pela primeira vez na minha vida, hesitei. E eu não sabia *por que* não conseguia contar pra ele. Porque, quando pensava no bebê que carregava, quando pensava em entregar aquela criança para ele, não conseguia suportar.

Ela prendeu uma mecha de cabelo atrás da orelha, o movimento inquieto discrepante de seu comportamento habitual, sempre tão equilibrado. Ruhn resistiu à vontade de colocar a mão no ombro dela.

— Eu sabia que era questão de dias até que Pollux e os outros farejassem a gravidez. Athalar ainda estava conosco na época. Então encenei meu próprio sequestro e desaparecimento. Fiz parecer que a Ophion tinha me levado. Eu nem sabia para onde estava correndo. Mas não conseguia parar de pensar nos bebês. A essa altura, já sabia que eram gêmeos e que faria qualquer coisa para mantê-los longe do alcance do meu pai. Das mãos de Sandriel. Lá no fundo, eu sabia a que tipo de monstros eu servia. Sempre soube. E não queria ser como eles. Não apenas pelo bem dos bebês, mas pelo meu também. Então, eu fugi.

— E foi aí que a Rainha do Oceano encontrou você? — A voz dele soava rouca.

— Eu fui até ela. Quando enfim parei para respirar, eu me lembrei do que alguns rebeldes tinham falado enquanto eu... os interrogava. Que o próprio oceano viria para ajudá-los. Parecia bem estranho para que eu decidisse arriscar. Entrei em uma base rebelde que conhecia e me rendi. Implorei que me levassem até o oceano.

Ruhn não conseguia imaginar o que ela havia sentido naquele momento — sabendo que a vida dos filhos estava em jogo.

— Os comandantes do alto-escalão compreenderam e me colocaram no *Cargueiro das Profundezas*. A Rainha do Oceano me acolheu, mas com uma ressalva. Eu poderia ficar no navio dela, dar à luz aos bebês e permanecer por um tempo. Mas em troca da proteção dela e da proteção contínua dos meus filhos... eu teria que voltar. Inventaria uma mentira sobre ter sido interrogada e mantida como prisioneira por mais de dois anos e voltaria. Ganharia o apreço dos asteri, a confiança deles. Forneceria qualquer informação que obtivesse para a Ophion e, por extensão, para a Rainha do Oceano.

— E não poderia ver seus filhos.

— Não. Eu não voltaria a ver meus filhos. Pelo menos não até que a Rainha do Oceano me permitisse.

— Isso é terrível.

— Foi o que os manteve a salvo.

— E manteve você a serviço dela.

— Sim. Mas eu tentei salvar os rebeldes que encontrava pelo caminho.

— Foi ideia sua ou dela salvá-los? — Ele não tinha se dado conta do quanto aquela resposta era importante até fazer a pergunta.

— Eu já disse, percebi para quem trabalhava. E apesar de ter que desempenhar o papel de interrogadora e serva leal, fiz tudo o que estava ao meu alcance para mitigar os danos. Alguns agentes estavam prestes a falar, a contar segredos vitais. Foram esses que tive que matar. "Acidentes" durante a tortura. Mas as mortes eram sempre rápidas e misericordiosas. Aqueles que resistiram, ou que tinham alguma chance... eu tentava tirar de lá. Nem sempre funcionava.

— Foi o caso de Sofie Renast.

— Foi o caso de Sofie Renast — disse ela baixinho. — Não era minha intenção que ela se afogasse. Foi um erro no timing... carrego isso comigo.

Ele segurou a mão dela, devagar, para se certificar de que podia tocá-la.

— O que aconteceu quando você voltou?

— Pollux se declarou. Disse que tinha ficado desesperado nos dois anos que sumi, à minha procura. Que tinha massacrado incontáveis rebeldes tentando me encontrar. A velha Lidia teria dormido com ele. E eu sabia que aquilo seria perfeito para o meu disfarce. O resto é história. — Ela ergueu o olhar para ele. — Não sou completamente inocente, sabe — acrescentou ela. — Se não fosse pelos meus filhos, eu poderia muito bem ter me tornado a pessoa que o mundo acredita que sou, ignorado para sempre a vozinha que sussurrava que tudo aquilo era errado.

— Deve ter sido tão... solitário — comentou ele.

Os olhos dela se iluminaram, surpresos, ao perceber que ele compreendia. Ruhn ficou envergonhado.

— Aí você apareceu — disse ela. — Este agente quase inepto e imprudente.

Ele riu.

Ela sorriu.

— E você me viu. Pela primeira vez você *me* viu. Eu podia falar com você como nunca tinha falado com ninguém antes. Você me fez lembrar que eu estava... estou... viva. Há muito tempo que não me sentia assim.

Ele analisou o rosto dela. Via além da beleza estonteante e reparou na alma ardente lá dentro.

— Não me olhe assim — sussurrou ela.

— Assim como? — murmurou ele em resposta.

Mas ela balançou a cabeça e se levantou, caminhando até a porta.

Ruhn a alcançou antes que ela pudesse tocar a maçaneta.

— Lidia.

Ela parou, mas não o olhou.

Ele colocou a mão na bochecha dela. Virou seu rosto com gentileza. A pele tão macia, tão quente.

— Lidia — disse ele, a voz áspera. — Descobrir quem você era... fodeu com a minha cabeça. Saber que você era a Corça, mas também a Lidia, e a Day. *Minha* Day. Mas agora... — Ele engoliu em seco.

— Agora? — Ela olhou para a boca dele.

O pau dele reagiu àquele olhar. Ruhn disse, a voz quase gutural:

— Agora, tanto faz quem você é, desde que seja minha. — Ela olhou nos olhos dele, surpresa. — Porque eu sou seu, Day. Porra, eu sou todo seu.

O rosto dela se contraiu. E Ruhn não suportou vê-la chorar, de alívio e de alegria. Então, ele se inclinou para a frente, levando a boca até a dela.

O beijo não começou inocente. Boca aberta, dentes se batendo, línguas se chocando. As mãos dela no pescoço dele, puxando-o para mais perto, encostando-se no peito dele.

Sim, sim, sim.

Ele apertou a bunda dela, o que provocou um gemido vindo do fundo da garganta. Mas ela se afastou:

— Ruhn.

Ele enrijeceu.

— O quê? — Se ela quisesse parar, ele pararia. Tudo o que ela quisesse, ele daria.

Ela passou os dedos no peitoral dele. Ruhn estremeceu quando ela perguntou:

— Tem certeza?

— Sim. — Ele soltou o ar, mordiscando o lábio inferior dela. Guiando-a até a cama e deitando por cima dela. Lidia passou o dedo no lugar em que costumava ficar o piercing do lábio, que fora arrancado. Depois no piercing da sobrancelha.

— Eu não conseguia suportar — sussurrou ela, encostando a boca na testa dele. — Eu não conseguia... — Ela começou a tremer. Ele a abraçou com força.

— Estou aqui — disse ele —, nós conseguimos.

Ela tremia ainda mais, como se tudo o que ela havia experimentado e feito estivesse agora se libertando em tremores secundários.

— Estou aqui — disse ele de novo, inclinando-se para beijar o pescoço dela. — Estou aqui. — Um beijo logo abaixo da orelha. Ela subiu as mãos, acariciando as costas dele. Tinha parado de tremer. — Estou aqui — disse ele, beijando a base do pescoço dela. Abrindo o zíper na frente de seu macacão tático.

Ela estava sem sutiã. Aqueles seios fartos com mamilos rosados, que preenchiam suas mãos. Ele xingou e não pôde evitar. Precisou abaixar a cabeça e sugar um dos mamilos.

Ela respirou fundo, o som quase parecendo queimar o pau dele.

Ele roçou os dentes no mamilo, puxando devagar.

As mãos dela passeavam pela cintura dele, indo parar na frente de seu corpo e... não, agora não. Queria explorá-la primeiro. Sem tirar a boca daquele seio delicioso, ele a agarrou pelos pulsos e prendeu as mãos dela acima da cabeça, acomodando-se com mais firmeza entre suas pernas.

Ela se encolheu.

Foi o mais discreto dos movimentos, mas ele percebeu. O corpo todo se contraindo. Ruhn parou e ergueu a cabeça. Olhou para ela. Para as mãos que tinha prendido...

Aquele *filho da puta.*

Ruhn a soltou no mesmo instante.

Iria matá-lo. Arrancar todos os membros de Pollux, um por um, pena por pena, por ter feito isso com Lidia, por machucá-la...

O olhar dela ficou mais suave. Apoiou as palmas das mãos em cada lado do rosto dele e sussurrou:

— Só uma lembrança antiga.

Uma que não deveria estar lá. Uma que Pollux colocou lá.

— Ruhn.

Ele a segurou pelos pulsos com gentileza, dando um beijo em cada um. Então apoiou os dois no peito dela, as mãos acima do coração, beijando-a enquanto o fazia.

— Ruhn. — Ela repetiu, mas ele se deitou ao lado dela, abraçando-a pela cintura.

— Fique aqui comigo esta noite — pediu baixinho. Um ramo de suas sombras enrolando-se nas chamas das arandelas, obscurecendo-as. — Sem sexo. Só... durma aqui comigo.

Podia sentir o olhar dela, mesmo no escuro. Mas então, Lidia se moveu — o zíper fazendo barulho conforme tirava as roupas. Ele tirou as calças, aninhando-se sob os cobertores.

Seu corpo quente, macio e exuberante se enroscou no dele.

E sim, ele queria tanto estar dentro dela que teve que cerrar os dentes, mas o cheiro dela o tranquilizava. Acalmava-o. Ele deslizou a mão pela cintura nua, puxando-a para mais perto, os seios dela encostados em seu peito. A mão foi descendo até chegar na bunda de Lidia, e bastava ajustar um pouco o ângulo para estar no meio das pernas dela.

Mas aquilo era mais do que sexo. E à medida que a respiração deles voltava ao normal, enquanto eles se encaravam na quase escuridão, ele nunca se sentiu tão visto.

Ela acabou caindo no sono. A respiração se estabilizando.

Mas Ruhn ficou acordado, segurando-a com força, e não a soltou até o amanhecer.

* * *

— Isso é um *laser*? — Tharion gritou enquanto a rocha que fora cortada pela luz desmoronava, bloqueando o acesso aos dois reis feéricos, Flynn, Dec e os gêmeos assassinos. Além dos espíritos malignos.

Mas Bryce ordenou:

— O rio!

— O quê? — gritou Hunt. Bryce já estava correndo para a água, que fluía escura.

— Entrem — exigiu Bryce, luz estelar balançando a cada passo.

— Nos teletransporte para o outro lado! — rebateu Hunt. Flynn e Declan estavam presos do outro lado do desabamento, e precisavam descobrir como iriam se livrar dos reis e dos gêmeos...

— Entrem *agora* — ordenou Bryce, e não esperou antes de correr até a margem. Hunt tentou agarrá-la, para impedi-la de fazer o que parecia uma grande insanidade...

Ela pulou. Entrou no rio. Ele poderia jurar que a luz estelar brilhava mais forte, como se concordasse com a decisão dela.

E então, a luz em seu peito se apagou.

E na escuridão repentina, com apenas os relâmpagos de Hunt tremeluzindo ao redor deles, os espíritos malignos começaram a sibilar, aproximando-se, como se atravessassem a própria rocha.

— *Rio* — disse Tharion, agarrando Sathia e correndo com ela.

Ele mergulhou e ela gritou ao ser arrastada junto. O rugido do rio engoliu o som — e os dois — em meio segundo.

Não havia escolha, na verdade. Hunt olhou para Baxian e viu sua própria irritação refletida nele. Eles poderiam ter enfrentado os reis. Bryce sabia. E ainda assim...

Se Bryce tinha escolhido causar um desmoronamento, bloqueando os reis em vez de matá-los, preferindo descer rio abaixo em vez de se teletransportar... ela não explicou o motivo, decerto por causa da discussão que tiveram. Ela não dissera nada, o que significava que a própria parceira já não confiava mais nele, e ele não fazia ideia de como ajeitar...

— *Athalar* — chamou Baxian —, sai daí!

Hunt piscou. Ele estava congelado no lugar, desequilibrado. Baxian estava de olhos arregalados. Hunt se livrou da vergonha. Apesar de estar irritado, sabia que tinha um motivo por trás de tudo que Bryce fazia.

Hunt não esperou para ver se Baxian o seguia antes de apertar as asas e saltar.

56

Hunt tremia de frio, os dentes rangendo, enquanto se arrastava para a margem escura, mal iluminada pela estrela de Bryce.

Depois de uma descida rápida e desorientadora, o rio se acalmava e desaguava na parte mais calma ao redor deles, a pequena margem proporcionando o único caminho de fuga. Tharion já estava perto de Bryce, com Sathia, trêmula, entre eles, e Baxian rastejava até a costa a poucos metros de Hunt, asas escuras arrastando-se na rocha ao lado dele.

Hunt explodiu com a parceira:

— Que *porra* foi essa?

— Mais tarde, Athalar — murmurou Bryce, virando-se da água e encarando um arco natural de pedra, com um túnel no final. Sua estrela brilhava com mais intensidade do que rio acima.

— Não. *Agora* — avisou ele, ficando de pé, a água escorrendo das botas, as asas encharcadas e pesadas demais. — Você diz que estamos todos juntos nessa, que tomamos todas as decisões *em conjunto*, e depois faz uma merda dessas?

Ela se virou, exibindo os dentes.

— Bem, *alguém* tem que liderar.

Ele ficou ainda mais irritado.

— E o que isso quer dizer, porra?

— Quer dizer que não vou deixar meu medo e minha culpa me engolirem. — Os outros ficaram em silêncio, a vários metros de distância. — Quer dizer que estou deixando toda essa merda de lado e focando no que precisa ser feito!

— E eu não? — Ele abriu os braços, apontando para as cavernas ao redor deles. Relâmpago tremeluzia em suas mãos. — Estou aqui, não estou?

— Você *quer* mesmo estar? — A voz dela ecoou nas rochas. — Porque parece que o seu medo das consequências supera o seu desejo de derrotar os asteri.

— E *supera* — rosnou ele, incapaz de impedir que as palavras saíssem. — Vai ser bem difícil desfrutar da liberdade se estivermos *mortos*.

— Prefiro morrer tentando acabar com eles do que passar o resto da vida sabendo a verdade sem ter feito nada.

Ele mal conseguia ouvir acima do rugido em sua cabeça.

— Todo mundo que a gente ama também iria morrer. Você está disposta a arriscar isso? Sua mãe e seu pai? Cooper? Syrinx? Fury e June? Você está disposta a permitir que todos eles sejam torturados e mortos?

Ela enrijeceu, tremendo de raiva.

Hunt respirou fundo, recompondo-se, e sacudiu a água das asas.

— Olha, me desculpe! — Ele respirou fundo de novo. — Sei que agora não é a hora de brigar. Essa porra toda pode ser um erro colossal, pode fazer com que todo mundo que conhecemos acabe morrendo, mas... estou com você nessa. Vou te apoiar. Eu prometo.

Ela piscou. Então piscou de novo.

— Não é o bastante pra mim — respondeu baixinho. — Não é o bastante pra mim.. que você só esteja comigo nessa.

— Bom, vai se acostumando — retrucou ele.

— Se recomponha, *Umbra Mortis*. — E após dizer isso, ela se afastou para a escuridão enevoada, sua estrela iluminando o caminho.

— Vishh — disse Tharion baixinho para Sathia e Baxian, mas Hunt não sorriu quando todos voltaram a seguir Bryce, deixando um rastro de água por toda a parte.

— Como você sabia que precisava vir até aqui? — Baxian perguntou para Bryce, provavelmente tentando aliviar a tensão que agora preenchia a caverna com tanta força quanto a névoa sufocante.

— Porque já estive aqui antes — disse Bryce, a voz ainda um pouco áspera.

Até a raiva de Hunt diminuiu o bastante para que ele se perguntasse se ela teria batido a cabeça no rio. Sobretudo quando se aproximaram de uma parede sólida.

Bryce empurrou a parede. Um obstáculo em forma de arco se abriu sob a palma de sua mão. A luz estelar brilhou mais forte, iluminando a parede e o entalhe em volta da porta triangular.

Uma estrela de oito pontas. Igual à cicatriz em seu peito.

— Essas cavernas — disse Bryce, tomando o cuidado de não olhar para ele — são quase idênticas às que passei no mundo original dos feéricos. — Ela deu um passo em direção à porta de estrela. — Lá, o rio corria entre elas, fornecendo atalhos. O verme usava esses atalhos para atacar furtivamente. Mas minha estrela brilhava mais sempre que me indicava um determinado caminho, como acontece aqui. Ela me guiou até um dos rios no mundo feérico. Eu a escutei, entrei e fui parar em uma passagem que levava para o lugar exato em que precisava estar para ouvir a verdade de Silene. Agora há pouco, minha estrela brilhou mais forte quando olhei para o rio. Imaginei que ele levaria para outra passagem. E que talvez pudesse encontrar mais um pouco da verdade. Algo que pudesse ajudar contra os asteri.

— Essa lógica é um tanto falha — retrucou Tharion. — E o Flynn e o Dec? O Rei Outonal, Morven e os gêmeos assassinos ainda estão com eles, a porra dos *espíritos malignos* ainda...

— Esse confronto vai acontecer. — Bryce caminhou com calma rumo à escuridão que a esperava, as brumas rodopiantes, ajustando a Reveladora da Verdade ao seu lado. — Mas não agora.

Eles não tinham outra escolha a não ser segui-la.

— O que tudo isso quer dizer? — Baxian perguntou a Hunt, quase reclamando.

Hunt deixou de lado sua raiva persistente e manteve o foco em sua parceira.

— Acho que estamos prestes a descobrir.

* * *

Flynn e Dec ainda não tinham aparecido para o café da manhã no dia seguinte. E a corrida rápida de Ruhn pelo castelo e seus terrenos não revelou qualquer sinal deles. Ou dos gêmeos assassinos. Apenas alguns nobres e criados feéricos, sem saber se deveriam zombar dele ou se curvar. Ele os ignorou e estava voltando correndo para o quarto quando Lidia saiu de lá.

Ela deu uma olhada no rosto dele e perguntou:

— O que aconteceu?

Ele não se perguntou como ela tinha adivinhado. Devia ter se aperfeiçoado em analisar as pessoas durante toda a vida adulta. A sobrevivência dela dependia disso.

Ruhn verificou se suas várias lâminas estavam no lugar.

— Flynn e Dec... Acho que eles não estão aqui. E nem meus primos esquisitos. Ou Morven.

Os olhos dela brilharam com cautela.

— Uma coisa pode não estar ligada à outra.

— Estão, sim. Meus amigos não me abandonam. — E ele, que se deixara distrair por ela, não tinha se permitido pensar nisso.

Ela colocou a mão no braço dele.

— Para onde você acha que eles foram?

Ruhn respirou fundo.

— Morven e os gêmeos têm que estar envolvidos. Devem ter levado Flynn e Dec para a Caverna dos Príncipes.

— Para tentar atacar Bryce?

Ruhn sentiu um embrulho no estômago.

— Talvez. Mas acho que Morven os levou como isca... para mim. Deve esperar que eu vá atrás.

— Se for uma armadilha, então não devemos nos apressar...

— Meus amigos foram rápidos para me salvar dos calabouços asteri — contestou ele, sustentando o lindo olhar dela. — Você os encontrou e eles largaram tudo para ajudar. Não posso deixá-los nas mãos de Morven.

— Não era o que eu ia sugerir — retrucou ela, indo em direção ao próprio quarto. Deixou a porta aberta para que ele pudesse vê-la enquanto pegava duas armas da mesa de cabeceira e as colocava no coldre nas coxas. — Estou dizendo para pensarmos em uma estratégia antes de ir ao resgate deles.

Algo queimou no peito de Ruhn, e ele não ousou nomear aquela sensação.

Mas a sentiu mesmo assim enquanto se armavam para ir salvar os amigos.

* * *

Hunt não baixou a guarda, nem por um segundo. Mesmo quando cada palavra de sua briga com Quinlan pairava no ar como fogos de artifício permanentes. Relâmpago tremeluzia em um dos punhos; a espada estava presa no outro. Ele não deixou nenhum dos dois de lado quando entraram em uma câmara na outra extremidade do túnel.

Enquanto entravam, ele analisou as paredes, as pedras pretas com entalhes intricados, as paisagens requintadas retratadas ali...

As pedras rasparam uma na outra e, antes que Hunt pudesse se virar, mais rápida do que o relâmpago, a porta triangular se fechou atrás deles.

Tharion, um passo à frente, deu um assobio baixo.

Baxian trocou um olhar com Hunt que informava que o Cão do Inferno suspeitava da mesma coisa que ele: só Bryce conseguiria abrir aquela porta. Não era um pensamento reconfortante. Não enquanto Hunt ainda avaliava o que estava por vir.

O único objeto na câmara era um sarcófago esculpido em mármore branco, cuja tonalidade contrastava com o preto profundo das paredes de pedra. Havia uma estátua de um macho feérico com uma armadura no topo do sarcófago, as mãos parecendo agarrar um objeto que não estava ali.

Bryce apontou com a cabeça.

— Deve ser onde a Áster costuma ficar quando não está sendo usada. — A voz dela era monótona, como se a discussão a tivesse exaurido.

Sathia se aproximou, hesitante.

— A tumba do Príncipe Pelias — disse, respirando fundo.

— Ruhn me contou que nas paredes das principais passagens estão alinhados os descendentes bizarros dele — comentou Bryce, apontando para a única outra saída: um novo arco de pedra do lado oposto da câmara, pouco visível através da névoa. Ela ajustou a Áster nas costas e levou uma das mãos à Reveladora da Verdade ao seu lado, ajustando-a, como se as lâminas causassem algum incômodo.

Hunt analisou o espaço abobadado, examinando as histórias contadas nas paredes: um arquipélago aninhado acima de um mar de luz estelar, uma terra idílica e serena — tudo o que o mundo acreditava ser Avallen.

— Não vejo nada sobre a Áster ou a Reveladora da Verdade, muito menos como uni-las — admitiu Hunt. — Ou sobre as brumas. As ilhas estão aqui, mas nada mais. — Talvez esse fosse um beco sem saída para informações.

— Pode haver alguma coisa na passagem principal — sugeriu Tharion.

Mas Bryce se aproximou do sarcófago. Olhou para o rosto bonito e perfeitamente esculpido do primeiro Príncipe Estrelado.

— Olá, seu estuprador de merda — disse ela, com a voz fria de fúria.

Hunt mal respirava. Ele se perguntou se Urd estava observando, se o peso na sala não era a bruma, mas sim a presença da deusa, que os guiara até aqui.

— Você pensou que tinha ganhado — sussurrou Bryce para o sarcófago. — Mas ela acabou superando você. Ela riu por último.

— Bryce? — arriscou Hunt.

Ela ergueu os olhos da representação esculpida de Pelias e não havia um traço da humanidade em seu coração naquele olhar. Apenas o mais puro ódio feérico pelo macho diante dela, morto muito tempo atrás.

Com uma oferta de paz temporária, Hunt perguntou:

— Você pode, hã, nos explicar?

Mas foi Tharion quem apontou para a câmara da morte vazia.

— Talvez Pelias tenha construído outra câmara por aqui em que seja possível encontrar alguma informação sobre a espada, a adaga e o tal portal para...

— Não — retrucou Bryce baixinho. — Estamos exatamente onde precisamos estar. — Ela apontou para o chão, a escultura de rios de estrelas serpenteando por toda a parte. — E esse lugar não foi construído por Pelias. Ele não teve nada a ver com esses túneis, com os entalhes. — Ela colocou a mão no chão, a luz estelar fluindo pelos entalhes na pedra, nas paredes, no teto...

O que pareciam mares ou rios de estrelas agora se enchiam de luz estelar, ganhando... vida. Movendo-se, cascateando, fluindo. Uma ilustração secreta, que só poderia ser vista por aqueles que tinham o dom e a visão.

O rio ondulante de luz estelar fluía direto para o sarcófago no centro da câmara. Girava em torno dele como um redemoinho.

Bryce se jogou contra o caixão, flexionando as pernas enquanto empurrava...

E o sarcófago deslizou. Revelando uma pequena e secreta escada abaixo.

Bryce ofegou por um momento e depois abriu um sorriso enorme.

— Este lugar foi construído por Helena.

57

A espada e a faca se atraíam com mais força a cada passo que ela dava, descendo a escada secreta. Como se quisessem estar ali, como se *precisassem* estar ali. Quando Bryce pensou que poderia tirá-las para ter um pouco de alívio, chegou ao fim das escadas.

Em meio à bruma, era possível ouvir o som da água gotejando em um riacho estreito, bem no centro da câmara. Algum braço do rio um nível acima, filtrado pela rocha escura. E ao lado do riacho havia uma jarra e uma tigela pretas, repousando sobre a gravura de uma estrela de oito pontas.

— Que porra é essa? — murmurou Hunt, aproximando-se dela. Como se, apesar da briga, ainda quisesse protegê-la. Mas talvez a necessidade de protegê-la estivesse gerando a culpa que sentia e o medo que o devorava.

Cada palavra que dissera a ele fora intencional — só estar com ela não era o bastante. Precisava de Hunt por completo, lutando ao seu lado. Não sabia como comunicar isso. Como fazer com que ele entendesse e abraçasse essa ideia.

Ela batia os dentes por causa do frio, mas até isso parecia irrelevante enquanto Bryce examinava o riacho, o jarro e a tigela. A estrela de oito pontas. Duas das pontas tinham fendas, uma menor e outra maior.

Não havia mais nada na sala.

— Você não sabe o que é isso? — perguntou para Hunt. Ela poderia fingir que estava tudo normal, ao menos por enquanto.

— Estou ficando cansado dessas surpresas — disparou Tharion, chegando ao pé da escada com Sathia logo atrás.

Bryce ergueu um dedo e deixou a luz dela se condensar ali.

— E ainda tem *isso* — disse Tharion, mas Bryce sustentou o olhar de Hunt enquanto apontava para o chão e cortava uma pequena linha. Um pouco menos de três centímetros e pronto.

— Helena esculpiu este lugar usando os mesmos dons que a irmã, Silene, usou no mundo natal delas. Mas tem uma grande diferença. Um motivo para ela ter escolhido esse local para construir as cavernas.

Ela se ajoelhou e esfregou os dedos na poeira que se formara em ambos os lados do corte. Levou o dedo até o rosto de Hunt.

— Reconhece isso?

Hunt estudou a poeira preta e brilhante em seus dedos e empalideceu.

— Isso é sal preto.

Bryce assentiu devagar. Baxian suspirou, parecendo dizer *ai, caralho.*

— Essas cavernas são feitas de sal preto — disse Bryce. Tinha notado desde que o espírito maligno fizera aquelas linhas na parede. Reconhecera o cheiro, a sensação podre e oleosa. Bastou uma amostra para confirmar suas suspeitas.

Hunt franziu a testa.

— Você acha que Helena estava tentando invocar a irmã do mundo natal delas?

— Não — disse Bryce, balançando a cabeça. — Ela fez Silene voltar para ficar em segurança... Era uma bela de uma babaca, mas nunca faria nada para colocar a irmã em risco.

— Então, por que construiu esse lugar? — perguntou Tharion.

Foi Sathia quem compreendeu primeiro.

— Para conjurar demônios. Para conversar direto com o Inferno.

Um silêncio atordoante abalou a sala.

— Eles eram os únicos aliados que ainda restavam — explicou Bryce.

Helena poderia ter feito coisas imperdoáveis, mas Bryce podia admitir que a fêmea tinha lutado até o fim, se esta câmara servisse de indicação.

Hunt perguntou, com as asas tremendo:

— Mas por que fazer um labirinto subterrâneo de cavernas? E por que dedicá-lo ao marido estuprador?

Bryce deu de ombros.

— Para que ela tivesse um motivo para continuar vindo aqui. Construiu uma tumba duradoura, onde a espada poderia ficar para sempre até que um sucessor digno surgisse.

— Você não tem como saber disso — retrucou Hunt com todo o cuidado. Como se tivesse medo de provocar outra briga.

Aquela cautela ecoou no coração dela, mas Bryce disse:

— As cavernas são quase idênticas às do mundo natal dela... Helena cresceu navegando por elas. E Avallen, assim como o lugar em que crescera, está envolta em bruma. E também é um lugar tênue. Se toda essa bruma servir de prova, talvez Avallen, com essas cavernas, seja um lugar *ainda mais* tênue do que o mundo feérico. A Prisão, a corte que ela tinha sido... Vesperus disse que tinha escolhido ali por ser um lugar tênue, bom para viajar entre mundos. Theia também sabia disso. Será que contou para Helena?

Tharion limpou a garganta.

— Então Helena fez todas essas cavernas só para ter uma linha particular com o Inferno?

— Basicamente — respondeu Bryce. — Avallen tinha tudo o que ela precisava. A forma como construiu as cavernas indica que tinha recursos. Helena não conseguiria fazer tudo isso em segredo. Precisava da aprovação de Pelias. E qual a melhor forma de esconder tudo, de protegê-las durante anos e anos do que fingir que era um grande templo ao patriarcado? — Bryce apontou para a sala do sarcófago acima deles. Para os ossos que gostaria de espalhar em uma fossa séptica. — Ela sabia que os machos feéricos nunca iriam derrubar ou mexer neste lugar... Puta que o pariu, Morven se recusa a mexer em Avallen, deixá-la mais moderna *em qualquer aspecto,* porque quer que continue igual a quando Pelias estava vivo. Helena conhecia bem esses machos. Ela sabia que se escondesse isso aqui, tudo seria preservado e permaneceria intacto.

— Ok, supondo por um momento que acreditamos em tudo isso — objetou Tharion —, como você sabe que esta era alguma câmara secreta que ela usava para falar com o Inferno, dentre todos os lugares? O que o jarro e a tigela querem dizer?

— Que todo esse sal aqui embaixo a deixava com sede? — sugeriu Baxian e Hunt grunhiu.

Mas Sathia caminhou até o riacho.

— Aquela água passa diretamente através do sal preto, e esta câmara está repleta dele. — Ela olhou nos olhos de Bryce, franzindo as sobrancelhas. — Será que, ao beber a água misturada com sal preto, é possível conjurar um demônio?

— Nunca ouvi falar de nada parecido, nem durante meus anos de caça aos demônios — disse Hunt.

— Se Helena estivesse invocando demônios aqui, alguém teria notado — comentou Baxian. — A temperatura cairia o bastante para que qualquer outra pessoa nas cavernas a sentisse, mesmo um nível acima.

— Talvez ela não os conjurasse *aqui* — disse Bryce, caminhando até a jarra e a tigela, até a estrela de oito pontas onde estavam apoiadas. As fendas em duas das pontas são bem fundas... fundas demais para que conseguisse ver onde penetravam na rocha. Mas Bryce bateu na lateral da própria cabeça. — Mas aqui.

— O quê? — perguntou Hunt.

Bryce se ajoelhou e mergulhou a jarra na água escura e gelada. O recipiente e a tigela também foram esculpidos em sal preto.

— Os Estrelados conseguiam falar entre mentes. Ainda conseguem. — Ela acenou com a cabeça em direção ao rio um nível acima, os gêmeos assassinos espreitando em algum lugar do outro lado. — Talvez o sal a tenha ajudado a falar entre mentes com o Inferno. Talvez alguém no Inferno possa nos dizer como matar os asteri. O próprio Apollion comeu Sirius. Talvez ele tivesse a resposta esse tempo todo.

Hunt gritou:

— Não se atreva...

Bryce levou a jarra aos lábios, mas um relâmpago quebrou o objeto antes que ela pudesse beber.

Ela se virou, a irritação transparecendo em todo seu corpo.

Hunt estava brilhando com relâmpagos, furioso enquanto avançava sobre ela.

— *Não* beba disso...

— Agora *não* é hora de dar uma de alfa babaca!

— ... sem mim — finalizou.

Bryce olhou boquiaberta para o parceiro enquanto ele pegava a tigela e a estendia para ela.

Pronto para segui-la até o Inferno.

* * *

Juntos, então. Como seus poderes e suas almas estavam ligados, eles beberiam juntos a água salgada.

— Essa... pode ser uma péssima ideia — disse Tharion enquanto Bryce e Hunt sentavam-se frente a frente, joelho com joelho e mão com mão.

Hunt estava inclinado a concordar. Mas ele disse:

— Apollion apareceu para mim e para Bryce em sonho. Talvez ele estivesse usando o mesmo método de comunicação que usou com Helena.

— Então, o quê — disse Baxian enquanto Sathia enchia a tigela de água —, vocês vão beber e torcer para desmaiar e... conversar com o Inferno? Pedir as respostas sobre a espada e a faca que talvez tenham se esquecido de contar até agora?

— Helena deixou isso aqui — disse Bryce, olhando nos olhos de Hunt. Não havia dúvida nem medo, só o mais puro foco brilhando nos olhos do parceiro. — Assim como Silene deixou tudo nas cavernas de seu mundo natal. Para alguém encontrar. Alguém que pudesse carregar a Áster e que seria trazido até aqui pela luz estelar. Alguém que também tenha descoberto a verdade... e saiba onde procurar. — Bryce olhou para o teto, as escadas que levavam para cima. — Acho que Helena deixou isso para nos ajudar.

— Helena e Silene não eram... boas pessoas — avisou Baxian.

— Não, mas elas odiavam os asteri — retrucou Bryce. — Queriam se livrar deles tanto quanto nós. — E foi a esperança que brilhou em seus olhos, tão brilhante que Hunt quase perdeu o fôlego. Por um momento, mais breve do que um piscar de olhos, ele chegou a acreditar que teriam sucesso na missão. — Se isso nos dá uma chance, seja lá o que for, temos que tentar. Eu quero respostas. Eu quero a verdade.

Bryce levou a tigela aos lábios e bebeu.

* * *

Bryce estava caindo para trás e ainda assim não se movia. Seu corpo permaneceu ajoelhado, mas sua alma caiu, congelada, nas trevas, no nada e em lugar nenhum. Uma presença ao seu redor, ao lado dela, brilhou como um relâmpago. Hunt.

Ele estava com ela. Sua alma caindo ao lado dela.

Foi um salto. Tudo isso foi um salto, mas ela tinha que acreditar que Urd a guiara até aqui. Que Helena tinha sido tão esperta quanto a irmã e teria lutado contra o macho que abusou dela até o fim. Que Helena passara a vida toda jogando aquele jogo, não só por ela, mas pelas gerações vindouras.

Esperando que talvez um dia, milênios após sua morte, outra fêmea pudesse surgir, com a luz estelar — a luz estelar de Theia — em suas veias. Não transmitida por Pelias, mas pela própria Helena. A luz estelar de Theia.

Passada para ela. Bryce Adelaide Quinlan.

E pode ser que nem Helena nem Silene a escolhesse, com aquela baboseira de anti-humanos, mas isso não era problema dela.

A sensação de queda parou. Havia apenas escuridão, fria e seca. Sua luz estelar tremeluziu, uma luz pálida e fraca no breu impenetrável. Uma mão encontrou a sua, e ela não precisou olhar para saber que Hunt estava ao seu lado em... onde quer que estivesse. Este mundo de sonho.

Duas luzes azuis brilharam ao longe, aproximando-se deles. Os dedos de Hunt apertaram os dela em advertência. Seu relâmpago tremeluziu. Mas as luzes se aproximavam mais. Cada vez mais perto. E quando passaram pela luz de sua estrela...

Aidas exibia um sorriso discreto — alegria e esperança iluminando seus olhos magníficos.

— Parece que você se perdeu um pouco no caminho até mim, Bryce Quinlan. Mas bem-vinda ao Inferno.

58

Foram necessários dois dias de trabalho sem descanso para ajudar o povo dos Prados. Mas Ithan não se importou, mal pensou na necessidade de ir à Avallen encontrar o corpo de Sofie ou na exaustão enquanto cavava nos escombros, carregava os mortos ou moribundos, ou segurava os feridos por tempo suficiente para Hypaxia ou outra medbruxa salvá-los. E ainda tinham muitos. Tantos humanos, feridos ou mortos.

Nem sinal da governadora, mas pelo menos a 33ª apareceu. Os Aux e um pequeno número de lobos chegaram logo depois. Ithan manteve-se afastado dos lobos, tanto para evitar conflitos quanto para evitar ser avistado por qualquer simpatizante dos asteri que pudesse ter vindo se gabar da destruição.

Manteve a cabeça baixa. Continuou trabalhando. Fazendo o pouco que podia para ajudar, para limpar ou ao menos mover com dignidade aqueles que se foram.

Não havia Veleiros, não para os humanos. Nunca houve Veleiros para eles. Assim, seus corpos foram dispostos em fileiras e mais fileiras dentro do saguão do prédio comercial intacto mais próximo.

Quase uma dúzia de lobos apareceu. O equivalente a duas matilhas se dispôs a ajudar. Que vergonha.

Algo tinha que mudar naquele mundo. E enquanto Ithan empilhava os mortos, enquanto colocava criança após criança no saguão do prédio, percebeu que a mudança tinha que começar por ele.

Dê orgulho ao seu irmão.

Ele tinha que chegar a Avallen. Tinha que trazer Sigrid de volta. Só com ela, uma outra herdeira Fendyr para liderar os lobos... só assim as mudanças poderiam começar.

Um novo futuro. Para todos eles.

* * *

Durante os primeiros cinco minutos, Tharion não parou de monitorar a respiração de Bryce e Hunt.

Baxian e Tharion os seguraram quando seus corpos tombaram para trás, inconscientes, fazendo-os deitar no chão de sal preto. Eles não se moveram. O único sinal de que estavam vivos era o peito deles subindo e descendo. O que quer que estivesse acontecendo, de fato acontecia na mente de cada um.

Tharion, Sathia e Baxian sentaram-se a poucos metros de distância dos amigos, cheios de cautela.

— Quanto tempo vamos esperar? — perguntou Sathia. — Até tentar acordá-los, quero dizer.

Tharion trocou um olhar com Baxian.

— Quinze minutos?

— Melhor trinta — respondeu Baxian. Em seguida, acrescentou: — Mas vamos continuar monitorando.

O silêncio caiu, interrompido apenas pela respiração deles e pelo som do riacho escorrendo pela caverna. Ao lado de Tharion, Sathia virava a tigela de sal preto em suas mãos delgadas, repetidas vezes. Perdida em seus pensamentos.

— Você já fez algo assim? — perguntou Baxian, notando o desconforto dela.

— Não — respondeu ela. — Eu não sou muito aventureira.

— Você já passou pelo seu Ordálio? — indagou Baxian.

Ela assentiu discretamente. Não tinha sido uma boa experiência.

Parte de Tharion queria perguntar mais, mas ele disse:

— O que aconteceu entre você e o seu irmão para que se separassem tanto?

Ela o encarou com irritação.

— O que aconteceu entre você e a Rainha do Rio para que ela colocasse uma recompensa tão alta pela sua cabeça?

Ele deu um sorriso indolente.

— Você não sabe?

— Juntei algumas informações. Você aborreceu a filha certinha dela e teve que fugir. Mas o que você fez para irritá-la?

Tharion tamborilou os dedos no chão frio de pedra.

— Eu quis cancelar nosso noivado. E ela não.

Sathia se endireitou.

— Você estava *noivo*? Da filha da Rainha do Rio?

— Durante dez anos.

Ela colocou a tigela no chão.

— E depois de dez anos, ela não se deu conta de que você não queria se casar?

Tharion olhou para onde Bryce e Hunt estavam deitados, completamente estáticos.

— Eu não estou nem um pouco a fim de falar disso.

Mesmo assim, Sathia pressionou:

— Então você cancelou, mas ela... tentou manter o noivado?

— E ficar comigo. Para sempre.

A consternação no rosto dela o fez rir. Era melhor do que chorar.

— Sim.

— Mas você poderia ter nadado para longe.

— Não se pode *nadar para longe* da Rainha do Rio. Ela não nega nada à filha. Ela teria me trancado em minha forma humanoide, para garantir que eu não pudesse nadar.

De novo, seu rosto foi tomado pelo desânimo.

— Ela faria isso com alguém da sua espécie? Destruir suas nadadeiras para confiná-lo?

— Ela não é uma sereia — disse ele. — Ela é uma elemental. E sim, ela faz isso para punir seres do mar o tempo todo.

— Isso é horrível.

— E tratar fêmeas feéricas como éguas reprodutoras e forçá-las a se casar também é.

Sathia apenas inclinou a cabeça.

— Você fugiu do casamento com a filha da Rainha do Rio... só para acabar casado com uma estranha.

Ele sabia que Baxian estava ouvindo atentamente, embora o Cão do Inferno mantivesse o foco em Bryce e Athalar.

— Parecia uma opção melhor.

— Não faz sentido.

Ele suspirou. E talvez porque estivessem em alguma ilha amaldiçoada no meio do Haldren, talvez porque estivessem a centenas de metros de profundidade, com apenas Cthona como testemunha, ele disse:

— Minha irmã mais nova, Lesia. Ela, hum, morreu no ano passado.

Sathia pareceu surpresa com o rumo que a conversa havia tomado.

— Sinto muito, Tharion — disse com gentileza. Parecia falar sério.

Baxian murmurou:

— Eu não sabia disso. Minhas condolências, Ketos.

Tharion não conseguiu evitar que a memória de Lesia irrompesse sua mente. Ruiva, linda e viva. Seu peito doía, ameaçando desabar.

Mas era melhor do que a outra lembrança dela — das fotografias que o assassino havia tirado de seu corpo. O que ele tinha feito com ela quando Tharion não estava lá para protegê-la.

Tharion continuou:

— Eu sei que você e Flynn têm uma... relação tensa. Mas, ainda assim, você é a irmã mais nova dele. E estava com problemas. E eu sabia que se Lesia estivesse na mesma situação, eu ia querer que um macho decente a ajudasse.

Os olhos de Sathia se suavizaram.

— Bem, obrigada. Se conseguirmos superar tudo isso — ela acenou com a mão para as cavernas, para o mundo além —, vou procurar uma maneira de libertar você desta... situação.

— Acredite, é do meu interesse continuar casado com você até que a filha da Rainha do Rio escolha outro pobre coitado. Se eu estiver solteiro...

— Ela virá atrás de você.

Tharion assentiu.

— É covarde e patético, eu sei. Quer dizer, é provável que a mãe dela venha atrás de mim e me mate de todo modo. Mas ao menos não terei que passar o resto da vida como uma concubina real.

— Tudo bem. — Sathia endireitou os ombros. — Continuamos casados, então. — Ela deu um sorriso discreto. — Por enquanto. — Então ela olhou para Bryce e Hunt. — Você acha que eles estão mesmo no Inferno?

— Parte de mim espera que sim, outra parte espera que não — respondeu Tharion.

— Eles estão no Inferno — disse Baxian calmamente.

Sathia virou-se para ele.

— Como você sabe?

Baxian apontou para seus amigos adormecidos.

— Olha.

Bryce e Hunt jaziam pacificamente no chão de sal preto, com as mãos entrelaçadas e os corpos cobertos por uma fina camada de gelo.

* * *

O barco preto para onde Aidas conduziu Bryce e Hunt era uma mistura daquele que os levara para Avallen e do barco que transportava os corpos para o Quarteirão dos Ossos. Mas, em vez de uma cabeça de veado, havia uma caveira de veado na proa, com chamas esverdeadas cintilando em seus olhos enquanto navegava pela caverna. A misteriosa luz verde iluminava rochas pretas esculpidas em pilares e edifícios, passarelas e templos.

Ancestral. E vazio.

Bryce nunca tinha visto um lugar tão sem vida. Tão... parado. Até o Quarteirão dos Ossos passava a sensação de ser habitado, ainda que pelos mortos.

Mas ali nada se mexia.

O rio era largo, mas plácido. O som da água batendo no casco parecia ecoar alto demais sobre as pedras, sob o teto tão alto que desaparecia na escuridão.

— É como uma cidade dos mortos — murmurou Hunt, envolvendo Bryce com uma asa.

Aidas se virou de onde estava na proa, segurando nas mãos uma longa vara que usava para guiá-los.

— E porque é. — Ele gesticulou com a mão pálida para os prédios, templos e avenidas. — É aqui que nossos amados mortos podem descansar, com todos os confortos da vida ao seu redor.

— Mas não estamos... aqui de verdade — disse Bryce. — Certo? Estamos apenas sonhando?

— De certa forma — disse Aidas. — Seu corpo físico permanece em seu mundo. — Ele olhou por cima do ombro. — Na caverna de Helena.

— Você sabia disso o tempo todo — acusou Hunt.

Os olhos de Aidas brilharam.

— Você teria acreditado em mim?

Bryce estava tão perto de Hunt que sentiu todos os músculos do corpo dele tensionarem.

Seu parceiro disse:

— A verdade poderia ter sido uma boa forma de começar.

Antes que Aidas pudesse responder, o barco se aproximou de um pequeno cais que conduzia ao que parecia ser um templo. Uma figura emergiu entre os pilares do templo e desceu os degraus da frente.

Cabelos dourados, pele reluzente.

O relâmpago de Hunt brilhou, iluminando toda a cidade e o rio.

Apollion ergueu a mão. Relâmpagos puros e crepitantes faiscando ao redor dele, formando um arco em direção ao de Hunt.

— Bem-vindo, filho — disse o Príncipe do Fosso.

59

Toda e qualquer palavra parecia ter fugido da mente de Hunt. Apollion, o Príncipe do Fosso, tinha acabado de chamá-lo...

Bryce saltou do barco e chegou à costa, com o peito ardendo com a luz estelar.

— O que Inferno você acabou de dizer?

Não importava a tensão ou a briga em aberto entre eles; ela ainda o defenderia de todas as formas que pudesse. Hunt saltou atrás dela, as asas o firmaram enquanto suas botas batiam nas pedras pretas soltas. Apollion o chamou de *filho*...

O Príncipe do Fosso desceu as escadas, cada passo parecendo ecoar pela vasta caverna. Outro macho com uma armadura preta o seguia, os cabelos encaracolados quase escondidos pelo capacete de guerra.

— Thanatos — declarou Bryce, aproximando-se, pedrinhas deslizando sob seu tênis rosa neon.

Hunt ainda tinha bom senso suficiente para ficar ao lado da parceira, mas Aidas já estava ali, erguendo a mão.

— Estamos aqui para conversar. Sem violência.

De dentro do elmo ornamentado, os olhos de Thanatos brilhavam com uma raiva assassina.

— Faça o que ele diz — Apollion ordenou ao Príncipe da Ravina, parando na base dos degraus do templo.

O relâmpago de Hunt enroscou-se em seus antebraços, pronto para atacar enquanto ele rosnava para o Príncipe do Fosso:

— Que porra você quis dizer com...

Ele parou de falar quando Aidas tocou o ombro de Bryce. Agindo por instinto, Hunt investiu, com a intenção de empurrar o Príncipe do Desfiladeiro para longe de sua parceira.

Ele passou direto pelo príncipe demônio.

Hunt tropeçou e ergueu as mãos. Seus dedos brilhavam levemente com uma luz pálida e azulada. Bryce tinha a mesma aura ao seu redor.

Eles eram fantasmas ali.

Apollion deu uma risada baixa enquanto Hunt recuava para o lado de Bryce mais uma vez.

— Você descobrirá que não pode nos machucar, nem nós a você, em tal estado. — Sua voz grave ressoou como um trovão nas paredes.

Filho. Não era possível...

— Helena planejou assim — explicou Aidas. Seu olhar permaneceu fixo em Bryce enquanto ele explicava: — Durante meu tempo com Theia, Helena era uma garota quieta, mas estava sempre escutando.

— Você falava demais — retrucou Thanatos.

Aidas o ignorou.

— Helena aprendeu que o sal preto permitiria que ela se comunicasse conosco enquanto protegia sua mente e sua alma.

Assim como a barreira que Bryce havia espalhado em seu apartamento, no dia em que conjurara Aidas. Quando Hunt ainda a considerava uma garota festeira e frívola, brincando com fogo.

— Tudo bem — interrompeu Hunt. — Ótimo, estamos protegidos. — Ele olhou para o Príncipe do Fosso. Tremendo até os ossos, mas se esforçando para superar o medo, o pavor. — Que papo é esse de me chamar de filho?

Thanatos riu, zombeteiro.

— Você não é filho dele. — Ele arrancou o capacete de guerra, segurando-o debaixo do braço. — No máximo, é meu filho.

Os joelhos de Hunt oscilaram.

— *O quê?*

— Vamos sentar e conversar de forma civilizada — Aidas disse para Bryce, que olhava para as sombras do templo que se assomava no topo da escada.

— Acho que estamos bem aqui — Ela se esquivou. Hunt retomou seus pensamentos o suficiente para seguir a linha de raciocínio dela.

Ele os viu, então. Os cachorros. Seus olhos leitosos brilhavam na escuridão entre os pilares.

— Eles não vão te machucar — garantiu Aidas, apontando para os cães que se pareciam muito com o Pastor contra o qual Bryce e Hunt haviam lutado no Quarteirão dos Ossos. — Eles são companheiros de Thanatos.

Hunt pegou seu relâmpago, por mais que não pudesse fazer nada nesta forma insubstancial. Ele percorria seus dedos, normalmente uma presença familiar e reconfortante, mas...

Ninguém jamais soube quem o gerou. De onde viera esse relâmpago.

— E é por isso que estou preocupada — disse Bryce, sem desviar a atenção dos cães. Ela acenou com a cabeça para Thanatos. — Ele come *almas*...

— O Templo do Caos é um lugar sagrado — disse Apollion rispidamente. — Jamais o contaminaremos com violência. — As palavras ressoaram como um trovão de novo.

Hunt avaliou Apollion e depois Thanatos. Que *porra*...

Mas Thanatos farejou Bryce, quase tão canino quanto os cães nas sombras, e disse:

— Sua luz estelar tem um cheiro... mais fresco.

A fome presente nas palavras do macho acalmou a mente caótica de Hunt, transformando-o em uma arma preparada para a violência. Ele não dava a mínima se nunca obtivesse respostas sobre seus antepassados. Se aquele idiota fizesse algum movimento contra Bryce, com formas fantasmagóricas ou não...

Bryce disse, indiferente:

— Desodorante novo.

— Não — disse Thanatos, sem entender a piada —, posso sentir o cheiro em seu espírito. Eu sou o Príncipe das Almas... consigo reconhecer essas coisas. Seu poder foi tocado por algo novo.

Bryce revirou os olhos, mas por um instante Hunt se perguntou se Thanatos estava certo: Bryce havia explicado como o prisma no escritório do Rei Outonal revelara que sua luz agora estava misturada com as trevas, como se tivesse se tornado a luz fraca do dia, do crepúsculo...

— Não temos muito tempo — disse Aidas irritado. — O sonho não vai durar muito. Por favor... entrem no templo. — Ele inclinou a cabeça em uma meia reverência. — Pela minha honra, nenhum mal lhe acontecerá.

Hunt abriu a boca para dizer que a honra do Príncipe do Desfiladeiro não significava merda nenhuma, mas os olhos cor de uísque de Bryce avaliaram Aidas de cima a baixo, sem pressa. E então ela disse:

— Tudo bem.

Deixando de lado todos os pensamentos e perguntas furiosas por um momento, Hunt manteve um olho na saída atrás deles enquanto trocavam a costa pedregosa pelos degraus lisos do templo. Enquanto subiam e entravam em um espaço que era quase um espelho dos templos de sua terra natal — na verdade, a disposição era idêntica ao último templo em que Hunt estivera: o Templo de Urd.

Ele afastou a lembrança da emboscada de Pippa Spetsos, da luta desesperada por suas vidas. Como eles se esconderam atrás do altar, escapando por pouco. Em vez do altar de pedra preta no centro do templo, um poço sem fundo era o principal ponto focal. Cinco cadeiras de madeira preta entalhada o rodeavam.

Hunt e Bryce ocuparam as cadeiras mais próximas, tanto do rio quanto do barco ainda parado na margem. Aidas escolheu a que estava do outro lado de Bryce, sentando-se com uma graça suave e felina. Os braseiros refletiam a luz azulada em seus cabelos loiros.

Os olhos de Apollion brilharam como brasas quando ele disse a Hunt:

— Fico desapontado em ver que você ainda não se libertou da coroa preta, Orion Athalar.

— Alguém me explique que porra é essa — retrucou Hunt. De todas as coisas que já tinha imaginado para sua vida, sentar em círculo com três Príncipes do Inferno não estava em nenhum lugar da lista.

— As coroas pretas eram coleiras no Inferno — respondeu Thanatos de um jeito taciturno. Seu corpo poderoso parecia preparado para saltar através daquele poço e atacar. Hunt monitorava cada respiração dele. — Feitiços criados pelos asteri para nos escravizar. Elas eram uma ligação, que os asteri adaptaram para sua próxima guerra... em Midgard.

Hunt virou-se para Aidas.

— Você pareceu surpreso ao ver uma dessas em mim na primeira vez que nos vimos. Por quê?

Mas antes que Aidas pudesse começar, Apollion respondeu:

— Porque os Príncipes do Inferno não podem ser contidos pelas coroas pretas. Os asteri descobriram isso... e foi a ruína deles. Como você foi feito pelos Príncipes do Inferno, a coroa não deveria ser capaz de segurá-lo.

Feito por eles? Por esses filhos da puta?

Hunt não fazia ideia do que dizer, do que fazer enquanto tudo em sua vida girava e se diluía, seus batimentos cardíacos aumentando até se tornarem estrondosos.

— Eu... eu não...

— Comece a falar — retrucou Bryce para Apollion, aproximando sua cadeira alguns centímetros da de Hunt. Não por medo, Hunt sabia, mas por solidariedade. Isso fez algo se firmar dentro dele, acalmou seus batimentos irregulares. — A mãe de Hunt era um anjo.

O rosto amoroso e cansado de sua mãe brilhou diante dos olhos de Hunt, causando uma pontada de dor em seu coração.

— Ela era — disse Apollion, e a maneira como sorriu...

A mais pura raiva entorpeceu todos os sentidos de Hunt.

— Você se *atreveu*...

— Ela não foi maltratada — disse Aidas, erguendo a mão elegante. — Podemos comandar pesadelos, mas não somos monstros.

— *Expliquem* — ordenou Bryce aos príncipes demônios, luz estelar ondulando dela. Thanatos farejou o ar mais uma vez, saboreando-o, e recebeu um olhar furioso de Aidas. — Do começo.

Apesar das palavras acaloradas que trocaram antes, Hunt nunca a amou tanto, nunca esteve tão grato por Urd ter escolhido uma parceira tão leal e fodona para ele. Podia confiar nela para obter as respostas de que precisavam.

— O que você sabe? — perguntou Aidas a ela. — Não apenas sobre Athalar, mas sobre toda a história de Midgard.

— Rigelus tem uma pequena sala em que exibe suas conquistas — disse Bryce, a suavidade desaparecendo de seu rosto enquanto cruzava os braços. — Ele tem uma seção inteira em que mostra como invadir seu planeta. E eu sei que o Inferno já teve facções em guerra, mas vocês resolveram toda essa merda e marcharam unidos para expulsar os asteri. Um ano depois, vocês os caçaram pelas estrelas e os encontraram em Midgard. Lutaram com eles de novo e, dessa vez, não deu certo. Vocês foram expulsos de Midgard e têm tentado voltar pela Fenda Norte desde então.

— Isso é tudo? — falou Apollion devagar.

Bryce disse cautelosamente para Aidas:

— Eu sei que você amava Theia. Que você lutou por ela.

O Príncipe do Desfiladeiro estudou suas mãos longas e finas.

— Amei. E continuei amando por muito tempo após a morte dela.

Hunt teve a sensação de que as trevas no poço diante deles respirava.

— Mesmo que ela não fosse melhor que os asteri? — desafiou Bryce.

Aidas ergueu a cabeça.

— Não há como negar como Theia passou a maior parte de sua existência. Mas havia bondade nela, Bryce Quinlan. E amor. Ela se arrependeu de suas ações, tanto em seu mundo natal quanto em Midgard. Ela tentou consertar as coisas.

— Fez pouco, quando já era tarde demais — retrucou Bryce.

— Eu sei — admitiu Aidas. — Acredite, eu sei. Mas também há muitas coisas das quais me arrependo. — Ele engoliu em seco, destacando os músculos fortes de seu pescoço.

— O que aconteceu? — Bryce pressionou. Hunt quase preferia não saber.

Aidas suspirou, o som pesado com a passagem de incontáveis milênios.

— Os asteri ordenaram que Pelias usasse o Chifre para fechar a Fenda do Norte, para se defenderem de ataques. Foi o que ele fez, isolando todos os outros mundos no processo, mas o Chifre quebrou antes que ele pudesse fechá-la de vez para o Inferno. Uma fresta minúscula foi deixada na Fenda e minha espécie conseguia passar furtivamente. Helena usou sal preto para me contatar, na esperança de lançar outra ofensiva contra os asteri, mas não conseguimos descobrir como. A menos que a Fenda estivesse totalmente aberta, não poderíamos atacar. E éramos tão poucos que não teríamos a menor chance.

Thanatos continuou a narrativa, apoiando o capacete no joelho.

— Os vampiros e os ceifadores nos desertaram em nome dos asteri. Eles nos traíram, os covardes. — Das sombras atrás dele, seus cães rosnaram, como se concordassem. — Eram nossos capitães e tenentes, em sua maior parte. Nossos exércitos estavam em frangalhos sem eles. Precisávamos de tempo para nos recuperar.

— Acredito que Helena tenha percebido isso — continuou Aidas —, que não viveria para ver a guerra ser vencida. E nem os filhos dela. Eles puxaram bastante do pai. E também aproveitaram os benefícios de estarem a favor dos asteri.

Bryce descruzou os braços, inclinando-se para a frente.

— Desculpa, mas ainda não entendo por que Helena construiu a Caverna dos Príncipes. Só para falar com vocês como amiguinhos de longa distância?

A boca cheia de Aidas se ergueu em um dos cantos.

— De certa forma, sim. Helena precisava de nosso conselho. Mas àquela altura, ela também havia descoberto o que Theia havia feito em seus últimos momentos de vida.

60

A Caverna dos Príncipes era tão suja e confusa quanto Ruhn se lembrava. Mas pelo menos ele tinha um pouco de luz estelar para manter os espíritos malignos afastados na escuridão enevoada. Mesmo que tenha levado a maior parte de sua concentração para invocá-la e mantê-la brilhando.

Fazia horas que ele e Lidia tinham entrado ali, e sentira imediatamente o cheiro de Flynn e Dec pairando no ar. Junto com o de Morven e o dos gêmeos assassinos. Mas foi o sexto cheiro que fez Ruhn correr pelas passagens, Lidia acompanhando-o com facilidade. Um perfume que assombrava seus pesadelos, estivesse ele acordado ou dormindo.

De alguma forma, o Rei Outonal estava ali. E o pai não estava esperando por Ruhn, mas seguindo para dentro das cavernas, atrás de Bryce. Ruhn seguia em frente, mesmo quando suas pernas exigiam uma pausa.

Os cheiros de Morven e de seu pai — com os outros que estavam junto — atravessavam túneis quase escondidos e passagens íngremes, como se o Rei Cervo conhecesse todas as rotas secretas e diretas. Como Rei de Avallen, era bem provável que conhecesse. Ou talvez os espíritos malignos tenham mostrado o caminho.

Enfim, o corpo de Ruhn exigiu água e ele fez uma pausa.

Lidia não reclamou, não fez nada além de segui-lo, sempre atenta a qualquer ameaça. No entanto, enquanto corriam mais uma vez pelo corredor, ela disse baixinho:

— Me desculpa por ontem à noite.

Apesar de todos os seus instintos gritarem para que Ruhn se apressasse, ele parou.

— Do que você está falando?

Ela engoliu em seco, seu rosto quase luminoso sob a luz estelar.

— Quando eu... me retraí.

Ele ficou sem reação.

— Por que Inferno você pediria desculpas por isso?

Era Pollux quem deveria pedir desculpas. Pelo Inferno, Ruhn o *obrigaria* a pedir desculpas a Lidia — de joelhos —, antes de enfiar uma bala bem na cabeça do filho da puta.

As bochechas dela estavam coradas, um brilho rosado contra a escuridão enevoada atrás de si.

— Gosto de pensar que sou imune a... memórias persistentes.

Ruhn balançou a cabeça, prestes a protestar, quando ela continuou:

— Tudo o que fiz com Pollux, fiz porque queria. Por mais que às vezes eu achasse o tipo de entretenimento dele difícil de aguentar.

— Eu entendo — disse Ruhn um pouco rouco. — De verdade. Não estou julgando, Lidia. Não precisamos fazer nada que você não queira. Nunca.

— Mas eu quero.

Lidia olhou para a boca dele.

— Quer o quê? — perguntou ele, a voz saindo em um tom mais baixo.

— Saber como é seu corpo. Sua boca. Na vida real. Não em um mundo de sonho.

O pau dele ficou duro, e Ruhn se movimentou. Não escondeu o tesão em seu tom de voz, seu cheiro, quando disse:

— Quando você quiser, Lidia.

Menos agora, obviamente. Mas depois que ele resolvesse o que quer que fosse a merda que estivesse acontecendo nas cavernas...

A pulsação na garganta dela pareceu vibrar em resposta.

— Eu quero você o tempo todo.

Maldito seja. Ruhn se inclinou. Passou a boca e a língua pelo pescoço dela. Lidia ofegou, fazendo as bolas dele palpitarem.

Ruhn disse contra sua pele macia:

— Quando sairmos dessas cavernas, você vai me mostrar exatamente onde me quer, e como me quer.

Ela se contorceu um pouco, e ele sabia que, se deslizasse a mão entre as pernas dela, veria que estava toda molhada.

— Ruhn — murmurou ela.

Ele beijou o pescoço dela de novo, observando através das pálpebras pesadas enquanto seus mamilos endureciam, despontando pelo tecido fino da camisa. Ele ainda *os* exploraria muito. Talvez pudesse explorar um pouco...

Um *sibilar* antigo e áspero soou nas rochas próximas.

Não era a hora nem o lugar. Ruhn se afastou de Lidia, encontrando seus olhos. Eles estavam vidrados de tesão.

Mas ela limpou a garganta.

— Temos que continuar.

— Sim — disse ele.

— Talvez você devesse, hã, parar um momento — comentou ela, sorrindo maliciosamente para a protuberância na calça dele.

Ele olhou para ela, irônico.

— Você acha que os espíritos malignos não vão gostar?

Lidia riu. Então agarrou a mão dele, puxando-o de volta para uma corrida constante e ritmada.

— Quero ser a única a apreciar isso, de agora em diante.

Ele não conseguiu refrear o orgulho de macho que o inundou.

— Eu posso aceitar isso.

* * *

— Eu sei o que Theia fez — disse Bryce balançando a cabeça. — Ela tentou mandar as filhas de volta ao mundo natal, mas só Silene conseguiu.

Aidas arqueou uma sobrancelha.

— Presumo que você tenha descoberto alguma coisa da verdade, se conhece Silene pelo nome. Você compreendeu o que aconteceu com ela?

— Ela deixou um... um vídeo mágico que explicava tudo. — Bryce puxou a Reveladora da Verdade da bainha ao seu lado. Ali, pelo menos, as lâminas não chamavam uma à outra. — Silene estava com isso quando voltou para seu mundo natal. E agora eu trouxe de volta para Midgard.

Aidas se assustou ao ver a adaga.

— Silene contou o que aconteceu naquele último encontro com a mãe?

Bryce revirou os olhos.

— Me conta logo, Aidas.

Thanatos e Apollion se remexeram em seus assentos, irritados com a irreverência dela, mas a boca de Aidas se curvou em um sorriso.

— Demorou anos até que Helena e eu pudéssemos entender o que Theia fez com sua magia.

— Ela protegeu as filhas — disse Bryce, lembrando como a estrela de Theia se dividiu em três, com uma esfera indo para cada filha. — Usou a Harpa para levar sua magia até uma delas, como uma espécie de feitiço de proteção.

Aidas assentiu.

— Theia usou a Harpa para dividir sua magia, *toda* sua magia, entre as três. Um terço para Silene. Um terço para Helena. E o restante ficou com Theia. — Em seus olhos surgiu uma tristeza antiga. — Mas ela não guardou o suficiente para se proteger. Por que você acha que Theia morreu nas mãos de Pelias naquele dia? Com apenas um terço de seu poder, ela não tinha chance contra ele.

— E a espada e a faca? — perguntou Bryce.

— Theia fez de tudo para impedir que os asteri conseguissem empunhar seu poder de usar a espada e a faca. Ambas as armas estavam ligadas ao poder dela, já que Theia tinha ajudado a fazer as duas — explicou Aidas calmamente. — É por isso que a Áster clama pelos descendentes de Helena... de Theia. Mas apenas aqueles que têm luz estelar de Theia suficiente para ativar seu poder. Seus ancestrais chamavam esses de Feéricos Estrelados. Os asteri não tinham poder algum sobre as lâminas; eles não têm a conexão de Theia com as armas. Como a Áster e a faca foram ambas Feitas por Theia no mesmo momento, o vínculo entre elas sempre as uniu. Há muito tempo que procuram se unir, como estavam no momento da sua Criação.

— Semelhantes se atraem — murmurou Bryce. — É por isso que a Áster e a Reveladora da Verdade continuam querendo ficar próximas uma da outra. Por que elas ficam tão exaltadas.

Aidas assentiu.

— Acredito que quando você abriu o Portão, apesar do seu desejo de vir até o Inferno, o desejo da Áster de ficar perto da faca e vice-versa foi tão forte que o portal foi redirecionado para o mundo onde foram Feitas. Com a porta fechada entre os mundos, elas não conseguiam se reunir. Mas uma vez que você a abriu, a atração das lâminas foi mais forte do que sua vontade destreinada.

Com a Áster em mãos, ela foi direto para a Reveladora da Verdade, pousando naquele gramado a poucos metros de Azriel e da adaga.

Bryce estremeceu diante das lâminas.

— Estou tentando não ficar assustada com o fato de essas coisas serem, tipo... sencientes. — Mas ela tinha sentido, não tinha? A atração, a ligação entre as duas. Puta merda, era capaz de jurar que estavam conversando na noite anterior. Como duas amigas que tinham ficado muito tempo separadas e agora colocavam o papo em dia.

Mais de quinze mil anos de separação.

Aidas continuou:

— Mas não foram apenas as lâminas que você reuniu no mundo natal dos feéricos, foi?

As mãos de Bryce brilhavam levemente com aquela aura fantasmagórica.

— Não — admitiu ela. — Eu acho... acho que reivindiquei um pouco da magia de Theia. Silene a deixou esperando lá. — Ela pensou que fosse outra estrela, e não um pedaço de uma estrela maior.

Aidas não pareceu surpreso, mas os outros dois príncipes exibiam uma expressão confusa tão semelhante que ela quase sorriu. Bryce olhou para Hunt, que assentiu discretamente. *Continue*, ele parecia dizer.

Então Bryce explicou como ela reivindicou o poder da Prisão, o que viu e aprendeu com a memória de Silene, seu confronto com Vesperus.

Bryce finalizou:

— Achei que Silene tinha deixado o poder *dela*, mas ela ainda tinha magia depois. Deve ter sido o poder de Theia que ela deixou nas pedras. Foi absorvido pelo meu, como se *fosse* meu. E quando minha luz brilhou pelo prisma do Rei Outonal, ela se transformou. Pareceu... mais completa. Agora tingida de trevas.

Aidas refletiu:

— Eu diria que você já tinha um terço do poder de Theia, a parte que originalmente foi dada a Helena... que chegou até você através da linhagem de Helena, e você pegou outro terço no esconderijo de Silene. Mas se você conseguir encontrar o último terço, a parte que Theia tinha guardado para si... Eu me pergunto como sua luz ficará então. O que será capaz fazer.

— Você conheceu Theia — disse Bryce —, me diga você.

— Acredito que você já tenha começado a ter alguns vislumbres — declarou Aidas —, quando encontrou o que Silene tinha escondido.

Bryce considerou.

— O poder do laser?

Aidas riu.

— Theia chamava de fogo estelar. Mas sim.

Bryce franziu a testa.

— É... é igual ao dos asteri? — Ela não tinha percebido o quanto essa dúvida a incomodava. Devorava Bryce por dentro.

— Não — interrompeu Apollion, carrancudo. — Eles são semelhantes em sua capacidade de destruir, mas o poder dos asteri é uma ferramenta contundente e perversa de destruição.

Aidas acrescentou, com os olhos brilhando em simpatia:

— A capacidade de destruição do fogo estelar é apenas uma faceta de um presente maravilhoso. A maior diferença, obviamente, está na forma como o portador escolhe usá-lo.

Bryce deu um sorriso discreto quando o peso foi retirado de suas costas.

Hunt interrompeu:

— Então, só para entender: ainda tem uma terceira fração do poder de Theia por aí... ou tinha?

— Helena sabia que a fração da magia da mãe que possuía seria passada para as gerações futuras — disse Aidas. — Mas quando Theia morreu, tudo o que restou do poder dela ficou na Áster. Theia o colocou na lâmina depois de separar a parte das filhas.

Bryce balançou a cabeça.

— Deixa eu ver se entendi. Theia dividiu seu poder em três partes: uma para cada uma de suas filhas, e ela transferiu a última parte para a Aster. Então a parte final da magia dela está nessa lâmina? Esperando ali todo esse tempo?

— Não — disse Aidas. — Helena o retirou.

Bryce gemeu.

— Sério? Nada pode ser fácil?

Aidas bufou.

— Helena não achou sensato deixar o que restava da estrela de Theia na espada, mesmo em segredo.

— Mas como os asteri teriam conseguido exercer o poder de Theia para usar a espada e a faca — questionou Bryce — se ela estava morta?

— Eles poderiam tê-la ressuscitado — disse Hunt baixinho.

Aidas concordou.

— Theia não queria que eles acessassem toda a força da estrela em sua linhagem, mesmo através de seu cadáver. Então ela dividiu em três, colocando apenas o suficiente na Áster para enfrentar Pelias, de modo a ganhar tempo para que as filhas fugissem. Ela deu sua magia para suas filhas, pensando que ambas escapariam para seu mundo natal e estariam fora do alcance dos asteri para sempre.

— Por que não mandar a Áster com elas também?

— Porque então a faca e a espada estariam juntas — disse Thanatos.

— Mas que tipo de ameaça elas representam? — perguntou Bryce, quase gritando de irritação. — O Rei Outonal disse que elas podem abrir um portal para lugar nenhum... É isso?

— Sim — confirmou Aidas. — E, juntas, podem desencadear a destruição final. Theia as separou para evitar que os asteri tivessem essa habilidade. Ela não sabia como as armas poderiam ser unidas por alguém que não fosse de sua linhagem, mas os asteri eram conhecidos por serem... criativos.

— Como Helena transferiu o poder da espada? Ela não tinha a Harpa — perguntou Bryce.

— Não — concordou Aidas. — Mas Helena sabia que Midgard possuía magia própria. Um tipo de magia crua e mais fraca do que a de seu mundo natal, mas que poderia ser potente em altas concentrações. Helena aprendeu que ela fluía pelo mundo em grandes estradas, canais naturais para a magia.

— As linhas ley — Bryce sussurrou.

Aidas assentiu.

— Essas linhas são capazes de transportar magia, mas também de transportar comunicações através de grandes distâncias. — Como aquelas entre os Portões da Cidade da Lua Crescente, o modo como ela falou com Danika no dia em que fez a Descida. — As linhas ley estão em todo o universo. E os planetas, como Midgard, o Inferno e o mundo natal dos feéricos, estão no topo dessas linhas, unidos pelo tempo, pelo espaço e pelo próprio Vazio. Afinando os véus que nos separam. Os asteri escolhem, há muito tempo, mundos que estão nas linhas ley com esse exato propósito. Para tornar a movimentação e colonização entre esses planetas mais fácil. Existem certos locais em cada um desses mundos onde a maior parte das linhas ley se sobrepõem e, portanto, a barreira entre os mundos é mais fraca.

Tudo se encaixava.

— *Lugares tênues* — disse Bryce com súbita certeza.

— Exato — respondeu Apollion por Aidas, com um aceno de aprovação. — A Fenda do Norte, a Fenda do Sul… ambas ficam no topo de um tremendo nó de linhas ley. E ainda que aquelas sob Avallen não sejam tão fortes, a ilha é um único lugar tênue, graças ao sal preto... que a liga ao Inferno.

— E as brumas? — perguntou Hunt. — Qual é o problema com elas?

— As brumas são resultado do poder das linhas ley — disse Aidas. — São uma indicação de um lugar tênue. Na esperança de encontrar uma linha ley forte o suficiente para ajudá-la a transferir e esconder o poder de Theia, Helena enviou uma frota de feéricos com magia da terra para vasculhar todos os lugares com brumas que pudessem encontrar em Midgard. Quando ela ouviu falar de um lugar envolto em brumas tão espessas que era quase impossível penetrar, Helena foi investigar. As brumas se abriram para ela... como se estivessem a esperando. Ela encontrou a pequena rede de cavernas em Avallen... e o sal preto abaixo da superfície.

Aidas deu um sorriso sombrio.

— Ela voltou para a Cidade Eterna e convenceu Pelias de que aquele era o único lugar digno de sepultá-lo. Ele era vaidoso e arrogante o suficiente para acreditar nela. Então eles estabeleceram o reino feérico em Avallen, e ela esculpiu sua tumba real na rocha. Inventou mentiras sobre querer que as gerações futuras o adorassem, de que teriam que nascer com o sangue *certo* para ganhar o privilégio de conquistar sua espada, que seria enterrada com ele.

Aidas gesticulou em direção à Áster, embainhada nas costas de Bryce.

— Helena sabia que Pelias jamais se desfaria de seu troféu, pelo menos até que ele morresse. E quando ele enfim morreu, ela recorreu ao poder das linhas ley de Avallen para pegar a estrela que sua mãe havia imbuído na Áster e escondê-la.

— Então por que a profecia sobre a espada e a faca? — perguntou Hunt. — Se Theia estava com tanto medo de elas se reencontrarem, por que toda essa besteira de tentar reuni-las de novo?

Aidas cruzou as pernas.

— Helena inventou essa profecia, semeando-a na tradição feérica. Ela sabia que, apesar de todo o medo da mãe, era *preciso* ter a espada e a faca para destruir os asteri. Ela sabia que se aparecesse um descendente que pudesse reivindicar todas as três partes da magia, ele precisaria da espada e da faca para fazer esse poder *valer*. O poder de Theia, quando completo, é a única coisa que pode unir e ativar o verdadeiro poder dessas lâminas e impedir a tirania dos asteri.

Bryce estava com a boca seca. Enfim encontrara uma forma de derrotar os asteri.

— Então onde está? — perguntou Bryce. — Onde está a última parte do poder de Theia?

— Não sei — disse Aidas com tristeza. — Helena não contou para ninguém, nem para mim.

Bryce suspirou, frustrada, mas Hunt continuou pressionando os príncipes.

— Então para unir a espada e a faca, Bryce precisa encontrar a luz estelar que Helena tirou da Áster, o último terço do poder de Theia, que está escondido em algum lugar de Avallen?

— Sim — confirmou Aidas.

— Mas como faço para que elas abram aquele portal para lugar nenhum... e o que diabo isso quer dizer, afinal? — Bryce reclamou.

Thanatos disse:

— Estamos nos perguntando isso há eras.

Aidas passou a mão pelos cabelos dourados.

— A *destruição final* foi o melhor palpite que tivemos.

— Fantástico — resmungou Bryce.

No entanto, Hunt perguntou:

— Se Avallen é um dos lugares tênues mais poderosos, por que os asteri permitiram que os feéricos vivessem aqui?

— O sal preto, em grande quantidade, serve como um repelente para eles. Nunca se deram conta que sua presença nos atraía tanto quanto os repelia — disse Apollion com satisfação. — Tem as mesmas propriedades que nos tornaram imunes à escravidão de suas coroas pretas.

Bryce ficou tensa ao ouvir aquilo e olhou para Hunt. Mas o parceiro perguntou, deixando de lado as dúvidas a respeito de si mesmo:

— Helena sabia que os asteri eram repelidos deste lugar?

Aidas assentiu.

— Descobrir isso foi o que confirmou a decisão de esconder o poder de Theia aqui.

Bryce inclinou a cabeça:

— Mas por que as brumas se abriram para Helena passar?

— O sal preto só repele os asteri; as brumas repelem todos os outros. Mas certas pessoas, com certos dons, podem acessar o poder de lugares tênues... em qualquer mundo. Andarilhas do mundo. — Aidas gesticulou graciosamente para Bryce. — Você é uma delas. Helena e Theia também. Suas habilidades naturais permitem que vocês se movam através das brumas.

Bryce tirou a sujeira invisível dos ombros:

— Pode acrescentar mais isso à lista de porcarias de Princesas Estelares Mágicas de Bryce — disse Hunt, rindo. Mas então ele franziu a testa. — Se a espada e a faca podiam abrir um portal para lugar nenhum esse tempo todo, por que Theia não as usou nas Primeiras Guerras?

— Porque ela estava com medo — disse Aidas, a voz ficando tensa de repente. — Por todos nós.

— Certo — disse Bryce. — Destruição final.

— Sim — disse Aidas. Thanatos bufou com desdém, mas Apollion olhou para Aidas com algo parecido com compaixão. — Theia — explicou Aidas — criou algumas teorias a respeito da união das lâminas, mas nunca as colocou em prática. Temia que, se abrisse um portal para lugar nenhum, toda Midgard poderia ser atraída. Pode ser que conseguisse prender os asteri em outro mundo só para condenar este mundo a segui-los. Então decidiu que seria melhor ter cuidado. E quando deveria ter jogado o cuidado pela janela... já era tarde demais para ela. Para nós. Era mais seguro e sábio separar as lâminas e seu poder.

— Mas Helena não acreditava nisso — disse Bryce.

— Helena acreditava que o risco valia a pena — disse Aidas. — Ela sofreu muito nos anos que se seguiram às Primeiras Guerras, e viu o sofrimento de outros também. Passei a concordar com ela. Ela não me disse para onde transferiu o poder de Theia, mas sei que ela o deixou acessível para um descendente que pudesse surgir e encontrar a luz de Theia que ela guardou. A pessoa que poderia de alguma forma, contra todas as probabilidades, unir as partes do poder de Theia... e as duas lâminas.

— *O que cega um Oráculo?* — sussurrou Bryce.

— A estrela de Theia — respondeu Aidas suavemente. — Eu te disse: O Oráculo não viu aquele dia... mas eu vi. Eu vi você, tão jovem, inteligente e corajosa, e a luz estelar que Helena me disse para aguardar. Aquele terço do poder de Theia, transmitido através da linhagem de Helena.

Hunt exigiu:

— Mas o que Bryce deve *fazer*? Encontrar aquela última parte do poder de Theia, usá-la nas lâminas e abrir esse portal para lugar nenhum enquanto reza para que não fiquemos todos presos com os asteri também?

— Em resumo, é isso — disse Aidas, com os olhos fixos em Bryce. — Mas tem uma coisa que nem Theia nem Helena tinham previsto: que você carregaria o Chifre, renascido, em seu corpo. Outra forma de abrir portas entre mundos.

— E o que ela deve fazer com isso? — grunhiu Hunt.

Aidas sorriu.

— Escancarar a Fenda do Norte, é óbvio.

61

— Então — disse Bryce devagar, como se deixasse as palavras se assentarem —, por que não usar o Chifre para abrir o portal para lugar nenhum?

— Porque ninguém sabe o que é... *onde* fica. A espada e a faca, de alguma forma, apontam para a localização dele. Só é possível chegar nesse portal através delas.

A cabeça de Hunt girava. Inferno, a cabeça dele não tinha parado de rodar nos últimos dez minutos. Mas Bryce não aceitava o que ouvia.

— E se eu nunca recuperasse a faca? E se eu nunca viesse para Avallen? E se eu não tivesse a chance de fazer nada disso, ou me recusasse a vir para cá, ou sei lá?

Apollion e Thanatos se remexeram em seus assentos, entediados ou nervosos, mas Aidas continuou falando.

— Não sei como Helena esperava que você conseguisse recuperar a faca do mundo natal dela. Quanto a Avallen... Helena queria que eu te ajudasse. Mas você sentia tanto ódio dos feéricos... nunca teria confiado em mim se eu a tivesse pressionado a viajar para a fortaleza deles.

— É verdade — murmurou Bryce.

— Meus irmãos e eu tínhamos certas dúvidas em relação ao plano de Helena. Continuamos depositando nossas esperanças na reabertura da Fenda do Norte para que pudéssemos continuar a luta contra os asteri. Se alguém como você, uma andarilha do mundo, aparecesse e Avallen ainda não fosse acessível para reivindicar o poder de Theia, ainda seria necessário achar uma maneira de... te abastecer, por assim dizer.

Ele enfim olhou para Hunt.

Hunt mal conseguia respirar. Aqui, depois de toda aquela espera... as respostas estavam aqui.

— Você é filho dos meus dois irmãos só no sentido mais vago — disse Aidas.

Algo no peito de Hunt se acalmou, ainda que seu estômago se revirasse.

— A princípio, Thanatos se recusou a ajudar — acrescentou Apollion, olhando com irritação para o irmão.

— Eu não aprovei o plano — rebateu Thanatos, segurando forte o capacete. — E ainda não aprovo.

— Meu irmão — disse Aidas, acenando para Thanatos — há muito tempo se destaca na confecção de coisas.

— Engraçado — disse Bryce — não achei que você fosse um artesão.

Hunt olhou incrédulo para ela, mas Aidas sorriu antes de continuar falando com ele:

— Durante as Primeiras Guerras, como vocês as chamam, Thanatos ajudou Apollion a criar novos tipos de demônios para lutar ao nosso lado. Os kristallos, projetados para caçar o Chifre... para que possamos encontrar um caminho desobstruído para Midgard. O Pastor. Os caça-morte. — Um aceno para Hunt, como se ele soubesse da cicatriz deixada por um deles nas costas de Hunt. — Foram algumas das criações do meu irmão.

Bryce balançou a cabeça.

— Mas o veneno dos kristallos pode anular a magia. Se você sabia fazer isso, por que não usou contra os asteri na guerra?

— Nós tentamos — disse Aidas. — Não teve o mesmo efeito no poder deles.

— Me desculpe — Hunt interrompeu —, mas você está insinuando que eu fui feito *por esses dois idiotas*? Como uma espécie de animal de estimação? — Ele apontou para Thanatos, depois para Apollion.

— Não como um animal de estimação — retrucou Apollion com a voz sombria. — Uma arma. — Ele apontou para Bryce. — Para ela, quando ela enfim aparecesse.

— Mas você não sabia que as linhas do tempo iriam se sobrepor — contrapôs Bryce, quase sem fôlego.

— Não. Não tiveram experimentos anteriores — concordou Apollion. — A expectativa era de que eles se espalhassem e se multiplicassem por Midgard, mas os asteri ficaram sabendo dos nossos planos e acabaram com eles.

— Os pássaros-trovão — comentou Bryce, boquiaberta. — Também foram feitos por vocês?

— Foram, sim — respondeu Aidas com naturalidade —, e os mandamos pelas frestas da Fenda do Norte. Mas eles foram caçados até quase serem extintos, gerações atrás. Abençoar um anjo com o poder deles, um soldado perfeito... era um dom e uma maldição. Os asteri acreditavam que, através da seleção artificial dos malakim, enfim conseguiriam um soldado impecável para servi-los. Que foi o próprio brilhantismo deles que trouxe alguém como Hunt Athalar ao mundo.

— Mas você se rebelou — Apollion disse a Hunt com grande orgulho. — Você era valioso demais para ser morto, mas eles queriam te destruir. Foi escravizado com esse objetivo.

Hunt mal conseguia sentir seu corpo.

— Podemos, por favor, voltar no tempo um pouquinho? — interrompeu Bryce. — Vocês criaram os pássaros-trovão para complementar meu poder... caso eu nunca conseguisse a espada e a faca, e se algum dia eu precisasse de uma carga extra para abrir a Fenda. Mas quando eles foram caçados, vocês... criaram o Hunt, e então eu nasci...

— Athalar já estava escravizado — disse Aidas —, mas estávamos sempre de olho nele.

Apollion acenou com a cabeça para Hunt.

— Por que você acha que é tão hábil em caçar demônios? Está no seu sangue... parte de *mim* está no seu sangue.

A náusea subia pela garganta de Hunt. A ideia de dever alguma coisa ao Príncipe do Fosso...

— Assim como ele cedeu um pouco de sua essência para os kristallos — disse Thanatos —, então ele me forneceu algo que eu pudesse te dar. O Fogo do Inferno.

— Fogo do Inferno? — Bryce exigiu.

— O relâmpago — disse Thanatos, acenando com a mão irritada. — Capaz de matar quase tudo. Até mesmo um asteri.

— Foi assim que você matou Sirius? — perguntou Bryce. — Com seu... Fogo do Inferno?

— Sim — disse Apollion. Depois acrescentou a Hunt: — Seu nome veio em homenagem a isso, sussurrado no ouvido da sua mãe quando você nasceu. Orion... mestre de Sirius.

— Que engraçadinho — retrucou Hunt. Então perguntou: — Calma aí... meu relâmpago pode matar os asteri? — A esperança floresceu, radiante e bela em seu peito.

— Não — disse Apollion. — Está... diluído do meu. Pode prejudicá-los, mas não matá-los. Acredito que o sangue angelical de sua mãe fez com que esse poder diminuísse.

A esperança murchou. E algo mais sombrio tomou seu lugar quando ele perguntou:

— Qual foi o papel da minha mãe nisso tudo? — Ele poderia aceitar algumas intromissões genéticas, mas...

— Tinha um cientista nos Arquivos Asteri — comentou Aidas. — Um anjo que estava investigando as origens dos pássaros-trovão, a estranheza do poder deles. O projeto levou o nome de um deus das tempestades quase esquecido.

— Projeto Thurr — acrescentou Bryce. — Danika também estava investigando? Encontrei menções a respeito disso depois que ela morreu.

— Não sei — respondeu Aidas —, mas o anjo estava pesquisando pássaros-trovão a mando dos asteri, que temiam o retorno deles. Isso fez com que ele viesse até nós. Quando contamos a verdade, ele se ofereceu para ajudar. Na época, Thanatos estava terminando seu trabalho. E com um macho voluntário, só era necessário uma fêmea para procriar.

Hunt não conseguia respirar. Bryce colocou a mão no joelho dele.

— Seu pai conheceu sua mãe por pouco tempo — comentou Aidas. — E ele sabia que ter um companheiro ajudaria a tirá-la da pobreza. Ele tinha toda a intenção de ficar. De deixar a vida dele para trás e criar você em segredo.

Hunt mal conseguiu perguntar:

— O que aconteceu?

— Os místicos contaram a Rigelus a ligação que seu pai tinha com a gente. Eles não descobriram tudo... nada sobre você ou sua mãe. Só que ele estava falando com a gente. Rigelus o levou de volta e ele foi torturado e executado.

O coração de Hunt deu um pulo.

— Ele não contou nada para eles — disse Apollion, com um tom de gentileza em sua voz. — Ele nunca mencionou sua mãe ou a gravidez dela. Os asteri nunca souberam que você estava ligado a ele de alguma forma.

— Qual... qual era o nome dele?

— Hyrieus — respondeu Aidas. — Ele era um bom macho, Hunt Athalar. Assim como você.

Bryce apertou o joelho dele, a mão tão quente — ou seria ele que estava estranhamente frio?

— Ok, então Hunt foi feito para ser uma bateria reserva para mim...

— Posso fazer o mesmo por Ruhn, então? — interrompeu Hunt.

— Não — disse Thanatos. — A luz do príncipe, a afinidade que ele tem com esses lugares tênues, não é forte o bastante. Não como a dela.

Hunt agarrou a mão de Bryce em seu joelho.

— Estava no meu DNA que Bryce e eu seríamos parceiros? Isso também foi projetado?

— Não — respondeu Aidas depressa —, essa nunca foi a intenção. Acho que isso foi obra de poderes superiores. Sejam eles quais forem.

Ao olhar para Bryce, Hunt não viu nada além de amor em seus olhos. Ele não conseguia aguentar.

Foi dominado pelo horror, tão frio quanto a geada. Fora criado por aqueles machos para ceder e para sofrer, e o que isso significava pra ele? O que caralho isso fazia dele?

— Ok — disse Bryce. — Fogo do Inferno e fogo estelar: uma combinação potente. Mas Helena deixou toda essa merda para ajudar a acabar com esse conflito. Parece que *vocês* só querem que eu abra uma maldita porta para vocês entrarem e salvarem o dia.

— É tão ruim assim — ronronou Thanatos — deixar que a gente faça o trabalho sujo?

Bryce olhou carrancuda para ele.

— Este é o meu mundo. Eu quero lutar por ele.

— Então lute ao nosso lado — desafiou Thanatos.

Um silêncio tenso se estendeu entre eles. Hunt não fazia ideia de como começar a processar essa insanidade. Mas aquele frio em suas veias... era agradável. Entorpecente.

— Seria bom ter um pouco mais de tempo para me preparar — murmurou Bryce.

Aidas balançou a cabeça.

— Você não estava pronta antes. E se você tivesse contado para a pessoa errada? Você sabe o que os asteri fazem com aqueles que desafiam sua divindade. Eu não poderia arriscar, colocar você em risco. Tive que esperar que você encontrasse as respostas por conta própria. Mas eu não te disse, desde o começo, para vir até mim? Que eu iria ajudar? Era o que Apollion também estava tentando fazer, ainda que da maneira errada: preparar vocês dois para tudo... para lutar contra os asteri.

— Mas como — perguntou Hunt, lutando contra aquele frio entorpecente e feliz em seu peito — vocês expulsaram os asteri do Inferno da primeira vez?

— Eles tiveram dificuldades para se alimentar da nossa magia — explicou Thanatos, a voz cheia de desgosto. — E descobrimos que nossos poderes rivalizavam com os deles. Eles fugiram antes que pudéssemos matá-los.

Bryce engoliu em seco enquanto examinava Apollion.

— E você *comeu* Sirius mesmo? Tipo, ingeriu ela?

Mas foi Aidas quem respondeu, com o orgulho sobressaindo em seu rosto.

— Apollion a matou com seu Fogo do Inferno quando ela o atacou... Ele puxou o coração em chamas do peito e o comeu.

Hunt estremeceu. Mas Bryce perguntou:

— Como isso é possível?

— Eu sou a própria escuridão — respondeu Apollion com suavidade. — A verdadeira escuridão. Do tipo que existe nas entranhas de um buraco negro.

Os ossos de Hunt tremeram. O macho não estava se gabando.

— Então por que você não pode só... comer o restante deles? — perguntou Bryce.

— Para fazer isso, é preciso estar perto — respondeu Aidas. — E os asteri conhecem bem os talentos do meu irmão. Vão evitá-lo a todo custo. — A imagem dos príncipes começou a falhar, como se estivessem em uma tela com defeito.

— Estamos ficando sem tempo — disse Thanatos. — O efeito do sal preto está passando.

Bryce se concentrou em Apollion.

— Vocês têm me falado sem parar que seus exércitos estão prontos para partir. — Ela apontou para o templo, a cidade morta além. — Este lugar parece bem vazio.

Os olhos de Apollion ficaram cada vez mais sombrios.

— Permitimos que vocês vissem apenas uma fração do Inferno. Nossas terras e nossos exércitos estão em outro lugar. Eles estão prontos.

— Então se eu abrir a Fenda do Norte com o Chifre... — disse Bryce.

Hunt pigarreou em advertência.

— Vocês sete e seus exércitos vão passar?

— Nós três — emendou Aidas. — Nossos outros quatro irmãos estão envolvidos em conflitos no momento, ajudando outros mundos.

— Não sabia que vocês eram, tipo, salvadores intergalácticos — provocou Bryce.

A boca de Aidas se curvou para cima. Ela poderia jurar que a de Apollion também.

— Mas sim — continuou Aidas —, abrir a Fenda do Norte é a única maneira de nossos exércitos entrarem completa e rapidamente em Midgard.

— Depois do que aconteceu nesta primavera — Hunt disse à parceira —, você acredita que eles não vão *devorar* todo mundo?

— Aqueles eram nossos animais de estimação — insistiu Aidas —, não nossos exércitos. E eles foram severamente punidos. Desta vez, vão andar na linha e seguir nossas ordens no campo de batalha.

Bryce olhou para Hunt, mas ele não conseguiu ler a expressão no rosto dela. A imagem voltou a falhar, o templo brilhando e empalidecendo. Hunt sentiu um puxão na barriga, querendo levá-lo de volta para o corpo que havia deixado em Avallen.

— Vou pensar nisso — respondeu Bryce.

— Isso não é um jogo, garota — retrucou Thanatos.

Bryce lançou um olhar frio para o Príncipe da Ravina.

— Estou cansada de as pessoas usarem *garota* como um insulto.

Thanatos abriu a boca para responder, mas desapareceu de repente. A conexão fora cortada.

Apollion disse a Hunt:

— Não desperdice os dons que recebeu... de mim, do meu irmão. — Seu olhar desviou-se para o halo na testa de Hunt. — Nenhum verdadeiro filho do Inferno pode ser enjaulado.

Então ele também se foi.

Filho do Inferno. A alma de Hunt congelou com o pensamento.

Apenas Aidas permaneceu, parecendo agarrar-se à conexão enquanto falava com Bryce, seus olhos azuis intensos no rosto dela.

— Se você encontrar aquela última peça do poder de Theia... se o custo de unir a espada e a faca for muito alto, Bryce Quinlan, então não faça isso. Escolha a vida. — Ele olhou para Hunt. — Escolham um ao outro. Tenho vivido com a minha escolha há milênios... a perda nunca se torna mais fácil de ser suportada.

Bryce estendeu a mão fantasmagórica em direção a Aidas, mas o Príncipe do Desfiladeiro havia desaparecido.

E todo o Inferno com ele.

62

Ao abrir os olhos, Bryce viu o fogo. Ardente, incandescente.

O relâmpago de Hunt a cercou no mesmo instante, mas já era tarde demais.

O Rei Outonal e Morven estavam na câmara, tinham os encontrado. Morven estava envolto em sombras, mas o pai dela reluzia em um fogo furioso.

E no centro da sala, cercados por um fogo que nem mesmo a água de Tharion poderia extingüir, estavam os amigos dela.

Bryce respirou fundo enquanto absorvia o que via: Tharion, Baxian, Sathia, Flynn e Declan, todos amontoados e cercados pelo fogo. Não havia sinal dos espíritos malignos nas sombras, mas os gêmeos assassinos estavam fora do perímetro, sorrindo como os idiotas que eram.

O Rei Outonal não se deu ao trabalho de cercar ela e Hunt com fogo, sabendo que mesmo o relâmpago de Hunt não poderia detê-lo se decidisse queimar seus prisioneiros até virar cinzas. Era proteção o bastante.

— Levante — ordenou Morven a Bryce, sombras como chicotes nas mãos do Rei Cervo. — Já esperamos tempo demais para você sair desse estupor.

Hunt sibilou e, quando Bryce o fitou, notou os vergões cheios de bolhas no antebraço do parceiro. Eles estavam *queimando* Hunt para tentar acordá-lo...

Bryce ergueu os olhos para o rei de Avallen, coroado pelas sombras.

Para o pai, parado ao lado dele, o rosto frio apesar do fogo na ponta dos dedos.

— O que você fez com o sal preto? — perguntou o Rei Outonal baixinho. — Quem você viu?

Bryce desembainhou a Áster e a Reveladora da Verdade.

— Largue essas armas — exigiu Morven. — Você já as manchou por tempo suficiente.

O fogo se fechou ainda mais em torno de seus amigos. Baxian praguejou quando algumas penas pretas foram chamuscadas.

— Desculpe — disse Bryce aos reis, sem baixar as armas —, mas as lâminas não funcionam com perdedores rejeitados.

O Rei Outonal zombou:

— Elas têm um gosto um tanto questionável. Mas vamos mudar isso.

— Certo — disse Bryce pensativa. — Esqueci que você matou o último Príncipe Estrelado porque morria de inveja dele.

O Rei Outonal, como fizera na última vez em que ela o acusou, apenas riu. Morven olhou para ele, como se tivesse uma dúvida repentina.

Mas o Rei Outonal disse:

— Inveja? Daquele chorão de merda? Ele era indigno daquela espada, só não mais indigno do que *você.*

Bryce abriu um sorriso vitorioso.

— Vou tomar isso como um elogio.

O Rei Outonal continuou:

— Eu matei o menino porque ele queria acabar com a linhagem. Com tudo o que os feéricos são. — O macho apontou o queixo para Bryce. — Como você, sem dúvida.

Ela deu de ombros.

— Não vou negar.

— Ah, eu sei bem o que se passa em seu coração, Bryce *Quinlan* — vociferou o Rei Outonal. — Sei o que você faria se fosse deixada por conta própria.

— Assistiria à televisão até dizer chega?

As chamas dele subiram mais, trazendo seus amigos mais para perto. Restava pouco espaço entre seus corpos e o fogo.

— Você é uma ameaça para os feéricos. Sua mãe criou você para nos abominar, é indigna de ostentar o nome real.

Bryce deu uma risada rouca e amarga.

— Você acha que foi minha mãe que me fez ficar contra você? Isso é coisa minha, a partir do instante em que você enviou seus capangas atrás de nós para matar tanto ela quanto Randall. E cada minuto desde então, seu patético, seu perdedor. Você quer encontrar o culpado por eu achar que os feéricos não passam de uns pedaços de merda inúteis? É só olhar no espelho.

— Ignore essa tagarelice histérica — avisou Morven ao Rei Outonal.

O Rei Outonal mostrou os dentes para ela.

— Você deixou esse pouquinho de poder que herdou e um título subirem à sua cabeça.

As sombras de Morven surgiram atrás dele, prontas para destruir tudo em seu caminho.

— Vai desejar a morte quando os asteri colocarem as mãos em você.

Bryce apertou ainda mais as lâminas. Elas cantarolaram, uma atraindo a outra. Como se estivessem implorando a ela pela unificação final. Ela as ignorou e, em vez disso, perguntou aos reis feéricos:

— Enfim decidiram nos entregar?

— Os vermes com os quais você se associa, sim — disse o Rei Outonal, sem um pingo de piedade. — Mas você…

— Certo, procriar — Bryce disse, e não deixou de notar a incredulidade de Hunt ao ouvir aquilo. Ela esticou os braços, tentando manter as lâminas afastadas. — Presumo que Sathia, Flynn e Dec também sejam mantidos para procriação, mas que seja o dia de azar de qualquer não feérico. Sinto muito, galera.

— Isso não é brincadeira — disparou Morven.

— Não, não é — respondeu Bryce, olhando nos olhos dele. — E eu já me cansei de rir de vocês, idiotas.

Morven não recuou.

— Aquele pequeno show de luzes pode ter nos surpreendido da última vez, mas uma faísca sua e seus amigos queimam. Ou devemos demonstrar um método alternativo? — Morven gesticulou com a mão envolta em sombras para os gêmeos assassinos.

Bryce verificou se sua parede mental de luz estelar estava intacta, mas como os valentões que eram, os gêmeos atingiram a pessoa que presumiram ser a mais fraca.

Em um piscar de olhos, Sathia estava com os olhos arregalados e observando o confronto. No seguinte, ela arrancou a faca da lateral do corpo de Tharion.

E a segurou contra o próprio pescoço.

— Parem com isso — Tharion vociferou para os gêmeos, que estavam rindo.

A mão de Sathia tremia conforme ela pressionava a adaga no pescoço com um pouco mais de força, tirando um fio de sangue.

— Um único movimento em direção a ela, peixe, e aquela faca vai entrar bem fundo — ameaçou Morven.

— Deixem ela em paz — ordenou Bryce, dando um passo para a frente. Um único passo. A espada e a adaga em suas mãos pareceram avançar também, em direção ao centro da sala. Ela as segurou com mais força.

As chamas ao redor de seus amigos se intensificaram. Uma das penas de Baxian pegou fogo e Dec quase não conseguiu apagar a chama antes que se espalhasse.

— Solte as lâminas e eles vão libertar a mente dela — rebateu o Rei Outonal.

Bryce olhou para a espada e a faca, lutando contra a atração de ambas as armas em direção ao centro da sala.

Sathia estava do outro lado do anel em chamas, um terror puro e indefeso estampado em seu rosto, sangue escorrendo pelo pescoço. Um pensamento de Seamus ou Duncan, um movimento, e aquela faca deslizaria em sua garganta.

Bryce jogou as lâminas no chão.

O metal escuro tiniu contra a pedra de maneira brutal enquanto elas paravam quase no topo da estrela de oito pontas.

Fora do alcance.

Nenhum dos reis avançou, porém, como se tivessem medo de pegá-las — ou mesmo de caminhar até elas.

Os gêmeos assassinos fizeram cara feia quando sua diversão foi interrompida, mas Sathia baixou a faca. Ainda a segurava com força, na direção dos gêmeos. Ninguém se atreveu a arrancá-la de sua mão.

Mas Bryce encarava o Rei Outonal ao vociferar:

— Depois de todo aquele papinho sobre amar minha mãe e se arrepender de ter batido nela... é isso que faz com a própria filha? E com a filha de um dos seus amigos feéricos?

— Você deixou de ser minha filha no momento em que me trancou na minha própria casa.

— Ai — disse Bryce. — Essa doeu, bem no coração. — Ela bateu no peito para dar ênfase, e a estrela brilhou em resposta.

— Ela está ganhando tempo — disse o Rei Outonal a Morven.

— Foi o que ela fez com Micah...

— Ah, sim — disse Bryce, avançando um passo —, quando acabei com a raça dele. Ele contou? — perguntou para Morven. — Era para ser um grande segredo. — Ela sussurrou, dando mais um passo para perto. — Eu cortei aquele filho da puta em pedacinhos pelo que fez com Danika.

Os gêmeos assassinos pareciam surpresos.

Bryce sorriu para eles, para Morven, para o Rei Outonal, e disse:

— Mas o que fiz com Micah não é *nada* comparado ao que farei com vocês.

Ela estendeu as mãos. A Áster e a Reveladora da Verdade voaram até elas, como fizeram no mundo feérico. Semelhantes se atraem.

Mas ela não estava ganhando tempo para si mesma. Estava esperando por Hunt.

Quando a espada e a adaga voaram até ela, o relâmpago de Hunt, reunindo-se em uma onda atrás de Bryce, lançou-se para os gêmeos assassinos.

Eles só tinham uma escolha: soltar Sathia para interceptar os dois chicotes de relâmpagos que os atingiriam ou permitir que o relâmpago de Hunt os destruísse.

Os gêmeos optaram por viver. Um escudo de sombras bateu contra as lanças de relâmpagos. Era tudo o que Bryce precisava ver antes de começar a agir.

O Rei Outonal gritou em alerta, mas Bryce já estava correndo na direção deles. Na direção dele.

Ela não se conteve quando explodiu com luz estelar.

* * *

A caverna inteira tremeu quando relâmpagos e sombras colidiram. Hunt cerrou os dentes.

Tharion tinha conseguido tirar a faca de Sathia antes que ela a deixasse cair e cortasse o próprio pé, e agora a fêmea estava agachada no círculo de fogo, com a cabeça entre as mãos.

A explosão de luz estelar que disparou de Bryce enquanto ela corria em direção aos inimigos ameaçava derrubar a caverna. Os cabelos esvoaçando em volta da cabeça, a ponta dos dedos brilhando com fogo estelar.

Hunt ficou boquiaberto com tanta beleza e poder condensados.

Mas um dos gêmeos assassinos riu, um som rancoroso como uma promessa de que a parceira dele iria sofrer. Seis espíritos malignos irromperam das sombras, pouco mais do que sombras em suas vestes escuras e esfarrapadas e mãos estendidas e cheias de crostas.

Que profanidades os gêmeos cometeram para se tornarem senhores desses seres miseráveis?

Hunt vislumbrou mandíbulas repletas de dentes curvos de sete centímetros que se abriam, mirando uma Bryce distraída...

Com um rugido de fúria, ele enviou meia dúzia de lanças feitas de relâmpagos estalando para os espíritos malignos e uma sétima — para dar sorte — para as sombras dos gêmeos.

O relâmpago se chocou com a maldade arcaica e os espíritos malignos explodiram em poeira escaldante. Mas seus relâmpagos se romperam contra a parede de escuridão dos gêmeos. Aquilo os impedira de se juntarem à luta contra Bryce, mas não destruiu o escudo deles.

— Vá ajudá-la — sibilou Baxian por cima da chama crepitante, mas Hunt balançou a cabeça, jogando mais de seus relâmpagos nos gêmeos, que agora estavam sendo empurrados com uma parede de sombras que avançava devagar.

Hunt ousou olhar para Sathia, que assistiu com os olhos arregalados quando Bryce se lançou contra os dois reis feéricos.

Bryce voava como uma estrela cadente pela caverna sombria.

— Ela não precisa da minha ajuda — sussurrou Hunt.

* * *

O fogo se uniu à luz estelar que encontrou as sombras, e Bryce se liberou naquele mundo.

Aquilo acabaria ali. Naquele instante. De vez.

Não era uma briga pelos asteri ou por Midgard. Os feéricos tinham sucumbido a líderes como aqueles machos, mas seu povo poderia ser muito mais.

Bryce carregava o peso disso com cada golpe de fogo estelar em direção ao Rei Outonal, fazendo-o recuar, a cada onda sufocante de sombras que Morven enviava para empurrá-la em direção ao riacho.

Não tinha ido parar naquele outro mundo apenas por causa da espada e da faca, ou para encontrar alguma munição mágica para acabar com a podridão em seu próprio mundo. Conseguia compreender isso agora.

Urd a enviara até lá para entender, mesmo que tenha testemunhado tão pouco daquele mundo, que existiam feéricos gentis e corajosos. Tivera que trair Nestha e Azriel, tivera que enganá-los... mas ela sabia que, no fundo, eles eram bons.

Os feéricos de Midgard podiam ser melhores.

Ruhn era prova disso. Flynn e Dec eram prova disso. Até mesmo Sathia era prova disso, no pouco tempo em que Bryce a conhecera.

Bryce lançou uma sequência de fogo estelar em Morven, cavando fundo no chão de sal preto. Ele se esquivou, fugindo do alcance dela com a habilidade de um guerreiro.

Era hora de dar fim a tudo aquilo.

A mesquinhez, o machismo e a arrogância que foram as marcas registradas dos feéricos de Midgard por gerações. O legado de Pelias.

Tudo chegaria ao fim, *naquele dia*.

A luz estelar brilhou ao redor de Bryce, a escuridão do poder do crepúsculo de Silene — Theia — tomando forma, transformando-a em fogo estelar.

Se ela conseguisse encontrar a terceira peça final, aquela que completaria a estrela...

Ela já estava completa. O que tinha — quem ela era... era o suficiente. Sempre fora o bastante para enfrentar esses malditos, com ou sem poder. Com essa merda de Estrelada ou sem ela.

Ela era o bastante.

Os gêmeos assassinos combatiam a emboscada que Hunt armara contra eles. De onde estava, Bryce sabia que Hunt não conseguia ver o que eles estavam fazendo por trás da parede de sombras, abrindo caminho, explodindo seus relâmpagos.

Mas dali... Bryce podia ver como eles usavam aquela parede contra Hunt. Usavam-na para se proteger da vista dele enquanto se viraram na direção de Bryce.

Nem mesmo o relâmpago de Hunt foi rápido o bastante quando os gêmeos assassinos saltaram sobre ela com as espadas desembainhadas. Bem quando suas garras sombrias arranharam a parede da mente de Bryce.

Tudo acabaria. Naquele dia.

Bryce explodiu — na mente dos gêmeos, em seus corpos. Dominando-os com fogo estelar. Uma parte dela recuou horrorizada quando suas enormes formas caíram no chão, abrindo buracos fumegantes no lugar onde seus olhos estavam. No lugar onde seus cérebros estavam. Ela tinha derretido a mente dos dois.

Morven gritou de fúria — e com algo parecido com medo.

Ela tinha feito aquilo. Com apenas dois terços da estrela de Theia, tinha conseguido...

— Bryce! — gritou Hunt, mas já era tarde demais.

Morven enviou um chicote de sombras, escondido sob uma pluma de chama do Rei Outonal. O chicote se enrolou nas pernas de Bryce e a *puxou*. Ela bateu em uma pedra, a luz estelar piscando.

O impacto dominou seu crânio, fazendo o mundo girar. Ou talvez fossem as sombras, arrastando-a para mais perto da parede de chamas.

Bryce atacou a coleira de sombras com a mão envolta em fogo estelar.

Rasgou as trevas em tiras. Bryce acordou em um piscar de olhos, mas não depressa o suficiente para se esquivar do soco de chamas que o Rei Outonal desferiu em sua barriga...

Bryce se teletransportou, tão rápida e cheia de instintos quanto um sopro. Direto até o Rei Outonal.

Acabaria naquele momento.

O Rei Outonal cambaleou em estado de choque ao agarrar seu punho em chamas com uma das mãos. Enquanto ela se mantinha firme, cravava as unhas com força.

O fogo dele queimava a pele dela, atordoando-a de dor, mas ela cravou as unhas mais fundo e enviou seu fogo estelar contra ele.

O pai rugiu em agonia, caindo de joelhos. Morven estava tão atordoado que congelou no lugar, xingando sem parar.

Bryce olhou para o que ela havia feito com o punho do Rei Outonal.

O que costumava ser sua mão.

Restavam apenas carne e ossos derretidos.

O Rei Outonal vomitou de dor, curvando-se sobre os joelhos, com a mão apoiada no peito.

— Você acha que esses dons a tornam especial? — Morven se enfureceu, livrando-se de seu estupor. Um ninho de sombras agitava-se ao seu redor. — Meu filho sabia fazer tudo isso... e, no fim, não passava de um lixo. Que nem você.

As sombras de Morven lançaram-se sobre ela como um bando de corvos.

Bryce explodiu uma parede de luz estelar, destruindo os pássaros sombrios, mas vieram outros, de todos os lugares e de lugar nenhum, de baixo... O Rei Outonal levantou-se, o rosto cinzento de agonia, embalando o que restava da mão carbonizada.

— Vou te ensinar uma nova definição de dor — cuspiu.

E não houve nenhum treinamento que pudesse ter preparado Bryce, nenhum tempo para se teletransportar para evitar os dois ataques rápidos dos reis feéricos, equiparados em poder.

Ela se esquivou da rajada de fogo do pai, apenas para que as sombras de Morven a agarrassem de novo. Mãos de sombras que a atiraram contra a pedra com tanta força que ela perdeu o fôlego. A Áster e a Reveladora da Verdade voaram de seus dedos.

Uma fêmea gritou e, por um momento, Bryce pensou que poderia ter sido Cthona, talvez a própria Luna.

Mas era Sathia.

Era Sathia, que estava de pé de novo, mas ainda assim não era. Eram todas as fêmeas feéricas que vieram antes delas.

Bryce explodiu sua luz, destruindo as sombras de Morven. Elas se dispersaram para revelar o Rei Outonal parado acima dela, uma espada de fogo na mão intacta.

— Eu deveria ter feito isso há muito tempo — bradou o pai, e mergulhou sua espada ardente em direção ao coração exposto dela.

O Rei Outonal só chegou à metade do caminho antes que luz explodisse em seu peito.

O relâmpago de Hunt tinha…

Não.

Não era o relâmpago de Hunt que brilhava nas costelas do Rei Outonal.

Era a Áster. Empunhada por Ruhn, parado atrás dele.

Ruhn, que enfiou a espada no coração frio do pai.

* * *

Ruhn sabia, no íntimo de seu ser, por que estava a caminho daquelas cavernas. Ele era um Príncipe Estrelado e repararia um erro antigo.

Com a Áster na mão, perfurando o coração do pai.

Ruhn sabia que estava exatamente onde deveria estar.

O Rei Outonal deu um grito de choque, o sangue escorrendo de sua boca.

— Conheço *todas* as definições de dor graças a você — Ruhn disparou e puxou a espada.

Seu pai caiu de cara no chão de pedra.

Até as sombras de Morven pararam enquanto o Rei Outonal lutava para se levantar. Lidia, protegendo as costas de Ruhn contra o Rei Cervo, não dizia nada.

Não surgiu piedade alguma no coração de Ruhn enquanto seu pai gorgolejava sangue, que pingava nas pedras. O Rei Outonal levantou a cabeça para encontrar o olhar de Ruhn.

Traição e ódio queimavam em seu rosto.

Ruhn falou em sua mente, em todas as mentes: ***Eu menti quando contei o que o Oráculo me disse.***

Os olhos do pai brilharam de choque ao ouvir a voz de Ruhn em sua cabeça, o segredo que seu filho mantivera todos esses anos. Ruhn não se importou com o que Morven pensava, nem se preocupou em olhar para o Rei Cervo. Bryce e Athalar poderiam lidar com as sombras, se Morven fosse burro o suficiente para atacar.

Então Ruhn olhou para o rosto odioso do pai e falou: *O Oráculo não me disse que eu seria um rei justo e imparcial. Ela me disse que a linhagem real acabaria em mim.*

Ele teve a sensação de que os amigos o observavam com olhos arregalados. Mas só tinha olhos para o macho patético diante de si.

Achei que com isso ele estava falando da sua *linhagem.*

Ruhn ergueu a Áster ensanguentada. Chamas ferviam pelo corpo do pai, delineando sua forma poderosa. Mas Ruhn não era mais um garoto medroso, enchendo o corpo de tatuagens para esconder as cicatrizes.

Eu estava errado. Acho que o Oráculo se referia a todas elas, continuou Ruhn, entre mentes. *As linhagens de* machos. *Príncipes Estrelados entrando nessa conta — todos vocês, malditos, tão corruptos, que tanto roubaram e nunca se desculparam por suas ações. Todo o sistema. Essa merda de coroas e de herança.*

A voz zombeteira do pai encheu sua mente. *Você é um pirralho mimado e ingrato que nunca mereceu carregar minha coroa...*

E nem quero, refutou Ruhn, e fechou a ponte que permitia que o pai falasse entre suas mentes. Ele estava farto de ouvir esse macho.

O sangue escorria dos lábios do pai enquanto seu sangue vanir tentava curá-lo, reunir suas forças para que pudesse atacar.

A linhagem terminará em mim, seu escroto, Ruhn disse na mente do pai, *porque eu entrego minha coroa, meu título, à rainha.*

O pai ficou pálido, o mais puro dos medos estampado em seu rosto. E pelo canto do olho, Ruhn viu a estrela de Bryce começar a brilhar.

Uma paz serena floresceu nele. *Sempre presumi que a profecia do Oráculo significava que eu morreria.* Ele deixou seu núcleo de luz estelar tremular pela lâmina, uma resposta à invocação de Bryce. Uma última vez.

Mas vou viver, disse ele ao pai. *E vou viver bem, sem você.*

Mesmo as sombras de Morven não foram rápidas o suficiente quando Ruhn brandiu a Áster no ar de novo. E cortou o pescoço do pai.

* * *

Bryce não sabia o que dizer enquanto Ruhn cortava a cabeça do Rei Outonal. Enquanto o irmão destruía o crânio dele com a Áster antes mesmo de atingir a pedra.

Ela se levantou. Parou ao lado de Ruhn, que estava rígido, ainda segurando a espada ensanguentada, a cabeça do pai empalada nela.

Os amigos ainda estavam cercados por fogo, uma prisão impenetrável. Como se o Rei Outonal tivesse imbuído as chamas com uma energia fora de seu corpo, que perduraria mesmo após sua morte. Uma punição final. Lidia correu, como se pudesse encontrar uma maneira de desfazer as chamas...

— Liberte todos eles — ordenou Bryce para Morven, com uma voz que nem ela conseguia reconhecer — antes que a gente mate você também.

Morven exibiu os dentes. Mas apesar do ódio ardente em seus olhos, ele se ajoelhou e ergueu as mãos em submissão.

— Eu me rendo.

O fogo desapareceu. Morven piscou, como se estivesse surpreso, mas não disse nada.

Os amigos se levantaram no mesmo instante. Hunt levou uma das mãos às costas de Sathia para ajudá-la. Então todos eles se posicionaram, como um só, atrás de Bryce e Ruhn. E ela viu, por um instante conseguiu enxergar. Um mundo não mais dividido em Casas... mas unido.

Bryce deu alguns passos para pegar a Reveladora da Verdade que estava perto do cadáver decapitado do Rei Outonal. Ela não olhou para o corpo, para o sangue ainda escorrendo, quando falou com Ruhn:

— Helena criou a profecia para explicar o que essas armas são capazes de fazer, o poder necessário para enfrentar os asteri. Mas acho que, à sua maneira, a profecia também era a esperança que ela nutria por *mim*. O que eu poderia fazer, além de exercer o poder.

A confusão estampava os olhos azuis brilhantes de Ruhn.

— Espada — disse Bryce, apontando para a Áster em sua mão. Ela ergueu a Reveladora da Verdade. — Faca. — E então ela apontou para os amigos, o feérico, o anjo, o tritão e a metamorfa atrás deles. — Pessoas.

— Ela não estava falando só dos feéricos — concluiu Ruhn baixinho.

— Não necessariamente — Bryce emendou. — Pode significar o que quisermos. — Ela deu um sorriso discreto. — *Nosso* povo — disse ela para Ruhn, para os outros. — O povo de Midgard. Unidos contra os asteri.

Tinha levado todo esse tempo, uma viagem através das estrelas e sob a terra... mas lá estavam eles.

Morven cuspiu no chão.

— Se você planeja lutar contra os asteri, não vai conseguir. Pouco importa que você unifique todas as Casas. Será varrida da face de Midgard.

Bryce examinou o rei ajoelhado.

— Admiro sua confiança.

As sombras de Morven começaram a borbulhar sobre seus ombros de novo. Ondulando em seus braços.

— Eu me rendo agora, garota, mas os feéricos nunca aceitarão uma semifeérica como rainha, ainda que seja Estrelada.

Ruhn investiu contra ele, inclinando a Áster, mas Bryce o bloqueou com um braço. Por um longo momento, ela olhou para o rosto de Morven. Olhou de verdade, no fundo dos olhos do macho com a coroa de sombras.

Só encontrou ódio ali dentro.

— Se vencermos — disse Bryce baixinho —, este novo mundo será justo. Chega de hierarquias e babaquices. — Tudo pelo que Hunt tinha lutado. Pelo que ele e os Caídos haviam sofrido. — Mas agora — prosseguiu Bryce —, sou a rainha dos feéricos valbaranos. — Ela acenou para o corpo do Rei Outonal esfriando no chão, depois sorriu para Morven. — E de Avallen.

Morven sibilou:

— Você só será Rainha de Avallen por cima do meu cad...

Ele parou diante do sorriso no rosto dela. E empalideceu.

— Como eu estava dizendo — falou Bryce devagar —, por enquanto, sou rainha. Sou a juíza, o júri...

Bryce olhou para Sathia, ainda perturbada e com os olhos arregalados pelo ataque dos gêmeos, mas sem medo. Inabalada, apesar do que os machos em sua vida, do que esse macho em particular, tinham tentado fazer com ela.

Então Bryce olhou para Morven e terminou com doçura:

— E eu sou a porra do seu carrasco.

O Rei de Avallen ainda ardia de ódio quando Bryce cravou a Reveladora da Verdade em seu coração.

* * *

Bastaram alguns golpes da Reveladora da Verdade no pescoço de Morven para Bryce decapitá-lo. E quando ela se levantou, era a rainha dos feéricos que estava diante de Ruhn, envolta em luz estelar, plena diante de seus inimigos. Pelo amor que brilhava no rosto de Athalar ao contemplar Bryce, Ruhn sabia que o anjo via o mesmo.

Mas foi Sathia quem abordou Bryce. Quem se ajoelhou a seus pés, inclinando a cabeça e declarando:

— Salve Bryce, Rainha dos Feéricos Midgardianos.

— Epa! — exclamou Bryce, estremecendo. — Vamos começar com Avallen e Valbara e ver onde vamos parar.

Mas Flynn e Declan também se ajoelharam. E Ruhn virou-se para a irmã e se ajoelhou junto, oferecendo a Áster com as duas mãos.

— Para corrigir um erro antigo — disse Ruhn — e em nome de todos os Príncipes Estrelados que vieram antes de mim. Isso é seu.

Nenhuma palavra jamais soou tão certeira. Nem nada pareceu tão correto como quando Bryce pegou a Áster dele, uma reivindicação formal, e a pesou nas mãos.

Ruhn observou a irmã olhar entre a Áster e a Reveladora da Verdade, uma lâmina brilhando com luz estelar, a outra com trevas.

— E agora? — perguntou ela baixinho.

— Além de parar um momento para absorver as mortes daqueles dois babacas? — disse Ruhn. Ele acenou com a cabeça em direção a Morven e ao pai.

Bryce deu um sorriso sem graça.

— Ao menos descobrimos algumas coisas.

— Ah, é? — Os outros estavam todos reunidos em volta deles agora, ouvindo.

— Acontece que — disse Athalar com o que Ruhn poderia jurar ser uma casualidade forçada — Theia fez uma parada estranha com a magia estelar dela, dividindo-a entre si e as filhas. Em resumo, Bryce tem duas dessas partes, mas Helena usou o nexo de linhas ley e a magia natural de Avallen para esconder a terceira parte em algum lugar de Avallen. Se Bryce conseguir encontrá-la, a espada e a faca serão capazes de abrir um portal para lugar nenhum, e poderemos prender os asteri lá dentro.

Bryce lançou um olhar para Hunt, como se dissesse que havia *muito* mais do que isso, mas ela disse:

— Então... nova missão: encontrar o poder que Helena escondeu. Aidas afirmou que Helena usou as linhas ley de Midgard para escondê-lo nessas cavernas após a morte de Pelias. — Ela suspirou, examinando os rostos deles. — Alguma ideia de onde possa estar?

Ruhn piscou para ela.

— Sim — disse ele, com a voz rouca. — Acho que eu sei.

— É mesmo? — perguntou Athalar, franzindo a testa.

— Não precisa ficar tão chocado — resmungou Ruhn.

Lidia se aproximou deles e acrescentou:

— Depois que Pelias morreu, você disse?

— Sim. É complicado…

— Acho que faz parte da terra — interrompeu Lidia. — Nos próprios ossos de Avallen.

Bryce e Athalar ergueram as sobrancelhas, mas Ruhn olhou para Lidia e assentiu.

— Isso explica muita coisa.

Bryce interrompeu:

— Como…?

— Bom, Avallen já fez parte de um arquipélago, mas agora é apenas uma ilha — disse Ruhn. — Você disse que Helena se baseou nas linhas ley de Avallen para conter a estrela da mãe... para escondê-la aqui, certo? Acho que, ao fazer isso, ela drenou *toda* a magia da terra através das linhas ley e a redirecionou para aprisionar o poder de Theia. Fez a terra murchar. Assim como você tinha dito que as terras de Silene tinham murchado ao redor da Prisão enquanto ela detinha sua parte de poder.

Bryce refletiu:

— Silene tinha o Chifre, mas Helena teve que usar as linhas ley. No entanto, ambas as estratégias tiveram um efeito desastroso na própria terra. — Ela olhou para as lâminas de novo.

— Como você propõe tirar a magia? — Lidia desafiou. — Não fazemos ideia de como acessá-la.

Ninguém respondeu. E, porra, Morven e o Rei Outonal estavam ali caídos, mortos e decapitados, e...

— Alguém tem alguma ideia brilhante? — perguntou Tharion em meio ao silêncio tenso.

Ruhn abafou a risada, mas Bryce lentamente se virou para o tritão, como se estivesse surpresa.

— Brilhante — murmurou ela. Depois olhou para Athalar, examinando seu rosto. — Acenda — sussurrou. Como se fosse a resposta para tudo.

* * *

Brilhante.

Luz.

Acenda.

O mundo pareceu parar, como se a própria Urd tivesse desacelerado o tempo à medida que cada pensamento atingia Bryce.

Ela olhou para as paredes. Para o rio de luz estelar que Helena havia retratado na parte inferior de cada entalhe.

Poucas horas antes, ela tinha pensado que aquilo era a representação artística das linhagens de Estrelados.

Mas Silene havia retratado o mal que corria por baixo da Prisão em suas esculturas, alertando involuntariamente sobre Vesperus... Talvez Helena também tivesse deixado uma pista.

Um último desafio.

Bryce olhou para a estrela de oito pontas no centro da sala. As duas fendas estranhas nas pontas. Uma pequena, outra maior.

Ela olhou para as armas em suas mãos: uma pequena adaga e uma espada grande. Elas se encaixariam com perfeição nas fendas no chão, como chaves em uma fechadura.

Chaves para desbloquear o poder armazenado abaixo. A última gota de poder que ela precisava para abrir o portal para lugar nenhum.

Poder que, em sua origem, pertencia ao pior tipo de feéricos, mas que não necessariamente precisava ser assim. Poderia pertencer a qualquer um. Poderia ser de Bryce.

Para acender este mundo.

— Bryce? — chamou Hunt, com uma das mãos nas costas dela.

Bryce se recompôs, respirando fundo. Pedaços de destroços e rochas de sua batalha com os reis feéricos começaram a se erguer.

Ela caminhou até a estrela de oito pontas no chão, idêntica à que tinha em seu peito. Os destroços e as rochas giravam, um turbilhão ao redor dela.

Bryce respirou fundo, preparando-se enquanto sussurrava:

— Estou pronta.

— Para *o quê*? — exigiu Hunt, mas Bryce o ignorou.

Ao soltar o ar, ela mergulhou as armas nas fendas da estrela de oito pontas. A pequena para a faca. A grande para a espada.

E como uma chave girando na fechadura, elas libertaram o que estava por baixo.

63

A luz explodiu através das lâminas para as mãos, os braços e o coração de Bryce. Ela podia ouvir sob seus pés, nas pedras. A canção debaixo da terra. Silenciosa, antiga, esquecida, mas ainda ali.

Ela ouviu como Avallen cedeu sua alegria, as terras verdes radiantes, os céus e as flores para que pudesse manter o poder que fora concedido e que havia esperado, durante todo este tempo, que alguém o soltasse, que o libertasse.

— Bryce! — gritou Hunt, e ela olhou nos olhos do parceiro.

Nada do que os Príncipes do Inferno disseram a respeito dele serviu para assustá-la. Eles não tinham feito a alma de Hunt. Era toda dela, assim como a sua alma também pertencia a ele.

Helena prendera a alma desta terra em correntes mágicas. Não mais. Bryce não permitiria que os feéricos reivindicassem mais nada.

— Você está livre — sussurrou Bryce para Avallen, para a terra e para a magia tão pura e inerente abaixo. — Seja livre.

E ela foi.

Luz irrompeu da estrela e as cavernas tremeram de novo. Elas rolaram, chacoalharam e tremeram...

As paredes estavam cedendo e ela teve a sensação de que Hunt tinha se lançado sobre ela, mas caído de joelhos quando o chão começou a sumir. Pedras desmoronavam ao redor deles, soterrando o sarcófago de Pelias, os cadáveres dos dois reis recém-mortos e todos os seus outros odiosos ancestrais. Transformando-os em pó. A luz do sol irrompeu, a própria terra se dividindo enquanto Bryce e os outros eram empurrados para cima.

Luz do sol em vez de céu cinzento.

Eles surgiram nas colinas, a menos de um quilômetro e meio do castelo e da cidade real. Era como se as cavernas estivessem retrocedendo até ali.

E do solo rochoso abaixo deles, espalhando-se da estrela até os pés de Bryce, flores e grama desabrochavam. O rio das cavernas irrompia, serpenteando pela colina recém-formada.

Sathia e Flynn riram, ajoelhando-se e colocando os dedos na grama. A magia da terra em suas veias aumentava conforme um carvalho irrompia das mãos de Flynn, cada vez mais alto e, das mãos de Sathia, caíam ramos de morango e amoras silvestres, emaranhados de framboesas e arbustos de mirtilos...

— Santos deuses — disse Tharion, e apontou para o mar.

Não era mais cinza e agitado, mas um turquesa claro e vibrante. Elevando-se da água, tal como tinham visto no mapa que Declan encontrara, haviam ilhas, grandes e pequenas, exuberantes e verdes, cheias de vida.

Florestas surgiram na ilha onde estavam, acompanhadas por montanhas e rios.

Tanta vida, tanta magia, enfim libertada do controle dos vanir.

Um lugar não só para os feéricos, mas para todos. Todos eles.

Bryce podia sentir a alegria da terra por ser vista, por ser libertada. Ela olhou para Ruhn e o rosto do irmão brilhou de admiração. Como se o pai deles não estivesse debaixo da terra, perdido para sempre na escuridão, com os ossos para serem comidos por vermes.

Havia apenas admiração e liberdade iluminando o rosto de Ruhn.

Sem dor. O medo tinha acabado.

Bryce não tinha percebido que estava chorando. Só se deu conta quando Ruhn a envolveu em seus braços enquanto os dois soluçavam.

Os amigos deram espaço para os dois, cientes de que aquilo não era apenas alegria — ela estava temperada pela tristeza de todos os anos de dor e pela esperança dos anos vindouros.

O mundo poderia muito bem acabar em breve, Bryce sabia, e todos eles poderiam morrer, mas o paraíso que florescia ao redor deles, esta terra desperta, era a prova de como tinha sido a vida antes dos asteri, antes dos feéricos e dos vanir.

Era a prova do que poderia vir depois.

Ruhn se afastou, colocando o rosto de Bryce entre as mãos. Lágrimas escorriam do rosto dele. Bryce não conseguia parar de chorar — chorar e rir — com tudo o que fluía de seu coração.

O irmão deu um beijo na testa dela e disse:

— Vida longa à rainha.

64

A terra tinha acordado e os feéricos de Avallen estava aterrorizados.

Hunt tentou não sentir orgulho ao ver o castelo destruído.

Seus ocupantes e a cidade foram poupados, mas vinhas e árvores invadiram o castelo de Morven e o transformou em escombros.

— Um último *foda-se* da terra — Bryce murmurou para Hunt enquanto os dois chegavam a uma colina com vista para as ruínas. No outro extremo, um grupo de feéricos permanecia em um silêncio apreensivo ao redor do prédio demolido.

Ao lado dele, Bryce vibrava com o poder — de Helena e sua linhagem amaldiçoada, mas também de qualquer ferida persistente na alma que havia sido curada no momento em que Ruhn cortou a cabeça do pai.

Hunt deslizou um braço ao redor da cintura da parceira, observando os feéricos que olhavam boquiabertos para as ruínas na ilha de Avallen — e para as novas ilhas que a rodeavam.

Bryce olhou para ele.

— Você está bem?

Ele ficou em silêncio por um longo momento, olhando a paisagem.

— Não.

Ela se aproximou mais dele.

Ele engoliu em seco.

— Eu sou um bebê de proveta demoníaco e esquisito.

— Essa pode ter sido a sua origem, Hunt — disse ela, com um sorriso gentil —, mas não representa quem você é... quem você se tornou.

Ele olhou para ela.

— Você parecia não gostar de quem me tornei.

Ela suspirou.

— Hunt, eu entendo... tudo o que você está sentindo. De verdade. Mas não consigo fazer isso sem você. Você *todo*.

Ele sentiu um aperto no coração quando olhou para ela.

— Eu sei. E eu estou tentando. É que... — Ele se esforçou para encontrar as palavras. — Meu pior pesadelo seria ver você nas mãos dos asteri. Ver você morrer.

— E para evitar esse destino, vale a pena deixar que eles governem para sempre?

Tinha um tom neutro na pergunta, fruto da mais sincera curiosidade.

— Parte de mim acha que sim. Uma parte muito, muito barulhenta de mim — admitiu ele. — Mas outra parte diz que precisamos fazer o que for preciso para acabar com isso. Para que as gerações futuras, os futuros parceiros... não tenham que fazer as mesmas escolhas, nem sofrer o mesmo destino que nós.

Ele *tentaria* deixar seu medo para trás. Por ela, por Midgard.

— Eu sei — disse ela com gentileza. — Se precisar conversar, se precisar de alguém para ouvir... estou aqui.

Ele observou no rosto dela um amor tão puro que fazia seu coração doer. Um pouco daquela escuridão e dor permaneciam, sim, mas ele tentaria ignorar. E sabia que ela daria todo o espaço necessário para que ele pudesse fazer isso.

— Obrigado, Quinlan.

Ela ficou na ponta dos pés para beijar a bochecha dele. Um toque doce e suave de seus lábios aqueceu os últimos fragmentos entorpecidos de sua alma.

Então ela examinou as ruínas mais uma vez, pegando a mão dele enquanto começavam a descida em direção aos amigos reunidos no sopé da colina.

— Consegui o último pedaço do poder de Theia, mas e agora? Como enfrentamos os asteri? Como podemos chegar perto deles o suficiente para usar a faca e a espada e jogá-los através daquele portal?

Ele deu um beijo na testa dela.

— Descanse por hoje. Por enquanto, aproveite essa conquista.

Ela riu.

— Isso não parece uma estratégia do Umbra Mortis.

— Não sei dizer se isso é um insulto ou não. — Ele a cutucou com uma asa. — Temos algumas outras coisas urgentes para resolver primeiro, Bryce.

— Sim, eu sei — disse ela enquanto paravam entre os amigos. Ela se dirigiu a todos. — Já que este lugar pode resistir aos asteri, precisamos trazer o máximo de pessoas possível. Sem alertar as forças imperiais.

— O *Cargueiro das Profundezas* poderia ajudar — sugeriu Flynn.

Tharion fez uma careta, mas não se opôs.

Lidia perguntou:

— Mas como eles penetrariam as brumas?

Bryce ergueu a mão e, ao longe, as brumas se separaram — e então se fecharam.

— Não ficou sabendo? Eu sou uma espécie de andarilha requintada do mundo que consegue fazer essas coisas facilmente. Além disso... — Ela deu um sorriso torto. — Agora sou a Rainha de Avallen. Controlar as brumas é um do benefícios desse trabalho.

— Lógico — disse Hunt, revirando os olhos e ganhando uma cotovelada nas costelas.

Mas Ruhn avisou:

— Os feéricos não vão gostar de compartilhar.

Bryce apontou para as ruínas, o dano que ela havia causado, embora sem saber.

— Eles não têm escolha.

Ruhn bufou.

— Vida longa à rainha mesmo.

Declan gritou do alto da colina e todos se viraram para ele.

— O que quer que você tenha feito com aquelas brumas, Bryce — gritou Declan —, meu celular está com sinal! — Ele ergueu o aparelho em comemoração e depois abaixou a cabeça para ler as mensagens que recebia.

— Pequenas vitórias — disse Bryce. Lidia e Tharion riram.

A Corça parou de rir quando olhou para Tharion, como se atraída pela risada do tritão.

— Você poderia se esconder aqui, sabe. A Rainha do Oceano não pode passar pela bruma a não ser que Bryce permita.

— Me esconder — disse Tharion, como se a palavra tivesse um gosto horrível.

— A alternativa é implorar para ela não te matar — retrucou Lidia — e depois fazer tudo o que ela mandar pelo resto da vida.

— Não é diferente da Rainha do Rio — comentou Tharion. Sathia o observava com atenção e curiosidade. O tritão deu de ombros e perguntou sem rodeios a Lidia: — Como você lida com isso? Estar à mercê dela?

A boca de Lidia se contraiu e todos fingiram que não estavam ouvindo cada palavra quando ela enfim respondeu:

— Eu não tinha outra escolha. — Ela olhou para Ruhn com os olhos radiantes. — Mas não vou mais.

Ruhn se assustou e olhou para ela.

— Como é?

Lidia disse para ele e para todos:

— Se sobrevivermos aos asteri, não vou voltar.

Hunt já tinha visto o suficiente da Rainha do Oceano para saber como aquilo iria acabar.

Bryce disse, com todo o cuidado do mundo:

— Mas seus filhos...

— Se sobrevivermos, meus inimigos estarão mortos — disse Lidia, erguendo o queixo com graça majestosa. — E com certeza ela não vai mais precisar dos meus serviços. — Ela acenou com a cabeça para Tharion. — Eu não vou voltar, e você também não deveria. A era dos governantes arbitrários acabou. — Ela apontou para as ruínas. — Este é o primeiro passo.

Um arrepio percorreu a espinha de Hunt diante da certeza de suas palavras. Bryce abriu a boca como se fosse dizer alguma coisa.

Mas Baxian girou em direção a Declan, como se tivesse percebido algo estranho. Um segundo depois, a cabeça de Declan se ergueu.

Um silêncio agourento tomou conta de Hunt. De todos eles.

Ninguém falava nada conforme Declan se aproximava. Engolindo em seco. E quando ele olhou para Ruhn, para Bryce, lágrimas reluziam em seus olhos.

— Os asteri atacaram.

Bryce agarrou o braço de Hunt, como se isso fosse impedi-la de cair.

— Fala — disse Lidia, empurrando-os para chegar até Declan.

Ele olhou para a Corça e depois para Bryce.

— Os asteri organizaram um ataque, liderado por Pollux e Mordoc, em todas as bases da Ophion. Apagaram todas as bases do mapa.

— Merda — xingou Hunt.

Mas Declan estava balançando a cabeça.

— Eles exterminaram todos nos acampamentos também.

Os joelhos de Hunt oscilaram.

Quando Declan olhou para Bryce, Hunt soube no mesmo instante que ele diria algo horrível. Queria poder desfazer aquilo, fosse lá o que fosse...

— E enviaram a Guarda Asteriana para os Prados de Asphodel. Eles... eles disseram que era um foco de atividade rebelde.

Bryce balançava a cabeça, recuando.

A voz de Declan falhou quando ele disse:

— Lançaram dez mísseis de enxofre nos Prados. Em todos os moradores.

PARTE III

A ASCENSÃO

65

Ithan estava no convés de um barco de pesca que já tinha visto décadas melhores, com Hypaxia ao lado. Pelo jeito, Jesiba Roga não achava que os dois precisavam viajar em grande estilo.

Pelo menos a tripulação de metamorfos de tubarões não fazia perguntas. E mantiveram a calma quando desligaram o motor e o barco balançou ao sabor das ondas cinzentas do Haldren, bem em frente à parede de bruma impenetrável e altíssima.

Ithan acenou com a cabeça para o broche quebrado na capa de Hypaxia.

— Alguma chance de sua vassoura ainda funcionar? Poderíamos voar nela.

— Não — respondeu Hypaxia. — E além disso, só Morven pode nos deixar passar.

Ithan estendeu a mão em direção à bruma, entrelaçando-a entre os dedos.

— Então como vamos entrar em contato com ele? Batendo na bruma? Mandando um sinalizador?

O tom de voz era mais alegre do que ele de fato estava. Em algum lugar além daquelas brumas estava o corpo de Sofie. Ao que parecia, Morven dissera à Jesiba que poderiam ficar com ele — o falecido filho o havia enviado para lá e o rei feérico ainda não havia jogado no lixo. Um golpe de sorte enviado pela própria Urd. Jesiba prometera que Morven não tocaria no corpo, que ficaria feliz em entregá-lo nas mãos deles.

Isto é, se conseguissem passar pela barreira. Hypaxia levantou a mão marrom-clara para as brumas, como se as estivesse testando.

— Elas estão…

Como em resposta, a cortina de bruma estremeceu e se abriu.

A luz do sol inundou o ambiente. Os mares cinzentos tornaram-se turquesa. O vento se transformou em uma brisa amena e suave. Havia um paraíso além.

Até mesmo os rudes metamorfos de tubarão arfaram, chocados. Ithan olhou para Hypaxia, também com os olhos arregalados.

— Qual é o problema?

Hypaxia balançou a cabeça devagar.

— Esta não é a Avallen que visitei antes.

— O que isso quer dizer? — Seu instinto entrou em alerta, seu lobo pronto para atacar.

Hypaxia fez sinal para o capitão começar a navegar através das brumas dispersas em direção à terra exuberante e convidativa. Mais bonita do que as Ilhas Coronais. A antiga rainha-bruxa disse quase em um sussurro:

— Algo de muito grande aconteceu aqui.

Ithan suspirou.

— Por favor, me diga que foi uma mudança grande e *boa*?

O silêncio que se seguiu não o ajudou a se acalmar.

* * *

Hunt encontrou Bryce sentada no topo das ruínas do que antes havia sido uma torre, com emaranhados de trepadeiras e rosas florescendo ao redor. Um lugar lindo e surreal para que a rainha dos feéricos pudesse descansar.

A terra parecia conhecê-la, flores pequeninas desabrochavam aninhadas pelo corpo dela, algumas até mesmo enroladas nos longos fios de seus cabelos.

No entanto, quando Hunt se sentou ao lado dela, notou sua expressão vazia. Devastada.

As lágrimas secas haviam deixado marcas salgadas no rosto. Os olhos cor de uísque, que costumam ser tão cheios de vida e fogo, estavam vazios. Vazios como ele não via desde a época em que a encontrou no Lete, bebendo para dissipar a dor pela morte de Danika, a ferida reaberta quando se deu conta de que o pai havia ocultado informações vitais que teriam ajudado na investigação.

Hunt sentou ao lado dela em um pedaço irregular de pedra e a envolveu com uma asa. Dali de cima dava para ver a dispersão de ilhas em meio ao vibrante azul-petróleo do oceano. Avallen havia acordado e se transformado em um paraíso, e parte dele ansiava por saltar para o céu e explorar cada centímetro daquele lugar, mas...

— Todo aquele novo poder de Theia — disse Bryce, com a voz rouca —, e não adiantou de nada. Não deu tempo de ajudar ninguém... salvar alguém.

Hunt beijou a têmpora dela e prometeu:

— A gente vai fazer valer a pena, Bryce.

— Desculpe — pediu ela —, por ter sido uma babaca em relação ao que você estava sentindo.

— Bryce — começou ele, tentando encontrar as palavras certas.

— Desculpe por ter mandado você superar tudo isso — acrescentou ela —, mas...

Seus lábios se apertaram em uma linha fina, como se guardasse um soluço que queria se libertar.

— O que aconteceu — disse ele, com a voz rouca — não é culpa sua. Não é culpa de ninguém, a não ser dos asteri. Você estava certa quando disse isso.

Ela continuou falando, como se não tivesse ouvido uma palavra do que Hunt disse:

— Fury e June estão entrando em um helicóptero com meus pais, Emile... Cooper, quer dizer, e Syrinx — Uma olhada para onde ela havia descartado o celular nas flores ao lado dela. — Os asteri não os encontraram antes do ataque, mas quero todos aqui, em segurança.

— Bom — disse Hunt.

Todos haviam passado a última hora desesperados ligando para familiares e amigos. Hunt debateu durante muito tempo se deveria arriscar ligar para Isaiah e Naomi, mas acabou por não fazê-lo, para não criar problemas se os celulares deles estivessem grampeados.

Era parte do motivo de ter ido procurar Bryce, mesmo sabendo que ela havia ido até ali para ficar sozinha.

Com o castelo de Morven em ruínas, os outros estavam à procura de um alojamento para passar a noite. Pelo rosto sombrio de Ruhn, parecia que os feéricos não estavam sendo acolhedores. *Azar o deles*, Hunt quis dizer, porque estavam prestes a receber um grande fluxo de pessoas.

— Poderíamos ficar aqui — murmurou Bryce, e Hunt sabia que ela só teria dito isso para ele. — Poderíamos reunir todos os nossos amigos e familiares, qualquer um que consiga cruzar o Haldren, e… ficar aqui, protegidos. Para sempre. Foi basicamente o que a Rainha do Oceano pediu. E eu não estaria sendo melhor que minhas ancestrais… me escondendo. Mas, as pessoas estariam seguras. Algumas pessoas em Midgard, pelo menos.

Enquanto a maioria permaneceria à mercê dos asteri.

Hunt se inclinou para olhar para o rosto dela.

— É isso que você quer fazer?

— Não — respondeu Bryce, e olhos se ergueram para o horizonte pontilhado de ilhas. Para a parede de bruma além. — Quer dizer, qualquer um que conseguir chegar aqui, qualquer refugiado, vai ter permissão para entrar. Eu desejei que as brumas fizessem isso.

Hunt teria feito uma piadinha de Rainha Estrelada Superpoderosa com Magia Especial, mas ficou de boca fechada. Deixou que ela continuasse falando.

— Mas nós… — O olhar sombrio no rosto de Bryce fez Hunt apertar ainda mais a asa em volta dela. — Não podemos nos esconder aqui para sempre.

— Não. Não podemos — concordou ele, e permitiu que ela percebesse que estava falando sério. Que lutaria até o fim.

Ela encostou a cabeça no ombro dele.

— Não consigo nem pensar no que eles fizeram. Com a Ophion e os campos… com os Prados… — A voz dela falhou.

Ele também não conseguia processar. Tantos inocentes haviam morrido. Tantas crianças.

— Temos uma obrigação — disse Bryce, e levantou a cabeça. — Com essas pessoas. Com Midgard. E com todos os outros mundos também. Temos a obrigação de pôr um fim nisso.

Era o rosto de sua amada Bryce que o encarava, mas também o de uma rainha. O relâmpago dele agitou-se em resposta. Pouco importava que ele tivesse sido feito pelos filhos da puta do Apollion e do Thanatos, que os dois tivessem fabricado seu poder. Se o relâmpago poderia ajudá-la, se ele pudesse salvar Midgard dos asteri... era tudo o que importava.

Bryce acrescentou:

— *Eu* tenho a obrigação de acabar com isso.

Ela olhou para o arquipélago, que repousava calmo, e, por um momento, Hunt conseguiu enxergar como seria ter uma vida ali, com filhos e amigos. Uma vida que poderiam construir naquele lugar intocado.

Essa vida revelava-se diante dos olhos dele, tão perto que Hunt quase podia tocá-la.

Bryce disse, como se pensasse a mesma coisa:

— Acho que Urd precisava que eu viesse aqui.

— Para saber que poderia ser um refúgio?

Ela balançou a cabeça.

— Eu me perguntei por que as brumas mantinham os asteri do lado de fora, como poderíamos usá-las contra eles. Pensei em vir aqui e encontrar respostas, talvez uma arma secreta... como algum dispositivo importante para repelir asteri.

Ela enfim deslizou o olhar exausto para Hunt.

— Mas o que mantém os asteri afastados é a grande quantidade de sal preto, não as brumas. Não tem como replicar isso. Acho que Urd queria que eu visse que uma sociedade poderia prosperar aqui. Que eu poderia permanecer segura aqui, junto a todos que amo.

A boca de Bryce tremia, mas ela a pressionou em uma linha fina.

— Acho que Urd queria que eu visse e aprendesse — continuou ela — e decidisse se ficava ou abandonava essa segurança para lutar. Urd queria me tentar.

— Talvez tenha sido um presente — sugeriu Hunt. — Não um teste ou desafio, Bryce, mas um presente. — Ao ver que ela ergueu as sobrancelhas, explicou: — Urd permitiu que as pessoas que você ama permanecessem seguras aqui enquanto você acabava com alguns asteri.

Havia muita tristeza no sorriso dela.

— Para saber que eles vão estar protegidos… mesmo que a gente falhe na missão.

Ele não tentou tranquilizá-la e dizer que iriam conseguir. Em vez disso, prometeu:

— Estamos juntos nessa. Você e eu. Vamos acabar isso juntos. — Ele ajeitou uma mecha dos cabelos dela atrás da delicada orelha pontuda. — Estou ao seu lado. Por completo. Você e eu vamos colocar um fim nisso.

Ela ergueu a cabeça e Hunt poderia jurar que uma coroa de estrelas brilhava ao redor de sua cabeça.

— Quero varrê-los deste mundo — anunciou ela, e ainda que sua voz soasse calma, não havia nada além da mais pura raiva no que dizia.

— Vou pegar a pá e a vassoura — brincou ele, sorrindo para ela.

Bryce olhou para ele, toda fúria e graça majestosas... e riu. O primeiro momento de normalidade entre os dois, alegre e lindo. Ele também lutaria por isso. Até o fim.

Gavinhas das flores roxas que costumavam desabrochar durante à noite surgiram ao redor deles em resposta, apesar de estarem sob a luz do dia. Era sempre assim? Ele jurava que, no jardim noturno, antes de serem atacados pelos kristallos meses antes, as flores também tinham desabrochado para ela. Será que haviam sentido esse poder, a herança nascida do crepúsculo em suas veias?

— Isso é incrível — disse ele, apontando com a cabeça para a ilha que parecia responder a todas as emoções dela.

— Acho que é o que a Prisão, a ilha no mundo natal dos feéricos, já foi um dia. Quando Theia governou, quero dizer, antes de Silene estragar tudo. Talvez estejam ligadas de algum jeito por serem lugares tênues e se misturaram um pouco. Talvez naquele outro mundo… talvez eu tenha acordado a terra ao redor da Prisão também.

Hunt ergueu as sobrancelhas.

— Acho que só tem um jeito de descobrir.

Ela riu.

— Acho que nunca mais vão me deixar voltar naquele mundo.

— Você acha que existe a possibilidade de recrutar eles para lutarem ao nosso lado?

— Não. Quer dizer, não sei o que diriam, mas... eu não pediria isso a eles. A nenhum deles.

— Retiro o que disse antes. Não podemos deixar o planejamento de lado, precisamos começar a pensar em uma estratégia agora. — Ele odiava ter que colocar aquele fardo nos ombros de Bryce, mas precisavam tomar uma atitude. Ela estava certa, não poderiam se esconder ali. — Com certeza os asteri esperam uma retaliação. Rigelus deve estar esperando que a gente tente reunir um exército para atacar, mas isso não daria certo. Estaríamos sempre em desvantagem e em menor número. — Ele segurou a mão dela. — Eu... Bryce, eu já perdi um exército.

— Eu sei — respondeu ela.

Mas Hunt pressionou:

— E, além disso, estamos falando de *seis* asteri. Se fosse só para combater Rigelus, talvez... mas todos os seis? Temos que separá-los? Pegar um por um?

— Não, porque assim os outros teriam tempo para se preparar. Temos que atacar todos de uma vez... juntos.

Ele pensou a respeito.

— Está na hora de deixar o Inferno entrar, né?

A brisa calma bagunçou seus cabelos enquanto ela assentia.

— E o que temos que fazer, então? — perguntou ele.

A estrela no peito dela brilhava.

— Vamos para Nena. Temos que abrir a Fenda do Norte.

— Puta merda. Tudo bem. Ignorando a grandiosidade disso tudo e presumindo que tudo vá dar certo, o que vem depois? Entramos no palácio e começamos a lutar?

Ela voltou a olhar para as ilhas e para o mar cintilante.

Aquela expressão majestosa tomou conta de seu rosto, e ele sabia que estava tendo um vislumbre da líder que Bryce se tornaria, se conseguissem superar tudo aquilo.

— O que é que Rigelus sempre disse para a gente? — perguntou Bryce.

— Que somos péssimos?

Ela riu.

— Ele fez de tudo para te oferecer a liberdade — disse ela, apontando para onde ficava a marca dele no pulso — para me convencer a não falar que matei Micah. E convencer você a não falar que matou Sandriel.

Ele inclinou a cabeça.

— Você quer tornar isso público?

— Acho que Rigelus e os asteri estão nervosos com a possibilidade de o mundo descobrir o que fizemos. Que seus preciosos arcanjos poderiam ser mortos. Ainda por cima, por dois zé-ninguém.

Foi a vez de Hunt rir.

— Não somos bem uns zé-ninguém.

— É, mas mesmo assim, vou mostrar para Midgard que até arcanjos podem ser mortos.

— Ok, isso é… é incrível — falou Hunt, com a cabeça fervilhando em pensamentos. Rigelus ficaria maluco. — Mas o que vamos conseguir com isso?

— Eles vão ficar tão ocupados com a mídia que vão se esquecer da gente por um tempo — explicou Bryce, com um sorriso cruel, o qual lembrava um pouco o do pai, que jazia morto embaixo dos escombros. — Será uma distração maior do que qualquer exército do Inferno.

— Acho que é uma boa ideia — disse Hunt, refletindo. — Acho mesmo. Mas como você vai provar isso? Todos teriam que acreditar na sua palavra, e os asteri negariam na mesma hora.

— É por isso que preciso falar com Jesiba.

— Ah é?

Ela se levantou e estendeu a mão para ajudá-lo a se levantar.

— Porque ela tem o vídeo do que fiz com Micah.

* * *

Ithan estava diante de um verdadeiro paraíso em Midgard. Águas cristalinas, vegetação exuberante, riachos e cachoeiras desaguando no mar, areia fina, pássaros cantando…

Ele permaneceu em alerta, porém, quando o barco parou em uma enseada, perto o suficiente da costa para que ele e Hypaxia saltassem e caminhassem alguns metros até a praia.

— Pra que lado? — perguntou ele à ex-rainha, examinando a densa folhagem que margeava a praia e as colinas que se erguiam. — Jesiba disse que o castelo ficava alguns quilômetros para dentro, mas eu não vi nada enquanto navegávamos...

Asas bateram acima, e Ithan se mexeu por instinto, seu corpo robusto de lobo esbarrando em Hypaxia que estava atrás dele enquanto rosnava para o céu.

Dois aromas o atingiram um instante depois.

Ithan ficou completamente sem reação quando viu Hunt Athalar pousar na areia, com Bryce em seus braços.

66

De volta à forma humanoide, Ithan sentou na grama em frente a Bryce e Hunt, incapaz de falar. Hypaxia, sentada ao lado dele, dava espaço para Ithan pensar.

Atrás de Bryce estavam Ruhn, Flynn, Dec e Tharion — e Lidia e Baxian. Acompanhados de uma fêmea que, pelo que disseram, era a esposa de Tharion e irmã de Flynn.

Algo grande havia acontecido. Ithan sabia disso. Mas eles não deram maiores explicações e esperavam que ele explicasse o que estava fazendo ali. O que havia acontecido.

O aperto em sua garganta era quase insuportável.

— Eu… — Todos olhavam para ele esperando uma resposta. — Preciso do corpo de Sofie Renast.

— Bom — disse Hunt, assobiando —, não era o que eu esperava ouvir.

Ithan ergueu os olhos suplicantes para o Umbra Mortis.

— Jesiba disse que o Rei Morven tem o corpo…

— Tinha o corpo — emendou Ruhn, cruzando os braços. Suas tatuagens pareciam ter sido passadas em uma trituradora de papel. Ithan havia notado assim que viu os amigos, abraçando-os com tanta força que eles reclamaram. Ruhn acrescentou: — Agora, o corpo pertence à Bryce, tecnicamente.

Ithan balançou a cabeça, sem entender.

Hunt falou devagar:

— Morven está morto e Bryce é a Rainha de Avallen.

Ithan apenas piscou para Bryce, que o observava. Com cuidado. Como se ela soubesse que algo tinha...

— Os Prados — falou de repente.

Será que eles tinham ouvido falar do que aconteceu? Será que...

— Já estamos sabendo — disse Flynn.

— Aqueles malditos — murmurou Tharion.

Bryce perguntou para Ithan:

— Qual é o tamanho do estrago?

Ithan não conseguia contar dos corpos, tão pequenos, tantos...

— Tão grande quanto se imagina — respondeu Hypaxia com severidade —, talvez ainda maior.

O silêncio pairou pesado sobre o grupo.

— Seja lá o que tenha impedido você de ajudar a cidade — disse Lidia, de olho na irmã —, deve ser muito importante. Por que precisam do corpo de Sofie?

Mais uma vez, todos olharam para ele, que não conseguiu conter sua tristeza ao dizer:

— Porque eu ferrei com tudo.

* * *

Ele contou a história toda. Como havia encontrado uma herdeira alternativa para a linhagem Fendyr e como a libertara do Astrônomo... só para matá-la depois.

Nada disso era novidade para Tharion, Flynn e Dec. Mas a julgar pela maneira como Bryce e Ruhn encaravam o trio... Pelo jeito, haviam se esquecido de mencionar essa informação durante o caos dos dias anteriores.

Ithan não conseguia entender como tinham se esquecido de contar algo que estava, literalmente, destruindo sua vida, mas não insistiu no assunto. Ele demorou mais na parte da história que era novidade para todos: como Hypaxia havia tentado ressuscitar Sigrid. E como, agora, a herdeira Fendyr era uma ceifadora.

Quando terminou de falar, todos o encaravam com os olhos arregalados. A mais chocada era Bryce, que não havia dito nada enquanto ele falava de encontrar uma alternativa para Sabine, alguém que Danika poderia ter aprovado.

Ithan terminou:

— Então, se o corpo de Sofie estiver intacto...

— Não está — retrucou Bryce baixinho.

Ithan sentiu um aperto no peito ao olhar nos olhos dela.

— O castelo de Morven desmoronou — contou Bryce, com tristeza. — *Se* estiver intacto, o corpo de Sofie está embaixo de toneladas de escombros.

Ithan levou as mãos ao rosto e respirou fundo.

Flynn colocou um braço consolador em volta dos ombros dele, apertando.

— Talvez tenha outra forma...

— Precisávamos de um pássaro-trovão — disse Ithan, a voz abafada pelas mãos. Não havia como consertar aquilo. Como desfazer. Ele causara tudo aquilo com uma loba inocente, com seu povo...

— Olha — disse Bryce, e a gentileza no tom dela quase o matou. Ela deu um longo suspiro. — Teria sido incrível encontrar uma herdeira Fendyr alternativa. Mas...

Ithan tirou as mãos do rosto.

— Mas *o quê*?

Os olhos de Hunt brilharam ao ouvir o rosnado de Ithan. Mas Bryce não recuou ao dizer:

— Temos problemas maiores agora. E o tempo não está do nosso lado.

— Eu a matei — disse Ithan com a voz embargada. — Eu a *matei*, porra...

Mas Athalar disse a Hypaxia:

— Acho que Rigelus coletou alguns dos meus relâmpagos... para um propósito semelhante. — Bryce se virou, como se fosse novidade para ela. — Tem certeza de que isso não ajudaria com Sigrid?

— Pode valer a pena tentar — admitiu Hypaxia —, mas não tenho nenhum dos suprimentos necessários para conter seu tipo de poder.

Ruhn ergueu a cabeça.

— Tipo um monte de cristais?

Todos se voltaram para o príncipe, mas ele olhava para Lidia. A Corça explicou:

— Encontramos um esconderijo cheio deles nos arquivos.

Ruhn acrescentou:

— Rigelus usou um para tomar o poder de Athalar nos calabouços. Funcionaria para você também?

Hypaxia assentiu lentamente e disse a Hunt:

— Eu não precisaria de muito.

Bryce olhou para os outros. Ruhn entendeu o que ela queria dizer e gesticulou para os amigos.

— Vamos. Vamos pegar os cristais dos arquivos. Espero que também não tenha desmoronado.

Flynn, Dec, Lidia, Baxian e Tharion — com a esposa ao lado — desceram a colina com Ruhn. Apenas Tharion olhou para trás, uma única vez, com os olhos cheios de compaixão. Como se o tritão conseguisse compreender a sensação de ferrar com tudo de forma tão colossal. De se arrepender.

Mas Bryce agarrou a mão de Ithan, trazendo sua atenção de volta para ela.

— O que está feito está feito, Ithan.

— Jesiba disse a mesma coisa — comentou ele, taciturno.

— E ela está certa — avisou Bryce. A seu lado, Athalar assentiu. Mas Bryce fez um gesto com a mão para Hypaxia. — A porra do mundo inteiro está mudando tão depressa, todos nós estamos mudando mais rápido do que podemos processar. Por Cthona, Hypaxia nem é mais rainha. Algum de vocês parou para pensar nisso? — Ithan sentiu a culpa como um soco. Havia estado tão concentrado nos próprios problemas que não pensou em falar com a bruxa. Mas o rosto de Hypaxia permaneceu sério, determinado. Bryce continuou: — Então olha, você matou Sigrid, e ela é uma ceifadora, e eu acho que é... muito admirável que você esteja tentando ressuscitá-la...

— Não seja condescendente — rosnou ele, e Athalar olhou outra vez em advertência.

— Não estou sendo — disse Bryce. Ela era a Rainha de Avallen, e Ithan podia enxergar em seus olhos: a líder brilhando ali. — Parte do motivo pelo qual eu te amo é porque você não desiste até fazer a coisa certa.

— Tentar fazer a coisa certa me levou ao desastre com Sigrid — lamentou ele, balançando a cabeça em desgosto.

— Talvez — disse Bryce, e olhou para Hypaxia. — Mas vocês dois... preciso da sua ajuda. Tenho que acreditar que Urd mandou vocês até aqui.

— Para quê? — perguntou Hypaxia, inclinando a cabeça.

Bryce e Hunt trocaram olhares. O anjo fez um gesto para sua parceira, como se dissesse: *A história é sua.*

— Eu, é... — disse Bryce, puxando algumas folhas de grama — tenho muitas coisas pra contar.

* * *

— Você não estava brincando quando disse que tinha muita coisa para contar — comentou Ithan, surpreso, quando Bryce terminou.

— Mas onde a gente entra nessa história? — perguntou Hypaxia. — Se você está pensando em formar um exército para ajudar o Inferno, não tenho influência alguma sobre as bruxas, e Ithan não conseguiria reunir os lobos...

— Nenhum exército de Midgard. De qualquer maneira, não temos tempo para isso — disse Bryce.

Hypaxia puxou um cacho bem enrolado.

— O quê, então?

Os olhos de Bryce pareciam brilhar.

— Preciso que você faça um antídoto para o parasita dos asteri.

Hypaxia piscou devagar. Essa parte da história de Bryce foi a mais difícil de engolir. Que todos eles foram infectados por alguma coisa na água que cortava sua magia pela metade.

Bryce continuou:

— Você descobriu um antídoto para o sintetizador, Hypaxia. Preciso que você faça isso de novo. Que nos ajude a evoluir antes de enfrentarmos os asteri e nos liberte das restrições deles.

— Você deposita muita fé em minhas habilidades. Vou precisar estudar o parasita antes de começar a mapear as propriedades de um antídoto...

— Não temos tempo para o método científico completo — retrucou Bryce.

— Eu ficaria um tanto hesitante em fornecer qualquer coisa que não tivesse sido testada direito — rebateu Hypaxia.

— Não podemos nos dar a esse luxo — disse Athalar, firme. — Qualquer coisa que você possa criar, mesmo que seja temporário, mesmo que só mantenha o parasita afastado por um tempo...

— Não sei se é possível — respondeu Hypaxia, mas Ithan notou que as ideias lampejavam em seus olhos. — E eu precisaria de um laboratório. Levando em conta o estado de Avallen depois de você... reivindicá-la, não acho que haja nada aqui que eu possa usar.

— E não tem energia, de todo modo — disse Bryce. — Então vocês vão ter que voltar para a Casa de Chama e Sombra de Lunathion... me parece que vão conseguir permanecer escondidos e seguros lá. Ainda mais se Jesiba estiver por perto.

Ithan não contou a Bryce quem — o quê — Jesiba era de fato. Esse segredo era de Jesiba, e só ela poderia contar.

Ithan perguntou:

— O que você quer dizer com *vocês*? Não entendo nada de ciência. Não posso ajudar Hypaxia.

— Você sabe lutar — disse Athalar. — E defender. Hypaxia vai precisar de alguém para protegê-la enquanto trabalha.

Ithan virou-se para Bryce, que o observava com uma expressão sombria.

— Mas Sigrid...

— Precisamos desse antídoto, Ithan — falou Bryce com gentileza, mas a voz firme. — Mais do que de qualquer outra coisa. Hunt vai fornecer o relâmpago para Sigrid, mas primeiro precisamos do antídoto. — Acrescentou ela, para Hypaxia: — O mais rápido possível.

Hypaxia e Bryce se entreolharam por um longo momento.

— Muito bem — disse Hypaxia inclinando a cabeça.

Ithan fechou os olhos. Abandonar sua busca, deixar Sigrid como ceifadora...

Mas os amigos precisavam dele. Estavam pedindo sua ajuda. Não poderia se negar, mesmo que fosse para salvar Sigrid... ele já havia arruinado a vida dela. Não faria o mesmo com os amigos.

Ithan então abriu os olhos e perguntou:

— Quando voltamos para a Cidade da Lua Crescente?

A expressão de Bryce permaneceu sombria quando ela disse:

— Agora mesmo.

— Agora? — perguntou Hypaxia, o primeiro sinal de choque que demonstrou.

— O barco ainda está esperando vocês — comentou Athalar, apontando para o oceano ao longe. — Vamos pegar os cristais com os outros e eu coloco o relâmpago ali. Assim que eles voltarem, entrem no barco e voltem para Lunathion.

— E se... E quando... eu inventar um antídoto para o parasita? — Hypaxia perguntou a Bryce e Hunt. — Como vou entrar em contato?

— Ligue para nós — disse Bryce. — Se não conseguir nos contatar, leve o antídoto para a Cidade Eterna. Há uma frota de mec-trajes no Monte Hermon... esconda-se por ali e nós encontraremos você.

— Mas quando?

O rosto de Bryce se tornou severo.

— Você vai saber quando for tarde demais para nos ajudar.

Ithan falou:

— Bryce...

Mas Bryce acenou com a cabeça em direção ao mar cintilante.

— O mais rápido possível — repetiu ela para a antiga rainha-bruxa. — Eu imploro.

Com isso, ela caminhou até Athalar, que saltou para o céu, voando na direção que os outros haviam ido.

Não teriam tempo de falar com Tharion, Flynn ou Dec. Nem de se despedirem. Pela forma como Hypaxia observava o anjo e Bryce desaparecerem em direção às ruínas distantes, Ithan suspeitou que ela estava pensando a mesma coisa em relação à Lidia.

Vinte minutos depois, Bryce e Athalar estavam de volta, com meia dúzia de cristais de quartzo chiando nas mãos do anjo, com os relâmpagos lá dentro.

Hypaxia colocou tudo nos bolsos, prometendo que os usaria com cautela. Bryce deu um beijo na bochecha dela e depois na de Ithan.

Antigamente, ele teria feito qualquer coisa por aquele beijo. Mas agora só sentia o vazio, o atordoamento.

Athalar deu um tapinha no ombro de Ithan antes de voltar para os céus com Bryce, logo virando uma pequena mancha na imensidão azul.

Quando ficaram sozinhos, Hypaxia apontou para o caminho que haviam percorrido desde a praia.

— Temos que ir e enfrentar esse desafio, Ithan — falou ela, a voz segura, então deu um tapinha nos cristais cheios de relâmpagos agora brilhando nos bolsos de suas vestes azul-escuras.

Com isso, ela partiu para o barco e para a tarefa que tinha pela frente.

Ithan permaneceu por mais um momento. Também havia falhado nessa missão. Tivera uma segunda chance de consertar o que acontecera com Sigrid e falhara. Era importante ajudar seus amigos — e toda Midgard —, mas a decisão pesava sobre seus ombros.

Ele sempre havia se considerado um cara legal, mas talvez não fosse. Talvez estivesse se iludindo.

Não sabia o que isso queria dizer a seu respeito.

Ithan seguiu Hypaxia, virando as costas para Avallen e para a esperança que ela oferecia. Ter o relâmpago em mãos, mas ter que adiar qualquer esforço para ajudar Sigrid…

Não havia outra escolha a não ser continuar andando, um pé na frente do outro.

Quem sabe em algum momento ele conseguisse parar de deixar um rastro de destruição absoluta por onde passasse.

67

Hunt encontrou Baxian organizando os fardos de feno frescos nos estábulos. O local estava intacto, longe o bastante do castelo para que tivessem sido poupados quando tudo desmoronou.

— Você entregou o relâmpago para o lobo e a bruxa? — perguntou Baxian, como cumprimento.

— Estão voltando para Lunathion com ele. Mas a prioridade é tentar encontrar a cura para o parasita.

— Bom — Baxian grunhiu. — Espero que tenham mais sucesso do que eu em encontrar um lugar para dormir hoje à noite.

— Está tão ruim assim, é? — perguntou Hunt, encostando-se na porta.

— Ninguém quer ceder um quarto nem uma cama, e não vamos expulsar as pessoas de suas casas. — O Cão do Inferno fez um gesto grandioso para os estábulos. — Bem-vindo ao Hotel Cair do Cavalo.

Hunt riu ao analisar a madeira.

— Para ser sincero, já dormi em lugares piores. A casa desses cavalos é melhor do que a que eu vivia na infância.

Era triste, mas verdade.

— Digo o mesmo — comentou Baxian, e Hunt ficou tão surpreso que ergueu uma sobrancelha. Baxian acrescentou: — Eu… ah, cresci em uma das partes mais pobres de Ravilis. Meus pais eram metade metamorfo, quer dizer metade *Cão do Inferno* metamorfo, e metade anjo… o que não fazia deles os mais populares nem na Casa de Terra e Sangue, nem na Casa de Céu e Sopro. Dificultava que conseguissem manter os empregos.

— Qual dos seus pais era metade anjo?

— Meu pai — respondeu Baxian. — Ele serviu como capitão no 15º de Sandriel. Foi mais fácil para ele do que pra minha mãe, que era rejeitada por todos que conhecia por se "manchar" com um anjo. Mas os dois pagaram o preço juntos.

Pelo tom sombrio de sua voz, Hunt sabia que a coisa deve ter sido feia.

— Sinto muito — disse ele.

— Eu tinha oito anos. Não sei como aquela agitação começou, mas... — Baxian engoliu em seco, ainda assim terminou de cobrir um palete com feno e começou a trabalhar em outro. — Acabou com minha mãe despedaçada pelos Cães do Inferno e meu pai aprisionado pelos mesmos anjos que comandara, recebendo a Morte em Vida.

Hunt suspirou.

— Puta merda.

— Era tanto frenesi que eles, hum... — Baxian balançou a cabeça. — Continuavam cortando as asas dele a cada vez que se curavam. Meu pai acabou perdendo tanto sangue que não sobreviveu.

— Sinto muito. Nunca soube disso.

— Ninguém soube. Nem mesmo Sandriel. — Baxian cobriu o palete com um cobertor. — E daí em diante, eu segui sozinho. Nenhuma das duas famílias queria aceitar um *híbrido,* como faziam questão de me chamar, então aprendi a me defender nos subúrbios. Como me esconder, como ouvir conversas à procura de informações valiosas e como vender essas informações a quem estivesse interessado. Fiquei tão bom nisso que meu nome começou a correr por aí. Me chamavam de "Cobra", porque ferrei com a vida de muitas pessoas. E Sandriel acabou ouvindo falar de mim e me recrutando para o triário... para ser seu espião e rastreador. A Cobra virou o Cão do Inferno, mas... mantive alguns traços.

Hunt se lembrou da armadura reptiliana de Baxian.

— Eu odiava tudo aquilo, odiava Sandriel e odiava Lidia, porque achava que ela conseguia ver quem eu era de fato, mas... o que mais eu poderia fazer? — Baxian acabou de preparar os paletes e encarou Hunt. — Servir ao triário de Sandriel era melhor do que viver sempre à espreita caso alguém quisesse me esfaquear. Mas toda aquela merda que ela nos obrigava a fazer... — Ele apontou para o pescoço, a cicatriz que Hunt fizera nele. — Eu mereci isto.

— Todos nós fizemos coisas ruins em nome de Sandriel — comentou Hunt com a voz rouca.

— É, mas você não teve escolha. Eu tinha.

— Você escolheu se afastar daquilo, para mitigar os danos quando fosse possível.

— Graças à Danika — disse Baxian.

— E existe motivo melhor do que o amor? — perguntou Hunt.

Baxian sorriu, triste.

— Contei tudo a ela, sabe? Para Danika, quero dizer. E ela entendeu... não me julgou. Ela me disse que tinha uma amiga semifeérica que passava por problemas parecidos. Acho que o amor pela Bryce permitiu que ela enxergasse além de todas as merdas do meu passado e que me amasse mesmo assim.

Hunt sorriu.

— Você deveria contar isso para Bryce.

Baxian olhou para ele.

— Vocês... hã, vocês estão bem? Pareceu que não estava tudo bem durante algum tempo, nas cavernas.

— Estamos — respondeu Hunt, soltando o ar. — É, estamos bem. Nós conversamos.

— E aquela coisa toda do Inferno... — Bryce havia contado para todos o que os Príncipes do Inferno afirmaram a respeito da origem de Hunt. — Como você está lidando com tudo isso?

Hunt pensou a respeito.

— Fica meio que em segundo plano com tudo isso que está rolando, sabe? Pobrezinho de mim, com problemas com meu pai. Ou pais? Nem sei dizer.

Baxian deu uma risada abafada.

— E que importância tem? Sua composição genética exata?

Hunt pensou de novo.

— Não. Isso são só coisas no meu sangue, na minha magia. Não representam quem eu sou. — Ele deu de ombros. — Pelo menos foi o que Bryce disse. Estou me esforçando para acreditar.

Baxian apontou para o halo na testa de Hunt.

— Então por que não tirou isso ainda? Eles disseram que você tinha esse poder o tempo todo.

Hunt olhou para as vigas do teto.

— Eu vou tirar. — Ele se esquivou.

Baxian o observava como se pudesse ler sua mente. Entender que, por enquanto, Hunt precisava de uma pausa. Um tempo para processar tudo. Queria se livrar do halo, mas ainda não estava pronto para se tornar um Príncipe do Inferno ou coisa do tipo. Ainda não. Mas Baxian comentou:

— Bryce está certa. Não é a sua biologia que define quem você é. É quem criou você. Quem você se tornou.

O rosto da mãe de Hunt surgiu diante de seus olhos, e ele se prendeu à lembrança dela, tão forte em seu coração.

— Você e a Bryce andaram trocando anotações para fazer discursos motivacionais?

Baxian riu e depois olhou ao redor.

— E cadê ela, afinal? Fazendo mais jardins surgirem?

Hunt riu baixinho.

— Deve estar. Mas vim aqui para te encontrar… teremos um conselho de guerra em um minuto, mas queria perguntar uma coisa primeiro.

Baxian cruzou os braços poderosos, dando total atenção a Hunt.

— O quê?

— Vai acontecer algo bem grande em breve e preciso de alguém para administrar as coisas se eu não estiver por perto.

— E onde você estaria?

— Bryce vai explicar tudo — disse Hunt, sustentando o olhar. — Mas preciso de um segundo no comando para agora.

Baxian ergueu as sobrancelhas. Por um momento, Hunt estava de novo em uma tenda de guerra, dando ordens aos seus soldados antes da batalha. Ele afastou a lembrança arrepiante e dobrou as asas.

Baxian sorriu, no entanto.

— Quem disse que você está no comando?

Hunt revirou os olhos.

— Minha esposa disse. — E pressionou: — Então... você aceita? Preciso de alguém que possa lutar. No chão e no ar.

— Ah, você só está perguntando porque eu tenho asas? — Baxian agitou as penas pretas para enfatizar.

— Estou perguntando — disse Hunt, notando a centelha de diversão no rosto do Cão do Inferno — porque eu confio em você, idiota. Por algum motivo estranho.

— Bastou um tempinho nos calabouços dos asteri que a gente já virou parça. — O tom era leve, embora as sombras de tudo o que passaram tornassem o olhar de Baxian sério. — Mas estou honrado. Sim, você pode confiar em mim. É só falar o que precisa ser feito e eu farei.

— Obrigado — concluiu Hunt, e apontou para a saída. — Você pode se arrepender daqui a alguns minutos... mas obrigado.

* * *

— Deixa eu ver se entendi direito — disse Ruhn.

Todos estavam reunidos em torno de uma fogueira no meio de uma planície aberta, praticamente o único lugar livre de ouvidos curiosos. Só por diversão, Flynn fizera um pequeno bosque de carvalhos surgir ao redor. Sua magia de terra parecia estar com força total, como se a terra renascida estivesse o chamando para preenchê-la, adorná-la.

Mas Ruhn olhava para a irmã enquanto falava:

— Nós vamos para *Nena*. Abrir a *Fenda do Norte*.

Bryce, sentada em uma grande pedra com Hunt ao lado, disse:

— *Eu* vou para Nena. Com Hunt. E meus pais... preciso de um tipo de experiência específica que Randall tem. Baxian vai ficar aqui com Cooper até que eles voltem. *Você* vai pegar esses dois tontos — ela acenou com a cabeça para Flynn e Declan, que fizeram carrancas para Bryce — e voltar para Lunathion.

Ruhn piscou devagar.

— Para... morrer? Porque é isso que vai acontecer se formos pegos.

— Para encontrar Isaiah e Naomi. Ver se eles podem se juntar a nós. Tenho certeza de que os celulares e e-mails deles foram grampeados… não temos outra forma de entrar em contato.

— Você quer que a gente convença dois membros do triário de Celestina a se rebelarem? — perguntou Dec.

— Não vai ser preciso muito para convencê-los, mas sim. Precisamos deles — disse Hunt.

Ruhn balançou a cabeça.

— Se você está pensando em reunir algum tipo de hoste angelical para enfrentar os asteri, pode esquecer. Nenhum anjo vai seguir nenhum de nós, nem mesmo Athalar, para se juntar à batalha.

Bryce se manteve firme. Esse era o plano dela, e Ruhn sabia que não conseguiria fazer com que ela e Athalar mudassem de ideia. Ele abriu a boca para continuar discutindo mesmo assim, mas Dec o interrompeu.

— E ele? — perguntou Dec, apontando para Baxian. — Ele tem uma relação melhor com os anjos.

Bryce fez que não.

— Baxian vai ficar aqui para ajudar a coordenar a chegada dos refugiados e liderar em nosso lugar. — Bryce gesticulou para si mesma e para Hunt.

— A gente poderia fazer isso — disse Flynn.

— Não — retrucou Bryce, com frieza —, não poderiam. Os feéricos têm mais medo dele, então ele é o mais eficaz para essa tarefa.

— E quem disse isso? Somos bem assustadores — retrucou Flynn.

— Disse o fato de que ele, pelo menos, conseguiu os estábulos para gente dormir — apontou Hunt. Baxian ergueu as sobrancelhas para o lorde feérico. — Todos vocês falharam nessa missão.

Flynn e Dec fizeram cara feia. Mas Ruhn quase não conseguiu respirar quando Bryce olhou para Lidia.

— Não tenho a pretensão de te dar ordens. Sei que você tem uma obrigação para com a Rainha do Oceano. Faça o que precisa fazer.

— Vou com Ruhn — respondeu Lidia baixinho, e algo no peito dele se esquentou.

Bryce assentiu, e ele não deixou de notar a gratidão estampada nos olhos da irmã.

— E eu? — perguntou Tharion, por fim, com as sobrancelhas erguidas.

— Preciso que você volte para a Rainha do Rio — respondeu Bryce. — E a convença a abrigar o máximo de pessoas que conseguir.

Tharion empalideceu.

— Pernas, eu adoraria fazer isso, mas ela vai me matar.

— Então dê um jeito de convencê-la a não matar — disse Athalar, um verdadeiro general enquanto olhava nos olhos do tritão. — Use suas habilidades de Capitão Qualquer Coisa para descobrir uma forma de não morrer.

Tharion olhou para Sathia, que observava com atenção.

— Ela, uh… não vai gostar do meu novo estado civil.

— Então dê um jeito — repetiu Hunt — de agradá-la.

A mandíbula de Tharion cerrou, mas Ruhn podia perceber que ele ponderava as opções.

— A Corte Azul foi a única facção na Cidade da Lua Crescente que abrigou pessoas durante o ataque da primavera — comentou Bryce. — Vocês fizeram de tudo para ajudar a proteger os inocentes e mantê-los em segurança. Apele para esse lado da Rainha do Rio. Diga que há uma tragédia se aproximando e que, depois do que aconteceu nos Prados de Asphodel, precisamos que ela receba o máximo de pessoas que a Corte Azul puder acomodar. Se alguém tem o charme o bastante para influenciá-la, é você, Tharion.

— Ah, Pernas — disse Tharion, esfregando o rosto. — Como resistir quando você pede desse jeitinho?

Sathia, para a surpresa de Ruhn, colocou a mão no joelho do tritão e prometeu à Bryce:

— Nós vamos juntos.

— Agora sim ela vai matar Tharion, com certeza — retrucou Flynn.

Sathia olhou feio para o irmão.

— Entendo bem como lidar com governantes arrogantes. — Ela ergueu a cabeça. — Não tenho medo da Rainha do Rio. — Tharion parecia querer alertá-la, mas ficou de boca fechada.

— Ótimo. E obrigada — disse Bryce para Sathia.

— Então é isso — disse Ruhn. — Ao amanhecer, vamos nos espalhar ao sabor dos ventos?

— E que venha o amanhecer — concluiu Bryce, e sua luz estelar brilhou em seu peito, iluminando todo o campo. — Vamos revidar.

* * *

Ruhn ainda estava pensando no que Bryce queria fazer. Abrir a Fenda do Norte para o *Inferno*. Só poderia ter perdido o juízo... ainda assim, confiava nela. E em Athalar. Eles deviam ter alguma carta na manga, que só revelariam quando chegasse a hora.

Ruhn se revirava na cama de feno pontiaguda, sem conseguir dormir. Talvez porque Lidia estava deitada à sua frente, olhando para as vigas do teto.

Ela olhou nos olhos dele e Ruhn falou, entre mentes: *Não consegue dormir?*

Estou pensando em todos os agentes Ophion que encontrei ao longo dos anos. Nunca os conheci pessoalmente, mas as pessoas que me ajudaram a organizar o ataque à Espinha, e que trabalharam comigo durante anos antes disso... estão todas mortas.

Não foi culpa sua.

O ataque aos Prados de Asphodel foi para mexer com a sua irmã. Mas o massacre da Ophion, as pessoas nos acampamentos. Foi para me punir. A Ophion me ajudou na sua fuga e Rigelus quis se vingar.

Ruhn sentiu um aperto no peito. *Vamos fazer os asteri pagarem por isso.*

Ela se deitou de lado, olhando para Ruhn. Deuses, ela era tão linda.

Como você está se sentindo?, perguntou ela, em tom gentil. *Depois... do que aconteceu com seu pai.*

Não sei, respondeu Ruhn. *Me pareceu certo no momento, eu até me senti bem. Mas agora...* Ele balançou a cabeça. *Fico pensando na minha mãe, dentre todas as pessoas. No que ela diria. Acho que ela seria a única pessoa a ficar de luto por ele.*

Ela o amava?

Ela era apegada a ele, por mais que ele a tratasse como pouco mais que uma égua reprodutora. Mas ele a manteve confortável todos esses anos, a recompensa por ter dado um filho a ele. Ela sempre foi grata por isso.

Lidia estendeu a mão através do espaço estreito para segurar a dele — os dedos ainda estranhamente pálidos e sem calos. Mas a pele dela era tão macia e quente, os ossos por baixo tão fortes. *Você vai achar um jeito de conviver com o que fez com seu pai. Eu encontrei.*

Ruhn ergueu uma sobrancelha. *Você…?*

Eu o matei, sim. As palavras soavam sinceras, mas exauridas.

Por quê?

Porque ele era um monstro… para mim e para tantos outros. Fiz com que parecesse um ataque rebelde. Disse a Ophion para pegar seus mec-trajes e esperar que o carro dele passasse por um trajeto em meio às montanhas quando ele estava indo se encontrar comigo. Eles deixaram um veículo destruído e um cadáver em seu rastro. Depois queimaram tudo.

Ruhn piscou. *Decapitar meu pai parece ter sido… muito mais rápido.*

E foi mesmo. Não havia nada além da mais pura raiva nos olhos dela. *Eu disse aos agentes da Ophion em seus mec-trajes para não terem pressa ao esmagar o carro dele. Foi o que fizeram.*

Cthona, Lidia.

Mas eu também fiquei pensando na minha mãe depois, disse ela baixinho. *Em Hecuba. Me perguntando o que a Rainha das Bruxas Valbaranas tinha achado da morte do ex-marido. Se pensava em mim. Se tinha qualquer interesse em falar comigo depois da morte dele. Mas nunca tive notícias dela. Nem uma vez.*

Sinto muito, disse ele, apertando a mão dela. Depois de um segundo, perguntou: *Então você não vai mesmo voltar para a Rainha do Oceano?*

Não. Não para ser espiã dela. Estava falando sério antes. Eu não sirvo a ninguém.

É estranho dizer que estou orgulhoso de você? Porque eu estou.

Ela deu uma risada abafada e entrelaçou os dedos nos dele, com o polegar acariciando as costas da mão do macho. *Estou com você, Ruhn,* disse ela baixinho. *Com todos vocês.*

Aquelas palavras eram como um presente. Ele sentiu um calorzinho no peito. Não conseguiu se segurar antes de se aproximar e, sem fazer barulho para que ninguém ouvisse, colar a boca na dela.

Foi um beijo gentil, quase silencioso. Ele se afastou após alguns instantes, mas a mão livre dela deslizou para seu pescoço. Os olhos brilhavam, dourados, mesmo sob a fraca luz da lua nos estábulos. *Quando a gente não estiver mais em um estábulo cheio de gente,* disse ela, a voz baixinha em sua mente, como um ronronar que envolvia o pau dele e apertava com força, *eu quero tocar você.*

O pau dele ficou duro ao ouvir aquilo, chegava a doer. Ruhn fechou os olhos, lutando contra aquela vontade, mas ela roçou os lábios no dele, uma provocação silenciosa.

Quero cavalgar você, sussurrou ela em sua mente, e desceu a mão até as calças dele. Ruhn mordeu o lábio inferior para não gemer. Os dedos dela deslizaram pelo comprimento dele. *Quero isso dentro de mim.* Lidia passou a palma da mão pelo pau dele, fazendo-o abafar um gemido. *Quero você dentro de mim.*

Porra, sim, foi tudo o que ele conseguiu dizer, pensar.

A risada dela ecoou em sua mente, e os lábios deslizaram dos dele até encontrar o lugar abaixo de sua orelha. Os dentes roçando a pele quente demais, e ele se mexeu na mão que ainda o segurava, fazendo o feno crepitar...

— Por favor, nada de foder aqui no meio da gente — murmurou Flynn, a poucos metros de distância.

— Ugh — gritou Bryce do outro lado dos estábulos. — É sério isso?

Ruhn fechou os olhos com força para abafar o tesão que sentia.

Mas Lidia riu baixinho.

— Desculpem.

— Pervertidos — murmurou Declan, amassando o feno ao se virar.

Ruhn olhou para Lidia e a viu sorrindo, alegria e travessura iluminavam seu rosto.

E caramba, ele duvidava que já tivesse visto algo tão belo.

68

— Você está me atrapalhando.

— Desculpe, desculpe. — Ithan andava pelo necrotério que Hypaxia rapidamente havia transformado em laboratório. — Só não sei como *agir* enquanto você está aí fazendo essa ciência toda.

Debruçada sobre a mesa, Hypaxia preparava as coisas de que precisava para começar os experimentos.

— Uma amostra do parasita cairia bem — disse ela, com a voz arrastada, sem levantar a cabeça.

Ele parou.

— Como? — perguntou ele e, em seguida, respondeu à própria pergunta: — Ah. Um copo de água. — Ithan olhou para a pia. — Você acha que há muitos deles nadando por aí?

— Duvido que seja tão óbvio, considerando quantos cientistas e medbruxas estudaram nossa água ao longo dos anos. Mas, se estamos todos infectados, deve estar em algum lugar.

Ithan suspirou e foi até a pia. Pegou uma caneca que dizia *Faculdade de Ciências Mortuárias da Universidade de Korinth.* Encheu a caneca com água até a boca e a colocou ao lado de Hypaxia.

— Pronto. O mais puro néctar do Istros.

— A caneca pode estar contaminada — disse Hypaxia, usando uma régua para desenhar uma grade em um pedaço de papel. — Precisamos primeiro de um recipiente estéril. Além de amostras de diversas fontes de água.

— Já disse que odeio ciência?

— Bom, eu amo — retrucou Hypaxia, ainda sem erguer os olhos. — Tem alguns copos esterilizados no armário da parede de trás. Recolha algumas amostras das torneiras, do próprio Istros e de uma garrafa de água comprada em loja. Vamos precisar de uma base amostral maior, mas isso deve servir para as fases iniciais.

Ithan juntou um monte de recipientes esterilizados e se dirigiu à porta.

Era um garoto da água. Os amigos da equipe de solebol iriam rir da cara dele. Isto é, se algum dia voltasse a falar com os colegas.

Mas Ithan não disse nada antes de sair, e Hypaxia não o chamou.

* * *

Ithan engarrafou e rotulou as várias amostras e deu a Hypaxia alguns frascos do próprio sangue como base para uma pessoa infectada, depois ela o enviou de volta para buscar *mais* amostras de água de fontes diferentes. O refeitório, um restaurante próximo e, o melhor de todos, os esgotos.

Ithan estava voltando pela porta escura da Casa de Chama e Sombra quando sentiu os cabelos da nuca se arrepiarem. Conhecia aquela sensação estranha e inquietante. Ele se virou…

Não era Sigrid. Outra fêmea ceifadora, coberta de preto da cabeça aos pés, caminhava com leveza pelo cais. As pessoas fugiam assim que a viam — a rua atrás dela estava totalmente vazia.

Mas ela continuou em direção à porta onde Ithan ainda estava paralisado.

Ele não teve outra opção, na verdade, a não ser manter a porta aberta para ela.

A ceifadora passou, com os véus pretos ondulando. Olhos verde-ácido brilhavam sob o tecido escuro que cobria seu rosto, e a voz rouca fez tudo dentro de Ithan se revirar enquanto ela dizia:

— Obrigada. — E então ela continuou subindo a escada.

Ithan esperou cinco minutos antes de voltar a andar. Ela não tinha cheiro algum. Nem mesmo o cheiro de cadáver. Como se tivesse deixado de existir de alguma forma terrena. Aquilo enlouquecia os seus instintos lupinos.

Mas...

Ithan voltou a sentir o cheiro da escada enquanto descia em direção aos níveis mais baixos da Casa e ao laboratório do necrotério. Ao entrar no laboratório e fechar a porta atrás de si, ele perguntou:

— O que acontece com o parasita quando morremos?

Hypaxia enfim ergueu os olhos dos papéis, frascos e formulários.

— O quê?

— Acabei de ver uma ceifadora — disse ele. — São pessoas mortas. Bom, morreram. Será que eles ainda têm o parasita? Não comem nem bebem, então não poderiam ser infectados de novo, certo? Mas será que o parasita desaparece quando morremos? Morre também?

Hypaxia o encarou.

— É uma pergunta interessante. Se o parasita de fato morrer com o hospedeiro, então os ceifadores podem fornecer um jeito de localizar o parasita pela falta dele nos próprios corpos.

— Por que sinto que você vai me pedir para...

— Preciso que você me traga um ceifador.

* * *

A manhã chegou, púrpura e dourada, sobre as ilhas de Avallen. Mas Bryce só tinha olhos para o helicóptero que descia sobre o campo gramado e florido diante das ruínas do castelo de Morven. Ela sorria.

O rugido era estrondoso para seus ouvidos feéricos, mas ela insistia em estar ali. Precisava ver: Fury acenando do assento do piloto e June gesticulando freneticamente ao lado dela.

Bryce acenou de volta, a garganta apertada a ponto de doer, então a porta lateral do helicóptero se abriu e um latido cortou o ar.

Não houve como parar Syrinx quando ele saltou do helicóptero e correu em direção a ela através da grama alta. Ela caiu de joelhos para abraçá-lo, beijá-lo e deixá-lo lamber todo o seu rosto enquanto balançava o rabo de leão e uivava de alegria.

As botas rangiam na grama e Randall se aproximava, com uma mochila nas costas e um rifle pendurado no ombro. Seus olhos se iluminaram ao vê-la, e ele deu um tapinha no ombro do garoto alto que estava ao seu lado — Emile, agora Cooper.

E Bryce não conseguiu conter a risada de pura alegria quando sua mãe saltou do helicóptero atrás deles, deu uma olhada em Bryce ajoelhada na campina e disse:

— Bryce Adelaide Quinlan, por que toda essa conversa sobre você ficar pulando entre mundos?

69

Ithan sabia que não conseguiria, sozinho, convencer um ceifador a ajudar. Pelo menos não sem correr o risco de ter a alma sugada e devorada. O ponto positivo era que muitos ceifadores atenderiam à conjuração de Jesiba Roga. O negativo era que um deles chegou ao necrotério uma hora depois de Jesiba solicitar ao Sub-Rei.

Ithan ficava se lembrando de cada saída, de sua força, da faca em sua bota, da rapidez com que poderia usar as garras ou mudar de forma...

O ceifador macho era relativamente novo, a julgar pela forma que havia entrado no necrotério, avançando todo pomposo — quase sem planar. Parecia tentado a bancar o astro do rock, com calças jeans pretas rasgadas pendendo dos ossos proeminentes do quadril e muitas tatuagens espalhadas pelo torso, que de tão pálido chegava a ser irritante. Não estava de camisa. Usava botas pretas da moda, mal amarradas na parte de cima, e duas pulseiras iguais, ambas de couro e pretas.

Deuses, Bryce se divertiria muito com um cara como aquele — os cabelos longos e dourados despenteados com *todo o* cuidado. Isto é, até que ela visse os olhos de cor verde-ácido e a garganta que deixava nítido onde o golpe mortal fora dado. A ferida havia se curado, mas as cicatrizes permaneciam.

— Obrigada por ter vindo — disse Hypaxia, parando ao lado da mesa de exame com graça majestosa. — Só vai levar alguns instantes.

O ceifador olhou entre ela e Ithan, mas foi até a mesa, saltando com um baque que fez o metal estremecer.

— Ouvi dizer que você desertou, bruxa-bruxinha. — Sua voz era rouca e perversa. Poderia soar como o resultado do ferimento mortal na garganta, mas era típica de um ceifador. A voz de Sigrid também soava assim...

— Bem-vinda à Casa — continuou o ceifador, os lábios azulados se curvando em um sorriso de escárnio. Ele acenou com a cabeça para Ithan. — O que um filhote de lobo está fazendo aqui?

Ithan dominou o medo primitivo da criatura diante deles e cruzou os braços.

— E o que você tem a ver com isso?

— Você é Holstrom, certo?

O sorriso zombeteiro continuava ali. Se aquele idiota dissesse alguma coisa a respeito de Connor...

— Eu fazia parte do Aux — respondeu o ceifador, batendo em uma das tatuagens.

— Do grupo de metamorfos de leões.

Ah, merda. Ithan havia ouvido falar desse cara. Um leão de baixo nível que aparecera com seu grupo meses antes em uma inspeção rotineira do Aux no Mercado da Carne, para verificar um ninho de vampiros. As feridas no pescoço correspondiam ao que os vampiros haviam feito com o cara. Mas escolher virar um ceifador, na mesma Casa de quem o havia matado...

Pelo brilho nos olhos da criatura, Ithan não pôde deixar de se perguntar se ele tinha se transformado em ceifador não para escapar da verdadeira morte, mas para, um dia, se vingar.

Hypaxia se aproximou do ceifador e disse:

— Posso tocar sua cabeça?

O ceifador manteve os olhos na ex-rainha.

— Pode me tocar o quanto quiser, meu bem.

Puta merda. Ithan suprimiu um rosnado, mas Hypaxia permaneceu serena enquanto colocava as mãos nos cabelos dourados e brilhantes.

Ithan resistiu a vontade de pegar a faca na bota quando o ceifador respirou fundo. Sentindo o cheiro dela? Ou se preparando para comer seu espírito?

— Sua alma cheira a nuvens de chuva e frutos da montanha. — O canalha lambeu os lábios. — Alguém já te disse isso?

Como Hypaxia mantinha as mãos na cabeça dele, Ithan não fazia ideia.

Ele estava meio inclinado a arrancar os braços do idiota e usá-los para espancar o cara até deixá-lo inconsciente.

O ceifador inspirou de novo.

— Meio bruxa, meio necromante, é?

— Ela precisa se concentrar — disse Ithan, entre dentes.

O ceifador o encarou com aqueles olhos verde-ácido e perguntou a Hypaxia:

— Estou distraindo você, meu bem?

Ela não respondeu. Tinha uma expressão distante no rosto enquanto se concentrava no que havia na cabeça do ceifador.

O ceifador respirou fundo de novo, revirando os olhos.

— Deuses, seu cheiro é que nem a porra de um *vinho*...

— Já acabamos por aqui, obrigada — disse Hypaxia, extremamente educada, depois deu um passo para trás e começou a fazer anotações nos papéis empilhados em sua mesa. — Por favor, mande saudações ao seu mestre.

O ceifador a encarou por um longo tempo, quase feral. Ithan mal conseguia respirar, pronto para atacar, apesar de saber que não havia como matar aquele canalha...

— Vejo você por aí — respondeu o ceifador, mais uma promessa do que uma despedida, e desceu da mesa. Andou todo pomposo até as portas, dessa vez com um pouco do andar flutuante dos ceifadores, como se tentasse se exibir para a bruxa.

Ithan só voltou a respirar quando ele saiu.

— Esquisitão do caralho.

Hypaxia encostou-se na mesa de exame.

— Mas seu palpite estava certo. Ele não tinha o parasita. — Ela cruzou os braços. — Ou pelo menos não senti nada parecido. Não senti que alguma coisa vivia dentro dele.

— E agora?

— Vou comparar o que detectei nele com o que descobri no seu sangue. Ver o que se destaca e se consigo isolar onde está o parasita em *você*.

Bom. Pelo menos ele tinha contribuído para alguma coisa.

— Como você aguentou? — perguntou Ithan, sem conseguir conter a curiosidade. — Como conseguiu ficar tão perto dele?

— Já tive que suportar muitas situações desconfortáveis e pessoas difíceis ao longo da vida — comentou Hypaxia, levantando-se da mesa e caminhando até o computador. Ela ligou o monitor. — Um ceifador solitário, assustado, novo no além, não me incomoda.

— Solitário? Assustado? — Ithan engasgou com uma risada.

Mas Hypaxia olhou por cima do ombro, a expressão impassível.

— Você não conseguiu perceber? O que estava por trás daquele jeito de corajoso? Tanto as roupas quanto a atitude dele mostram o quanto está tentando se agarrar à vida mortal. Ele está morrendo de medo.

— Você tem pena dele.

— Tenho. — Ela voltou para o computador. — Tenho pena dele, e de todos os ceifadores.

De Sigrid também, sem sombra de dúvidas. A culpa foi como uma pontada em seu peito, mas Ithan disse:

— A maioria dos semivivos parece gostar de aterrorizar todos nós.

— Pode ser, mas a existência deles está explicada no próprio nome: uma semivida. Não é uma vida de verdade. Isso soa bem triste pra mim.

Ithan considerou.

— Você é... você é uma pessoa muito boa — disse ele, e ela riu. — Estou falando sério. As bruxas estão perdendo muito sem você.

Ela o encarou por cima do ombro de novo, o olhar repleto de tristeza.

— Obrigada. — Ela acenou com a cabeça em direção à porta. — Preciso me concentrar um pouco. Sem ninguém, hã... por perto.

Ele a cumprimentou.

— Entendi o recado. Vou estar no corredor, se precisar de mim.

* * *

— Rainha de tudo isso, né?

Bryce não parou de vasculhar os baús de suprimentos que Fury trouxera no helicóptero, apesar de a pergunta da amiga ter sido acompanhada de um sorriso enorme.

— Você trouxe os óculos? — perguntou Bryce, analisando os chapéus de inverno. Todo o equipamento para neve estava lá, do jeitinho que ela havia solicitado.

Em pouco tempo, Fury reuniu uma impressionante variedade de jaquetas, calças, chapéus, luvas e roupas íntimas; tudo o que precisavam para sobreviver às temperaturas abaixo de zero de Nena.

Bryce pretendia deixar Avallen assim que seus pais descansassem da viagem de helicóptero e que conseguissem acomodar Cooper com Baxian e processar tudo o que ela havia contado quando chegaram.

Seus pais estavam sentados na grama do outro lado do campo, conversando baixinho, e Syrinx descansava no colo de Randall. Então Bryce se manteve longe e aproveitou o tempo para verificar o equipamento que Fury trouxera, não que achasse que Fury não houvesse pensado em cada detalhe.

Ainda assim, era melhor verificar. Só para ter certeza de que tinham tudo de que precisariam. Muita coisa poderia dar errado, e ela estava levando seus pais humanos junto, ia mesmo fazer isso...

Uma mão magra e marrom tocou o pulso de Bryce.

— B... está tudo bem?

Bryce enfim olhou para cima e viu Juniper parada ao lado dela, com uma careta naquele rosto lindo. A poucos metros de distância, Fury estava com os braços cruzados e as sobrancelhas erguidas.

Bryce suspirou, afastando-se dos três enormes baús que seriam carregados no helicóptero que se aproximava atrás deles.

Os amigos estariam a salvo ali. Isso deveria deixá-la mais aliviada, era um presente de Urd, Hunt dissera, mas vê-los ali...

Havia um quarto baú, apoiado na grama perto do helicóptero. Fury só conseguira pegar algumas coisas antes de saírem depressa de Valbara, mas ainda assim... havia um número considerável de armas.

Armas. Fuzis. Facas.

Uma piada, na verdade, considerando que estavam enfrentando seis seres intergalácticos quase todo-poderosos. A maioria das armas seria para os outros — para que tivessem a chance de tentar sobreviver.

Todo o resto dependeria dela.

Fury e Juniper olhavam para Bryce. À espera. Como se lessem o rosto dela. Assim como Juniper, naquele inverno rigoroso, Fury percebera que o desespero levara Bryce ao limite apenas pelo seu tom de voz.

Juniper, cuja última mensagem de áudio para Bryce demonstrava toda sua irritação após Bryce fazer algo imperdoável e ligar para o diretor do Balé da Cidade da Lua Crescente, agora, só havia amor e alívio em seu rosto.

Juniper abriu os braços em silêncio e Bryce se jogou neles.

Estava com um nó na garganta, os olhos ardendo com o calor da amiga, o cheiro dela. O cheiro de Fury e seus braços as envolveram um segundo depois, e Bryce fechou os olhos, saboreando aquele momento.

— Desculpa por arrastar vocês pra esta história — disse Bryce, com a voz rouca. — June, me desculpe por tudo. Me desculpe.

Juniper a abraçou com ainda mais força.

— Temos problemas maiores para enfrentar agora... está tudo bem entre a gente.

Bryce se afastou, olhando para as duas amigas. Ela havia contado tudo o que podia para as duas e para os pais e, por consequência, para Cooper também.

Fury franziu a testa.

— Eu deveria ir com vocês. Sou mais útil quando estou combatendo.

Bryce teria dado qualquer coisa para ter alguém tão talentosa quanto Fury cuidando dela. Mas não se tratava da segurança de Bryce, nem do próprio conforto.

— Você está exatamente onde deveria estar — insistiu Bryce. — Quando as pessoas souberem que Fury Axtar está guardando Avallen, vão pensar duas vezes antes de querer se meter com esse lugar.

Fury revirou os olhos.

— Dando uma de babá.

Bryce balançou a cabeça.

— Não. Preciso de vocês aqui, ajudando qualquer um que tenha sobrevivido. Ajudando o Baxian.

— Sim, sim — disse Fury, apontando o queixo em direção ao restante dos amigos, parados do outro lado do helicóptero. — Devo admitir que estou ansiosa para encher o Baxian de perguntas sobre ele e a Danika.

Elas olharam para o macho bonito, que deve ter notado a atenção que recebia, porque as encarou de volta de onde conversava com Tharion e Ruhn. Baxian estremeceu.

Juniper riu.

— Não vamos morder! — gritou ela para o Cão do Inferno.

— É mentira — murmurou Fury, fazendo Juniper rir mais ainda.

Baxian foi esperto e voltou a prestar atenção em sua conversa. Mas Bryce não deixou de notar que Tharion cutucou o metamorfo de anjo, rindo.

— Não acredito que ela nunca tinha falado nada dele para gente — disse Juniper baixinho, com tristeza na voz.

— Danika não era de contar muitas coisas — respondeu Bryce, com a mesma suavidade.

— Nem você — provocou Fury, cutucando Bryce com o cotovelo. — E de novo: Rainha de Avallen?

Bryce revirou os olhos.

— Se você quiser o cargo, pode ficar.

— Ah, nem por todo o ouro do mundo — retrucou Fury, achando graça, com os olhos escuros brilhando de diversão. — É você quem é a dona dessa pica.

Juniper fez uma careta para a namorada.

— O que Fury quer dizer é que estamos aqui para proteger você.

Bryce beijou a bochecha macia e aveludada de June.

— Obrigada. — Ela olhou para as duas amigas. — Se não conseguirmos voltar…

— Não pense assim, B — insistiu Juniper, mas Fury não disse nada. Fury havia lidado com as sombras do império durante anos. Estava bem ciente das probabilidades.

Bryce continuou:

— Se eu não conseguir voltar, vocês vão estar a salvo aqui. As brumas vão permitir que qualquer refugiado passe… mas eu ainda ficaria atenta a agentes asteri. Os recursos naturais são muitos e servem para sustentar a todos e, óbvio, não tem primalux para alimentar toda a sua tecnologia, mas…

Juniper apoiou a mão no pulso de Bryce de novo.

— Deixa com a gente, B. Vá fazer… o que você precisa fazer.

— Salvar o mundo — concluiu Fury, rindo.

Bryce fez uma careta.

— É. Basicamente.

— Deixa com a gente — repetiu Juniper, apertando a mão no pulso de Bryce. — E você também vai conseguir, Bryce.

Bryce pegou o celular. Tirou-o da caixa, revelando a fotografia que havia colocado ali, de quando elas eram em quatro amigas.

— Guarde pra mim — pediu ela, entregando a foto para Fury. — Não quero perder.

Fury observou a imagem, todas tão felizes, tão jovens. Ela apertou os dedos de Bryce em volta da fotografia.

— Leve. — Os olhos de Fury brilharam. — Assim, vamos estar todas com você.

Bryce sentiu outro aperto na garganta, mas colocou a foto no bolso de trás da calça jeans e se permitiu olhar para June e Fury uma última vez, para memorizar cada linha de seus rostos.

Valia a pena lutar por aquelas amigas. Valeria a pena morrer por elas.

* * *

Ember Quinlan estava esperando na colina onde Bryce e os amigos haviam emergido da Caverna dos Príncipes.

Ember olhou para o chão coberto de grama, tensa. Não havia vestígio das cavernas que um dia haviam estado ali.

— Então o corpo dele está… ali embaixo.

Bryce assentiu. Sabia o que a mãe queria dizer.

— Ruhn o decapitou e empalou a cabeça antes que o chão o engolisse. É impossível que ele volte.

Ember não sorriu ao olhar para a terra, o cadáver do Rei Outonal estava bem abaixo dela.

— Passei tanto tempo fugindo dele, com medo. Imaginar um mundo onde ele não exista… — A mãe ergueu os olhos para o rosto de Bryce e, diante da dor e do alívio neles, Bryce a envolveu em um abraço, apertando com força.

— Estou tão orgulhosa de você — sussurrou Ember. — Não por... lidar com ele, mas por tudo. Sinto tanto, mas tanto orgulho, Bryce.

Bryce não conseguiu evitar a ardência nos olhos.

— Só consegui porque fui criada por uma mãe fodona.

Ember riu, recuando para segurar o rosto de Bryce com as duas mãos.

— Você está diferente.

— Diferente bom ou diferente ruim?

— Bom. Como uma adulta funcional.

Bryce sorriu.

— Obrigada, mãe.

Ember puxou Bryce para um abraço apertado.

— Mas não importa se você é a Rainha dos Feéricos ou do Universo ou qualquer uma dessas porcarias... — Bryce riu ao ouvir isso, mas Ember acrescentou: — Você sempre vai ser o meu bebezinho.

Bryce abraçou a mãe com força e todos os pensamentos sobre o macho horripilante morto abaixo delas desapareceu.

O helicóptero voltou a rugir ao longe, dessa vez pilotado por Randall, graças aos anos obrigatórios no exército peregrino. Todos os humanos haviam sido forçados a servir. As habilidades que ele aprendera durante aqueles anos continuavam se provando úteis, sobretudo agora, mas Bryce sabia que a experiência pesava na alma dele.

Bryce enfim ergueu os olhos do abraço da mãe e viu Hunt fazer sinal para que eles subissem a bordo, batendo no pulso de um jeito irritante como se dissesse: *O tempo está correndo, Quinlan!*

Bryce fez uma careta, sabendo que, com aqueles olhos penetrantes, ele poderia ver à distância, mas ela segurou a mãe por mais um momento. Sentiu o cheiro dela, tão familiar e tranquilizador. Era como estar em casa.

Ember retribuiu o abraço, contente por estar ali, por abraçar a filha por mais um momento.

No fim das contas, era o que importava de verdade.

70

Ithan estava cansado de bancar o guarda-costas, mesmo no andar de baixo. Enquanto Hypaxia comparava o que observara no ceifador com as amostras de água e o sangue de Ithan, ele empacotava artefatos no escritório de Jesiba. Olhava para a porta a cada dois minutos, como se Hypaxia fosse entrar e declarar que havia desenvolvido um antídoto para o parasita. Mas ela não entrou.

Ao entrar no necrotério, encontrou-a na mesa, com a cabeça entre as mãos. Frascos de todos os tamanhos e formatos cobriam a superfície metálica ao lado dela.

Ithan se atreveu a colocar a mão em seu ombro.

— Não desista. Você está exausta, trabalhando há horas. Vai encontrar a cura.

— Eu já encontrei.

Ele levou um momento para processar o que Hypaxia dissera.

— Sério?

Ela assentiu e cutucou um frasco de líquido transparente com a ponta do dedo.

— Foi bem mais rápido do que imaginei. Consegui usar o antídoto do sintetizador como modelo. Synth e o parasita têm propriedades de alteração da magia em comum... Vou poupar você dos detalhes. Mas com as mudanças que fiz acho que é possível isolar o parasita e matá-lo da mesma forma que o antídoto sintético faz. — Ela apontou para mais frascos pequenos em uma mesa baixa às suas costas. — Fiz o máximo que consegui, mas...

— Mas? — Ele mal conseguia respirar.

Ela suspirou.

— Mas está longe de ser perfeito. Tive que usar o relâmpago de Athalar para unir tudo. Infelizmente, precisei usar tudo.

Ela apontou para a mesa, onde estavam seis cristais de quartzo. Inativos. Vazios.

Ele sentiu um aperto no peito.

— Tudo bem.

Sigrid continuaria sendo ceifadora por enquanto, mas ele não desistiria de tentar ajudá-la.

— O relâmpago de Athalar serve para unir tudo, mas não permanentemente — continuou Hypaxia. — O antídoto é bem instável... é só chacoalhar um pouco, e já para de funcionar. Se eu tivesse mais tempo, poderia dar um jeito de estabilizá-lo, mas por enquanto...

Ithan apertou o ombro de Hypaxia.

— Pode dizer.

A boca dela se retorceu e então ela disse:

— O antídoto não é uma solução permanente. O efeito vai passar e, como a água de Midgard ainda está contaminada com o parasita, vamos ser infectados de novo assim que isso acontecer.

— Por quanto tempo uma dose pode funcionar?

— Não sei. Algumas semanas? Meses? Mais do que alguns dias, acho, mas vou precisar continuar refinando e encontrar um jeito de torná-lo permanente.

— Mas vai funcionar por enquanto?

— Em teoria. Enquanto tiver o relâmpago de Athalar unindo tudo. Mas não tive coragem de testar em mim mesma para ver se funciona e se é seguro, mas também... para descobrir quem eu poderia ser sem essa coisa se alimentando de mim. — Ela ergueu a cabeça e olhou nos olhos de Ithan, a expressão sombria e exausta. — Se removermos esse parasita, o que vai acontecer? O que *você* vai fazer com o poder extra?

— Vou ajudar meus amigos, no que for necessário.

— E os lobos?

— O que tem eles?

— Se você conseguir mais poder, vai ser mais habilidoso do que Sabine. Forte o bastante para desafiá-la. — Ela o encarou com seriedade. — Talvez consiga acabar com a tirania de Sabine, Ithan.

— Eu... — Ele não sabia o que dizer. — Eu não tinha pensado no que faríamos a seguir.

Ela não se surpreendeu.

— Você precisa pensar. Todos nós precisamos.

Ele ficou tenso.

— Não sou um planejador. Cacete, sou só um jogador de solebol...

— Você *era* jogador de solebol. E acho que não pensou nas implicações de ter mais poder entre os lobos porque está evitando pensar no que quer fazer de fato.

Ele a encarou.

— E o que seria?

— Você quer que Sabine vá embora. Ninguém além de você vai conseguir isso.

Ele se sentiu mal.

— Não quero liderar ninguém.

Ela olhou para Ithan, como se pudesse ver através dele. Mas disse, com uma decepção que atingiu o coração dele:

— Essa conversa toda não adianta de nada. Nem sabemos se o antídoto vai funcionar. — Ela olhou para o frasco.

Ela o tomaria. Ithan sabia disso. Iria provar, se arriscar...

Ithan não deu tempo a ela. Pegou o frasco, levou-o à boca e engoliu.

Hypaxia se virou, com os olhos arregalados de apreensão...

E então havia apenas o breu.

* * *

O corpo dele estava ali... não, mais do que o corpo.

Seu lobo, e ele, e o poder, como se ele pudesse saltar continentes inteiros de uma só vez...

Ithan arregalou os olhos. O mundo sempre fora tão nítido, tão luminoso? O necrotério sempre tivera aquele cheiro tão forte de antisséptico? Havia um corpo apodrecendo em uma das caixas? Quando havia chegado *ali*? Ou será que estivera ali o tempo todo?

E aquele cheiro, de lavanda e eucalipto...

Hypaxia estava ajoelhada, ofegante.

— Ithan...

Um piscar de olhos e um lampejo, e ele mudou. Ela cambaleou de volta para o lobo que apareceu, mais rápido do que Ithan já havia se transformado antes.

Outra piscada e um lampejo, e voltou ao seu corpo humanoide.

Tão fácil quanto respirar. Rápido como o vento. Algo estava diferente, algo estava...

O sangue dele uivava em direção a uma lua invisível. Os dedos se curvaram no chão enquanto ele sentava, as garras se curvando.

— Ithan? — A voz da bruxa era um sussurro.

— Funcionou. — As palavras ecoaram pela sala, pelo mundo. — Ele sumiu, consigo sentir.

De alguma forma, uma barreira havia sido removida. A barreira que o mandava se curvar, obedecer... não passava de cinzas. Só o mais puro domínio permanecia. Livre das amarras.

Mas preenchendo o vazio daquela barreira com uma força crescente e furiosa...

Ithan estendeu a mão e desejou que a *coisa* sob sua pele avançasse. Gelo e neve apareceram na palma da mão. Não derreteram contra a pele.

Ele conseguia conjurar a porra da *neve*. A magia cantava nele, uma melodia antiga e estranha.

Os lobos não tinham magia desse tipo. Nunca tiveram, até onde tinha ouvido falar. Eram metamorfos e tinham força, isso sim, mas aquele poder elemental... não deveria existir em um lobo, só que lá estava. Crescendo nele, preenchendo o lugar onde Ithan nunca havia percebido que o parasita ocupava.

Ithan disse com a voz rouca:

— Precisamos levar isso para nossos amigos.

Hypaxia sorriu de orelha a orelha.

— O que você vai fazer?

Ithan olhou para a porta do corredor.

— Acho que é hora de começar a fazer alguns planos.

* * *

— Só minha filha mesmo para nos arrastar até Nena — reclamou Ember, tremendo por causa do frio que fazia até Hunt ficar sem fôlego. — Você não poderia fazer isso, hum, não sei, nas Ilhas Coronais?

— A Fenda do Norte, mãe — disse Bryce com os dentes batendo —, fica no *norte*.

— Tem uma no sul — murmurou Ember.

— É ainda mais frio lá embaixo — retrucou Bryce, e olhou para Hunt e Randall em busca de ajuda.

Hunt riu apesar das temperaturas geladas e do vento uivante que os atingia desde o momento em que haviam saído do helicóptero.

Eles não podiam voar mais longe. A enorme parede preta se estendia por quilômetros para os dois lados e depois se curvava para o norte, com proteções no espaço aéreo. Hunt sabia, pelos mapas, que a área circundada pela muralha tinha 49 quilômetros de diâmetro — sete vezes sete, o mais sagrado dos números — e que no centro, em algum lugar no terreno árido e coberto de neve, ficava a Fenda do Norte, envolta em bruma. Barreiras e mais barreiras protegiam Midgard da Fenda e do Inferno além dela.

— É melhor a gente ir logo — disse Randall, apontando para as portas de chumbo na parede diante deles.

— Não tem ninguém vigiando — observou Hunt, acompanhando o macho humano, grato pelo equipamento de neve que Axtar dera um jeito de conseguir para todos. — Deveria haver pelo menos quinze aqui.

— Talvez tenham fugido porque estava muito frio — comentou Bryce, tremendo sem parar.

— Um guarda angelical nunca *foge* — afirmou Randall, puxando o capuz forrado de pele sintética da parca ainda mais sobre o rosto. — Se não estão aqui... não é um bom sinal.

Hunt apontou para o rifle nas mãos enluvadas de Randall.

— Isso funciona nestas temperaturas?

— Esperamos que sim — resmungou Ember.

Mas Hunt captou o olhar de Bryce e convocou seu relâmpago para ficar a postos. Sabia que o fogo estelar dela já estava esquentando sob as luvas. Com o poder de Theia agora unido dentro dela... ele não conseguia decidir se estava ansioso ou com medo de ver do que aquele fogo estelar era capaz.

— É uma armadilha? — perguntou Ember enquanto se aproximavam dos imponentes portões selados e do posto de guarda abandonado.

Hunt espiou pela janela fosca da cabine e abriu a porta. O gelo tinha uma camada tão espessa que ele teve que usar uma quantidade considerável de força para soltá-lo. Um rápido exame do interior revelou as camadas de gelo que cobriam os controles, as cadeiras e a estação de água.

— Faz tempo que ninguém vem aqui.

— Não estou gostando disso, parece fácil demais — comentou Ember.

Hunt olhou para Bryce, com os olhos marejados de frio e a ponta do nariz vermelha. Naquelas temperaturas, não durariam mais dez minutos até congelar. Ele e a parceira se recuperariam, já Ember e Randall, com sangue humano...

— Vamos aquecer esta cabine — disse Bryce, então entrou e começou a limpar o gelo dos interruptores. — Talvez o aquecedor ainda funcione.

Ember olhou para filha como se tivesse ciente de que Bryce e Hunt haviam ignorado as preocupações dela, mas entrou mesmo assim.

* * *

Fizeram o aquecedor funcionar, apenas um deles. Os outros estavam congelados demais para ligarem. Era o suficiente para aquecer o pequeno espaço e oferecer aos pais dela um pouco de abrigo enquanto Bryce e Hunt voltavam a explorar o terreno gelado, analisando o muro e o portão.

— Você acha que é uma armadilha? — perguntou Bryce através do lenço que havia colocado sobre a boca e o nariz. Havia encontrado alguns pares de óculos de neve na cabine, e o mundo estava nítido através das lentes. Era assim que Hunt enxergava por trás de seu capacete de Umbra Mortis?

Também de óculos polarizados, Hunt disse:

— Nunca ouvi dizer que o posto de guarda da Fenda do Norte ficava vazio, então... com certeza deve ter alguma coisa de errado.

— Talvez Apollion nos tenha feito um favor e enviado alguns caça-mortes para limpar tudo. — Quando ela pronunciou o nome do príncipe demônio, o vento pareceu acalmar. — Bom, isso não é nada assustador.

— Aqui, no extremo do norte — disse Hunt, virando-se para examinar o terreno —, talvez toda aquela baboseira de não falar o nome dele deste lado da Fenda seja verdade.

Bryce não se atreveu a testar de novo. Caminhou até os portões de chumbo na parede e colocou a mão enluvada sobre o metal.

— Ouvi dizer que tanto o muro quanto os portões tinham sal branco embutido.

Para proteção contra o Inferno.

— Não impediu que os demônios passassem — observou Hunt, cujo rosto estava inescrutável por causa dos óculos e do lenço cobrindo a boca. — Já cacei vários deles para saber o quanto este muro é falho. E os guardas também, acredito eu.

— Detesto imaginar o que está acontecendo *sem* guardas aqui — disse Bryce. Hunt não disse nada, o que não foi nem um pouco reconfortante. — Então, como vamos passar?

— Tem um botão dentro da cabine. Nada chique — respondeu Hunt.

Bryce o cutucou.

— Vamos com calma desta vez — Uma rajada de vento gelado atingiu as costas dela, como se a jogasse contra a parede. Mesmo com as camadas de roupas de inverno, ela jurava que o frio chegava a seus ossos.

— É melhor a gente ir antes que a luz se extinga. — Hunt acenou com a cabeça para o sol já se pondo no horizonte. — O dia já termina daqui a algumas horas.

— Bryce? — O pai dela chamou da cabine. — Vocês precisam ver isso.

Eles encontraram Ember e Randall na frente de um monitor tremeluzente.

— As imagens de segurança. — Ember apontou com um dedo trêmulo e enluvado. Bryce sabia que o tremor não era de frio. A mãe dela apertou uma tecla no computador e a filmagem começou a rodar.

— Isso é... — Bryce soltou um arquejo.

— Precisamos chegar à Fenda. *Agora* — rosnou Hunt.

71

— Se você pisar naquele Covil sem ser convidado por Primo ou Sabine, vão matar você, doguinho.

— Eu sei — disse Ithan, arrumando mais uma caixa para Jesiba. Uma tarefa mundana, ao se levar em conta tudo o que estava acontecendo. Mas quando ele entrou de repente no escritório, momentos antes, para contar as boas-novas. Jesiba se recusou a falar com ele até que dedicasse alguns minutos a *ganhar o pão de cada dia*. Então, lá estava ele, enchendo as caixas e falando ao mesmo tempo. — Mas se Hypaxia e eu formos para a Cidade Eterna, é bem capaz de... morrermos. — Ele engasgou ao dizer a última palavra. — Quero que eles saibam a verdade.

— E que verdade é essa?

Ithan, que estivera curvado sobre uma caixa, se levantou.

— A verdade do que fiz com Sigrid. Que Sigrid existe, acho, ainda que seja uma ceifadora. Que...

— Então você quer aliviar a consciência pesada.

Ithan olhou feio para ela.

— Quero que saibam o que aconteceu. Que sim, Sigrid é uma ceifadora e que não consegui desfazer isso, mas... que, tecnicamente, eles têm uma alternativa para Sabine, ainda que seja uma semiviva. Seria radical e inédito aceitar uma ceifadora como Prima Presumível, mas coisas mais estranhas já aconteceram, certo?

Jesiba começou a digitar no computador.

— Por que você se importa?

— Porque os lobos têm que mudar. Eles precisam saber que podem escolher alguém além de Sabine. — Ithan olhou para a palma da mão, desejando que gelo se formasse ali. O gelo surgiu, rachando a pele em uma película fina antes de derreter. —Precisam saber que existe um antídoto que pode conceder poderes que vão além do dela. Que não precisam ser subservientes a ela.

— Os lobos vão precisar de provas disso, ou você não vai sair vivo de lá — declarou Jesiba.

— Isso não é o suficiente?

Ele formou um pedaço de gelo na ponta do dedo, tanto quanto pôde controlar com segurança. Supôs que precisaria falar com os feéricos ou algum tipo de duende para saber como comandar essa nova habilidade.

Hypaxia tomou o antídoto minutos depois dele. Desmaiou, assim como ele, mas acordou vibrando de poder. Ithan era capaz de jurar que uma brisa leve e alegre brincava constantemente em seus cabelos — e que algum tipo de poder contínuo parecia emanar dela, mesmo quando não o estava usando.

Ithan oferecera um frasco para Jesiba quando fora contar as boas--novas, mas a feiticeira disse: *não vai me ajudar, doguinho.* E então exigiu que ele fizesse aquele trabalho de merda enquanto explicava o que havia acontecido.

Jesiba agora dizia:

— Se bem conheço os lobos, é provável que pensem que Quinlan me pediu para fazer algo com você que te deixou... antinatural.

— Eles sabem que Bryce é uma boa pessoa.

— Sabem mesmo? Até onde me lembro, eles não têm sido nada gentis com ela desde que Danika e a Matilha morreram. E você está incluso nessa.

As bochechas de Ithan coraram.

— Foi um momento difícil. Para todos nós.

— Danika Fendyr teria chutado vocês até os portões do Covil se visse como estavam tratando Quinlan.

— Danika teria... — Ithan parou de falar quando uma lembrança surgiu em sua mente. — Danika questionou a estrutura de poder dos lobos, sabe? Até ela achava estranho que os Fendyr estivessem fazendo o que quisessem há tanto tempo.

— Achava?

Ithan se virou para a mesa da feiticeira.

— Bryce e eu encontramos alguns documentos de pesquisa que Danika havia escondido. Ela queria saber por que os Fendyr eram tão dominantes… acho que também não aprovava isso. — Ele assentiu para si mesmo. — Teria incentivado os outros a tomarem o antídoto. Para chutar Sabine para longe.

Jesiba ergueu as sobrancelhas.

— Se você diz... você conhecia Danika muito melhor do que eu.

— Sei que ela odiava a mãe… e achava que as hierarquias eram extremamente injustas. — Ithan deu alguns passos. — Preciso pegar esses papéis. Vou levar para o Covil e mostrar para todos que não sou só *eu* quem questiona isso, que até mesmo uma Fendyr discordava desse domínio absoluto deles. Isso talvez os convença a aceitar uma alternativa à Sabine. Sigrid é uma Fendyr, mas não está na linha direta. Quem sabe isso ajude a entenderem que ela pode ser uma alternativa.

— Eles vão dizer que você falsificou os papéis. — Jesiba digitava no teclado.

— Esse é um risco que tenho que correr — disse Ithan, caminhando até a porta. — Os dias de lobos controlados por Sabine, de braços cruzados enquanto inocentes sofrem… precisam acabar. Precisamos de uma mudança. E das grandes. E talvez, se Urd nos proteger, o que há de mais importante dentro de Sigrid ainda esteja intacto, inalterado depois de ela se transformar em ceifadora. Se for esse o caso, prefiro Sigrid no lugar de Sabine, sem pensar duas vezes.

Talvez não fosse uma questão de desfazer o que ele havia feito, mas de fazer o que podia com as cartas que tinha em mãos. De se adaptar.

— Por mais que esse seja um pensamento bem mente aberta, Holstrom — declarou Jesiba, fechando o computador —, você acha, de verdade, que é uma decisão inteligente não apenas ir ao Covil totalmente indefeso, mas começar a pregar para que aceitem uma *ceifadora* como Prima Presumível? Não vamos esquecer que alguns lobos ainda podem gostar de Sabine e de seu estilo de liderança. Muitos deles devem gostar, na verdade.

— E, mas está na hora de dar uma opção. De se libertar do controle dela.

— Você esquece — disse Jesiba, sombria — que desde o início eles foram os principais executores dos asteri. Nunca demonstraram qualquer inclinação para se libertarem do controle de ninguém.

— É um risco que tenho que correr. Eu não posso ficar sentado — insistiu ele.

— Quinlan disse para você proteger Hypaxia.

— Isso não vai demorar muito. Fique de olho nela por mim... por favor.

Ele caminhou até a porta, e Jesiba falou enquanto Ithan segurava a maçaneta. Sua voz soava pesada, resignada.

— Cuidado, doguinho.

* * *

Ithan foi até o apartamento de Bryce com a ajuda do mapa dos esgotos da Casa de Chama e Sombra, que chegava a assustar de tão preciso que era. Não queria pensar em quem mais fazia uso regular daqueles túneis.

Apesar de Danika ter concedido o acesso a ele, Ithan entrou no prédio pela porta do telhado. Não havia dúvidas de que o edifício estava sendo vigiado, então ele buscou se manter ao máximo nas sombras. Se o guarda no andar de baixo o viu pelas câmeras, ninguém havia ido investigar.

Os papéis de Danika ainda estavam onde ele e Bryce os haviam deixado: na gaveta de lixo-postal. Ele os folheou apenas para ter certeza de que a informação ainda estava como se lembrava.

Estava. Poderia ser um apoio conveniente para suas reivindicações.

Viram? Até Danika queria que tudo isso mudasse. E, sim, Sigrid é uma Fendyr... mas também é diferente, e poderia ser um passo na direção certa.

Ele encontraria um jeito de dizer isso de forma mais eloquente, mas o nome de Danika ainda tinha peso.

Ithan dobrou a pilha de papéis com delicadeza e os colocou no bolso de trás da calça jeans. Lá fora, a cidade permanecia quieta; silenciosa. De luto.

E dentro do prédio…

Deuses, era estranho ver aquele apartamento tão vazio e sem graça sem seus ocupantes.

Ithan olhou para o sofá branco, como se fosse encontrar Athalar e Bryce sentados ali, Syrinx com eles.

Quão distante aquela vida parecia agora. Ele duvidava que algum dia voltaria a ser daquele jeito. Perguntava-se se os amigos um dia voltariam. Se Bryce iria…

Ele não se permitiu terminar o pensamento.

Não havia outra escolha a não ser continuar. Fosse como fosse.

E Jesiba estava certa. Entrar no Covil provavelmente seria suicídio, mas… ele olhou para o corredor, para a porta do quarto de Bryce.

Talvez não precisasse entrar desarmado.

72

Os portões demoraram muito — muito mesmo — para se abrirem, o gelo e a neve partindo e caindo. Bryce passou primeiro, com o fogo estelar brilhando sob suas luvas.

— Não consigo entender — declarou Ember enquanto se espremia atrás de Bryce, Randall vinha logo atrás dela, Hunt na sequência. — O que a *Harpia* está fazendo aqui?

— Ela não é mais a Harpia — disse Bryce. — Ela é tipo... alguma coisa estranha necromântica criada pelos asteri graças ao que quer que tenham conseguido fazer com alguns dos relâmpagos de Hunt. Não sei, mas não queremos dar de cara com o que quer que ela tenha virado.

Bryce percebeu a preocupação e a culpa no rosto de Hunt, mas não havia tempo para que ela pudesse assegurar que aquilo não era culpa dele. Hunt não tivera outra escolha senão fornecer o relâmpago para Rigelus. Havia sido usado para coisas horríveis, mas não era culpa dele.

— Mas a Harpia *devorou* os guardas... — protestou Ember.

— É por isso que estamos indo para a Fenda — concluiu Bryce, acenando para Hunt, cujos olhos brilhavam com determinação de aço. — Agora, porra.

Hunt não esperou antes de levantar a mãe dela nos braços e abrir as asas. Bryce agarrou Randall e disse:

— Surpresa: eu consigo me teletransportar. Não vomite.

Por sorte, Randall não vomitou enquanto ela os teletransportava pelos quarenta quilômetros e meio até o centro do anel murado, mas ele o fez assim que chegaram.

Tinham viajado mais rápido do que Hunt e a mãe dela, deixando Bryce sem nada para fazer a não ser observar o pai vomitar na neve enquanto era atingido por várias ondas de tontura causadas pelo teletransporte.

— Isso é... — disse Randall, e vomitou de novo — útil, mas horrível.

— Acho que isso me resume em poucas palavras — comentou Bryce, brincando.

Randall riu, vomitou de novo, depois limpou a boca e se levantou.

— Você não é horrível, Bryce. Nem um pouco.

— Talvez. Mas isso é — disse ela, e apontou para a estrutura diante deles. Nas brumas rodopiantes.

Um enorme arco de quartzo transparente erguia-se doze metros no ar, com a parte superior quase escondida pela bruma. Era possível ver através do arco, e não havia nada ali dentro, exceto o que só poderia ser descrito como uma ondulação no mundo. Entre Mundos. E mais bruma do outro lado.

— Os asteri devem ter construído o arco ao redor da Fenda para tentar contê-la. Ou tentar controlá-la, talvez — disse Bryce.

— Vou perguntar uma única vez e não digo mais nada — disse Randall. Atrás dele, Hunt e Ember surgiam, aproximando-se pelo ar. — Mas abrir a Fenda... é a melhor solução?

Bryce deu um longo suspiro que desapareceu na bruma.

— Não. Mas é a única ideia que tenho.

* * *

Não havia uma única faixa de luto no Covil. Nenhum canto fúnebre oferecido a Cthona, suplicando à deusa que guiasse aqueles que haviam acabado de morrer. Na verdade, em algum lugar do complexo, um aparelho de som tocava uma batida dançante.

Ninguém melhor do que Sabine para seguir em frente como se nada estivesse acontecendo. Como se uma atrocidade não tivesse ocorrido num bairro vizinho.

Naquela época do ano, era tradição que muitas das famílias do Covil se dispersassem pelo campo para aproveitar a mudança das folhas e as montanhas frescas do outono, então havia poucas matilhas ali. Ithan sabia quais estariam lá — assim como sabia que apenas Perry Ravenscroft, Ômega da Rosa Negra e irmã mais nova de Amelie, estaria de guarda nos portões.

Uma representação em bronze do Abraço — o sol se pondo ou nascendo entre duas montanhas — estava disposta na janela do posto de guarda. E foi por conhecer Perry tão bem que Ithan soube que aquela pequena decoração era a forma que ela encontrara de dizer à cidade que alguns no Covil estavam de luto, que rezavam a Cthona para consolar os mortos.

Os grandes olhos cor de esmeralda de Perry se arregalaram ao ver Ithan enquanto ele rondava até a guarita. Ela devia ter achado que ele havia se materializado do nada. Na verdade, os movimentos furtivos eram cortesia da nova velocidade e do silêncio sobrenatural — complementados pelo fato de ter viajado pelos esgotos, precisando permanecer fora de vista até o último minuto possível.

Perry se lançou para pegar o rádio que estava em cima da mesa, com os longos cabelos castanhos brilhando à luz do sol da tarde, mas Ithan ergueu a mão. Ela parou.

— Preciso conversar — disse ele através do vidro.

Os olhos verdes examinaram o rosto dele, depois foram para um ponto em seu ombro, para a espada que Ithan carregava. Perry olhou para ele e depois abriu a porta da cabine. O aroma de canela e morango o atingiu um instante depois.

De perto, dava para contar as sardas na ponta do nariz dela. A pele clara pareceu empalidecer ainda mais enquanto ela processava o que ele havia dito.

— Sabine está em uma reunião...

— Sabine não. Preciso falar com todos os outros. Você foi a única que entrou em contato para saber se eu estava vivo depois de... tudo — explicou Ithan. Ela mandava mensagens para ele de vez em quando, não muitas, mas com Amelie como sua alfa e irmã, ele sabia que a amiga não poderia ousar se comunicar mais do que isso. — Por favor, Perry. Me deixe entrar no pátio.

— Me diga o que você quer falar com a gente e vou pensar a respeito. — Mesmo sendo Ômega, a mais baixa posição da Matilha da Rosa Negra, ela não recuava.

Foi apenas por essa coragem que Ithan contou seu segredo a ela primeiro.

— Um novo futuro para os lobos.

* * *

Ithan sabia que os lobos haviam chegado depressa no pátio só porque Perry era muito amada dentro do Covil. Muitos confiavam nela. Assim que receberam a mensagem de um anúncio de última hora, todos foram para lá.

Ele se manteve escondido nas sombras dos pilares sob a ala norte do prédio, observando aqueles que considerava amigos, quase familiares, reunidos no espaço gramado. As árvores vermelhas e douradas do pequeno parque atrás deles balançavam à brisa fresca do outono, e o vento felizmente mantinha seu cheiro longe dos lobos.

Quando já havia um número considerável de lobos, cerca de cem, Perry saiu para os poucos degraus em frente às portas do prédio e disse:

— Então, hã... quase todo mundo está aqui.

As pessoas sorriam para ela, confusas, mas indulgentes. Sempre fora assim com Perry, a artista residente do Covil, que aos quatro anos pintava seu quarto com todas as cores do arco-íris, apesar da ordem dos pais de escolher um tom.

Perry olhou para ele, com os olhos brilhando de medo. Por ele ou por ela, Ithan não saberia dizer.

— Vá em frente — disse ela baixinho, e desceu as escadas, sentando-se na grama.

Dê orgulho ao seu irmão.

Apesar de ter sido a Rainha Víbora a dizer essas palavras, Ithan as manteve em seu coração enquanto saía das sombras.

Rosnados, uivos e gritos de surpresa aumentaram. Ithan ergueu as mãos.

— Não estou aqui para causar problemas.

— Então dê o fora! — gritou alguém... Gideon, o terceiro de Amelie, lá de trás. A própria Amelie andava pela multidão, com o rosto contorcido pela fúria...

— Tudo o que somos é uma mentira — declarou Ithan, antes que Amelie pudesse alcançá-lo e se transformar.

Algumas pessoas se aquietaram. Ithan seguiu em frente, porque os caninos de Amelie estavam se alongando, e ele sabia que completaria a transformação em breve.

— Danika Fendyr questionou isso também. E morreu antes que pudesse descobrir a verdade.

As palavras tiveram o efeito desejado. A multidão ficou em silêncio. Ainda assim, Amelie avançou, empurrando as pessoas para fora do caminho, com Gideon, imponente, ameaçador e desajeitado, em seu encalço...

Ithan olhou para Perry, parada na frente da multidão, os olhos verdes fixos nele. Ele se voltou para a amiga e continuou:

— Os asteri plantaram um parasita nos nossos cérebros que reprimiu nossa magia inerente, reduzindo-a aos seus componentes mais básicos: metamorfose e força. No entanto, até habilidades foram cortadas pela raiz. Tudo para que continuássemos sendo seus fiéis executores, como temos sido desde o surgimento da Fenda do Norte.

Amelie estava a três metros de distância, os músculos tensos para pular nas escadas, prendê-lo e destruí-lo...

— Olha — disse Ithan, e estendeu a mão.

Gelo girou em sua palma. A multidão arfou. Até Amelie parecia chocada.

Ithan, deixando o gelo formar crostas nos dedos, continuou:

— Magia, magia *elementar.* Estava aqui, adormecida nas minhas veias esse tempo todo. — Ele olhou nos olhos de Perry de novo, notando o choque e algo parecido com um anseio neles. — Uma amiga minha, uma medbruxa, fez um antídoto para mim. Eu o tomei e descobri o que sou de fato. *Quem* eu sou de fato. O que dorme na linhagem de todos os lobos, reprimido pelos asteri durante quinze mil anos.

— É um truque de bruxa — cuspiu Amelie, fazendo menção de passar pela irmã mais nova. — Saia daí — ordenou ela a Perry. Não como sua irmã, mas como sua alfa.

Mas Perry, apesar do corpo esguio, manteve-se firme. E disse para Amelie, com a voz alta:

— Quero ouvir o que ele tem a dizer.

* * *

Ithan falou o mais rápido que pôde, dando aos lobos um contexto geral do parasita e o que fazia com a magia deles. E então, porque ainda pareciam duvidar, ele explicou o que de fato acontecera no Quarteirão dos Ossos: secundalux. O moedor de almas.

Quando terminou, Ithan olhou nos olhos de Perry de novo. Ela estava branca como um fantasma.

— A Rainha Hypaxia Enador pode atestar tudo o que falei — afirmou Ithan.

— Ela não é mais rainha! Ela foi expulsa... que nem você, Holstrom — gritou um lobo.

Ithan exibiu os dentes.

— Ela é brilhante. Descobriu como consertar essa coisa nos nossos cérebros, para nos devolver a magia. Então não use a porra desse tom para falar dela.

E ao ouvir o rosnado na voz de Ithan, a ordem, os lobos na multidão se endireitaram. Não com raiva ou medo, mas...

— O que você fez? — perguntou Perry, dando um passo para a frente. — Ithan, você...

— Tem outra Fendyr — disse Ithan, avançando, preparando-se.

A multidão se agitou. Perry estava boquiaberta.

— Do que você está falando? — perguntou ela.

Ele não suportava aquela confusão, aquela esperança em sua voz, em seus olhos brilhantes.

— O nome dela é Sigrid — explicou Ithan, com a garganta apertada. — Ela... ela é filha do falecido irmão de Sabine. E ela...

— Já chega — gritou Amelie, enfim tomando a frente. — Essa bobajada tem que acabar, *agora*.

Ithan rosnou, baixo e profundo, e até mesmo Amelie parou, com um pé no degrau.

Ele sustentou o olhar dela, deixando-a ver tudo que havia ali.

— Por que esse traidor ainda está vivo? — A voz de Sabine deslizou pelo pátio.

Ithan se virou, tomando o cuidado de manter Amelie na mira enquanto olhava para a Prima Presumível que se aproximava.

Um passo atrás dela, emergindo das sombras, caminhavam Sigrid e o Astrônomo.

73

— Ceifadora — murmurou Perry, recuando. Não para correr, mas para proteger um jovem lobo alguns passos atrás dela, que tremia de puro terror diante dos olhos verde-ácido da ceifadora entre eles.

A julgar pelo andar bastante normal de Sigrid, ela ainda estava no meio da transição. Mas já havia uma estranheza em seus movimentos. O início daquele deslizamento suave comuns apenas aos ceifadores.

Ela ainda estava com as roupas em retalhos e ensanguentadas. Como prova, ele percebeu — porque seu sangue também estava nelas. E os lobos perceberiam se a cheirassem.

Lutando para encontrar as palavras certas enquanto apontava para Sigrid, Ithan disse:

— Ela... ela não é uma ameaça para todos vocês.

— É uma *ceifadora!* — gritou alguém para ele lá de trás.

O Astrônomo sorria para Ithan. Como o velho maldito conseguiu afastá-la do Sub-Rei? De alguma forma, ele orquestrara aquilo, trazendo sua antiga mística para Sabine. Tudo para se vingar de Ithan.

— Seja qual for a história que Holstrom está contando pra vocês — anunciou Sabine, em voz alta —, não deem ouvidos a uma palavra sequer. — A multidão recuou, desesperada para fugir da ceifadora ao lado de Sabine. — Ithan Holstrom é um mentiroso e um traidor de tudo o que defendemos.

— Isso é mentira — rosnou Ithan.

— E? — Sabine apontou para Sigrid, que estava a seu lado, olhando para a multidão com uma expressão impassível. — Veja o que você fez com minha querida sobrinha.

A palavra atingiu a multidão como uma onda violenta. Ele praticamente os sentiu juntando as peças — que a ceifadora diante deles era a mesma herdeira Fendyr sobre a qual Ithan havia mencionado ainda há pouco.

Sobrinha, as pessoas sussurravam. *É possível que...*

O Astrônomo cruzou as mãos ressequidas diante de si, retrato de uma velhice serena.

— É verdade — anunciou ele. — Há vinte anos, Lars Fendyr me procurou e me vendeu sua filhote mais velha. — Ele fez um gesto para Sigrid. — Ela foi minha fiel companheira, tão querida para mim quanto minha própria filha. — Seus olhos escuros deslizaram para Ithan, afiados de ódio. — Até que aquele garoto a sequestrou e a transformou *nisso*.

A multidão se virou, todo o foco agora em Ithan, os olhos desconfiados, condenatórios...

— Filha do meu irmão — disse Sabine, levantando a voz para ser ouvida em meio à multidão murmurante e agitada. — Morta a sangue frio por aquele macho. — Ela apontou para Ithan. — Assim como ele e seus amigos feéricos tentaram me matar.

— Isso é... — começou Ithan, notando o quanto Perry estava pálida.

— É a verdade — zombou Sabine. — Tenho o vídeo, cortesia da Rainha Víbora. Vou ficar feliz em mostrar a todos como você assassinou uma jovem loba indefesa sem dó.

Ithan não conseguia falar, horrorizado.

Tudo aquilo fora uma jogada a longo prazo da Rainha Víbora. Não só para se divertir, mas também para usar o conhecimento do que ele havia feito em benefício próprio. A relação entre ela e Sabine andava tensa, então por que não amenizá-la com uma pequena oferenda de paz?

Marc dissera a Ithan que a Rainha Víbora não negociava com dinheiro, mas com favores e informações. Ele caíra direitinho na armadilha.

— Ithan tentou fazer com que uma necromante a ressuscitasse dos mortos — continuou Sabine, gesticulando para o ceifador. — Para usá-la como marionete e me usurpar.

— Isso *não* é...

O Astrônomo acrescentou:

— E quando soube o que havia acontecido com ela... — O Astrônomo lançou um olhar de pena para Sigrid. — Solicitei ao Sub-Rei sua libertação para que eu a trouxesse para o Covil no mesmo instante, para vocês que são tão bons.

Aquilo não podia estar acontecendo.

Sabine sorriu. Com certeza estava acontecendo.

— Esta manhã, Sigrid me informou que quando se deparou com esta indescritível escravidão, pensando em proteger seu povo, escolheu existir como ceifadora. E agora, chega aqui como minha herdeira — disse Sabine.

O choque fez com que o silêncio pairasse no lugar.

Ele havia sido um idiota, tão burro por pensar que Sigrid seria como Danika, que ela poderia ter escolhido ser uma ceifadora e ainda querer alegria e paz e o que era melhor para os lobos — em vez do puro ódio que agora brilhava em seu olhar, que se recaía sobre Ithan.

Mas Amelie encarava Sabine. *Ela* era a herdeira de Sabine. Nomear outra, ainda mais uma ceifadora...

Perry olhou entre a irmã e Sabine, depois para a ceifadora.

— Por que você não deixa sua nova herdeira falar por si, Sabine?

Sabine rosnou para Perry, que recuou um passo.

Os pelos de Ithan se eriçaram diante da submissão, do ódio.

— Todo mundo sabe que os Holstrom há muito desejam substituir os Fendyr — continuou Sabine.

— Até parece — cuspiu Ithan.

— Nossas tradições continuam porque são *fortes* — disse Sabine à multidão. O Astrônomo aproximou-se de Sigrid, olhando para os lobos. — Ouvir esse garoto vomitar a propaganda de uma bruxa renegada...

— Vá ao Quarteirão dos Ossos — interrompeu Ithan. — Peça ao Sub-Rei uma audiência com meu irmão. Connor vai te contar...

— Só a escória da Casa de Chama e Sombra é capaz dessas coisas — zombou Sabine.

— Sua *herdeira* — disse Perry com tranquila autoridade — está naquela Casa, Sabine.

Sabine deu um sorriso afetado para Perry, e Ithan foi possuído pelo ódio.

— Sigrid desertou para a Casa de Terra e Sangue — continuou Sabine. A multidão voltou a murmurar. — E, de agora em diante, vai morar aqui, como sua futura Prima Presumível.

O Astrônomo assentiu, a barba longa roçando o cinto em torno de suas vestes drapeadas.

— Depois de convencer o Sub-Rei a liberá-la aos meus cuidados, é com tristeza que me separo de novo da minha filha do coração, mas sei que é para o bem dela. Sigrid doravante faz parte do seu Covil… uma verdadeira loba.

— Não me lembro de ter aprovado o pedido — disse uma voz velha e fraca.

A multidão silenciou quando o Primo passou mancando pelas portas. Até o Astrônomo abaixou a cabeça em deferência.

Sabine deve ter treinado Sigrid, porque a loba caiu de joelhos diante do Primo e baixou a cabeça.

— Avô — disse ela, com a voz rouca.

As pessoas engasgaram ao som de sua voz. O sussurro rouco de uma ceifadora.

O Primo olhou para o rosto pálido de Sigrid. Os olhos verde-ácido dela. As feridas na garganta, no pescoço.

Ele não disse nada e seus olhos leitosos deslizaram para Ithan. Cheios de tristeza e dor.

Ithan engoliu em seco, mas se manteve firme.

— Desculpe. Eu… eu não queria que isso tivesse acontecido. — A atenção da multidão estava cravada nele. — Eu estava tentando consertar as coisas.

— Às custas do futuro dos lobos — retrucou Sabine.

Ithan estendeu a mão por cima do ombro e sacou a arma que trouxera do quarto de Bryce.

A espada Fendyr gemeu ao se libertar da bainha. Os olhos de Sabine cintilaram de fúria e desejo…

Mas Ithan se ajoelhou diante do antigo Primo e inclinou a cabeça, erguendo a lâmina em oferenda.

— Não tenho intenção de usurpar os Fendyr — disse Ithan, mantendo o olhar no chão. — Só quero o que é melhor para nosso povo. Achei que Sigrid poderia ser... diferente, mas me enganei. Eu estava errado e sinto muito.

Sabine ferveu:

— Pai, não dê ouvidos a esse lixo...

— Silêncio — ordenou o Primo, numa voz que Ithan não ouvia havia anos. Ele se atreveu a olhar para o velho macho. — Ouvi o que você falou — disse o Primo a Ithan — pelas câmeras. — Os olhos leitosos pareceram clarear por um instante, revelando um vislumbre do lobo poderoso e justo que ele havia sido. — Danika tinha mesmo pensado no que você contou agora. Ela tinha algumas suspeitas e me perguntou a respeito e, ainda que eu já pensasse o mesmo há muito tempo, fugia da verdade. Era... era mais fácil continuar do que enfrentar uma realidade dolorosa. Manter a estabilidade, em vez de arriscar um futuro incerto.

O Primo pegou a espada que Ithan ofereceu, a mão enrugada tremendo com o esforço de segurar a lâmina pesada.

— Permiti que nosso povo fosse forçado a servir no Aux — continuou ele, olhando agora para Perry —, mesmo quando suas almas artísticas abominam isso. — Os olhos de Perry brilharam de dor. — O que Ithan disse para você é verdade. Sempre foi verdade, desde as Primeiras Guerras e as atrocidades indescritíveis que nosso povo cometeu em nome dos asteri. Minha filha — ele lançou um olhar para Sabine, que rosnava baixinho —, não quis ouvir quando mencionei que os lobos poderiam ser mais, melhores do que nós. Mas minha neta ouviu.

O velho lobo soltou um suspiro pesado.

— Danika poderia ter nos conduzido de volta ao que éramos antes de nos permitirmos ser capturados pelos asteri. Há muito que acredito que ela foi morta por ter esse objetivo, pelas potências que desejam que o *status quo* permaneça em vigor. — O Primo olhou para o lobo ajoelhado a seus pés. — Mas isso deve ser interrompido. — Ele estendeu a espada para Ithan. — Ithan Holstrom é meu herdeiro.

Um silêncio atordoado percorreu a multidão, o mundo. Ithan não conseguia respirar.

— E mais ninguém — finalizou o Primo.

Sabine ficou branca como a morte.

— Pai...

O Primo lançou um olhar frio para a filha.

— Por muito tempo, deixei você agir a seu bel-prazer.

— Eu mantive nosso povo e esta cidade seguros...

— Você está destituída de seu título, posição e autoridade.

Sabine o encarava sem acreditar. A seu lado, os brilhantes olhos verdes de Sigrid dispararam entre os dois lobos.

O Astrônomo fitava os distantes portões orientais, como se começasse a se perguntar se havia apostado no cavalo errado.

— Pegue — disse o Primo a Ithan, e voltou a estender a espada de novo.

Ithan balançou a cabeça.

— Eu não vim aqui para...

— Eu me ofereci para torná-lo alfa uma vez, Ithan Holstrom. Agora me ofereço para fazer de você Primo. Não fuja disso.

Ithan não pegou a espada.

— Eu...

Ele não teve a chance de terminar a recusa.

Num momento, ele estava olhando para a espada. No outro, Sabine a arrancava das mãos do pai.

Ela cravou a arma no rosto velho do Primo.

A multidão explodiu em gritos e berros. Pelo canto do olho, Ithan viu Amelie arrastar Perry, que se debatia, para fora do alcance.

O Primo caiu no chão diante de Ithan, com os olhos cegos cobertos de sangue. Se uma medbruxa chegasse logo, talvez...

Sigrid se mexeu.

Ithan não conseguiu conter o grito de consternação quando ela pulou no corpo do avô e pressionou a boca em seus lábios murchos.

Ela respirou fundo.

A luz brilhou pela boca do Primo, iluminando as bochechas encovadas, e então Sigrid a inalou e bebeu.

A alma dele, a primalux...

Ela inclinou a cabeça para trás e engoliu aquela luz, a essência dele. A pele de Sigrid brilhava enquanto a luz passava pela garganta, centímetro por centímetro.

Não teria como trazer o Primo de volta.

Ainda assim, Sabine cortou a cabeça dele. O Astrônomo, boquiaberto e salpicado de sangue, deu um passo para trás, aos tropeços, olhando para Sigrid incrédulo enquanto ela o encarava com os olhos verdes e vorazes...

Ithan só teve tempo de virar e saltar da escada antes que Sabine brandisse a espada ensanguentada contra ele, que não conseguia parar de olhar para o Primo e para Sigrid, a ceifadora que ele criara e que comera a alma do velho lobo, tão faminta quanto um vampiro...

— Ithan! — gritou Perry, e Ithan viu quando Sabine se lançou contra ele, a espada no ar.

Ele saltou para trás, escapando por pouco de ser atingido.

— Esta espada — Sabine ofegava, brandindo-a — é minha. O título é meu.

Ithan se transformou tão rápido que até Sabine pareceu chocada.

Dê orgulho ao seu irmão.

Sabine brandiu a espada enquanto Ithan atacava, um golpe poderoso que partiria até o crânio de seu lobo em dois.

Ithan saltou direto para a lâmina. Suas mandíbulas se fecharam em torno dela.

Os olhos de Sabine brilharam de choque quando Ithan mordeu, sentindo gosto de metal.

E quebrou a espada Fendyr com os dentes.

74

A maioria dos presentes havia fugido assim que Sigrid começou a se alimentar da alma do Primo. Mas Perry e Amelie, com Gideon ao lado, permaneceram perto das árvores, observando Sabine e Ithan.

Sabine olhou para a espada Fendyr, quebrada em sete partes, e ergueu o olhar furioso para Ithan.

Ithan voltou ao corpo humanoide no mesmo instante.

— É só um pedaço de aço — disse ele, ofegante, o cheiro metálico da lâmina ainda em sua boca. — Você passou todos esses anos obcecada por isso, ressentida porque Danika estava com ela... é só um pedaço de metal.

As garras de Sabine brilharam. Os lábios se curvaram para trás das presas e ela rosnou.

Mas atrás dela, Sigrid se aproximava do Astrônomo, que havia caído no chão e rastejava para trás, com as mãos para cima. O macho implorou:

— Eu tratei você bem, libertei você das mãos do Sub-Rei...

O Astrônomo não teve oportunidade de defender sua causa. Sigrid, por despeito ou perdida pela fome, não permitiu que o velho gritasse e saltou para encostar a boca na dele.

Até Sabine parou para observar Sigrid enfiar a mão em forma de garra no peito do Astrônomo, arrancando seu coração ainda batendo enquanto ela respirava fundo, a luz brilhante — secundalux — de sua alma subindo pelo corpo e passando pelas bocas unidas...

Aquilo não era problema de Ithan. Não naquele momento. Ele olhou para Sabine e deu um rosnado longo e profundo.

O nariz de Sabine enrugou-se.

— Você não é alfa, doguinho — rosnou ela e se lançou.

Ithan investiu. Uma corrida direta para as garras da morte.

Sabine saltou para cima dele e Ithan se abaixou, deslizando, agarrando o maior dos fragmentos da espada e levantando-o bem alto...

O sangue derramava-se como chuva e Sabine gritou ao cair na grama com um baque abafado. Ithan se levantou e virou na direção dela. Sabine estava agachada no chão, uma mão pressionada na barriga, como se isso pudesse evitar que seus órgãos, agora escorrendo, caíssem na grama.

Ele tinha uma vaga consciência de Sigrid, às suas costas, engolindo a alma moribunda do Astrônomo e deixando o cadáver inerte cair nas pedras da escada.

Mas Ithan se aproximou devagar de Sabine, e não havia mais ninguém no mundo, nenhuma missão além daquela. Sabine ergueu os olhos furiosos e cheios de dor para ele.

— Tudo o que fiz foi pelos lobos — disse Sabine, ofegante.

— Foi por você — disparou Ithan, parando diante dela.

Ela riu, desdenhosa, exibindo os dentes cobertos de sangue.

— Você vai levá-los à ruína.

— É o que vamos ver. — Foi tudo o que Ithan disse antes de se transformar mais uma vez em lobo com uma velocidade sobrenatural.

Sabine olhou nos olhos do lobo e enxergou a morte. Abriu a boca para falar, mas Ithan não lhe deu chance. Era um basta na mordacidade dela que envenenava o mundo.

Um salto, um estalo das mandíbulas incrivelmente fortes, e havia acabado.

Com a força extra que ele havia adquirido, conseguira quebrar a espada de aço. Romper carne e osso não era nada em comparação.

Mas, uma vez que o sangue dela atingiu sua língua, o vermelho tomou conta de sua visão, brilhando, queimando. Ele era raiva, rosnados e presas. Ele era sangue, entranhas e fúria primordial...

— Ithan.

A voz trêmula de Perry o tirou do torpor. Do que fizera com o corpo de Sabine. O sangue dela cobria sua boca, a carne presa entre os dentes…

— Eles estão assistindo — disse Perry, ofegante, aproximando-se dele.

Ainda na forma de lobo, Ithan se virou para as testemunhas de sua selvageria, mas Perry disse:

— Não olhe. — Então ela caiu de joelhos diante dele. Inclinou a cabeça para trás e expôs o pescoço. Uma pausa. — Eu me rendo. Me rendo ao Primo.

As palavras o tocaram, mais desespero e sufoco. Ele não conseguia conter o instinto de se aproximar e envolver o pescoço esbelto de Perry com os dentes. Aquele gosto de canela e morango na boca.

Aceitar a submissão a ele. O reconhecimento.

Passos ecoaram nas proximidades. Então Amelie apareceu, o rosto pálido de choque.

Mas ela também caiu de joelhos. Expôs o pescoço.

Era submeter-se a ele ou morrer. Como rival em potencial, Ithan não teria escolha senão matá-la. Ao olhar para trás, ele viu o cadáver do Astrônomo jogado na escada, o sangue escorrendo pelos degraus. Sigrid havia desaparecido, como se soubesse que ele iria atrás dela.

Algo relaxou nele quando cerrou a mandíbula com gentileza em volta da garganta de Amelie, aceitando sua rendição. Um sabor mais amargo e rançoso que a doçura de Perry. Mas ele aceitou mesmo assim.

— Salve Ithan, Primo dos Lobos Valbaranos — disse Amelie, alto o suficiente para que todos ouvissem.

Em resposta, um coro de uivos surgiu de todo o Covil.

Depois, a cidade. Depois, o deserto além das muralhas da cidade. Como se toda Midgard o saudasse.

Quando cessou, Ithan inclinou a cabeça de lobo para o céu e uivou. De triunfo, de luto, de dor.

Dê orgulho ao seu irmão.

E quando seu uivo parou de ecoar, ele poderia jurar que ouvira o grito de um lobo macho ecoando do próprio Quarteirão dos Ossos.

75

Ruhn não reconhecia a própria cidade.

Os navios de guerra imperiais ocupavam todo o Istros. Lobos ferais rondavam as ruas. A 33ª surgia acompanhada pela Guarda Asteriana.

E Prados ainda ardia no norte, linhas de fumaça subindo para o céu azul.

Mas foi o silêncio que mais o enervou enquanto ele e Lidia caminhavam pelos esgotos, seguindo em direção ao Comitium. Flynn e Dec haviam se separado deles alguns quarteirões antes para examinar a sede do Aux na tentativa de descobrir onde Isaiah e Naomi poderiam estar. Se conseguissem interceptá-los no Comitium, poupariam horas de busca.

Depois viria a parte difícil: encontrar um lugar seguro para se encontrar com eles, com tempo suficiente para explicar tudo. Mas, por enquanto, o foco estava em encontrar os dois membros do triário de Celestina e tentar não serem pegos no processo.

— Isso deve abrir para um túnel que vai passar logo abaixo do Comitium — disse Ruhn à Lidia, em voz baixa. Os esgotos pareciam vazios, mas na Cidade da Lua Crescente havia sempre alguém vigiando, ouvindo.

— Assim que estivermos no prédio, posso nos levar ao quartel deles — disse ela.

— Você tem certeza de que sabe onde estão as câmeras…

Ela lançou um olhar para Ruhn.

— Quando Ephraim veio visitar, era meu trabalho saber onde eles estavam. Tanto como Corça quanto como Agente Daybright. Eu poderia navegar por este lugar com os olhos vendados.

Ruhn suspirou.

— Tudo bem. Mas quando chegarmos ao quartel...

— Aí as suas sombras entram em cena, e nos escondemos até que Isaiah e Naomi apareçam. A menos que já estejam lá e a gente consiga encontrar os dois sozinhos.

— Certo. Entendi. — Ele estalou o pescoço.

Ela o encarou.

— Você parece... nervoso.

Ele bufou.

— É minha primeira missão com minha namorada. Quero causar uma boa impressão.

Os lábios dela se curvaram, e Ruhn abriu caminho por outro túnel.

— Sou sua namorada, então? — perguntou ela.

— Tudo... tudo bem pra você?

Ela deu o mais sincero dos sorrisos. Aquilo a fazia parecer mais jovem, mais leve — a pessoa que poderia ter sido se Urd não a tivesse enveredado por um caminho tão fodido. Ele ficou sem fôlego ao pensar nisso.

— *Sim*, Ruhn. Por mim tudo bem.

Ele retribuiu o sorriso, lembrando-se de como ela o repreendeu quando se conheceram por dizer "*Sim*", por ser tão casual.

Olhando para a frente, Ruhn viu que eles estavam se aproximando de uma porta de metal amassada onde estava escrito: *Não entre.*

— Bom, isso é quase um convite — disse ele, arrancando uma risada de Lidia ao chutar a porta.

* * *

Qualquer alegria que Tharion poderia ter ao sentir o cheiro familiar e atraente do rio morreu ao ver os navios de guerra imperiais no Istros e os barcos ômega atracados perto deles. E, ao lado do Cais Preto... o *SPQM Faustus.* O mesmo barco ômega que mal haviam conseguido ultrapassar em Ydra.

Ele não ousou se aventurar no extremo norte da cidade para ver os estragos em Prados de Asphodel. Não era para isso que haviam ido ali e ele sabia que nada do que visse o faria se sentir melhor. A cidade estava estranhamente silenciosa. Como se estivesse de luto.

O rosto e os cabelos foram escondidos por um boné de solebol, Tharion olhou de cara feia para a armada, por tanto tempo enquanto estava ali, no cais, que Sathia avisou:

— Se você continuar olhando assim, vai chamar a atenção pra gente.

— Eu deveria entrar na água e abrir buraco nos cascos de todos esses barcos — resmungou Tharion.

— Foco. Se você fizer isso, não vamos cumprir nosso objetivo. — Ela olhou preocupada para os navios. — O que é pra lá de necessário.

— Eles estão mantendo a cidade como refém.

— Mais uma razão para apelar à Rainha do Rio para acolher pessoas.

Tharion não encontrou nada além da mais fria determinação no rosto em formato de coração de Sathia.

— Você tem razão — disse ele, e então deu um assobio baixo e esperou.

Uma lontra com um colete amarelo brilhante saltou para o cais, pingando água por toda a parte. Ela se ergueu sobre as patas traseiras na frente de Tharion, os bigodes se contorcendo, espirrando gotas de água.

Sathia sorriu.

— Pare com isso. Só vai encorajá-la a ser mais fofinha — murmurou Tharion.

Sathia mordeu o lábio, e por mais que ver aquilo o tenha distraído, Tharion conseguiu se recompor e ordenou à lontra:

— Avise à Rainha do Rio que Tharion Ketos quer um encontro.

Os bigodes se contraíram de novo.

— Por favor — acrescentou Sathia.

Tharion evitou a vontade de revirar os olhos, mas também falou:

— Por favor. — Ele pescou uma moeda de ouro. — E seja rápido, amigo.

A lontra pegou a moeda com seus dedinhos pretos e a virou. Seus olhos brilharam com a soma exorbitante. Com um movimento de sua longa cauda, o animal saltou de volta para a água azul-turquesa com apenas uma ondulação e desapareceu.

Tharion observou-a nadar graciosamente para as profundezas e depois desaparecer na escuridão da Corte Azul das Profundezas. As pequenas luzes brilhantes eram o único sinal de vida ali.

— E agora? — perguntou Sathia de novo, olhando para os navios de guerra atracados no rio. Se um soldado reconhecesse Tharion...

Ele puxou o boné de solebol mais para baixo.

— Agora nos escondemos nas sombras e esperamos.

* * *

— Isso não parece seguro — reclamou Ember pela quinta vez enquanto Bryce estava diante do arco da Fenda do Norte. Hunt esperava dez passos atrás dela, as penas congelando. — Me parece o oposto de seguro. Você está abrindo *a Fenda do Norte para o Inferno*. E devemos acreditar que esses demônios, os príncipes, pelo amor de Urd... são *bons*?

— Não tenho certeza se eles são bons. Mas estão do nosso lado. Confie em mim, mãe — disse Bryce.

— Confie nela, Ember — pediu Randall, mas pela tensão em sua voz, Hunt sabia que ele também não estava muito feliz.

— Quando estiver pronto, Athalar — chamou Bryce.

— Achei que você não precisava mais de mim para te abastecer. Ainda mais com todo esse poder extra que tem agora — disse Hunt.

— Não quero tentar fazer isso sozinha — disse Bryce. — Me parece arriscado demais testar minhas novas habilidades nesse instante.

— Aposto que você conseguiria — gritou Hunt por cima do vento —, mas tudo bem. No três. — Bryce parou, endireitando os ombros.

Hunt reuniu seu relâmpago. Rezando para todos os deuses, por mais que eles só tivessem ferrado a vida dele até então. O poder do relâmpago era familiar, mas de repente parecia estranho. *Fogo do Inferno*, como Apollion o chamava.

Respostas — ao menos, as respostas de quem e o que ele era, por que ele, e mais ninguém, tinha aquele relâmpago. Até os pássaros-

-trovão, criados pelo Inferno, haviam sido caçados até a extinção pelos asteri. Com a morte de Sofie, de fato, desapareceram.

Ainda que a ressurreição da Harpia, outra coisa pela qual era culpado, sugerisse que os asteri agora tinham outros métodos de ressuscitar os mortos.

Só se conseguissem pôr as mãos em mais relâmpagos dele.

Ele preferiria morrer.

— Um — Hunt sussurrou e ergueu a mão envolta em um relâmpago.

Lorde do Relâmpago, o Oráculo o chamou.

— Dois...

Teria o Oráculo visto, naquele dia, o que ele era, de onde vinha seu poder?

Você me lembra daquilo há muito perdido. Os pássaros-trovão, caçados até a extinção.

Seria o vento agitando a parca dela, ou Bryce estava tremendo enquanto esperava o golpe? Hunt não se deu um momento para reconsiderar. Parar.

— Três.

Ele lançou o relâmpago na parceira.

76

Tal como acontecera naquele dia no palácio dos asteri, quando ela saltou de seu mundo para outro, o relâmpago de Hunt atravessou as costas de Bryce e o Chifre, atingindo a estrela em seu peito — e o Portão.

Ember gritou de medo, e até Randall deu um passo para trás, mas Hunt deixou o relâmpago fluir para Bryce, mantendo um fluxo constante.

— Abra — ordenou Bryce, a voz carregada pelo vento. Uma faixa de escuridão começou a se espalhar no meio do Portão.

Hunt canalizou mais relâmpagos para ela, e a fresta se alargou, centímetro por centímetro.

A Fenda do Norte estava fixada no Inferno — até aquele momento. Até que seu poder passasse não apenas pelo Chifre de Bryce, mas também pela estrela em seu peito — aquela ligação com um mundo diferente. Reorientar o Portão, como naquele dia no Palácio Eterno, para abrir em outro lugar. Essa era a teoria deles, pelo menos. Ninguém jamais tentou manipular a Fenda do Norte para abrir em outro lugar que não fosse o Inferno, mas...

— Já chega, Hunt — avisou Ember.

Hunt a ignorou e enviou outro pico de poder à sua parceira.

Os cabelos de Bryce flutuaram, junto à neve e ao gelo, mas ela manteve uma calma estranha até que o vazio encheu todo o enorme Portão.

Hunt cortou o relâmpago e correu até onde Bryce estava diante da parede de escuridão.

Escuridão manchada pela luz estelar.

Uma fêmea de cabelos castanho-dourados estava sentada numa poltrona diante de uma lareira do outro lado. Toda aquela escuridão era a noite estrelada além das janelas.

Seu rosto era um retrato do mais puro choque quando Bryce ergueu a mão em saudação e disse:

— Olá, Nestha.

* * *

A Rainha do Rio estava sentada em uma cadeira diante de um painel de computadores na sala de controle, ligada à câmara de ar oeste, em um trono improvisado no espaço estéril e funcional. O técnico que operava o computador havia desocupado a câmara quase correndo ao comando da rainha.

Tharion estava bem ciente de que a câmara de ar poderia ser lavada com facilidade para remover todo e qualquer vestígio de sangue. Um corpo expelido por aquilo iria direto para os sobeks circulando do lado de fora como ceifadores.

Se Sathia percebeu esses detalhes, se entendeu que ela e Tharion haviam sido levados ali apenas pela conveniência de se livrarem do cadáver, não deixou transparecer.

A esposa fez uma reverência, um movimento gracioso que em nada combinava com as leggings casuais e o suéter branco, a caxemira suja e rasgada na bainha inferior.

— Vossa Majestade, é uma honra conhecê-la — disse Sathia, com a voz refinada, mas nada ameaçadora.

Os olhos escuros da Rainha do Rio percorreram Sathia.

— Devo abrir os braços para a fêmea que usurpou minha filha?

Sathia nem sequer recuou.

— Se minha união com Tharion trouxe tristeza ou ofensa, então ofereço minhas sinceras desculpas.

Um segundo, longo demais para ser reconfortante. Tharion olhou para a Rainha do Rio e percebeu que ela a observava. O olhar frio, cruel. Nada impressionado.

— Presumo que você queira muito alguma coisa de mim, se voltou para se arriscar diante de minha ira — disse a Rainha do Rio.

Tharion baixou a cabeça.

— Sim, Vossa Majestade.

— E mesmo assim você trouxe sua *esposa*... para quê? Para me acalmar? Ou como um escudo para se esconder?

— Considerando que ela mal bate no meu peito — disse Tharion, seco —, acho que não serviria de escudo.

Sathia olhou feio para ele, mas a Rainha do Rio franziu a testa.

— Sempre fazendo piadas. Sempre fazendo papel de bobo. — Ela acenou com a mão adornada com anéis de conchas e corais em direção a Sathia. — Suponho que deveria desejar parabéns pelo seu casamento, mas em vez disso desejo boa sorte. Com um macho desses como marido, você vai precisar.

— Agradeço — disse Sathia com tanta sinceridade que Tharion quase acreditou também. — Que seus bons votos cheguem direto aos ouvidos de Urd. — Ok, talvez ele tenha subestimado a esposa, que parecia mais confortável neste ambiente do que ele.

Na verdade, a Rainha do Rio pareceu bastante intrigada com a elegância de Sathia ao ser colocada à prova, dizendo em seguida:

— Bem, Tharion. Vamos ouvir o que é tão importante que você ousou entrar no meu reino de novo.

Ele cruzou as mãos atrás das costas, expondo o peito como sabia que a Rainha do Rio preferia. Não viu a faca de vidro marinho dentada em lugar nenhum, mas sabia que ela estava sempre com a arma.

— Estou aqui em nome de Bryce Quinlan, Rainha dos Feéricos Valbaranos e de Avallen, para solicitar asilo na Corte Azul para o povo da Cidade da Lua Crescente.

Outra longa pausa.

— Rainha, é? — perguntou a Rainha do Rio. — Dos Feéricos Valbaranos e de Avallen? — Os olhos dela deslizaram para Sathia, representante dos feéricos, ela supôs.

Sathia ergueu o queixo.

— Bryce Quinlan agora governa ambos os territórios. Eu sirvo a ela, assim como Tharion.

Olhos tão pretos e profundos como os de um tubarão deslizaram para Tharion. Os mesmos olhos da irmã dela, a Rainha do Oceano, ele percebeu.

— Eu deveria ficar satisfeita em saber que você desertou mais uma vez?

— Fiz o que minha moral exigia — disse Tharion.

— Moral — refletiu a Rainha do Rio. — Que moral você tem além de garantir sua própria sobrevivência a qualquer custo? Foi a sua *moral* que o guiou quando você tirou a virgindade da minha filha, jurando amá-la até morrer e depois brincou com o afeto dela pela década seguinte?

Puta que pariu. Mas Sathia respondeu por ele com aquela calma inabalável:

— Esses foram erros da juventude... Tharion refletiu e aprendeu com esses erros.

A Rainha do Rio voltou a fixar a atenção em Sathia.

— Refletiu? Ou foi o mel envenenado que ele derramou em seu ouvido para cortejá-la?

— Ele me trouxe até você. Prova de que está disposto a assumir as próprias ações — rebateu Sathia.

Era preciso ser uma pessoa especial para falar daquela maneira com a Rainha do Rio. Para não recuar um centímetro, não tremer diante de seu poder, de seu rosto eterno.

A Rainha do Rio estreitou os olhos, obviamente pensando o mesmo.

— E esta *Rainha Bryce* considerou Tharion o melhor emissário para me implorar por um favor tão enorme?

Sathia não abaixou o queixo.

— Ela se lembrou de como Tharion e seu povo foram corajosos e altruístas ao abrigar inocentes aqui, em segurança, durante o ataque desta primavera.

Caramba, ela era boa.

A Rainha do Rio acenou com a mão em direção à janela que dava para as profundezas e os monstros que rondavam além.

— E ela pode me dar uma boa razão para não matar Tharion agora mesmo e mandar o corpo dele para as feras do rio?

Sathia nem sequer olhou para os sobeks que rondavam.

— Porque ele agora está a serviço da Rainha Bryce. Se você o matar, terá que lidar com os feéricos.

Uma exibição de pequenos dentes pontiagudos.

— Eles terão que chegar às Profundezas primeiro.

Sathia não perdeu o ritmo.

— Acredito que não seria de seu interesse se tornar uma cidade sitiada.

Pelos deuses, a esposa dele era corajosa. Tharion sabiamente não demonstrou nenhuma reação, mas por Ogenas, se sobrevivessem a esse encontro, ele pediria para Sathia ensinar aquelas técnicas a ele.

A Rainha do Rio riu, zombeteira, mas inclinou a cabeça antes de mudar de assunto.

— Como que a garota tem tanto poder nas mãos, de repente?

— Quem tem que contar essa história é ela — disse Sathia, cruzando as mãos atrás das costas —, mas ela tem aliados poderosos. Neste mundo e em outros.

— Outros?

Tharion ousou falar, transformando a voz num espelho da calma equilibrada de sua esposa:

— Bryce considera os Príncipes do Inferno como aliados.

— Então ela é inimiga de Midgard. E uma imbecil também, se está tentando esconder o povo desta cidade dos demônios com os quais se aliará.

— Ela não procura esconder as pessoas do Inferno, mas sim da ira dos asteri — explicou Tharion.

A Rainha do Rio o encarou.

— Você está me pedindo para me posicionar contra a própria República.

— O que aconteceu em Prados de Asphodel foi uma vergonha — disse Tharion, a voz perigosamente baixa. — Se você não se posicionar contra a República por algo dessa natureza, então é cúmplice da matança deles.

Sathia lançou um olhar de advertência para Tharion, mas a Rainha do Rio o analisou. Como se não o tivesse visto de fato até então.

Ela abriu a boca e a esperança surgiu no peito de Tharion…

Mas então a porta interior do quarto se abriu e a filha da Rainha do Rio entrou, a raiva e tristeza enrugando seu lindo rosto enquanto ela gritava:

— *Como você pôde fazer isso?*

* * *

— *Ela é um Príncipe do Inferno?* — sussurrou Ember alguns passos atrás de Bryce, os dentes batendo de frio.

— Ela *parece* um príncipe? — sibilou Randall de volta, a neve estalava enquanto ele pulava de um pé para o outro para se aquecer.

— Bryce disse que Aidas apareceu para ela como um gato, então vai saber…

— Gente — murmurou Bryce enquanto Nestha se levantava devagar da poltrona perto da lareira. De alguma forma, uma adaga apareceu na mão da fêmea, como se estivesse escondida sob a almofada.

Havia funcionado. Conseguiram abrir a Fenda do Norte para um lugar diferente do Inferno.

— O que você está fazendo? — perguntou Nestha, e naquele momento Bryce se deu conta de que mais ninguém conseguia compreendê-la. O que deixava Bryce encarregada da tradução.

Então Bryce murmurou para Hunt, com os olhos arregalados, mas pronto para entrar em ação:

— Só um minuto. — E encarou Nestha. — Não vou fazer mal a você, nem ao seu mundo — disse Bryce na língua de Nestha.

— Então por que tem um portal gigante na minha sala? — Os olhos azul-acinzentados de Nestha brilhavam com violência predatória. Um pouco daquela chama prateada começava a crescer na ponta dos dedos. Será que resistiria ao fogo estelar de Bryce? Sobretudo com a força daquele poder nivelado em seu corpo por trás disso?

Mas ela não fora até ali para isso.

— Eu precisava falar com você.

— Como sabia que eu estaria sozinha?

— Não sabia. Foi a graça de Urd.

A adaga e a chama prateada não desapareceram.

— Feche o Portal.

— Não até eu dizer o que preciso dizer.

A chama prateada tremeluzia nos olhos de Nestha.

— Então diga e vá embora. — Seu olhar baixou para o lado de Bryce. — E deixe a adaga que roubou.

Bryce ignorou o pedido e engoliu em seco.

Ember sibilou para Randall:

— *Acho que não está correndo bem.*

Randall a silenciou.

Mas os olhos de Nestha deslizaram para Hunt, para as asas emplumadas, o relâmpago dançando em sua mão, o halo na testa.

— Esse é seu parceiro?

Bryce assentiu e fez sinal para Hunt dar um passo à frente.

— Hunt Athalar. — Ela nunca mais usaria *Danaan*. Para qualquer um deles.

Hunt se aproximou e inclinou a cabeça. Bryce poderia jurar que um relâmpago surgiu em seus olhos, como se o poder que ele convocou, suficiente para abrir a Fenda do Norte, o estivesse dominando por completo.

Mas Nestha apenas o observou imperiosamente e depois virou-se para Bryce.

— O que você quer?

Bryce endireitou os ombros.

— Preciso que você me dê a Máscara.

77

— É um pedido ou uma ameaça? — perguntou Nestha baixinho, e mesmo com um portal entre elas, o chão pareceu tremer com o poder da fêmea.

— É um apelo. Um apelo desesperado pra cacete — respondeu Bryce, expondo as palmas das mãos para Nestha, em súplica. — Eu preciso da Máscara para ter uma vantagem contra os asteri. Para destruí-los.

— Não. — Os olhos de Nestha não demonstravam clemência. — Agora feche o portal e suma. — Ela olhou por cima do ombro, para onde as estrelas pareciam estar se esvanecendo ao longe. — Antes que o Grão-Senhor chegue e faça pedacinhos de vocês.

— O que é aquilo? — questionou Hunt, indicando a escuridão que se aproximava.

— Rhysand — respondeu Bryce, então se voltou à Nestha: — Por favor. Eu não preciso da Máscara para sempre. Só... até isso acabar. Então devolvo.

Nestha riu com frieza.

— Você espera que eu confie em uma fêmea que tentou nos enganar e levar a melhor sobre nós em todas as oportunidades que surgiram?

— É uma verdade que eu levei a melhor, *sim* — rebateu Bryce de forma fria, e os olhos de Nestha brilharam com a provocação —, mas isso não vem ao caso. Olha, eu entendo... a Máscara é incrivelmente poderosa e perigosa. Eu também não confiaria em alguém que me pedisse para usar o Chifre. Mas o meu mundo precisa disso.

Nestha ficou em silêncio.

A escuridão foi se aproximando, sorrateira. Era possível sentir a fúria emanando dela, junto de uma ira primordial. Bryce deu um passo à frente, e a adaga de Nestha se inclinou para cima.

— Por favor — pediu Bryce de novo. — Eu prometo que devolvo a Máscara… e a Reveladora da Verdade. Depois de fazer o que tenho para fazer aqui.

— Você deve me achar uma tola se acredita que vou lhe entregar uma das armas mais letais do meu mundo. Principalmente considerando que há milênios que os monstros no *seu* mundo estão querendo colocar as mãos nela e nos outros Tesouros Nefastos. Isso sem contar que poucas pessoas conseguem sobreviver depois de usar a Máscara. Se usá-la, pode acabar morrendo.

— É um risco que estou disposta a correr — afirmou Bryce com calma.

— E é para eu confiar que você, depois de tudo o que fez aqui, vai devolver a Máscara só por estar jurando do fundo do coração?

Bryce confirmou com a cabeça.

— Isso.

Nestha soltou uma risada sem humor, olhando para a escuridão que chegava cada vez mais perto.

— Eu só preciso esperar que ele chegue aqui, sabe. Aí você vai desejar ter fechado o portal.

— Eu sei — concordou Bryce, sentindo um nó na garganta —, mas estou implorando. Os asteri acabaram de exterminar uma comunidade humana inteira na minha cidade. Famílias. — As lágrimas ardiam em seus olhos e o vento frio ameaçava congelá-los. — Eles mataram *crianças*. Para me punir. Para punir meu parceiro — Bryce gesticulou para Hunt — por escapar das garras deles. Isso precisa acabar… isso precisa ser impedido *em algum lugar.*

A raiva fria nos olhos de Nestha vacilou.

Bryce não conseguiu evitar que as lágrimas escorressem pelas bochechas, lágrimas que em um instante viraram gelo.

— Eu sei que você não confia em mim, não tem por que confiar, mas eu prometo que vou devolver a Máscara. Eu trouxe uma garantia… para provar que minhas intenções são boas. Que eu vou devolver, *sim.*

E com isso, Bryce chamou os pais para seguirem adiante. Ember e Randall lançaram olhares cautelosos a ela, mas se aproximaram do portal.

Fazer aquilo partiu o coração de Bryce, mas ela disse para Nestha com firmeza:

— Esses são meus pais, Ember Quinlan e Randall Silago. Estou entregando os dois a você… para ficarem em seu mundo, até eu destruir os asteri e lhe devolver a Máscara.

Nestha arregalou os olhos, chocada, mas logo se recompôs, endireitando os ombros.

— E se você morrer tentando?

— Então meus pais vão ficar mais seguros presos em seu mundo do que no meu.

— Mas a Máscara vai estar no seu. Nas mãos dos asteri.

— Eu não tenho nada mais importante para lhe oferecer do que isso — respondeu Bryce, com a voz falhando.

— Não é sobre me oferecer nada.

Bryce conteve um soluço, e seus pais se viraram para a filha, confusos e confiando nela, sentindo raiva por ela sem saberem o motivo.

— Bryce — disse Hunt, de olho na tempestade que se aproximava. — Temos que fechar a conexão.

Apenas Hunt sabia a coisa horrível que ela estava fazendo. Como tinha acabado com ela ter que deixar Cooper para trás, porque teria sido suspeito demais insistir que ele fosse em uma missão tão perigosa. Mas Baxian, Fury e June cuidariam dele… e de Syrinx.

— Bryce — chamou sua mãe. — O que está acontecendo?

Bryce não conseguiu conter as lágrimas enquanto olhava para a mãe e para o pai. Talvez pela última vez.

— Nada — respondeu ela, voltando a olhar para Nestha.

— Se não me der a Máscara — disse ela à fêmea —, de qualquer jeito leve-os com você.

Nestha ficou sem reação.

— Leve meus pais — repetiu Bryce, com a voz embargada. — Eles não fazem ideia do motivo de estarem aqui, ou de quem é você ou do que é o seu mundo. Eles acham que estou falando com alguém no Inferno. Mas leve-os e os mantenha em segurança. É só o que peço.

Nestha analisou Bryce, depois os pais da garota. Colocou a adaga na mesa lateral perto da cadeira.

— Você os deixaria em meu mundo… para talvez nunca mais os ver de novo.

— Deixaria — confirmou Bryce. — Eu preciso de Hunt para me ajudar contra os asteri, mas meus pais são humanos. Eles vão ser alvos fáceis dos asteri… já estão sendo caçados. São boas pessoas. — Ela relutou contra outro soluço de choro. — São as melhores pessoas.

— Bryce — disse Randall, com um tom de alerta na voz que denunciava que ele tinha visto a escuridão invasora e sabia que tinha algo errado com aquele plano.

Contudo, Bryce não podia olhar para os pais. Só para Nestha.

O fogo prateado nos olhos azuis cinzentos da fêmea diminuiu, então desapareceu.

Nestha estendeu a mão para Bryce, com algo dourado cintilando ali.

A Máscara.

— Se é que vai lhe trazer algo bom — disse Nestha baixinho —, pode pegar emprestada.

Quando a fêmea olhou para os pais de Bryce, ficou nítido: ela aceitaria a garantia.

Bryce engoliu em seco.

— Mas que coisa *é* essa, porra? — murmurou Hunt, como se pudesse sentir o poder antigo e de profundidade insondável emanando da Máscara na mão de Nestha.

— Obrigada — respondeu Bryce, esticando a mão na direção de Nestha.

Ela podia jurar que o próprio mundo, todos os mundos, estremeceram quando a mão de Nestha atravessou para dentro de Midgard e entregou a Máscara à Bryce.

Então a coisa estava na mão enluvada de Bryce, e era profana, vazia e cruel… mas a luz em seu peito pareceu ronronar com a presença do objeto.

Bryce a enfiou na jaqueta, fechando o zíper. A coisa reverberou contra seu corpo, o calor arcaico ecoando em seus ossos. Sua luz estelar pareceu tremular em resposta. Como se o pedaço qualquer de

Theia que permanecia ali dentro conhecesse a Máscara e estivesse feliz por reencontrá-la.

— Obrigada — repetiu Bryce.

A escuridão já estava encobrindo a cidade debaixo da janela de Nestha.

— Boa sorte — sussurrou Nestha.

Bryce inclinou a cabeça em agradecimento, e com um aceno sutil para Hunt…

O poder dele golpeou os pais dela. Não um relâmpago, mas uma rajada de vento nas costas deles, empurrando-os através do portal, através da Fenda do Norte, para dentro do mundo de Nestha.

— Bryce! — berrou a mãe, tropeçando… mas Bryce não esperou.

Manteve o silêncio enquanto comandava o Chifre a romper a conexão, destruindo a ponte entre os mundos. A última imagem que teve foi de escuridão, do poder de Rhysand, colidindo com as janelas do quarto de Nestha, o rosto indignado da mãe, Randall esticando a mão para pegar o rifle…

A neve e a bruma voltaram. A Fenda foi fechada. E os pais de Bryce estavam do outro lado dela.

Os joelhos de Bryce vacilaram. Hunt colocou a mão em seu cotovelo.

— Precisamos sair daqui.

Ela estava com a Máscara. Com o Chifre. E com a luz de Theia. E com as lâminas. Aquilo teria que ser forte o bastante para enfrentar deuses vivos.

— Bryce, precisamos ir — repetiu Hunt, com mais firmeza. — Você consegue nos teletransportar de volta à muralha?

Deveria ter sido um alívio para Bryce saber que os pais estavam naquele outro mundo, com pessoas que ela tinha descoberto serem decentes e gentis, mas a mãe jamais a perdoaria. Randall jamais a perdoaria. Não só por jogá-los naquele mundo, mas por deixar Cooper para trás.

— Mas que *caralho* — sibilou Hunt, e Bryce se virou quando ele forçou o seu corpo para trás do dele.

Bem na hora que a Harpia, revestida de branco para se camuflar na neve, irrompeu das brumas. Até as asas pretas tinham sido pintadas de branco para passarem despercebidas.

Em meio às névoas ondulantes, ela era tão horrível quanto Bryce se lembrava, porém o rosto dela... não havia resquício nenhum de vida nem de consciência ali. Ela era uma carcaça, uma hospedeira, com uma única missão: *matar*.

78

Qualquer esperança de Tharion alcançar seu objetivo foi por água abaixo quando a filha da Rainha do Rio se jogou no colo da mãe, soluçando.

— Você se casou com *ela*?

Foram as únicas palavras que ele conseguiu distinguir em meio ao pranto.

Sathia ficou apenas olhando para a garota, como se nela tivesse se esgotado qualquer cortesia que eles poderiam usar ao seu próprio favor. A Rainha do Rio acariciou os cabelos escuros da filha, murmurando palavras gentis, mas seus olhos ardiam com um ódio absoluto por Tharion.

— Eu... — começou Tharion, mas não conseguiu encontrar as palavras certas.

A filha da Rainha do Rio levantou a cabeça ao ouvir a voz dele, o rosto molhado pelas lágrimas. O rio do lado de fora tremeu, sacudindo a Corte Azul.

— Você se vendeu para uma vadia feérica? — Ela fungou na direção de Sathia. — Com *terra* nas veias? Sem nem uma gota de água como atrativo?

Sathia ouviu as ofensas, com o rosto impassível, concedendo a ele um vislumbre da maneira que fora tratada a vida inteira. Aquilo não o agradou em absoluto.

Foi o suficiente para incitá-lo a responder:

— A magia dela é fazer coisas crescerem, é de vida e beleza. Não de afogar nem sufocar.

A filha da Rainha do Rio se levantou devagar.

— Você *ousa* falar comigo dessa maneira?

E com a fúria petulante dela, com a ira da mãe dela... Para ele já tinha dado daquilo. Já tinha *dado* pra caralho daquilo.

Tharion apontou para a janela. Não para os sobeks, mas para a superfície distante demais para ser vista.

— Tem *navios de guerra imperiais* nesse rio! Os Prados de Asphodel viraram *destroços* em brasa, com os corpos de crianças estirados pelas ruas!

Ele nunca tinha gritado daquele jeito. Com ninguém, menos ainda com sua antiga rainha e princesa. Contudo, ele não conseguia deter a raiva e o desespero absolutos que explodiam dele.

— E tudo com o que você se importa é com quem um maldito macho se casou? Tem bebês naqueles escombros! E você só fica aí derramando lágrimas por *você mesma*!

Sathia ficou de queixo caído, a expressão em seu rosto enviando um sinal de alerta a ele, mas Tharion falava diretamente com a Rainha do Rio.

— Bryce me mandou aqui para implorar por sua ajuda, porém também estou lhe pedindo por mim. Não como tritão, não como alguém da Corte Azul, mas como um ser vivo que ama esta cidade. Não há nenhum outro lugar em Valbara que consiga resistir à tempestade. Este lugar, as Profundezas... pode pelo menos suportar o primeiro impacto. Ofereça um porto seguro às crianças da Cidade da Lua Crescente. Uma chance. Se não quiser que venha a população inteira, ao menos abrigue as crianças.

— Não — choramingou a filha da Rainha do Rio. — Você me usou e me descartou. Você não tem o direito de pedir tais favores a nós, à Corte Azul.

— Me *desculpe* — retrucou Tharion. — Me desculpe por ter iludido você, por ter dormido com você, e ter percebido tarde que tinha ido longe demais. Me desculpe por enrolar você por anos... Eu não sabia como conversar com você, ou ser adulto, e sinto muito. Não foi certo da minha parte, foi imaturo, e eu odeio o que fiz com você, odeio ter feito isso com alguém.

Ela olhou irritada para ele, fungando.

Tharion continuou:

— Eu me casei com Sathia para tirá-la de uma situação de merda. O Rei Morven de Avallen estava obrigando-a a se casar com um feérico ignorante, as únicas opções eram enfrentar a ira dos asteri e morrer ou se casar. Ofereci uma saída a ela. Casar-se comigo. Ajudar uma fêmea em apuros era algo que eu devia a minha irmã. Nosso casamento não é sobre como eu me sinto por você *nem* por ela.

— E o fato de que ela é uma beldade feérica não influenciou em nada a sua decisão? — desdenhou a filha da Rainha do Rio.

— Não — respondeu Tharion com sinceridade. — Eu… — Ele olhou para a esposa, que realmente era bela. Linda. Mas aquilo não tinha pesado em sua decisão de oferecer auxílio. — Ela era uma pessoa em apuros, que precisava de ajuda.

A filha da Rainha do Rio espumava de raiva. Tharion continuou:

— Mas se você acolher o povo desta cidade, se os abrigar contra qualquer que seja a tempestade que os asteri podem trazer… quando isso acabar, se eu estiver vivo… — disse ele, com a voz falhando, e manteve o olhar no dela. — Eu me divorcio da minha esposa e me caso com você.

Sathia se virou rapidamente para ele, mas Tharion não podia encará-la, não suportaria ver a reação dela ao ouvir como ele também a abandonaria…

A filha da Rainha do Rio fungou, uma criança se acalmando depois de um chilique.

— Aceito. Eu me casarei com você quando se livrar dela.

— Não se casará, não. — A voz da Rainha do Rio sacudiu o cômodo, o rio. — Minha filha não aceita essa proposta. Nem eu.

O peito de Tharion ficou apertado.

— Por favor — implorou ele. — Se pudesse ao menos…

— Ainda não acabei de falar — interrompeu ela, erguendo a mão. Tharion se calou, obediente. — Eu não desejo mais que minha filha se vincule a alguém como você, nem por vontade nem por promessa. No que tange ao casamento entre vocês, nunca acontecerá.

— *Mãe…*

— Agora você é o problema da sua esposa — sentenciou a Rainha do Rio para Tharion.

Ele fechou os olhos ao sentir a ardência neles, odiando aquilo, odiando que tinha perdido a oportunidade, aquele porto seguro para o povo da Cidade da Lua Crescente, por causa do próprio comportamento imbecil.

— Mas sua disposição para sacrificar a própria liberdade para viver na Superfície não é pouca coisa — prosseguiu a Rainha do Rio. Então inclinou a cabeça para o lado, e uma das conchas em seus cabelos criou pernas e deslizou para debaixo das tranças. Um caranguejo-eremita. — Você nunca perguntou por que eu lhe mandei procurar o corpo de Sofie Renast, e para encontrar o irmão dela.

Tharion abriu os olhos e a viu o encarando com curiosidade. Não com bondade, mas com algo similar a respeito.

— Não... não me cabia questionar — respondeu o tritão.

— Você tem medo de mim, como qualquer um com inteligência tem — concluiu ela, um pouco presunçosa. — Mas também tenho meus temores. Deste mundo, à mercê dos asteri.

Tharion tentou não parecer tão chocado.

— Nosso povo é antigo — afirmou a Rainha do Rio. — Minhas irmãs e eu lembramos de um mundo antes de os asteri chegarem e fazerem a magia da terra definhar. Ilhas inteiras sumiram dentro do mar, e nossas civilizações foram junto. E embora tivéssemos um poder limitado para impedi-los... tentamos, cada um de nós a seu modo.

A filha estava olhando para ela como se não a reconhecesse.

Contudo, a Rainha do Rio prosseguiu:

— Lembramos do poder que os pássaros-trovão empunhavam. De como os asteri os caçaram, porque tinham *medo* deles. E quando descobri que tinham matado um, o irmão pássaro-trovão dela à solta... Eu soube que os asteri tentariam recuperá-los a qualquer custo. Posso não ter sabido o motivo, mas eu não tinha a menor intenção de deixá-los capturar nem Sofie nem o seu irmão.

Tharion ficou sem reação.

— Você... você estava atrás deles para deter os asteri?

Ela assentiu de maneira sutil.

— Podia não ter feito diferença em um contexto maior, mas mantê-los em segurança foi a minha tentativa, ainda que modesta, de frustrar os planos dos asteri.

Tharion não sabia o que fazer além de curvar a cabeça e admitir:

— Emile não era um pássaro-trovão, apenas um humano. Ele está escondido agora.

— E você escondeu isso de mim.

O rio estremeceu em virtude do descontentamento dela.

— Eu achei que seria melhor para o garoto desaparecer no mundo por completo.

A governante analisou o rosto dele de novo por um longo tempo.

— Eu vejo o macho que você é — afirmou a Rainha do Rio, e foi o tom mais gentil que ele já ouvira vindo dela. — Eu vejo o macho que você se tornará. — Ela acenou com a cabeça para Sathia. — Que vê uma fêmea em apuros e não pensa nas consequências para si mesmo antes de ajudar. — Outro aceno de cabeça, sério e contemplativo. — Queria ter visto mais desse macho aqui. Queria que você tivesse sido esse macho para a minha filha, mas se for esse macho agora, e for esse macho para o bem desta cidade… — Ela fez um gesto com a mão, e os sobeks nadaram para longe em um comando silencioso. — Então a Corte Azul ajudará. Quem quer que consigamos trazer para cá antes que os navios de guerra fiquem sabendo… Qualquer pessoa, de qualquer Casa: eu as abrigarei.

* * *

A Harpia era apavorante. Hunt conseguia *sentir* a ausência nela. O vazio emanando dela.

Os asteri a tinham ressuscitado dos mortos, mas deixado a alma de lado.

Eles tinham evitado os necromantes, que usavam a alma de alguém para a ressurreição, e em vez disso haviam criado um soldado perfeito para ficar a postos ali: um que não sentia frio nem fome, e que não tinha qualquer escrúpulo.

E tudo isso viera de seu relâmpago. De seu Fogo do Inferno. Ele sabia, lá no fundo, que não era sua culpa, mas… ele dera aquele relâmpago a Rigelus.

E isso criara o pesadelo à sua frente.

Rigelus devia ter adivinhado que eles iriam à Fenda do Norte, e plantara a Harpia ali para ficar à espreita.

Hunt acionou o relâmpago, fazendo as névoas brilharem de maneira sinistra ao redor, mas Bryce murmurou:

— O que eles fizeram com você?

A Harpia não respondeu. Não demonstrou sinal algum de que tinha ouvido ou que se importava. Como se tivesse perdido a voz. A própria identidade.

— Frita essa escrota — disse Bryce a Hunt, e ele não perdeu tempo em mandar uma nuvem de relâmpagos para cima da Harpia.

Ela se esquivou, as asas pintadas de branco rápidas como sempre...

Não, não tinham sido pintadas de branco. Tinham *virado* brancas. Como se o que fosse que os asteri tivessem feito com ela, com o auxílio do relâmpago de Hunt, houvesse desbotado a cor das asas.

Hunt lançou outro relâmpago, então outro, e ele poderia ter iluminado a porra do céu inteiro se não fosse aquele halo de merda...

— Athalar! — Uma voz masculina familiar retumbou da névoa acima deles.

Hunt não ousou tirar os olhos da Harpia ao reconhecer a voz. Isaiah.

— Mas que *porra*... — disse uma foz feminina também familiar. Naomi.

Mas foi a terceira voz, vinda de trás dele enquanto a pessoa pousava na neve, que provocou calafrios pelo corpo de Hunt.

— Mas que novo horror é esse?

A governadora de Valbara tinha chegado.

* * *

Bryce não sabia o que era pior: Celestina ou a Harpia. A fêmea que os tinha apunhalado pelas costas ou a que tinha literalmente tentado cortar a garganta de Ruhn.

Ela e Hunt não conseguiam dar conta de duas inimigas ao mesmo tempo... não em uma temperatura congelante, totalmente esgotados depois de abrir a Fenda, com as névoas obscurecendo quase tudo.

A Harpia atacou, e Hunt lançou o relâmpago tão rápido que só o mais ágil dos anjos conseguiria se esquivar do ataque. A Harpia conseguiu e se atirou para baixo, a névoa deslizando pelas asas brancas, indo direto para cima de Bryce. Ela rolou para fora do caminho, e a Harpia caiu no chão, a neve explodindo ao redor, mas logo ela estava de pé de novo, lançando-se na direção de Bryce.

Isaiah atingiu a Harpia com uma muralha de vento, jogando-a para trás, mas Celestina estava a menos de um metro de distância, e Hunt já estava girando para ficar de frente para ela...

Bryce abriu o zíper da jaqueta grossa, o vento frio logo lhe fustigando a pele. Ela pegou a Máscara.

E não deu aviso algum antes de colocar o dourado gélido no rosto.

* * *

Usar a Máscara era como estar debaixo da água, ou em uma altitude muito alta. A cabeça de Bryce se encheu com o poder da coisa, o sangue vibrou, pulsando em harmonia com a presença na cabeça, nos ossos. O mundo pareceu se diluir à essência básica: vivo ou morto. Ela estava viva, mas, com a Máscara, ela poderia até escapar da própria morte e viver para sempre.

A luz em seu peito zumbiu, recebendo de bom grado o poder como um velho amigo.

Bryce colocou a repulsa de lado. Hunt estava preparando o relâmpago para atacar Celestina, as névoas brilhando a cada crepitação, e a Harpia tinha rompido o poder de Isaiah e ia novamente na direção de Bryce...

— Pare — comandou Bryce à Harpia.

Era a sua voz, mas ao mesmo tempo não era.

A Harpia estacou no lugar.

Todos estacaram no lugar.

— Bryce — sussurrou Hunt, mas aquilo soou distante para ela.

Ele estava vivo, e agora ela estava lidando com os mortos.

— Ajoelhe-se.

A Harpia caiu de joelhos na neve.

Celestina começou a falar:

— Que arma maligna você…

— Cuido de você depois — interrompeu Bryce naquela voz que ressoava por ela e deixava ondulações na névoa.

Até a arcanjo ficou calada enquanto Bryce se aproximava da Harpia. Ela olhava de cima para aquele rosto estreito e abominável. Sem nenhuma alma.

Um corpo sem piloto.

Bryce foi tomada por uma sensação do mais puro horror, apesar do abraço profano da Máscara. Talvez fosse um ato misericordioso, pensou ela ao olhar para o rosto irado e vazio da Harpia. Talvez fosse um ato misericordioso fazer aquilo.

Não havia alma à qual se agarrar, a qual comandar. Apenas o corpo. Contudo, a Máscara pareceu entender o que era preciso.

— Seu trabalho acabou — afirmou Bryce, a voz reverberando pela paisagem congelada. — Descanse em paz.

Foi nauseante… e ainda assim um alívio observar a Harpia fechando os olhos e desabando no chão. A pele começou a definhar, o corpo reivindicando a forma que tinha conhecido na morte.

As maçãs do rosto se afundaram, decompondo-se sobre a face da Harpia. Bryce sabia que, debaixo da armadura branca do anjo, o corpo dela estaria fazendo a mesma coisa.

Quando a Harpia jazia dissecada na neve, Bryce enfim removeu a Máscara… e viu Naomi, Isaiah e Celestina a encarando, tomados pelo choque e pelo pavor.

79

— Nada feito — disse Ruhn ao celular enquanto ia com Lidia mais uma vez serpenteando pelos esgotos —, eles não estavam nas tendas particulares dos triários. Ficamos esperando por horas, mas estão desertas. Ninguém indo nem vindo. A julgar pelos quartos de Isaiah e Naomi, já tem dias que ninguém vai lá.

Lidia andava adiante, com o pescoço inclinado para a frente enquanto checava o celular descartável que tinha levado consigo do *Cargueiro das Profundezas*... anos atrás, ao que parecia.

— Então o que fazemos? — perguntou Flynn. — Continuamos esperando? Dec conseguiu hackear os computadores do Aux enquanto eu checava a área, mas também não encontrou nada sobre as movimentações deles. Não parece nem que o Aux sabe que eles foram embora.

Com os asteri dispostos a punir qualquer um que fosse pego associado a eles, tinha sido mais seguro observar o Aux de longe, em vez de falar diretamente com alguém. Isso sem contar o risco de acabar sendo dedurado para os asteri por alguém com pretensões de subir na hierarquia.

Ruhn parou para pensar.

— Se Isaiah e Naomi estão desaparecidos, Celestina provavelmente quer que a ausência deles passe despercebida.

Ao fundo, Declan perguntou:

— Você acha que ela os matou?

— É possível — respondeu Ruhn quando Flynn colocou a ligação no viva-voz. — Vamos voltar lá amanhã, ver se conseguimos descobrir mais alguma coisa. Vocês dois fiquem alerta para qualquer sinal deles. Chequem as praças em que ocorrem as crucificações.

— Puta que pariu — murmurou Flynn.

— Vou tentar acessar as imagens de segurança do Comitium — ofereceu Dec. — Talvez lá tenha algo que dê uma luz pra gente.

Ruhn suspirou.

— Tenha cuidado. Vamos nos encontrar ao pôr do sol… na parte mais distante a nordeste da intersecção, logo depois do campo de tiro.

— Entendido — responderam Flynn e Dec e encerraram a ligação.

Ruhn e Lidia andaram por volta de mais um quarteirão em meio ao silêncio e ao fedor antes de ele dizer:

— Uma vez você me fez dormir com uma história, sobre uma bruxa que virava um monstro.

— O que que tem?

Ela lançou um olhar de soslaio a ele.

— É uma história real, ou você a inventou?

— Era uma história que minha mãe me contava — respondeu ela baixinho. — A única que lembro de ela contar quando eu era criança antes de ela… abrir mão de mim.

Ele estivera prestes a perguntar se as similaridades entre o príncipe maligno e Pollux, o cavaleiro gentil e ele próprio, tinham tido uma intenção profética, mas com a tristeza na voz dela…

— Sinto muito que você tenha passado por isso, Lidia. Não consigo nem pensar em fazer isso com uma criança. A ideia de deixar minha própria filha ir para os braços de alguém estranho…

— Mas eu fiz isso — interrompeu ela, olhando para a frente, para o nada. — O que minha mãe fez comigo, fiz exatamente a mesma coisa com meus filhos.

Ele sentiu o coração se apertar com a dor e a culpa na voz dela.

— Você confiou seus filhos a uma boa família…

— Eu não sabia disso. Não fazia ideia de com quem eles morariam.

— Mas a alternativa era levá-los com você.

— Talvez eu devesse ter levado. Talvez eu devesse ter fugido para a selva com eles e vivido lá escondida para sempre.

— Que tipo de vida teria sido essa? Você deu a eles uma vida de verdade e feliz no *Cargueiro das Profundezas.*

— Uma mãe de verdade teria...

— Você *é* uma mãe de verdade — afirmou ele, segurando a mão dela e a fazendo se virar em sua direção. — Lidia, você fez uma escolha impossível: decidiu proteger seus filhos, mesmo isso querendo dizer que não os veria crescerem. Porra, se isso não faz de você uma mãe de verdade, então eu não sei o que faz.

Um lampejo de dor passou pelo rosto dela, e Ruhn a abraçou enquanto ela se encostava em seu peito.

— Eles eram a única coisa que me faziam continuar — confessou ela. — O que me faziam passar por todos os horrores era saber que os dois estavam lá, seguros, e que minhas escolhas garantiram isso a eles.

Ele desceu a mão pelas costas de Lidia, deleitando-se na sensação do corpo dela, oferecendo qualquer conforto que podia. Os dois ficaram daquele jeito por longos minutos, apenas se abraçando.

— Já te falei uma vez — disse ela contra seu peito — que você me faz lembrar que estou viva.

Ruhn beijou o topo da cabeça de Lidia em resposta, sentindo os cabelos dourados sedosos dela contra a sua boca.

— Por um bom tempo, eu não estive — continuou ela. — Eu fazia meu trabalho como a Corça, como Daybright... tudo isso para manter meus filhos seguros e fazer o que eu achava que era certo, mas eu não sentia nada. Na maior parte dos dias eu era quase que um espectro, ocupando a casca de um corpo. Mas então conheci você, e foi como se eu estivesse de volta ao meu próprio corpo. Como se eu... despertasse. — Ela recuou, analisando o rosto dele. — Eu não acho que estava acordada de verdade até conhecer você.

Ele sorriu para ela, com o coração cheio demais para palavras. Então a beijou com gentileza, com amor.

Ela colocou a mão na dele enquanto seguiam adiante, mas Ruhn a fez parar de novo, por tempo o suficiente para inclinar a cabeça de Lidia para trás e a beijar outra vez.

— Eu sei que ainda temos umas coisas para resolver — disse ele encostado à boca dela —, mas... namorada, amante, o que quiser ser, eu topo.

Os lábios dela se curvaram contra os dele em um sorriso.

— Eu agradeço a Urd todo dia por Cormac ter pedido para você ser meu contato.

Ruhn se afastou, sorrindo.

— Ainda estou te devendo uma cerveja.

— Se sobrevivermos a isso, Ruhn, *eu* compro uma cerveja para você.

Ruhn sorriu de novo e colocou o braço ao redor da cintura dela enquanto caminhavam para a penumbra. Andaram em um silêncio acolhedor e confortável por vários quarteirões antes de o celular de Lidia vibrar e ela o sacar do bolso para checar a tela.

— É do *Cargueiro das Profundezas* — informou ela, parando para abrir a mensagem.

Ele observou os olhos dela correndo pela tela... até que pararam. As mãos de Lidia começaram a tremer.

— Pollux — sussurrou ela, e Ruhn ficou imóvel. Ela ergueu os olhos para ele, e seu olhar era de um pânico total ao falar: — Ele levou meus filhos.

* * *

Hunt não se permitiu pensar muito a respeito... na imponência profana de Bryce usando a Máscara. No que ela conseguira fazer com a Harpia.

Ele se virou para Celestina, Isaiah e Naomi atrás dela, todos trajando equipamentos pesados de inverno. As asas brancas de Isaiah e da governadora ficavam quase invisíveis em contraste com a neve. Os rostos deles, porém, estavam tensos e chocados.

— O que estão fazendo aqui? — perguntou Hunt.

— O que é isso? — sussurrou Naomi, ignorando a pergunta, com os olhos fixos no objeto dourado nas mãos de Bryce.

— A morte — respondeu Isaiah, com o rosto pálido. — Aquela máscara... é a morte.

Hunt questionou de novo:

— O que estão fazendo aqui?

Isaiah voltou o olhar a Hunt.

— Estávamos rastreando aquela *coisa*. — Ele gesticulou para o monte de roupa que instantes antes tinha sido a Harpia ressuscitada.

— Os antigos contatos de Celestina aqui informaram que o posto da guarda na muralha tinha sido atacado por alguma nova coisa apavorante, então viemos todos depressa para cá, com medo de que fosse algo do Inferno...

— Por que não mandaram uma legião? — perguntou Hunt, observando os dois anjos que outrora foram seus companheiros mais próximos. — Por que virem vocês mesmos?

— Porque os asteri nos mandaram recuar — revelou Naomi —, mas alguém ainda tinha que acabar com a carnificina.

Hunt encontrou o olhar de Celestina, e o rosto impecável da arcanjo estava impassível.

— Estão andando sem a coleira, é?

O olhar dela se iluminou com a raiva.

— Eu me arrependo do que fiz com você e com os seus, Hunt Athalar, mas era necessário para...

— Me poupe — disparou Hunt. — Você nos traiu e nos entregou aos asteri...

— Hunt — interrompeu Isaiah, erguendo a mão. — Olha, tem muito rancor aqui...

— Rancor? — repetiu Hunt, explodindo. — Eu fui parar na porra do *calabouço* por causa dela! — Ele apontou para a governadora. Bryce se aproximou dele, uma presença reconfortante ao seu lado. Ele gesticulou para a própria testa, pouco visível por causa do equipamento. — Eu tenho esse *halo* na testa por causa dela!

Celestina apenas ficou ali parada, tremendo.

— Como falei, eu me arrependo do que fiz. Isso me custou mais do que você sabe. — Ela pareceu estar piscando para conter as lágrimas. — Hypaxia... terminou nosso relacionamento.

— O que houve, sua namorada não gostou do fato de você ser uma cobra duas-caras? — rebateu Hunt.

— Hunt — murmurou Bryce, mas ele não estava nem aí.

— Era para você ser uma pessoa *boa* — continuou Hunt, com a voz falhando. — Era para você ser a arcanjo boa, mas você é até pior do que Micah. — Ele cuspiu, e a saliva virou gelo antes de cair na neve. — Pelo menos ele não escondia quando estava sacaneando alguém.

O relâmpago se remexeu nas veias dele, querendo se libertar.

— Hunt — disse Naomi —, o que a governadora fez foi uma merda, mas...

— Ela foi contra as ordens dos asteri para vir aqui — completou Isaiah. — Vamos sair do frio e conversar...

— Pra mim já deu de ficar de papinho de merda — cortou Hunt, e seu poder se agitou. — Pra mim já *deu* de arcanjos e dessa *putaria* de vocês.

Seu relâmpago sibilou pela neve. Quando sua visão piscou, ele soube que o relâmpago tinha se bifurcado em seus olhos.

Celestina ergueu as mãos enluvadas.

— Eu não quero brigar com você, Athalar.

— Pois que pena — respondeu Hunt, e o relâmpago deslizou por sua língua. — Eu quero brigar com você.

Ele não avisou mais antes de lançar o poder na arcanjo. Ele deu tudo de si, porém ainda assim não foi o suficiente. O poder foi se engasgando por causa das limitações, restringido pelo halo.

Uma coleira para refrear demônios.

Não tinha funcionado nos príncipes. Nem ferrando ele permitiria que continuasse funcionando nele.

Hunt deixou que o poder fosse crescendo. A neve ao redor dele derreteu.

Apollion tinha concedido a própria essência, o Fogo do Inferno, para Hunt. E se aquilo fazia dele um filho do Inferno, que assim fosse.

Hunt fechou os olhos e lá viu... a tira preta do halo, gravada na própria alma. O formato da videira de espinhos. O feitiço para contê-lo.

Todos sabiam que o feitiço de escravidão não poderia ser desfeito. Hunt nunca tinha tentado, mas estava de saco cheio de seguir as regras dos asteri. De seguir as regras de qualquer um.

Hunt esticou uma mão mental em direção aos espinhos pretos do halo. Envolveu os dedos em relâmpago, em Fogo do Inferno, no poder que era dele e só dele.

E cortou a coisa.

Os espinhos do halo tremeram e sangraram. Tinta preta começou a escorrer, dissolvendo-se em nada, engolida pelo poder que emergia nele no momento, crescendo...

Hunt abriu os olhos para ver Isaiah de queixo caído, encarando-o com medo e admiração. O halo ainda maculando a testa de seu amigo.

Não mais.

Saber onde estava, como destruí-lo, facilitava. Hunt esticou um tentáculo de poder na direção de Isaiah, e antes que o amigo pudesse recuar, cortou com uma linha o halo na testa dele.

Isaiah sibilou, cambaleando para trás. Um vento estrondoso e raivoso subiu de seus pés enquanto seu halo também despencava da testa.

Celestina revezava o olhar entre os dois, o pavor estampado no rosto.

— Isso não é… Isso não é…

— Eu sugiro que você corra — afirmou Hunt, a voz tão congelante quanto o vento que chicoteava os rostos deles.

Contudo, Celestina endireitou a postura. Manteve-se firme. E com uma valentia que Hunt não esperava, ela perguntou:

— Por que *você* está aqui?

Como se ele fosse se distrair com a pergunta, como se aquilo fosse atrasar o destino que a esperava…

Bryce respondeu por ele:

— Para abrir a Fenda do Norte para o Inferno.

Naomi se virou para Bryce e rebateu:

— Quê?

Isaiah, estupefato demais com a remoção do halo para prestar muita atenção à conversa, encarava as próprias mãos, como se pudesse ver o poder irrefreado que elas agora empunhavam.

Celestina balançou a cabeça.

— Vocês perderam o juízo. — Ela fincou os pés no chão, e um poder branco e cintilante brilhou ao redor de si. — Você quer brigar comigo, Athalar, vá em frente, mas você não vai abrir a Fenda.

— Ah, acho que vamos, sim — respondeu Hunt e então lançou o relâmpago para cima dela.

O mundo se rasgou ao colidir com uma muralha do poder dela, e Hunt lançou mais relâmpago, a neve se derretendo, a própria pedra debaixo deles se curvando e se deformando enquanto o relâmpago acertava, e de novo e de novo…

— Athalar! — gritou Naomi. — Mas que porra…

Celestina propeliu o poder, uma muralha de vento brilhante.

Hunt fez o próprio relâmpago atravessar a barreira. Ele estava farto de arcanjos. Das hierarquias deles. Farto de...

Isaiah se colocou no meio da rixa, erguendo as mãos.

— Pare — pediu ele, e o poder brilhou nos olhos de seu amigo. — Athalar, pare.

— Ela merece morrer... todos os malditos arcanjos merecem morrer pelo que fizeram conosco — afirmou Hunt entre dentes.

Mas de repente ocorreu a ele que Bryce não estava mais ao seu lado.

Ela estava correndo de volta na direção da Fenda, com a luz estelar brilhando. Um brilho tão intenso... com os dois outros pedaços da luz de Theia agora unidos com o que Bryce tinha desde que nascera, a luz dela brilhava tanto quanto o sol. O sol *era* uma estrela...

— Não! — gritou Celestina, e seu poder se irrompeu.

Hunt golpeou a arcanjo com o relâmpago com tanta força que despedaçou o poder dela, jogando-a para trás na neve com um baque.

As asas de Celestina ficaram espalhadas, arremessando neve em todas as direções, o sangue escorrendo do nariz e da boca dela.

— Não faça isso! — clamou ela para Bryce, e continuou, arfando: — Passei *anos* da minha vida evitando que a Fenda fosse aberta. Encontre uma alternativa. Não faça isso.

Bryce estacou no lugar, fazendo com que a neve voasse para os lados por causa de sua parada abrupta. Aquela luz magnífica ardia no peito dela, projetando um clarão brilhante na neve. Com a respiração ofegante, Bryce respondeu à arcanjo:

— Os Príncipes do Inferno ofereceram ajuda, e Midgard precisa dessa ajuda, quer você saiba disso ou não. Hunt e eu já matamos dois arcanjos. Não nos faça matá-la também.

Hunt olhou para Bryce de forma questionadora. Como se houvesse uma alternativa que não fosse matar Celestina...

— Vocês... Vocês mataram Micah e Sandriel — sussurrou Celestina.

— Eles eram mais fortes que você — comentou Hunt —, então não estou botando muita fé nas suas chances.

O relâmpago de Hunt irrompeu ao redor dele, pronto para atacar, para esfolá-la de dentro para fora, como ele fizera com Sandriel.

Mas Celestina arregalou os olhos castanhos para o relâmpago dele, libertado das amarras e se espalhando pelo mundo. Ela nunca tinha visto totalmente o que ele conseguia fazer... não tivera a chance naquelas semanas em que eles haviam trabalhado juntos.

— Como é que... como é que você tem o poder dos arcanjos sendo que não é um? — questionou ela.

— Porque eu sou o Umbra Mortis — retrucou Hunt, a voz tão implacável quanto o gelo ao redor deles.

E ele nunca tinha se sentido mais portador daquele título do que ali encarando Celestina, e soube que, com um golpe no coração dela, ela não passaria de restos flamejantes e sangrentos.

Celestina abaixou o olhar e caiu de joelhos. Como se ela mesma também soubesse.

Uma nuvem de relâmpago puro e bruto se ergueu por cima do ombro de Hunt, uma áspide pronta para dar o bote. Ele olhou para Bryce, esperando pela confirmação para incinerar a arcanjo.

Mas Bryce olhava para ele com tristeza.

— Você não é, Hunt — disse ela com suavidade, com amor.

Ele não entendeu as palavras, ficando sem reação.

Bryce deu um passo à frente, a neve fazendo um barulhinho sob seus pés.

— Você não é o Umbra Mortis — afirmou ela. — No fundo, nunca foi e nunca será.

Hunt apontou o dedo envolto de relâmpago para Celestina.

— Ela e toda a raça dela deveriam ser exterminados da face de Midgard.

— Talvez — respondeu Bryce com gentileza, dando outro passo. A luz estelar dela foi se apagando até sumir. — Mas não por você.

Ele sentiu asco. Nunca na vida ele tinha odiado Bryce, mas naquele momento, com ela duvidando dele, Hunt odiou.

— Ela não merece morrer, Hunt.

— Ela merece sim, caralho — disparou ele. — Eu lembro de cada um deles... de todos os anjos que marcharam contra nós no monte Hermon, todo o Senado, os asteri, e os arcanjos em meu julgamento. Lembro de *todos* eles, e ela não é melhor do que eles eram. Ela não é melhor que Sandriel, que Micah.

— Talvez — repetiu Bryce, a voz ainda gentil, ainda apaziguadora. Ele odiou aquilo também. — Ninguém a está perdoando, mas ela não merece morrer, e eu não quero o sangue dela nas suas mãos.

— Onde que estava essa misericórdia toda com o Rei Outonal? Você não deteve Ruhn na época.

— O Rei Outonal não tinha feito nada ao longo daquela vida extensa e desgraçada a não ser causar dor. Ele não merecia nem um aviso prévio, que dirá minha misericórdia. Ela, sim.

— Por quê? — Ele olhou para a parceira, a raiva se amenizando um pouco. — *Por quê?*

— Porque ela cometeu um erro — respondeu Naomi, dando um passo à frente com a expressão aflita. — E desde então está tentando consertar as coisas. Isaiah e eu não a acompanhamos até aqui porque ela ordenou. Queríamos ajudá-la.

Hunt apontou para a Fenda a poucos centímetros de Bryce.

— Ela vai impedir que você abra a Fenda.

— Não vou — prometeu Celestina, mantendo a cabeça curvada. — Eu me rendo.

— Deixe-a em paz, Hunt — disse Bryce.

— Morven se rendeu, e você o matou — rebateu Hunt, irritado.

— Eu sei — retorquiu Bryce. — E vou ter que viver com isso. Eu não quero que carregue o mesmo fardo. Hunt... Já temos inimigos o suficiente. Deixe-a em paz.

— Eu juro pelo próprio Solas — pronunciou Celestina, o maior juramento que um anjo poderia invocar — que vou ajudar vocês, se estiver ao meu alcance.

— Eu não vou acreditar na palavra de uma arcanjo.

— Bem, nós vamos precisar dessa arcanjo — avisou Bryce, e a ira de Hunt se esvaiu um pouco mais ao olhar para ela de novo.

— Como assim?

Bryce olhou para o corpo da Harpia, metade derretido devido à colisão entre o relâmpago de Hunt e o poder de Celestina. A pedra ao redor tinha sido deformada; o relâmpago dele tinha alterado a própria pedra. Bryce se aproximou de Hunt, esticando a mão para segurar a dele.

O relâmpago dele correu a pele de Bryce, mas ele não permitiu que causasse dor. Ele jamais a machucaria.

— Você disse que está comigo… você por inteiro — murmurou Bryce, olhando para ele e somente para ele. — Deixe o passado para trás. Concentre-se no que está adiante. Temos um mundo para salvar, e eu preciso do meu parceiro ao meu lado para fazer isso. Ninguém mais… não um filho do Inferno, não o Umbra Mortis, nem mesmo Hunt Athalar. Eu preciso do meu *parceiro*. Só Hunt.

Ele viu tudo aquilo nos olhos dela: que não importava o que acontecesse, quem ele fora e o que fizera; para ela realmente não importava. Ter sido criado no Inferno não importava para ela. Mas Bryce tinha captado quem ele era, lá no fundo, naquelas fotos na última primavera. A pessoa que ela tinha trazido ao mundo. A pessoa que ela amava.

Só Hunt.

Então ele deixou de lado. Deixou de lado o relâmpago, a morte zumbindo em suas veias. Deixou de lado os sorrisinhos zombeteiros de Apollion e Thanatos. Deixou de lado a ira pela arcanjo diante dele, e os arcanjos que existiram antes dela.

Só Hunt. Ele gostava disso.

O relâmpago sumiu, chiando até desaparecer por completo. E ele disse para Bryce, como se ela fosse a única pessoa em Midgard, em qualquer galáxia:

— Eu te amo, *Só* Bryce.

Ela deu uma risadinha de deboche e deu um beijo suave na bochecha dele.

— Agora que não pretende mais matar Celestina… — Bryce tirou a Máscara da jaqueta de novo. — Vamos lá montar um exército.

— Que exército? — sussurrou Isaiah.

— Vamos ressuscitar os Caídos — respondeu Bryce, jogando a Máscara no ar e a pegando de novo como se fosse a porra de uma bola de solebol.

Os joelhos de Hunt cederam com o choque.

— Você disse que usaríamos a Máscara para lutar contra os asteri.

— E vamos — confirmou Bryce, jogando a Máscara para cima e a pegando de novo. — Problema seu se não pediu detalhes sobre *como* vamos usá-la contra eles.

Não, ele tinha presumido que ela colocaria a Máscara e aquilo a concederia vantagem para matá-los.

Hunt balançou a cabeça.

— Você perdeu o juízo.

Bryce parou de jogar a máscara para cima ao ouvir aquilo, e retorquiu com um tom de voz mais suave:

— Nós precisamos de uma distração para os asteri. O Inferno não vai ser o suficiente, mas um exército de mortos, um exército dos Caídos, vai ser bem o que precisamos. Um exército que não precisará morrer de novo. E Isaiah e Naomi vão liderá-los.

— É por isso que você mandou Ruhn e Lidia para buscá-los — comentou Hunt baixinho, ainda chocado.

Isaiah lançou um olhar inquisitivo a ele, mas foi Bryce quem respondeu:

— Isso. Eu pensei que se conseguíssemos trazê-los para cá, e então pegar a Máscara de Nestha... talvez funcionasse.

— Mas como vai ressuscitá-los? — questionou Hunt. Bryce contara a ele que Nestha havia usado os ossos de uma besta. — Os corpos deles se deterioraram...

— Os asteri mantiveram as asas deles — disse Bryce, com o nojo impregnado em cada palavra. — Eles mantiveram as asas *deles*, como troféus. Mas como não tinham Veleiros, acho que parte da alma deles ainda pode estar atrelada.

Hunt esfregou o próprio rosto congelado.

— E aí o quê... Você vai ter um monte de asas para ficar voando por aí?

Ela lançou um olhar afiado a ele.

— Não. Bem, sim... mas só para levá-los até onde precisamos das almas deles.

— Você disse que a Máscara consegue ressuscitar corpos mortos... não conceder novas almas a corpos.

— É o que eu vi Nestha fazendo — revelou Bryce. — Mas a luz de Theia...

Formando conchas com as mãos na frente do peito, ela conjurou a luz ardente e bela. Iluminou as névoas, fazendo a neve aos pés dele cintilar.

— Uau — sussurrou Naomi.

O que Bryce tinha tirado do peito naquele dia durante o ataque na última primavera era uma fração da luz que ela portava ali entre as mãos no momento.

— Isto — começou Bryce, o rosto brilhando em meio à luz estelar — parece reconhecer a Máscara, de algum jeito. Quando eu visto a Máscara, consigo sentir a atração entre os dois poderes. Talvez seja algo na luz de Theia. Acho que consegue comandar a Máscara a fazer… coisas diferentes.

— Esse não é o momento para experimentos — alertou Hunt.

— Eu sei — admitiu Bryce —, mas eu acho que só seria preciso um tantinho dos mortos, e eu conseguiria transformá-los em novos. Não dar uma vida de verdade a eles, mas as almas deles retornariam… assumiriam novas formas. O que é diferente… diferente do que os asteri fizeram com a Harpia.

— Aquela máscara consegue mesmo ressuscitar os mortos, então — disse Naomi com a voz rouca.

Bryce confirmou com a cabeça.

— Os Caídos não receberiam corpos novos e vivos, mas sim… eles conseguiriam nos ajudar.

— Mas que tipo de corpos, então? — perguntou Isaiah, lançando um olhar nervoso a Hunt.

— Do tipo que os asteri já fizeram para nós — respondeu Bryce em um tom mais baixo. — Misturas perfeitas de magia e tecnologia.

— Os novos mec-trajes — constatou Hunt. — Os que os asteri deixaram no monte Hermon.

Bryce assentiu, séria.

— Eu acho que Rigelus deixou aqueles trajes lá em cima para provocar vocês, mas já é hora de explodir a porra toda na cara dele. Lidia disse que os trajes não precisam de pilotos para funcionarem, então não precisamos nos preocupar com nenhuma interferência física. Dec pode hackear o sistema de computação deles e bloquear o acesso imperial enquanto as almas dos Caídos se fundem com os mec-trajes e os pilotam sob o comando de Naomi e Isaiah.

Mas fazer o que ela estava sugerindo…

— Não podemos fazer isso — murmurou Hunt, rouco, as asas pendendo para baixo. — Eu *não* posso pedir a eles para morrerem por nós de novo, mesmo que já estejam mortos. Os Caídos já se sacrificaram demais.

Bryce foi até ele e segurou sua mão.

— Nós precisamos daqueles trajes sendo pilotados pelos Caídos, ou eles serão usados contra *nós* pelos asteri. Precisamos dos asteri e das forças deles bem ocupados.

Mas o coração de Hunt estava pesado.

— Bryce.

— Vai ser a decisão deles retornar ou não, pilotar aqueles trajes ou não. Vou dar a escolha a eles, quando os ressuscitar. E vou estar com você em cada momento. — Ela acenou com a cabeça na direção de Isaiah e Naomi. — Eles vão comandar os Caídos. Você não precisa mais carregar esse fardo. Eu vou precisar de você comigo... no palácio dos asteri.

Ele fechou os olhos, absorvendo o cheiro dela. Celestina poderia ter atacado naquele momento, mas a arcanjo continuou de joelhos.

E, assim como tinha feito no dia que Hunt dera à Sandriel o que ela merecia, Isaiah de repente se ajoelhou diante dele. Naomi fez o mesmo.

— Eu não sou um arcanjo — disse Hunt, firme. — E eu não concordei em liderar vocês dois, então levantem-se.

Foi Celestina quem respondeu:

— Talvez a era dos arcanjos tenha chegado ao fim.

— Você parece feliz com isso.

— Eu ficaria, caso acontecesse — confirmou Celestina, levantando-se. — Eu lhe falei uma vez: Shahar era minha amiga. Eu posso não ter tido a coragem de lutar ao lado dela na época... — Ela ergueu o queixo. — Mas agora tenho.

Ele não acreditava nela.

— E o que *você* vai ficar fazendo enquanto isso?

Bryce respondeu antes que Celestina pudesse fazê-lo:

— Ela vai para a fortaleza de Ephraim. — Com o olhar surpreso de Hunt e de Celestina, Bryce explicou: — Ele é o arcanjo mais próximo da Cidade Eterna. Precisamos que ele se mantenha ocupado. Se Ephraim se juntar à luta, as coisas se complicam.

Celestina assentiu, séria.

— Eu vou me certificar de que ele não chegue a cento e cinquenta quilômetros da capital.

— Como? — interrogou Hunt. — Amarrando-o?

— Vou fazer o que for preciso para dar um fim nisso — afirmou Celestina de queixo erguido.

Hunt apontou para a Fenda.

— Vamos abrir a Fenda para o *Inferno*. Um momento atrás você não parecia animada com a ideia.

Celestina olhou de Hunt para Bryce.

— Isso vai contra tudo pelo qual eu trabalhei, mas... realmente parece que tudo o que vocês dois fizeram foi levando em conta o melhor para as pessoas inocentes de Midgard. Eu não acho que vocês abririam a Fenda se isso fosse colocar os mais vulneráveis em perigo.

— Ah, é? — disparou Hunt. — E onde *você* estava quando os Prados de Asphodel viraram pó na explosão?

Aquilo fez o olhar de Bryce se endurecer que nem gelo. Um arrependimento genuíno surgiu na expressão de Celestina.

— Foi a gota d'água, Hunt — contou Isaiah. — Por isso que nós... ela... desobedecemos aos asteri. Eles não deram aviso algum. Os navios atracaram em Istros e disseram que era para a nossa proteção. Eu nem sabia que os navios conseguiam enviar mísseis aéreos àquela distância.

Os cílios de Naomi estavam perolados com lágrimas que logo viraram gelo quando ela complementou:

— Foi a coisa mais covarde, imperdoável... Não concordamos com isso. Nenhum de nós. Nem Celestina, e com certeza nem a 33ª.

Hunt olhou para Bryce e viu apenas a dor e a determinação fria refletidas nos olhos. Ela tinha razão. Eles já tinham inimigos o suficiente. E inimigos que precisavam pagar.

E ele podia até não confiar em uma sílaba que saía da boca da arcanjo, mas se Isaiah e Naomi acreditavam em Celestina, aquilo tinha um peso. Isaiah, que tinha sofrido sob os arcanjos tanto quanto Hunt, estava ali, ajudando Celestina, sabendo que ela tinha traído o amigo dele. Isaiah não era um babaca qualquer sem coragem nenhuma. Ele era bom, inteligente e corajoso.

E Isaiah estava ali.

Então Hunt disse:

— Tudo bem. Vamos tocar a campainha do Inferno.

* * *

Hunt ainda tinha relâmpago o suficiente para impulsionar Bryce de novo. A energia a atravessou e foi para dentro do portão, para dentro do coração da Fenda do Norte.

O ímpeto dela, escaldante com aquela luz estelar pura, mudou de lugar de novo.

Celestina, Isaiah e Naomi ficaram um passo atrás, todos brilhando com o poder, preparando-se para o pior.

A escuridão impenetrável se espalhou dentro do arco, rompida apenas por dois olhos azuis cintilantes.

O Príncipe Aidas apareceu ali, vestido de maneira impecável, todo de preto, sem um único fio dourado de cabelo fora do lugar. Ele analisou o terreno congelante, com o sol se pondo depois de um curto tempo de luz do dia.

Bryce fez um gesto grandioso e amplo com o braço enquanto o Príncipe do Desfiladeiro atravessava a Fenda do Norte.

— Bem-vindo de volta à Midgard — cumprimentou ela. — Espero que sua estadia seja agradável.

80

— Então — disse Jesiba, tamborilando os dedos na mesa —, o doguinho vai tentar vender a ideia do remédio contra verme para um monte de lobo e volta para casa como um Primo.

Ithan ignorou a alfinetada.

— Eu preciso que você me coloque em contato com o Sub-Rei — afirmou ele.

Ele tinha tomado banho nas barracas no Covil e vestido as roupas sem graça do Aux, depois dado uma passada rápida para falar com Perry e os outros antes de correr de volta para a Casa de Chama e Sombra. Ele era Primo, sim, e tudo o que aquilo implicava, mas…

— Por quê?

— Eu preciso ver meu irmão. E considerando o desastre que foi das últimas duas vezes que me envolvi com os mortos… não vou cometer o mesmo erro uma terceira vez. Preciso da ajuda do Sub-Rei.

Ithan andou de um lado ao outro no escritório de Jesiba.

— Mais uma vez: por quê?

Ele olhou direto para ela.

— Porque Connor está tentando falar comigo.

Ele tinha ouvido aquele uivo do Quarteirão dos Ossos e soubera de quem era. Quem o chamava.

Enquanto Ithan se trocava, Hypaxia tinha entregado o antídoto no Covil, para aqueles que o aceitavam. Perry havia sido a primeira na fila, ao que parecia. E não fora uma ômega que estivera diante de Ithan quando ele tinha ido ver como ela estava ao sair do Covil.

Ithan não havia ficado por tempo o bastante para descobrir o que Perry era, quais poderes ela e os outros tinham obtido, por tanto tempo enterrados na linhagem dos lobos. Ele tinha dado a ordem de que aquele novo conhecimento deveria ficar restrito ao Covil, e os lobos haviam concordado.

Haviam obedecido a ele.

— Você estava certa — disse Ithan para Jesiba — sobre precisar de um plano. Eu não faço ideia do que estou fazendo.

— Você podia ter umas aulinhas com Quinlan sobre estar dois passos à frente.

Ithan lançou um olhar irritado a ela.

— Novidades sobre Avallen?

— Ela ligou faz duas horas. Querendo um favor, como sempre. E uma atualização sobre sua evolução. — A feiticeira deu um sorrisinho. — E quando contei o que Hypaxia tinha conseguido, óbvio que ela pediu que você levasse o antídoto a ela.

— Quando? Onde?

Jesiba deu outro sorrisinho.

— À Cidade Eterna. Amanhã. Acho que Quinlan já se cansou de ser enrolada. Ela mandou levar alguns lobos, se tiver alguns para lhe servir de suporte.

Ithan apenas ficou encarando a feiticeira. Não apenas *ser* Primo, como *agir* como Primo...

— Vai haver uma batalha?

— Eu não sei — Jesiba o olhou com seriedade —, mas se eu fosse você, levaria os doguinhos e os lobos vulneráveis para esconderijos seguros. Não o Covil, não em Lunathion. Faça com que sejam evacuados para um lugar bem fundo na selva, no subterrâneo, e então leve os melhores guerreiros que tem à Cidade Eterna.

— Não há muitos no Covil... a maioria está fora.

— Então leve quem estiver por lá. Vai ser melhor que nada.

Ithan andou para um lado, então para o outro.

— Talvez eu devesse ter deixado Sigrid naquele tanque. Teria sido melhor que ser uma ceifadora. — Não havia a quem culpar pela situação de Sigrid a não ser ele mesmo. Ithan esfregou a testa. — Olha, eu preciso ver meu irmão. Uma última vez.

— Impossível.

Ithan mostrou os dentes.

— Eu sei que você pode pedir ao Sub-Rei. — Ele não esperou por resposta antes de questionar: — Você sabe… da secundalux? Que nossas almas são alimento para o Sub-Rei e os asteri?

— Sei.

Ithan balançou a cabeça.

— E isso não te incomoda?

— Lógico que me incomoda, vem me incomodando há quinze mil anos. Mas é apenas um braço da besta de muitas cabeças que é o domínio dos asteri.

Ithan passou as mãos no rosto.

— Você pode me ajudar ou não?

Ele precisaria de toda a ajuda que conseguisse. Não era um líder. A julgar pela bagunça na qual ele tinha enfiado Sigrid, não estava apto a tomar decisões por ninguém. Ele havia tentado salvá-la e falhara… falhara de uma maneira espetacular. Aquela tinha sido só uma vida. Com todos os lobos valbaranos sob a responsabilidade dele no momento…

Ele tentou não pensar no pânico e no pavor debilitantes.

Jesiba ficou calada por um instante, então respondeu baixinho:

— Deixe-me ver o que consigo fazer, doguinho. — Ela torceu a boca para o lado. — Traga Hypaxia com você.

* * *

Bryce tinha acabado de entrar na cabine da guarda quando o celular tocou. Ela tinha precisado de um segundo, um maldito segundo sozinha… para digerir a enormidade do que tinha feito.

Ela havia jogado os próprios pais no mundo dos feéricos.

Bryce sempre tinha encontrado certo conforto em saber que não importava o que fizesse, ou onde estivesse, Ember Quinlan e Randall Silago estavam em Nidaros… que Ember e Randall *existiam* e sempre estariam dispostos a lutar por ela. Lutar *com* ela, sabendo bem quem era a sua mãe. Ter consciência daquilo também era conforto.

E agora eles tinham… partido. Estavam vivos, sim, mas do outro lado do universo.

Eles poderiam ter ficado em Avallen, seguros com todo o resto das pessoas, com Cooper, mas ela precisara deles. Precisara deles para barganhar com Nestha, mas também precisara saber que seus pais estavam categoricamente fora do alcance dos asteri.

Bryce sabia que era egoísmo. Covardia. Contudo, não se arrependia.

Embora ela quisesse mesmo *um segundo* para digerir tudo. Por isso estava na cabine da guarda.

Até o celular tocar.

Ela tinha estado fora da área de cobertura além da muralha, então não fazia ideia de se era o timing de Urd ou se seu irmão estivera tentando falar com ela aquele tempo todo. Bryce atendeu no primeiro toque.

— Ruhn?

— Eu preciso que você volte para cá.

— O que houve?

O pânico permeava cada palavra dele:

— Pollux interceptou o *Cargueiro das Profundezas* quando as pessoas estavam descendo na margem das névoas de Avallen. Ele matou um monte de seres do mar... Eu não sei como, mas ele sabia dos filhos de Lidia. Pollux os levou. Eles estão presos no palácio.

Bryce quase deixou o celular cair. Do lado de fora, Hunt era uma sombra contra a escuridão e a neve, os companheiros deles como sombras ao redor dele.

— Imagino que os asteri tenham descoberto como nos atrair para eles — respondeu Bryce baixinho.

— O *Cargueiro das Profundezas* nos mandou uma cápsula de transporte... Estamos prestes a entrar em uma agora com Flynn e Dec e seguir para a Cidade Eterna — informou Ruhn com a voz rouca. — Mas se aquelas crianças estiverem nos calabouços...

Bryce sentiu o estômago se revirar.

— Está bem — sussurrou ela. — Sim, lógico. Está bem. Vamos pegar o helicóptero agora mesmo.

Ruhn soltou uma respiração trêmula.

— Você... fez o que precisava fazer lá?

— Fiz — confirmou Bryce e saiu para o vento uivante e o frio brutal.

Hunt e Aidas estavam um perto do outro, fazendo planos. Isaiah e Naomi ficaram a uns metros de distância, intervindo quando necessário, mas mantendo-se afastados, como se não estivessem muito confortáveis com a ideia de estarem na presença de um Príncipe do Inferno. Celestina tinha partido para a fortaleza de Ephraim alguns momentos antes, suas asas brancas de um brilho ofuscante com a luz ricocheteavam na neve. Ela o manteria ocupado, prometera ela de novo antes de ir embora, com um último aceno de cabeça para Hunt que não fora retribuído.

Atrás de Hunt e dos outros, estendendo-se ao longe, marchavam os exércitos do Inferno. Eles cobriam por inteiro os quase quarenta quilômetros desde a muralha até a Fenda ainda aberta.

Horrores profanos... principalmente aqueles animais de estimação que tinham sido libertados na Cidade da Lua Crescente naquela primavera. Bryce nunca estivera tão feliz de ter o amuleto archesiano no pescoço, embora ponderasse se o objeto conseguiria deter aquele *tanto* de demônios, caso resolvessem que era hora de um lanchinho.

A julgar pelos ombros tensos de Hunt, ela sabia que a horda era tão inquietante para ele quanto para ela. Humanoides chifrudos com asas coriáceas que pareciam soldados de infantaria. Bestas reptilianas brancas igual a osso e que rastejavam de quatro, cães de guerra. Seres esqueléticos com mandíbulas grandes demais, sobrepostos com dentes tipo agulhas que brilhavam com uma gosma esverdeada. Havia mais, muitos mais: coisas que deslizavam, que voavam, que analisavam Midgard com olhos leitosos e sem enxergar e ladravam com a expectativa da sede de sangue.

Hunt não fez comentário algum sobre as fileiras infinitas de pesadelos. Ele tinha passado a vida caçando as mesmas criaturas que no momento lutavam por eles. Quantos que marchavam agora do Inferno estavam também cientes daquilo? Quantos deles tinham adentrado a Cidade da Lua Crescente alguns meses antes e, com júbilo, destilado dor e morte?

Mas daquela vez, fiéis à palavra do príncipe, as bestas se comportaram. Quanto aos soldados, Bryce não olhou muito de perto para os rostos debaixo das armaduras, nem para as asas pontiagudas se protuberando sobre as fileiras, as mãos com garras segurando lanças.

Eles não falavam, não rosnavam. A respiração fazia curva sob os visores dos capacetes com cada passo no ar frígido. Cada passo mais adentro em Midgard.

O Inferno inteiro, pronto para o ataque.

Ela precisava confiar que aquela se provaria ser a escolha certa.

— Diga à Lidia que estamos indo — disse Bryce a Ruhn, ainda na chamada. O estrondo dos pés, cascos e garras sacudiu a terra coberta pela neve. — E diga que não estamos indo sozinhos.

81

— Acho que já vi esse filme — murmurou Ithan para Hypaxia, os dois parados no Cais Preto, cada um com um Marco da Morte na mão. — Você, eu, o Sub-Rei...

— Nosso melhor amigo — retrucou Hypaxia em tom de ironia, as brumas do Quarteirão dos Ossos formando uma muralha impenetrável pelo rio. Ela gesticulou para a água. — Podemos?

Ithan assentiu, e os dois lançaram os Marcos da Morte no rio. Os objetos mergulharam com um barulho suave, e ondulações se espalharam de dentro para fora em uma única direção: sul. A direção do Quarteirão dos Ossos. E sumiram em meio à bruma.

No silêncio subsequente, Ithan ousou dizer:

— Jesiba disse que você e a governadora estavam... hã... juntas. Por quanto tempo?

Ela se virou para Ithan, com uma expressão dolorosa.

— Um tempinho, mas não estamos mais.

— Mesmo enquanto ela estava com Ephraim?

— O negócio dela com Ephraim é um contrato político. O que ela e eu temos... tínhamos... — Hypaxia balançou a cabeça, o luar banhando em prateado os cachos escuros. — Eu tenho certeza de que Jesiba disse que eu fui ingênua.

— Talvez — respondeu ele, resguardado.

Hypaxia olhou para onde seu Marco da Morte havia desaparecido sob a superfície.

— Todo mundo me avisou, sabe? Que não se pode confiar em arcanjos. Que eles são doutrinados em campos de treinamento secretos, que são fantoches dos asteri. Só que ela passou aquele tempo todo em Nena, e pensei que isso tivesse acabado com a influência que os asteri tinham sobre ela. — Hypaxia mordiscou o lábio, então acrescentou: — Pelo jeito serviu de incentivo para ela fazer o que fosse preciso para conseguir sair daquele pedaço de terra congelado.

— Nós... nós todos tomamos decisões erradas. — Ele soltou o ar. — Deuses, isso soou estúpido.

Hypaxia riu baixinho.

— De todo jeito, agradeço. — Ela voltou a ficar séria. — Mas quando eu soube o que ela tinha feito... Bom. Sinto saudade da minha mãe na maioria dos dias, sobretudo nos últimos tempos. Ainda mais depois de tudo o que aconteceu com Celestina. — Ela indicou as névoas do outro lado. — Então entendo por que quer falar com seu irmão.

— Sinto muito pela sua mãe.

— A maioria das pessoas diz que eu já devia ter superado a morte dela, mas... — Os ombros de Hypaxia penderam para baixo. — Não sei se vai ter um dia em que eu não sinta como se houvesse um buraco no meu coração no lugar em que ela costumava estar.

— Uhum — murmurou ele, sentindo um aperto no peito. — Eu sei como é. — Então pigarreou. — Você não conseguiu... hum... ressuscitar sua mãe com a necromancia?

— Não — respondeu Hypaxia, séria. — Ela tomou medidas para se certificar de que a alma dela não caísse nas garras do Sub-Rei. E mesmo se eu conseguisse, ela ficaria ressentida por eu usar isso por um motivo tão... egoísta.

— Mas ela é sua mãe.

— Ela também é minha rainha. — Hypaxia ergueu a cabeça. — Seria uma vergonha para ela saber que sou uma desertora entre as bruxas e renunciei a coroa. Então, não. Não quero vê-la. Não conseguiria encará-la, mesmo que tivesse a chance.

— Mas você ainda é bruxa, não? Quero dizer, tudo bem... agora você está na Chama e Sombra, mas você não deixou de ser bruxa.

Jesiba podia ter rejeitado o título, mas aquilo fora uma escolha dela.

— Ainda sou bruxa — confirmou Hypaxia, fechando as mãos na lateral do corpo. — Isso ninguém pode tirar de mim.

Ithan analisou as tábuas pretas sob os pés. Precisava conseguir o Veleiro para o Primo. Para Sabine também, supunha.

Mas será que tinha mesmo? A alma do Primo não existia mais. Não havia nada a ser oferecido ao Quarteirão dos Ossos além de um corpo vazio. E se o povo de Lunathion visse o barco do Primo tombar, sem entender o porquê... Ele não poderia permitir aquilo.

Deixaria de bom grado que Sabine passasse pela humilhação de todo mundo ver o barco dela tombar. Também ficaria feliz em permitir que a alma dela seguisse vivendo no Quarteirão dos Ossos até chegar a hora de virar carne misteriosa para os asteri, mas, para começar, teria que decidir se ela merecia um Veleiro.

Deuses, ele queria que Bryce estivesse ali. Ela saberia o que fazer. *Só fatie-a em pedacinhos bem pequenos e enfie-a no triturador de lixo.*

Ithan soltou um som de deboche e rezou para o rosto brilhante de Luna lá em cima, pedindo que a amiga estivesse em segurança... e em movimento.

Um barco preto surgiu entre as brumas adiante, deslizando bem na direção de Ithan e Hypaxia, aguardando no cais. Exatamente como Jesiba prometera que faria.

Ithan engoliu em seco.

— O táxi chegou.

* * *

Ithan sabia que era o Primo dos Lobos Valbaranos, mas com certeza não se sentia um. A coisa toda era uma piada. Ele era só... um cara. Beleza, um com mais poder do que percebera, mas agora havia pessoas que dependiam dele. Ithan precisava tomar decisões.

Pelo menos quando era capitão de solebol os treinadores lhe diziam o que era para fazer. Agora ele era treinador e capitão, tudo junto.

E, levando em conta a quantidade de merda que havia feito nos últimos tempos e como a escolha em ajudar Sigrid a tinha conduzido para um destino totalmente desastroso… Deuses, ele realmente não se sentia nadinha como um Primo.

Só que tentava pelo menos parecer um — coluna ereta, ombros para trás — enquanto ele e Hypaxia se prostravam diante do Sub-Rei em um templo à Urd feito de pedras cinzentas.

O Sub-Rei estava sentado em um trono debaixo de uma estátua monstruosamente grande que ilustrava uma figura erguendo uma tigela de metal preta entre as mãos. Havia símbolos gravados na tigela, que continuavam pelos dedos, pelos braços e depois pelo corpo da figura. Ithan poderia apenas presumir que tivesse a intenção de representar Urd. Nenhum outro templo ilustrava a Deusa, ninguém nem ousava… A maioria das pessoas alegava que era impossível retratar o destino em qualquer forma única. Contudo, parecia que os mortos, ao contrário dos vivos, tinham uma imagem dela. E aqueles símbolos que se estendiam da tigela à pele dela… eram como tatuagens.

Era estranho, mas pareciam familiares. Ithan não teve tempo de ponderar a respeito do tema, porque logo ele e Hypaxia curvaram a cabeça para o Sub-Rei.

— Agradeço pela reunião — disse Ithan, tentando manter a respiração sob controle.

Rezava para que nenhum cão de caça que o Sub-Rei havia mandado atrás deles no Equinócio de Outono estivesse à espreita nas sombras turvas.

Pelo menos não havia nenhum ceifador. Nenhum sinal de Sigrid, fosse lá para onde tivesse ido. Mais uma cagada com a qual ele teria que lidar… mas em outro dia. Se conseguisse permanecer vivo para ver outro dia, lógico.

Os dedos esqueléticos e esmirrados do Sub-Rei tamborilavam nos braços do trono.

— Primo — disse ele a Ithan —, fico honrado em ser sua primeira visita política. Embora eu acredite que, segundo o protocolo, uma reunião com a governadora devesse ter sido sua prioridade. — Ele lançou um olhar para Hypaxia. — A menos que a presente companhia torne tais responsabilidades… desconfortáveis.

Os olhos de Hypaxia cintilaram, mas ela não disse nada.

Haviam ido ali por um motivo, então Ithan ignorou a provocação do Sub-Rei e disse:

— Escute... hã... Vossa Majestade — murmurou ele, o que fez o Sub-Rei abrir um sorriso que revelava a arcada dentária amarronzada e envelhecida. Ithan tentou não estremecer. — Jesiba Roga disse que Vossa Majestade concordou que fizéssemos um pedido. Eu gostaria de falar com meu irmão, Connor Holstrom.

O Sub-Rei se voltou à Hypaxia.

— Eu não havia dado a você obrigações a cumprir?

— Ficar entregando bolsas de sangue a vampiros não é um bom uso do meu tempo — retrucou Hypaxia, com uma autoridade impressionante.

— Devo designá-la a servir aos ceifadores? — Um sorriso cruel. — Eles gostariam de dar uma provadinha em você, menina.

— Só quero cinco minutos com meu irmão — interrompeu Ithan.

— Com que propósito?

O Sub-Rei se inclinou à frente.

— Preciso dizer umas coisas a ele.

— O adeus que você nunca pôde dar — provocou o Sub-Rei.

— Sim — confirmou Ithan, com a voz severa.

O Sub-Rei inclinou a cabeça.

— E promete não alertá-lo sobre o que o aguarda?

— De que importa se eu alertar? Ele já está preso aqui — rebateu Ithan, gesticulando para o templo, para a terra estéril além.

— Não tenho interesse algum em desassossegos civis... mesmo entre os mortos — declarou o Sub-Rei. — E muito desassossego atrairia atenção e perguntas indesejadas.

Dos asteri, sem dúvida.

Ithan cruzou os braços.

— Não parecia ser seu posicionamento quando entregou meus amigos a Pippa Spetsos.

— Pippa Spetsos se disponibilizou a expandir meu reino de modo significativo — explicou a criatura. — Era um investimento para meus ceifadores... para mantê-los contentes e alimentados.

Ithan bloqueou da mente a imagem do corpo destruído do Primo, de como Sigrid havia sugado a alma dele.

— Por que os ceifadores desertaram Apollion e se juntaram a você? — perguntou Hypaxia, calma.

O Sub-Rei estremeceu.

— Não fale o nome dele aqui.

— Desculpa — murmurou Hypaxia.

Ela não parecia nada arrependida.

Contudo, o Sub-Rei se recompôs.

— No Inferno, os ceifadores governavam os vampiros e se alimentavam deles. Quando os vampiros desertaram e migraram para este mundo, os ceifadores seguiram sua fonte de alimento e descobriram que os outros seres em Midgard eram um verdadeiro banquete. Então deixaram os vampiros por conta própria, alimentando-se à vontade do restante do povo.

Ithan não conseguiu evitar estremecer daquela vez. Não conseguia imaginar como era o Inferno, se ceifadores e vampiros ficavam perambulando pelo local…

— Mas você não é do Inferno — contrapôs Hypaxia.

— Não. — Os olhos leitosos do Sub-Rei focaram em Ithan. — Nasci do Vácuo, mas meu povo… — Ele abriu um sorriso cruel. — Não eram desconhecidos aos seus ancestrais, lobo. Fiquei à espreita enquanto eles invadiam Midgard de modo desmedido. Este lugar é bem mais adequado para atender minhas necessidades que as cavernas e os sepulcros aos quais me confinavam.

Ithan hesitou.

— Você veio do mundo dos metamorfos?

— Vocês não eram conhecidos como metamorfos na época, garoto.

— Então o quê…?

— E ela — prosseguiu o Sub-Rei, gesticulando para a representação incomum de Urd que se erguia imponente acima dele — não era uma deusa, mas uma força que governava mundos. Um caldeirão de vida, transbordando com a língua da criação. Urd, eles a chamam aqui… uma versão corrompida do verdadeiro nome dela. Wyrd, nós a chamávamos no antigo mundo.

— Tudo bem — interveio Hypaxia —, mas o pedido do meu amigo…

— Vá falar com seu irmão, garoto — disse o Sub-Rei devagar, de modo quase melancólico. Como se aquela conversa toda sobre seu antigo mundo o tivesse exaurido. — Você tem sete minutos.

A boca de Ithan ficou seca.

— Mas onde…?

O Sub-Rei apontou para a saída atrás deles.

— Ali.

Ithan se virou. E lá estava Connor, tão vibrante quanto fora em vida, parado à soleira do templo.

82

Ithan não sabia se ria ou se chorava ali sentado com o irmão nos degraus à frente do templo. Hypaxia continuou lá dentro, conversando baixinho com o Sub-Rei.

Connor estava com a mesma aparência que estivera da última vez que Ithan o vira, torcendo nas arquibancadas do jogo de solebol... exceto pela luz azulada que circundava seu corpo. A marca de um fantasma.

Ithan havia descoberto do jeito difícil o que aquilo significava; havia tentado abraçar o irmão, mas os braços o atravessaram direto.

Sete minutos. Menos que isso agora.

— Tem tanta coisa que quero dizer a você — começou Ithan.

Connor abriu a boca, mas nenhum som saiu.

Ithan ficou sem reação.

— Você não... não consegue falar?

Connor negou com a cabeça.

— Nunca? Ou só... agora?

Connor fez "nunca" com a boca.

— Mas Danika falava com Bryce...

Connor deu um tapinha no próprio peito, como se para dizer "aqui dentro".

Ithan esfregou o rosto.

— O Sub-Rei *sabia* que você não podia falar, caralho, e...

O azul brilhou em sua vista quando Connor colocou a mão no ombro de Ithan. O gesto não tinha peso algum, mas o olhar que o irmão lançou a ele, um olhar compassivo e preocupado...

— Me desculpe por não estar lá — disse Ithan, com a voz falhando.

Connor balançou a cabeça devagar.

— Eu deveria ter estado lá.

Connor colocou um dedo nos lábios dele. *Não diga mais nada.*

Ithan engoliu em seco, tentando desfazer o nó na garganta.

— Eu sinto saudade de você todo dia. Queria que estivesse comigo. Eu... Porra, eu estou com problemas até o pescoço, e ter meu irmão comigo me ajudaria muito.

Connor inclinou a cabeça. *Conte-me.*

Ithan contou. Da forma mais sucinta que poderia, ciente de cada segundo que corria. Sobre Sigrid, Sabine e o Primo. Sobre quem ele era agora. Sobre o parasita e o antídoto.

Ithan checou o celular ao acabar. Só restavam dois minutos. Connor abriu um sorriso leve.

— Que foi? — perguntou Ithan.

O irmão colocou a mão no próprio peito e curvou a cabeça, um sinal de respeito ao Primo.

Ithan lançou um olhar feio a ele.

— Não tem graça.

Connor ergueu e balançou a cabeça. Não havia nada além de orgulho em seus olhos.

Ithan sentiu o nó na garganta.

— Eu não sei o que fazer. Como ser Primo. Como consertar essa merda com Sigrid... se é que *dá* para consertar. Não podemos mais contar com o relâmpago de Athalar, no fim das contas. Talvez eu seja um escroto por não priorizar Sigrid, mas preciso ajudar Bryce e os outros primeiro. Estou perdido pra cacete. E... tem mais coisas que não posso contar. Eu queria contar, mas...

Connor olhou para atrás deles, para o templo e o Sub-Rei lá dentro. Quando teve certeza de que os dois estavam mesmo sozinhos, ele estendeu a mão para Ithan. Uma semente cintilante de luz nela. Connor levou a mão à própria boca e fingiu comê-la.

— Você sabe? — sussurrou Ithan. — Sobre a secundalux?

Connor assentiu.

Ithan bufou.

— Lógico que a Matilha dos Demônios descobriria.

Mas Connor enfiou a mão no bolso e então colocou algo no chão entre os dois.

Um projétil.

Era feito do mesmo metal fedorento do Marco da Morte. Como se tivesse sido criado a partir de todas aquelas moedas jogadas no rio. Quaisquer propriedades que o metal tivesse, deveriam ter possibilitado que a bala fosse tocada e manuseada pelos mortos.

— Eu não entendo — murmurou Ithan. — O que é isso?

Connor começou a gesticular, rápido demais para Ithan acompanhar. Mas vestes farfalharam na pedra, e Ithan pegou a bala preta antes que o Sub-Rei aparecesse entre as colunas do templo e declarasse:

— Seu tempo acabou.

Connor olhou para a mão de Ithan, então de novo para o rosto do irmão, os olhos implorando para que ele entendesse o que queria dizer.

— Só mais um minuto — implorou Ithan. — Por favor.

— Você já foi agraciado com mais do que a maioria dos mortais recebe. Seja grato.

— Ser grato — sussurrou Ithan enquanto Hypaxia parava ao lado do Sub-Rei. — Pelo quê? Por meu irmão estar *aqui*? — O grito dele ecoou pelas colunas cinzentas, pelo cascalho, pelas névoas vazias.

Connor sinalizou para que ele calasse a boca. Ithan o ignorou.

— Eu me recuso a aceitar. — Ithan estava espumando de ódio, as garras reluzindo na ponta dos dedos. — Que *isso* é o melhor que se pode ter...

— Lembre-se de seu juramento, doguinho — alertou o Sub-Rei.

Ithan se eriçou.

— E o que você é além de um alienígena bizarro que tirou vantagem deste mundo?

Connor estava olhando para Ithan no momento... com os olhos arregalados, incentivando-o a ficar calado, a recuar.

Mas aquela coisa que havia despertado em Ithan no momento que o parasita desaparecera não queria sumir. Encarava a criatura ali de cima, aquela *coisa* do mundo natal de seu povo, e via o Sub-Rei pelo que era de verdade.

Inimigo, entoou seu sangue, e falava de cavernas sob colinas, de sepulturas saqueadas e escuridão almiscarada. *Inimigo.*

O rosnado de Ithan fez com que as nuvens de bruma se partissem, ricocheteando pelo templo. O gelo se curvou na ponta de seus dedos. Até Connor se afastou, surpreso.

— O que é isso? — questionou o Sub-Rei, também dando um passo para trás, na direção do interior do templo.

Ithan olhou para as próprias mãos. Para o gelo formando crostas nelas.

Inimigo.

Os mortos calados e os que sofriam… Ithan não permitiria mais aquilo.

— Saia do meu reino — ordenou o Sub-Rei, e Ithan sentiu o cheiro do medo dele.

Surpresa e pavor. Como se também reconhecesse Ithan como um inimigo antigo.

O Sub-Rei deu outro passo para trás, para quase dentro do templo, e escorregou no gelo puro. Endireitando-se, com as vestes esvoaçando, ele ergueu a mão esquelética, e Ithan soube bem no fundo que seria para invocar os cães de caça.

Ithan não deu a ele a oportunidade.

O gelo encrostou a mão mirrada do Sub-Rei. E então o braço. Depois o ombro…

— Pare com isso *agora*! — berrou o Sub-Rei.

Mas o gelo continuou se espalhando, cobrindo-o. Ithan deixou. Que aquele macho visse como ele era um assassino implacável, que visse que não toleraria mais que seu irmão, os pais, ou *qualquer pessoa* que ele amava passasse por aquela porra.

Chega de Veleiros. Ele nunca mais iria a um.

Havia destruído sozinho a linhagem Fendyr. Por que não destruir a Morte também?

O Sub-Rei abriu a boca para gritar, mas o gelo de Ithan cobriu o rosto e o corpo dele. Um revestimento frio tão completo que Ithan conseguia sentir no próprio coração. Ouvia o vento gélido, capaz de matar em segundos.

Ithan se entregou. Despejou tudo no ser preso nos degraus diante dele como uma estátua.

Sabia que Connor observava, horrorizado, e não ousou desviar o foco do Sub-Rei para interpretar a expressão de Hypaxia.

Ithan ficou tão frio que esqueceu o que era o calor. Esqueceu do fogo, do sol e...

Connor parou à sua frente, rosnando.

O foco de Ithan titubeou, mas em vez do nojo e do desgosto que ele pensou que veria no rosto de Connor, havia apenas angústia e preocupação.

— Bem, definitivamente é um jeito de calar a boca do velho fanfarrão — comentou Jesiba Roga, à espreita nas sombras do interior do templo.

Ithan se virou, mas Jesiba disse a Hypaxia, que estava tensa e com o corpo vibrando de poder ao lado da coluna ali perto:

— Vá em frente.

A antiga bruxa-rainha não golpeou com o poder reluzente, apenas pegou um braseiro apagado ao lado da entrada do tempo e o ergueu. Com o rosto duro que nem pedra, Hypaxia brandiu o metal escuro.

E o Sub-Rei explodiu em estilhaços de gelo cintilantes.

83

Houve um silêncio alarmante enquanto Ithan observava o monte de gelo que outrora fora o Sub-Rei... sem sentir nada.

O Sub-Rei estava morto. Extinto.

Ithan o havia matado.

— Pelo jeito, vamos precisar de um novo Líder para a Casa — disse Jesiba com calma para Hypaxia, que olhava para o Sub-Rei, evidentemente consternada com o que fizera.

Com o que eles fizeram.

— Quando fui acertá-lo — confessou Hypaxia baixinho para Ithan, ignorando Jesiba —, coloquei um pouco de poder no golpe.

Hypaxia estendeu a mão ensanguentada para Ithan, que percebeu que seu corpo também sangrava devido à explosão dos estilhaços de gelo afiados como lâminas. Rios de vermelho escorriam por suas mãos e seu rosto. A aparência de Hypaxia não estava muito melhor.

Ithan segurou a mão dela com a própria mão ensanguentada. A mão dela brilhou, e os dois se curaram. Os cortes do rosto de Hypaxia sumiram... os do dele também, a julgar pelo formigamento que sentiu na pele. O mais rápido que ele já havia visto uma medbruxa fazer.

— Brinquem depois — interveio Jesiba. — Temos um trabalho a fazer.

— Que trabalho? — perguntou Ithan.

— Você mata a coisa, você vira a coisa — declarou Jesiba a Hypaxia. — Você agora é, para todos os efeitos, Chefe da Casa de Chama e Sombra. E deste lugar.

Ela ficou pálida.

— Isso não é possível. Eu não quero esse fardo.

— Azar o seu. Você o matou.

Hypaxia foi para cima de Jesiba, com o rosto contorcido de angústia e fúria.

— Você sabia que isso aconteceria — acusou ela. — Você me fez acompanhar Ithan não para ajudá-lo, mas…

— Suspeitei de que as coisas pudessem se voltar a seu favor — retrucou Jesiba, de modo brando. — Mas mesmo que você tenha herdado este lugar por direito, precisa tomar decisões depressa. Antes que Rigelus fique sabendo.

— Tipo o quê? — questionou Ithan, exigente, olhando para Connor, que ainda estava por perto no topo da escada, observando-os com uma expressão admirada no rosto fantasmagórico.

— Tipo o que fazer com as almas daqui — revelou Jesiba, acenando com a cabeça para Connor.

— Nós as libertamos — proferiu Ithan. — Não precisamos dos Reinos de Quietude para nada, precisamos?

— Não. A morte funcionava muito bem sem eles antes da chegada dos asteri — confirmou Jesiba.

Mas Connor negava com a cabeça.

— Não? — perguntou Ithan.

O irmão gesticulou com a cabeça para o punho fechado de Ithan, que segurava a bala preta. Connor abriu a boca, mas ainda assim, não emitiu som algum.

— Ah, por favor — murmurou Jesiba, virando-se para Hypaxia. — Ordene que ele fale logo.

Hypaxia levantou as sobrancelhas.

— Fale.

Connor exalou de modo audível. Hypaxia era mesmo a dona daquele lugar. Ithan estava maravilhado.

E foi a voz do irmão, a voz que conhecera a vida toda, que insistiu:

— Não nos mande para o éter.

— Connor… — começou Ithan.

Connor manteve o contato visual com Hypaxia.

— Não perca a chance.

Ele começou a descer a escada — quase correndo —, e só o que poderiam fazer era segui-lo. Com aquela graciosidade forte e convicta, o irmão percorreu o caminho vazio ladeado por obeliscos de entalhes estranhos. O caminho até o Portão dos Mortos, o cristal abafado em meio à penumbra.

Só quando estavam diante do portão, Connor voltou a falar:

— Essa bala — Connor acenou com a cabeça para a mão de Ithan —, fomos nós quem fizemos... os mortos. Para Bryce. — Ele abriu um sorriso leve e melancólico ao pronunciar o nome. — Para usar no Rifle Matador de Deuses.

— O que tem de especial nela? — perguntou Jesiba.

— Nada ainda, mas foi criada para nos portar. Nossa secundalux — explicou Connor. Como se em resposta, o Portão começou a brilhar. — Tínhamos planejado entrar em contato com Jesiba... para pedir que, por meio do cargo na Chama e Sombra, contatasse um de vocês. — Connor levantou um dos ombros. — Mas quando você apareceu aqui, Ithan, com o Sub-Rei distraído... Bem, foi antes do que tínhamos planejado, mas todo mundo estava pronto. Acho que Urd garantiu isso.

Depois de tudo o que Ithan tinha ouvido e vivenciado, não duvidava da alegação do irmão.

— Então eles começaram o êxodo através do Portão. Estavam acabando quando fui chamado a lhe encontrar — finalizou Connor.

Um condutor, como o que Bryce havia extraído da nascente.

— Toda a nossa secundalux, cada alma aqui... É sua para colocar nessa bala. Use-a com sabedoria — revelou Connor baixinho.

Ithan sentiu um nó na garganta.

— Mas se você... se você virar secundalux...

— Eu já morri, Ithan — disse Connor, em tom suave. — E não consigo pensar em um jeito melhor de acabar com minha existência do que desferindo um golpe por todos os nossos ancestrais que foram presos e consumidos pelos asteri. — Ele acenou com a cabeça para a bala, o Portão brilhante iluminando seu rosto. — Leia o que está gravado nela.

Memento Mori. As letras reluziam na luz clara do Portão.

Jesiba deu uma risada baixinha.

— Pegou a ideia de mim, foi?

Connor abriu um sorriso de canto de boca. Ithan quase desabou com o meio-sorriso. Deuses, ele havia sentido falta daquilo. Sentido falta do irmão mais velho.

Mas o Portão dos Mortos brilhou com mais intensidade… como se tivesse chegado a hora. Como se não pudesse comportar por muito mais tempo todas aquelas almas, a secundalux que haviam se tornado.

— Você me dá orgulho, sabe? Todos os dias antes de hoje, todos os dias a partir do amanhã. Nada do que fizer vai mudar isso — disse Connor a Ithan.

Algo irrompeu no peito de Ithan.

— Connor…

— Diga a Bryce — interrompeu Connor, com os olhos brilhando enquanto se aproximava do Portão brilhante, uma parede de luz que agora cintilava no arco vazio — para fazer o tiro valer.

Connor deu um passo para dentro do arco e desapareceu na parede de luz.

Ele havia partido. E daquela vez foi tão insuportável e insondável quanto ter tido o irmão ali, quanto vê-lo, quanto falar com ele e perdê-lo de novo…

A luz começou a se esmaecer e se contrair, pulsando, e Ithan era capaz de jurar que ouviu o sibilar dos ceifadores avançando sobre eles ao longe. A luz oscilou e implodiu, condensando-se em uma sementinha de luz pura.

Flutuou no arco do Portão, vibrando com tanto poder que os pelos nos braços de Ithan se eriçaram.

— Coloque-os dentro da bala — ordenou Jesiba a Ithan, que desenroscou a tampa da bala e, com cuidado, se aproximou da semente.

Todas as almas das pessoas ali… Os sonhos dos mortos, o amor deles pela vida…

Com gentileza, Ithan deslizou a bala ao redor da semente de luz e colocou a tampa de volta. Posicionou a bala entre o polegar e o dedo indicador, a pontinha pressionando sua pele.

Conforme a luz fluía pelo projétil, os dizeres *Memento Mori* foram iluminados por um breve momento, letra a letra.

Então sumiram, o metal escuro austero na luz cinzenta.

— E agora? — perguntou Ithan, rouco, mal conseguindo falar.

Connor havia estado ali, e então partido. Para sempre.

— Eu tenho uns ceifadores com quem lidar — murmurou Hypaxia, observando as brumas ao longe, onde o sibilar estava ficando mais alto.

Ithan abafou o buraco no coração e perguntou:

— E Sigrid?

Hypaxia respondeu com cuidado:

— O que quer que eu faça com ela?

— Só, hã... — Merda, ele não fazia a menor ideia. — Diga que quero falar com ela. — Então elucidou: — Que preciso falar com ela, mas só quando eu voltar da Cidade Eterna.

Se ele voltasse.

Hypaxia assentiu, solene.

— Se eu a encontrar, repasso a mensagem.

— Os ceifadores não vão lidar bem com a mudança no poder — alertou Jesiba.

— Então nomeio você como subcomandante e ordeno que me ajude — retrucou Hypaxia, categórica.

— Fico feliz em ajudar — murmurou Jesiba, analisando as unhas pintadas de vermelho.

— Você não pode matá-los — avisou Hypaxia à feiticeira.

Jesiba abriu um sorriso irônico à bruxa e assentiu para Ithan, que havia se desligado do próprio luto por um instante para focar no olhar frio dela.

— Vá já para Pangera, Primo. E leve essa bala para Bryce Quinlan.

* * *

Tharion não falou, mal respirou, até ele e Sathia estarem de volta ao ar livre. Haviam levado algumas horas para coordenar com os antigos colegas como conduziriam o êxodo a partir da cidade, como fariam a mensagem circular sem alertar ninguém do plano. Em breve, a notícia se espalharia pela Corte Azul, que abrigava refugiados, mas, com sorte, àquela altura eles já teriam conduzido uma boa parte das pessoas até as Profundezas. E então a Corte Azul se trancafiaria, rezando para que o poder da Rainha do Rio fosse páreo para os torpedos de enxofre dos barcos ômega atracados no rio. Era arriscado... mas era um plano.

Foi só após entrarem em um beco escuro para se protegerem que Tharion disse para Sathia:

— Nós conseguimos. Conseguimos, caralho...

Ela sorriu, e foi lindo. *Ela* era linda.

Porém, das sombras do beco, uma voz entoou:

— Mas que reviravolta interessante.

Tharion conseguiu apenas sacar a faca na lateral do corpo e se posicionar na frente de Sathia antes que a Rainha Víbora emergisse para a luz, flanqueada pelos assassinos feéricos dopados e robustos.

— Eu não tenho desavença alguma com você — disse Tharion para a Rainha Víbora, que trajava um dos macacões de costume, daquela vez azul piscina, com tênis de cano alto de camurça em um tom de ametista e cadarços marrons.

— Você incendiou minha casa — respondeu a Rainha Víbora, com os olhos de cobra cintilando na cor verde.

Como os olhos de um ceifador. Os assassinos feéricos atrás dela se mexeram, como se fossem uma extensão da ira da Rainha.

— Colin? — interveio Sathia, e Tharion a viu boquiaberta, olhando para um dos machos feéricos. — *Colin*? Achei que você...

O olhar da Rainha Víbora oscilou entre o enorme macho feérico e Sathia.

— Quem é você?

— Sathia Flynn, filha de Padraig, Lorde Hawthorne. — Sathia levantou o queixo, com o desdém preenchendo cada palavra. — Eu sei quem você é, então não se dê ao trabalho de se apresentar, mas quero saber por que meu amigo está a seu serviço.

Era uma expressão diferente da graciosidade cortês que ela havia demonstrado com a Rainha do Rio. Aquela faceta era imperiosa, gélida e um tanto aterrorizante.

A Rainha Víbora soltou um som de escárnio.

Sathia mostrou os dentes.

— Colin. Afaste-se desse lixo e volte para casa.

O enorme macho feérico olhava para a frente, sem reação. Como havia feito durante todo aquele tempo. Como se não a escutasse.

— Colin — repetiu Sathia, a voz ficando mais severa graças a algo similar a pânico.

— McCarthy não vai responder a menos que eu ordene — revelou a Rainha Víbora, devagar, indo até o macho e passando as mãos com a manicure perfeita pelo peito largo dele. As unhas douradas cintilaram em contraste com o couro preto da jaqueta do feérico. — Mas deixe-me adivinhar: amigo de infância? Guarda feérico pobre e bonitão, garotinha rica e mimada... — Ela curvou os lábios pintados de roxo em um sorriso e deu tapinhas na bochecha do macho, ronronando para ele. — É por isso você veio rastejando para mim? O papai dela não deixou que você a cortejasse?

Tharion sentiu o coração parar ao ver a dor que tomou o rosto de Sathia enquanto ela murmurava, mais para si mesma do que para qualquer outra pessoa:

— Papai disse que você tinha conseguido um novo posto em Korinth.

— Padraig Flynn sempre foi um excelente mentiroso — declarou a Rainha Víbora. — E um cliente ainda melhor. Ele me apresentou a McCarthy, óbvio.

Ela gesticulou para o assassino de rosto inexpressivo.

Sathia ficou pálida.

— Volte para casa, Colin. — A voz dela falhou. — Por favor.

Tharion não fazia ideia de como qualquer um, incluindo o macho dopado, poderia resistir ao apelo naquela voz. Ao rosto de Sathia.

— Tarde demais — respondeu a Rainha Víbora, acenando com a cabeça para Tharion. — Mas você e eu temos assuntos pendentes, tritão.

— Deixe-o em paz — bradou Sathia, mostrando os dentes enquanto chegava mais perto de Tharion. — Não *ouse* tocar nele.

Tharion segurou a mão dela, apertando uma vez como um alerta para que ficasse calada.

— E que autoridade você tem, garota, para me comandar a ficar longe dele?

— Eu sou a esposa dele — revelou Sathia, imponente.

A Rainha Víbora caiu na gargalhada. E Tharion teria jurado que algo parecido com dor surgiu nos olhos azuis brilhantes de McCarthy... só um lampejo.

— Deixe-o em paz — repetiu Sathia, e vinhas se enroscaram em seus dedos. — Tanto ele *quanto* Colin.

— Não estou interessada nessa opção, garota — retrucou a Rainha Víbora, inclinando a cabeça para o lado.

Os assassinos, incluindo Colin, apontaram as armas. Será que ele tinha imaginado, ou a arma de McCarthy havia tremido de leve?

Tharion embainhou a faca e ergueu as mãos, mais uma vez entrando na frente de Sathia.

— Sua rixa é comigo. — Ele havia conseguido fazer o que precisava com a Rainha do Rio. E se Sathia ficasse viúva… poderia se casar de novo, conforme a lei feérica. Talvez até encontrasse uma forma de salvar o pobre coitado do McCarthy e de se casar com ele. Então completou: — Deixe-a ir embora daqui antes de meter uma bala na minha cabeça.

— Ah, eu não vou te matar assim tão rápido — contrapôs a Rainha Víbora. — Sem chance, Ketos.

Ela deu um passo à frente, os assassinos acompanhando-a.

— Se der mais um passo na direção do meu amigo — alertou uma voz feminina conhecida —, você morre.

Os joelhos de Tharion cambalearam quando ele olhou por cima do ombro de um feérico… e viu Hypaxia Enador vindo do cais, com Ithan Holstrom, a personificação do perigo, ao lado.

84

— Eu não recebo ordens de antigas rainhas-bruxas — respondeu a Rainha Víbora.

Os guardas não recuaram nem um pouco, mas a arma de Colin McCarthy estava com certeza tremendo, como se ele estivesse dando de tudo para resistir à ordem.

— E ordens da Chefe da Casa de Chama e Sombra? — retrucou Hypaxia.

As pernas de Tharion bambearam quando ele viu a luz esverdeada que brilhava nos olhos dela.

Sathia o segurou pela cintura, grunhindo enquanto o mantinha de pé.

— Pax? — sussurrou Tharion.

Mas a amiga dele (aquela fêmea que havia sido sua amiga desde o momento em que se conheceram na Cimeira, que sempre parecia ver o macho de verdade por baixo da fachada charmosa) apenas continuou a encarar a Rainha Víbora, ameaçadoramente.

— Se tocar nele, ou na amiga dele, vai fazer com que a ira da Chama e Sombra recaia sobre você.

Holstrom se colocou ao lado dela, transbordando de poder (de *magia*, fria e desconhecida) e acrescentou:

— E a ira de todos os Lobos Valbaranos.

Só havia uma pessoa que poderia alegar aquilo.

O macho diante dele era Primo. Não havia dúvidas. Mas aquele poder estranho emanando dele… que porra era *aquela*?

A Rainha Víbora encarou Ithan, severa, por um bom tempo, e depois Hypaxia.

— Transferência de poder — murmurou ela, sacando um cigarro do bolso do macacão e colocando na boca. — Interessante. — O cigarro subiu e desceu com a palavra, e ela o acendeu, tragando com vontade. Então fixou os olhos de cobra em Tharion. — A recompensa por você segue ativa.

— Esqueça a recompensa — ordenou Ithan, a voz de alfa ecoando.

— Não vou perdoar nem esquecer o que Ketos fez comigo e com os meus, mas ele vai sair vivo daqui hoje... isso permitirei.

Hypaxia a lançou um olhar que emanava desdém.

— *Você* vai sair viva daqui hoje. Isso *nós* permitiremos.

A Rainha Víbora tragou o cigarro de novo e soprou fumaça na direção de Hypaxia.

— Dão uma centelha de poder à bruxa e sobe direto à cabecinha linda dela.

— Vai se foder — bradou Ithan, rosnando.

Mas a Rainha Víbora recuou no beco, assobiando para os assassinos antes de ir embora. Eles se viraram como um só e marcharam atrás dela.

Colin McCarthy nem olhou para trás.

— Mas que *caralho*? — xingou Tharion para Ithan e Hypaxia. O Primo dos Lobos Valbaranos e a Chefe da Casa de Chama e Sombra. — O que aconteceu?

— O que aconteceu com *você*? — perguntou Ithan. — Cadê os outros? Bryce está aqui?

— Bryce? Não... ela está em Nena. Ela...

Aquele não era o momento de se atualizarem das novidades.

Mas então Ithan repetiu:

— Nena? — Então passou as mãos pelos cabelos. — Merda.

— Por quê? — perguntou Tharion.

— Temos que encontrar Bryce. Pra já — respondeu Hypaxia, séria.

— Tudo bem — retrucou Tharion. — Vou ver se consigo falar com ela ou com Athalar.

Hypaxia e Ithan começaram a andar, e Tharion seguiu. Sathia ficou alguns passos atrás. Quando a porta para a Casa de Chama e Sombra pairava diante deles, Hypaxia ergueu a mão, e o objeto se abriu sem fazer barulho. Estava sob o comando dela.

Ithan foi logo entrando, mas Tharion por fim conseguiu dominar o choque o suficiente para questionar à Hypaxia:

— Como foi que você acabou virando...?

— Longa história — interrompeu ela, colocando uma mecha de cachos escuros atrás da orelha. — Vamos entrar primeiro. É o único lugar seguro na cidade.

Tharion olhou para Sathia, cujo rosto estava pálido diante da porta.

— Só um minuto — pediu ele, e Hypaxia assentiu e foi na direção da escuridão.

— Hypaxia é uma amiga — explicou Tharion em tom suave para Sathia. — Nada de mal vai acontecer com você aqui.

Sathia ergueu o olhar, desolado e desesperado, para o rosto dele. Como se tivesse visto um fantasma.

Talvez tivesse mesmo.

— Foi meu Ordálio. — A boca de Sathia estava tão, tão pálida. — Só percebi depois. Depois que Colin... foi embora. Perdê-lo foi meu Ordálio.

Tharion colocou a mão de forma gentil nas costas da esposa, surpreso ao sentir a tensão estranha dentro de si, e a conduziu para a porta.

— Sinto muito — murmurou ele, levando-a em direção à escuridão.

Era tudo o que poderia oferecer a ela.

* * *

— O sinal em Nena está uma merda... Está tendo uma interferência esquisita por lá — anunciou Tharion. Entre todos os lugares possíveis, estavam bem no escritório de Jesiba Roga. — Mas pelas poucas palavras que consegui distinguir, estão a caminho da Cidade Eterna neste exato momento.

— Que bom — respondeu Holstrom, andando de um lado para o outro em frente à mesa de Roga. — Foi o que Jesiba me disse hoje mais cedo. Mas onde nos encontramos?

— Essa é a parte difícil — admitiu Tharion, sentando-se em uma das cadeiras. Sathia, sentada na outra, estava perdida em pensamentos. — O sinal falhou antes que conseguíssemos chegar a essa parte. Tentei ligar para ele de novo, e para Quinlan, e para os pais dela, mas... nada.

— Talvez tenham aberto a Fenda — sugeriu Hypaxia. — A magia do Inferno se infiltrando em Midgard poderia interferir na conexão. A presença de demônios às vezes provoca quedas de energia. Imagine o que um monte deles causaria.

— É possível, mas não muda o assunto em pauta — opinou Holstrom.

O lobo havia mudado... De alguma forma, no decorrer de um dia ele tinha ido de perdido a focado. De lobo solitário a Primo. Tharion conseguiu extrair dele uma história vaga sobre enfrentar Sabine, e sobre Hypaxia abater o Sub-Rei, se tornando Chefe da Casa de Chama e Sombra. Mas, além disso, parecia que haviam evoluído. De modo significativo.

Principalmente Ithan. Até o mais poderoso dos lobos era dotado apenas de habilidades de metamorfose e superforça... não *magia* de verdade. E, ainda assim, Holstrom de repente havia adquirido a habilidade de empunhar gelo. Como se o poder tivesse estado trancado em sua linhagem aquele tempo todo.

Contudo, Tharion afastou o pensamento quando Holstrom acrescentou:

— Precisamos descobrir uma forma de nos juntar a eles.

— Eu tenho certeza de que, se a Fenda está aberta, vamos vê-los chegando a mais de um quilômetro de distância.

— Temos que encontrar Hunt e Bryce *antes* de eles começarem qualquer tipo de confronto com os asteri — insistiu Ithan, então pegou um frasco contendo um líquido claro que estava sobre a mesa. — Hypaxia encontrou uma cura para o parasita dos asteri. Precisamos distribuí-lo ao máximo de pessoas possível.

Tharion ficou sem reação, chocado. Sathia saiu do estado melancólico para prestar atenção.

Então Ithan sacou uma bala comprida e escura do bolso.

— E precisamos entregar isso à Bryce o quanto antes.

— O que é? — perguntou Tharion quando um poder estranho e arcaico vibrou de dentro do projétil preto.

O rosto de Ithan estava sombrio.

— Um presente dos mortos.

85

— Bem, amigos — disse Bryce para Hunt, Declan, Flynn, Ruhn e Lidia.

Haviam se reunido todos em uma van branca sem identificação — parte de uma frota que a Ophion mantinha escondida por Pangera caso um agente precisasse de um veículo de fuga — nos limites da Cidade Eterna. E embora Lidia estivesse agitada com a urgência de salvar os filhos, aquela etapa era necessária.

— Prontos para mudar o mundo? — perguntou ela.

Jesiba havia acabado de mandar a gravação da morte de Micah.

— Vamos botar fogo nessa porra — disse Flynn, e Dec assentiu, digitando no laptop.

— Vamos começar a gravar em trinta segundos — avisou Dec a Bryce, e ela olhou para onde Hunt estava sentado ao seu lado, extremamente calado e pensativo.

Aterrorizado, percebeu ela.

Ele ergueu o olhar, com o medo desolado em sua expressão ao falar com a voz rouca:

— Da última vez que tomei uma atitude dessa, com os Caídos… isso me custou tudo. — Ele engoliu em seco, mas manteve os olhos nos dela. Bryce poderia jurar que o relâmpago cintilou pelas asas dele. — Mas desta vez tenho Bryce Adelaide Quinlan ao meu lado.

Ela segurou a mão dele, apertando com força.

— Amor, estou com você — sussurrou ela, e os olhos dele brilharam, deixando nítido que reconhecera a frase.

Ele dissera a mesma coisa para ela uma vez... no dia que tinham retirado o veneno de kristallos da perna dela.

Hunt apertou sua mão de volta.

— Vamos começar.

Declan fez um sinal, e a luz vermelha na câmera do laptop se acendeu.

Bryce olhou para a lente da câmera e declarou:

— Meu nome é Bryce Quinlan. Herdeira dos Feéricos Estrelados, Rainha dos Feéricos em Avallen e Valbara, mas o mais importante... a filha metade humana de Ember Quinlan e Randall Silago.

Hunt mal parecia estar respirando quando Bryce continuou:

— Este é meu parceiro e marido, Hunt Athalar. E estamos aqui para mostrar a vocês...

Então, bem naquele momento, ela foi tomada por uma onda de nervosismo.

Hunt percebeu e prosseguiu com a fala sem pestanejar:

— Estamos aqui para mostrar a vocês que a República não é toda plena de poderes como fizeram vocês acreditarem. — Ele ergueu o queixo. — Séculos atrás, liderei uma legião, os Caídos, contra os arcanjos, contra os asteri. Vocês sabem como acabou. Naquele dia, no monte Hermon, apenas um grupo de vanir foi ao nosso auxílio: os duendes. Todos sofremos por conta disso, e aqueles entre nós que sobreviveram ainda são punidos por isso até hoje. — Hunt engoliu em seco de novo, e Bryce nunca o havia amado mais do que naquele momento. — Mas hoje estamos aqui para dizer que vale a pena. Revidar. Que é possível desafiá-los e viver. Que as hierarquias deles, as regras deles... são ridículas. E é hora de pôr fim nisso.

Bryce poderia até ter sorrido se ela não tivesse encontrado as palavras certas:

— O que aconteceu nos Prados de Asphodel foi uma atrocidade. O que aconteceu com aquelas famílias inocentes... — Ela mostrou os dentes. — Nunca mais pode se repetir. *Nós*, o povo de Midgard, não podemos permitir que se repita. — Bryce olhou diretamente para o olho morto da câmera, para o mundo além. — Os asteri mentem para vocês, para todos vocês, a cada segundo de cada dia. Pelos últimos quinze mil anos, vêm mentindo para nós, nos escravizando, e não sabemos nem da metade. Eles usam um parasita na água para controlar e coletar nossa magia sob o pretexto da Descida. Porque precisam da magia… precisam de *nós*, do nosso poder. Sem o poder do povo de Midgard, os asteri não são nada.

Ela endireitou os ombros. O orgulho de Hunt, a seu lado, era como um calor que praticamente se infiltrava pelo corpo dela, mas ele a deixou continuar falando, assumindo a liderança.

Bryce prosseguiu:

— Os asteri não querem que saibam disso. Conspiraram e mataram para manter tudo em segredo. — A imagem do rosto de Danika, dos rostos da Matilha dos Demônios, veio à mente dela. Foi por eles que Bryce falou, por Lehabah, por todos aqueles nos Prados. — Disseram-nos que éramos fracos demais, e eles, poderosos demais para que revidássemos. Mais uma mentira. Então estamos aqui para mostrar a vocês que isso pode ser feito. Eu revidei e matei um arcanjo que os asteri haviam usado como fantoche para assassinar Danika Fendyr e a Matilha dos Demônios. Revidei e venci… Tenho a gravação para provar.

Declan apertou um botão e o vídeo começou.

* * *

Bryce correu os olhos pelo cômodo pequeno e simples no esconderijo perto da seção a extremo nordeste da muralha ao redor da Cidade Eterna.

— Lidia tem certeza de que este lugar é seguro?

Hunt, com as asas dobradas dentro do espaço apertado, acenou com a cabeça para a cama estreita feito uma farpa.

— Tem. E, de todo jeito, tenho certeza de que hotéis cinco estrelas nos denunciariam para os asteri.

— Não foi o que eu quis dizer — murmurou Bryce, sentando-se na cama barulhenta e encaroçada. Era mais um colchãozinho, na verdade. — O que eu queria dizer era que a Ophion inteira está… morta. — Ela se engasgou com a palavra. — Quem garante que este lugar não foi descoberto também? Não é como se Lidia estivesse nas melhores condições psicológicas. Talvez não esteja raciocinando direito.

— Dec e Flynn estão de guarda — revelou Hunt, sentando-se ao lado dela e grunhindo. — Eu acho que podemos descansar hoje.

Bryce esfregou o rosto.

— Eu não sei se consigo dormir, sabendo que o vídeo vai ser divulgado em breve.

E logo depois daquilo, o Inferno começaria a jornada para a Cidade Eterna. Bryce rezava para que conseguissem avançar sem que os outros percebessem a presença dos exércitos até o momento certo. Ela havia tomado medidas para assegurar aquilo.

Hunt moveu as sobrancelhas para cima e para baixo, olhando para ela.

— Quer fazer outra coisa que não seja dormir?

Apesar de tudo o que a pesava nos ombros, apesar do que os aguardava no dia seguinte, Bryce deu um sorrisinho.

— Ah, é?

Ela meio que se reclinou para trás, apoiando-se nos cotovelos. A cama soltou um *nheeeeec* esganiçado.

— Putz — murmurou Bryce, fazendo careta. — Se alguém estiver na dúvida de que estamos prestes a transar até não poder mais, essa cama vai dar a certeza.

Hunt deu um sorriso de canto de boca, mas seus olhos tinham ficado mais escuros, focando na boca da parceira.

— Eu topo um sexo barulhento. — Ele passou uma das mãos pela cintura dela, inclinando-se até que seus lábios quase se tocassem. — Talvez seja nossa última noite a...

Ela cobriu a boca dele com a mão.

— Nada disso. — Bryce estava com um nó na garganta. — Não diga isso.

Hunt chegou para trás, o próprio olhar insuportavelmente terno.

— Vamos sobreviver, Quinlan. Todos nós. Eu prometo.

Ela se inclinou à frente, encostando a boca na dele.

— Eu não quero pensar no amanhã agora.

Foi a vez dele de responder:

— Ah, é?

Bryce deslizou suavemente a língua pela linha entre os lábios dele, que abriu a boca. Então ela enfiou a língua na boca de Hunt, sentindo o sabor da essência dele, seu parceiro e seu marido.

— Eu quero pensar em você — continuou ela, chegando para trás, passando a mão pelo peito dele, por seu abdômen definido. — Em você em cima de mim.

Ele estremeceu, abaixando a cabeça. Ela beijou a região em que o halo estivera, onde ele havia se libertado das garras.

Bryce foi descendo a mão até alcançar o jeans preto dele e o volume rígido abaixo do tecido.

— Eu quero pensar nisso — disse ela, apertando-o — dentro de mim.

— Porra — sussurrou ele e mudou de posição, colocando-a deitada debaixo dele. — Eu te amo.

Ela levantou a mão para tocar o rosto do parceiro, fazendo-o focar no olhar dela.

— Eu te amo mais que qualquer coisa no mundo... neste e em qualquer outro.

Hunt fechou os olhos, dando um beijo na testa dela.

— Eu achei que você tinha proibido as despedidas.

— Não é uma despedida. — Bryce desceu as mãos pelo sulco na coluna do marido, as asas dele parecendo veludo em seus dedos. — É a verdade.

Hunt levou a boca ao pescoço da parceira, roçando os dentes pela pulsação dela.

— Você é minha melhor amiga, sabia? — Ele afastou a cabeça, olhando para Bryce, que não conseguiu evitar que a luz estelar se acendesse. — Quero dizer, você é minha parceira e esposa... Isso ainda soa estranho... Mas você também é minha melhor amiga. Nunca pensei que fosse ter uma.

Ela passou os dedos pela mandíbula forte dele, pelas bochechas.

— Depois de Danika, eu não achei... — Ela sentiu os olhos arderem e ergueu a cabeça para beijá-lo de novo. — Você também é meu melhor amigo, Hunt. Você me salvou... literalmente, no caso, mas também... — A fêmea colocou a mão no próprio peito, na luz brilhando. Outra referência à última primavera, a tudo o que havia florescido entre eles, às palavras ditas naquela ligação que ela pensara ter sido a última que faria. — Aqui.

Ele olhou nos olhos dela, e havia tanto amor ali que Bryce não conseguia aguentar, tanto amor que aquilo dissipou qualquer medo ou pavor pelo que aquela noite ou o dia seguinte pudesse trazer. Por um momento, só havia os dois, Bryce e Hunt. Por um momento, havia apenas as almas e os corpos dos dois, nada mais importava.

Só Hunt. E só Bryce.

Então ela o beijou de novo, e depois não houve mais conversa.

A língua de Hunt respondeu à dela com a mesma intensidade, e o peso do corpo dele sobre o dela era alegria, conforto e lar. Lar... *ele* era seu lar. A habilidade dela de teletransportá-lo havia sido apenas uma confirmação. O lar não era um lugar ou uma coisa, e sim *ele*. Onde quer que Hunt estivesse... lá estava o lar dela. Ela o encontraria em meio a galáxias, se preciso fosse.

Hunt despiu a blusa de manga comprida de Bryce com delicadeza, com amor. Ela, por sua vez, basicamente arrancou a camisa preta que ele usava.

Hunt riu, levantando-se para retirar o próprio cinto e abaixar o zíper da calça.

— Tão impaciente.

Ela esfregou uma coxa na outra, desesperada para conseguir alguma fricção. Principalmente quando a ereção impressionante dele saltou para fora e...

— Sem cueca? — murmurou Bryce, engasgando-se.

Hunt deu um sorrisinho.

— Nenhuma cueca que me deram no *Cargueiro das Profundezas* era grande o suficiente para isto aqui. — Ele segurou o próprio pau e começou a mover a mão para cima e para baixo, e ela grunhiu ao ver a gota de umidade se formando na cabeça do pau. — Agora vamos ver que tipo de calcinha *você* está usando, Quinlan.

As pupilas dele se dilataram de desejo enquanto ele puxava a legging dela para baixo. Bryce ergueu os quadris, as molas da cama guinchando, e Hunt riu com o som.

Contudo, parou de rir quando viu o fio-dental vermelho-cereja.

— Foi *isso* que deram para você no *Cargueiro das Profundezas*?

— Não no *Cargueiro das Profundezas*. — Ela sorriu enquanto chutava a legging, expondo a calcinha de renda vermelha e minúscula. — Peguei no castelo de Morven... os quartos de hóspedes tinham várias dessas aqui ainda na embalagem.

A gargalhada estrondosa de Hunt fez a luz estelar dela brilhar, e Bryce perdeu o fôlego quando ele segurou seus joelhos, um em cada mão, e abriu bem as pernas dela.

— Se aquele babaca não estivesse morto, eu mandava uma carta de agradecimento.

Hunt encostou a boca na parte da frente da calcinha dela e soltou um suspiro.

— Cacete, Quinlan — murmurou ele contra seu corpo, e Bryce enfiou a mão nos cabelos sedosos dele. Hunt enfiou o dedo por debaixo do tecido do fio-dental, provocando-a. — Cacete.

Ela agarrou as laterais da própria calcinha, sem conseguir mais falar.

Hunt fez o serviço por Bryce ao retirar o fio-dental com uma lentidão cruel e brutal. Ela grunhiu, mas ele girou a calcinha no dedo antes de colocar a peça de lado.

— Não seria bom rasgar esta coisinha preciosa.

— Vou rasgar *você* se não entrar em mim neste instante — declarou ela, ofegante, abrindo mais as pernas.

Ela quase gozou ao ver a necessidade absoluta, a fome voraz no rosto de Hunt. Principalmente quando bem, bem devagar ele ergueu os olhos para os dela, e neles se via puro relâmpago.

— Hunt — implorou Bryce, e ele avançou nela.

Ele segurou os quadris da parceira, puxando-a para cima, colocando-a exatamente no ângulo que queria enquanto a penetrava em um movimento longo e suave.

Bryce gemeu ao sentir o tamanho dele, preenchendo cada parte do seu interior, e cravou os dedos nos músculos firmes da bunda do macho, prendendo-o ali por um momento. Deleitando-se na sensação do próprio corpo se acomodando ao redor dele, do peso do corpo dele sobre o dela.

— Como? — Hunt arfava contra os cabelos dela. — Como é que pode ser gostoso pra caralho toda vez?

Ela cravou os dedos ainda mais, incitando-o a se mover. Ele recuou até deixar quase só a cabeça do pau dentro, então meteu de novo, forte o bastante para fazê-la gemer outra vez.

— Você gosta assim? — Ele ajustou o ângulo dos quadris dela de novo, a seu bel-prazer. — Gosta do meu pau bem fundo dentro de você?

Ela não conseguiu fazer mais do que assentir. Ele a recompensou com outra estocada longa que a fez ver estrelas.

Havia... havia estrelas *de verdade* dançando ao redor deles, preenchendo o quarto.

— Quinlan — sussurrou ele, com os olhos arregalados para as estrelas.

Só que ela precisava de mais fricção, mais prazer. Segurou o próprio peito, apertando, torcendo o mamilo rígido entre os dedos.

— *Caralho* — murmurou ele e explodiu, metendo nela de novo, tão fundo e tão forte que o movimento os empurrou mais para cima na cama.

Outra estocada, e o relâmpago começou a cintilar pelos ombros de Hunt, pelas asas, uma tira sobre a testa dele, como uma coroa...

Ela levantou uma das mãos, que brilhava, e o relâmpago dele se enrolou nos dedos de Bryce, dando choques nela de leve.

Hunt se afastou, e o gemido dela de reclamação virou um de puro prazer quando ele a colocou de bruços e a penetrou de novo, o encaixe do pau tão apertado dentro do corpo dela que Bryce mal conseguiu aguentar.

A luz estelar emanou dela, e o relâmpago dele roçou pelas costas da esposa, deixando o êxtase no rastro.

— Hunt — murmurou ela, em um gemido, o clímax prestes a chegar.

O macho cravou os dedos nos quadris dela.

— Goza para mim, Bryce.

O orgasmo invadiu o corpo dela, emanou do corpo dela. A luz estelar da fêmea se acendeu, e o quarto se iluminou a ponto de ofuscar a vista. Hunt continuou metendo em movimentos fortes e ritmados, e seu relâmpago estava entre as coxas dela, estava no próprio sangue dela, e tudo o que ela era e o que ele era se uniram em tamanha luz, tamanho poder…

O grito rouco do macho foi o único aviso antes que Hunt se derramasse dentro de Bryce, o que a fez gozar de novo, saber o quão profundo ele havia se entranhado nela, o quanto a havia marcado.

Ele levou os dedos ao clitóris da parceira, acariciando-a ao longo do clímax, amplificando tudo. A fêmea esticou o corpo, pressionando as costas no peito dele enquanto os dedos de Hunt seguiam fazendo círculos, e nunca houvera um momento mais perfeito do que aquele, enquanto onda após onda de prazer assolava e emanava do corpo de Bryce.

E então o mundo ficou imóvel, e a luz sumiu, e os dois ficaram ajoelhados na cama, com o corpo inteiro de Bryce encostado em Hunt, uma das mãos dele entre as pernas dela, a outra amparando o centro de seu corpo. Ele deu vários beijos na região entre o pescoço e o ombro da esposa.

— Bryce — murmurou ele contra a pele dela, o peito arfando nas costas da fêmea. — Bryce.

Ela colocou a mão sobre a de Hunt, mantendo-o entre suas pernas, como se pudesse congelar aquele momento, impedir que o próximo nascer do sol chegasse.

Ele estremeceu, beijando-a de novo.

— Eu consigo… Caralho, consigo *sentir* você. Tipo, em mim.

Ela girou o corpo para olhar para o rosto chocado e desolado dele.

— É como se aquela parte de você que foi… Feita, ou como quer chame, estivesse em mim. Como se esse pedaço seu estivesse aninhado ali.

— Que bom — respondeu ela, beijando a mandíbula dele. Dentro dela, o relâmpago dele se demorou, energizando-a como um pequeno sol. Ela continuou, ofegante: — Não importa o que aconteça amanhã, vou ter esse pedaço seu comigo. Me dando força.

Ela quase conseguia invocar o relâmpago. Fluía sob a pele, tão cheio de possibilidades que ela não fazia ideia de como dormiria.

Hunt a puxou de volta contra si, abraçando-a apertado enquanto posicionava os dois para se deitarem na cama barulhenta.

— Durma, Quinlan — sussurrou ele, com a boca tocando os cabelos da fêmea. — Estou com você, aconteça o que acontecer.

86

Ithan deixou Tharion se recuperando de uma dose do antídoto que ele havia tomado. A reação do tritão fora tão intensa que os canos na Casa de Chama e Sombra haviam estourado devido ao pico na magia de água dele. Hypaxia ficaria bastante atarefada, mantendo a Casa em ordem.

Então Ithan tinha ido para o Covil. Que agora era… dele.

Bem, nunca seria dele, considerando que pertencia aos lobos que o tinham como lar, mas era sua responsabilidade.

Ele encontrou Perry na cabine de guarda de novo, rabiscando em um caderno. Deu tapinhas no vidro para chamar a atenção dela, e quando ela arregalou os olhos, Ithan abriu um sorriso.

— Trabalhando ou folgando? — provocou o lobo.

Mas ela ficou de pé num pulo, escancarando a porta.

— Desculpe, eu estava só…

— Per, sou eu — retrucou ele, alarmado.

Ela endireitou a postura, em posição de sentido, como fora a preferência de Sabine. Mas que caralho. Ele lidaria com aquilo depois. Por enquanto… Ele fungou, tentando interpretar a mudança sutil no cheiro dela. Continuava sendo aquela mistura de morango e canela que ele conhecera a vida toda, mas com o antídoto… Ele não conseguia decifrar. Tinha ficado tão forte logo depois de ela ter tomado o antídoto, mas então havia diminuído.

Não havia tempo para se ponderar, para se questionar por que uma ômega estava diante dele outra vez. Ithan espiou pelos portões abertos do Covil.

— Cadê todo mundo?

Perry se movimentou mudando o apoio do corpo entre os pés, inquieta.

— Eles... hã... foram embora.

Ithan ficou sem reação.

— Como assim "foram embora"?

A Rainha do Rio já havia começado a evacuação? Ele fora até ali para avisar a todos que talvez fosse melhor ficarem na surdina na Corte Azul por algumas semanas, mas talvez ela já tivesse conseguido avisá-los.

— O que aconteceu mexeu com todo mundo — explicou Perry. — Eles são leais a você, Ithan, mas estão preocupados. Todos saíram da cidade. Disseram que queriam esperar até depois do Ano-Novo para ver como as coisas... hã... se resolveriam.

Em alguns *meses.*

Ithan avaliou o medo nos olhos dela. Não por ele, mas...

— Cadê sua irmã? — perguntou ele baixinho.

O lobo nele começou a se eriçar, rosnando para o adversário que sabia que estava próximo.

— Amelie liderou a saída — respondeu Perry, engolindo em seco. — Acho que queria se certificar de que todo mundo chegaria ao destino.

Mas logo depois ela abaixou os olhos.

— Sem dúvida — confirmou Ithan. Perry mudou o peso de um pé ao outro de novo. — E por que você não foi?

— Alguém tinha que ficar para avisar você — murmurou ela, com as bochechas corando.

— Acho difícil de acreditar que sua irmã fez você ficar.

— Ela queria que eu fosse, mas... eu não poderia abandonar o Covil. Eles realocaram o Primo no saguão... Acho que alguns queriam ficar para o Veleiro, mas os que estavam assustados queriam ir embora. Não pareceu certo largar o corpo dele lá. Sozinho.

As lágrimas brilharam nos olhos cor de esmeralda dela, um luto genuíno pelo falecido lobo.

A agressão que crescia dentro de Ithan foi refreada pela dor, pela lealdade no rosto dela. Ele apertou seu ombro.

— Obrigado por ficar, Per.

Ela o seguiu para dentro do Covil, apertando um botão interno que fechou os portões atrás dos dois. Ithan parou no prado gramado, observando as árvores do parque se curvarem em meio à brisa fresca. Haviam limpado o sangue na entrada da construção. Os corpos de Sabine e do Astrônomo...

— Eu os joguei no esgoto — revelou Perry, com uma raiva contida, interpretando o olhar que Ithan lançou ao local em que os corpos haviam estado. — Eles não merecem um Veleiro. Principalmente Sabine.

Ele foi tomado pela surpresa diante do ato de rebeldia da loba que era geralmente pacífica, mas assentiu.

— Apodrecer na merda da cidade parece um bom destino para Sabine — declarou ele, e Perry soltou uma risada.

Não era um tom divertido. Àquela altura, diversão não era um sentimento que cabia aos dois.

— Para onde você foi? — questionou Perry, hesitante, um sinal de que ela ainda estava avaliando as emoções dele.

Como amigo, como alfa e Primo. Descobrindo até onde poderia avançar com os questionamentos.

— É uma longa história, mas eu voltei para levar todo mundo para um lugar seguro.

Ele explicou sobre a Rainha do Rio e a Corte Azul.

— Mas agora tenho que seguir para a Cidade Eterna — finalizou ele.

Perry o analisou por um momento, evidentemente entendendo mais do que o que ele havia compartilhado.

— Então vamos enfrentar os asteri?

— *Nós* não vamos fazer nada. Eu vou enfrentá-los — corrigiu ele.

— Mas você é Primo. Fala por todos os Lobos Valbaranos. Suas escolhas são nossas escolhas. Se você for enfrentar os asteri, *nós* vamos enfrentar os asteri.

— Então que me repudiem — afirmou ele —, mas eu vou.

— Não é isso que estou dizendo. Não discordo de você... As coisas precisam mudar, e mudar para melhor, mas os lobos estão espalhados.

Em casas de férias, viajando… longe demais para alcançar a Corte Azul antes de você chegar à Cidade Eterna.

— E daí?

— E daí que você precisa dizer isso a eles antes de ir. Dê algumas horas para que consigam encontrar um abrigo, seja na Corte Azul ou em algum lugar na selva. Assim que os asteri virem você, o Primo, enfrentando-os, vão atrás dos lobos para puni-los. E depois do que aconteceu nos Prados… — Os olhos dela demonstravam apenas dor. — Não acho que haja alguma atrocidade que eles não cometeriam.

Ithan abriu a boca para contestar. Ele precisava entregar a bala e o antídoto para Bryce *naquele momento*. Poderia até já ser tarde demais.

Mas não conseguiria viver com a morte de outro lobo na consciência. E se mesmo um filhote acabasse machucado porque ele não havia dado tempo o suficiente para se esconderem…

— Três horas — concordou Ithan. — Você sabe mandar mensagem criptografada?

Perry confirmou com a cabeça.

— Então comece a espalhar a notícia. — Ele olhou para a entrada da construção atrás dos pilares e da escada que levava até lá. — E eu vou começar a cavar um túmulo.

— Túmulo? — reclamou Perry. — Mas o Veleiro…

— Não vai ter mais Veleiro. O Sub-Rei morreu — informou Ithan baixinho.

Em resposta, ele recebeu um silêncio espantado. Então Perry respondeu:

— Mas… o Quarteirão dos Ossos.

— É mentira. Tudo mentira. — Ithan gesticulou indicando o celular na mão dela. — Espalhe a notícia, então conversaremos. Vou contar tudo o que sei.

Perry manteve o olhar no de Ithan, e em seus olhos era possível notar a preocupação, o choque e a determinação. Então a loba começou a digitar no telefone.

— Estou feliz, Ithan — declarou ela baixinho — que você seja Primo.

Pelo menos um de nós está, ele quase falou, mas apenas assentiu em agradecimento.

* * *

Tharion enfiou a última arma na mochila e se virou para onde Hypaxia armazenava frascos do antídoto na bolsa de couro.

— Quantos você tem? — perguntou ele.

A água sussurrava em seus ouvidos, seu coração e suas veias. Um fluxo estável de magia, como se houvesse um rio revolto correndo dentro dele. Um mínimo esforço, e a coisa se libertaria.

— Duas dúzias, mais ou menos. Não é o suficiente — respondeu ela baixinho.

— Você vai precisar de fábricas inteiras para distribuir isso por aí — opinou Tharion.

Ela entregou a bolsa.

— Aqui. Não fique balançando muito no trajeto. O relâmpago de Athalar está mantendo tudo junto… O menor dos movimentos pode desestabilizar as doses a ponto de acabarem não funcionando.

O tritão inclinou a cabeça.

— Você não vem?

Ele planejava ir ao palácio dos asteri… o lugar mais provável para um confronto entre Bryce e os asteri. Deuses, a mera ideia era absurda. Suicida. Contudo, pelos amigos, por Midgard, ele iria, com o antídoto a tiracolo.

Os olhos de Hypaxia brilhavam com aquela luz esverdeada.

— Não… Eu vou ficar aqui.

Tharion mensurou o peso daquelas palavras e se sentou na borda da mesa de Roga. A feiticeira estava fora, lidando com alguma rixa entre vampiros e medbruxas da cidade, porque, ao que parecia, os vampiros haviam atacado um banco de sangue.

— Por que não?

— Alguém tem que lidar com os canos quebrados nesta Casa — provocou Hypaxia.

Tharion corou de leve. Levaria um bom tempo até esquecerem a explosão dele depois de ingerir o antídoto. Mas foi tanto *poder*… de repente, ele estava transbordando de água, e era música, ira, destruição e vida.

— Anda, Pax. Me conta — insistiu ele.

Ela olhou para as próprias mãos.

— Porque se tudo der errado lá, alguém precisa continuar aqui. Para ajudar Lunathion.

— Se tudo der errado lá, está todo mundo ferrado. Sinto dizer, mas você estar aqui não vai fazer muita diferença.

— Quero continuar fazendo o antídoto — acrescentou ela. — Precisamos estabilizá-lo mais. Quero começar *agora.*

Ele olhou para a amiga… olhou de verdade.

— Você está bem?

Os olhos dela, tão mudados desde que assumira o trono da Chama e Sombra, passaram a focar no chão.

— Não.

— Pax…

— Mas eu não tenho escolha — interrompeu ela, endireitando a postura. Então acenou com a cabeça para as portas. — Você deveria pegar sua esposa e ir.

— Estou ouvindo um tom de reprovação?

Hypaxia deu um sorriso gentil.

— Não. Bom, eu reprovo grande parte do que levou você a se casar com ela, mas não… o casamento em si.

— Tá, tá, pegue a senha para me dar sermão.

— Acho que talvez Sathia faça bem para você, Tharion.

— Ah, é?

O sorriso dela ficou misterioso.

— É.

Tharion retribuiu o sorriso.

— Arrase com eles, Pax.

— Esperamos que não literalmente — retrucou Hypaxia, dando uma piscadela.

Sorrindo sem querer, Tharion saiu do escritório de Roga. Havia deixado Sathia em um pequeno quarto de hóspedes para tomar banho e descansar, embora os dois soubessem que nenhum descanso no mundo a prepararia para o desatino que estavam prestes a enfrentar.

Ele se oferecera para mandá-la para a Corte Azul, mas ela havia recusado, e para deixá-la em Avallen precisariam desviar muito do caminho, então ela iria junto.

Tharion bateu à porta do quarto de hóspedes e não esperou por resposta antes de abrir.

O quarto estava vazio. Havia apenas um bilhete sobre a cama, envolto no cheiro remanescente dela. Tharion leu uma vez, então leu de novo, antes que assimilasse de verdade.

Não posso deixar Colin nas mãos dela. Espero que entenda.

Boa sorte. E obrigada por tudo o que fez por mim.

Sathia o havia deixado. Era o que aquele "obrigada" no final significava. Era propício… Ele havia feito pior com a filha da Rainha do Rio, e ainda assim…

Tharion colocou o bilhete na cama de novo, com cuidado. Não a culpava. Era a escolha dela ir salvar o ex-namorado de ser um assassino dopado… e uma escolha nobre, inclusive. Não, ele não a culpava.

Afinal, era mesmo melhor que ela não o acompanhasse à Cidade Eterna. Ela ficaria mais segura.

Ainda assim, Tharion encarou o bilhete na cama por um bom, bom tempo.

E embora soubesse que estava partindo para desafiar os asteri, provavelmente para morrer tentando… Enquanto deixava a Casa de Chama e Sombra, e a própria Lunathion, Tharion não conseguia parar de pensar nela.

* * *

O vídeo que Hunt e Bryce haviam gravado estava programado para ir a público a qualquer momento. Ruhn estava muito orgulhoso da irmã. Ela sabia tirar proveito de uma situação ruim.

O momento chegou logo depois da meia-noite, com um toque de tecla por Declan.

Sentados no chão de um quarto sem janelas no esconderijo que Lidia havia arranjado, Ruhn olhou para onde ela estava e disse:

— Só algumas horas até amanhecer, e aí entramos em ação.

Lidia olhava para o nada, com o joelho balançando em nervosismo. A fêmea havia falado pouco desde que receberam a notícia do sequestro dos próprios filhos. E, embora Ruhn estivesse morrendo de vontade de tocá-la nos momentos de silêncio, manteve as mãos longe. Ela tinha outras coisas com que se preocupar.

— Eu nunca deveria ter voltado ao *Cargueiro das Profundezas* — comentou Lidia enfim.

— Se Pollux conseguiu descobrir sobre seus filhos — contrapôs Ruhn —, ele teria descoberto com você estando ou não no navio.

— Você deveria ter me deixado morrer no mar Haldren. Assim ele não teria motivo algum para ir atrás deles.

— Ei. — Ruhn pegou a mão dela, apertando com firmeza. Ela voltou o olhar para ele. — Nada disso é culpa sua.

Ela balançou a cabeça, e Ruhn tocou seu rosto com delicadeza.

— Você pode sentir o que quiser agora, mas quando amanhecer, quando sairmos daqui, vai ter que bloquear todos esses sentimentos e virar a Corça de novo. Uma última vez. Sem a Corça, não vamos conseguir entrar no palácio.

Ela sustentou o olhar dele, então se inclinou à frente, encostando a testa na de Ruhn.

Ele absorveu o cheiro dela, inalando profundamente... mas percebeu que o cheiro já o marcava. Estivera ali, escondido dentro de si, desde a primeira vez.

— Eu posso...? — Ela engoliu em seco. — Podemos...?

— Diga o que você quer — disse ele, beijando a bochecha dela.

Ela se afastou e acariciou a mandíbula dele.

— Você. Eu quero você.

— Tem certeza?

Ela estava lidando com um fardo tão pesado. Com os filhos nas mãos dos asteri, ele não a culparia se...

— Preciso não pensar por um tempinho — explicou ela, então acrescentou: — E... preciso tocar em você. — Lidia acariciou a boca dele com os dedos. — Tocar seu corpo de verdade.

Ele fechou os olhos, sentindo o toque.

— Diga o que você quer, Lidia.

Ela roçou a boca na dele, e ele estremeceu.

— Eu quero você… você por inteiro. Dentro de mim.

Ruhn abriu um sorriso.

— Fico feliz em ajudar.

Ele deixou que Lidia ditasse o ritmo, seguindo os movimentos da fêmea. Retribuiu cada beijo. Deixou que ela demonstrasse onde queria que ele tocasse, lambesse, saboreasse.

Por sorte, as partes nas quais ela queria que ele focasse *de verdade* eram as mesmas que prendiam o interesse de Ruhn. Sentir a doçura dela na língua dele quase o fez gozar nas calças… e isso foi antes dos gemidos ofegantes de Lidia preencherem seus ouvidos com a canção mais linda que ele já havia escutado.

— Ruhn — murmurou ela, mas não pediu que parasse, então ele continuou movimentando a língua contra a pele sensível, dando lambidas longas, desejando muito ainda ter o piercing no lábio, sabendo que poderia tê-la feito se distrair bastante com aquilo… mas haveria tempo depois.

Lidia arqueou o quadril na cama, e o orgasmo da fêmea fez Ruhn começar a se contorcer, com o pau desesperado por qualquer sensação.

Um instante depois, ela acabou com o sofrimento de Ruhn. A chama ardia em seus olhos enquanto ela abria o zíper do macho. Então a mão graciosa o envolveu…

Ele resistiu ao primeiro movimento dela, e estava prestes a começar a implorar quando Lidia o empurrou de costas na cama, se colocou sobre ele, com uma perna de cada lado, e guiou o pau dele com a mão para sua entrada.

Ruhn passou as mãos pelos cabelos dourados de Lidia, as mechas sedosas se derramando por entre os dedos, e manteve o olhar no dela enquanto Lidia sentava nele.

Ruhn rangeu os dentes com a sensação de calor, de como era apertado, arfando com a onda de prazer, o sentimento de perfeição, o encaixe perfeito…

Ela se acomodou sobre Ruhn, totalmente sentada, tão ofegante que Ruhn segurou suas mãos, beijando os dedos. A fêmea fechou os olhos e então começou a mover os quadris… E não havia nada mais a ser dito ou feito enquanto ela cavalgava.

Ele ergueu os quadris, e os gemidos dela ficaram mais altos. O macho desejou poder devorar o som. Contentou-se em se levantar e beijá-la com vontade. As pernas dela envolveram sua cintura. Isso o fez penetrá-la muito mais fundo, e Ruhn perdeu o controle. A ferocidade o tomou com a sensação de estar tão fundo dentro dela, do cheiro e do gosto…

Lidia correspondeu a cada estocada, retribuiu a selvageria dele com a própria, com os dentes roçando pelo pescoço e peito do macho. Cada investida o fazia deslizar dentro dela, e caralho, ele estava prestes a *morrer* de tanto prazer…

Então Lidia jogou a cabeça para trás, e os músculos delicados se contraíram ao redor dele enquanto ela gozava, fazendo-o se entregar ao êxtase logo depois. Ruhn continuou metendo em meio à sensação, a parte feroz nele se deleitou com o ato de gozar dentro dela, e ela era *dele* e ele era dela, e havia um nome para aquilo, mas a palavra fugia à mente de Ruhn.

Lidia ficou imóvel, e Ruhn aguentou o peso de Lidia quando ela se recostou nele, os corpos dos dois em um emaranhado de braços e pernas, o pau dele ainda enfiado até o fundo. A respiração dela roçava sua pele, e ele ficou acariciando a linha da coluna de Lidia.

Ela estava ali. Ele estava ali.

Pelo tempo que Urd os permitisse que estivessem.

* * *

Lidia continuou deitada nos braços de Ruhn enquanto as horas passavam, o sono fugindo dela.

Aquela união havia sido tudo o que ela desejara, de que precisara. A fêmea nunca havia se sentido tão segura, tão venerada. Entretanto, seus filhos continuavam nas mãos dos asteri, nas mãos de Pollux.

As horas transcorriam em conta-gotas. Lidia bloqueou a parte de si que insistia em catalogar cada suplício que poderiam estar infringindo a Brann e Actaeon. Os suplícios que ela mesma havia infringido a tantos outros.

Talvez aquela fosse a punição. A punição por tantas coisas que fizera.

Ruhn se mexeu, e Lidia se aninhou mais perto dele, absorvendo o cheiro do macho, desfrutando da força do corpo dele encostado ao seu.

E tentou não pensar no amanhã.

87

Na manhã seguinte, escondido em uma van sem identificação em um beco sujo na Cidade Eterna, Ruhn olhou para onde Lidia estava sentada, com o rosto severo contra o revestimento lateral, e se aproximou.

Ela quase não havia dormido, e Ruhn não a culpava. Depois de dar uma olhada no rosto abatido dela de manhã cedo, ele permaneceu por perto, oferecendo o máximo de conforto que podia, enquanto saíam com discrição do esconderijo e entravam na van de novo.

Ruhn colocou a mão no joelho dela e anunciou:

— Mais uma hora mais ou menos, e entramos no palácio.

Outra hora até que Declan confirmasse que os asteri estavam muitíssimos distraídos com o vídeo que haviam divulgado ao mundo. Com base nos relatórios iniciais que Dec enviara de manhã, a coisa virara um desastre generalizado. A filmagem havia sido exibida em todos os noticiários e compartilhada em redes sociais. Dec também confirmou ter hackeado a rede imperial e descoberto que, naquela manhã, os asteri e os conselheiros se encontrariam para debater as repercussões. A notícia sobre o parasita acertara em cheio. Todos os veículos de comunicação vibravam com o burburinho, e a filmagem de Bryce matando Micah, as alegações sobre como Danika e a matilha haviam morrido...

Não importava que a rede imperial tivesse eliminado o vídeo quase de imediato. Já estava no mundo, circulando em servidores particulares, sendo baixado em celulares, assistido e analisado consecutivas vezes. Os trolls imperiais insistiam que era mentira, postando comentários sobre ser um vídeo forjado, mas Dec se certificou de que a filmagem de Bryce correndo pelas ruas de Lunathion na última primavera, salvando a cidade toda, também vazasse.

E havia pessoas por aí que se lembravam daquilo, que a haviam visto correndo para salvá-los. Eles falavam em seu nome, confirmando não apenas que ela havia salvado a cidade do Inferno como também dos mísseis de enxofre que os asteri lançaram.

Os asteri estavam bem atarefados naquela manhã. Conforme planejado. E uma vez que a reunião de emergência tivesse começado, seria hora de agir.

— Um único deslize, e meus filhos... — começou Lidia, engolindo em seco.

— Deixe o medo de lado — instruiu Ruhn, concedendo a sinceridade que ela com frequência oferecera a ele. — Foque na tarefa, não nos "e se...?".

— Ele tem razão — complementou Bryce de onde ela e Athalar estavam sentados ali perto, um apoiado no outro. Flynn e Dec à frente, com Flynn monitorando as ruas e Dec manuseando um laptop acomodado sobre os joelhos, hackeando o sistema de controle militar imperial para acessar os mec-trajes. Mais algumas horas, e estariam dentro. — Deixe os fardos de lado por hoje.

Lidia endireitou a postura.

— Meus filhos não são um *fardo*...

— Não — corrigiu Bryce —, não são, mas você conhece aquele palácio melhor do que ninguém. Qualquer distração vai nos custar caro.

— Conheço Pollux melhor do que ninguém — afirmou Lidia, olhando para o nada. — E é por isso que é insuportável ficar sentada aqui.

— Descanse enquanto pode, Lidia — aconselhou Athalar —, porque logo, logo isso tudo vai virar um Inferno.

— Literalmente — acrescentou Bryce com uma animação enervante.

* * *

Ithan enterrou o Primo no coração do prado, para que a alma dele pudesse sentir a alegria lúdica dos filhotes pelas próximas gerações.

Se algum deles sobrevivesse àquilo.

Tharion havia ligado, perguntando onde ele estava, e Ithan mandara o tritão seguir para a Cidade Eterna sem ele. Para tentar encontrar Bryce e Athalar e entregar o antídoto a eles ou a qualquer um dos amigos antes que fossem com tudo para cima dos asteri. Se o antídoto o havia aprimorado, ele não conseguia nem imaginar o que faria com Bryce e Athalar.

Ithan colocou nas costas a mochila e o Rifle Matador de Deuses, que Roga havia emprestado, e saiu do prédio principal do Covil. Perry ainda estava de guarda na cabine do lado de fora dos portões.

— Você conseguiu descansar um pouco? — perguntou Ithan, enfiando a cabeça na cabine. Pelas marcas arroxeadas debaixo dos olhos da loba, soube a resposta antes que ela sequer balançasse a cabeça. — Eu falei para você dormir.

— Eu queria ficar aqui para o caso de alguém aparecer procurando ajuda ou com dúvidas — explicou ela.

Ele sentiu o coração se apertar com a consideração dela... a gentileza.

— E apareceu alguém?

— Não — respondeu ela, esfregando os olhos.

— É melhor você ir para a Corte Azul.

Ela olhou em seus olhos.

— Você já está indo?

— Estou — confirmou ele.

Ithan também não havia dormido muito, mas forçara o corpo a descansar. Sabia que precisaria de toda a força para o que estava por vir.

O celular de Perry vibrou e ela checou a tela, então franziu a testa.

— O que houve?

Ela olhou para o celular e leu em voz alta:

— "Bryce Quinlan e Hunt Athalar mataram os arcanjos Micah e Sandriel na última primavera." Tem... tem uma filmagem de Bryce...

O coração de Ithan acelerou. Era tarde demais. Bryce já estava entrando em ação.

— Tenho que ir. Preciso ajudá-la no que for possível — declarou ele.

Perry se levantou do assento na cabine.

— Boa sorte, Ithan. Eu… eu espero mesmo ver você de novo.

Ele deu um abraço apertado nela, sentindo o cheiro de canela e morango da loba envolvê-lo. Como sempre foi… como se não tivesse tomado o antídoto. Ele deixou a curiosidade de lado outra vez.

— Espero ver você de novo também — respondeu ele com a boca encostada nos cabelos de Perry, então se afastou.

Os olhos dela estavam cheios de lágrimas.

— Por favor, tome cuidado.

Ele ajustou as alças da mochila.

— Vá para a Corte Azul, Perry.

* * *

— Estou dentro da rede imperial — anunciou Declan algumas horas depois.

Hunt terminou de se equipar com as poucas armas que havia pegado dentre as que Fury Axtar conseguira transportar naquele helicóptero: duas pistolas e uma faca longa. Não era muito, mas Axtar fizera boas escolhas. Eram todas peças potentes e confiáveis.

— Estes mec-trajes não são pouca coisa, não — Dec estremeceu —, mas estou pronto quando estiverem.

Hunt verificou a arma presa ao coldre na coxa. O pente estava carregado. Havia munições extras no bolso traseiro. Ele poderia ter aproveitado o conforto do traje de Umbra Mortis com as espadas duplas embainhadas às costas, mas duas pistolas, uma faca na bota e o relâmpago teriam que bastar. *Ele* teria que bastar.

Só Hunt. Ele conseguia viver com isso.

Hunt buscou Bryce com os olhos. O punho da Áster despontava por trás de seu rabo de cavalo, e a Reveladora da Verdade havia sido presa em uma das coxas. Ela tinha prendido uma pistola na outra coxa, com apenas um pente para recarregar.

O Inferno conduzia os exércitos, mas eles lutavam com poder, presas, dentes e força bruta.

— Certo. Alguém tem alguma dúvida sobre o plano? — perguntou Bryce.

— Qual deles? — retrucou Ruhn. — Você tem, tipo, uns sete planos.

— É melhor estar preparado demais do que de menos — respondeu Bryce. — O plano é simples: manter os asteri distraídos ao liberar o Inferno e os Caídos... enquanto Athalar e eu entramos de fininho no palácio e destruímos o núcleo da primalux.

— Sem se esquecer — interveio Hunt, com sarcasmo — de libertar os filhos de Lidia, destruir Pollux, chegar perto o suficiente dos asteri para aniquilá-los do planeta...

Ele foi erguendo os dedos para contar as tarefas.

— Isso, isso — confirmou Bryce, gesticulando de modo displicente. Ela deu uma piscadela para Lidia, abrindo um sorriso que Hunt sabia que tinha a intenção de acalmar a Corça. — Pronta para meter a porrada naqueles babacas?

Lidia levantou a cabeça. Levava uma faca junto à lateral do corpo e uma pistola. Só isso.

Chegava a ser engraçado que estivessem partindo para dentro do palácio dos asteri com tão pouco armamento, mas não valia a pena ficar ponderando muito aquilo. Não tinham escolha.

— Assim que sairmos da van, teremos dois minutos até que as câmeras das ruas alertem os técnicos dos asteri de que estamos na cidade, caso nos identifiquem — informou Lidia.

— E é por isso que o meu trabalho é manter as câmeras longe de vocês — respondeu Declan do fundo da van.

— E meu trabalho é nos manter em movimento pela cidade para evitar sermos descobertos — complementou Flynn do banco do motorista.

— Assim que eu enviar mensagem, esteja pronto para nos buscar — alertou Ruhn.

— Já fizemos isso antes, lembra? — respondeu Flynn a Ruhn. — Encontrar com Lidia quando ela libertou você e Athalar foi um ensaio para o grande show.

— Não me importo com o que tenham que fazer — disse Lidia para Flynn e Dec — ou quem tenham que deixar para trás, mas tirem meus filhos desta cidade e os levem para a costa. — Ela os olhou com intensidade e acrescentou: — Por favor.

Dec assentiu.

— Vamos cuidar disso para você, Lidia. — Falar o nome dela pareceu deixar Dec incerto, mas então ele voltou a se concentrar. — Vamos proteger seus filhos. Só façam o que têm que fazer, e estaremos onde precisarem de nós.

Ela assentiu também, com os olhos marejados.

— Obrigada.

Hunt olhou para Bryce, que observava tudo em silêncio. Não era um bom sinal.

— Você lembra o caminho para a sala do trono? — perguntou Lidia, percebendo o olhar de Bryce.

— Lembro — confirmou Bryce, voltando-se para Hunt. — As asas ainda estavam lá até algumas semanas atrás… Vamos torcer para que Rigelus não tenha mudado a decoração.

— Ele não vai tê-las tirado de lá. Ele abomina mudanças — garantiu Lidia.

As palavras pairaram no ar. Hunt engoliu em seco, sentindo a garganta ressecar. Fariam mesmo aquilo. Ele faria mesmo aquilo.

Será que ele não tinha aprendido a lição nas *duas* vezes anteriores, cacete? Com os Caídos, e depois com os acontecimentos recentes? Tentar uma terceira vez…

— Eu me lembro — afirmou Bryce baixinho… só para ele, mesmo com os outros ouvindo — de cada movimento da espada de Micah quando ele cortou suas asas. Lembro de como não havia nada que pudéssemos fazer para impedi-lo… para impedi-*los*. Lembro que venderam você à Sandriel de novo, e naquela ocasião também não pudemos impedi-los. Eu me lembro de cada maldito momento, Hunt. — Os olhos dela brilhavam com raiva absoluta e foco. — Só que hoje *podemos* impedi-los.

Hunt sustentou o olhar da parceira e deixou que a coragem dela fosse a dele, que a força dela fosse sua luz guia.

— Prometi a mim mesma no dia que Micah cortou suas asas — continuou Bryce, falando só para ele — que eles pagariam por isso. Pelo que fizeram.

A luz estelar tremeluziu ao redor da cabeça dela em uma sombra daquela coroa de estrelas.

Ninguém falou nada. Bryce ficou de pé, indo em direção às portas traseiras da van. O mundo, os asteri, o fim os aguardava adiante.

Ela olhou por cima do ombro para todo o grupo. Seus olhos fitavam os de Hunt.

E, antes de sair em direção à luz, Bryce declarou:

— Por amor, tudo é possível.

88

Foi fácil demais entrar no palácio dos asteri. Lidia sabia onde ficavam todas as entradas, mas mesmo conhecendo a planta do lugar como a palma de sua mão, foi fácil demais entrar pelas portas de serviço que levavam à enorme estação de processamento de lixo.

Fácil demais escorregar por um dos canos fedorentos e aterrissar em uma sala de lixo em um andar abaixo.

Apenas quando os quatro estavam no armário minúsculo e fétido no subsolo foi que fizeram uma pausa e olharam uns para os outros.

— Boa sorte — disse Ruhn à irmã, talvez pela última vez.

Mas Bryce abriu um sorriso gentil e suave, e embora tivesse demonstrado apenas uma determinação absoluta na van alguns minutos antes, foi com uma expressão carinhosa que respondeu:

— Você trouxe tanta alegria para minha vida também, Ruhn.

Naquele momento ele se lembrou de ter dito aquelas palavras antes de ela sumir pelo Portão. *Você trouxe tanta alegria para minha vida, Bryce.* Parecia que uma eternidade havia se passado desde então.

Ela não disse mais nada, e Ruhn ficou sem palavras enquanto Bryce, com Athalar atrás, abriu a porta e saiu.

Por um momento, Ruhn esperou em silêncio ao lado de Lidia, o fedor do lixo quase o fazendo botar para fora o café da manhã escasso de pão e azeite que comera. Mesmo assim, fez contato visual com Lidia em meio à penumbra.

E ainda que ela precisasse ser a Corça naquele dia, que precisasse voltar a ser aquela fêmea de sangue frio, ele se inclinou e roçou a boca na dela. Uma única vez. Então sussurrou, finalmente dando nome ao sentimento que não havia ousado admitir até o momento:

— Se eu não tiver a chance de dizer depois... Eu te amo.

Lidia ficou sem reação, com os olhos dourados brilhando.

— Ruhn.

Mas ele não esperou por resposta, rejeição nem negação. Abriu um pouco a porta e espiou o corredor.

— A barra está limpa — murmurou ele, sacando a pistola.

Com sorte, Dec estava fazendo o próprio trabalho.

Torcendo para que os asteri, distraídos tentando conter os efeitos da mensagem de Bryce e Hunt, não fossem sequer sonhar que a própria casa estava prestes a virar um Inferno, Ruhn saiu para o corredor, com Lidia logo atrás.

E então, envoltos pelas sombras dele enquanto avançavam sorrateiramente pelo coração do império, os dois começaram a caça pelos filhos de Lidia.

* * *

Eles quase foram pegos algumas vezes, e Hunt desejou mais uma vez estar com o traje do Umbra Mortis, ao menos pelo benefício da audição acentuada para detectar políticos ou funcionários perambulando por perto.

Se dependesse de Hunt, os políticos podiam ir para a puta que pariu, mas os funcionários... Se os deuses permitissem, quando chegasse a hora, eles conseguiriam escapar; quando Declan hackeasse o sistema de alerta dos asteri, os celulares deles vibrariam com a ordem de evacuação para saírem o mais rápido possível do palácio, e eles acatariam ao aviso.

O coração de Hunt martelava pelo corpo todo enquanto ele e Bryce se escondiam às sombras de uma estátua enorme de Polaris, com as mãos da fêmea erguidas em vitória.

Depois da estátua havia um conjunto familiar de portas. O corredor inteiro estava exatamente do mesmo jeito de quando Hunt o vira da última vez, antes que seu relâmpago e o poder de Rigelus tivessem feito tudo voar pelos ares: os bustos dos asteri de um lado da parede, as janelas com vista para as sete colinas da Cidade Eterna do outro, e, em algum lugar lá fora, avançando pela estrada principal da Via Sacra… Dec e Flynn estariam esperando.

Só que não por eles. Hunt sabia que ele e Bryce talvez não voltassem daquela luta.

Se conseguissem destruir o núcleo da primalux e eliminar a fonte de poder renovável dos asteri, teriam que chegar perto o bastante daqueles escrotos para que Bryce usasse a espada e a faca. Para uni-las usando a luz estelar e tentar a sorte com o que quer que acontecesse com um portal para lugar nenhum.

Theia tivera medo daquilo. Aidas os havia alertado a *escolherem a vida*, cacete, se o portal fosse perigoso demais. Não era um bom presságio. Mas que alternativa tinham?

Havia muitos *e ses*, muitas incógnitas. Era um plano ainda mais frágil do que da última vez que haviam entrado às escondidas naquele palácio, e, mesmo que todos tivessem concordado com o plano juntos, se falhasse, se Bryce ou qualquer um deles morresse…

Não. Não seguiria aquela linha de pensamento de novo. Havia cometido erros e tomado decisões ruins no passado, mas lutar contra a tirania, contra a brutalidade, nunca seria a escolha errada.

Hunt olhou para a parceira, a atenção dela fixa no corredor. No Portão lá no final. Ao sentir o olhar dele sobre si, Bryce formou a palavra "Vá" com a boca e fez menção para que ele seguisse. E Hunt foi, como iria a qualquer lugar, contanto que fosse com ela.

Pela primeira vez na vida, pareceu que Urd estava ouvindo enquanto ele e Bryce atravessavam as portas para adentrar a sala do trono vazia. Ele olhou para a parede imponente das asas dos Caídos atrás dos sete tronos de cristal.

E ali, no centro, afixados como troféus recentes, estavam seu capacete e seu traje do Umbra Mortis.

* * *

Bryce segurava a Máscara, a superfície dourada cintilando entre os cristais na impessoal sala do trono. As asas dos Caídos estavam penduradas na parede, um conjunto esvoaçante de cores, formatos e tamanhos. Tantas vidas, concedidas àquele momento.

Hunt encaixou a última parte do traje no corpo, então colocou o capacete do Umbra Mortis na cabeça. Bryce não havia questionado quando ele tirara o traje da parede. Sabia por que ele o queria.

Assim como sabia que as asas dele, afixadas acima do trono de Rigelus, não poderiam permanecer ali.

Hunt usaria o traje e o capacete mais uma vez. Não seria o Umbra Mortis usando o traje, e sim Hunt. O Hunt dela.

E, juntos, dariam um fim àquilo.

Ela desejava que Ithan tivesse chegado a tempo com o antídoto de Hypaxia, mas não tinham como adiar aquilo… nem por um minuto.

Bryce passou os polegares pela face lisa da Máscara. Parecia uma máscara mortuária de algum rei falecido muito tempo atrás. Será que havia sido confeccionada usando o molde do rosto de algum asteri? Modelada a partir do semblante detestável de um daglan daquele outro mundo?

— Bryce — alertou Hunt, com a voz baixa e distorcida por trás do capacete.

Ela olhou para a Sombra da Morte, de pé ali. Ele sacou as duas espadas das costas do traje, girando-as nas mãos.

— Tem que ser agora.

Tudo o que ela já fizera na vida, cada passo… havia levado àquele momento.

Ali, naquela câmara, com as asas dos nobres Caídos ao redor. Com Hunt, um dos últimos guerreiros.

Mas não mais.

Bryce colocou a Máscara sobre o rosto e fechou os olhos. O metal se aderiu à sua pele. Sugou seu rosto, sua alma…

O mundo se diluiu de novo. Vivo, não vivo. Respirando, não respirando. Morto… morto-vivo.

A luz estelar dentro dela se acendeu com intensidade, como se dissesse "Olá, velha amiga". Sim, a magia antiga conhecia a Máscara. Entendia os segredos mais profundos do objeto.

Bryce se virou para as asas. E na visão sombreada da Máscara, onde as asas estavam afixadas, a maioria tinha uma luz oscilante. O cerne de uma alma. Os últimos resquícios de suas existências, brilhando como uma parede de estrelas.

Ela estivera certa: nunca haviam concedido Veleiros a eles. Fora a ofensa final aos guerreiros mortos, a vergonha de serem privados de uma vida após a morte abençoada. Aquilo se revelaria ser a derrocada dos asteri. Aquelas almas, que haviam sido abandonadas para vagarem por séculos, agora seriam reivindicadas por Bryce.

Um pensamento, e a vontade dela passou a ser a deles. A Máscara chamou, e as almas dos Caídos responderam, emergindo da parede como um enxame de vaga-lumes.

Um som de farfalhar preencheu o ar. A princípio, as asas começaram a se agitar devagar, como borboletas testando os corpos recém-adquiridos. O abanar de asas preencheu a sala do trono, o mundo. Um vento tempestuoso vindo de Hunt fez os pinos se soltarem. Com exceção de dois conjuntos — um cinza familiar, e o outro de um branco reluzente —, todos se libertaram.

E então a sala do trono se encheu de asas: brancas, pretas e cinzas, elevando-se, as centelhas de almas brilhando com intensidade dentro delas, visíveis apenas para Bryce, que observava através da Máscara.

Hunt e Bryce estavam no centro da tempestade, os cabelos dela se agitando com o vento e as penas felpudas resvalando em sua pele.

Uma faísca do relâmpago de Hunt golpeou os dois pares de asas ainda afixados à parede. As asas dele e as de Isaiah. Elas se incendiaram, queimando até não serem nada além de cinzas flutuando na brisa de mil asas, enfim livres daquele lugar.

Outro vento tempestuoso soprou de Hunt e as portas para o corredor se abriram. As janelas que ladeavam o corredor explodiram.

E as asas dos Caídos voaram para a liberdade do céu azul do lado de fora.

As asas esvaziaram a sala do trono, como água escoando pelo ralo, deixando uma figura solitária à soleira da porta, encarando-os.

Rigelus.

As penas esvoaçavam ao redor dele.

— Mas o que vocês pensam que estão fazendo?

A Radiante Mão estava espumando de raiva, seu poder brilhando.

Ele entrou na sala, e seus olhos focaram direto no rosto de Bryce. Talvez fosse por causa da Máscara, talvez ela tivesse sido levada até além dos próprios limites, mas não sentia medo algum, em absoluto, ao olhar para a Radiante Mão dos Asteri e dizer:

— Reparando um erro.

Mas Rigelus estreitou os olhos para a Máscara.

— Você está portando uma arma que não tem direito de empunhar.

Nas ruas lá fora havia pessoas gritando com a visão da multidão de asas lá no alto.

Morto e morto-vivo... A natureza de Rigelus confundia a Máscara. Vivo e não vivo. Respirando e não respirando. Não conseguia se decidir sobre a Radiante Mão, e parecia estar se retraindo, afastando-se de Bryce...

A fêmea focou. *Você obedece a mim.*

A Máscara estacou no lugar e permaneceu como sua serva.

Rigelus olhou para Hunt em seu traje e capacete de guerra, mas falou para Bryce:

— Você está bem longe de casa, Bryce Quinlan.

Ele avançou um passo. O fato de ainda não tê-la atacado era prova de sua cautela.

O relâmpago de Hunt serpenteou pelo chão.

Contudo, Bryce apontou para trás de Rigelus. Para uma das colinas além dos muros da cidade, onde as asas haviam pousado na grama seca. Cobriam o topo da colina, batendo lentamente, como uma revoada de borboletas que parava para descansar.

Bryce comandou: *Ergam-se, como um dia já fizeram.*

Um gelo mais frio do que havia em Nena fluiu ao redor dela, em direção às asas que agora estavam distantes. Ela conseguiu sentir a dor de Hunt, mas não tirou os olhos de Rigelus.

— Você não faz ideia de com quais poderes está brincando, garota — avisou Rigelus. — A Máscara vai amaldiçoar a sua alma...

— Vamos nos poupar de ameacinhas desta vez — interrompeu Bryce, apontando para a janela de novo. Dessa vez para o exército que havia se posicionado atrás das asas portadoras das almas. — Acho que você tem problemas maiores.

Então ela sorriu — um sorriso de predadora, de rainha —, enquanto os exércitos do Inferno tomavam a colina.

— Bem na hora — disse Bryce.

Rigelus ficou calado enquanto mais e mais daquelas figuras sombrias apareciam no topo da colina. Surgindo do portal que Bryce abrira para eles bem do outro lado, fora do campo de visão.

Ao vislumbrar as hordas tomando as colinas, aparentemente vindo do nada, ao vislumbrar os três príncipes marchando à frente...

As pessoas começaram a gritar pelas ruas. Outro sinal... para Declan. Para disseminar a ordem de evacuação sob o pretexto de um Alerta Imperial de Emergência. Todos os celulares na cidade vibrariam com o aviso para escaparem para além dos muros da cidade... para a costa, se possível.

Rigelus olhou para os exércitos do Inferno reunidos à porta dele.

— Surpresa — comentou Hunt.

Rigelus virou-se lentamente de volta para Bryce e Hunt e sorriu.

— Vocês acham que eu não soube no instante em que abriram a Fenda do Norte?

Bryce se preparou, mobilizando o próprio poder quando Rigelus ergueu a mão cheia de um brilho reluzente e finalizou:

— Eu estava esperando por vocês, e me planejei conforme a situação exigia.

Uma sirene soou, um alerta ecoando pela cidade.

E em resposta, a Guarda Asteriana irrompeu para as ruas da Cidade Eterna.

89

— Eu soube assim que vocês chegaram à Fenda… Minha Harpia me contou, e observei vocês pelos olhos da minha serva antes que acabassem com ela.

Rigelus deu outro passo para dentro da sala do trono, o poder crescendo na mão dele e deslizando pelos anéis dourados ao redor de cada um de seus longos dedos.

Bryce e Hunt ficaram tensos, medindo a distância até a saída. Havia uma porta menor entre os tronos, mas, para alcançá-la, teriam que dar as costas a Rigelus.

Na cidade, a luz brilhava e explodia… mísseis de enxofre. Feitos e disparados pela Guarda Asteriana nos terraços, indo em direção aos exércitos do Inferno. Traçando uma trajetória em arco, dourados, os mísseis acertavam as fileiras escuras no topo do monte Hermon. A terra e as pedras se despedaçavam, com a luz explodindo.

— E como os roedores que são — continuou Rigelus —, eu sabia que deixariam uma rota de fuga para vocês e seus aliados. Direto para o Inferno. Sabia que deixariam a Fenda aberta.

Hunt segurou a mão de Bryce, preparando-se para tirar os dois dali.

— Então mandei três legiões da Guarda Asteriana à Fenda ontem à noite. Acho que eles e os mísseis de enxofre encontrarão o Inferno bastante vazio, considerando que todos os exércitos estão por aqui.

— Precisamos avisar Aidas — disse Hunt, apertando a mão dela.

Bryce olhou para Rigelus de novo… para o sorrisinho triunfal por ter sido mais esperto que eles…

E, com um impulso de poder, ela teletransportou a si e a Hunt para fora do palácio.

Bem para o meio do caos das colinas além da cidade.

* * *

Ruhn e Lidia avançavam pelos corredores do palácio, encobertos pelas sombras.

Não haviam encontrado qualquer sinal dos filhos dela. Nada nos calabouços, e a visão do local fizera com que Ruhn sentisse um choque de terror tão absoluto que ele quase perdeu o controle das sombras que os camuflavam. Também não encontraram nada nas celas. Haviam avançado pelo palácio o mais depressa possível, ainda despercebidos. Dec desativara muitas das câmeras, e as sombras de Ruhn davam conta do resto. Mas depois de vinte minutos de busca em vão, Ruhn segurou Lidia pelo braço antes que seguissem por outro corredor.

— Precisamos parar e reconsiderar onde eles podem estar — sugeriu Ruhn, ofegante

— Eles estão aqui… Ele trouxe os dois para *cá* — disparou Lidia, tentando desvencilhar o braço.

Porém Ruhn segurou firme.

— Não podemos continuar correndo por aí sem rumo. Para pra pensar: para onde Pollux os levaria?

Ela arfou, os olhos arregalados de pânico, mas respirou fundo. Depois de novo.

E aquela máscara fria da Corça tomou o rosto da fêmea.

— Eu sei como encontrá-los — afirmou ela.

Ruhn não questionou quando ela saiu em disparada de novo, daquela vez descendo as escadas, seguindo para baixo, para baixo e para baixo até…

O calor e a umidade chegaram primeiro até ele. Então o cheiro de sal.

Os mil místicos dos asteri ressonavam em suas banheiras, em fileiras regimentadas entre os pilares do corredor que parecia infinito.

— *Traidora* — sibilou uma fêmea esmirrada, coberta por um véu, sentada à uma mesa em frente às portas, pondo-se de pé.

Lidia sacou a pistola e, sem hesitar, fez uma bala atravessar o crânio da fêmea. A rajada estremeceu o corredor feito um trovão, mas os místicos nem se mexeram.

Ruhn olhou para Lidia, depois para o lugar em que a fêmea velha estivera, e, por fim, para o sangue espalhado pelas pedras...

Mas Lidia já estava seguindo para o tanque mais próximo, para os comandos ao lado dele. Começou a digitar. Então se aproximou do próximo místico, e do próximo, e do próximo.

— Não temos muito tempo até que alguém desça aqui para descobrir que tiro foi esse — alertou Ruhn.

Lidia, contudo, continuou indo de tanque a tanque, e ele espiou o primeiro monitor para ler a mensagem que ela havia escrito. *Onde estão os filhos de Lidia Cervo?*

Ela parou de digitar quando chegou ao sétimo místico e seguiu pela fileira de banheiras.

Ruhn foi para a porta para ficar de olho, escondendo-se às sombras enquanto monitorava o corredor e a escada lá no fundo. Eles estariam com sorte se levasse sequer um minuto até que os ouvidos inquisitivos chegassem ali...

Lidia arfou. Ruhn se virou para ela, mas a fêmea já estava correndo.

— Pollux os trancafiou debaixo do palácio — revelou ela ao chegar à porta e sair em disparada, com Ruhn correndo ao lado.

— Debaixo? — perguntou Ruhn, seguindo-a escada abaixo.

— No salão com o núcleo da primalux que sua irmã encontrou... debaixo dos arquivos.

— Lidia — disse Ruhn, segurando o braço dela. — Isso só pode ser uma armadilha. Colocá-los no núcleo...

Ela apontou a arma para a cabeça de Ruhn.

— Eu vou lá. Se for uma armadilha, então que seja, mas eu vou.

Ruhn ergueu as mãos.

— Eu sei, e vou com você, mas temos que pensar além...

Ela já estava se virando de novo, a arma de volta à lateral do corpo. O castelo estava barulhento, uma cacofonia de gritos, pessoas assustadas tentando escapar o mais rápido possível. Aquilo mascarava o som dos dois se esgueirando pelo lugar, mas... Lidia estava frenética, desesperada. O que a tornava uma aliada perigosa, Corça ou não. Acabaria morta, assim como os filhos dela.

Ruhn não podia deixar que ela se colocasse em perigo daquele jeito. Se alguém fosse se colocar em um perigo letal daqueles...

Seria ele.

Ruhn foi apressado escada abaixo atrás de Lidia e, quando a alcançou, destravou a própria arma.

Ela ouviu o barulho da trava e estacou no lugar. Virou-se para ele... devagar, incrédula. Lidia não olhou para a arma. Já sabia que estava ali. Os olhos dela focaram nos dele. Inescrutáveis, frios. Os olhos da Corça.

— Eu não posso deixar que você acabe se matando — explicou Ruhn, com a voz rouca.

— Eu nunca vou perdoar você por isso — respondeu ela, com a voz parecendo gelo. — *Nunca.*

— Eu sei — respondeu Ruhn.

E atirou.

Um tiro, bem na coxa dela.

Lidia gritou de dor e se agachou, a bala tendo atravessado o ferimento e ricocheteado na escada atrás de si, o estrondo da arma e o grito dela formando um coro que despedaçou a alma dele. Um coro que, por sorte, foi abafado pelo caos se desenrolando nos andares de cima.

Com a mão, ela pressionou a ferida aberta, mas Ruhn havia mirado longe de qualquer artéria fatal, e os olhos dela queimavam com uma ira absoluta e ardente.

— Eu vou *matar* você...

Lidia fez menção de pegar a arma na outra coxa, como se fosse mesmo dar um tiro na cara dele.

Ruhn desembestou escada abaixo antes que ela conseguisse mirar. Guardando a própria arma, ele correu adiante, deixando-a sangrando atrás de si.

* * *

Os dutos de água da Cidade Eterna eram antigos, estranhos e hostis.

Tharion os odiava, principalmente com o poder amplificado em suas veias, liberto das amarras. Seu corpo e sua alma reconheciam a essência dos arredores, e não gostavam do que estavam encontrando.

Não havia corte de seres do mar no rio que serpenteava como uma cobra pela cidade. Mal havia vida ali para além dos oportunistas e de tudo que rastejava às sombras.

Lá em cima, o mundo era caos. Exércitos, mísseis e armas.

Ali embaixo, os sons estavam abafados. A água sussurrou para onde ele deveria ir, para onde deveria levar a bolsa de antídotos vedados. Fluía com ele, guiando sua cauda poderosa, bem para a grade da margem do rio. As brânquias se eriçaram quando ele arrancou o metal dali. Guiaram-no enquanto ele nadava pelo túnel escuro e acendia a lanterna de cabeça aquática que ele havia sido inteligente de levar consigo.

E com a água o conduzindo, Tharion nadou como nunca em direção ao palácio dos asteri.

* * *

As bombas irrompiam, e era tão, tão pior do que fora na primavera anterior. Os mísseis de enxofre partiam da cidade, da Guarda Asteriana escondida dentro dela, dos mec-trajes que ganhavam vida em cima do monte Hermon...

Tanta destruição. Uma ira angelical hiperfocada.

No topo de uma das colinas além da cidade, Bryce lutava para respirar, um pouco tonta, enquanto arrancava a Máscara do rosto.

Hunt correu para onde estava o Príncipe do Desfiladeiro, supervisionando as criaturas sombrias que fervilhavam na direção das muralhas da cidade e disse:

— Hora da fase dois.

Bryce se recompôs e cambaleou até Aidas e Hunt. Os exércitos do Inferno, tanto terrestres quanto aéreos, todos famintos e raivosos, não eram pouca coisa, não, cacete.

Ela sabia que fora o único jeito. Para terem uma chance, libertar o Inferno havia sido o único jeito. Ainda assim, o exército era aterrorizante, aliados ou não. Ela precisava confiar que Aidas e os outros príncipes tinham um controle firme sobre eles.

— Eles estão quase lá — comentou Aidas, trajando uma armadura preta parecida com a de Thanatos.

Bryce deduziu que os irmãos dele estavam ou no meio da briga ou supervisionando as próprias divisões da imensa massa escura.

Por enquanto, não havia nada a ser feito além de observar a Guarda Asteriana concluir que haviam afugentado as criaturas e começar a atravessar as muralhas da cidade.

Houve um farfalhar de asas, e Isaiah e Naomi pousaram ao lado de Hunt.

— Prontos? — perguntou Isaiah, com o mesmo traje de batalha preto da 33ª.

— Em breve — respondeu Aidas.

Os anjos ainda mantinham uma distância respeitável dele, mas pelo menos não estavam mais com as expressões descrentes e desconfiadas.

A Guarda Asteriana avançou para as colinas e os vales inferiores, com os mec-trajes marchando entre eles, e onde golpeavam, demônios morriam.

— Vocês acham que eles fazem ideia do que está prestes a acontecer com eles? — ponderou Aidas.

— Não — respondeu Hunt, abrindo um sorriso sombrio. — Nem Rigelus.

Bryce colocou a Máscara de volta, e a presença ímpia e sanguessuga consumiu sua alma, mas a luz estelar dentro de si parecia manter a Máscara sob controle.

— Isso vai ser uma lição para ele não pensar que consegue ser mais esperto que nós — comentou Naomi.

A Guarda Asteriana, com a crina de cavalo branca que adornava os capacetes brilhando com intensidade à luz do dia, avançou pelo campo de demônios. A massa de mec-trajes fazia a terra tremer.

— Acho que as três legiões que ele mandou para Nena vão ter um belo choque quando descobrirem que metade do exército do Inferno ainda está lá, esperando por elas — disse Naomi.

Com uma satisfação que não era pouca, Isaiah complementou:

— Eles devem estar avisando os asteri, mais ou menos... — ele checou o celular — agora.

— Perfeito — respondeu Aidas, ronronando. — Então estamos prontos.

— Mandando a mensagem para Declan — anunciou Naomi, digitando no celular.

O guerreiro feérico esperava na van, com a rede militar imperial, que fora hackeada, exposta diante de si.

Na metade do caminho, os mec-trajes dos asteri estacaram no lugar. A Guarda Asteriana fez uma pausa, olhando para as máquinas novinhas e chiques que haviam dado pane todas ao mesmo tempo. Os olhos acesos dos mec-trajes foram se apagando até sumirem.

— Magia e máquinas — comentou Isaiah. — Nunca uma boa combinação.

— Sinal verde — avisou Naomi, lendo a mensagem no celular. — Vai que é tua, Quinlan.

Todos olharam para Bryce.

Vivo e não vivo. Morto e morto-vivo. Bryce estendeu a mão na direção do exército metálico imóvel lá embaixo. Um poder gélido e terrível passou pelo seu corpo, mas a vontade dela passou a ser a vontade deles. A vontade dela era tudo.

Ergam-se, disse Bryce, fazendo o pensamento se alastrar. *Lutem. Obedeçam a Isaiah Tiberian e Naomi Boreas. O Inferno é seu aliado... Vocês lutam ao lado deles.*

Apenas ela conseguia ver as almas cintilantes dos Caídos, flutuando na direção dos trajes a partir do topo da colina próxima, alinhando-se uma a uma.

Os olhos dos trajes se acenderam de novo. Bryce viu o mec-traje mais próximo erguer o braço de metal em frente ao rosto. Observou a coisa mexer os dedos, parecendo estar admirado.

Então a coisa se voltou ao Guarda Asteriano mais próximo e arrebentou a cabeça dele.

— Pelos deuses — sussurrou Naomi enquanto os mec-trajes, um após o outro, começavam a marchar para longe da Guarda Asteriana.

As almas dos Caídos haviam esperado pelo momento que a Guarda Asteriana e os mec-trajes começaram a marchar na direção da cidade lá embaixo.

E as almas remanescentes dos Caídos que não possuíam um mec-traje nos quais adentrar... Bem, havia vários corpos de demônios e Guardas Asterianos mortos intactos o bastante para servirem de hospedeiros. Com uma convulsão aqui e ali, como se estivessem se ajustando aos novos membros, os cadáveres ficaram de pé. Foram ficar ao lado da confraria Caída de mec-trajes hospedeiros.

— É a vez de vocês — disse Hunt para Isaiah e Naomi. — Hora de entrar na cidade.

Os anjos anuíram. E com um grande impulso das asas, dispararam para o céu.

A voz de Isaiah se alastrou:

— *Caídos, agora vocês estão Erguidos! Aos portões!*

Isaiah olhou para trás, para Hunt, com os olhos transbordando orgulho e determinação. O guerreiro tocou o próprio peito na altura do coração e saiu voando. Hunt ergueu o braço em um aceno e uma despedida, como se lhe faltassem palavras.

Era de fato uma visão além das palavras... além de qualquer descrição. Um exército de mortos-vivos, de máquinas e demônios, marchava em direção às muralhas da cidade.

— Aí vem eles — disse Hunt. — Parece que o vídeo os distraiu até agora.

— Bem na hora — disse Aidas, conforme as figuras reluzentes se aproximavam do campo de batalha que se estendia diante dos portões a norte da Cidade Eterna, chegando elas mesmas para exterminar a ameaça.

Os asteri.

E andando na direção deles, com os exércitos se abrindo para sua passagem, estava o Príncipe da Ravina, com o Príncipe do Fosso logo atrás.

90

Hunt se conteve para não suspirar de alívio, mesmo que o capacete fosse abafar o som.

Bryce havia libertado as almas dos Caídos da sala do trono e os colocado dentro dos corpos dos mec-trajes, mas a parte mais difícil e perigosa do plano começava naquele momento. Hunt se esforçou para manter a respiração regular e focar na batalha e no caos que se desenrolavam. Seu capacete ressoava com os alertas e as avaliações.

Aidas desembainhou uma lâmina prateada reluzente que parecia brilhar com uma luz azulada.

— Minha vez — disse o príncipe demônio, a brisa seca agitando seus cabelos loiro-claros. À Bryce, ele perguntou: — Uma caroninha?

Hunt teve só um instante para ver a preocupação, o medo, nos olhos dela, e então a fêmea segurou a mão de Aidas, depois a de Hunt, e os teletransportou. Com o poder da luz estelar de Theia, levou menos de um segundo. Mal pareceu drenar a energia de Bryce, mas o que surgiu ao redor deles quando reapareceram no campo de batalha era uma cena que parecia saída de um pesadelo.

Demônios kristallos, caça-mortes, cães como o Pastor, e pior ainda… os mascotes de Thanatos, todos passando correndo pelos asteri em direção à própria cidade. O capacete de Hunt os transformou em figuras distantes, o mundo banhado em vermelho e preto.

Mas os asteri tinham problemas maiores: os três príncipes diante deles. Principalmente Apollion, ao lado de seus irmãos.

Não havia sinal de Rigelus. Ele mandara os outros cinco asteri fazerem o trabalho sujo.

— Vocês vão pagar por marcharem em nossa cidade — bradou Polaris.

Hunt liberou o poder, a intensidade do relâmpago se fazendo notar mesmo por detrás do visor do capacete. A seu lado, Bryce já havia removido a Máscara. E atrás dos dois, ao redor deles, os Caídos (os Caídos *dele*, no momento em corpos feitos de metal e pesadelos, todos ainda atados à ordem de seguir Isaiah e Naomi) partiram para cima da Guarda Asteriana, cercando-a.

Mísseis de enxofre em miniatura foram lançados das armas nos ombros dos mec-trajes em direção à Guarda Asteriana. Só restaram cinzas e penas flutuantes.

Fora ideia de Hunt utilizarem a arrogância de Rigelus, que achava que eles eram descuidados e estúpidos... que seriam tolos a ponto de acreditar que conseguiriam de algum jeito conduzir um exército saindo de Nena e armar um ataque surpresa à Cidade Eterna. Que seriam tolos a ponto de deixar o Inferno livre e vulnerável.

Então haviam deixado que os asteri dividissem a Guarda Asteriana em duas, mandando metade para Nena para dominar o Inferno... apenas para serem massacrados por uma horda de demônios à espera, sob o comando de um dos capitães de Apollion.

E, com a metade da Guarda que ali estava, os anjos da elite, os mais treinados...

Também não teriam a menor chance.

Os três Príncipes do Inferno estavam diante de cinco asteri sobre a vegetação seca fora das muralhas da cidade, a guerra explodindo ao redor deles.

Foi Polaris quem olhou para Bryce.

— Você vai morrer por sua impertinência — disparou Polaris para Bryce, lançando em seguida uma rajada ofuscante de poder bruto para cima dela. Apollion foi à frente, com a mão levantada. Uma escuridão pura e devoradora destruiu a luz de Polaris.

E uma satisfação que Hunt nunca havia sentido o dominou ao ver o modo como os asteri estacaram no lugar. Como deram um passo para trás.

Apollion inclinou a cabeça dourada em direção aos asteri.

— Faz uma eternidade.

— *Não deixem que ele se aproxime* — sibilou Polaris aos outros, e, como um só, os asteri atacaram.

O solo explodiu, a luz colidindo com a escuridão, que colidia com a luz…

Hunt se virou para Bryce, um escudo de puro relâmpago estalando entre os dois e a luta.

— Temos que sair daqui… — A voz dele saiu em parte abafada pelo capacete.

— Não — respondeu Bryce, focada nos asteri.

— O plano não é esse — retrucou Hunt, grunhindo, e fez menção de segurar o cotovelo dela, com a intenção de alçar voo e tirá-los do campo de batalha se ela não os teletransportasse.

Precisavam destruir o núcleo da primalux. Do contrário, tudo teria sido em vão. Daquele jeito, os asteri poderiam correr de volta ao palácio, regenerar os poderes, os próprios corpos.

— Bryce — alertou Hunt.

Contudo, Bryce sacou a Áster e a Reveladora da Verdade, com a luz estelar e a escuridão fluindo das lâminas pretas. Mas não as uniu. Pelo menos ainda havia tempo para se aterem ao plano…

Polaris irrompeu pelo combate, com os olhos ardendo com a luz branca e fixos em Bryce.

— Você devia ter fugido quando teve a chance — bradou a Estrela do Norte.

O ar ao redor pareceu pulsar com o poder daquelas lâminas, partindo de Bryce. Como se soubessem que havia enfim chegado a hora de se unirem.

Nada de fugir, então. Era hora de se adaptarem ao jogo.

Hunt mobilizou o próprio poder, elevando-se para alcançar a parceira.

Polaris se lançou contra eles, e Hunt golpeou: uma rajada de puro relâmpago nos pés da asteri, deformando até a pedra ali, abrindo um buraco no qual ela cairia…

Bryce se teletransportou vagarosamente, e Hunt soube que ela já estava ficando cansada, apesar do poder extra da luz estelar. Até que ela reapareceu lá, diante de Polaris quando a asteri caiu no chão, e só o escudo de relâmpago de Hunt impediu que a rajada de poder fritasse Bryce junto quando ela ergueu a espada e a adaga acima da cabeça.

Polaris arregalou os olhos quando Bryce enfiou as lâminas no peito dela. As lâminas perfuraram pele e osso, e a luz estelar no peito de Bryce se expandiu até alcançá-las.

A luz se chocou contra as lâminas, e tanto a espada quanto a faca brilharam com intensidade, como se fossem incandescentes. A luz se estendeu, subindo pelas mãos, pelos braços e pelo corpo de Bryce, transformando a incandescência…

Em uma estrela. Um sol.

Polaris berrou, a boca arreganhada.

Hunt já conhecia aquele desacelerar do mundo quando um grande poder morria; presenciara aquilo no momento da morte de Micah, de Shahar, de Sandriel, mas desta vez era bem pior.

Com o capacete, Hunt conseguia ver tudo: as partículas de terra esvoaçando, as gotas do sangue de Polaris se erguendo como uma chuva vermelha enquanto Bryce cravava as lâminas mais e mais…

Os príncipes demônios se viraram para observar aquela cena, os adversários asteri entre eles.

As peles humanoides dos príncipes haviam desaparecido. No lugar, estavam criaturas da escuridão e da deterioração, cada uma com a boca cheia de dentes afiados e as asas coriáceas abertas. Havia uma grande massa preta dentro da boca escancarada de Apollion quando ele partiu para cima de Octartis…

O macho asteri ergueu uma muralha de luz.

Os mísseis de enxofre nos ombros e braços dos mec-trajes híbridos se acenderam de novo, brasa a brasa a brasa, e Hunt viu com perfeita nitidez os mísseis espiralados sendo lançados no mundo, na direção da Guarda Asteriana em pânico.

Um caça-morte passou correndo, cada passo galopado durando uma era, uma vida, uma eternidade, parecendo se equilibrar no outro pé durante o movimento.

E Bryce ainda estava lá, caindo com Polaris, as duas lâminas pretas se encontrando no peito da asteri, a luz de Theia unindo-as em poder e propósito…

Os destroços voaram na direção de Bryce, na de Polaris. Como se o que quer que estivesse acontecendo naquela interseção de lâminas atraísse o mundo para dentro cada vez mais.

Para o portal para lugar nenhum.

Um arrepio primal correu pela coluna de Hunt. Theia estivera certa; Aidas estivera certo. Aquele portal para lugar nenhum, abrindo-se de alguma forma dentro de Polaris, era perigoso não só para a asteri mas para qualquer um que estivesse por perto.

Ele precisava parar aquilo. Precisava fechar o portal depressa. Do contrário, ele sabia, por instinto, que todos eles sucumbiriam.

O tempo corria devagar enquanto Polaris se contorcia de dor. Os cabelos de Bryce foram sugados na direção da asteri, na direção das lâminas e do que quer que estivessem abrindo...

Muito devagar. Fosse lá o que a luz estelar de Theia estivesse invocando, o portal se abria muito devagar, e, a cada segundo que se escancarava mais, ameaçava engolir Bryce também.

Ele havia sido forjado pelo Inferno para ajudá-la. Para acabar com aquilo. *Fogo do inferno e estrela de fogo: uma combinação potente*, dissera Bryce no Inferno.

Foi puro instinto, e puro desespero também. Hunt liberou o relâmpago, direcionando-o para o ponto em que as lâminas se uniam. Fluiu como uma fita crepitante pelo mundo, passando pelos caça-mortes, pelos Príncipes do Inferno, pelos mec-trajes...

Hunt observou-o colidir com a espada e a adaga no ponto exato onde se cruzavam, onde a luz de Theia ainda brilhava entre as duas, vinculando-as em uma união ímpia. E ali onde seu Fogo do Inferno tocou a estrela de fogo, onde o relâmpago encostou nas lâminas, houve um florescer de luz ofuscante.

O rosto de Polaris se contorceu em sofrimento. E ainda assim o mundo continuou desacelerando, desacelerando...

As gavinhas do Fogo do Inferno de Hunt se enrolaram pela lâmina, para dentro da própria Polaris. O relâmpago dançou pelos dentes de Bryce, por seus olhos chocados.

Ele esperava uma explosão externa, esperou ver cada pedacinho de osso e cérebro da asteri se romper, fragmento por fragmento.

Em vez disso, Polaris implodiu. O peito foi puxado para dentro, sugado para dentro das lâminas como se ali houvesse um aspirador poderoso. Então a barriga e os ombros fizeram o mesmo, e Polaris gritou, mais alto...

Até que ele viu, só um lampejo, tão rápido que, em tempo real, nunca teria testemunhado: um pontinho minúsculo escuro que as duas lâminas haviam feito, exatamente onde se tocavam.

A *coisa* para dentro da qual Polaris fora sugada. Um ponto preto.

Apareceu e sumiu enquanto Bryce cambaleava para a frente, e as lâminas se separavam, e o tempo voltava ao normal, tão rápido que Hunt perdeu o fôlego. Ele tocou um botão na lateral do capacete, erguendo o visor, para respirar ar fresco.

Um dos asteri rugiu, e o próprio mundo tremeu, assim como as muralhas da cidade.

Porém Bryce observava o local em que Polaris estivera. As lâminas que tinha em mãos, ainda envoltas pelo Fogo do Inferno dele e a luz estelar dela.

Um portal para lugar nenhum. Para um buraco negro.

Não era de se admirar que tivesse começado a sugar Bryce também, e o restante do mundo. Não era de se admirar que Theia tivesse hesitado, se era o que achava que aconteceria com a junção das lâminas.

O corpo de Hunt vibrava com o poder quando Bryce ergueu a cabeça para encontrar o seu olhar. Havia um absoluto deleite selvagem nos olhos dela. Ela também tinha visto... Sabia que tinha mandado Polaris direto para o nada de um buraco negro.

E... Naquele momento, uma semente de preocupação surgiu. Como se estivesse assimilando como seria perigoso abrir outro, que dirá mais cinco. Tudo que arriscariam a cada vez.

Ainda assim, olharam um para o outro, só por um instante. Haviam matado a porra de uma asteri.

O poder de Hunt vibrou novamente nele, nos próprios ossos...

Não. Não era o poder que vibrava através dele. Era o celular. Os alto-falantes internos no capacete atenderam a ligação de Ruhn.

— Danaan.

— Vocês precisam vir ao núcleo da primalux — informou Ruhn. — Nós... nós precisamos de ajuda.

A ligação foi encerrada.

— Bryce… — começou Hunt, mas quando se virou para ela, viu aquela luz pura de novo em seus olhos.

Ele vira aquela expressão no rosto da parceira apenas uma vez na vida… no dia que ela matara Micah. Quando havia olhado para as câmeras e mostrado ao mundo o que se escondia debaixo das sardas e do sorriso: a predadora de ponta. O coração ferido da ira.

O que fosse preciso para acabar com aquilo… ela faria. O sangue pulsou por ele, despertando com aquele olhar, com o que ela havia feito…

— Vá — gritou a coisa em que Aidas se transformara, identificável apenas pelos olhos azuis ardentes enquanto enfrentava Octartis junto a Apollion.

Os príncipes tinham a aparência de um terror inominável, mas Hunt agora conhecia a verdadeira natureza deles. Haviam ido ajudar. E por um ínfimo instante, ele sentiu correr por suas veias o orgulho de ser um filho do Inferno.

Hunt olhou para Bryce de novo, tornando a fechar o visor do capacete.

— Temos que ir para o salão em que está o núcleo da primalux — afirmou ele, mas ela já estava estendendo o braço em sua direção.

Segurando a mão dele, a fúria primitiva ardendo no rosto dela, a Áster e a Reveladora da Verdade de novo embainhadas.

Um piscar de olhos, e eles sumiram.

A energia dela estava se esgotando depressa. Surgiram no corredor três níveis acima, se o número na entrada da escadaria próxima fosse um indicativo.

Havia sangue escorrendo do nariz dela, e Hunt teria gastado um tempo se preocupando com isso se não tivesse ouvido os rosnados ao redor. Se o capacete não houvesse ecoado com os alertas.

Tinham se teletransportado para um corredor cheio de caça-mortes.

Thanatos havia enviado os mascotes para dentro do palácio, para distrair e manter ocupado qualquer asteri que pudesse ter ficado longe do campo de batalha, mas o controle sobre eles devia ter sido fraco, ou ele simplesmente não ligava.

Enfrentar apenas um deles havia garantido a Hunt uma cicatriz nas costas. Era verdade que ele tinha estado preso ao halo, mas mesmo com o poder total, enfrentar todos aqueles não seria nada fácil. Ao lado dele, Bryce estava ofegante. Precisava de um momento para respirar. Depois da luta com Polaris, depois de conseguir evitar ser sugada para dentro do buraco negro que abrira, depois de se teletransportar... sua parceira precisava de descanso.

Hunt observou a matilha que rosnava. A ideia de desperdiçar poder ao matar a criatura de um aliado o irritava.

Mas, no final das contas, nem precisou decidir... Uma tromba de água veio se esparramando pelo corredor.

Rugindo bem na direção dele e de Bryce.

91

Não havia como escapar. Não havia janela, saída, nenhuma forma de respirar enquanto a água inundava o corredor até o teto.

Hunt segurou Bryce, o relâmpago dele inútil na água, e nadou em direção ao que supôs ser a escada em meio à escuridão que tudo englobava. Seu capacete foi tomado pela água, que distorcia sua visão...

Houve um brilho. Ele não havia imaginado que Bryce ainda possuía tanto poder... mas não. Não era Bryce. Tharion nadava atrás deles pelo corredor. Ketos nunca tinha empunhado poder suficiente a ponto de controlar tamanha quantidade de água, nem com tanta força, e ainda assim, lá estava ele, evidentemente o mestre daquela inundação.

Uma bolha de ar se formou ao redor de Hunt e Bryce. Ele arrancou o capacete, deixando a água cair na frente do corpo.

— Que porra é essa? — bradou Hunt, engasgando-se.

Mas Bryce compreendeu antes e gritou para Tharion através da bolha de ar que salvava a vida deles:

— Não afogue todos eles! Precisamos deles na luta!

— Eu tinha uma bolsa com antídotos — gritou Tharion, com a poderosa cauda com listras de tigre se debatendo —, mas a força da água rasgou a alça. Está aqui em algum lugar, só esperem até eu...

— Não dá tempo! — gritou Bryce de volta. — Encontre a bolsa, depois nos encontre!

Bryce estava certa: demorar a entrar naquela sala, a destruir a fonte do poder dos asteri... era um risco que não valia a pena correr, mesmo pelo antídoto.

A água rugiu adiante, seguindo para a escadaria.

— Vão! — incentivou Tharion enquanto a água sumia do corredor, o tritão e os demônios sendo levados pela corrente. — Vou logo atrás!

Hunt e Bryce despencaram com força no chão de pedra, ensopados e tossindo água, mas não esperaram.

— Depressa — disse Bryce, segurando o braço dele para puxá-lo para ficar de pé. — O núcleo da primalux está aqui embaixo.

A única coisa que Hunt pôde fazer foi balançar a cabeça para afastar a água dos olhos, pegar o capacete e correr atrás dela.

* * *

Ruhn tinha feito merda. Várias merdas.

Era tudo no que conseguia pensar enquanto estava ali, na frente de Pollux, com as mãos erguidas, diante da porta do salão sob o qual o núcleo da primalux operava.

Não havia nem sinal de Actaeon ou Brann.

— Cadê a Lidia? — perguntou Pollux, zombeteiro, apontando uma arma para a cabeça de Ruhn, as asas brancas brilhando de poder.

Ruhn havia a deixado sangrando e ferida na escada, completamente vulnerável, odiando-o…

— Onde estão os garotos? — rebateu ele, grunhindo.

— Estão em outro lugar — respondeu Pollux, e o estômago de Ruhn se revirou com as implicações daquilo. — Rigelus adivinhou que vocês iriam atrás dos místicos, então os instruiu a incitar vocês à mentira. E você acreditou fácil, fácil porque é um idiota ingênuo. — O Martelo deu um passo à frente e acenou com o queixo para Ruhn. — Anda. Eu sei que Lidia está em algum lugar por aqui.

Ruhn não tinha muita escolha a não ser obedecer. A deixar o Martelo conduzi-lo para longe do núcleo da primalux, dos arquivos, c então de volta ao corredor no qual Lidia estaria sangrando na escada.

Pollux prendeu a respiração ao sentir o cheiro do sangue dela no corredor.

— Lidia — chamou ele em uma voz cantarolante.

O cheiro dela ficou quase sufocante quando fizeram a curva para onde Ruhn a deixara...

Não havia nem vestígio dela.

* * *

Tharion ajudava Lidia a mancar adiante, com uma tira de água com vida enrolada no buraco na coxa dela. Ao procurar pelos antídotos, havia encontrado tanto a bolsa quanto a Corça na escada, um pouco antes de ouvirem os rosnados do Martelo.

Restaram apenas dois frascos intactos. Os outros tinham estourado, graças ou ao impacto ou à volatilidade do relâmpago de Athalar. Mas Lidia levara um tiro... vindo de Ruhn, segundo ela. Tharion não sabia se deveria se admirar ou amaldiçoar Danaan por aquilo. O imbecil fizera aquilo para evitar que ela se machucasse, para enfrentar Pollux sozinho.

Para começo de conversa, Tharion nem precisara perguntar por que ela e Ruhn estavam ali embaixo. Por que tinham arriscado tudo para estar ali, por que tinham se separado de Bryce e Hunt.

Pollux se gabara sobre os filhos de Lidia para Ruhn, como os místicos receberam a ordem para mentir sobre o paradeiro dos adolescentes, atraindo-a para uma armadilha. Só que aquilo significava que os filhos dela seguiam presos em outro lugar do palácio... e Pollux sabia como encontrá-los.

— Lidia... — gracejou o Martelo. — Lidia... — Ele estava quase cantando o nome dela.

Lidia trincou os dentes. Com um impulso para se levantar, ela fez menção de ir para o corredor, para cima do Martelo, mas Tharion a segurou, fazendo-a se abaixar ao lado dele de novo.

— Precisamos nos reagrupar — disse Tharion, sibilando.

— Eu preciso buscar meus *filhos* — sibilou ela de volta, tentando voltar a se mexer.

Falavam tão baixo que as palavras não passavam de sussurros. Tharion a manteve imóvel.

— Você não está em condições...

Ela tentou de novo, e Tharion pensou *que se dane*. Comandou a tira de água ao redor da coxa da fêmea a ficar mais apertada, lançando uma gavinha para dentro do buraco na pele como ênfase.

Lidia colocou a mão na boca, engolindo um berro.

Tharion removeu a gavinha, odiando-se por causar dor a ela, mas manteve a magia para evitar que vestígios de sangue da Corça marcassem seu rastro. Ela arregalou os olhos, a surpresa substituindo a dor enquanto a água se abrandava conforme o comando dele. Uma parcela simples e normal de magia, mas ele sabia que os próprios olhos estavam acesos com o poder… com as corredeiras revoltas do próprio Istros.

— Hypaxia conseguiu desenvolver um antídoto para o parasita. Isso nos devolve de maneira temporária a magia que a Descida roubou de nós… até mais que isso, na verdade — explicou ele, com a voz baixa e ligeira.

Tharion poderia jurar que algo semelhante a orgulho brilhou nos olhos dela.

— Eu sabia que ela daria um jeito — murmurou Lidia.

— Aqui. — Ele usou uma pluma de água para retirar o estojo de antídotos de dentro da bolsa de couro, então pegou um dos dois frascos preciosos remanescentes. — Tome. Você vai apagar por um segundo, mas…

Mas para enfrentar o monstro no corredor, ela precisaria estar completamente curada. Precisaria que a ferida sumisse. Lidia não hesitou ao pegar o frasco, remover a rolha e beber.

Ela cambaleou, e seus olhos brilharam dourados. Ele a segurou quando a fêmea apagou, contando as respirações: uma, duas…

A ferida de bala na coxa de Lidia se curou de imediato, então ela abriu os olhos, que estavam de um dourado ardente. Olhou para as próprias mãos, flexionando os dedos.

— Eu sabia que ela daria um jeito — repetiu Lidia, mais para si mesma do que para ele.

Com gentileza, Tharion a soltou e gesticulou para que ela permanecesse calada enquanto os passos ficavam mais altos, bem mais próximos do que antes.

— Temos que ser espertos e nos manter calmos — alertou Tharion, e a ajudou a ficar de pé.

Ela se levantou sem nem fazer careta ou estremecer, todos os resquícios de dor haviam desaparecido. Então a fêmea assentiu.

Com passos silenciosos e a magia de Tharion fazendo com que pequenas partículas de névoa evaporassem o rastro do cheiro dela, desceram a escada.

— Lidia — chamou Pollux de novo.

Entreolhando-se, os dois pararam na base da escadaria. Tharion espiou o corredor comprido que se estendia por trás da curva da parede, vendo Pollux apontando uma arma para Danaan em frente a ele.

— Lidia — cantarolou Pollux outra vez. — Encontrei seu *companheiro,* então você não deve estar longe...

Tharion recuou. Lidia tremia com fúria e poder. Tharion sentia o poder estremecendo ao seu redor, erguendo-se como um gigante emergindo das profundezas.

O que o antídoto despertara nela? O que havia sido roubado durante a Descida? E o que jazera dormente durante aquele tempo todo? A água dele parecia vacilar diante daquilo... como se soubesse algo que ele não sabia.

— Você está aqui — continuou Pollux. — Consigo sentir sua alma por perto. Está entrelaçada à minha, lembra?

Lidia mostrou os dentes, seu poder crescendo como uma presença física. Tharion gesticulou com a mão, indicando que ela deveria recuar. Até que ele tivesse uma chance de tiro certeiro no Martelo, não poderiam revelar a sua posição ...

— Pois bem — disse Pollux, então assoviou e uma porta mais à frente no corredor rangeu ao ser aberta.

Houve o som de passos aproximando-se deles, e de Pollux.

Tharion ousou arriscar espiar de novo por trás da parede. Dois anjos trajando armaduras imperiais tinham aparecido ali, e entre eles...

Dois adolescentes, ambos amarrados e amordaçados.

Lidia não precisou olhar. Ela inalou, sentindo o cheiro do que quer que estivesse vindo...

Então arregalou os olhos ao reconhecer o cheiro dos filhos. Uma fúria pura e assassina preencheu o olhar dela, e Tharion de repente ficou muito, muito feliz por Lidia estar no lado deles.

Nem ousou pensar em deter Lidia quando ela emergiu de onde se escondiam, fez a curva e ordenou, com o poder ressoando na voz:

— Solte-os.

* * *

Bryce tinha força o suficiente para chegar a um salão no andar acima dos arquivos. De lá, ela e Hunt desceram andando, deixando um rastro de água, o mais depressa e silenciosamente possível. Ela poderia ter se forçado a teletransportá-los até o corredor com o núcleo da primalux, mas precisava se poupar. Só havia um asteri morto...

Ela matara Polaris.

Esse fato ficava martelando em sua cabeça. A sensação do ato, do sangue de Polaris banhando Bryce, aquela satisfação primitiva e a revolta em ver o ultraje dos outros asteri quando Bryce empalou a irmã deles com a espada e a adaga, inflamada pelo Fogo do Inferno de Hunt.

E então Polaris havia sido sugada para dentro do nada.

Para dentro de *lugar nenhum*. As lâminas, alimentadas por sua luz estelar e aceleradas pelo Fogo do Inferno de Hunt, haviam aberto um portal para um lugar que não era um lugar.

Uma asteri fora banida de Midgard. Mas será que Bryce daria a sorte de chegar perto dos outros? Agora que sabiam o que ela podia fazer, o que empunhava, eles a evitariam, assim como evitaram Apollion.

Os pensamentos disparavam pela mente de Bryce, o pavor a inundando enquanto corriam pelo palácio.

Não havia sentido em se manterem escondidos. Todos sabiam que estavam ali. Com um aceno de cabeça para Hunt, seu parceiro escancarou as portas para os arquivos.

O vidro se estilhaçou, espalhando-se por toda a parte, e um escudo do relâmpago de Hunt evitou que ambos se machucassem enquanto corriam por entre os fragmentos, Bryce os conduzindo para a porta que levava ao salão em que o poder de Midgard era mantido...

O brilho da sala se derramava pela escada, indicando o caminho lá para baixo.

Não havia sinal dos filhos de Lidia. Na verdade, a sala estava como estivera antes. Um piso de cristal. Os sete canos, cada um com o nome de um asteri em uma placa gravada abaixo, e, ao lado das placas, pequenas telas mostravam os respectivos níveis de poder.

Os de Sirius e Polaris estavam agora apagados, mas os outros estavam quase cheios.

Um deles, o sétimo, estava com o poder máximo. E diante do cano estava o próprio, abrindo um sorrisinho para eles.

Rigelus.

92

Rigelus liberou uma torrente de poder branco incandescente, e Bryce teve juízo o bastante de criar uma do próprio poder, combinando com o relâmpago que Hunt atirou entre eles e o asteri.

O palácio inteiro sacudiu com o impacto.

E enquanto tudo sumia, Bryce sacou a Áster e a Reveladora da Verdade.

— Não acabou bem para Polaris — disse ela à Radiante Mão, fazendo a estrela de fogo ondular pelas lâminas. — Não vai acabar bem para você.

— Polaris era fraca — rebateu Rigelus. — E uma tola por deixar você se aproximar com essas lâminas.

Sem aviso, ele atirou novamente o poder para cima deles.

Bryce segurou Hunt daquela vez e os teletransportou para o outro lado da sala.

O poder de Rigelus atingiu a escada atrás deles, e os dois se esquivaram. Um verdadeiro golpe da Radiante Mão poderia derrubar o palácio inteiro, mas aquele golpe ainda teria sido capaz de torrar a pele deles até o osso.

— Temos que chegar ao núcleo debaixo do cristal — disse Bryce, e Rigelus atacou de novo.

— Mate-o primeiro — respondeu Hunt, grunhindo, acenando com a cabeça para as lâminas nas mãos dela.

— Ele não vai nos deixar chegar perto o suficiente.

Ela reuniu forças para teletransportá-los ao núcleo, e Hunt irrompeu com o relâmpago de novo quando reapareceram, direto para cima de Rigelus...

O poder colidiu com uma barreira de luz e se espalhou.

— Seu relâmpago — disse Bryce, depressa — deformou a pedra na hora que golpeou Polaris. Acha que consegue deformar cristal também?

Estavam cerca de nove metros acima do núcleo reluzente. Para atravessar aquele bloco de cristal, precisariam de minutos preciosos e ininterruptos. Bryce pensara que a estrela de fogo poderia perfurá-lo aos poucos, mas o tempo era um luxo que não possuíam.

— Preciso de uma mira certeira no piso... algumas, provavelmente — disse Hunt enquanto Rigelus atacava de novo. Outra vez, Bryce os teletransportou. — Consegue ganhar tempo para mim?

A boca da fêmea havia ficado seca, e seu nariz sangrava mais uma vez, mas ela assentiu.

— O que estão sussurrando aí? — perguntou Rigelus, calmamente, de onde estava na frente dos canos, mas Bryce os teletransportou de novo.

Os dois apareceram bem na frente de Rigelus, e, pelo choque no rosto do asteri, não estava esperando por aquilo. Não, pensara que o poder dela havia se esgotado.

A distração custou caro.

O Fogo do Inferno de Hunt se chocou contra o piso de cristal. Bryce não esperou para ver o que aconteceria, como seria a reação de Rigelus, antes de teletransportá-los de volta ao centro da sala, e o Fogo do Inferno de Hunt cresceu ao colidir com a pedra, que realmente se deformara, e no momento se fragmentava sob o calor monstruoso.

O cristal foi se desfazendo, derretendo.

E, abaixo, um túnel para o núcleo da primalux começou a se formar.

* * *

A Cidade Eterna virou um caos de mísseis de enxofre, mec-trajes, demônios, a Guarda Asteriana e todo pesadelo imaginável.

Mas Ithan se apressou pelas ruas em direção ao palácio de cristal, à luz branca flamejando lá dentro como um estroboscópio enorme.

Só podia ser Bryce. Mas o palácio era gigante, tão grande quanto o Comitium, e encontrá-la lá dentro...

Ninguém havia atendido quando ele ligara. Com a batalha, ele não achara que fossem atender, mas continuou tentando enquanto estava a bordo do barco que contratara às pressas, até chegar ali, e então correndo a partir da costa, sem descanso, comida ou água.

Um míssil de enxofre zuniu lá em cima, cintilando com uma luz dourada. Atingiu um edifício ali perto, e o mundo explodiu.

Até Ithan, com sua velocidade e sua agilidade, foi arremessado. Seu corpo bateu contra o edifício, e o Rifle Matador de Deuses balançou em seu ombro. Algo se quebrou atrás dele, não um osso, mas sim...

Ithan deslizou pelo chão entre as pessoas gritando, à procura da mochila. Frenético, ele pegou o recipiente com os frascos do antídoto para Bryce e Hunt.

O líquido escorria. Haviam restado apenas as lascas de vidro.

Tharion tinha mais, porém só Luna sabia onde o tritão estava no meio daquela confusão. O rifle, pelo menos, seguia intacto... com arranhões no cano, mas nada que fosse afetar a utilidade do objeto.

Ele se levantou com dificuldade, mas uma mão forte o segurou, ajudando-o a ficar de pé.

Ithan se virou, mostrando os dentes, então se deparou com uma humana, com os olhos ardendo de determinação. Atrás dela, ajudando os feridos ou correndo em direção à batalha, havia mais humanos. Alguns com roupa de trabalho, alguns desarmados, mas todos seguindo para o conflito. Para essa primeira e possivelmente última chance de ir contra os asteri.

E ele soube. A mensagem de Bryce não fora apenas uma distração para os asteri. Fora um grito de guerra. Para as pessoas que mais haviam sofrido nas mãos dos asteri.

Então Ithan voltou a se encaminhar depressa para o palácio. Passando por todos aqueles humanos, que se ajudavam e lutavam com valentia... apesar das adversidades, apesar de quanto aquilo poderia lhes custar. Não havia mais antídotos para seus amigos, mas ele ainda tinha o rifle e a bala.

Dê orgulho ao seu irmão.

* * *

Lidia não se deu ao trabalho de procurar munições, apenas embainhou a arma e sacou a espada.

Sabia o quanto Pollux era um adversário difícil, mas vinha estudando-o por anos, havia aprendido os seus movimentos, a arrogância, os truques dele.

Não o deixara descobrir quais eram os dela.

Então Lidia lançou um olhar de lado para Ruhn e disse:

— Saia daqui. Isso é entre ele e eu.

Não queria mais saber de Ruhn. Ele tinha atirado nela... *atirado* nela, numa espécie de arroubo masculino de dominação, e aquilo a impedira de ir atrás dos filhos. Ela nunca o perdoaria...

— Nem fodendo.

Ruhn observou os dois guardas ladeando os filhos dela. Como se pudesse derrubá-los, como se a arma de Pollux não estivesse apontada bem para a sua nuca.

Para Ruhn seria uma bala, mas Pollux não estouraria Lidia com uma arma, nem com o próprio poder. Ele quereria fazê-la sangrar, machucá-la bem devagar e com intensidade, fazê-la implorar por clemência.

O palácio estremeceu.

— Lidia — disse Pollux, com uma satisfação hedionda. — Você parece bem para alguém que vem mergulhando de cabeça na escória nos últimos tempos.

— Vai se foder — bradou Ruhn.

Atrás de Pollux, ainda a uma boa distância no corredor, os filhos dela esperavam de cabeça erguida, mesmo que tremessem. A imagem deles causou um curto-circuito no cérebro de Lidia.

Mas Pollux zombou de Ruhn:

— Foi por sua causa que ela foi embora, então? E traiu tudo o que conhecia? Por um principezinho feérico?

— Não dê esse tanto de crédito a ele — rebateu Lidia. Diria qualquer coisa para manter a atenção de Pollux nela... longe dos garotos. Por ela, Ruhn poderia ir para o Inferno. Mesmo assim, Lidia gesticulou entre ela e Pollux. — Esse acerto de contas já estava para acontecer tem um bom tempo.

— Ah, eu sei — respondeu Pollux, gesticulando para os dois anjos atrás dele. — Veja bem, a frota da Rainha do Oceano não é assim tão segura. É só pegar um tritão ou uma sereia espiões, ameaçar fazer deles um filezinho de peixe, e a pessoa abre o bico, inclusive sobre para onde o *Cargueiro das Profundezas* está indo, e sobre as duas crianças *bem* interessantes a bordo... a verdadeira linhagem deles por fim revelada e virando a sensação do navio.

Lidia considerou todos os cenários em que conseguiria derrotar Pollux e tirar os filhos dali. Poucos terminavam com ela saindo viva.

— Eles resistiram admiravelmente, viu? Mas não conseguiam ficar de boca *fechada*, não é? — Ele lançou um olhar severo para Actaeon. Havia um hematoma na têmpora do garoto. — Aprendeu bem rápido como uma mordaça é eficiente.

Uma chama se acendeu dentro dela, estalando e escaldante.

— Depois de todo o trabalho que esses fedelhos me deram — acrescentou Pollux, com as asas brancas cintilando de poder bruto —, vai ser um prazer matá-los na sua frente.

93

Ruhn ficou imóvel enquanto dois guardas imperiais empurravam Brann e Actaeon, presos em algemas gorsianas, até que os dois ficassem de joelhos diante de Pollux.

O Martelo sorriu para Lidia, que havia ficado paralisada e adquirido um tom pálido.

— Eu soube na mesma hora que não eram meu sangue, lógico. Filho meu não seria capturado com tanta facilidade. Patéticos — desdenhou ele para Brann, que estava com o nariz sangrando.

O garoto enfrentaria o Martelo com as próprias mãos.

Actaeon, entretanto, observava Pollux com cuidado, embora também estivesse em péssimo estado. Os olhos dourados não deixavam passar nada. Analisavam tudo. À procura de uma brecha.

— Por favor — pediu Lidia, com a voz rouca.

Pollux riu.

— O tempo de gentilezas ficou para trás, Lidia.

A mente de Ruhn estava a toda, esquadrinhando cada ângulo e vantagem que pudessem ter. As probabilidades eram devastadoras.

Mesmo que Pollux abaixasse a arma que apontava para a cabeça de Ruhn, ainda estava próximo a ponto de poder matar os garotos com um único golpe. Também não havia como Lidia nem Ruhn chegarem às crianças a tempo, nem física nem magicamente. Uma bala seria mais lenta do que o golpe do Martelo.

E mesmo que Tharion estivesse ao lado de Lidia… Não, não havia chance.

— Vão buscar Rigelus — disse Pollux aos dois guardas, sem tirar os olhos de Lidia e Ruhn. — Acho que ele vai gostar de ver isso.

Sem questionarem ou sequer piscarem para as atrocidades que deixavam para trás, os guardas seguiram pelo corredor, viraram para a escadaria e sumiram de vista.

Tharion atacou.

Uma rajada de água, tão concentrada que poderia ter quebrado pedra, na direção de Pollux. Ruhn se esquivou para a esquerda quando Pollux atirou. Só que não foi na direção dele, percebeu o macho enquanto a bala disparava, mais rápida do que deveria, carregada por uma onda de poder angelical…

Pollux se atirou para o lado, e a pluma de água não pegou sua asa. A bala e o poder dele, porém, acertaram o alvo.

Tharion grunhiu, caindo antes que Ruhn visse em qual parte do corpo o tritão fora atingido. No peito…

Enquanto a água escorria pelas paredes e pelo teto ao redor, Lidia pediu:

— Solte-os, Pollux. Sua rixa é comigo.

Ele deu um risinho de escárnio.

— E quer jeito melhor de destruir você? Imagino que eu consiga fazer uma concessão: você pode escolher qual garoto morre primeiro.

Brann rosnou contra a mordaça para Pollux, mas Actaeon olhou para a mãe, com os olhos severos, como se dissesse "Mate esse desgraçado".

— São crianças — disse Lidia, com a voz falhando.

Ruhn não conseguia suportar aquilo… o puro desespero na voz dela. A angústia.

— São *suas* crianças — retrucou Pollux, com o poder cintilando na mão. — Em uma situação normal, eu gostaria de fazer isso durar mais um tempo, mas a batalha requer sacrifícios. — Como se em resposta, o próprio edifício estremeceu. — Ouvi dizer que tem uns caça-mortes à solta por aqui. Talvez os fedelhos deem um bom lanchinho.

— Não faça isso — pediu Lidia, caindo de joelhos. — Diga-me o que quer, o que preciso fazer, e farei… qualquer coisa…

O coração de Ruhn se partiu em dois. Pelos garotos, por ela, rebaixando-se por causa daquele merda.

O macho mobilizou as próprias sombras, mas se Tharion não conseguira acertar o alvo...

Pollux deu um sorrisinho para Lidia.

— Eu sempre gostei de te ver de joelhos, sabia?

— O que quiser. Por favor, Pollux. Estou *implorando*... — suplicou Lidia.

E ela faria. Daria a Pollux o que ele quisesse.

Os corpos dos garotos ficaram rígidos ao presenciar a cena. Talvez enfim compreendendo o que... quem... era a mãe deles. O que a havia motivado por todos aqueles anos, e continuaria a guiá-la nos seus momentos derradeiros.

Ruhn só via Lidia. Lidia, que havia doado tanto, demais. Que faria aquilo sem pensar duas vezes.

Então ele deu um passo à frente.

— Vamos fazer uma troca. Eu, por eles.

Qualquer outro adversário teria desconsiderado a proposta, mas Pollux o analisou de cima a baixo com uma espécie de curiosidade cruel e faminta.

Ruhn grunhiu, dizendo as palavras que não ousara proferir até então:

— Ela é minha parceira, seu escroto.

Lidia inalou com força.

Ruhn seguiu provocando o Martelo:

— Quer saber o que ela usou para comparar você e eu?

Eram palavras grosseiras e vulgares... mas palavras que o macho sabia que afetariam o ego frágil do Martelo.

E afetaram.

— Vou matar todos vocês — disparou Pollux, irado, com o belo rosto se contorcendo em fúria.

— Vai nada — retrucou Ruhn. — Para tocar nela ou nos garotos, terá que dividir a atenção e, se fizer isso, vai me dar a brecha de que preciso para mandar você direto para o Inferno.

Ele deveria ter aproveitado o momento quando Tharion atacara. Havia desperdiçado o golpe do tritão... e agora Tharion estava caído no chão, imóvel de um jeito alarmante, com o sangue escorrendo de um buraco no peito.

— Ruhn — alertou Lidia.

— Mas — prosseguiu Ruhn com suavidade — se você entregar os garotos ilesos, se deixar tanto eles quanto Lidia e Tharion irem embora, vou com você. Sem arma, sem magia. Você pode me desmontar todinho, pedaço por pedaço, levando o tempo que quiser.

— *Ruhn.* — A voz de Lidia falhou de novo.

Ele não olhou para ela. Não tinha força para ver o que havia nos olhos da fêmea. Sabia que ela o odiava por ter atirado na coxa dela... mas a intenção fora salvá-la. Evitar aquele destino terrível que acabaram tendo de qualquer jeito.

Então ele disse a ela, mentalmente: *Eu te amo. Eu me apaixonei por você do fundo da alma, e é minha alma que encontrará a sua de novo em outra vida.*

Ele encerrou a conexão antes que ela pudesse responder.

Então Ruhn se virou para o anjo de asas brancas, erguendo as mãos.

— Sou todo seu, Martelo.

94

Desarmado, Ruhn manteve o olhar no Malleus.

— E aí, o que vai ser, Pollux?

Os filhos de Lidia o observavam com atenção. Lidia permaneceu em silêncio, mas o Martelo olhou diretamente para ela.

— Eu não vejo por que não posso ter tudo o que quero — disse o anjo, então abriu um sorriso para Ruhn. — Espere sua vez, principezinho.

Aconteceu muito depressa.

Pollux se virou para os garotos, fixando o olhar em Brann. Um poder puro e bruto se acendeu ao redor do anjo.

Lidia berrou quando Pollux atirou uma lança letal de poder na direção de Brann.

Ruhn não conseguia desviar o olhar. Não queria observar, e ainda assim soube que precisava testemunhar aquele crime, aquela atrocidade imperdoável…

Mas Lidia correu, tão ágil quanto o vento. Mais ágil que uma bala.

Ruhn não entendeu o que viu em seguida: como Lidia chegou a tempo até Brann, como se jogou por cima do filho, levando-o ao chão enquanto explodia em chamas de um branco incandescente.

As chamas irromperam dela como se fossem mísseis de enxofre, derrubando Pollux. Não era um acidente nem uma bomba, mas magia de fogo, jorrando dela, saindo escaldante de dentro de Lidia.

— Brann — disse ela, arfando para o filho, enquanto as chamas nem o tocavam, e analisou o rosto chocado dele ao arrancar a mordaça da boca do garoto. — *Brannon.*

Ela engoliu um soluço ao pronunciar o nome inteiro do garoto, mas então Actaeon apareceu e puxou o irmão para longe o mais rápido que conseguiu, ambos ainda limitados pelas algemas que os prendiam.

— O que é você? — sussurrou Ace.

Ainda arfando, ardendo com o fogo, Lidia respondeu, levantando-se:

— Uma linhagem antiga.

Era Daybright, como Ruhn a havia visto na sua mente. Ela vinha se mostrando, vinha mostrando seu *verdadeiro* eu para ele todo aquele tempo.

— Tire-os daqui — disse Lidia para Ruhn, com os cabelos esvoaçando como um halo dourado, as brasas rodopiando ao redor de sua cabeça. — Leve o tritão a um curandeiro.

Era um milagre que Tharion não estivesse morto, considerando o buraco que o atravessava.

Pollux se levantou.

— Sua puta — disparou ele. — Mas que porra é essa?

— Metamorfos, como costumavam ser — explicou Lidia, com o fogo ondulando para fora da boca. — Como Danika Fendyr me disse que éramos. Agora livres do parasita dos asteri.

Ruhn ficou boquiaberto. Ela tinha se livrado do parasita? Devia ter conseguido o antídoto, de alguma forma… com Tharion?

Lidia estava magnífica, envolta pela chama e ardendo em fúria.

O poder de Pollux irrompeu de novo.

— Vou matar você mesmo assim, sua vagabunda.

— Fique à vontade para tentar — respondeu Lidia, sorrindo.

Pollux correu para cima dela, golpeando-a com a magia. O corredor tremeu, os destroços desabando…

Uma muralha de fogo azul saltou entre os dois. Pollux colidiu com a barreira, então ficou preso. Uma mosca em uma teia flamejante.

Lidia foi para perto do anjo enquanto Pollux relutava contra as chamas.

— Você assinou sua sentença de morte quando tocou nos meus filhos — anunciou ela, e então exalou.

A chama ondulou da boca dela para dentro da pele de Pollux. O anjo gritou… ou tentou gritar.

Liberta de quaisquer segredos, ou da necessidade de mantê-los, Lidia pareceu liberar tudo o que era. Ruhn apenas observou enquanto o fogo descia pela garganta de Pollux, para dentro do corpo, tostando-o de dentro para fora até que ele não fosse nada além de cinzas fumegantes, uma coluna de enxofre inerte, com a boca ainda aberta.

Ela o havia incinerado.

Lidia ergueu o dedo e cutucou a coluna imponente que outrora fora Pollux.

A estátua de cinzas de Pollux se desmantelou no chão.

Os filhos de Lidia se levantaram, o choque estampado nos rostos maltratados. A faca na bota de Ruhn o ajudou a soltar as algemas gorsianas que os prendiam, mas foi Actaeon quem sussurrou para Lidia:

— Mãe?

Ela olhou por cima do ombro para o filho. O canto de sua boca se curvou para cima... pela forma como ele a havia chamado, supôs Ruhn.

O palácio tremeu de novo... fosse lá o que estivesse acontecendo do lado de fora, era ruim.

— Leve o tritão a Declan para ser curado. Mesmo depois do antídoto, não acho que o próprio corpo de Ketos consiga salvá-lo — ordenou Lidia. — E só tem mais um frasco do antídoto na bolsa dele. Minha irmã encontrou uma solução. Mas não chacoalhe... é instável.

— Lidia — disse Ruhn, mas os olhos dela ardiam com o puro fogo.

— Preciso ajudar os outros. — Ela correu para a escada. — Leve meus filhos em segurança, e podemos nos considerar quites. Salve-os, e perdoo você por ter atirado em mim.

Ela olhou para trás, para os filhos, então sumiu pelo palácio. Na direção do mundo tomado pela guerra que os aguardava além.

* * *

Lidia soubera, desde criança, que era feita de puro poder, e havia mantido tal poder escondido nas próprias veias.

Não um poder de bruxa. Ela sabia que suas chamas eram... diferentes. Seu pai também não as tinha.

Ela as mantivera em segredo, mesmo dos asteri. Principalmente dos asteri. Pelo que sabia, nenhum outro metamorfo as tinha, e ela compreendia o que revelá-las significaria: virar um experimento a ser dissecado pelos asteri.

Então havia trombado com Danika Fendyr, que de alguma forma havia descoberto coisas sobre a linhagem paterna de Lidia, e queria saber se Lidia tinha algum dom estranho. Do tipo feérico, dons elementares.

Ela havia considerado matar Danika na mesma hora para manter o dom em segredo. E o que mais Danika sabia... Poderia saber sobre os filhos dela?

Os metamorfos eram feéricos de outro mundo, explicara Danika. Abençoados com uma forma feérica e uma humanoide, dotados de poderes elementares.

Aquilo confirmou o que Lidia suspeitara por muito tempo. Por que ela havia nomeado Brannon em homenagem às lendas mais antigas da linhagem de sua família: de um rei feérico de outro mundo, com o fogo nas veias, que criara cervos com o poder da chama para serem seus guardas sagrados.

Lidia não mencionara nada daquilo enquanto Danika contava como eles haviam se tornado metamorfos e que os asteri faziam experimentos neles em Midgard, o que acabara por eliminar as orelhas pontudas deles. Ficara feliz quando Danika morrera, levando todas as suas perguntas junto.

Não mais.

Após ingerir o antídoto que sua irmã brilhante e corajosa havia criado, o fogo insurgiu tão à flor da pele que ela não conseguia mais negá-lo. Não queria mais negá-lo.

Lidia sentia a chama atravessá-la enquanto saía do palácio, passava pela cidade e seguia para o campo de batalha mais adiante. Irrestrita, indomável.

Os lobos ferais foram os primeiros a sentir o cheiro dela, sem dúvidas graças aos sentidos aguçados de cão de caça de Mordoc. Identificaram-na antes que chegasse aos portões para a cidade. Eles a reconheceram, mesmo com o fogo, e correram para ela na forma humanoide, com os dentes à mostra. Mordoc liderava a matilha, o ódio praticamente irradiando dele. Atrás, como sempre, vinham Gedred e Vespasian, com os rifles de precisão apontados.

Era hora de Lidia fazer uma faxina.

— Você... — começou Mordoc, raivoso.

Mas ela sequer deu a ele a chance de terminar. Já bastava daquele macho, o genitor de Danika Fendyr, ficar espalhando a perversidade dele pelo mundo. Já bastava de ele causar sofrimento a Midgard.

Lidia transformou Mordoc e os dois atiradores em cinzas só com o pensamento. Até que o que restasse deles fosse apenas a prata derretida dos dardos nos colarinhos, formando uma poça no solo. Outro pensamento, e a matilha de lobos ferais, que haviam estacado no lugar em pânico, teve o mesmo fim.

Anjos da Guarda Asteriana dispararam dos céus em uma explosão de poder.

Lidia os obliterou também.

Os demônios pararam, os aliados Caídos mortos havia muito tempo junto a eles, os mec-trajes parando de se mexer.

As máquinas de guerra da Guarda Asteriana mudaram de direção e retumbaram na direção dela, cada um dos tanques colossais armado com mísseis de enxofre. Os anjos que os controlavam miraram os rifles em Lidia e dispararam uma rajada de balas.

Mas o fogo era como uma canção no sangue de Lidia, que atravessou o campo de batalha a pé. As balas derretiam antes de alcançá-la.

Era mais natural do que jamais fora. Na Caverna dos Príncipes, ela precisara de quase toda a sua concentração para extinguir as chamas do Rei Outonal ao redor de seus companheiros. Apenas Morven parecera surpreso... os outros nem haviam questionado como as chamas tinham desaparecido. O caos fora generalizado demais para alguém juntar as peças.

Naquele momento, o fogo de Lidia fluía livremente. A verdade dela estava livre.

As máquinas de guerra estacaram, miraram as armas e bombas. Queriam exterminá-la em Midgard.

Mas ela continuaria até o fim. Não olhou para trás, para o palácio, onde poderia apenas torcer para que Ruhn, seu parceiro, estivesse garantindo a segurança dos filhos dela.

Pela primeira vez em toda a sua existência infeliz, ela permitiu que o mundo a visse como era. Estava se permitindo se enxergar como tudo o que era.

Os lançadores de mísseis ficaram de um branco incandescente. Lidia mobilizou as próprias chamas. Mesmo que interceptasse os mísseis ainda no ar, os estilhaços poderiam matar seus aliados…

Só havia um jeito de parar aquilo: chegando lá primeiro, antes que os mísseis fossem lançados, e acabando com todos de uma vez, inclusive ela própria.

Lidia começou a correr.

Desejava ter conseguido se despedir dos filhos, de Ruhn, de ter respondido ao que ele dissera.

Eu te amo.

Ela deixou o pensamento para trás, com o príncipe feérico que ela sabia que manteria seus filhos a salvo.

As máquinas de guerra seguiram os movimentos dela com os lançadores. Tentariam mandá-la direto para o Inferno antes que ela os alcançasse.

Ênfase no *tentariam*.

Fora uma vida breve, considerando o padrão vanir, e ruim, mas houvera momentos de alegria. Momentos dos quais ela se recordava e os quais estimava: segurar os filhos recém-nascidos, sentir o cheirinho de bebê deles. Conversar com Ruhn por horas, quando ela o conhecia apenas como Night. Deitar-se nos braços dele.

Tão poucas lembranças felizes, mas ela não as teria trocado por nada.

Teria feito tudo de novo, apenas por aquelas lembranças.

Lidia mergulhou fundo, nos resíduos fervilhantes do próprio poder.

As máquinas de guerra assomavam, pretas e flamejantes. Prontas para o combate. Os cilindros lançadores a encaravam de cima, com os mísseis de enxofre brilhando em dourado nas gargantas.

Lidia liberou o próprio fogo, pronta para a incineração final.

Mas antes que sua chama tocasse aquelas máquinas de guerra, antes que os mísseis de enxofre pudessem ser disparados, os cilindros lançadores derreteram. O ferro escorreu, escaldando a terra seca.

E aqueles mísseis de enxofre, presos na maquinaria que se derretia…

As explosões sacudiram o mundo enquanto os mísseis estouravam, transformando as máquinas de guerra em armadilhas mortais para os soldados ali dentro. Eles derreteram até virarem nada. O calor chamuscou o rosto de Lidia, e em meio à fumaça que queimava e ondulava...

Três luzes brancas minúsculas brilhavam com intensidade.

Duendes de fogo. Reluzindo com poder.

Através do fogo, da fumaça e das brasas, Lidia as reconheceu: Sasa, Rithi e Malana. Reluzindo, ardendo com fogo. Deviam ter se esgueirado por detrás das linhas inimigas sem serem vistas. Pequenas demais para serem notadas, para sequer serem consideradas pelos vanir arrogantes.

Outra máquina de guerra retumbou adiante, passando por cima das ruínas da linha de frente.

Uma burrice. As rodas de metal derreteram também, prendendo a máquina no lugar. Enclausurando os soldados e os pilotos.

Eles tentaram disparar os mísseis em Lidia e nas três duendes que se postavam ao lado dela, mas não tiveram a oportunidade. Em um momento, a máquina de guerra estava lá, com os lançadores de mísseis prontos com a carga, mas, no instante seguinte, o metal da máquina emitiu um brilho branco, e então derreteu.

No lugar em que a máquina estivera, uma quarta duende brilhou, um azul quente e intenso.

Irithys.

Ela ergueu a mãozinha em cumprimento.

Lidia acenou de volta.

— Nós a encontramos — comentou Sasa para Lidia, sem fôlego por causa da adrenalina, da esperança, do medo, ou de tudo isso ao mesmo tempo. — Contamos o que você e Bryce disseram.

— Mas não foi preciso muito esforço para convencê-la a vir — acrescentou Malana enquanto Irithys se aproximava, deixando um rastro de brasas azuis.

— Como sabiam que deveriam vir hoje? — perguntou Lidia, enquanto Irithys se juntava a elas, uma estrela azul em meio às três luzes reluzentes das outras.

Irithys sorriu, o primeiro sorriso genuíno que Lidia vira da Rainha Duende.

— Não sabíamos. Elas me encontraram ontem, e conversamos até tarde da noite. — Um sorriso carinhoso foi direcionado às três duendes, que coraram um rosa framboesa de satisfação. — Ainda estávamos acordadas quando o vídeo de Bryce Quinlan e Hunt Athalar foi divulgado. Viemos correndo de Ravilis, torcendo para conseguirmos ajudar de alguma forma.

— Pelo jeito, chegamos na hora H — afirmou Sasa, acenando com a cabeça para as ruínas fumegantes.

— Seria uma pena perder a diversão — acrescentou Rithi, com um sorriso travesso.

O sorriso de Irithys foi mais moderado ao analisar Lidia. A chama da rainha fez a de Lidia brilhar em resposta. Dançando na ponta dos dedos, nos cabelos, como um poder contente ao reconhecer o outro.

— Senti o fogo em você assim que nos conhecemos — comentou a rainha. — Mas não sabia que o seu se manifestaria com tanta intensidade.

Lidia esboçou uma reverência, mas se absteve de contar à rainha sobre o antídoto, sobre como deixaria a chama de Irithys ainda mais letal. Depois... caso sobrevivessem. Mas, naquele momento, Lidia abriu um sorriso para a rainha e para os inimigos que se reuniam.

— Vamos botar fogo em tudo.

Porque, na frente delas, uma força de dezenas, uma fileira inteira de máquinas de guerra se aproximava. Os lançadores de mísseis rangeram, entrando em posição. Todos miravam em Lidia e nas duendes.

— Com prazer — concordou Irithys, e, mesmo na distância em que se encontrava, a pele de Lidia chamuscou com o calor da chama da rainha. — Construiremos um mundo novo sobre as cinzas deles.

Rithi, Sasa e Malana ficaram azuis, os fogos combinando com o da rainha. As quatro duendes de fogo liberaram o poder para cima das máquinas de guerra e dos vanir que as impulsionavam. As chamas brancas incandescentes de Lidia se juntaram às delas, contorcendo-se e dançando, como se cada momento de reconhecimento até então tivesse pavimentado o caminho para aquele instante, como se suas chamas conhecessem as delas por milênios.

Como uma só chama, um povo unificado, como Bryce Quinlan prometera, o fogo delas recaiu sobre a linha inimiga.

As máquinas se arrebentaram. Lidia cambaleou para trás, e para trás, e mais para trás com a força daquilo, ainda estranhando o fogo nas próprias veias, depois de permanecer reprimido por tanto tempo.

Mas as duendes mantiveram o fogo concentrado nas máquinas e nos pilotos. E quando Lidia atingiu o chão, quando os mísseis explodiram em contato com as chamas, ela lançou o último golpe de poder para cima, para proteger dos estilhaços tanto as forças aliadas que lutavam atrás quanto as duendes de fogo à frente. Os fragmentos das máquinas de guerra se dissolveram até virarem uma chuva de metal derretido.

O líquido sibilou ao encontrar a terra.

Irithys se acendeu como uma estrela azul, indo de máquina a máquina, deixando a morte ardente em seu rastro. As outras três duendes seguiam. Onde cintilavam, forças imperiais morriam.

E, enquanto o inimigo derretia diante da ponta de seus dedos… por um instante, só um instante, Lidia se permitiu nutrir uma centelha de esperança.

* * *

— Estou bem — garantiu Tharion, arfando, com sangue escorrendo da boca. — Estou bem.

— Meu rabo — retrucou Ruhn, ajoelhando-se ao lado do tritão, procurando na bolsa pelo frasco que Lidia mencionara.

O tritão já estaria morto sem o antídoto nas veias. Mas se Ruhn não fizesse algo para ajudar Tharion naquele instante, com certeza o outro morreria em questão de minutos.

— Coloque-o sentado — aconselhou Actaeon ao irmão. — Posicione a cabeça dele acima do peito para que o sangue não saia tão rápido.

— Temos que ajudá-la — retrucou Brann. — Ela está na batalha…

— Vocês não vão a lugar nenhum — avisou Ruhn aos garotos. Ele encontrou o frasco transparente e bebeu todo o seu conteúdo de uma vez só. — Ajudem-me a levantar Ketos. Temos dois segundos antes que aqueles guardas babacas voltem, talvez com Rigelus a tiracolo…

Eles não tiveram nem os dois segundos.

Da escadaria no final do corredor, os dois anjos que haviam mantido os garotos presos surgiram. Não havia sinal de Rigelus, graças aos deuses, mas naquele momento, fosse lá o que tivesse naquela poção atingiu o estômago de Ruhn, o próprio corpo, e o mundo se curvou, aumentou, apagou...

Um instante, longo o bastante para que, no momento que a visão dele voltou, Ruhn visse os dois anjos fazendo menção de pegar as armas.

Ruhn explodiu.

A luz estelar, dois feixes direto nos olhos dos anjos, cegando-os. Assim como Bryce fizera aos gêmeos assassinos. Dois chicotes idênticos das sombras dele se enrolaram no pescoço de cada um dos guardas e começaram a apertar.

— Mas que porra é essa? — murmurou Brann, mas Ruhn mal o ouviu.

Só havia o poder, crescendo como nunca antes. Sua mente estava totalmente focada ao comandar as sombras a começarem a cortar a carne angelical.

O sangue jorrou, ossos se racharam, duas cabeças rolaram para o chão.

— Cacete — sussurrou Brann.

Actaeon encarava Ruhn, boquiaberto.

— O tritão — disse o garoto, voltando-se para onde Tharion havia desmaiado de novo.

— *Merda* — bradou Ruhn, colocando a mão no peito de Tharion para estancar o sangramento...

Uma magia cálida e intensa respondeu. Magia de *cura*, vindo à superfície como se tivesse estado inativa em seu sangue.

Ele não fazia ideia de como usá-la, como fazer qualquer coisa que não fosse lançar um simples comando: *salve-o.*

Em resposta, a luz jorrou de suas mãos, e ele conseguiu *sentir* a carne e os ossos de Tharion se unindo de novo, remendando-se, curando-se...

Havia sido um tiro certeiro no peito e que saíra pelas costas. Mas aquela nova magia de cura parecia saber o que fazer, como fechar tanto o buraco de entrada quanto o de saída. Não conseguia substituir o sangue, mas se o sangue de Ketos não estivesse mais escorrendo de seu corpo... ele poderia sobreviver.

Um tremor sacudiu o palácio, e o tempo desacelerou.

Por um piscar de olhos, Ruhn pensou que pudesse ser o seu próprio poder, mas não. Já havia sentido aquilo antes. Não muito tempo atrás, quando o mundo reverberara com o que ele sabia, bem no fundo, que era o impacto de um asteri morrendo. Como a morte de um arcanjo, mas pior.

Outro asteri devia estar sucumbindo.

Mas ele comandou que aquele poder grande e intenso continuasse curando Ketos. Precisava usar aquele momento para conseguir mais tempo para o tritão, para curar, curar, curar...

Foi uma eternidade, e ainda assim não foi nada. O tempo voltou ao normal, tão rápido que os meninos acabaram soltando Tharion, mas a ferida havia se fechado. Ruhn grunhiu enquanto jogava o tritão inconsciente sobre o ombro e dizia aos garotos:

— Temos que meter o pé daqui.

Metade dele queria jogar os gêmeos em um lugar seguro e correr para onde quer que Lidia estivesse, mas sua parceira pedira que ele protegesse as duas pessoas mais preciosas no mundo para ela.

Ruhn não trairia um gesto de confiança tão grande. Por nada no mundo.

Eles avançaram pelo palácio, os corredores sinistramente vazios. As pessoas deviam ter recebido a ordem de evacuação e fugido. Os guardas haviam até abandonado seus postos junto às portas e aos portões da frente.

Ruhn e os garotos chegaram às ruas da cidade, e ele fez menção de pegar o celular para ligar para Flynn, torcendo para que o macho estivesse ali perto com a van. Só então olhou para o campo de batalha além da cidade. A nuvem de escuridão por cima das luzes brilhantes.

A escuridão era puro abismo. Os fogos ardiam do outro lado do campo... Só podia ser Lidia.

— Ruhn!

Ele conhecia aquela voz.

Ele se virou, com Tharion um peso morto no ombro, e viu Ithan Holstrom correndo na direção deles, um rifle pendurado no ombro.

Ruhn também conhecia aquele rifle. O Rifle Matador de Deuses.

O rosto de Ithan estava todo sujo de terra e sangue, como se tivesse lutado, literalmente, para chegar até ali.

— Ketos está vivo?

Quando Ruhn assentiu, Ithan perguntou:

— Cadê a Bryce?

Como em resposta, a luz brilhou lá em cima no palácio atrás deles. Ruhn sentiu calafrios.

— Falamos para ela e Athalar nos encontrarem, mas era uma armadilha... Caralho.

— Preciso ir até Bryce — disse Ithan com urgência.

Ruhn apontou para o palácio, e não conseguiu encontrar as palavras, quaisquer palavras, para dizer ao lobo que talvez já fosse tarde demais.

Ace e Brann olharam para ele, para o palácio, para o campo de batalha.

E os garotos eram responsabilidade dele. Quem ele precisava proteger durante a tempestade.

— Corra — disse Ruhn a Ithan, então gesticulou para os gêmeos. — Fiquem próximos de mim e me sigam.

95

Bryce sentia o ar cortar os pulmões ao respirar, mas tentava dar o máximo de si. Ao vento, ao movimento e à propulsão dela e de Hunt ao longo do pequeno espaço enquanto Rigelus lançava golpe atrás de golpe.

Ela não era a fêmea apavorada que fora uma semana antes, fugindo dele pelo corredor. Sabia que a luz de Theia dava a ela vantagem para ficar um passo adiante de Rigelus enquanto se teletransportava consecutivas vezes.

Precisavam apenas desativar o núcleo, e então ela pegaria a espada e a faca e iria atrás dos asteri. Um por um.

O relâmpago de Hunt colidia toda hora no chão, mas ela e Hunt continuavam se movimentando, tão rápido que um estrondo não havia nem terminado antes de outro começar. O som era monstruoso, devorador, e chovia pedras e cristais na sala.

Mas no meio do cômodo, o túnel de cristal deformado e derretido estava quase completo.

Minutos haviam se passado, talvez anos. Continuar um passo adiante de Rigelus era como uma dança, e ela sabia que aquilo tudo teria um fim destruidor muito em breve.

Outro estrondo, e o brilho do núcleo da primalux se intensificou, destacando o rosto furioso de Rigelus com uma nitidez terrível.

Bryce os teletransportou para longe, mas foi mais devagar… devagar demais…

Rigelus golpeou-os com o poder.

Uma muralha de ácido abrasador os jogou cambaleantes para a escada, e Bryce soube que apenas o relâmpago de Hunt havia evitado que o golpe fosse fatal. Mobilizou o poder para se teletransportar, mas o movimento falhou.

— Talvez você não devesse ter dispendido tanta força contra Polaris — comentou Rigelus com um sorrisinho, e ergueu a mão cintilante...

Era uma escolha entre morrer ou sobreviver.

Bryce teletransportou a ela e Hunt... mas não para o centro da sala. Os dois reapareceram no piso acima, longe do núcleo.

— Mais um golpe! — gritou Hunt. — Bryce, só mais um golpe, caralho, e conseguimos...

Os joelhos de Bryce cederam, e a cabeça pesou. O poder havia se dissolvido em poeira estelar em suas veias.

Hunt a segurou quando ela cambaleou.

— Bryce.

O nariz dela ardia, e Bryce sentia o gosto do sangue na boca, metálico e intenso.

— Merda — sibilou Hunt, segurando o rosto dela entre as mãos. — Bryce... olhe para mim.

Ela precisou se esforçar. Demais.

— Desculpe — respondeu ela, arfando, e as palavras não passavam de um sussurro. — Me desculpe.

Todo aquele poder que conseguira... de que havia adiantado? E de que adiantava ter a Áster e a faca se dentro de si não restava mais luz estelar para uni-las?

— Mais um, Bryce — repetiu Hunt, ofegante. Sangue escorria do nariz dele também. O custo de todo aquele poder, sem cessar. — Só mais um golpe, consigo sentir...

— Está bem — concordou ela. — Está bem.

Precisavam descer até lá novamente antes que Rigelus desse um jeito de consertar o dano que os dois já haviam infligido.

— Está bem — disse ela outra vez, mas o poder não se manifestava. Ela olhou para Hunt. — Um empurrãozinho?

Pela preocupação nos olhos dele, Bryce soube que Hunt também não tinha mais muito poder. Contudo, o relâmpago dele se acendeu, uma coroa sobre a cabeça do macho, fazendo dele um Deus primitivo.

Em vez de atingi-la com o Fogo do Inferno, ele a puxou e a beijou.

O relâmpago fluiu dele para ela, um rio vivo de música e poder. Bryce se afastou, arfando, e não fora muito poder, mas estava lá, era suficiente...

— *Parem* — disse uma voz masculina exausta do corredor.

E embora ela tivesse saltado entre mundos e dado fim a arcanjos e asteri, nada a havia preparado para ver Ithan Holstrom em desabalada carreira pelo corredor do palácio com o Rifle Matador de Deuses pendurado no ombro.

* * *

Hunt não tinha mais energia para ponderar sobre o fato de Holstrom parecer... evoluído. Mais velho, de alguma forma mais poderoso, embora Hunt tivesse acabado de vê-lo. Ele não deu a mínima para isso quando o lobo se aproximou e disse:

— Fui enviado para te entregar isto.

Ithan estendeu o rifle para Bryce.

Com as mãos trêmulas, ela o empunhou.

— Jesiba?

— Não. Quer dizer, foi, mas... — Ithan estava com os olhos arregalados. — Tem uma bala aí dentro, cheia da secundalux dos mortos da Cidade Crescente. Connor me entregou, para dar a você.

— *Connor?*

Bryce cambaleou de novo, e Hunt a segurou.

— Não dá tempo de explicar, mas os mortos me enviaram para entregar o rifle e a bala para você. — Os olhos de Ithan brilhavam com intensidade. — Connor disse para fazer o tiro valer.

Bryce olhou para o rifle nas mãos, sentindo o peso.

— Que serventia tem uma bala de secundalux contra os asteri? — perguntou Hunt.

— Não contra os asteri — corrigiu Bryce. — A bala é uma bomba de secundalux.

Ithan confirmou com a cabeça, aparentemente entendendo melhor do que Hunt o que ela queria dizer.

— Não tenho força para teletransportar a nós dois de volta ao núcleo — disse Bryce e segurou a mão de Hunt, colocando algo frio ali.

As palavras dela o acertaram em cheio, e Hunt disparou:

— Nem fodendo. — Ele começou a se exaltar. — Nem fodendo, Bryce, vamos mandar aquele monstro para o Inferno...

— Saia do palácio — alertou Bryce, e se teletransportou.

Sozinha.

Levando o Rifle Matador de Deuses consigo, e deixando a Máscara na mão de Hunt.

* * *

Ela tinha uma chance.

Da última vez, Lehabah havia conseguido ganhar tempo para ela, os dois segundos necessários para mirar o tiro.

Daquela vez, não havia nenhuma duende de fogo para salvá-la. Não havia sintez para impulsioná-la. Apenas o treinamento que Randall havia instilado nela ao longo dos anos. Bryce fez uma oração silenciosa de agradecimento a ele.

Um tiro, na direção do túnel que Hunt abrira, para destroçar o último cristal ao redor do núcleo e libertar toda aquela primalux.

Ela sabia que alinhar o tiro custaria caro. Sabia que, no segundo que levaria para ajustar a mira, Rigelus lançaria seu poder sobre ela, e não haveria muralha do relâmpago de Hunt para contê-lo.

Bryce desfrutou do vento feroz que chicoteou ao seu redor quando se teletransportou... uma última vez, propelindo-se pelo mundo.

Ela ergueu o rifle na altura do ombro, liberando a trava de segurança, e então estava no centro da sala repleta de destroços e cristais, com o rifle já apontado para o buraco no centro.

Só que Rigelus não estava sozinho. Três outros asteri remanescentes haviam se juntado a ele, e os quatro formavam uma parede sólida entre Bryce e o núcleo da primalux. Ao menos mais um deles estava morto, se o desacelerar do mundo alguns minutos antes fora algum indicativo. Mas ainda restavam quatro.

O dedo de Bryce estacou no gatilho. Desperdiçar aquela bala neles…

— Não quer saber o que está arriscando antes de agir de modo tão imprudente? — perguntou Rigelus, presunçoso. Ele não esperou por resposta. — Se destruir o núcleo da primalux, vai destruir a própria Midgard.

96

Bryce não abaixou o Rifle Matador de Deuses, manteve-o apontado para os pés dos asteri, para o buraco bem atrás deles. Para se aproximar, ela precisaria se teletransportar para onde eles estavam, e atirar direto no buraco.

— O núcleo está atrelado à própria alma de Midgard — continuou Rigelus. — Se destruí-lo, o planeta inteiro deixará de existir.

Bryce sentiu calafrios. Poderia ter respondido que aquilo era besteira, se não fossem as alegações de Vesperus a respeito do Caldeirão.

— Vocês transformaram o núcleo em um botão de emergência — sussurrou Bryce.

— Para evitar que ratazanas que nem *você* começassem a ter ideias sobre nos destruir — zombou a asteri à esquerda de Rigelus, Eosphoros, a Estrela Matutina.

— Nosso destino — disse Rigelus para Bryce, cruzando as mãos na frente do corpo de modo quase beatífico — está atrelado ao destino deste planeta. Se matar nossa fonte de alimento, condenará cada alma viva em Midgard também.

— E se eu disser que está blefando? — retrucou Bryce, ganhando o máximo de tempo possível para conseguir assimilar tudo o que ouvira, testemunhara e suportara…

— Então uma escuridão como nunca viu vai devorar este planeta, e vocês todos sucumbirão — respondeu o asteri à direita de Rigelus, Hesperus, a Estrela Vespertina.

— Então vocês preferem morrer a libertar qualquer um de nós? — perguntou Bryce.

— Se formos privados de alimento, então morreremos; não existe propósito na existência de vocês, a não ser para nos servir de sustância. Vocês são posses.

— Você perdeu a porra do juízo. — Bryce manteve o rifle apontado para os pés deles. — E se eu matar vocês todos e deixar o núcleo aqui? Que tal?

— Você teria que se aproximar de nós com essas lâminas para fazer isso, menina — zombou Eosphoros, com a morte nos olhos ao observar a Áster às costas de Bryce e a Reveladora da Verdade embainhada na lateral do corpo da fêmea. — Não cometeremos o mesmo erro de Polaris.

Eles estavam certos... Bryce sabia que se abaixasse a arma, se sacasse as lâminas... Bem, eles a matariam tão rápido que ela provavelmente não conseguiria sacar as lâminas a tempo.

— Pense com bastante cuidado, Bryce Quinlan — aconselhou Rigelus, dando um passo à frente com as mãos erguidas. — Uma bala no núcleo, e este mundo e todos os inocentes serão sugados por um vazio sem fim.

O mesmo Vazio que Apollion alegara tê-lo permitido devorar os asteri? O corpo de Polaris havia sido sugado para o nada...

— Você pareceu tão indignada no seu videozinho, — comentou Rigelus, quase ronronando — com a morte de todos aqueles inocentes nos Prados de Asphodel, mas o que são algumas centenas de crianças em comparação aos milhões que condenará assim que disparar essa bala?

Um vazio sem fim...

— Mate-a, irmão — sibilou o quarto asteri, Austrus, brilhando de poder. — Mate-a, e voltamos a lutar contra os príncipes antes que nos encontrem aqui embaixo...

— O que vai ser, Bryce Quinlan? — perguntou Rigelus, estendendo a mão. — Você tem minha palavra de que, se não disparar essa bala, você e os seus poderão sair daqui livres. E assim permanecerão.

O outro asteri se voltou para ele, indignado.

— Posso lhe ensinar coisas com as quais nunca sequer sonhou — prometeu Rigelus. — O idioma das palavras tatuadas em suas costas... é o *nosso* idioma. De nosso mundo natal. Posso ensiná-la a usá-lo. *Qualquer* mundo a sua disposição, Bryce Quinlan. Cite um mundo, e ele será seu.

— Só quero que este mundo fique livre de vocês — disse Bryce entre dentes. — Para sempre.

Um dos asteri começou a falar:

— Como você se atreve a...

Porém Rigelus o interrompeu, focando apenas em Bryce.

— Isso também pode ser viável. Uma Midgard do jeito que imaginar. — Ele sorriu, de forma tão animada que ela quase acreditou. — Você terá uma vida confortável. Vou nomeá-la rainha *de verdade*... não apenas dos feéricos, mas de toda a Valbara. Chega de governadores. Chega de hierarquias angelicais, se é isso o que você e Athalar desejam. Se deseja que os mortos sejam libertados, então encontraremos um jeito de driblar a morte também. Eles sempre foram apenas uma sobremesa para nós.

— Sobremesa — repetiu Bryce, com as mãos tremendo de ódio.

Ela apertou mais o rifle.

— Os mortos poderão ficar com a secundalux — prosseguiu Rigelus.

Mas Bryce, com a visão turva por uma névoa branca familiar de pura fúria, respondeu:

— Eles não são *sobremesa*, são pessoas. Pessoas que os habitantes deste planeta conheceram e amaram.

— Foi uma escolha infeliz de palavras — admitiu Rigelus —, e peço desculpas por isso, mas o que quiser, terá. E se desejar...

— Chega de ser cortês com a verme — interrompeu Eosphoros, irritada. — Ela morre.

— Acho que não — disse Bryce, teletransportando-se direto para a frente dos asteri. Bem perto do buraco que Hunt havia aberto no chão. — Acho que agora é a vez de vocês morrerem.

Então ela disparou o Rifle Matador de Deuses no núcleo da primalux.

* * *

Os asteri berraram, e o tempo se alongou enquanto a bala era disparada do rifle, devagar a ponto de Bryce ver o que estava escrito na lateral da munição: *Memento Mori.*

Potencializada pelas almas dos mortos, de Connor e a Matilha dos Demônios, e tantos outros... Os mortos se sacrificando em favor dos vivos. Os mortos abrindo mão da eternidade para que Midgard se libertasse.

A bala espiralou para baixo, na direção da luz, na direção da barreira final de cristal.

Rigelus foi para cima de Bryce, com as mãos incandescentes de poder bruto. Quando ele a tocasse, ela morreria...

E talvez tivesse sido aquilo que Danika planejara desde o princípio ao colocar o Chifre nela, ao desejar que ela reivindicasse o outro pedaço da estrela de Theia para Avallen. Talvez tivesse sido aquilo que Urd planejara para ela, que sussurrara a ela para fazer desde que havia acessado o poder, ou o que o Inferno havia imaginado que ela e Hunt fariam um dia.

Bryce desejava ter tido um pouco mais de tempo com Hunt. Com os pais e amigos. Um pouco mais de tempo para desfrutar do sol, do céu, do mar. Para ouvir música, toda a música que pudesse ouvir. Para dançar... só mais um passo ou um giro...

Rigelus estava estendendo as mãos brilhantes para o braço dela; o projétil seguia espiralando. E enquanto aquela bala de secundalux quebrava a última camada de cristal e descia mais e mais...

Bryce desejava ter tido mais tempo.

Mas não tivera, e se aquele era todo o tempo que fora concedido a ela... faria valer a pena.

Acredito que tudo aconteceu por um motivo. Não creio ter sido em vão.

Ao longe, as palavras que dissera no Portão, na primavera anterior, ecoaram.

Tudo aquilo havia acontecido em virtude disso. Não por ela, mas por Midgard. Pela segurança e pelo futuro de todos os mundos.

E enquanto a bala penetrava o núcleo da primalux, enquanto a mão de Rigelus envolvia o pulso de Bryce e o ácido puro queimava sua pele e seus ossos onde tocava...

Como a bateria que era, ela pegou o poder dele e sugou-o.

Luz encontrou luz, mas... a luz estelar de Rigelus não era luz.

Era poder, sim, mas era *primalux*. Era o poder de Midgard. Do povo.

Fluiu para dentro dela, tanto poder que quase a fez perder o fôlego. O tempo desacelerou ainda mais. No entanto, ela tomou mais do poder de Rigelus.

O indicador do poder dele na parede despencou.

Rigelus recuou, soltando-a — se por causa da dor, da fúria ou do medo, ela não sabia dizer...

A luz dele não era própria. A luz dele fora roubada do povo de Midgard. Ele era um portão vivo, armazenando poder, e assim como ela havia extraído dos Portões na primavera, assim como havia alimentado a Ascensão dela, alimentado o poder dela de modo a alcançar novos níveis... neste instante se tornava dela.

Sem a primalux, sem o povo de Midgard e de todos os outros planetas que haviam sugado até não restar nada... sem o poder do povo, os malditos dos asteri não eram *nada*.

E com essa compreensão, a verdade inegável, Bryce canalizou todo aquele poder por meio do Chifre em suas costas.

Bem na hora que o núcleo explodiu.

O botão de emergência de Midgard foi acionado. A poucos centímetros dela, o mundo começou a desmoronar, sugando-se para dentro, obliterando tudo...

Bryce comandou, e o Chifre obedeceu.

Um portal foi aberto... bem na frente do núcleo e do ponto escuro que emergia dali, aspirando tudo o que era vida. Bryce enviou o núcleo, aquele ponto sem vida e crescente, pelo portal dela.

Os asteri gritaram de novo e não pararam mais. Como se soubessem que Bryce havia conjurado o próprio botão de emergência.

Com um pensamento, Bryce ampliou o portal para sugar os asteri, seus gritos desaparecendo junto com o corpo de cada um deles. Rigelus e suas mãos cintilantes eram um brilho fraco naquele momento, ainda esticadas na direção de Midgard, agarrando-se a Bryce enquanto ele era sugado.

Bryce teve um único instante para perceber o que — e para onde — ela havia aberto um portal: um lugar escuro e sem ar, salpicado de estrelas pequenas e distantes. Um piscar de olhos, e ela foi sugada também.

Direto para o espaço profundo.

97

O palácio de cristal dos asteri estava desabando.

Perto dos muros da cidade, uma rachadura e um estrondo deixaram os sons abafados nos ouvidos de Ruhn, reverberando pelo corpo. Ele olhou para trás e viu as torres do palácio oscilarem e tombarem.

— Bryce — murmurou ele, arfando.

Tharion, acordado e caminhando com cuidado, estacou, e os gêmeos, que o estiveram ajudando, pararam junto.

O mundo inteiro parou com o tremor que assolou tudo. Quando a luz irrompeu de debaixo do palácio. Uma força enorme, como um redemoinho sugando-os para dentro, dentro e dentro, começou a atraí-los naquela direção.

— Corram — sussurrou Tharion, também sentindo.

Ruhn assentiu e pegou os dois garotos pela mão. Eles correram ao longo dos últimos quarteirões até os portões da cidade, com Tharion lutando para acompanhar o ritmo.

Ruhn sentia a tração em direção ao palácio que desmoronava e sabia que não haveria escapatória.

* * *

Bryce o havia deixado.

Ela o havia deixado e se teletransportado de volta para enfrentar aqueles monstros sozinha. Hunt não havia avançado muito, com

Holstrom logo atrás, antes de aquele estrondo sacudir o palácio, os céus se abrirem e o palácio começar a desabar, mais, e mais, e mais...

Era uma escolha entre deixar Holstrom morrer ou continuar tentando chegar à Bryce.

Mas Hunt sabia que sua parceira jamais o perdoaria se ele abandonasse Ithan, então segurou o lobo e alçou voo, esquivando-se dos blocos de cristal, pedra e metal que caíam.

Ele não sabia ao certo onde haviam aterrissado, apenas que estavam à beira de uma cratera gigante que não existia ali antes. Ele se lembrou da filmagem do noticiário que vira, mostrando o que restara dos Prados de Asphodel... Tudo que podia fazer era imaginar se Bryce havia feito aquilo de propósito.

Mas enquanto tentava limpar o sangue e a poeira dos olhos, Hunt viu o que estava no coração da cratera: um vácuo escancarado, com estrelas além.

A força do vácuo o puxou para dentro, fazendo-o cambalear para a frente...

— Vá — comandou ele a Holstrom. — Leve o máximo de pessoas que conseguir para longe.

Porque, do outro lado daquele portal que Bryce abrira para dentro das estrelas, havia uma muralha de escuridão impenetrável. Hunt conseguia distinguir as figuras brilhantes sendo sugadas.

Bryce havia aberto um buraco negro no meio de Midgard.

Será que fizera aquilo com as lâminas? Ou a união entre a Áster e a Reveladora da Verdade apenas deram a ela uma ideia de como poderia capturar todos os asteri ao mesmo tempo, em vez de acabar com cada um individualmente?

Não importava.

Nada importava, porque havia a porra de um buraco negro do outro lado daquele portal, e a força da coisa era forte o bastante para que o lado de *cá* do portal estivesse sendo sugado também...

Mas aquilo também não importava.

Porque lá, entre as luzes brilhantes dos asteri... estava a luz estelar de Bryce.

E ela estava sendo sugada para dentro do buraco negro também.

* * *

Bryce sabia que deveria estar morta. Não havia ar algum ali, nem calor.

Talvez fosse o Chifre na pele dela, a essência Feita, que a mantinha viva… apenas o suficiente.

Fora uma aposta, mas ela vira o que a Áster e a Reveladora da Verdade tinham feito com Polaris. Haviam criado um vácuo que sugara a asteri lá para dentro… o único tipo de prisão que poderia destruir um ser de luz. A única força no universo que *comia* luz, tão forte que luz alguma conseguiria escapar. Um portal para lugar nenhum.

Para um buraco negro.

Não era aquele o poder profano que Apollion possuía? O poder do Vazio. A antítese da luz.

A única coisa que conseguiria matar um planeta com uma mordida. Destruir os asteri, e Midgard junto.

Os asteri também sabiam daquilo… desde sempre, e usaram como um botão de emergência, para ser acionado mediante a destruição do núcleo da primalux.

Então ela havia peitado o buraco negro deles com o próprio. Um maior. Um buraco negro, um vazio, para *comer* os outros buracos negros.

Porque Bryce não poderia deixar que aquilo acontecesse com Midgard. Abrira o próprio portal para o buraco negro que era do tamanho exato para que apenas aqueles que estivessem bem perto do núcleo fossem sugados.

E agora ela estava ali, flutuando pelo espaço com os asteri.

A luz jorrava dos seres brilhantes ao redor, os gritos deles silenciados pela ausência de ar. Atrás dela, a única luz que se infiltrava pela fresta que ela deixara para trás… uma fresta que ainda precisava fechar. Uma janelinha para Midgard. Ela não conseguia se forçar a fechá-la. Ainda não.

Bryce se permitiu olhar para a fresta de luz, de céu azul. O último vestígio de casa.

Acredito que tudo aconteceu por um motivo. Não creio ter sido em vão.

À frente dos asteri, havia a massa reluzente que era o núcleo da primalux, o buraco negro crescente no coração daquilo…

A luz se expandiu e se curvou enquanto era puxada goela abaixo do buraco negro maior. E então sumiu.

Não restou nenhum feixe. Nada de botão de emergência, nada de primalux. Midgard estava livre deles.

Aquela fresta de luz se tornou cada vez mais fina. Estava longe demais para que ela alcançasse. Não dava para voltar ao portal. Não havia como se impulsionar até lá. Havia apenas o fluir lento na direção do horizonte de eventos do buraco negro. O fim inevitável e esmagador.

À frente, os dois primeiros asteri, Hesperus e Eosphoros, se aproximavam do ponto sem retorno. Tentavam segurar o nada, buscando uma forma de se agarrar ao vazio do espaço para afastá-los da boca escancarada do buraco negro…

Mas os dedos brilhantes nada encontraram enquanto deslizavam sobre o ponto e sumiam.

O tempo desacelerou por um instante fugaz… só um, com o tempo se arrastando, e se arrastando… então voltou ao normal. As mortes foram rápidas. Um engolir ágil.

Acredito que tudo aconteceu por um motivo. Não creio ter sido em vão.

Rigelus e Austrus foram em seguida, mas os dois se agarravam um ao outro.

Não, ela viu de imediato: era Austrus quem estava segurando o outro, frenético como uma pessoa se afogando, e Rigelus tentava se soltar, acertando o colega asteri com os resquícios de poder que Austrus absorvia…

Talvez se Bryce não tivesse drenado o poder de Rigelus, ele poderia ter conseguido. A Radiante Mão pareceu perceber isso também. Resolveu tentar outro movimento para se libertar, porque ergueu os pés entre os dois e *chutou.*

Austrus tombou para trás… direto para o ponto sem volta. Seus gritos não emitiram som algum.

O tempo desacelerou e estremeceu enquanto o buraco negro o devorava também.

E então restava apenas Rigelus, ainda brilhando… mas de um jeito fraco. Aquele chute que dera em Austrus o havia propelido na direção de Bryce. Não havia nada que ela pudesse fazer para fugir, não tinha como se esquivar de seu alcance…

A expressão de Rigelus revelava um ódio puro enquanto os dois colidiam. Eles rodopiaram pelo espaço, onde o *para cima* e o *para baixo* não tinham significado algum, e qualquer que fosse a proteção que o Chifre dava a ela, parecia se curvar na presença do asteri.

O Chifre faria uma reverência ao criador, ao mestre.

Ela precisava de ar. Precisava de *ar*…

Bryce o empurrou, conseguindo um pouco de espaço entre os dois. Não rompeu o contato por completo, mas foi o suficiente para que a proteção do Chifre fosse acionada de novo e ela conseguisse respirar.

Rigelus estava falando algo, gritando na cara dela, mas não havia som algum. Não havia som no espaço. Apenas o rosto dele contorcido em desprezo, e ela sabia que ele via a mesma expressão no rosto dela enquanto Bryce inspirava. A última inspiração, ela sabia. Faria aquilo valer a pena também.

Bryce segurou o torso magro dele e o abraçou, então o envolveu com as pernas também.

Rigelus tinha uma passagem só de ida para aquele buraco negro… e ela se certificaria disso.

Mesmo que, para tal, tivesse que ir junto.

98

Com o capacete de Umbra Mortis jogado nos escombros ao lado, Hunt observava a coisa gigante e escura que havia aparecido no centro da cidade e, aos poucos, devorava tudo.

Bryce estava naquele buraco. Um vento escuro agitou os cabelos de Hunt, e ele não precisou olhar para saber quem havia chegado.

— Eu falei para ela escolher viver — murmurou Aidas, com tristeza, olhando para a abertura preta estrelada.

— Ela não seria Bryce se tivesse escolhido a si mesma — retrucou Hunt, com a voz rouca. Ele não a amaria tanto se ela não fosse o tipo de pessoa que teria pulado naquele buraco. — Temos que ajudá-la — completou ele, com um grunhido, as asas relutando contra a tração do buraco negro que tentava sugar toda a Midgard para dentro de si.

— Não podemos fazer nada — contrapôs Aidas, com a voz tomada pela angústia.

— Eu tenho que tentar.

Hunt dobrou os joelhos e abriu as asas, preparando-se para aquele pulo no espaço. Para Bryce. E para aquela muralha de preto eterna onde sua parceira brilhava.

— Se você entrar lá, vai morrer — respondeu Aidas. — Não tem ar para impulsionar suas asas, nada para ajudá-las a ter propulsão para que você consiga ir até Bryce. Você vai ficar à deriva, e mesmo assim ela vai acabar indo com Rigelus para o Vazio. Depois de alguns minutos, você vai atrás, impotente.

— Mas ela deixou o portal aberto. Para Midgard — disse Hunt.

Aidas voltou os olhos exaustos para ele.

— Acredito que vai se fechar quando ela e o Chifre forem obliterados.

— Ela o deixou aberto para *voltar para casa* — vociferou Hunt.

Ele analisou a Máscara nas mãos. Bryce a havia deixado com ele… Por quê? Ele não teria como entregá-la de volta aos feéricos em seu mundo natal. Inferno, ele provavelmente nem conseguiria manejar aquela merda. Não era Feito, não conseguiria comandá-la.

— Ela provavelmente já morreu pela falta de oxigênio — disse Aidas baixinho. — Sinto muito.

— Eu não aceito isso nem por um minuto — respondeu Hunt, irritado. — Eu me *recuso* a aceitar…

— Então vá morrer com ela — disse Aidas, sem crueldade. — Se é o que deseja, faça isso agora. Ela e Rigelus já estão se aproximando da margem do Vazio.

Hunt analisou a Máscara de novo.

Bryce não fazia nada sem motivo. Havia deixado a Máscara com ele, sabendo que estava indo para a própria morte. Havia a deixado com o parceiro… o parceiro, que tinha um pouco da essência Feita dela em si porque os dois haviam feito amor na noite anterior.

O que talvez atribuísse a ele a capacidade de manejá-la. Só por um momento.

Ela havia dado tudo por Midgard. Por ele.

Naquele dia, na primavera anterior, quando não havia mais esperança, ela fizera a Descida sozinha. Para salvá-lo, e para salvar a cidade… e ela havia feito aquilo por puro amor. Fizera aquilo sem esperar voltar.

Assim como devia ter pulado no portal com a suspeita de que nunca voltaria.

Os demônios se espalhavam pelas ruas, e a Guarda Asteriana ainda lutava, sem saber que seus mestres remanescentes estavam a caminho da aniquilação. Os mec-trajes dos Caídos e os inimigos colidiam.

Bryce adentrara a própria morte por ele naquele dia de primavera. Hunt não poderia fazer menos por ela.

— Athalar — chamou Aidas enquanto ele observava o buraco no mundo. — Acabou. Venha... Temos que terminar isso. Mesmo sem os asteri, há outras batalhas a serem travadas antes que o dia acabe bem.

As palavras foram assimiladas — *"sem os asteri"* —, mas o solo tremia atrás dele.

Hunt se virou. Um mec-traje estava ali, erguendo-se imponente acima dele. Sem piloto... era um dos Caídos. Os olhos verdes brilhantes alternaram entre ele e o buraco no universo, o pequeno feixe de luz vagando e vagando na direção da escuridão infinita.

O mec-traje estendeu a mão, e Hunt soube.

Soube quem era a Caída que controlava o traje, cuja alma se aproximara para oferecer assistência. Para ajudá-lo a fazer o impossível.

— Shahar — murmurou Hunt, e as lágrimas escorreram por seu rosto.

O mec-traje, com a alma da arcanjo ali dentro, inclinou a cabeça. Aidas deu um passo para trás, como se estivesse surpreso.

Nas ruas, outros trajes haviam estacado no lugar. Ajoelhados, em reverência. Hunt conseguia senti-las... as almas dos Caídos. Cercando-o, cercando o traje.

Mas Shahar apenas se ajoelhou diante de Hunt e abriu a porta do piloto.

As asas deles não funcionariam no espaço, mas a propulsão das armas do traje sim.

Hunt não hesitou. Entrou, apertando as asas no espaço interno pequeno, e fechou a porta de metal.

— Obrigado — disse Hunt à arcanjo, à Caída que agora sentia pressionada ao redor dele.

Ele já havia sido forçado a desmembrar mec-trajes no campo de batalha para ajudar a irmã de Shahar a destruir humanos. Mas, naquele momento, o traje o ajudaria a salvar uma vida. A vida mais importante do mundo para ele.

Hunt não olhou para Aidas, para o palácio em ruínas mandando destroços na direção do portal nem para o buraco negro tão enorme que a tração ameaçava sugar tudo. Apenas cravou os olhos no vazio e correu, o traje retumbando ao redor, direto para o portal.

Depois pulou atrás da parceira.

* * *

Era longe demais.

Não para o traje, cujas rajadas de poder mandaram Hunt cambaleando na direção de Bryce e Rigelus, mas para os sistemas de oxigênio. Essa informação acendeu nas telas, piscando em vermelho. O ar ficou rarefeito; os pulmões dele começaram a doer…

Hunt fez a única coisa em que conseguiu pensar: colocou a Máscara no rosto.

Para escapar da morte, vestiria o artefato. O Umbra Mortis de verdade.

A Máscara dilacerou sua alma.

Vida e morte… estavam todas naquele espaço, no universo, de fato. Mas o fosso enorme e escancarado, tão perto de Bryce e Rigelus… aquela era a morte encarnada.

Os dois estavam lutando. Hunt conseguia ver agora. A luz brilhando entre eles, ondulando-se para o nada, cada um tentando se afastar do outro, a acabar um com o outro…

Só havia um míssil de enxofre restante no traje. Hunt mirou na direção da parceira e de Rigelus. Os dois estavam se mexendo muito depressa, muito colados. Atirar em um seria atirar no outro.

Ele poderia ter jurado que uma luz, uma mão fantasmagórica guiou a dele para o botão de disparar.

— Ela também vai ser jogada lá para dentro — sussurrou Hunt para Shahar.

A mão fantasmagórica apertou (com suavidade, como se fosse tudo o que ela conseguia fazer) a mão dele. No botão.

Como se dissesse: *Dispare.*

Os deuses nunca haviam feito favor algum a ele, Urd certamente nunca o ajudara, mas mesmo assim…

Talvez tivessem ajudado.

Talvez naquele dia em que ele conhecera Bryce, os deuses o tivessem mandado até lá. Não para ser um instrumento do Inferno, mas porque Urd sabia que lá haveria uma fêmea que seria gentil, altruísta e corajosa, que daria tudo de si pela cidade, pelo planeta. E que precisaria de alguém que desse tudo por *ela.*

Bryce tinha dado uma vida a ele, uma vida linda. Ele não precisava de todas as provas em imagem que haviam passado diante de seu rosto quando ele estivera na cela do Comitium para perceber. Ela tinha dado alegria, riso e amor, havia libertado Hunt de uma existência fria e sombria e o levado na direção da luz. Da luz dela.

Hunt não deixaria que aquela luz fosse apagada.

Então apertou o botão para lançar o míssil. Um aperto, e a coisa disparou do painel no ombro do mec-traje.

E, ao ser lançado pelo traje, espiralando pelo espaço, dourado com toda aquela ira angelical…

Hunt sentiu Shahar ir junto.

Poderia ter jurado ver asas enormes e reluzentes se enrolarem no míssil enquanto espiralava pelo espaço, direto para Bryce e Rigelus.

A causa dos Caídos, por fim encerrada com um último golpe.

Bryce e Rigelus interromperam a luta com a aproximação do míssil brilhante.

E Hunt soube que foi Shahar, junto de cada um dos Caídos e de todos que lutaram contra os asteri, que guiou o míssil para acertar em cheio a cara de Rigelus.

Não explodiu. Afastou-o de Bryce, e a Radiante Mão cambaleou para o ponto sem volta, o míssil junto…

E Bryce estava livre. À deriva.

Mas ainda perto demais da margem do vazio.

Usando o estoque precioso de poder de fogo como impulso, Hunt se propeliu à frente, atravessando o espaço até sua parceira, sua esposa, seu amor…

O míssil e Rigelus cruzaram o horizonte.

O tempo desacelerou.

Esticou-se e ondulou enquanto uma labareda de luz surgiu, ou Rigelus ou o míssil estourando, Shahar e a causa dos Caídos desaparecendo junto dentro da escuridão.

E então Bryce estava diante dele, os cabelos esvoaçando como se ela estivesse debaixo d'água. O rosto severo… congelado. Inconsciente.

A Máscara disse uma palavra diferente, mas ele ignorou.

Ignorou e estendeu os braços ao máximo, o tempo lento demais…

As mãos de metal do traje envolveram a cintura dela assim que o tempo voltou ao normal. Ele lançou a pouca artilharia remanescente e disparou para casa. Para o portal, que começava se fechar.

Aquilo só podia significar uma coisa. A Máscara estivera tentando dizer isso a ele, mas Hunt se recusara a acreditar. Não acreditaria nem por um segundo.

Mas o portal estava se fechando, cada vez menor...

Uma figura escura e reluzente preencheu o espaço. Então outra.

Aidas e Apollion.

Os poderes deles seguraram as bordas do portal e o abriram um pouco mais. Mantiveram-no assim por mais um instante.

E, com a pouca força que ainda lhe restava, Hunt lançou uma corda de relâmpago desesperada, revolta e escaldante na direção de Apollion. O único ser em Midgard que conseguiria suportar seu poder.

Apollion, novamente em sua forma humanoide, pegou a corda e puxou.

Aidas se acendeu com luz preta, relutando contra o portal que se fechava, contra a vontade de Urd. Hunt já conseguia distinguir os rostos tensos dos príncipes, os dentes de Apollion cerrados com o esforço de puxá-lo pelo relâmpago, centímetro a centímetro, cada vez mais perto. Aidas suava, arfando, ao lutar para manter o portal aberto...

E então Ruhn apareceu. A luz estelar queimando. Lutando contra o impossível. Lidia ao lado dele, o fogo dela crepitando.

Tharion. Holstrom. Flynn e Dec. Uma duende de fogo, com o corpinho aceso em chamas. Isaiah e Naomi.

Tantas mãos, tantos poderes, de quase todas as Casas.

O que importava no final das contas eram os amigos que faziam. Não os inimigos.

Por amor, tudo é possível.

Era o amor que estava mantendo o portal aberto. Foi o que o manteve aberto até o fim, até Hunt e Bryce atravessarem de volta, caindo na terra de Midgard, o céu azul preenchendo a visão dele e todo aquele ar maravilhoso enchendo seus pulmões...

O portal se fechou, selando o buraco negro e todo o espaço lá dentro.

Os asteri haviam morrido.

Hunt saiu do mec-traje em um piscar de olhos, quebrando o painel de metal, e foi para onde Bryce estava deitada no chão. Ela não se mexia. Não respirava.

Por fim, ele deixou a Máscara dizer a palavra que ele estivera ignorando desde que alcançara Bryce nas profundezas do espaço.

Morta.

99

— Demorou demais — dizia Declan enquanto Hunt tentava ressuscitar o coração de Bryce, o relâmpago acertando-a de novo, de novo e de novo. — Ela ficou tempo demais sem oxigênio, mesmo sendo vanir. Não há nada que minha magia de cura possa fazer se ela já estiver...

Hunt lançou o relâmpago no peito da parceira outra vez.

O corpo de Bryce se sobressaltou, mas o coração não voltou a bater.

Os amigos deles estavam reunidos ao redor, sombras do sofrimento de Hunt, da dor insondável.

Levante-se, ordenou ele à Máscara, à Bryce. *Levante-se, caralho.*

Mas a Máscara não respondeu. Como com um último *Vai se foder,* a Máscara caiu do rosto dele. Como se a essência Feita dela tivesse sumido de dentro dele com a morte de Bryce.

— Bryce — ordenou ele, com a voz falhando.

Aquilo não estava acontecendo, não podia estar acontecendo com ele, não quando haviam chegado tão perto...

— Abençoada Luna, tão radiante no céu — sussurrou Flynn —, poupe sua filha...

— Sem oração — interrompeu Hunt, grunhindo. — Sem oração, *porra.*

Ela não podia estar morta. Havia lutado tanto e feito tanto...

Hunt lançou o relâmpago no peito dela de novo.

Tinha funcionado antes. No dia do ataque dos demônios na primavera... ele a tinha trazido de volta à vida.

Mas o coração não respondia mais.

Rigelus havia usado a merda do relâmpago dele para ressuscitar a Harpia... Por que não funcionava com Hunt? O que Rigelus soubera sobre o poder de Hunt que o próprio Hunt não sabia?

— Façam alguma coisa — ordenou ele, rosnando, a Apollion e Aidas. — Vocês têm um buraco negro na porra da boca... têm todo o poder da galáxia! — bradou ele para o Príncipe do Fosso. — *Salve-a.*

— Não posso — respondeu Apollion, e Hunt nunca havia odiado nada na vida tanto quanto odiou a aflição nos olhos do príncipe. As lágrimas no rosto de Aidas. — Não temos tamanho dom.

— Então encontrem Thanatos — ordenou Ruhn. — Ele fica por aí se chamando de *Príncipe das Almas* ou qualquer merda dessas. Encontrem-no e...

— Ele também não pode salvá-la — respondeu Aidas baixinho. — Nenhum de nós pode.

Hunt olhou para a parceira, imóvel, gelada e sem vida.

O grito que emanou dele estremeceu o mundo.

Não havia nada a não ser aquele grito, e o vazio no lugar em que ela estivera, onde a vida que era para os dois terem juntos deveria estar. E quando o fôlego acabou, para Hunt era... o fim. Não havia mais nada, e qual era o sentido de tudo se...?

Alguém colocou a mão gentilmente em seu ombro.

— Talvez eu consiga tentar uma coisa — disse uma voz feminina.

Hunt ergueu a cabeça e viu Hypaxia Enador, ao lado dele, com a Coroa de Ossos da Casa de Chama e Sombra acima dos cachos pretos brilhosos.

* * *

A irmã dele havia morrido. Ruhn olhou para o rosto de Bryce e soube que estava morta. Mais que morta.

A mente de Ruhn estava em silêncio. Lidia permaneceu ao lado dele, segurando sua mão, com os filhos dela às suas costas. Foram os meninos que o convenceram a voltar... haviam se recusado a seguir em frente até terem ajudado de algum jeito.

Mas não fizera a menor diferença. Nem o relâmpago de Athalar conseguira reviver Bryce.

E então Hypaxia dera um passo à frente, usando aquela coroa de ossos. De alguma forma, havia se transformado na Chefe da Casa de Chama e Sombra. E oferecia ajuda.

— Ela nunca vai me perdoar se você a ressuscitar como uma sombra de si mesma — respondeu Hunt, a voz fraca por causa das lágrimas, dos gritos.

— Não estou propondo ressuscitá-la — garantiu Hypaxia.

Hunt passou as mãos pelos cabelos.

— Ela não tem alma… Quer dizer, tem, mas a vendeu para o Sub-Rei, então se é disso que precisa, está sem sorte alguma…

— O Sub-Rei morreu — informou Hypaxia. Os joelhos de Ruhn ficaram fracos. — Quaisquer negócios que ele havia feito com os vivos ou os mortos estão desfeitos e nulos. A alma de Bryce é dela para que use como quiser.

— Por favor… ajude-a — disse Ruhn, desesperado. — Ajude-a, se puder.

Hypaxia olhou para ele, depois para Lidia ao lado dele, as mãos unidas dos dois. Então sorriu.

— Qualquer coisa. Do que precisar, eu dou qualquer coisa — sussurrou Athalar.

A bruxa olhou para Bryce e respondeu a Athalar:

— Não é um sacrifício, e sim uma troca.

Ela fez um sinal para trás de si, convocando Jesiba Roga para se postar ao seu lado.

* * *

Hunt encarou a feiticeira, mas Roga não tirava os olhos de Bryce.

— Ah, Quinlan — murmurou Roga, as lágrimas se acumulavam nos cílios dela.

— *Sacerdotisa* — sibilou Apollion, e Roga ergueu os olhos cheios de desdém e nojo para o Príncipe do Fosso.

— Ainda está se perguntando se vou fazer alguma coisa com aqueles livros? — bradou Roga para Apollion, irritada. Ela apontou para Bryce, morta. — Não acha que se tivessem algum poder, eu o estaria usando *agora mesmo* para salvar essa garota?

Apollion fez cara feia para ela.

— Você nasceu mentirosa, sacerdotisa…

— Não temos muito tempo — interrompeu Hypaxia, e até o Príncipe do Fosso calou-se diante do comando na voz dela. — Precisamos agir antes que o corpo dela sofra muitos danos.

— Por favor — pediu Ruhn, com a voz rouca —, só nos diga. Eu sei que disse que não precisávamos, mas se pudermos oferecer algo…

— Cabe a mim oferecer — explicou Jesiba, olhando para Bryce de novo.

Lágrimas escorriam pelas bochechas da feiticeira. *Sacerdotisa*, como a chamara Apollion.

— Oferecer o quê? — perguntou Lidia.

— Minha vida. Minha vida longa e perversa — respondeu Roga.

Ela ergueu os olhos para Apollion de novo.

— Isso não é possível — retrucou Apollion.

— Você me amaldiçoou — declarou Jesiba, e ainda que Hunt estivesse muito perplexo, não conseguia interromper. — Você me amaldiçoou com a imortalidade. Agora eu a estou transformando em um presente: o presente de uma vida longa de vanir. Eu a ofereço livremente à Bryce Quinlan, se ela quiser.

— A maldição é para *os vivos* — bradou Apollion.

— Então que bom que levo jeito com os mortos — acrescentou Hypaxia.

Talvez pela primeira vez em toda a sua existência, Apollion pareceu surpreso.

— Isso… isso é possível? — questionou Aidas.

— Eu ofereço minha vida, então — afirmou Hunt.

— E qual seria o sentido disso? — retrucou Jesiba, com uma risada sem humor. — Salvá-la, para você mesmo acabar morto?

— Você… você vai morrer? — perguntou Ruhn.

Jesiba abriu um sorriso suave.

— Depois de quinze mil anos, já deu de Midgard para mim.

— Temos que fazer agora. Já consigo senti-la se esvanecendo — interveio Hypaxia.

Hunt não gostou nadinha daquela palavra, então disse a Jesiba:

— Obrigado. Eu não sabia que Quinlan… que ela tinha algum valor para você.

Jesiba ergueu as sobrancelhas, e um pouco da feiticeira irritadiça que ele conhecia retornou.

— Óbvio que ela tem. Sabe como é difícil encontrar uma assistente competente?

Mas Hunt não conseguia dar risada naquele momento.

— Obrigado — repetiu ele. — Espero que… que você encontre paz.

O sorriso de Jesiba iluminou seu rosto, e talvez fosse o primeiro sorriso verdadeiro que ele a vira dar.

— Já encontrei, Athalar. Graças a vocês dois. — Depois de acenar com a cabeça para ele e para Bryce, ela voltou para perto de Hypaxia e ofereceu a mão. — Guie a Casa de Chama e Sombra de volta à luz — disse ela à bruxa, que curvou a cabeça.

Nenhum deles ousou falar quando Hypaxia começou a entoar seus cânticos.

***

Aquele lugar era o oposto de onde ela havia ido durante a Descida. Em vez do abismo infinito, era apenas… luz. Uma luz suave e dourada. Gentil e agradável aos olhos.

Era cálida e relaxante, e ela não queria estar em nenhum outro lugar, a não ser por…

A não ser por…

Bryce olhou para trás. Havia mais luz brilhando naquela direção.

— Procurando a saída? — questionou uma voz feminina seca. — É para lá.

Bryce se virou, e Jesiba estava ali.

A luz dourada ondulou e se esvaiu, e então as duas estavam em uma colina verde em um terreno exuberante e agradável. O terreno que Bryce vira naquele dia depois do ataque na primavera… quando havia acreditado que Connor e a Matilha de Demônios estiveram seguros e protegidos no Quarteirão dos Ossos.

Era de verdade.

— Quinlan.

Ela se virou para Jesiba.

— Estamos mortas?

— Estamos.

— Os outros...

— Estão vivos, embora os asteri não estejam. — E acenou com a cabeça ironicamente. — Graças a você.

Bryce sorriu, e permitiu que a sensação percorresse todo o seu corpo.

— Que bom, que bom.

Ela inalou um pouco do ar fresco e doce, notou o toque de sal, um indício de mar por perto...

— Quinlan, você tem que voltar — disse Jesiba.

Bryce inclinou a cabeça.

— Como assim?

— À vida — afirmou Jesiba, tão irritadiça como de costume. — Por que acha que estou aqui, ora? Troquei minha vida pela sua.

Bryce ficou sem reação.

— Quê? Por quê?

— Holstrom pode colocar você a par dos pormenores da minha existência, mas digamos apenas que... — Jesiba se aproximou e segurou sua mão. — Aquele amuleto archesiano não é só para a proteção contra meus livros ou demônios. É uma ligação com Midgard em si.

Bryce olhou para o próprio peito, para a corrente de ouro fina e o emaranhado delicado de círculos pendurado ali.

— Eu não entendo.

— Os amuletos pertenciam às sacerdotisas-bibliotecárias de Parthos. Cada um foi imbuído com a magia inata de Midgard... a mais antiga. O tipo que todos os mundos têm, para aqueles que sabem para onde olhar.

— E daí?

— E daí que acho que Midgard sabe o que você fez, de qualquer que seja o jeito que um planeta pode ser senciente. Sabe como você libertou Avallen, não porque queria reivindicar a terra, mas porque acreditava que era o certo a fazer.

Com a expressão surpresa de Bryce, Jesiba continuou:

— Qual é, Quinlan? Eu sei que você pode ser toda coração mole. — As palavras foram secas, mas a expressão da feiticeira era suave.

— E o que isso tem a ver com — Bryce gesticulou ao redor delas — tudo isto?

— Como um agradecimento pelo que você fez por Midgard… recebemos a permissão de fazer essa troca, por assim dizer.

Bryce ficou sem reação outra vez, ainda sem entender.

— Uma troca?

Jesiba prosseguiu, ignorando a pergunta:

— Os livros de Parthos são seus agora. Proteja-os, zele por eles. Compartilhe-os com o mundo.

Bryce gaguejou:

— *Como* é possível que você... *por que* você…?

— Cem mil humanos marcharam em Parthos para salvar os livros… para salvar séculos de conhecimento das garras dos asteri. Todos sabiam que não voltariam. Naquele dia eu tive que fugir. Para proteger os livros, fugi de meus amigos e minha família, que lutaram para que eu conseguisse ganhar tempo. — Os olhos dela brilhavam com lágrimas. — Você entrou naquele portal hoje sabendo que também não voltaria. Agora posso oferecer o que na época não pude, tantos anos atrás. Minha família e meus amigos já se foram faz muito tempo, mas sei que gostariam de oferecer isso a você também. Como um agradecimento por libertar nosso mundo.

Bryce cambaleou. Jesiba estivera em Parthos quando havia *desabado*?

— Os livros são seus — repetiu Jesiba. — E a coleção da galeria também. A papelada está pronta.

— Mas como você sabia que eu acabaria…?

— Nunca vi ninguém sacrificar tanto a própria vida como você— interrompeu Jesiba. — Eu imaginei que seria necessária uma intervenção hoje. — Ela olhou para o céu azul e sorriu para si mesma. — Vá para casa, Bryce. Tudo isto estará aqui quando estiver pronta.

— Minha alma…

— Está livre. O Sub-Rei morreu. Repito: Holstrom vai colocar você a par de tudo.

Bryce sentiu os olhos arderem.

— Eu não… não entendo. Eu estava feliz em sacrificar a vida… Bem, não *feliz*, mas disposta…

— Eu sei — afirmou Jesiba, apertando a mão dela. — E por isso que estou aqui. — Então gesticulou para o ponto atrás de Bryce, onde uma porta de cristal, que lembrava os Portões da Cidade da Lua Crescente, brilhava. — O anjo está esperando por você, Quinlan.

O anjo. *Hunt.*

O que ela havia deixado para trás. O que estivera procurando, o motivo de ter hesitado...

— Tudo isto estará aqui quando estiver pronta — repetiu Jesiba, então gesticulou para as colinas verdes que se estendiam. — Todos nós estaremos aqui quando estiver pronta.

Ao longe, em uma colina distante, havia sete figuras.

Bryce as conhecia pelo formato, pela altura de cada uma e pelo brilho que as cercava. Ela distinguiu Connor de cabeça erguida atrás. E à frente, com a mão levantada...

Bryce começou a chorar, inundada por uma alegria e um amor puros ao levantar a mão para cumprimentar Danika.

Danika, ali... com todos. Segura e amada.

Ela ouviu as palavras no vento, conduzidas da alma da amiga: *Acenda, Bryce.*

E Bryce começou a rir muito e soluçar enquanto gritava de volta pelas planícies e colinas exuberantes:

— *Acenda, Danika!*

Uma risada lupina fluiu para ela. Então houve uma faísca de luz sobre o ombro de Danika, e Bryce conhecia aquele fogo...

Ela mandou um beijo para Lehabah. Ainda chorando, ela se virou de novo para Jesiba.

— Como? A secundalux...

— Tomou o poder deles, mas o que é eterno, o que é feito de amor... nunca pode ser destruído.

Bryce ficou a observando, admirada.

Jesiba riu.

— E esse é o máximo de emoção que verá de mim, mesmo aqui. — Ela deu um empurrãozinho em Bryce na direção do arco de cristal. — Viva a vida, Quinlan. E viva bem.

Bryce assentiu e abraçou Jesiba, transmitindo tudo o que havia em seu coração.

Jesiba a abraçou de volta… A princípio meio sem jeito, então com vontade. E, durante o abraço, Bryce olhou mais uma vez para a colina de onde Danika, Lehabah, Connor e a Matilha de Demônios haviam acenado.

Mas haviam sumido. Voltaram para desfrutar das maravilhas e paz do lugar. Saber disso encheu o coração dela de alegria.

Então Bryce deu as costas para Jesiba. Para o que os aguardava, todos eles, e voltou à arcada.

Em direção à vida.

Em direção a Hunt.

100

Bryce abriu os olhos.

Havia... muitas pessoas ao redor. A maioria chorava.

— Isso — declarou ela, grunhindo — é um jeito bem merda de participar do próprio Veleiro.

Todos estavam boquiabertos, observando-a. E Hunt... ele era real, estava bem ali, e o choque no rosto dele foi tão genuíno que Bryce apenas riu.

Os asteri haviam morrido. Eles, e a primalux, a secundalux, a prisão de um pós-vida; todos aqueles que ela amara e perdera... estavam seguros também.

Todo o trabalho de Danika, concluído.

Bryce olhou de Hunt para Ithan, também debruçado sobre ela, e observou o lobo atentamente.

— Quem morreu e fez de você Primo?

Ithan estava boquiaberto também, mas Hypaxia — coroada com ossos, puta merda — deu um sorrisinho e respondeu:

— Sabine.

E Bryce riu de novo.

— Mas que caralho, Quinlan? — murmurou Hunt, e ela olhou de volta para o parceiro, cujo rosto estava tão abatido, os olhos maravilhados...

Ela sabia que havia outros ali. Ruhn, Lidia, Flynn, Dec, Tharion e os Príncipes do Inferno, mas todos sumiram enquanto olhava para Hunt.

Bryce tocou a bochecha dele, secando uma lágrima com o polegar.

— Olha só o meu alfa grande, durão e babaca — disse ela baixinho, a voz rouca devido às lágrimas.

— Como você consegue brincar num momento desses? — retrucou Hunt, e Bryce se inclinou e o beijou.

E foi luz, amor e *vida*.

Ela teve uma noção fraca de algo se agitar ao redor deles e de Ruhn perguntar:

— Alguém quer… hum, colocar as cinzas de Jesiba em uma… taça ou algo assim?

Mas Bryce só continuou beijando Hunt, e ele a abraçou, apertando-a forte junto ao corpo.

Como se nunca mais fosse soltar.

* * *

Hunt se permitiu tirar os olhos de Bryce por alguns minutos, para que ele pudesse concluir a última tarefa.

Asas de todas as cores e as carcaças dos mec-trajes ainda jaziam onde haviam desabado horas antes, após despencarem assim que as almas dos Caídos os haviam deixado.

Ele não tinha nenhum específico em mente, mas caminhou pelo campo cheio de mec-trajes… pulando os corpos dos demônios mortos e dos anjos asteri, as penas espalhadas por toda parte, até enfim se deter diante de um traje pesado, com os olhos apagados.

— Obrigado — disse ele aos Caídos, mesmo que as almas tivessem partido. Para o lugar que Bryce alegou que todos eles iriam no fim. — Por me apoiarem pela última vez.

O campo de batalha além das muralhas da cidade estava silencioso de um jeito sinistro, exceto pelos chamados dos carniceiros, mas a cidade atrás dele era uma sinfonia de sirenes, lamentos e gritos. De helicópteros de reportagem circulando, tentando encontrar uma forma de transmitir o que havia acontecido.

Naomi fora encontrá-los para tentar restaurar alguma aparência de ordem.

— Conseguimos — disse Hunt, com um nó na garganta. — Por fim, conseguimos. As hierarquias ainda estão aqui, eu acho, mas prometo… — Ele engoliu em seco, analisando todo o metal frio e vazio amontoado pelo campo ao seu redor. — A partir de agora vai ser diferente.

Asas se agitaram acima dele, e então Isaiah estava lá, com as feridas já curadas sob o sangue encrostado na pele escura. A testa estava lisa, maravilhosamente livre do halo.

Com os olhos vazios, Isaiah analisou os mec-trajes e curvou a cabeça em um agradecimento silencioso.

— Para onde quer que tenham ido — comentou Isaiah, depois de um momento —, espero que seja o paraíso que merecem.

— É — concordou Hunt, e soube, no fundo do coração, que era verdade. Depois observou o anjo. — O que aconteceu?

Isaiah abriu um pequeno sorriso.

— Ouvi dizer que você veio para cá e pensei que talvez quisesse companhia. Sabe, alguém com quem ficar amuado.

Hunt riu.

— Obrigado. Fico sempre grato por ter um parceiro amuado junto comigo.

O sorriso de Isaiah se ampliou, mas os olhos dele brilharam quando falou:

— Então, depois de todo esse tempo, todo esse sofrimento… por fim a causa dos Caídos foi concluída.

— Eu estava dizendo exatamente isso para eles — contou Hunt, gesticulando para as carcaças vazias de metal.

Isaiah apertou o ombro de Hunt.

— Obrigado… por lutar conosco até o fim. Sua mãe ficaria orgulhosa, acho. Orgulhosa pra porra, Hunt.

Hunt estava sem palavras, então assentiu, engolindo em seco o nó na garganta.

— Mas o que fazemos a partir de agora? Não sei porra nenhuma sobre construir um governo. Você sabe?

— Não. Mas acho que vamos receber um curso intensivo — confirmou Isaiah.

— Isso não é animador.

Hunt se virou de novo para a cidade. Era um choque, tão grande quanto uma rajada de seu relâmpago, ver a paisagem urbana familiar sem as torres do palácio de cristal.

Os asteri haviam *morrido.*

Ele precisava voltar para Bryce. Abraçá-la, beijá-la, sentir o cheiro dela. Por nenhuma outra razão além desta: o fato de que ele havia chegado muito, muito perto de perdê-la.

— Hunt — chamou Isaiah. Os olhos do anjo de asa branca estavam solenes. — Você poderia governar os anjos, sabia?

Hunt ficou sem reação.

— Vamos desmantelar os arcanjos, as escolas e hierarquias deles, e vai levar anos, mas, enquanto isso, vamos precisar de um líder. Alguém para nos guiar, para nos mobilizar e nos dar a coragem de virar as costas aos costumes antigos, e seguir na direção de algo novo e justo — continuou Isaiah, dobrando as asas. — Esse líder deveria ser você.

Era a segunda vez que anjos se curvavam para ele. Era a segunda vez que lhe concediam reconhecimento e permissão. E, beleza, com o Fogo do Inferno nas veias, ele até poderia ser um líder. Poderia conseguir que qualquer reduto ou facção arcanjo se subordinasse a ele.

Mas…

O celular de Hunt vibrou, e ele sacou o aparelho do bolso.

Bryce me faz ter orgasmos mágicos (literalmente) havia mandado mensagem.

Cadê você?? Estou com ansiedade de separação! Volta pra cá agora!!!

Outra vibração, e ela acrescentou: *Quero dizer, depois que fizer o que precisa fazer. Tipo, apoio você ter o espaço de que precisa para fazer o que tem que ser feito.*

Outra vibração.

Mas, mesmo assim, volta pra cá agora.

Uma risada escapou de Hunt. Ele tinha tudo de que precisava. Tudo o que poderia querer.

Não precisa arrancar a calcinha pela cabeça, Quinlan, respondeu ele. *Já estou voltando.*

Então o macho adicionou: *Na verdade, me faça um favor: tire logo a calcinha.*

Não esperou pela resposta, apenas colocou o celular no bolso de trás e sorriu para Isaiah.

O amigo ergueu as sobrancelhas, sem dúvida surpreso por ele ter parado para trocar mensagens em vez de responder a uma sugestão tão importante.

Mas Hunt já tinha a resposta. Ele já havia pensado em uma fazia algum tempo.

Deu um tapinha no ombro de Isaiah e afirmou:

— Os anjos já têm um líder para guiá-los nesse processo, Isaiah.

— Celestina…

— Não Celestina. — Ele apertou o ombro do amigo uma vez, então se afastou, agitando as asas, aprontando-se para que elas o levassem à esposa, à parceira, à melhor amiga. Ao futuro que os aguardava. — Você.

— Eu? — retrucou Isaiah, engasgando-se. — Athalar…

Hunt tirou os pés do chão, pairando um pouco enquanto a brisa outonal eriçava suas asas e seus cabelos, como se entoasse as novidades do mundo vindouro.

— Lidere os anjos, Isaiah. Estou aqui se precisar de mim.

— *Hunt.*

Mas Hunt disparou para os céus, em direção a Bryce e ao que o amanhã trouxesse.

* * *

A alma de Bryce era dela. Achava que sempre fora dela, mas havia sido um… empréstimo.

Mas voltara a ser dela de novo, por completo, e havia um novo mundo inteiro a ser explorado sem os asteri à espreita. Um novo pós-vida inteiro, quando ela e Hunt estivessem prontos.

Mas só dali a um bom, bom tempo. Não enquanto não resolvessem tudo o que tinham para resolver.

Mas havia uma tarefa específica que ela precisava executar de imediato. Como Isaiah havia conseguido comandar um helicóptero para voarem para Nena tão depressa, Bryce não fazia ideia. Mas talvez tivesse algo a ver com a influência de Celestina, mesmo com o controle de Ephraim. Ou talvez tivesse mais a ver com Celestina querendo impressionar Hypaxia, que, pelo jeito, havia se tornado a Chefe da Casa de Chama e Sombra. E, se os olhares que lançavam uma à outra disfarçadamente eram algum indicativo, Hypaxia não parecia ser totalmente contrária à ideia de falar com Celestina de novo.

A Rainha do Oceano e a frota haviam levado a bruxa ali... Hypaxia tinha interceptado a monarca a caminho de meter a porrada nos asteri por sequestrarem os dois filhos de Lidia. A Rainha do Oceano podia ser uma figura e tanto, mas ela se mantinha firme. E quando as duas crianças foram sequestradas enquanto estavam sob os cuidados dela, havia aparecido preparada para inundar a cidade inteira em defesa deles.

Ela e seus comandantes continuaram na Cidade Eterna, a ameaça do tsunami que ela mantinha sob controle ao redor do perímetro estava fazendo aqueles leais aos asteri segurarem a onda. Ao menos a governante parecia ocupada demais com o novo mundo para lidar com a picuinha trivial com Tharion. Por enquanto.

Era, *sim*, um novo mundo. Em quase todos os sentidos.

Declan já estava trabalhando com uma equipe para calcular quanto tempo Midgard conseguiria funcionar utilizando o que restava da primalux antes que ficasse às escuras, sem uma nova primalux alimentando a rede elétrica. Antes que precisassem pegar as velas e observar os celulares descarregarem pouco a pouco. Não que fossem ter algum sinal quando as redes pifassem.

Todos retornariam ao estilo de vida tipo Avallen. Que pena que Morven não estava ali para aproveitar.

Mas precisariam pensar em uma solução em breve, se quisessem restaurar o sistema elétrico da primalux ou achar um método alternativo. Se requereriam que as pessoas cedessem o poder, ou se taxariam os superpoderosos. Requerer que arcanjos, que tinham poder de sobra, doassem parte do poder à rede. Os poderosos servindo os mais fracos.

Ou qualquer outra coisa do tipo. Sinceramente, Bryce planejava deixar a resolução para mentes mais inteligentes que a dela. Embora soubesse que acabaria precisando intervir para dar algumas coças antes que tudo fosse concluído. Naquele momento... Havia uma capital em caos. O mundo virado de cabeça para baixo. Ainda assim, ela focou o olhar na direção norte.

Encontrou Nestha na mesma sala em que a fêmea estivera antes. Com Ember, Randall e um macho alado bonito e levemente familiar ao lado deles, que tinha cheiro de ser o parceiro de Nestha. Estavam sentados a uma mesa conversando enquanto tomavam chá e comiam bolo de chocolate.

Bolo de chocolate, cacete.

Nestha ficou de pé imediatamente, com uma adaga comprida na mão. O macho ao lado dela também fez menção de pegar uma arma escondida, tão ágil quanto um pensamento.

Mas Bryce só olhava para os pais. Felizes e à vontade com os feéricos.

A mãe dela a encarou de volta como se tivesse visto um fantasma. A xícara de chá que segurava começou a tremer no pires.

Hunt poupou Ember de tentar adivinhar o que acontecera ao dizer:

— Os asteri morreram. Midgard está livre.

Uma lágrima escorreu do olho de Ember. Bryce não pensou duas vezes antes de dar um passo para dentro do outro mundo e abraçar a mãe, bem apertado.

Ember segurou o rosto de Bryce entre as mãos.

— Estou muito orgulhosa de ser sua mãe.

O rosto de Bryce se iluminou de emoção, e os olhos dela arderam com as lágrimas. Randall se inclinou para dar um beijo na cabeça da filha.

— Mandou bem, filha.

Bryce abraçou o pai também. Abraçou o guerreiro humano que havia servido nos exércitos dos asteri, despedaçado a própria alma por eles, até que a mãe o deixasse inteiro de novo.

Nestha e o parceiro ficaram tensos, e Bryce soube que Hunt havia adentrado aquele mundo também.

Ele olhou ao redor da sala. Para a cidade cintilando lá embaixo, com uma faixa de rio serpenteando de ponta a ponta. Deviam estar no topo de uma montanha para ter aquela vista.

— Vocês têm um minuto até que Rhys chegue aqui e perca a cabeça — alertou o parceiro de Nestha.

— Ah, não vai haver problema com Rhys, Cassian — respondeu Ember… na língua dos feéricos.

Ao notar a expressão chocada de Bryce, Randall disse na mesma língua:

— Ficou difícil demais ter que ficar fazendo mímica para tudo. Eles nos deram aquele negócio de semente que ofereceram a você.

Só que Bryce balançava a cabeça.

— *Não* vai ter problema com Rhysand? O cara que traz a escuridão encarnada...

— Ele e Randall ficaram próximos, os dois são pais superprotetores — explicou Ember. — Portanto, agora Rhys sabe *exatamente* o tipo de merda que você gosta de aprontar, o que aparentemente fez aqui também...

Bryce olhou para Nestha, que observava tudo com cautela. Então Bryce enfiou a mão na jaqueta e sacou a Máscara.

— Aqui. Como prometido.

Todo mundo ficou calado.

E então Bryce sacou a Reveladora da Verdade, e Cassian pareceu estar prestes a se posicionar entre ela e Nestha.

Hunt também assumiu uma posição de luta em resposta, mas Bryce disse apenas:

— Alfas babacas.

E colocou a adaga em cima da mesa, entre as louças de chá e os petiscos.

— Você as trouxe de volta. — A voz de Nestha saiu baixinha.

— Pensou que eu não traria?

— Não sei bem o que pensei — respondeu Nestha, mas abriu um pequeno sorriso.

— A coitada da Nestha ficou encrencada depois que você levou as armas deles e nos largou aqui — explicou Ember. — Tentei explicar a Rhysand e Azriel que não tem como impedir quando você coloca alguma coisa na cabeça, e acho que Feyre, a parceira de Rhysand, acreditou, mas... — Ember olhou para Nestha e fez uma careta. — Peço desculpas *outra vez* pelo comportamento de minha filha.

— Fiz a escolha de entregar a Máscara a ela — lembrou Nestha a Ember. Para Bryce, ela disse com ironia: — Sua mãe, por alguma razão, não acredita que entreguei as armas de bom grado.

Bryce revirou os olhos para a mãe.

— Ótimo. Obrigada por isso. — Ela gesticulou para o portal cintilando atrás deles. — Podemos?

Ember abriu um leve sorriso.

— Então eles morreram mesmo.

— Morreram, para nunca mais voltarem — confirmou Bryce, sentindo o coração se alegrar com as palavras.

Os olhos de Ember brilharam com lágrimas, mas ela se virou, segurando as mãos de Nestha e apertando com firmeza.

— Apesar do fato de minha filha ter mentido, conspirado e basicamente nos traído...

— Nossa, não precisa medir as palavras, mãe — murmurou Bryce, o que fez Nestha a lançar um olhar de esguelha, achando graça.

Mas Ember continuou, olhando somente para Nestha.

— Fico feliz por uma coisa: ter conhecido você.

Nestha comprimiu os lábios e olhou para baixo, para as mãos das duas unidas.

Bryce interveio, ao menos para poupar Nestha da expressão da mãe, cada vez mais chorosa.

— Da próxima vez que eu for combater o mal intergaláctico, tentarei levar em consideração um esquema propício para que faça amizade.

Ember enfim se virou para Bryce, de cara feia.

— Você e eu vamos ter uma *conversinha* quando chegarmos em casa, Bryce Adelaide Quinlan. Deixar Cooper para trás daquele jeito...

— Eu sei — respondeu Bryce.

Ela tinha *muito* o que explicar sobre aquilo. E pelo que se desculpar também.

— Sua mãe ama você — disse Nestha baixinho, interpretando a expressão no rosto de Bryce. — Não subestime isso nem por um segundo.

Só o que Bryce podia fazer era inclinar a cabeça para Nestha.

— Tenho sorte. Sempre tive sorte de tê-la como mãe — admitiu ela.

Ember realmente parecia que ia cair no choro a qualquer momento, principalmente ao se virar de novo para Nestha e dizer:

— Esse período aqui com você foi uma dádiva, Nestha. De verdade.

E então ela puxou Nestha para um abraço apertado, e Bryce poderia jurar ter visto algo semelhante a dor e saudade perpassar a expressão de Nestha. Como se não tivesse recebido um abraço de mãe por um longo tempo.

Então Bryce ofereceu alguma privacidade à fêmea para aproveitar cada segundo daquele abraço maternal e se virou para onde Randall e Cassian estavam, atrás delas. Os machos haviam entrelaçado os braços, de modo amigável.

— Obrigado, amigo — dizia Randall para o guerreiro —, por tudo.

Cassian abriu um sorriso, e, bem, Bryce conseguiu entender por que Nestha ficara caidinha por um macho com aquela aparência.

— Talvez nos encontremos de novo um dia, sob circunstâncias menos... estranhas.

— Assim espero — concordou Randall e, ao passar por onde Ember e Nestha se abraçavam, deu um tapinha no ombro da feérica, que se traduzia em afeto paterno.

Bryce sentiu o coração se inflar quase a ponto de sentir dor quando Randall se aproximou de Hunt e o abraçou também. Hunt retribuiu o abraço, dando tapinhas nas costas do pai dela, até que os dois se separaram e passaram pelo portal juntos.

Ember por fim se afastou de Nestha, mas colocou a mão na bochecha da fêmea com gentileza e sussurrou:

— Você vai encontrar seu caminho.

Então foi em direção ao portal.

Bryce poderia jurar que havia lágrimas nos olhos de Nestha quando a mãe dela atravessou de volta para Midgard.

Mas aquelas lágrimas haviam sumido quando Nestha encontrou o olhar de Bryce. E Cassian, como qualquer bom parceiro, sentiu que sua presença não era requerida, e foi para perto da lareira fingir que lia um manuscrito antigo qualquer. Bryce sabia que, *também* como qualquer bom parceiro, se ela fizesse um movimento errado, ele acabaria com a raça de Bryce. E essa foi a exata razão de Hunt ter voltado à sala para observar Nestha com atenção.

— Alfas babacas — ecoou Nestha, achando graça.

Bryce riu e sacou a Áster. De novo, Cassian ficou tenso, mas Bryce apenas estendeu a lâmina para Nestha. A fêmea aceitou a arma, com o rosto inexpressivo.

— Você disse que tinha a tatuagem de uma estrela de oito pontas — explicou Bryce. — E que encontrou a câmara com a estrela de oito pontas na Prisão também.

Nestha ergueu a cabeça.

— E daí?

— E daí que quero que você fique com a Áster. — Bryce tocou na lâmina entre elas. — Gwydion… ou como quer que chamem aqui. A era Estrelada acabou em Midgard. Acabou junto de mim.

— Não entendi.

Mas Bryce começou a caminhar de volta até o portal, segurando a mão de Hunt, e sorriu para a fêmea de novo, para o parceiro dela, para o mundo deles, enquanto a Fenda do Norte começava a se fechar.

— Acho que tatuaram a estrela de oito pontas em você por um motivo. Fique com a espada e descubra esse motivo.

101

O *Cargueiro das Profundezas* havia ancorado fora do cais porque o porto mais próximo da Cidade Eterna era estreito demais para acomodar o navio-cidade. Ao lado de Ruhn, Lidia observou os filhos esperarem no píer de concreto enquanto a cápsula de transporte subia à superfície, com a água escorrendo do topo de vidro em formato de cúpula.

Quando Renki e Davit foram revelados, os dois acenavam freneticamente para os dois garotos ao lado de Lidia.

Para os filhos dela, que sorriam para os pais, com Brann acenando de volta com entusiasmo, Ace retribuindo com um aceno mais curto — mas não menos ávido.

Ruhn pousou a mão nas costas de Lidia, que se recostou no toque reconfortante e amoroso. O parceiro dela. Sim, ela tinha certeza daquilo.

O topo de vidro da cápsula se abriu, e então Renki e Davit saltaram para o píer com graciosidade, Brann e Ace correndo na direção deles...

Os abraços que os meninos davam nos pais. Lágrimas de alívio escorriam pelo rosto de Renki, e Davit segurava os dois garotos como se nunca mais fosse soltar.

Mas ele soltou. Aproximou-se de Lidia em dois passos e a abraçou também.

— Obrigado — disse o macho, com a voz rouca por causa das lágrimas. — Obrigado.

Renki apareceu no momento que Davit se afastou, abraçando-a muito apertado também.

Lidia se pegou sorrindo, mesmo que seu coração tivesse voltado a doer, e se afastou para observar os filhos.

Os dois olhavam para ela. Brann parecia preocupado, mas a expressão de Ace era mais indecifrável. Foi Brann quem perguntou:

— Então isto é um adeus?

Lidia olhou para Renki e Davit, que assentiram. Haviam conversado ao telefone no dia anterior para coordenar aquele encontro... e o que viria a seguir.

— Até as coisas se acalmarem um pouco aqui. Na superfície, quer dizer — respondeu Lidia.

Porque, mesmo no dia depois da aniquilação dos asteri, já estava dando merda. O esgotamento da rede da primalux seria um problemão, mas a Rainha do Oceano havia abastecido todos os navios-cidade e as cápsulas variadas sem primalux. Com o próprio poder. Talvez a governante tivesse alguma ideia sobre como poderiam adaptar a tecnologia para funcionar sem consumir primalux.

A Rainha do Oceano, lógico, não ficara feliz quando Lidia mandara uma mensagem para o *Cargueiro das Profundezas*. Fora um recado sucinto e eficiente:

Acredito que meus serviços não são mais necessários, e assim informo minha rescisão.

Grata por sua compaixão,

Lidia Cervos

Uma hora depois, a Rainha do Oceano havia enviado a resposta — de novo em um pedaço de alga marinha.

Tenho mais com o que me preocupar do que com sua lealdade, Lidia Cervos. Aceito sua rescisão, mas não se engane ao pensar que nossos caminhos não se cruzarão novamente. Por ora, você pode viver a vida na Superfície.

Era o melhor que Lidia poderia esperar.

Naquele momento, Lidia olhou de um filho para o outro e acrescentou:

— Mas quero ver vocês de novo, se for algo que quiserem também.

Brann assentiu, e ela não teve palavras quando ele se aproximou e a abraçou.

O cheiro do filho, o calor e a proximidade dele quase a fizeram cair de joelhos, mas Lidia conseguiu se manter de pé, sabendo que Ruhn estava ao seu lado, que sempre estaria lá, apoiando-a, quando Brann se afastou, abrindo um sorrisão.

— Você é braba demais — elogiou Brann e acrescentou: — Mãe.

Mesmo com o coração saltitando de alegria, Lidia ousou olhar por cima do ombro dele e viu Renki e Davit com sorrisos tão abertos quanto os de Brann. Felizes por ela... por todos eles. Seus filhos tinham uma família linda, e talvez, se todos estivessem numa boa com a ideia, ela pudesse encontrar um espaço ali. Encontrar alegria ao ser parte daquilo.

Brann se inclinou e beijou Lidia na bochecha, e ela sabia que estimaria aquele beijo pelo resto da existência. Então ele foi até Ruhn, e Lidia pôde apenas observar enquanto Brann o abraçava da mesma forma, bem apertado.

— Obrigado — disse Brann — pelo que ia fazer. Para salvar a gente... e nossa mãe.

Ruhn deu um tapinha nas costas de Brann, e o peito de Lidia se encheu de tanta luz que ela mal conseguia comportar tudo ali dentro.

— Sem problema. Só um dia normal para nós, os soldados do Aux — respondeu Ruhn.

Brann abriu outro sorriso, então voltou para junto dos pais, abraçando Renki mais uma vez.

Lidia olhou para Ace, que a observava com cautela. Sabendo que ele não correria para os braços dela como Brann fizera, Lidia foi até ele. Devagar. Dando ao garoto tempo para decidir o que queria fazer.

Ace se manteve firme, mas não havia frieza nos olhos dele quando disse:

— Obrigado por nos buscar. — O canto da boca dele se moveu para cima. — Se cuida.

— Tenho Ruhn para me dar cobertura — respondeu Lidia, olhando para o macho. — Vou ficar bem.

— Ele *atirou* em você — contrapôs Ace, fazendo uma careta para Ruhn.

— Eu não devia ter contado isso a vocês — comentou Ruhn.

Lidia abriu um sorrisinho, mas se virou para Ace de novo.

— Ele vai pagar por isso, não se preocupe.

Ace não pareceu tão tranquilo, encarando Ruhn por um instante, mas quando começou a andar na direção dos pais, ele tropeçou, como se...

Lidia lançou um olhar para Ruhn, que começou a assoviar, inocente, olhando para o céu. Beleza... que ele mantivesse os próprios segredinhos de falar entre mentes.

Ruhn passou o braço pela cintura dela enquanto os garotos e os pais entravam na cápsula. Davit foi para o assento do piloto, apertando uns interruptores, e Brann ficou com o assento ao lado dele. Renki e Ace tomaram os assentos traseiros, e enquanto a cápsula zumbia, entrando em funcionamento, todos eles olharam para Lidia.

Ela abriu um sorriso pequeno e esperançoso. Os dedos dela encontraram os de Ruhn e os apertou com força. Ruhn não soltou.

Os filhos dela estavam vivos, livres e na vida dela de novo, e tudo isso era mais do que ela jamais ousara sonhar.

Então, fosse lá o que o futuro reservasse... ela valorizaria cada segundo disso.

* * *

Bryce estava completamente farta do frio de Nena quando abriu a Fenda do Norte de novo. Não para o mundo natal dos feéricos, mas para o Inferno.

Só havia escuridão à espera do exército que atravessava em marcha. Criaturas, coisas voadoras e príncipes, que iam um a um, Thanatos lançando um olhar a ela que dizia que Bryce podia ter destruído os asteri, mas que ele ainda estava injuriado com o que acontecera com o cachorro dele, até restarem apenas Apollion e Aidas diante dela no gelo e na neve.

Não precisavam de casaco, chapéu ou luva. Nem chegavam a tremer.

— O Inferno não tem domínio sobre você, e você não tem obrigação alguma em relação a nós — disse Apollion a Hunt.

— Hã, obrigado? — respondeu Hunt. — Digo o mesmo.

Apollion abriu um meio-sorriso para ele, então olhou para Bryce.

— Você se saiu melhor do que o que eu esperava.

Bryce estalou os dedos, o som abafado pelas luvas.

— É isso que vou colocar nos meus cartões de visita novos: *Bryce Quinlan: melhor do que o esperado.*

Apollion deu apenas um sorrisinho e caminhou para a escuridão.

— Ei — chamou Bryce, às costas do Príncipe do Fosso.

Apollion parou e ergueu a sobrancelha.

Bryce abriu um sorriso.

— Obrigada por não desistir de Midgard.

Ela poderia jurar ter visto um grão de compaixão cruzar o rosto de Apollion antes de ele olhar para Aidas e dizer:

— Ficarei feliz em dar o assunto por encerrado, e deixar meu irmão ter paz.

E então ele atravessou a Fenda.

Bryce já estava batendo os dentes de frio, mas olhou para Aidas.

— Vamos ver você de novo?

Aidas abriu um sorriso diabólico.

— Quer me ver?

— Não — respondeu Bryce, falando sério. — Apesar de estarmos gratos... Acho que nossas ideias de "animal de estimação" são diferentes.

Aidas abriu um sorriso completo por fim.

— Então vou oferecer apenas minha gratidão, Bryce Quinlan, e dizer adeus.

— Vou ser para sempre grata — afirmou Bryce para o Príncipe do Desfiladeiro — por sua bondade naquele dia no Oráculo.

O sorriso dele ficou mais gentil.

— Theia ficaria orgulhosa de você.

— E de você — retrucou Bryce, o único presente que poderia conceder a um Príncipe do Inferno. Mas ela se segurou para não dizer que o orgulho de Theia não significava porra nenhuma para ela. — Acho que talvez ouça isso diretamente dela um dia.

Aidas inclinou a cabeça. Bryce havia contado a todos eles sobre o que Jesiba alegara. O que havia visto naquela terra da luz cintilante.

— Você acha que um Príncipe do Inferno terá permissão para entrar?

Bryce foi até ele e beijou sua bochecha. A pele que seus lábios tocaram era gélida.

— Eu acho que um bom macho, independentemente de onde venha, sempre terá permissão para entrar.

Os olhos de Aidas brilharam em um azul vívido... se com gratidão, saudade ou amor, ela não sabia dizer. Mas o príncipe apenas assentiu para ela, e então para Hunt, depois atravessou a Fenda do Norte para a escuridão.

Apollion aguardava do lado de dentro e assumiu o lugar ao lado do irmão. Bryce segurou a mão de Hunt e ergueu a outra em despedida.

Para sua surpresa, os dois príncipes retribuíram o gesto.

Com uma ondulação de pensamento e poder, ela fechou a Fenda. Trancou-a bem, sem deixar frestas pelas quais fosse possível atravessar. Embora os asteri estivessem mortos, todos os Portões de cristal deles por Midgard permaneciam intactos. Mas, por enquanto, ao menos *aquele* Portão em específico estava fechado. Por fim.

— Parece que seus dias de caça aos demônios acabaram — disse ela para Hunt.

Seu parceiro sorriu e a beijou com suavidade, e até os ventos gélidos de Nena pareceram ficar mais quentes.

— Acho que vou ter que procurar outro trabalho.

***

Tharion Ketos estava às margens do Mercado de Carne, à procura da esposa.

Graças aos duendes de água a seu serviço, a Rainha Víbora aparentemente conseguira extinguir as chamas no edifício principal antes que o fogo se espalhasse, deixando intacta a maior parte dos armazéns interconectados do Mercado de Carne.

De fato, parecia que os negócios aconteciam como sempre... mesmo que ainda ajustados a um novo mundo. Da caçamba da caminhonete, soldados de aparência sombria descarregavam cilindros brilhando com primalux. Já estocando um produto que logo estaria em alta demanda.

Tharion não sabia ao certo por que havia ido ali, quando Sendes o informara de que a Rainha do Oceano havia perdoado a desobediência dele. Na verdade, ela fizera uma proposta muito boa a ele, para se tornar comandante nas forças armadas dela e trabalhar a bordo do *Cargueiro das Profundezas*, mas ele acabara respondendo que precisaria fazer algo primeiro.

E então voltara para ali.

O mundo estava uma confusão. Os asteri tinham morrido, mas havia um Senado Imperial com o qual lidar, arcanjos, vários Chefes de Casas e... talvez ele devesse ter ficado naquele navio.

Não sabia por que esperara paz e conforto, por que pensara que todo mundo estaria feliz e só... de boa. Mas havia muita gente babaca e ambiciosa pelo mundo, aproveitando para usar a reestruturação como um jeito de conseguir poder.

E Tharion sabia que era provável que a babaca que dominava o Mercado de Carne estivesse entre essas pessoas. Ele teria que enfrentá-la em algum momento, provavelmente em breve.

Mas naquele instante ele precisava encontrar a esposa, apenas para se certificar de que ela estava bem. Depois seguiria o próprio rumo. Iria para o *Cargueiro das Profundezas*, ou faria alguma outra coisa, ele não sabia. Imaginou que Ogenas o guiaria em algum momento, talvez o ajudasse a arrumar a bagunça que era a vida dele.

Tharion levantou o capuz do moletom, checando para ver se a arma escondida na lateral do corpo estava segura e pronta, e entrou no labirinto do Mercado de Carne. Em direção ao que Urd tivesse reservado para ele.

Havia andado apenas um quarteirão quando uma voz feminina disse em meio às sombras:

— Você deve ter entrado na fila da estupidez muitas vezes para voltar aí dentro.

Ele estacou no lugar, espiando o beco de onde a voz viera. Dois olhos carmesim ardiam em meio à escuridão.

Tharion inclinou a cabeça.

— Olá, Ariadne.

102

Bryce estava no saguão da mansão do Rei Outonal, observando um monte de câmeras dispararem, a nobreza feérica altiva e os guardas com expressões confusas revezando olhares entre ela e a multidão.

Para a ocasião, escolhera um vestido rosa que sabia que tirava a concentração de Hunt. Seria aquilo ou uma calça legging e uma camiseta, e considerando que ela queria evitar quaisquer distrações do que ela de fato faria, a fêmea optara por algo formal.

Lógico que escolher o vestido rosa tinha sido um tormento. Havia no momento uma pilha enorme de roupas em seu quarto, com a qual ela precisaria lidar quando voltasse para casa, o que era um incentivo para se demorar bastante ali.

Mas ela olhou para as caras debochadas dos pais de Sathia e Flynn, o Lorde e a Lady Hawthorne, que haviam voltado de Avallen recentemente, e decidiu que a espera podia se danar. Todo o resto da nobreza feérica que se reunira ali naquela manhã a seu convite podia se danar.

Havia colocado os pés na cidade tarde da noite no dia anterior, ido às ruínas dos Prados de Asphodel e convocado a reunião para o dia seguinte.

Teria se reunido na noite anterior, mas Hunt a aconselhara a tirar um tempo para decidir o que queria dizer. Para deixar Mac preparar a papelada.

No momento, o metamorfo leopardo e Declan estavam ao lado da mesa que tinha sido levada para o saguão, Ruhn e Flynn com eles.

Ela olhou para Hunt, e ele assentiu com sutileza. Era o momento.

Então Bryce foi para perto do púlpito e disse para as câmeras, para os aristocratas feéricos:

— Vou ser breve e sucinta, assim os nobres ocupadíssimos aqui podem voltar para seus almoços regados a champanhe e dias de spa.

Silêncio, e um ruído frenético das câmeras. Os cinegrafistas chegaram mais para perto, posicionando os microfones de modo a captar até a respiração dela. Um dos caras, um macho draki, dava um sorrisinho.

Mas Bryce manteve o olhar focado nas câmeras, no mundo que a ouvia.

— Este é meu primeiro e único decreto como a Rainha Feérica de Valbara e Avallen: as casas reais serão extintas. — Ela ignorou os arquejos e as reclamações, e tamborilou os dedos na papelada em cima da mesa. — Os documentos já foram emitidos. Permitam-me ser bastante transparente: não estou abdicando de nenhum dos tronos. Não sou mais rainha, mas com este documento, *ninguém* usará a coroa de novo. A monarquia feérica está sendo abolida. Para sempre.

Pelo canto do olho, ela viu Hunt abrir um sorriso. Queria que a mãe estivesse ali, mas eles haviam decidido que a presença de Ember Quinlan poderia causar muita especulação sobre a mãe humana tê-la pressionado a tomar essa decisão.

— Vou doar todas as residências do Rei Outonal nesta cidade — prosseguiu Bryce, gesticulando para o espaço elegante ao redor — para abrigar quem foi desalojado com o ataque aos Prados de Asphodel. Esta mansão em específico será usada para abrigar crianças que ficaram órfãs após o massacre.

Um dos nobres feéricos se engasgou.

— E quanto aos imóveis residenciais em outros lugares, em Valbara e em Avallen, serão vendidos a qualquer um que conseguir aguentar a decoração brega pra cacete. Os lucros serão usados para reconstruir os Prados de Asphodel.

Bryce pegou a caneta-tinteiro dourada que havia surrupiado do escritório do Rei Outonal depois de jogar todos os prismas dele no lixo. Planejava desmantelar o planetário e vendê-lo como sucata. Sabia o suficiente sobre como a luz viajava e se formava... como poderia se separar e se unir de novo. Nunca mais queria aprender nada sobre luz, nem a dela própria.

— Os asteri morreram — declarou Bryce para o mundo à escuta —, e os reinos feéricos morreram junto. Em vez deles, construiremos um governo com base na igualdade e na equidade. Este documento me concede o direito de representar os feéricos na construção de tal governo, nada além disso.

— Traidora — sibilou alguém da nobreza feérica que Bryce poderia jurar que havia zombado dela em um restaurante, anos antes.

Bryce murmurou para si mesma, girando a caneta adorada do Rei Outonal entre os dedos.

— Vocês não deveriam ter concedido à realeza um poder tão absoluto na tentativa de manter todo o restante do povo na lama. — Ela se inclinou sobre os documentos. — Talvez assim pudessem ter me impedido de fazer isto.

A caneta dourada tocou o papel, a tinta marcando o pergaminho.

— Mas agora vocês estão na lama com o restante de nós — concluiu Bryce para os feéricos enquanto assinava o próprio nome —, então é melhor se acostumarem com o cheiro.

Assim, com um movimento da caneta dourada do Rei Outonal, as linhagens reais dos feéricos deixaram de existir.

* * *

Ruhn acendeu as luzes do apartamento… pelo tempo que o lugar ainda tivesse energia.

— Bryce vai dar um chilique, mas juro que era a única coisa mobiliada tão de última hora — explicou ele a Lidia enquanto entravam no lugar que ficava literalmente um andar abaixo do de Bryce.

Lidia sorriu, analisando o apartamento, que tinha a configuração idêntica ao de Bryce, à exceção da mobília. Ela se aproximou da cozinha branca e reluzente.

— É uma gracinha… sério. Vou mandar o dinheiro para a sua conta.

— Nada disso — retrucou Ruhn. — Considere um presente de agradecimento. Por me salvar dos calabouços.

Lidia se virou para ele, erguendo as sobrancelhas.

— Acho que estamos quites a esta altura. Depois de… tudo.

Depois daquela merda com Pollux, que ele sabia que assombraria seus sonhos por um bom tempo.

Mas haveria alegria para iluminar as lembranças sombrias. Quando ele a havia acompanhado para levar os garotos de volta para seus pais, Ruhn ficara contente ao observar o reencontro feliz, principalmente por Lidia ter sido abraçada com o mesmo acolhimento e amor pelos pais dos meninos. E pelo fato de os meninos terem deixado evidente, cada um à sua maneira, que Lidia seria bem-vinda na vida deles.

Ruhn tinha certeza de que com Brann seria mais fácil. Mas Ace…

Ruhn sorriu para si mesmo com a lembrança de como Ace havia olhado Ruhn de cima a baixo antes de ir embora, com os olhos escuros inteligentes. Aguçados. Como se dissesse: *Cuide de minha mãe.*

Ruhn respondera na mente do garoto: *Ela sabe se cuidar sozinha, mas vou ajudar.*

Ace arregalou os olhos em choque e tropeçou, mas, com um olhar analítico e impressionado para Ruhn, continuara seguindo para a cápsula de transporte.

Ruhn e Lidia passaram *uma* noite na casa ferrada dele, desesperados para transarem até não poderem mais, porém muito conscientes dos amigos a uma parede fina de distância, até ele ligar para um corretor de imóveis e solicitar que encontrasse um apartamento. Imediatamente. Com pouquíssimos requisitos.

— Aquele quarto ali tem duas camas — explicou ele, apontando para o outro lado da sala grande. — Para seus filhos.

Os olhos dela brilharam enquanto ela observava o quarto de hóspedes.

Aquela fora a principal exigência que Ruhn fizera ao corretor: encontrar um apartamento com um quarto de hóspedes que tivesse duas camas.

— Eles podem visitar sempre que os dois, e você, quiserem.

Lidia abriu um sorriso tão suave e esperançoso, que Ruhn sentiu o coração apertar, mas então a fêmea seguiu para o sofá em frente à televisão e se sentou, como se o estivesse testando. Experimentando aquele apartamento, aquela vida.

— Acho que os pais deles vão querer mantê-los por perto por um tempo depois do que aconteceu — respondeu Lidia —, mas sim… Eu adoraria que viessem aqui às vezes.

Ruhn se sentou ao lado dela no sofá.

— Eles vão fazer um Inferno quando crescerem.

— Por mim tudo bem, contanto que não seja literalmente. — Lidia suspirou. — Já deu minha cota de demônios por um tempo, mesmo os amigáveis.

Ruhn gargalhou.

— A minha também.

Por alguns minutos, os dois ficaram ali em um silêncio confortável, observando o apartamento, o apartamento *deles*.

— Não acredito que estamos vivos — comentou Lidia, por fim.

— Não acredito que os asteri morreram.

Os últimos dias haviam sido um redemoinho de emoções, e ele não tinha assimilado tudo o que acontecera. Ou o estado atual do mundo.

— As intenções de sua irmã e de Athalar são boas, mas vai ser preciso muito mais que uma reunião com um monte de líderes mundiais para estabelecer um novo sistema de governo inteiro. Ou acabar com a escravidão — opinou Lidia, com cuidado.

— Eu sei. Bryce sabe.

— Você… O que planeja fazer?

Era uma pergunta difícil, mas Ruhn respondeu:

— Vou ajudá-la. Vou liderar os Aux junto de Holstrom, acho. Considerando que desde hoje de manhã não existe mais trono feérico.

Fora incrível testemunhar a cena: Bryce diante da aglomeração de câmeras e nobres, acabando com as monarquias com um rabiscar da caneta. A caneta favorita do pai deles, ainda por cima.

Ruhn nunca ficara tão orgulhoso de ser irmão de Bryce.

Ele abriu um leve sorriso.

— O Oráculo estava certo de várias formas, eu acho.

Lidia ergueu a sobrancelha, e ele continuou:

— Não só que a coroa iria até Bryce, mas que ela daria fim a tudo. A linhagem real Danaan acabou.

Lidia fez um barulhinho com a boca.

— Você não está morto nem sem filhos, afinal de contas.

— Ainda não — confirmou Ruhn, rindo de novo.

Todo aquele tempo que passou temendo a profecia, preocupando-se com o próprio destino…

Lidia olhou para ele, de um jeito que ninguém mais em Midgard olhava… como se *o enxergasse.*

— Mas está preparado para não ser mais príncipe? Para ser… normal?

— Acho que sim — respondeu o macho, dando um empurrãozinho com o joelho no dela. — E você?

— Não sei. Eu nem sei o que é normal — admitiu Lidia.

Ruhn segurou a mão dela, entrelaçando os dedos.

— E se descobrirmos isso juntos, então?

— Como ser normal?

— Como viver uma vida normal. Um apartamento normal, de adulto, é um bom começo. Para nós dois.

Chega de morar em república.

Mas a cautela tomou o olhar dela.

— Minha vida é complicada.

— Quem disse que normal não é complicado? — retrucou ele. — Só sei que seja lá o que o amanhã, o ano que vem ou os próximos milênios tenham guardado para este mundo, quero enfrentar ao seu lado.

A expressão dela se suavizou. Lidia se inclinou para perto, afastando uma mecha de cabelo dele com a mão.

Os dois não eram a Corça e o Príncipe Herdeiro dos Feéricos. Não eram Day e Night. Ali, naquele momento, eram somente Lidia e Ruhn. Ele não mudaria nada.

Mas Ruhn se levantou, foi até a cozinha e abriu a geladeira. O outro requisito que fizera ao corretor: armazenar uma única coisa na geladeira.

Talvez a república não fosse deixada de lado totalmente. Ele voltou para o sofá e entregou uma cerveja a Lidia.

— Como prometido, Day — disse ele, abrindo a tampa da própria garrafa. — Uma cerveja.

Ela olhou para a bebida, e seu rosto se iluminou. Tirou a tampa, mas se levantou e deu uma batidinha na garrafa dele, brindando antes de beber.

— A uma vida normal, Ruhn.

Ele se inclinou para beijá-la, e Lidia encurtou a distância. E o amor e a alegria nele brilharam mais forte do que uma luz estelar quando Ruhn disse com seus lábios colados aos dela:

— A uma vida normal, Lidia.

* * *

Levaria alguns dias para os lobos do Covil retornarem de onde estavam se escondendo, mas eles estavam voltando, *sim.*

Ithan não sabia se havia sido por ordem de Amelie ou se Perry pedira, mas todos estavam voltando. Talvez apenas para ver por conta própria como o novo Primo faria um trabalho de merda ao liderá-los.

Ou para analisar a dinâmica sem os Fendyr.

Ou para buscar os próprios pertences antes que a rede elétrica da primalux caísse e o caos reinasse.

Ithan estava no centro de comando da sede do Aux, com Flynn e Dec do outro lado, e o primeiro observava Perry com um interesse que Ithan não gostava.

Perry estava corada, e Ithan também não gostava daquilo.

Mas Ruhn e Lidia entraram antes que Ithan pudesse dizer algo estúpido, e o antigo príncipe feérico declarou:

— Então, antes de qualquer outra coisa: acho que é uma merda isso de salvar o mundo e precisar voltar ao trabalho dois dias depois.

Perry riu, e… tudo bem, talvez Ithan gostasse do som.

Mas Lidia disse, com a voz séria, mas serena:

— Estou esperando um comunicado hoje à noite a respeito do status da rede elétrica da primalux e como podemos evitar que caia. Os engenheiros de Lunathion estão se reunindo com a Rainha do Oceano para descobrir como ela faz os navios funcionarem sem isso, e vão nos contar o que descobrirem, mas, no meio-tempo, precisamos começar a fazer um levantamento dos aliados dentro e fora da cidade. Celestina ainda está lidando com Ephraim, tentando conseguir o apoio dele, mas os outros arcanjos vão começar a entrar em disputa pelo poder. Se não quisermos retornar aos velhos hábitos, precisamos de um plano sólido.

— Será que Athalar não deveria estar presente para debatermos isso? — perguntou Flynn.

— Ele está vindo. Com Bryce, mas disseram para começarmos sem eles — revelou Ruhn.

Dec e Flynn começaram a jogar beijinhos barulhentos um para o outro em deboche, e Ithan e Perry gargalharam.

Talvez não fosse ser tão ruim. Não a parte de ser Primo, daquilo ele não gostava mesmo, mas a parte de criar um novo futuro. Provavelmente seria puro desespero por um tempo, e eles teriam inimigos para dar e vender, mas…

Também teriam um ao outro. Uma matilha. De todas as Casas.

O que era o motivo de estarem ali. Nada de membros do Aux segregados, divididos entre Casas e espécies. Eles dariam o exemplo na liderança. A partir daquele dia.

Então Ithan disse a Lidia, Ruhn, Flynn, Dec e Perry:

— O que quer que esses babacas queiram lançar para cima de nós, vamos revidar na mesma moeda.

— Falou como um verdadeiro capitão de solebol — provocou Dec.

— É — confirmou Ithan, deixando a palavra se assentar, e por um momento sentiu… o ímpeto de pisar no campo, de pegar a bola. Um lampejo e sumiu, mas… depois de anos sem nada, ele sentia. E queria. Então Ithan sorriu e acrescentou: — Sou mesmo

* * *

— Era Hypaxia no telefone — anunciou Bryce, no átrio ensolarado e aberto da casa elegante que logo seria o novo Antiquário Griffin.

Hunt, que tirava uma estátua de Thurr de uma caixa, perguntou por cima do ombro alado:

— O que ela disse?

— Que se conseguir dar um jeito de estabilizar o antídoto, podemos distribuir para todo mundo já no Equinócio de Primavera. Ou seja: se ainda estivermos com energia a essa altura. Ela quer mais do seu relâmpago, aliás. Essa remessa de antídotos já acabou.

Bryce e Hunt haviam tomado a dose. O rompante de magia que resultara fora intenso a ponto de, ao que parecia, uma nova ilha inteira se formar em Avallen... como se estivesse agora atrelada à própria alma dela. Como se ela e Midgard estivessem, como Jesiba alegara, ligadas, com o amuleto archesiano ou não.

E, por causa de Hunt, houve um dia repleto de tempestades. Lógico que ele foi multado pela cidade por manipulação imprópria e ilegal de clima, mas a justificativa que Bryce dera sobre "ter sido um clímax de magia" não convenceu as autoridades.

Levaria algum tempo para que se acostumassem ao novo poder nas veias, como se devolvido do que os asteri extraíram. Precisariam de um novo treinamento também. Bryce conseguia se teletransportar em um pulo entre a cidade e a casa dos pais. O que era... bom e ruim.

Bom porque ela poderia ver Cooper quando quisesse, e roubá-lo da cidade para se divertirem *de verdade*. Ruim porque os pais dela esperavam que ela e Hunt fossem lá jantar toda semana. Bryce negociara o encontro para uma vez por mês, mas ela sabia que Ember faria uma senhora de uma pressão para que fosse *ao menos* uma vez a cada duas semanas.

Mas tudo aquilo dependia do que fariam a seguir... se a rede elétrica da primalux seguraria as pontas. Se cairia. Se tivessem que recomeçar, agachados ao redor de fogueiras no escuro. Mas ela — eles — seguiriam como sempre. Que os gênios e os cientistas encontrassem uma forma de salvá-los daquela vez.

— Bem — murmurou Hunt —, se Hypaxia precisar de alguém para meter a porrada nos Redner, estou dentro. Eles são bizarros.

A antiga rainha-bruxa havia, com relutância, se aliado às Indústrias Redner, na tentativa de produzir o antídoto em massa.

— Babaca Assustador, Parte Dois?

— Com gosto.

Ele se virou para onde Bryce guardava livros no enorme móvel embutido atrás da mesa dela.

Os livros. A coleção de Parthos. Não mais no escuro nem escondidos, mas ali, à luz do dia, para qualquer um ter acesso. Ela não suportaria mantê-los trancados.

Por sorte, havia encontrado três novas funcionárias para ajudá-la a gerenciar a coleção de difícil manejo. Sasa, Rithi e Malana estavam curvadas sobre uma embalagem de delivery, assistindo a um episódio de *Amor Velado* no celular de Hunt, que ele havia apoiado em uma garrafa de água.

Nunca substituiriam Lehabah, mas Bryce ficava feliz por vê-las. Por ouvir Syrinx, roncar debaixo da mesa nova, no pequeno ninho de cobertores que fizera ali. Era como se algo enfim se encaixasse. Como se ela soubesse onde deveria estar.

— Então — murmurou Hunt, voltando a esvaziar as caixas que Hypaxia mandara da Casa de Chama e Sombra.

Pelo jeito, Jesiba estivera esperando aquela transferência de propriedade... fizera Ithan empacotar a maior parte dos artefatos.

Bryce achou que Jesiba gostaria do Rifle Matador de Deuses fixado atrás da escrivaninha. Tanto como um alerta a qualquer um que tentasse roubar os livros como em honra da sacerdotisa que os guardara por tanto tempo. Isto é, se as duendes de fogo não torrassem o possível ladrão antes.

Ela não sabia para onde Irithys fora, e ainda queria conversar com a rainha, contar sobre Lehabah, mas, pelo que Sasa dissera, parecia que a Rainha dos Duendes estava viajando pelo mundo, com a intenção de libertar todos de seu povo. Principalmente aqueles que ainda estivessem sendo mantidos por senhores avessos à nova proibição mundial da escravidão.

— Então... e aí? — perguntou Bryce a Hunt, colocando um calhamaço na prateleira.

— Então... você vai falar algo sobre o lance todo do abaixo-a--monarquia-feérica?

— O que tem a ser dito? Emiti o decreto. Acabou. Não é mais problema meu — perguntou Bryce.

— Pode ser que nem todo mundo veja dessa forma.

— É por isso, Athalar... — começou ela, guardando outro livro que tentou escapar de suas mãos. Puxou o exemplar de volta e enfiou na prateleira. — É por isso que vamos estruturar uma democracia feérica. Um senado, essa porra toda. Assim os feéricos podem ir reclamar com *eles* sobre os problemas.

— Um senado e essa porra toda, é? — repetiu Hunt. — Parece bem oficial.

Ela se virou para o macho.

— E você? Por que pode dar tchau para a 33ª e o lance todo dos anjos, mas eu, por acaso, não posso me livrar do drama feérico?

— Não fui eu quem fiz ilhas mágicas brotarem do oceano e ressuscitei um território inteiro.

— Bem, Avallen é diferente — rebateu ela, fungando.

— Você só não quer abrir mão da sua casa de veraneio — provocou ele, atravessando a sala até Bryce.

Ela deixou que ele a encurralasse contra a estante, adorando o tamanho, a força e a muralha de poder que eram puro Hunt.

— Talvez não queira mesmo — respondeu a fêmea, sem se acovardar. — Mas até os feéricos me provarem que vão compartilhar Avallen com todo mundo, ela é minha. — Bryce havia ponderado mandar os livros de Parthos para lá, para os Arquivos de Avallen, mas ela os quisera ali por perto. Queria que fossem acessíveis a todos, não que ficassem trancafiados em uma ilha remota. — Ou, pelo menos, é minha responsabilidade — emendou.

— É, bem, Baxian está sedento para sair da ilha e voltar à civilização, então talvez seja preciso contratar um zelador.

Fury e June já tinham voltado à Cidade da Lua Crescente. Pelo jeito, os amigos dela chegaram ao limite no que se tratava de viver no estilo medieval, mas Baxian permanecera.

Ela fez uma careta. O anjo estivera mantendo os feéricos na linha desde que ela e Hunt deixaram Avallen nas mãos dele, cuidando bem de todos os refugiados que chegassem lá. Danika teria ficado orgulhosa. Bryce havia se certificado de dizer aquilo ao Cão do Inferno... e havia se certificado de contar sobre ter visto a parceira dele no mundo pós-vida. Ele ficara em silêncio por um bom tempo na ligação, fazendo com que ela percebesse que ele estava chorando, mas tudo o que respondera para Bryce fora "obrigado".

— Beleza, beleza. — Bryce se voltou para Hunt. — Estruturar uma democracia, encontrar uma nova babá para Avallen, brincar de Babaca Assustador com você... Algo mais? Além de eu começar um novo negócio?

Ela gesticulou para a galeria que logo seria aberta ao público.

— Que tal contratar um assistente sexy?

O calor, a centelha nos olhos dele não passaram despercebidos.

Bryce mordeu o lábio.

— Assistente sexy, é? E tudo bem para você ir de Umbra Mortis a rapaz do cafézinho para mim?

— Se entre os benefícios estiver o bônus de fazer sexo bem safado no escritório, para mim está ótimo — retrucou Hunt com um grunhido e mordiscou a orelha dela.

— Ah, o cargo *com certeza* vem com o benefício de sexo bem safado no escritório — garantiu ela, quase ronronando.

Ela sentiu o pau duro dele pressionando seu quadril antes de ele dizer, com a voz baixa e travessa:

— Duendes… vão arranjar outro lugar para ficarem por um tempo.

Elas resmungaram, mas saíram apressadas para a escada, todas corando um rosa intenso. Syrinx foi atrás, latindo.

Bryce não se importava para onde estavam indo. Não quando Hunt pressionou o pau em seu centro, e ela se contorceu.

— Suba na mesa — disse ele, com a voz grossa.

O sangue dela acelerou.

— Já estamos atrasados para a reunião com Ruhn e os outros no Aux.

— Eles vão ficar bem. — A voz dele era sexo puro e implacável.

Os joelhos de Bryce bambearam.

Ela só dera um passo na direção da mesa quando seu celular tocou. Baxian.

— Retorne depois — instruiu Hunt, posicionando-se atrás dela.

Então subiu as mãos pelas coxas da fêmea, levantando a saia. Sim… *porra*, sim.

O celular de Hunt tocou. Baxian de novo.

— Talvez a gente deva… atender — sugeriu Bryce, embora quase não tivesse conseguido falar, considerando que Hunt segurava sua saia com uma das mãos e sua bunda com a outra…

Hunt grunhiu e se esticou para pegar o celular, atendendo, irritado:

— *Que foi?*

Com os ouvidos feéricos, Bryce conseguia escutar com perfeição quando Baxian perguntou:

— Cadê a sua parceira?

Foi o tom sutil de pânico e urgência na voz que fez Hunt colocar o telefone em viva-voz e dizer:

— Estamos os dois aqui.

Baxian suspirou de forma trêmula, e o tesão de Bryce sumiu, o pavor gelando suas entranhas. Se já tivesse acontecido algo, um ataque a Avallen…

— Eu… — Baxian se engasgou com a palavra. — Tem uns vinte deles.

Bryce trocou um olhar confuso com Hunt e perguntou:

— Eles?

Baxian deu uma risada que era quase histérica.

— Juro, é como se tivessem brotado da terra, como se estivessem hibernando ou se escondendo aqui, não sei, puta merda…

— Baxian — disse Bryce, com o coração martelando. — *O que aconteceu?*

— Cavalos voadores. Cavalos com *asas*.

Bryce ficou sem reação.

— Cavalos… com asas.

— Isso — confirmou Baxian, elevando a voz. — Estão voando por aí, pisoteando tudo e comendo todas as plantações, e acho que talvez você precise vir aqui porque parece o tipo de coisa que talvez pertença à Princesa Estrelada Supermágica e Chique…

Bryce olhou para Hunt, a admiração a dominando.

— Tem cavalos voadores em Avallen — murmurou Hunt, com os olhos tão arregalados de alegria quanto os dela.

— No relato de Silene — sussurrou Bryce —, ela contou sobre a mãe ter cavalos voadores. E que alguns vieram para cá… e havia representações deles na Caverna dos Príncipes e no castelo de Morven. Achei que haviam matado todos, mas talvez… — Ela balançou a cabeça. — Isso é possível?

Helena havia, de algum modo, mantido todos vivos, dormentes, aguardando até que fosse seguro de novo?

Ela não ligava. Não naquele momento.

— Há cavalos voadores em Avallen — repetiu ela para Hunt. — Há *pégasos* em Avallen.

— Por favor, venham ajudar — pediu Baxian, implorando.

— Vamos chegar ao amanhecer — garantiu Bryce e encerrou a ligação. Ela encontrou o olhar ardente do parceiro. Nada de sombras, nada de halo, nada de dor. Nunca mais. — O sexo no escritório fica pra próxima?

— Por um Geleia Geladinha em carne e osso? — Hunt sorriu. — Qualquer coisa.

Bryce o abraçou pelo pescoço, beijando-o com vontade, então disparou para a porta.

Havia um anjo em seu escritório, e uma horda de pégasos em Avallen. E os asteri haviam sido exterminados e os mortos, libertos... E embora soubesse que havia trabalho a ser feito para curar Midgard, o mundo estava aí. A *vida* estava aí.

Então Bryce e Hunt saíram correndo para viver.

Juntos.

Agradecimentos

Mesmo depois de tantos livros, ainda acordo todos os dias grata pelas pessoas incríveis que tenho a honra de conhecer e com as quais trabalho. Com isso em mente, meu amor e profunda gratidão:

À magnífica equipe mundial da editora Bloomsbury: Noa Wheeler (cuja genialidade editorial é sem precedentes!), Nigel Newton, Kathleen Farrar, Adrienne Vaughan, Ian Hudson, Rebecca McNally, Valentina Rice, Erica Barmash, Angela Craft, Nicola Hill, Amanda Shipp, Marie Coolman, Lauren Ollerhead, Rebecca McGlynn, Grace McNamee, Eleanor Willis, Katie Ager, Ben McCluskey, Holly Minter, Sam Payne, Donna Mark, David Mann, John Candell, Donna Gauthier, Laura Phillips, Jaclyn Sassa, Britt Hopkins, Claire Henry, Michael Young, Nicholas Church, Brigid Nelson, Sarah McLean, Sarah Knight, Joe Roche, Fabia Ma, Sally Wilks, Inês Figueira, Jack Birch, Fliss Stevens, Claire Barker, Cristina Cappelluto, Genevieve Nelsson, Adam Kirkman, Jennifer Gonzalez, Laura Pennock, Elizabeth Tzetzo, Valerie Esposito e Meenakshi Singh.

À Kaitlin Severini, pela preparação do original, e Andrea Modica e Hannah Bowe pela revisão. À Elizabeth Evans pelas fantásticas adaptações para áudio, e a Carlos Quevedo pela deslumbrante arte de capa.

À equipe brilhante e braba na agência Writers House: Robin Rue (agente maravilhosa e amiga incrível), Beth Miller, Cecilia de la Campa, Maja Nikolic, Kate Boggs, Maria Aughavin, Albert Araneo, Sydnee Harlan, Alessandra Birch, Sofia Bolido, Angelamarie Malkoun, Melissa Vasquez, Rosie Acacia, Lisa Castiglione e Angela Kafka.

À equipe espetacular de Frankfurt Kurnit Klein & Selz: Maura Wogan, Victoria Cook, Kimberly Maynard, Louise Decoppet, Mark Merriman, Michael Ling, Michael Williams, Gregory Boyd, Edward Rosenthal, Molly Rothschild, Amanda Barkin e Nicole Bergstrom. A Jill Gillet pela sabedoria e orientação.

À minha irmã, Jenn, que me inspira diariamente, e às minhas amigas queridas que sempre me fazem sorrir: Julie, Megan, Katie, Steph e Lynette. À Laura e Louise, cujos e-mails sempre alegram meu dia.

À Ana, que cuida tão bem dos meus bebês, possibilitando, assim, que eu escreva estes livros.

A Josh, Taran, Sloane e Annie: vocês são as maiores dádivas da minha vida, e amo vocês mais do que é possível expressar em palavras.

E aos leitores que tornam tudo isso possível: obrigada por *tudo*.

A seguir, um conteúdo inédito da série

CIDADE DA LUA CRESCENTE

BRYCE E DANIKA

A batida do rádio velho e caindo aos pedaços alcançou Bryce, dois andares abaixo do apartamento. O cheiro doce e almiscarado de raiz-alegre a atingiu quando chegou ao próximo patamar. E, quando Bryce destrancou a porta e entrou, já estava dançando.

— Minha pessoa favorita chegou! — gritou Danika, saudando Bryce com um cigarro de raiz-alegre enrolado. Uma pilha da erva estava espalhada sobre a mesa de centro, os pés descalços de Danika a centímetros de distância. Sua colega de quarto fez um gesto generoso em direção ao arsenal de drogas.

— Onde você *conseguiu* tanta raiz-alegre assim? — Bryce tirou os saltos com o pé, mexendo os dedos doloridos e esfolados para tentar recuperar um pouco a sensibilidade neles. Depois, enfiou a mão por trás das costas e do vestido e soltou o sutiã. Ela girou a peça no ar uma vez, para fazer cena, e depois a lançou pelo cômodo. O sutiã suado caiu na soleira do quarto. Cacete, mas que calor que fazia lá fora. E que calor fazia *ali*.

Mesmo com o ar-condicionado ligado, uma camada fina de suor cobria o rosto de Danika. Não ajudava que, apesar do calor do verão, ela ainda estivesse com a mesma jaqueta de couro de sempre, *Por amor, tudo é possível* escrito nas costas.

Danika deu uma longa tragada na raiz-alegre, soltando a fumaça pelas narinas antes de dizer:

— Confisquei de uns turistas babacas que acharam que seria legal ficar chapados no Parque do Oráculo pra ver se captavam as vibrações psíquicas dele, ou sei lá o quê. — Ela revirou os olhos. — Dei uma advertência formal e confisquei a droga deles.

Bryce riu, se jogando no sofá e afundado ao lado da melhor amiga.

— Você é mesmo um exemplo de boas maneiras.

Danika passou o cigarro aceso para ela.

— Ah, sim. O orgulho da Cidade Crescente.

Bryce tragou fundo, cada músculo tenso do corpo relaxando com o gosto da fumaça na boca.

Na TV velha e pequena do outro lado da sala, o noticiário noturno continuava tagarelando, quase impossível de se ouvir por causa do som alto do rádio. *O apagão da semana passada, blá-blá-blá...*

— Cadê todo mundo? — perguntou Bryce, soltando a fumaça devagar antes de passar a raiz-alegre de volta para Danika. Tinha recebido a mensagem dela meia hora atrás: um vídeo curto mostrando a pilha de raiz-alegre que, no vídeo, estava no balcão da cozinha, com música estourando ao fundo e as palavras *Vem logo pra casa, meu bem.*

E Bryce foi, trancando a galeria em tempo recorde. Tão rápido que esqueceu as roupas suadas da aula de dança que tinha feito na hora do almoço. Tão rápido que o pobre do Syrinx só teve tempo de ganhar *um* carinho antes de ela sair, prometendo levar um baita petisco no dia seguinte.

— Trabalhando — respondeu Danika por fim, a fumaça saindo dos lábios. — Como a cidadã exemplar que sou, tirei a noite de folga pra aproveitar os espólios. — Ela mexeu na direção da raiz-alegre os dedos dos pés, cada um com esmalte roxo descascando. — Bronson me fez prometer que ia deixar um pouco para ele, então me ajude a não pagar de mentirosa.

Bryce deu mais uma tragada.

— Se fumarmos *tudo* isso, acho que a gente morre, Danika.

— Nada — disse Danika, com um sorrisinho, enquanto Bryce soltava uma nuvem doce de fumaça. — Mas é possível que se passem dois dias e você ainda esteja chapada.

O celular de Bryce vibrou, e ela o pegou da mesa de centro. Tinha acabado de receber um e-mail de Jesiba. Bryce leu por alto o conteúdo e fez uma careta. Estava prestes a largar o telefone, decidida a ignorar a mensagem o máximo de tempo que fosse possível, quando Danika falou, se levantando:

— *Talvez* três dias.

Bryce riu, sentindo o cômodo começar a desacelerar e girar com a névoa familiar. Colocou a raiz-alegre no cinzeiro de cerâmica torto, um tesouro das aulas de cerâmica meia-boca da faculdade, e se recostou nas almofadas manchadas para aproveitar a onda refrescante que começava a percorrer seu corpo.

Cantarolando junto com a música, Danika foi descalça até a cozinha. O celular de Bryce vibrou com outra mensagem de Jesiba. *Espero uma resposta dentro dos próximos cinco…*

Bryce suspirou e começou a digitar de volta, sentindo qualquer sensação de paz se dissipar.

— Quer dar um rolê? — gritou Danika da cozinha.

Bryce apoiou os pés na mesa de centro, enviando o e-mail para Jesiba ao mesmo tempo.

— Não. Meu sutiã está oficialmente longe do meu corpo e eu *não* pretendo colocá-lo de novo.

— Quem disse que precisa de sutiã pra sair? — Danika veio da cozinha, mordiscando um sanduíche de aparência deprimente que tinha sobrado.

— Ainda sobrou bastante do ziti que eu fiz ontem — ofereceu Bryce, com a música começando a fazer anéis dourados ondularem pelo ar. Lindo. — Esse sanduíche é de, tipo, seis dias atrás.

Danika deu outra mordida e respondeu com a boca cheia:

— Prefiro arriscar uma intoxicação alimentar com isso aqui do que com aquela… coisa.

Bryce mostrou o dedo do meio, que parecia estar a quilômetros de distância.

— Você disse que o ziti estava bom!

— Talvez ficasse se estivesse puro. — Danika cruzou os braços. — Mas aí você adicionou…?

— Linguiça.

— *E…?*

Bryce fez uma careta.

— Umas outras coisinhas? — Certo, talvez ela tenha se empolgado um pouco ao acrescentar ingredientes na receita. Mas parou depois de colocar alho e azeitonas.

Danika assentiu com um ar sábio.

— É, o ziti não vai rolar. Mas bora sair… ainda tenho bastante espaço para mais. Pizza, depois cerveja. E aí uísque.

— Eu trabalho amanhã — comentou Bryce. — A Jesiba já está me mandando mensagem por causa da pilha de papelada que ela quer ver preenchida antes mesmo de chegar no escritório pela manhã. Não tem como eu dar conta se eu estiver de ressaca. Ou ainda chapada.

— Só duas bebidinhas — prometeu Danika, desmanchando e depois voltando a fazer a trança no cabelo loiro, com fios de ametista, safira e rosa entrelaçados. — Uma da manhã você já vai estar na cama.

Essa era a maior mentira do mundo, e Bryce sabia. Mas se Danika queria sair, só elas duas, sem transformar aquilo numa noitada com June e Fury…

— Por favor — pediu Danika, franzindo levemente a testa. Ela se aproximou da mesinha e pegou de novo o cigarro de raiz-alegre, tragando outra vez. — Eu estou precisando.

Mesmo estando chapada, era difícil não notar a tensão no rosto e na postura de Danika.

Então Bryce perguntou, com o tom mais sóbrio que conseguiu:

— Está tudo bem?

Danika deu de ombros, tragando de novo.

— Sabine. Pra variar.

Tinha algo estranho no jeito como Danika evitava olhar para ela, não retribuindo o olhar… Bryce não sabia se acreditava naquilo, por mais que Sabine estivesse sempre enchendo o saco de Danika. Mas o que mais poderia ser? Talvez algo com Thorne, mas a paixonite dele nunca pareceu incomodar Danika antes.

Se a amiga não queria tocar no assunto, Bryce não ia forçar. Estaria lá quando Danika estivesse pronta para falar.

Bryce deu outra tragada na raiz-alegre, mergulhando na calmaria, e disse:

— Uma bebida… e quero estar de volta e na cama à *uma da manhã.*

Sua melhor amiga, sua irmã de alma, deu uma piscadela. Mas um resquício daquela tensão, daquela preocupação distante, ainda estava ali — só de leve. Mesmo enquanto Danika dizia, com os olhos brilhando de malícia por trás da fumaça:

— Eu te arranjo um sutiã novo.

* * *

— A multa por embriaguez pública é de mil marcos, e a anotação fica no registro permanente — informa uma voz masculina para Bryce e Danika duas horas depois, enquanto o relógio se aproximava da meia-noite.

Uma da manhã se aproximava, mas talvez desse para ela esticar até às duas. A noite estava tão agradável e linda, com o vento suspirando pelas palmeiras… o tipo de noite de verão que ia ficar na memória de Bryce por anos. A raiz-alegre ainda envolvia seus sentidos, intensificando e acalmando ao mesmo tempo, fazendo com que ela saboreasse cada detalhe perfeito daquela noite.

Sentada na beira de uma fonte numa praça perto da Archer Street, Danika dava goles na garrafa de cerveja. Elas tinham comprado um engradado no mercado — e depois outro. Aquele era o terceiro. E a culpa era toda da raiz-alegre e de seu efeito de *dane-se o mundo.*

— Ninguém gosta de um dedo-duro.

Bryce riu para o trio de lobos que estava em pé ao redor delas: Connor, Zach e Thorne. Foi Zach quem falou, e, apesar do tom seco, ele parecia estar achando graça. Ele era metade da dupla de gêmeos que todo mundo chamava de Fantasmas. Se Zach estava por ali, Zelda não devia estar longe.

Mas foi para Connor que Bryce olhou de verdade… e tentou ignorar no mesmo instante. Sobretudo quando ele disse:

— Um pouco de embriaguez pública nunca fez mal a ninguém.

O tom dele era o oposto do de Zach. Ainda que também soasse entretido, ela seria capaz de jurar que sentira um resquício de desaprovação nos olhos dele quando a encarou. Bryce olhou para ele como se dissesse, *o que foi? Danika precisava beber um pouco. E de um pouco de raiz-alegre. Muita raiz-alegre.*

Ela poderia jurar que a careta de Connor dizia, *tem jeitos melhores de ajudá-la a lidar com a Sabine.*

Bryce balançou a cabeça. Ele percebia demais — reparava demais. Então ela mudou de assunto.

— Cadê meu melhor amigo?

Danika riu.

— Estou bem aqui. Você deve ter fumado mais do que eu pensei.

— Estava falando do Ithan — disse Bryce, com um ar inocente.

— Ei! — protestou Danika.

— Melhor amigo número dois — corrigiu Bryce.

Thorne riu.

— Está dormindo. Tem um jogo importante daqui alguns dias.

Connor alertou:

— *Nem pensem* em chamar ele para sair. Ele precisa descansar.

— Claro, claro — disse Danika. — Um jogo super mega importante de solebol. O destino do mundo depende disso! *Jamais* atrapalharíamos uma coisa dessas.

Bryce e Danika trocaram um olhar. Assim que os três fossem embora, as duas obviamente iriam mandar uma mensagem para Ithan, *o Holstrom divertido,* como ela costumava provocar Connor.

Mas Connor não parecia estar com humor para brincadeiras naquele momento. Deuses, será que *todo mundo* tinha algo queimando por dentro hoje? Seria o calor do verão? O jeito que ele a encarava...

Bryce se deu conta de quanto o vestido havia subido pelas coxas, de quanta pele das pernas estava à mostra, da aparência nada sóbria dos pés nos saltos altos.

— Olha só — começou Thorne, sempre a voz da razão. — A Amelie e a Matilha da Rosa Negra estão de patrulha hoje. Então... apenas tomem cuidado.

— Quero ver tentarem alguma coisa — disparou Danika, e até Bryce ficou tensa com aquilo. Danika estava querendo briga.

— Nem pense numa coisa dessas — advertiu Connor, com os dentes à mostra de um jeito que fez Bryce se lembrar de que ele poderia muito bem ter sido um Alfa, se não tivesse escolhido servir a Danika. — A última coisa de que você precisa agora é de um confronto com a Amelie.

— Ah, é? — Danika se levantou com agilidade, cambaleando só um pouco. — E por quê?

Thorne se meteu entre os dois, o Ômega lançando um sorriso desarmante.

— Porque eu não quero ter que te arrastar pra cadeia por assassinato.

Isso pareceu acalmar Danika, que deu um tapinha carinhoso no rosto de Thorne. Ele sustentou o olhar dela, e Bryce se surpreendeu ao ver que foi Danika quem desviou primeiro o olhar — como se não aguentasse encarar o que encontrou na expressão dele. Bryce podia jurar que eram pura dor e desejo que brilhavam nos olhos de Thorne.

Mas Zach assentiu para Bryce enquanto ela se levantava, os saltos vacilando nos paralelepípedos.

— Fica de olho nela, B — disse ele.

Bryce fez uma saudação desajeitada.

— Pode deixar.

Danika deu uma risadinha, passando o braço pelos ombros de Bryce.

— Vamos levar nossa embriaguez pública pra dentro de um bar — brincou, puxando Bryce da fonte da praça. — Vamos beber até cair no Lete, caso alguém precise da gente.

Bryce olhou por cima do ombro e viu Connor ainda encarando-a com a testa franzida. Não gostou daquele olhar, nem de tudo o que conseguia ler nele. Então apenas deu uma piscadela para ele e permitiu que Danika a conduzisse até o Lete para encherem a cara.

* * *

O bar de uísque estava relativamente cheio para uma noite de semana. Pessoas ainda em suas roupas de trabalho tomavam doses caras em copos de cristal nas mesas altas e adornadas, enquanto pessoas bêbadas como Bryce e Danika estavam sentadas no balcão, virando doses do removedor de esmaltes barato que Lete tinha a coragem de chamar de uísque da casa.

Se pudessem bancar os bons, teriam comprado sem pensar, mas Bryce estava zerada de grana, e, embora Danika teoricamente tivesse dinheiro, quem assinava os gastos do cartão era Sabine.

Bryce não ligava de beber aquela porcaria barata, mas Danika estava exagerando demais naquela noite. O que estava *rolando* com ela?

Repassou mentalmente tudo o que tinha acontecido nos últimos dias. Ou ao menos tentou. Com toda aquela bebida em seu organismo — por que tinham começado com cerveja? —, mal conseguia pensar direito.

Só teve um momento que se destacou no meio da névoa alcoólica.

— O que está rolando entre você e o Thorne? — perguntou Bryce do nada.

— Hã? — Danika virou mais uma dose de uísque. Deuses, quantas ela já tinha tomado? A própria Bryce tinha tomado… Tentou contar nos dedos, mas eles se multiplicavam e borravam.

Mais adiante no bar, um anjo com o uniforme da 33ª as encarava. Bryce não sabia dizer se ele queria prendê-las ou transar com elas. O ruivo até que era atraente. Tentador o suficiente para que, se ela não estivesse saindo com Reid Redner, talvez…

— Não tem nada rolando entre eu e o Thorne. — Foi a resposta seca de Danika, que fez sinal para o barman trazer mais uma rodada de uísque. — Vai falar com aquele anjo ou não?

— Não faz meu tipo — disse Bryce, com desdém.

— Mentirosa — provocou Danika. — Ele é uma delícia.

Bryce riu.

— Vai lá você, então.

Danika deu uma piscadela.

— Não faz meu tipo.

Bryce pensou por um instante.

— Quando foi a última vez que você saiu com alguém?

Danika agradeceu ao barman com um aceno e deu um longo suspiro. Como se estivesse prestes a dizer alguma coisa…

Deuses, a cabeça de Bryce estava girando. Talvez fosse hora de parar de beber.

— Você é Danika Fendyr — rosnou uma voz masculina no fundo do bar. As duas olharam. O sujeito, um draki brutamontes com escamas esverdeadas descendo pelos braços musculosos sob a camiseta cinza, ergueu o copo na direção delas.

— E daí? — perguntou Danika, as palavras apenas levemente arrastadas.

O draki virou o uísque de uma vez só, uma baforada de vapor saindo pelas narinas.

— Já ouvi falar muito de você.

Bryce se inclinou sobre o balcão, espiando na direção dele.

— Só coisa boa, espero — disse ela, com uma doçura venenosa. Era com certeza a raiz-alegre falando por ela, ousando provocar um draki.

O draki olhou de soslaio para ela, os olhos reptilianos percorrendo seu corpo, antes de voltar a focar em Danika. Bryce foi ignorada por completo. Era invisível, não valia mais do que uma olhada de relance. Talvez uma rapidinha no beco, se ele se rebaixasse a isso. Ela segurou com força o copo.

— Dizem que você dá trabalho — comentou o draki com Danika.

— Quem é você? — As palavras de Danika agora saíam firmes, cortantes, sem resquício de embriaguez.

— Só um cara do norte — respondeu ele, girando o copo entre as garras. — Estou só de passagem. Não achei que fosse esbarrar em uma celebridade local. — Ele ressaltou cada sílaba da palavra *celebridade,* os dentes brancos e pontiagudos reluzindo.

— Que bom que ajudei a melhorar a sua noite — rebateu Danika, com um sorriso tão afiado quanto o dele.

— Sua mãe é uma escrota desgraçada, sabia? — O bar ficou em silêncio.

Mas Danika permaneceu impassível.

— Ah, eu sei. O que ela fez com você?

As pupilas do draki se estreitaram até virarem fendas.

— Não foi comigo. Foi com meus primos. Eles são só crianças. Vieram pra cidade passar um fim de semana e se divertirem e nunca voltaram pra casa. A última coisa que soubemos foi que Sabine Fendyr estava *se divertindo* caçando-os pelas ruas.

Bryce pousou uma das mãos como um alerta no braço de Danika, mas não disse nada.

Danika, no entanto, falou:

— Isso não me surpreende. — Ela inclinou o queixo em direção ao draki. — Você veio aqui para acertar as contas com ela?

O balcão de madeira fumegava sob as garras e escamas do macho.

— Vai tentar me impedir?

Danika abriu um sorriso torto.

— De jeito nenhum. Talvez eu até te deseje boa sorte.

— Danika — censurou Bryce. Uma coisa era desafiar Sabine, outra era incitar uma revolta. Se Danika cruzasse a linha, iria pagar por isso.

Fumaça saiu das narinas do draki.

— Ouvi mesmo dizer que você não era como ela.

— Vou entender isso como um elogio. — Mas Bryce não deixou de notar o brilho nos olhos de Danika.

O draki fez um gesto com a cabeça e se levantou do banco, indo em direção à porta. Já estava quase saindo quando se virou e disse para Danika:

— Se você avisar a ela, eu volto e te encontro primeiro.

E, com isso, foi embora.

— Por Solas — sussurrou Bryce, quando o bar voltou ao seu burburinho habitual.

Danika virou o uísque de uma vez.

— O pobre coitado não percebeu que não vai sair vivo dessa, com ou sem alguém avisando a Sabine.

— Você devia tomar cuidado — alertou Bryce, a mente clareando por um instante com o susto. — Você nem sabe quem é esse sujeito...

— Se ele quer acabar com a Sabine, virou meu novo melhor amigo.

Bryce apertou o braço da amiga com força.

— Isso foi uma coisa extremamente idiota de se dizer.

Danika não respondeu; só pediu mais uma dose. E Bryce não recusou quando outra também foi colocada à sua frente. Depois daquilo tudo, ela precisava.

E da próxima. E da próxima.

A música começou a tocar, e Bryce já estava dançando, ainda que não houvesse uma pista de dança no Lete. Ela transformou o bar inteiro em uma pista, com Danika dançando ao seu lado. As duas riam sem parar, se esquecendo por completo de Sabine, o restante de Midgard indo junto com ela.

Minutos se passaram, ou pode ter sido uma hora, e tudo que Bryce sabia era que estava suando, de volta ao bar, virando mais um uísque.

O anjo gato tinha sumido, embora ela tivesse feito uma boa tentativa de seduzi-lo com o olhar enquanto dançava.

Mas os anjos eram esnobes demais. Ele até podia ter retribuído o olhar cheio de segundas intenções, mas, sem dúvida, já tinha voado direto até as torres elevadas do DCC para rir com os amigos sobre a meio-humana...

— Bora — disse Danika de repente, puxando Bryce do banquinho do bar. — Vamos fazer tatuagens.

— Tatuagens! — Bryce caiu na risada. — Nem fodendo.

— Poooooor favoooor — implorou Danika. — Tatuagens de melhores amigas.

— De jeito nenhum.

Foi então que Danika lançou sua arma secreta: o olhar de cachorrinho pidão. E, merda, aquilo funcionava muito bem.

— Estou triste, me sentindo sozinha, e quero fazer uma tatuagem com a minha melhor amiga.

— Minha mãe vai me matar — protestou Bryce.

— A gente faz num lugar que ela não vá ver.

— Vai doer.

— Você está tão bêbada que nem vai sentir. — Danika apertou a mão dela. — Por favor? *Por favooor, por favoooor...*

Bryce suspirou. O que era um pouco de tinta na pele? Naquele momento, quase qualquer ideia parecia boa. É claro que o que Danika tinha dito — *triste, me sentindo sozinha* — tinha chamado a sua atenção, mas Bryce deixaria para perguntar mais sobre isso no dia seguinte. Por ora, a noite ainda era uma criança, elas eram jovens, e um dia seriam praticamente imortais. O mundo inteiro estava aos pés delas.

Então Bryce suspirou de novo e disse:

— Está bem. Por que não?

* * *

Elas não eram as únicas bêbadas no estúdio de tatuagem às duas da manhã. Na verdade, até tiveram que *esperar,* mas a vez delas havia chegado. Deuses, o tempo parecia se curvar, desacelerar, depois tremer e acelerar de novo.

Danika tinha dito à tatuadora que estava com um desenho e uma frase específicos em mente, *Por amor, tudo é possível,* e que queria que fosse feito de um certo jeito. Falou algo sobre colocar um aditivo na tinta, uma coisa especial de lobos... Não, aquilo não fazia sentido. A ideia tinha sido espontânea, e desde quando Danika entendia de tatuagem? Ela tinha a marca da matilha, mas só.

Bryce estava deitada de bruços na maca de couro coberta de plástico, com o mundo girando sem parar. Danika também girava.

Literalmente sentada no banquinho da tatuadora e *girando*, como se toda a raiz-alegre e o álcool não tivessem surtido efeito algum.

— Por que eu que vou primeiro? — perguntou Bryce.

— Porque você tem cerca de uma hora antes de vomitar e desmaiar. Eu ainda aguento pelo menos duas. — Danika parou de girar e fixou os olhos animados em Bryce. — Ficou com medo?

Bryce bufou.

— Não. Mas, de novo: minha mãe vai surtar.

— A Ember tem tatuagens. E você já passou da idade permitida para se tatuar faz tempo.

— Você já tem *Por amor, tudo é possível* na sua jaqueta. Por que a gente precisa disso *na nossa pele*?

As letras traçadas — em um alfabeto estranho que Bryce nunca tinha visto, mas Danika fez questão de usar — estavam secando nas costas dela enquanto a tatuadora preparava os materiais e a tinta na outra sala.

Danika deu uma piscadela para ela.

— Porque somos melhores amigas.

Bryce sorriu, bêbada, apoiando o queixo nas mãos.

— As melhores das melhores amigas.

Danika beijou sua testa.

— Pra sempre.

— Não importa o que aconteça — murmurou Bryce, fechando os olhos e cantarolando baixinho.

A voz de Danika saiu suave.

— Não importa o que aconteça.

Bryce abriu os olhos ao ouvir o tom baixinho.

— Ei... que foi isso?

Eram lágrimas nos olhos de Danika? Mas ela só deu uma piscadinha de novo.

— Eu te amo, B. Sabia? Não tem mais ninguém que me aguentaria, ou toparia entrar comigo nessa… loucura toda.

— Acho que o termo que o Thorne usaria seria *má influência.*

Danika deu um sorriso torto.

— Nada. Você é a parte boa da minha vida.

Bryce sentiu um calorzinho no coração.

— E você da minha.

A porta rangeu ao se abrir, e, um momento depois, a tatuadora voltou, com potinhos de tinta nas mãos.

— Esse negócio que você me deu é meio estranho — disse ela, vestindo as luvas. — Demorou pra dissolver.

— Mas misturou? — perguntou Danika, com um tom mais afiado.

— Misturou — respondeu a tatuadora, prendendo uma máscara no rosto. — Mas não garanto que não vá ferrar a cicatrização ou a durabilidade da tinta.

— Vai dar tudo certo — garantiu Danika. — O Primo me deu. É uma dessas bobagens sagradas de tatuagem de lobo.

— Está bem — disse a tatuadora, obviamente pouco se importando com a origem da substância. Provavelmente só queria acabar com a sucessão de babacas bêbados em seu estúdio.

Danika arqueou as sobrancelhas para Bryce, arrancando uma risada dela.

— Não se mexa — pediu a tatuadora, tateando os ossos da coluna e a parte superior das costas de Bryce. — Vou começar.

— Lá vamos nós — disse Danika, esticando a mão para Bryce. Seus dedos se entrelaçaram.

— Acenda — sussurrou Bryce para Danika, enquanto a tatuadora pisava no pedal e a máquina de tatuagem ganhava vida com um zumbido.

Danika apenas apertou a mão dela com carinho. E, quando a agulha tocou a pele, atravessando até a embriaguez e o torpor da raiz-alegre, ela sussurrou:

— Acenda, Bryce.

BRYCE, NESTHA E AZRIEL

Ping. Ping-ping-ping. Ping.

De olhos fechados, com a cabeça apoiada em uma pedra úmida e irregular da parede da caverna, Bryce ouvia a pedra e a água falarem.

Ping-ping. Ping. Ping-ping-ping.

Era mais do que Nestha e Azriel tinham conversado nas duas horas em que estavam fazendo uma pausa. Em teoria, Bryce deveria estar dormindo. Mas sem o dia e a noite para ditarem o ritmo do corpo, estava sentada em um estado de semitorpor, sem estar, de fato, dormindo ou acordada.

Ping-ping-ping. Ping.

Bryce abriu um olho, analisando seus dois companheiros. Nestha estava sentada na parede oposta, de cabeça baixa, respirando superficialmente.

Mas Azriel olhava direto para Bryce. Ela levou um susto e bateu a cabeça contra a pedra. A dor fez sua visão ficar turva. Quando enfim conseguiu voltar a enxergar, Nestha tinha acordado.

— O que foi? — Nestha olhou de um lado para o outro no túnel. A escuridão gotejante os cercava de ambos os lados, interrompida apenas pelo brilho prateado e tênue da estrela de Bryce através da camisa. Um brilho que se mantinha estável, sem aumentar nem diminuir. Como se dissesse: *Você está no caminho certo. Siga em frente.*

Bryce esfregou a parte de trás da cabeça dolorida e se levantou.

— Não foi nada. Só o seu guerreiro predador noturno, que estava me encarando enquanto eu dormia.

— Você não estava dormindo — rebateu Azriel, com um leve traço de divertimento na voz.

— Como você sabe? — retrucou Bryce, mas os lábios dela se curvaram para cima.

Nestha bocejou, esticando os braços acima da cabeça e estalando o pescoço de um lado para o outro.

— O trabalho dele é vigiar. — Ela abaixou os braços, franzindo a testa de leve para Azriel. — Você estava mesmo observando ela dormir?

Azriel olhou com desaprovação.

— Falando desse jeito, faz parecer... indecente.

— É esquisito — resmungou Bryce.

— Você *é* uma desconhecida — ressaltou Nestha. — Seria erro nosso deixar de prestar atenção em você um segundo sequer. Mesmo quando está dormindo.

Bryce cruzou as pernas, suspirando. Já não tinha mais esperança alguma de dormir agora.

— Bom, então vamos deixar de ser desconhecidos — sugeriu ela. Uma tática de sobrevivência que Randall tinha ensinado: ser simpática com quem quer que a tenha capturado. Fazer com que a vissem de corpo e alma, para que considerassem a possibilidade de *não* matá-la.

Porque, apesar de terem saído da cela usada para interrogação, apesar de Nestha ter devolvido o celular dela, Bryce não tinha dúvidas de que matá-la ainda não estava descartado.

— O que você quer saber? — perguntou Nestha com cuidado.

Bryce olhou para eles.

— Como vocês se conheceram?

Ela poderia jurar ter percebido certa tensão vinda de Azriel, como se estivesse ponderando os perigos de responder à pergunta, avaliando por que Bryce poderia querer saber daquilo.

— Teve uma guerra — respondeu Nestha brevemente.

— Entre quem? — indagou Bryce.

De novo aquele silêncio avaliador. Dessa vez foi Azriel quem respondeu.

— Entre um Rei Feérico maligno e nós.

— Vocês dois ou tipo... todo mundo?

Nestha olhou com desdém para ela.

— Sim, o Rei de Hybern declarou guerra só contra mim e Azriel, mais ninguém.

Bryce deu de ombros.

— Vindo de um feérico, não me surpreenderia. Bem no estilo da babaquice e da mesquinharia deles.

Azriel riu, mas explicou:

— Ele queria conquistar nossas terras... e, por fim, o mundo. Não tínhamos a intenção de permitir.

Nestha acrescentou em tom sombrio:

— Ainda mais depois que ele transformou minha irmã e eu de humanas a Grãs-Feéricas. — Palavras, ao mesmo tempo, cruéis e cheias de desolação.

— Vou chutar que o lado de vocês ganhou, certo? — Bryce ergueu uma sobrancelha.

— Derrotamos Hybern — confirmou Azriel. Um olhar para a Reveladora da Verdade ao lado dele. E em seguida para Nestha. — Ela mesma decapitou o Rei de Hybern.

Bryce ficou sem reação.

— Fodona — murmurou.

A satisfação brilhava forte nos olhos de Nestha.

— Ele teve o que merecia. — Ela analisou Bryce. — Pelo que você disse, seu mundo vive em guerra constante. Tem... rebeldes?

— Sim. — Bryce brincava com a bainha da camisa. — Já faz muito tempo que eles estão combatendo os asteri. Meu parceiro, Hunt, lutou em uma rebelião diferente séculos atrás... uma que fracassou. A rebelião humana começou um século depois. E os asteri estavam tão putos da vida por causa disso que começaram o serviço de recrutamento de humanos.

— O que é isso? — perguntou Azriel.

Bryce franziu a testa.

— Cada humano é membro da classe dos peregrinos, quando comparados com os vanir, que são cidadãos de fato... civitas. E cada peregrino é obrigado a servir no exército imperial durante três anos. Os asteri enviam todos eles para combater a fronte rebelde. Fazem com que matem seu próprio povo. Assassinem as pessoas que lutam pela liberdade deles.

— Você precisou servir? — perguntou Nestha, olhando para Bryce.

— Não — respondeu Bryce, tensa. — Minha mãe arrumou uma solução com meu pai biológico, que é feérico. Ele me fez receber o status de cidadã e, assim, fui dispensada do exército. Ele não vale pra quase nada, mas minha mãe arriscou entrar em contato e permitir que ele voltasse para nossas vidas de novo, só para me proteger. Para que eu não tivesse que combater. — Ela sempre seria grata à mãe por isso.

— Mas a sua mãe, sendo humana, imagino que tenha precisado servir — falou Nestha, a pena estampada em seu rosto.

— Não — negou Bryce de novo. — Para preservar as pessoas mais inteligentes, os asteri oferecem um teste que permite escapar do exército. Quem estiver entre as maiores pontuações é tido como valioso o bastante para não precisar servir. Minha mãe fez o teste quando tinha 16 anos, quase gabaritou e pôde escapar do exército. Meu pai... meu padrasto, quer dizer, tirou um ponto a menos da nota de corte. Foi enviado para combater duas semanas depois. E, hum... não foi fácil para ele.

Randall sofrera durante muito tempo com o peso de seus anos como atirador de elite. Ainda fazia terapia duas vezes por semana, ainda se deixava perder nos horrores que enfrentou, assim como naqueles que infligiu em outros.

Deuses, Bryce só podia torcer para que ele estivesse a salvo. Torcer para que ele fosse capaz de usar aquelas habilidades assassinas pelas quais pagou tão caro para manter sua mãe e Cooper seguros.

— Sua mãe deve ser bem inteligente, então — comentou Nestha —, e resiliente.

— Sim — respondeu Bryce, sentindo um aperto no peito. — Ela vive me aporrinhando, mas devo muito do que sou a ela. Sua mãe também deve ter orgulho de você ser tão... fodona, também.

A postura de Nestha ficou tensa.

— Minha mãe estaria se revirando no túmulo se soubesse que sou uma guerreira... se soubesse que uso calça todos os dias e que tenho um parceiro feérico. Não sei dizer o que a aterrorizaria mais, me ver casada com um homem humano e pobre ou o que me tornei agora.

Bryce fez uma careta.

— Parece que ela podia ter tido umas aulinhas de caráter. Sem querer ofender.

A boca de Nestha se retorceu dos lados em um sorriso zombeteiro.

— Não me ofendi.

Bryce apontou para Azriel com o queixo.

— Essa sua cara fechada me diz que você também teve uma mãe horrível. Quer compartilhar?

Nestha riu, irônica.

— Az nunca fala da mãe, assim como nenhum dos nossos amigos fala, então imagino que ela seja ainda pior.

O illyriano rosnou baixinho:

— Minha mãe pode ser um monte de coisas, mas não é horrível.

Nestha ficou tensa, como se tivesse sido pega de surpresa por ter recebido uma resposta dessas vindo dele.

— Era brincadeira, Az. Eu nem sabia...

— Não quero falar disso — cortou Azriel friamente.

Bryce não deixou de notar o brilho magoado no olhar de Nestha. Em uma tentativa de salvar a conversa, disse:

— Bom, se serve de consolo, minha melhor amiga Danika também teve uma péssima mãe.

— Não tenho o monopólio desse tema — respondeu Nestha, seca, ainda se recuperando após a resposta atravessada de Azriel.

Bryce deu um sorriso.

— Danika disse que isso ajuda a fortalecer. — E diante da expressão fechada de Nestha, ela se viu dizendo: — Acho que ela tinha razão... de algum modo. Acho que a crueldade da mãe dela a tornou uma pessoa mais gentil, mais atenciosa. Ela via como Sabine tratava os outros, e ficava tão enojada que queria se tornar o oposto daquilo. Danika vivia com medo de acabar ficando igual a mãe.

Nestha não respondeu, mas ali estava. Um gesto discreto de concordância. Como se ela entendesse. Como se convivesse diariamente com esse medo.

A água *ping-ping-pingava* de novo no silêncio pesado que se seguiu.

— Então, esse... seu *celular* — comentou Nestha de repente, como se buscasse mudar de assunto para o bem de todos. — Você disse antes que tem música aí?

Bryce pegou o celular no bolso traseiro, o brilho forte da tela contra o de sua luz estelar, mais fraco.

— Sim. Tenho a minha biblioteca de música completa aqui.

O relógio do celular informava que eram 3h56 da manhã. A cabeça dela girava. Seria aquele o tempo local? Ou em seu mundo? Que dia seria ali... ou em Midgard? Há quanto tempo Hunt e Ruhn estavam...

Ela afastou esses pensamentos.

— Posso... ouvir um pouco da música de vocês? — A pergunta de Nestha soava hesitante, como se estivesse desconfortável por fazer um pedido tão pessoal.

Bryce deu um sorriso discreto para ela.

— Claro. Que tipo de música vocês gostam?

Ao perceber o silêncio confuso, Bryce explicou:

— Clássica, mais dance, jazz... Beleza, já percebi que essas palavras não querem dizer nada pra vocês.

— Coloque a música que mais represente o seu mundo — pediu Nestha.

— Acho que uma discussão sobre isso poderia levar Midgard a entrar em outra guerra — comentou Bryce. — Mas vou colocar a minha favorita.

Ela fez uma careta para a bateria chegando ao final, bastante ciente de que tocar música iria acabar ainda mais com a carga, mas o desejo de sentir o gostinho de casa superou a apreensão.

Bryce vasculhou as músicas em seu celular até escolher a dupla folk que tinha surgido em sua mente: Josie e Laurel. Sua mão tremia um pouco pela magnitude do que representava escolher uma das muitas músicas deles para tocar, a música que seria a *primeira* a ser ouvida nesse planeta. Ela sempre mudava de favorita de acordo com o humor, a fase de vida em que estava. No fim das contas, resolveu confiar em seu instinto.

"Stone Mother" começou a tocar, as batidas retumbantes balanceadas pela guitarra feroz, mas ainda assim suave. Então, a voz de Josie preencheu o túnel, aguda e, ainda assim, crescente, acentuada pela entonação doce e afinada de Laurel. O som era diferente, terreno; assombroso. Bastaram algumas notas para que Bryce estivesse de volta em seu quarto de criança em Nidaros, esparramada no carpete, deixando o som da música dominá-la pela primeira vez.

Então ela se viu nas colinas de Valbara, cercada de oliveiras. Depois, no cais repleto de palmeiras ao longo do Istros. Então, com Danika. Depois, sozinha.

E enfim, com Hunt.

A canção a ajudara a viver todos esses momentos — todos os anos de dor, vazio e reconstrução. Carregava-a da luz para a escuridão e de volta para a luz.

As harmonias fantasmagóricas ecoavam nas pedras, até que parecesse que a própria rocha estivesse cantando.

E quando a canção acabou, o silêncio dominou. Nestha estava de olhos arregalados.

— Isso foi lindo — disse ela, por fim. — Não entendi uma única palavra, mas consegui *sentir*.

Bryce assentiu, nostálgica, pensando em seu lar, nos rostos que a canção a fazia lembrar.

— Essa é uma música bem no estilo folk, country. Mas o que chamamos de música clássica é o que toca em grandes salões. Que minha amiga Juniper dança no Balé da Cidade da Lua Crescente. E eu também costumava dançar, mas... longa história. Essa é uma das minhas danças favoritas. É de um balé chamado *O caixão de vidro*. — Bryce apertou o play de novo e os violinos começaram.

Nestha ficou em silêncio de novo, os joelhos agora apertados contra o peito, encarando a escuridão. Como se dedicasse cada pedacinho de si mesma a escutar a música.

— Isso parece um pouco com a nossa música — murmurou Azriel.

Nestha o silenciou.

Bryce batia os pés de acordo com o ritmo, lendo as expressões que se espalhavam pelo rosto de Nestha enquanto a música tocava. Admiração e curiosidade, alegria e... saudade. Nestha parecia estar vibrando com a música, apesar de não se mover. Era como se estivesse ganhando vida apenas ouvindo o som.

Quando a canção acabou, seu final estrondoso espalhando-se pela caverna, Nestha olhou nos olhos de Bryce e revelou:

— Também gosto de dançar.

Era uma pequena parte dela, mas uma que ela compartilhou de bom grado. Bryce sentiu uma onda de afeto em relação à guerreira, ainda que breve.

— Ah, é?

Mas Nestha apontou para o celular de novo.

— Toque mais, por favor.

E Bryce tocou.

* * *

Duas horas depois, eles estavam caminhando de novo. Talvez Azriel tivesse se interessado o bastante pela música para permitir que se demorassem mais um pouco. Bryce os fizera ouvir um pouco de cada gênero musical que conseguiu se lembrar. Nestha cobrira as orelhas ao ouvir o death metal cheio de gritos e uivos, mas Azriel se limitara a rir.

Ele provavelmente se daria bem com Ruhn e seus amigos idiotas.

Nestha gostara mais da música clássica, e os dois ficaram um tanto intrigados com a música de festa, pulsante e agitada.

— É *isso* que vocês dançam no seu mundo? — perguntara Nestha. Bryce não conseguia dizer se ela estava fascinada ou chocada. Azriel, ao menos, parecia ter gostado.

Mas agora estavam em silêncio de novo, passando por desenhos nas paredes, um atrás do outro. Devia estar chegando perto do... seja lá o que os esperasse no fim do túnel.

E se andassem e andassem sem, no entanto, encontrar nada? Em que momento decidiriam que era hora de desistir? A estrela de Bryce ainda brilhava, apontando o caminho à frente deles, mas e se não os estivesse guiando corretamente? Talvez seus instintos estivessem errados.

Vai ver ela não tinha sido enviada ali por Urd. Talvez fosse tudo uma grande confusão cósmica.

Um enorme acidente.

Bryce sentiu um aperto na garganta. Tentou não pensar no que estaria acontecendo com Hunt e Ruhn, mas na lugubridade sem fim daqueles túneis, seu medo dava as caras de novo. Estariam a salvo? Estariam sequer vivos?

— A música do seu mundo — soltou Nestha de repente, interrompendo o turbilhão de pensamentos funestos de Bryce — fica disponível para todo mundo, simples assim?

— Mais ou menos. Temos uma espécie de... biblioteca não física criada por máquinas que pode armazenar todas as informações do mundo. Música, arte, livros... qualquer coisa. Então, sim, você pode encontrar qualquer canção, qualquer tipo de música, e ouvir sempre que quiser.

— Vocês têm coisas incríveis em seu mundo — comentou Nestha.

Azriel acrescentou, alguns passos atrás delas:

— E aterrorizantes.

Bryce resmungou em concordância.

— Tenho certeza de que vocês também têm.

— Temos mesmo — concordou Azriel baixinho.

Bryce preencheu as lacunas do que ele não queria revelar.

— Mas vocês nunca viram nada como nossas armas ou bombas, certo? — Ela presumiu que nunca tivessem visto, já que pareceram tão chocados quando ela mostrara suas lembranças na esfera de Veritas.

— Foram os asteri que inventaram essas armas? — perguntou Azriel com o tom sombrio.

— Não. Algum outro babaca escroto que inventou — murmurou Bryce. — Mas agora elas estão por toda a parte.

— Deviam ser todas destruídas.

— Sim. Elas não trazem nada de bom para o mundo. — Bryce inclinou a cabeça para o lado. — Então vocês têm espadas e coisas do tipo?

— Mais ou menos isso — respondeu Azriel, sucinto. Era óbvio que ele não faria uma lista dos sistemas de defesa deles para Bryce.

— E sua magia é...

— Não force a barra — retrucou Azriel, uma pitada daquele frio de antes se fazendo perceber em sua voz.

Nestha franziu os lábios ao ouvir seu tom de voz, como se também se relembrasse daquilo. Como se não a agradasse.

— Tá bem, tá bem — concordou Bryce. — Mas seria legal saber *alguma coisa* do seu mundo. Ou de vocês.

Os dois ficaram em silêncio.

Bryce perguntou para Nestha:

— Você tem um parceiro, certo? — Ela apontou para Azriel com a cabeça: — E você?

— Não — respondeu Azriel depressa, o tom seco.

— Uma companheira ou esposa?

— Não.

Bryce suspirou.

— Tá bom, então.

As asas de Azriel se contraíram.

— Você é uma bisbilhoteira incansável.

— Acho que essa é a coisa mais simpática que você já disse de mim. — Bryce deu uma piscadela para ele. — Olha, eu só... estou curiosa. Vocês não estão?

Azriel não respondeu, mas Nestha disse:

— Sim. Estamos.

Bryce passou uma das mãos por cima de um entalhe de uma garota sentada em um cogumelo, um cão de caça esparramado no chão ao lado dela.

— É uma loucura pensar que em quinze mil anos nós desenvolvemos todas essas tecnologias e seu mundo ainda está, sabe, desse jeito. — Ela apontou para as roupas deles, para a caverna. Quando Nestha estreitou os olhos, Bryce acrescentou, depressa: — Só fico me perguntando por que não aconteceram mudanças desse tipo aqui. Quer dizer, nós temos os asteri, mas muitas das nossas invenções não vieram deles.

— Talvez seja o resultado de tantos mundos diferentes se misturando em Midgard — considerou Nestha. — Cada um levou os próprios conhecimentos. Juntos, conseguiram descobrir mais. Pode ser que isso não tivesse ocorrido caso continuassem separados.

— Talvez. Mas também temos a primalux, uma fonte coletiva de poder. Vocês não têm aqui. Apenas o poder individual. — Era preciso admitir que o poder coletivo de Midgard só existia graças aos asteri. Seria algo bom ou ruim? Bryce não sabia nem por onde começar a descobrir. Sentia, ao mesmo tempo, gratidão e ódio por isso, uma confusão de sentimentos.

Nestha perguntou:

— Sem a primalux, você acha que o seu mundo ficaria como o nosso?

Bryce pensou a respeito.

— Não vejo outra forma de fazer nossos carros ou celulares funcionarem, então... acho que sim.

Azriel perguntou:

— As armas precisam de primalux?

— Não — respondeu Bryce. — E algumas das bombas também não precisam. — O peso da escuridão parecia pressioná-los. — Essas desgraças permanecerão em Midgard para sempre, mesmo sem a primalux.

— E as pessoas ainda iriam matar umas às outras, mesmo sem essas armas — comentou Nestha com seriedade. — As pessoas más sempre acham uma forma de ferir e machucar.

— É agora que vocês me relembram que sempre vão encontrar uma forma de *me* ferir e machucar se eu ultrapassar os limites?

— Sim — respondeu Azriel com suavidade. — Mas também é agora que digo que geralmente somos nós que tentamos encontrar uma forma de parar essas pessoas más.

— Isso não é revelar um pouco demais? — provocou Bryce. — Vocês deveriam manter a imagem de malvadões. Não venham me dizer que são os bonzinhos que combatem crimes.

— É possível fazer o bem — alertou Azriel — e, ainda assim, ser mau.

Bryce assoviou.

— Conheço alguns machos no meu mundo que não poderiam nem *sonhar* em dizer uma frase dessas de um jeito tão descolado.

Nestha riu.

— Também conheço alguns.

Azriel olhou incrédulo para Nestha. Mas ela estava sorrindo para Bryce.

Bryce retribuiu o sorriso.

— O ego dos machos é uma constante universal.

Nestha riu de novo.

— Se não fosse nossa prisioneira — disse ela, balançando a cabeça —, acho até que poderia chamar você de amiga, Bryce Quinlan.

Bryce não sabia por que aquelas palavras a tocaram tão profundamente.

— Sim — respondeu Bryce com a voz rouca —, digo o mesmo.

Eles voltaram a caminhar em silêncio, mas a tensão tinha se dissipado. A atmosfera estava, de alguma forma... mais leve. Mesmo que só por alguns instantes. Como se eles não fossem mais seus captores, mas companheiros.

Tudo bem. Pelo menos naquele mundo os feéricos não eram tão ruins assim. É claro que eles tinham alguns bem babacas por ali também, mas Nestha... Bryce não a colocaria nessa categoria.

Era um tanto desconfortável, na verdade. Bryce sempre se orgulhara de seu ressentimento por todo e qualquer feérico, seu irmão e amigos idiotas sendo uma das raras exceções, mas esses dois estranhos e as informações que ela conseguira reunir sobre as pessoas próximas a eles...

Eles pareciam pessoas decentes e protetoras, que amavam uns aos outros.

Bryce nem saberia dizer se os feéricos de Midgard sabiam o significado da palavra *amor*. A definição que o Rei Outonal tinha para essa palavra deixara uma discreta cicatriz no rosto da mãe dela.

Mas aqueles feéricos eram diferentes.

Será que isso importava? Os feéricos de Midgard não eram problema dela, e ela não queria que fossem, mas e se pudessem ser mais? Será que tal mudança seria possível?

— Você gosta? — perguntou Bryce para Nestha de repente. — De ser feérica?

— No começo eu não gostava — respondeu Nestha. — Mas agora eu gosto.

Azriel parecia prestar atenção na conversa.

Nestha continuou.

— Sou mais forte, mais rápida. Difícil de matar. Não vejo um lado ruim nisso.

— E a quase imortalidade também não é nada mal, hein? — provocou Bryce.

— Ainda estou me acostumando com a ideia — respondeu Nestha, olhando para o túnel à frente. — De o tempo ser tão... vasto. Do dia a dia até os muitos séculos. — Ela olhou para Azriel. — Como *você* lida com isso?

Ele ficou em silêncio por um momento antes de responder.

— Encontre pessoas que você ama... Elas fazem o tempo passar mais rápido. — Ele cruzou o olhar com o de Nestha e disse, como se pedisse desculpas: — Ainda mais se elas perdoarem se você, de vez em quando, se irritar e descontar nelas, por coisas que não são culpa delas.

Algo pareceu se suavizar nos olhos de Nestha. Alívio, talvez, pela oferta de paz. Ela disse baixinho, como se testasse as águas:

— Nada a ser perdoado, Az.

Mas suas palavras aliviaram parte da tensão restante. E as seguintes deram o ponto final quando ele deu uma piscadela para Nestha.

— E me disseram que ter filhos também faz o tempo voar.

Nestha revirou os olhos, mas Bryce não deixou de notar o brilho neles. Nestha estava disposta a entrar na brincadeira, a voltar para a dinâmica normal entre os dois. Ela admitiu:

— Eu não faço ideia de como criar uma criança. — Ela apontou para si mesma. — Minha mãe era péssima, lembra?

— Não significa que você também vá ser — respondeu Azriel com gentileza.

Nestha ficou quieta por alguns instantes, depois ressaltou:

— Minha mãe era ainda pior com a Feyre... e minha irmã se revelou ser... — Ela procurou pelas palavras certas. — Uma mãe perfeita.

— Não existe isso de mãe perfeita — interveio Bryce. — Só pra você saber.

— Sua mãe me parece bem perfeita — retrucou Nestha, seca.

— Pelos Deuses, não — negou Bryce, rindo. — Mas ela seria a primeira pessoa a afirmar isso. *Perfeito* é um estigma um injusto para impor a qualquer pessoa. E foi minha própria mãe quem me ensinou isso.

Bryce engoliu em seco, pensando em Ember. Será que os asteri foram atrás dela para matá-la? Se Bryce um dia voltasse para casa... a mãe estaria lá?

Nestha apoiou uma mão no ombro de Bryce, parecendo, de alguma forma, consolá-la. Como se sentisse tudo o que se passava na mente de Bryce, o pânico que agora fazia seu coração bater mais forte.

— O que foi? — perguntou Bryce, olhando para a fêmea.

Nestha apontou com a cabeça para o bolso de Bryce.

— A gente pode ouvir um pouco mais da sua música?

Era um pedido amigável, sem dúvida uma tentativa de tirar Bryce de seus pensamentos lúgubres. Uma gentileza vinda de uma fêmea que claramente não estava acostumada com atitudes assim. Bryce pegou o celular de novo.

A bateria já se aproximava do vermelho. Acabaria em breve. Mas para isso... ela poderia usá-la mais um pouco.

— O que vocês querem ouvir? — perguntou Bryce, abrindo a biblioteca de música.

Nestha e Azriel trocaram olhares, e o macho respondeu um tanto acanhadamente:

— A música que vocês tocam nas casas de espetáculos.

Bryce riu.

— Você é do tipo baladeiro, Azriel?

Ele olhou de cara fechada para ela, o que rendeu uma risada de Nestha, mas Bryce colocou uma de suas músicas favoritas para dançar em festas, uma mistura animada de graves estrondosos e saxofones, dentre outras coisas. E conforme os três caminhavam rumo à escuridão sem fim, ela poderia jurar que vira Azriel balançando a cabeça no ritmo da música.

Ela disfarçou o sorriso e tocou uma música após a outra, até que a bateria do celular por fim acabou de vez. Até que aquela última linda conexão com Midgard se apagou e morreu.

Sem música. Sem fotos de Hunt.

Mas a música pareceu perdurar, como um eco fantasmagórico nas cavernas.

E a cada quilômetro percorrido, ela podia ouvir Azriel cantarolando baixinho para si mesmo. A melodia rítmica e agitada de "Stone Mother" saía de seus lábios, e ela podia jurar que até as sombras dançavam com o som.

EMBER E RANDALL

Ember Quinlan encarava a fêmea feérica parada sobre o tapete vermelho ornamentado diante de uma lareira crepitante. Por um instante, seria capaz de jurar que chamas prateadas também ardiam nos olhos da fêmea. Isso foi o bastante para fazer Ember hesitar.

Só por um instante, e então…

Ember se virou na direção de onde o portal estivera, de onde viera a neve e o gelo de Nena, alguns flocos ainda derretendo em seu cabelo preto.

O rifle de Randall fez um estalo… destravado. Ember não precisou olhar na direção do marido para saber que ele apontava a arma para a fêmea que os observava com tamanha quietude.

O portal tinha desaparecido. Restava apenas o cômodo, este mundo. Um cômodo de paredes de pedra vermelha, móveis de madeira com almofadas e uma parede inteira coberta de livros. Na parede oposta, alinhavam-se janelas fechadas pelas quais se via a noite, revelando uma cidade cintilante, muito abaixo. Não uma cidade moderna, ofuscante com suas luzes, mas uma de construções baixas e luzes douradas. Um rio reluzente serpenteava pelo centro, como uma cobra.

Bryce a tinha deixado. Tinha deixado *os dois*. Jogado ela e Randall ali dentro e fechado o portal.

E agora Bryce estava…

A feérica falou, a voz fria e impassível, em uma língua que Ember não reconheceu. Porque não era uma das línguas de Midgard. Era de outro lugar, de outro *mundo*…

— Abra esse portal — rosnou Randall, em sua própria língua, e Ember se virou para ver o marido ainda mirando a arma no rosto bonito da feérica. Mas a fêmea desviou o olhar para a parede de janelas. Para a escuridão que se espalhava no horizonte.

Até mesmo o sangue mortal de Ember sabia que aquilo não era uma tempestade. Era algo muito, muito pior.

A feérica falou de novo, ainda com a mesma calma. Fez um gesto de cabeça em direção ao rifle, indicando para que ele abaixasse a arma.

Randall não obedeceu.

— *Abra esse portal* — repetiu.

A escuridão no horizonte avançava rapidamente. Os pelos dos braços de Ember se arrepiaram.

— Abaixe a arma — sussurrou Ember para Randall.

— O quê? — Randall não abaixou o rifle enquanto olhava para ela.

— Abaixe a porra dessa arma — sibilou Ember, enquanto a escuridão se aproximava, engolindo as luzes da cidade, as estrelas, a lua...

Randall ativou novamente a trava, mas não teve tempo de baixar a arma antes que a escuridão explodisse pelas janelas.

* * *

— Você não tinha esse *direito* — trovejou um feérico atrás de uma porta fechada. Ember ouvira Nestha chamá-lo de Rhysand. Ela e Randall escutavam de um corredor de pedra vermelha, tendo como vigia um macho de expressão séria, de cabelos escuros e asas de dragão.

Ember só entendia as palavras porque, nos momentos logo após a tempestade sombria arrebentar as janelas e invadir o cômodo, ela e Randall haviam sido interrogados. Como ficou evidente que não entendiam a língua, o macho que surgira do coração da tempestade estrelada lhes entregou um grão prateado e fez um gesto como se estivesse comendo.

Ember engoliu, porque a fêmea de olhos cinzentos, Nestha, dissera "Bryce" enquanto fazia o mesmo gesto de comer, depois apontou para a própria boca. Ember se lembrou de a filha ter mencionado algo mágico que comera ali, algo que a permitira entender e falar com aquelas pessoas na língua deles. Então, Ember engoliu o grão e Randall fez o mesmo.

Eles desmaiaram e acordaram ali, no corredor, bem quando as portas do escritório se fechavam. Ember conseguiu dar uma espiada nas novas pessoas — o suficiente para ver Nestha perto de Rhysand, uma fêmea de cabelos curtos e um macho de ombros largos com asas de dragão iguais às do guerreiro no corredor, os vigiando.

Ember e Randall não ousaram falar. Nem mesmo quando pedaços da discussão acalorada escapavam pela fechadura.

— Você não tinha esse *direito* — rosnou Rhysand outra vez, sua voz reverberando pela pedra. O poder dele faria o Rei Outonal parecer uma criança.

— Eu tinha todo o direito — respondeu Nestha com frieza. — Os Tesouros respondem a mim, eles me obedecem.

— Você trouxe uma arma letal para o mundo onde os inimigos que a procuram há milênios estão acampados, direto para as mãos da única pessoa capaz de abrir um portal para o *nosso* mundo sem pensar duas vezes. No você estava *pensando*? — As últimas palavra saíram num rugido.

O outro macho no cômodo murmurou:

— Rhys.

Um rosnado baixo e feroz foi a única resposta.

A outra fêmea, com a voz seca e afiada, disse:

— Antes de você fazer picadinho dela, Rhysand, gostaria de ouvir a razão pela qual ela entregou a Máscara.

— Não tem desculpa para isso — rebateu Rhysand. — E quando a Feyre chegar...

— Eu não respondo à minha irmã nem a você — retrucou Nestha. — Não sou sua súdita para ser punida como você bem entender.

Ember lançou um olhar ao guarda. O belo macho ao lado de Randall, com a armadura escura cravejada de pedras azuis, permanecia impassível.

— Você colocou esse *mundo* inteiro em risco — berrou Rhysand. — Pode não responder diretamente a mim, mas vai responder a cada ser vivo deste lugar pelo que fez.

— Ela estava desesperada — retrucou Nestha, e Ember sentiu um aperto no peito. — Estava disposta a deixar os pais como garantia, porra.

— Não dou a mínima para quem ela deixou ou o que alegou. Você entregou a Máscara…

— Ela me implorou para dar proteção aos dois, mesmo que eu não desse a Máscara.

Ember olhou para Randall. A dor e o sofrimento estavam estampados na expressão do marido. Bryce… os havia trocado. Por aquele objeto dourado cintilante que Ember viu passar das mãos de Nestha para a filha.

E ah, deuses. Cooper…

Ember apertou o amuleto prateado do Abraço que usava no pescoço, fechando os olhos e murmurando uma oração.

—*Cthona misericordiosa, que habita sob a terra, proteja nosso filho, guarde-o sob seus cuidados…*

Nessas semanas, por mais curtas que fossem, o garoto magricela e quase esquelético que aparecera em sua porta com olhos assombrados e vazios *havia* se tornado um filho. Pelo olhar aflito de Randall, Ember apostava que a mesma coisa passava pela cabeça dele.

Bryce deixara Cooper para trás. Tinha levado eles dois, mas deixara o menino, vulnerável e sozinho de novo…

Ember sentiu-se tomada por um acesso de fúria. Bryce conversara com Cooper, rira com ele em Avallen. Agira normalmente e, mesmo assim, já *sabia* o que planejava fazer. Já sabia que o deixaria para trás.

O belo macho alado lançou um olhar cauteloso a Ember, como se sentisse sua raiva.

No escritório, Nestha dizia:

— Se há uma chance de derrotar os Daglan, os Asteri, por que não dar a Bryce a vantagem de que precisa?

— *Porque eles vão matá-la, pegar a Máscara e o Chifre e abrir a porra de um portal para este mundo!* — Rhysand rugiu. — Você devia ter matado a Bryce no momento em que ela abriu aquele portal — vociferava ele. — No momento em que ela apareceu, devia ter enfiado Ataraxia na porra da garganta dela…

— Ela merecia a honra de ser ouvida — rebateu Nestha. — Depois de tudo o que passamos, ela merecia isso.

— Ela merecia ser *obliterada* por nos colocar em risco… pela *segunda* vez! — gritou Rhysand.

— Discutam depois — sugeriu a outra fêmea. — Primeiro precisamos lidar com os pais.

Ember enrijeceu, e Randall tentou alcançar uma faca que já não estava mais lá. Quando acordaram, o rifle e a faca dele tinham sumido. Até a lâmina secreta escondida na bota.

As portas do escritório se escancararam, batendo com tanta força nas paredes de pedra que Ember poderia ter jurado que até o guarda estremeceu.

— Azriel. — A voz imponente de Rhysand ecoou de dentro do cômodo. — Traga-os.

Azriel... o macho com quem Bryce percorrera as cavernas. Ele agora fazia sinal para que se aproximassem, o rosto frio como gelo.

Cada passo parecia lento demais enquanto Ember e Randall, com o guarda os escoltando, entravam no escritório. Era menor do que o salão em que haviam chegado. Pequeno demais, considerando todos os machos imponentes ali dentro. Rhysand também tinha asas, como Azriel e o outro macho, mas tinha as orelhas pontudas dos feéricos.

E a outra fêmea, mais baixa... Seu cabelo na altura do queixo balançou quando ela se virou, revelando olhos prateados que analisavam Ember até o fundo da alma.

Rhysand pairava como uma tempestade furiosa no centro da sala. Até o fogo parecia se encolher diante dele. Nestha estava a alguns passos de distância, os olhos azul-acinzentados atentos — sem sinal daquelas chamas prateadas. Cerrava os punhos, mas o rosto estava quase inexpressivo. O macho bonito e de ombros largos ao seu lado tinha os lábios franzidos de preocupação... ou raiva. Talvez ambos.

Nenhum dos estranhos parecia exatamente... tranquilo. Os olhos violeta-azulados de Rhysand se detiveram em Randall, depois em Ember. Randall se enrijeceu, como se fosse se colocar entre Ember e qualquer ameaça, como fizera tantas vezes ao longo da vida deles juntos.

Mas foi Ember quem explodiu para Rhysand:

— Não se dê ao trabalho de obliterar a minha filha. — A fúria queimava dentro dela. — Quando eu voltar para Midgard, farei isso eu mesma.

* * *

— Você sabia que Bryce estava planejando isso?

— Não sei de quantas outras formas posso responder a sua pergunta — afirmou Ember para Rhysand cinco minutos depois. — Não.

— Ela nos enganou — completou Randall, com a mandíbula tensa. — Fez a gente pensar que estávamos indo para Nena em uma missão, mas era só para nos largar aqui.

Eles haviam tirado os pesados casacos de inverno por causa do calor do cômodo, e agora, só com uma camiseta comprida e jeans, Ember se sentia exposta, cercada por guerreiros armados até os dentes. Somente a fêmea baixinha usava roupas normais.

Isso é, se roupas de seda finíssima podiam ser consideradas *normais.* Se um colar de rubis no pescoço era algo corriqueiro.

— E para onde ela foi agora? — perguntou Azriel, com um veneno sutil na voz. — Agora que tem a Máscara... — Lançou um olhar fulminante para Nestha, cujo rosto estava cuidadosamente neutro. — Para onde Bryce foi?

— Eu não sei — insistiu Ember. — Nem sabia que ela queria a Máscara... Bryce não nos contou nada sobre esses tais Tesouros de vocês. Ela e Hunt devem ter planejado isso em segredo.

Porque tinha sido o vento de tempestade de Athalar que os empurrara para dentro daquele lugar. E se Ember um dia colocasse as mãos no Umbra Mortis...

— E mesmo assim, vocês trouxeram *armas* — comentou Rhysand, o sotaque passando por cima da palavra. — Devem ter imaginado que estavam indo na direção de algo sério.

— Nena não é... exatamente um lugar amigável — disse Randall. — Só um idiota iria até lá desarmado.

Rhysand ficou em silêncio, o olhar indo até a fêmea baixa de cabelos escuros. Ela suspirou, encarando o teto.

— Eles são humanos, Rhysand. Podemos contê-los aqui.

Randall lançou um olhar de advertência para Ember, como se pedisse que ela ficasse quieta. Mas ela passara a vida inteira ouvindo aquela merda toda... Não estava disposta a engolir calada.

— Claro — disparou Ember. — Somos só humanos patéticos, fracos e idiotas. Pouco mais do que gado para vocês.

Ela poderia jurar que Nestha a observava com curiosidade.

Mas Rhysand rebateu, em tom baixo:

— Se Amren a ofendeu, não foi essa a intenção. Todos aqui temos profundo respeito pelos humanos.

Por algum motivo, Ember acreditou nele. Amren inclinou levemente a cabeça em sinal de desculpas.

— Não vamos causar problemas — disse Ember, levantando as mãos em um gesto que esperava ser interpretado como súplica naquele mundo. — Nem queremos estar aqui.

— Não estou preocupado com a presença de vocês — retrucou Rhysand, e qualquer traço de gentileza em sua voz se transformou em gelo. — Estou preocupado com a filha de vocês. Se nossos antigos inimigos colocarem as mãos nela, nas armas que ela carrega, nas pessoas que ela ama… — Ele balançou a cabeça, a luz do fogo refletindo nos cabelos pretos. — Quão difícil seria dominá-la? Ela já provou que faria qualquer coisa para salvar quem ama. — Ele gesticulou em direção a Ember e Randall. — Se os Daglan… os Asteri, como vocês os chamam, capturarem o parceiro dela, o irmão… ela não vai nos trair para salvá-los?

— Você não conhece nossa filha — disse Randall, categórico.

Mas o estômago de Ember se revirou ao pensar nos métodos que os Asteri poderiam usar para machucar Bryce. Já tinha sido horrível o bastante ouvir da Fury que Hunt e Ruhn estavam nos calabouços dos Asteri, sem fazer ideia de onde Bryce estava. Ember não dormira por dias. Mal conseguira comer, até receber a notícia de que a filha reaparecera e queria vê-los em Avallen imediatamente.

Rhysand respondeu com calma:

— Eu não conheço sua filha, mas meus companheiros passaram tempo suficiente com ela para que eu possa ter uma ideia. Ela tem um bom coração, mas é implacável. Calculista, mas impulsiva. Determinada e teimosa. E com uma tendência perigosa à imprudência.

— Ela é assim desde bebê — disse Ember, esfregando as têmporas. — Imagine tudo isso em uma criança de um ano.

Randall limpou a garganta em advertência, mas ela poderia ter jurado que viu um canto da boca de Rhysand se erguer. Como se ele conseguisse, sim, imaginar. Talvez tivesse passado por algo parecido.

O macho ao lado de Nestha — o parceiro dela, Ember seria capaz de apostar — falou com naturalidade, embora a preocupação nos olhos cor de avelã traísse o tom:

— Já está tarde, Rhys. Deixe que eles descansem. A gente se encontra de novo pela manhã.

Rhys assentiu sem olhar para ele, concentrando toda sua fúria em Nestha. Em defesa dela, a fêmea manteve a coluna ereta e o queixo erguido. Altiva e inflexível. Ember não pôde deixar de admirá-la.

Os olhos violeta-azulados de Rhysand escureceram por completo diante do desafio no olhar e na postura de Nestha. Um predador reconhecendo um oponente à altura e afiando as garras. Suas mãos se fecharam ao lado do corpo, como se garras invisíveis estivessem se formando.

O parceiro de Nestha deu um passo sutil em direção a ela, os olhos indo de um para o outro, dividido. Como se não soubesse de que lado ficar naquela tensão prestes a explodir.

— Estou bem, Cassian — murmurou Nestha.

Rhysand não desviou o olhar de Nestha ao ordenar:

— Compareça ao meu escritório ao amanhecer. Terminaremos isso, então.

Ele saiu da câmara a passos duros, as portas se fechando com um estrondo atrás dele, levadas por um vento salpicado de noite.

No silêncio que se seguiu, Amren assentiu para Nestha.

— Encontre um quarto para os seus... convidados, garota. E reze para a Mãe que sua irmã mude a opinião de Rhysand esta noite.

E, com isso, também saiu da sala, deixando apenas um silêncio carregado e tenso para trás.

* * *

— Vocês dois podem ficar aqui — disse Nestha, abrindo a porta para um quarto confortável com vista para a cidade abaixo. — Há proteções em cada centímetro deste lugar, e a Casa está viva, então vocês não conseguem sair a não ser que permitamos, mas... é melhor do que ficar no calabouço.

Eles haviam levado Bryce para o calabouço. Por mais irritada que estivesse com a filha, outra sensação de raiva dominou Ember só de pensar nisso.

— Obrigada — disse Ember, um pouco ríspida. Randall não falou nada, apenas avaliando cada saída e arma em potencial. — Espera aí, essa casa é… viva?

— De certo modo — respondeu Nestha, com um gesto da mão esguia. — Ela responde a mim. Esta é minha casa. — Havia algo frágil na voz dela. Talvez pelos gritos que tivera que escutar no escritório…

— Obrigada — agradeceu outra vez Ember, agora em tom mais suave. — Por se arriscar pela gente.

Nestha deu de ombros e se virou para sair.

— Se estiverem com fome, basta pedir em voz alta e a Casa vai providenciar comida.

— Conveniente — murmurou Randall da janela.

— Obrigada — repetiu Ember. — Se existisse alguma forma de voltarmos, nós voltaríamos, mas sem a Bryce… — Ela balançou a cabeça. — Tenho vontade de matá-la por isso, sabe. Eu poderia *matá-la* por isso.

— Sua filha ama vocês — comentou Nestha, a voz rouca. — Ama o suficiente para mandá-los embora só para mantê-los a salvo.

— Ela nos usou como moeda de troca — corrigiu Ember.

— Não — disse Nestha. — Ela queria a Máscara pra lutar contra os seus Asteri, mas acho que o principal motivo de abrir o portal foi para mandar vocês pra cá. Longe do perigo.

— Ela deixou nosso filho para trás — disparou Randall, com uma raiva pouco habitual.

— Tenho certeza de que ela tem algum plano para protegê-lo — disse Nestha. — Sua filha parece ser bem… engenhosa.

Ember bufou.

— Você não faz nem ideia. Tente dizer àquela garota a que horas deve voltar pra casa.

Nestha pareceu quase sorrir.

— Volto depois do café da manhã para ver como vocês estão. — Os ombros dela se curvaram um pouco enquanto se dirigia à porta.

— Você está encrencada? — perguntou Ember. A reunião que Nestha teria com Rhysand bem cedo no dia seguinte claramente não seria agradável.

— Como sempre — respondeu Nestha com indiferença, mas Ember farejou a mentira.

— Não vamos causar nenhum problema aqui — afirmou Ember. — Como prometemos antes. Só quero voltar para casa, para Midgard.

— Eu duvido que vocês voltem para casa... a menos que sua filha consiga cumprir uma tarefa impossível.

Ember sentiu um aperto no peito. Mas disse:

— Se alguém pode encontrar um jeito de derrubar os Asteri, é Bryce.

Outro quase sorriso.

— Me sinto inclinada a concordar.

De certa forma, aquilo era reconfortante — saber que uma estranha de outro mundo tinha fé em sua filha selvagem e teimosa. A filha selvagem e teimosa que, sendo honesta, às vezes parecia um espelho da própria Ember.

— A Bryce... se comportou aqui?

— Não — respondeu Nestha —, ela tentou dar eu e Azriel de comida para um verme gigante.

Randall engasgou, mas não se virou da janela ao falar.

— Claro que tentou.

Ember esfregou os olhos.

— Pelos deuses, ela deve ter tirado vocês do sério.

— E tirou mesmo — respondeu Nestha, sorrindo de leve, os cantos da boca mal se erguendo. Como se sorrir não fosse algo natural para ela. Uma guerreira, sim, mas... ainda parecia jovem, apesar das orelhas feéricas. Do mesmo jeito que Bryce, com suas orelhas pontudas, parecia jovem, embora feéricos pudessem ter trezentos anos e ainda ter cara de vinte e cinco. Só os deuses sabiam como o Rei Outonal ainda parecia jovem, mal passado dos trinta quando Bryce...

Quando Bryce tinha...

Fora Ruhn, Ember lembrou a si mesma. Ruhn dera o golpe final.

Mas ainda assim, parecia que tinha sido Bryce a matá-lo. Ela havia confrontado o Rei Outonal, enfrentado todo o seu ódio e toda a sua amargura. Ember ainda não sabia como processar aquilo.

Nestha também tinha esse mesmo olhar. Como se estivesse tentando digerir muitas coisas.

E talvez fosse um instinto maternal, mas Ember se pegou dizendo:

— Amanhã, se você sair viva da reunião matinal... eu gostaria de sentar e conversar com você, Nestha.

Nestha ficou em silêncio por um instante, claramente ponderando o pedido.

Por fim, um sorriso ameaçou novamente surgir em seus lábios.

— Eu também gostaria.

* * *

— Você devia dormir, Em.

A voz de Randall ecoou do outro lado da cama. Apesar de o ambiente ser tudo menos moderno, a cama era confortável o suficiente para rivalizar com qualquer colchão em Midgard. Mas ainda assim, Ember não conseguia sequer chegar perto de um sono reparador.

— Não sei como você consegue tentar dormir — sibilou ela, chutando os pesados cobertores de pena. — Estamos em *outro mundo.*

— Justamente por isso devíamos descansar enquanto podemos. Para termos força e foco amanhã.

Ember soltou um longo suspiro.

— Você confia nessas pessoas?

Randall ficou em silêncio por um momento, ponderando do seu jeito calado, sensato e implacável.

— Confio no fato de que Bryce confia neles. Não acho que nossa filha teria nos jogado nas mãos de assassinos brutais se a intenção fosse nos manter em segurança.

Ember bufou.

— Tem certeza? Ela já ameaçou me enfiar no forno uma vez.

Randall riu, virando-se de lado e apoiando a cabeça na mão. Pelos deuses, mesmo depois de todos esses anos, ele ainda era bonito o suficiente para causar arrepios nela.

— Devo lhe lembrar de que foi você quem ameaçou jogar a GG dela no forno se ela não limpasse o quarto.

A contragosto, Ember riu baixinho com a recordação. Mas o bom humor se dissipou quando ela murmurou:

— Nosso bebê vai tentar enfrentar os Asteri, Randall.

— Rigelus não vai nem saber o que o atingiu.

Ember se sentou, lançando um olhar irritado ao marido.

Ele também se sentou, pegando a mão dela, o rosto sério.

— Eu sei com o que ela vai ter que lidar. Mas também sei que, se existe *alguém* em Midgard capaz de fazer isso, é a Bryce. E não estou dizendo isso só por ser pai dela. Tenha fé nela, Ember.

Ela assentiu, suspirando.

— Eu tenho. Só estou...

— Apavorada.

Ember assentiu de novo, a garganta se fechando.

— Você acha que o Cooper...

— Ele está bem. O garoto é esperto e habilidoso. E está com Fury Axtar e Baxian Argos de olho nele.

— Eu nunca vou perdoar a Bryce por isso — murmurou Ember, reprimindo um soluço.

Randall passou a mão carinhosamente pelos cabelos dela, num gesto reconfortante.

— Sendo sincero? Espero pelos deuses que a gente tenha a chance de dizer pessoalmente para a Bryce o quanto estamos irritados com ela.

— Eu também. — As lágrimas arderam nos olhos de Ember, e ela soltou um suspiro trêmulo. Um instante depois, Randall a envolveu em um abraço, puxando-a para perto. Ele beijou sua têmpora.

— Vamos vê-la de novo — disse, beijando-a mais uma vez e a deitando com delicadeza ao lado dele. — Eu prometo. Vamos ver os dois de novo.

* * *

Ember e Randall tinham acabado de se sentar para o café da manhã na sala de jantar — guiados até lá por um silencioso Azriel — quando Rhysand pousou na varanda além das portas de vidro. Suas vastas asas pareciam nuvens de tempestade sob a luz da manhã. Um instante depois,

Cassian aterrissou com Nestha nos braços, ambos ostentando expressões duras. Irritados.

Rhysand rosnou algo que fez os ombros de Nestha se enrijecerem e a cabeça baixar.

E Ember, num impulso, se levantou da cadeira e foi até as portas. Randall tentou segurá-la, mas já era tarde. E Azriel não a impediu quando ela escancarou as portas de vidro e disse a Rhysand:

— Não é um pouco cedo para sair arrancando a cabeça dos outros?

O trio congelou. Rhysand se virou lentamente para Ember. Os olhos dele eram poços escuros.

— Não me lembro de ter convidado você para essa conversa.

Ember manteve o queixo erguido.

— Você interrompeu o meu café da manhã. Se queria privacidade, deveria ter ido para outro lugar.

Aquilo nos olhos de Cassian era um lampejo de humor? Ember não ousou desviar o olhar de Rhysand para confirmar a suspeita. Randall apareceu ao lado dela, uma mão pousada em suas costas, num gesto de alerta.

— Vamos deixá-los a sós.

Mas Ember se recusou a sair. Mesmo com o medo a corroendo por dentro, ela disse:

— Nestha fez uma escolha ao nos acolher... ela escolheu dar uma chance à liberdade de Midgard. Dar *esperança* para o meu mundo. Que tipo de pessoa é você para acabar com ela por isso?

— Em — alertou Randall.

Rhysand cruzou os braços musculosos.

— Você está me chamando de monstro, Ember Quinlan?

— Estou dizendo para você parar com essa palhaçada — retrucou Ember. Ela achou ter escutado Azriel engasgar atrás dela. Mas ergueu o queixo na direção de Nestha. — Pegar mais leve com ela.

Rhysand sustentou seu olhar.

Por um momento, ou uma eternidade. Estrelas pareciam surgir nos olhos dele. Como se a vastidão da noite morasse ali, doce e terrível, bela e arrebatadora.

Mas Ember não cedeu. Já tinha visto e enfrentado o mal verdadeiro. Carregava a marca na bochecha até hoje por causa disso.

Algo pareceu se suavizar no olhar de Rhysand, como se ele tivesse se dado conta disso. Ele olhou para Randall.

— Com uma esposa e uma filha como as suas, não sei como você ainda está de pé.

Randall respondeu com seu charme habitual:

— Sendo bem sincero, na maioria dos dias eu também não sei.

Rhysand apenas encarou Randall — e então riu. Um momento depois, Cassian e Azriel riram junto.

Típico. Machos sendo machos, não importa o planeta.

Ember, no entanto, não sorriu. Seu olhar pousou em Nestha. A feérica também não estava rindo. Seus olhos azul-acinzentados estavam fixos em Ember, cheios de emoção.

Surpresa. Gratidão. Saudade.

E foi o mesmo instinto maternal da noite anterior que fez Ember estender a mão para Nestha e dizer:

— Vamos. Tome café da manhã comigo.

Nestha segurou sua mão, os dedos surpreendentemente frios. Como se o voo até ali tivesse gelado sua pele. Ember apertou a mão da fêmea.

— Não deixe ele mandar em você — aconselhou Ember.

— Não se preocupe — respondeu Nestha, embora o olhar magoado ainda estivesse ali. — Minha irmã, a parceira de Rhys, deu esse mesmo sermão para ele vinte minutos atrás.

Ember resmungou:

— E ele te trouxe para cá só para continuar a bronca longe dela?

Nestha bufou.

— Não. Feyre pôs fim à discussão. Eu não vou ser executada. Pelo menos, não hoje.

Diante da expressão horrorizada de Ember, Nestha completou:

— Eles não me matariam. Acho. Mas... é complicado. Duvido que alguém me perdoe tão cedo.

Ember fez um gesto com a cabeça, indicando Cassian.

— E o seu parceiro?

A dor nos olhos dela, a culpa, só pareceram se aprofundar.

— Cassian é quem está mais furioso comigo. — Um músculo se contraiu na mandíbula dela, como se Nestha estivesse reprimindo uma torrente de emoções. Só uma parede de aço era capaz de contê-la.

Ember apertou a mão de Nestha mais uma vez.

— Se tiver algo que eu possa fazer para ajudar, qualquer coisa que eu possa dizer para aliviar um pouco dessa culpa...

Nestha deu um sorriso amarelo para ela.

— Só de você ter dado uma bronca no Rhys agora há pouco já foi o suficiente para mim. — Ela puxou Ember na direção da mesa posta para o café.

Ember olhou por cima do ombro, para onde Randall ainda estava com Rhysand, Azriel e Cassian. Todos os machos agora sorriam, graças aos deuses.

— Parece que Randall está fazendo um bom trabalho em conquistar os três. Aposto que está contando como eu infernizo a vida dele.

Nestha soltou outra risada baixa.

— Reclamar das parceiras: praticamente um esporte entre eles.

Ember riu também.

— Então Midgard e esse lugar têm algumas coisas em comum, afinal. — Ela inclinou a cabeça, observando a cidade linda e antiga abaixo, o rio que a cortava, e o brilho distante do mar. — Que lugar *é esse,* afinal? E por que todo mundo aqui é tão bonito?

Nestha sorriu, enlaçando seu braço ao de Ember. Pela primeira vez, havia calor em sua voz ao responder:

— Bem-vinda à Corte Noturna, Ember. Você vai se encaixar direitinho aqui.

BRYCE E HUNT

— Nunca que a sua mãe vai deixar a gente fazer isso.

— O que os olhos não veem, o coração não sente.

— Bryce.

Foi o tom de advertência de Hunt que fez Bryce se virar, afastando-se da guirlanda de pinheiro que tinha espalhado sobre a mesa da cozinha da casa dos pais, com metade das agulhas cobrindo o piso de linóleo aos seus pés.

Seu parceiro estava encostado no balcão de plástico rosa que não via reforma desde que fora instalado ali, um século atrás. Bryce tinha certeza de que qualquer designer de interiores decente teria um treco só de olhar para aquilo, assim como para os armários combinando com o balcão, mas ela adorava. Amava cada cantinho daquela casa, escondida entre coníferas gigantes no alto de uma colina nos arredores de Nidaros. Perto o suficiente para ir andando até a cidadezinha, mas longe o bastante para evitar os olhos e ouvidos curiosos dos vizinhos.

Que, aliás, era praticamente todo mundo naquela cidade. Bryce não fazia ideia de como a mãe tinha sobrevivido àquilo — o pessoal fofoqueiro das redondezas tinha surtado quando Ember apareceu por lá, uns vinte anos atrás, com uma menininha meio-feérica a tiracolo, sob a proteção de Randall.

Bom, ela sabia como a mãe sobreviveu: escolhendo uma casa nos limites da cidade, escondida por pinheiros centenários.

— O quê? — Bryce franziu a testa para Hunt. Apontou para a guirlanda que serpenteava pela mesa de madeira descascada, outro item que veio junto com a casa. — Ela vai adorar isso.

— Você está usando os... bebês dela — Hunt engasgou um pouco com a palavra — para enfeitar uma decoração para o templo.

— E daí? — Bryce pegou a pistola de cola quente. — É propaganda gratuita pra ela.

Hunt se afastou do balcão, as asas farfalhando, e pegou um dos objetos ofensivos.

— Isso é um sacrilégio.

— Mas será mesmo? — Bryce examinou a bandeja cheia de minúsculos bebês de cerâmica, deitados em folhas de alface, pétalas de flores ou ninhos de passarinho. — O Solstício de Inverno está todo ligado à morte e ao renascimento de Solas, e o último abraço dele com Cthona antes de morrer. Daí o bebê.

— É, mas esse bebê deveria representar Midgard. Não... bebês-alface. — Hunt olhou com desconfiança para a miniatura na própria mão, um bebê careca com braços e pernas parecendo salsichas estufadas. — Tem gente que pode se ofender.

— Tem gente que também pode achar engraçado.

Diante do silêncio carregado dele, Bryce suspirou, pousando a pistola de cola quente. Hunt se sentou na cadeira à frente dela. Usava seu boné favorito, o branco de solebol, virado pra trás e um suéter verde grosso que realçava os ombros largos, mas sua expressão estava séria, os olhos escuros, atentos.

Bryce inclinou a cabeça de lado.

— Estamos bem precisando de algo para rir, não é? — Ela apontou para o lustre de metal acima da mesa. — Não vai demorar para chegarmos na Primalux Zero.

Em Nidaros — e em toda Midgard — a primalux estava sendo usada com moderação. A maioria das pessoas só acendia as luzes quando precisavam, nos cômodos onde estavam. Carregadores de celular? Só até um quarto da carga. Nada de televisão. A não ser que fosse estritamente necessário, quase todo mundo no planeta estava tentando economizar o máximo possível de primalux enquanto cientistas, engenheiros e portadores de magia corriam contra o tempo para encontrar outra fonte de energia. E um jeito de adaptar toda a tecnologia que tinham para esta nova energia.

Bryce não queria pensar nisso. Pelo menos não durante os três dias que passaria ali com a família. Então, empurrou esses pensamentos para longe, junto com os demais que a atormentavam sobre tudo o que se passara no outono, com o que tinham que lidar desde que ela jogara os Asteri num buraco negro.

Aqueles três dias eram para ela e Hunt, para Cooper e os pais dela.

E para Syrinx, deitado a seus pés, roncando baixinho, usando um coletinho vermelho de solstício que Randall havia tricotado especialmente para o quimera.

— Onde você foi parar? — perguntou Hunt, e Bryce piscou.

— Hã?

— Você estava encarando de cara fechada essas… coisas.

Bryce riu, pegou um dos bebês, um que chorava dentro de uma vagem de ervilha, e o balançou na frente de Hunt.

— Essas *coisas*? Elas te assustam?

Hunt se encolheu, afastando-se da miniatura.

— Sim. Em parte porque são bizarras, e em parte porque foi sua mãe, dentre todas as pessoas, quem as fez.

Bryce sussurrou, com voz sinistra:

— Elas cantam à noite, se você ouvir com atenção.

Hunt fez uma careta.

— Nem começa.

Bryce deu uma risadinha, pousou a figura de volta na bandeja e examinou a guirlanda. Só tinha colado um bebê antes de Hunt interromper.

— Então você acha mesmo que a gente devia levar isso para o templo sem *nenhum* toque extra?

— Sim. Acho que você devia fazer exatamente o que sua mãe pediu antes de sair.

Ele estava falando sério. Hunt já tinha enfrentado os Asteri, pulado no espaço e despencado rumo a um buraco negro, e mesmo assim ainda tinha medo de Ember Quinlan.

Bryce achava que isso fazia dele um macho muito sábio. E ela seria esperta se seguisse o conselho dele. Começou a colocar os bonequinhos de volta na bandeja que pegara do ateliê da mãe, que, na verdade, era mais um anexo do que um cômodo propriamente dito. As peças de cerâmica tilintavam delicadamente umas contra as outras.

— Vamos só deixar essas coisas assustadoras aqui e aí vemos se alguém repara hoje à noite.

Hunt revirou os olhos.

— Vou rezar para Cthona para que você não faça a gente ser expulso da cidade.

— O armário das forquilhas fica logo ao lado do altar do templo, sabia?

— Muito engraçado.

— Não, eu estou falando sério — disse ela, se levantando com a bandeja nas mãos, tentando não balançá-la demais. Se quebrasse os bonequinhos, não era nada impossível que a mãe chegasse a matar Bryce.

Se bem que a mãe provavelmente já quisesse matá-la só por ter pegado uma dúzia dos bonequinhos do ateliê e colado na guirlanda. Mas Bryce tinha aceitado correr o risco por conta do pedido de última hora da mãe, exigindo que ela ajudasse com as decorações do templo para a cerimônia do solstício.

Depois de se teletransportarem na noite anterior, ela e Hunt tinham acordado naquela manhã e encontrado a casa vazia e descoberto que a mãe e Randall já tinham saído. Ember deixara apenas um bilhete em cima da mesa da cozinha.

Estamos na cidade, ajudando nos preparativos para a cerimônia de hoje à noite. Leve o Cooper para almoçar, sei que ele quer passar um tempo com você, e esse feriado é muito importante para ele.

Isso, é claro, não foi nenhum sacrifício. No almoço, o adolescente estava um pouco mais quieto do que o garoto que ela aprendera a conhecer e amar nos últimos meses, mas ela não o culpava. Ele perdera toda a família, e embora tivesse sido acolhido por uma nova, o feriado com certeza trazia lembranças dolorosas.

Então Bryce e Hunt deixaram que Cooper ficasse no silêncio que quisesse, enquanto pegavam sanduíches na lanchonete perto da casa. E fingiam que todos os clientes e pedestres na rua não estavam encarando os dois.

Salve o mundo e seja encarado para o resto da vida. Parecia ser esse o acordo.

Mas foi a segunda parte do bilhete da mãe que fez Bryce ficar possessa.

Ah, também coloquei você e o Athalar como voluntários para o comitê de decoração do templo, então mande esse seu parceiro cortar uns galhos e amarrar tudo numa guirlanda. Vocês têm que estar lá no templo pelas três, para pendurá-la.

Randall levou Syrinx para passear e deu o café da manhã dele. E o segundo café da manhã.

De nada.

Hunt olhou o relógio — um analógico, já que ele não queria gastar a bateria do celular.

— Precisamos ir. Já terminou de ficar irritada?

Bryce lançou um olhar irritado por cima do ombro e ergueu a bandeja de estatuetas enquanto seguia em direção ao ateliê de cerâmica.

— Continua assim, Athalar, e eu coloco um desses debaixo do seu travesseiro hoje à noite.

Os olhos dele se arregalaram em alarme.

— Você não teria essa coragem.

Bryce entoou em voz de bebê:

— *Vem brincar com a gente, Hunt.*

Hunt mostrou o dedo do meio, mas ela notou com satisfação a palidez no rosto dele.

* * *

— Foi só uma surpresinha para quem tem olho de águia — desconversou Bryce, enquanto ela e a família caminhavam pela estrada coberta de neve de volta à casa dos pais, sob um céu estrelado e gelado. A respiração dela se condensava no ar, e mesmo com o casaco pesado e as luvas, o frio se infiltrava por todo lado.

Ember marchava ao lado de Bryce pela neve, usando um casaco vermelho.

— Você teve sorte de a Suma Sacerdotisa e o Sacerdote não terem invocado Cthona e Solas para te amaldiçoar. — Randall, Hunt e

Cooper, os covardes, vinham a alguns passos de distância atrás delas. Ember sibilou: — Milly Garkunos nunca mais vai parar de falar disso perto de mim.

— Então manda finalmente a Milly calar a boca e te deixar em paz — disse Bryce, os dentes batendo de frio.

Os olhos de Ember faiscaram de irritação.

— Bryce Adelaide Quinlan. Aquela mulher já foi *muito* gentil com você. Quando nos mudamos para essa cidade...

— Eu sei, eu sei — respondeu Bryce, diminuindo o passo, tentando se misturar à barreira protetora formada pelos machos atrás dela. Ela poderia ter jurado que os três tinham diminuído ainda mais o passo. Quando lançou um olhar fulminante para Hunt, seu parceiro apenas observava o céu noturno como se fosse a coisa mais interessante do mundo. Então Bryce recitou para Ember: — Quando chegamos aqui, a Milly foi a *única* pessoa que vinha nos visitar, trazia comida, mantimentos...

— E eu? — interveio Randall, fingindo indignação.

Ember abanou a mão na direção do marido.

— Você não conta.

Hunt deu um tapinha consolador no ombro de Randall. Cooper apenas deu uma risadinha.

Ember fungou.

— Bom, o que está feito, feito está, e demos sorte que a Suma Sacerdotisa e o Sacerdote acharam graça.

Bryce olhou para Hunt com um ar de *eu te disse*. Ele mostrou a língua.

O Umbra Mortis, senhoras e senhores.

Uma casinha com revestimento branco e uma varanda meio torta surgiu entre as árvores. Na janela, uma vela solitária — a vela sagrada do solstício — ardia para iluminar o caminho até a casa. A tradição não era exatamente à prova de incêndio, mas a maioria das famílias juntava o dinheiro que podia para comprar um feitiço de proteção de algum duende, para não voltar do templo e encontrar a casa reduzida a cinzas.

A luz de Solas fora extinta com o pôr do sol, e aquela vela representava o único resquício dele que sobrevivia. Uma centelha de esperança, a ser reacendida completamente com o nascer do sol — o renascimento de Solas após o abraço escuro de Cthona, durante a longa noite de seu luto.

O símbolo desse abraço estava por toda a cidade nessa época do ano: o círculo afundando — ou surgindo — entre dois picos de montanha. Também conhecido como a cara de Solas entre os peitos da Cthona. Embora Ember não tenha achado nem um pouco engraçado quando Bryce, adolescente, descreveu dessa forma o amuleto do Abraço que a mãe sempre usava.

Bryce olhou para Hunt e viu que ele agora encarava a vela na janela. A única luz na escuridão. Seu rosto estava tenso, os olhos sombrios.

Ela diminuiu o passo, e Randall e Cooper se adiantaram para o lado de Ember, dando um pouco de privacidade ao casal. Quando os outros estavam longe o suficiente, Bryce perguntou ao parceiro:

— O que foi?

As penas cinzentas de Hunt tremularam ao vento gelado.

— Só uma lembrança ruim.

— Do quê? — Às vezes, ele se abria com ela sobre coisas do passado que ainda o assombravam. Às vezes, não estava pronto, e ela sempre deixava claro que não havia problema nisso. Estaria ali para ouvir, quando ele precisasse.

Mas Hunt desviou o olhar para ela.

— De você. No espaço. Brilhando naquele buraco negro.

Bryce afastou o turbilhão de memórias, a sensação de medo, e estendeu a mão enluvada para a dele.

— Temos muito o que agradecer neste solstício — disse ela, com a voz embargada.

Ele apertou a mão dela.

— Temos muito o que agradecer todos os dias.

Bryce o puxou levemente pela mão, fazendo-o parar. Virou-se para ele e levou a mão ao rosto dele, sentindo o calor da pele de Hunt mesmo através da luva.

— Eu sou grata por você — disse ela, erguendo-se na ponta das botas de neve para beijá-lo. Se afastou apenas o suficiente para que suas respirações, embaçadas pelo frio, se misturassem no ar entre eles.

O amor, incondicional e infinito, suavizou o olhar dele.

— Esse é o primeiro solstício que passo com uma família, com a *minha* família, desde... minha mãe.

Bryce sentiu um aperto no coração. Ela não tinha pensado nisso. Que esse solstício era importante não só para Cooper, mas para Hunt também. E o jeito como ele chamava ela e seus pais de *família*...

Ela o beijou de novo, dessa vez com mais intensidade.

— Então é melhor eu fazer valer a pena.

Ele mordeu de leve o lábio inferior dela.

— Mas acho que a gente vai ter que transar aqui fora.

Ela piscou, surpresa.

— O quê? Por quê?

Hunt a beijou de novo, um beijo rápido, malicioso, cheio de promessas.

— Não consigo te comer no seu quarto com todos aqueles pôneis da Extravagância de Estrelas me encarando.

Bryce caiu na risada, o som ecoando pelas árvores, radiante como os sinos de prata que o sacerdote e a sacerdotisa haviam tocado ao fim da cerimônia. Naquela noite, o Sumo Sacerdote e a Sacerdotisa teriam sua própria união, para reencenar o retorno de Solas ao lado de Cthona.

Hunt passou um braço pelos ombros de Bryce, puxando-a para perto enquanto se aproximavam da casa. Randall destrancava a porta da frente, Cooper pulava de um pé para o outro tentando se aquecer. Mas Ember observava Bryce e Hunt e, pelo sorriso no rosto da mãe, Bryce soube que ela estava feliz por ela, apesar da bronca sobre o bebê-alface.

E com o parceiro ao lado, e sua família entrando agora naquela casa escura à frente...

Bryce percebeu que ela também estava feliz por si mesma.

* * *

— Nunca mais vou comer croissant de chocolate na minha vida — gemeu Hunt ao amanhecer do dia seguinte.

— Eu não mandei você comer a bandeja inteira — disse Bryce, cutucando o parceiro com o cotovelo.

— Você também não me avisou que o Randall era quase que um padeiro profissional — resmungou Hunt, dobrando uma das asas ao redor de Bryce. Os dois estavam na varanda da frente, com canecas fumegantes de café, fresquinho da máquina chique que Bryce tinha ensinado *de novo* aos pais como usar naquela manhã, e assistiam ao nascer do sol.

Estavam todos reunidos ali quinze minutos antes, com café e doces nas mãos, para saudar o renascimento de Solas. Dentro da casa, Cooper ajudava Randall a preparar um verdadeiro banquete de café da manhã. Uma quantidade indecente de comida, mas Milly Garkunos viria, e Ember estava em um estado de completo pânico.

Neste exato momento, a mãe de Bryce estava passando o aspirador na sala pela segunda vez naquele início de manhã.

Bryce deu uma risadinha.

— Qual é a graça? — perguntou Hunt, espiando-a de cima.

— Estou pensando na Milly Garkunos — respondeu Bryce, olhando ao redor, para a neve cintilando ao sol da manhã. — Se minha mãe é a única pessoa de quem *você* tem medo no universo inteiro — e Hunt não discordou —, então o que significa a minha *mãe* ter medo da Milly?

Hunt riu, aquele som grave reverberando nela. Ele tomou um belo gole do café.

— Talvez a gente devesse ter soltado a Milly para ir atrás do Rigelus e dos outros Asteri.

Bryce sorriu.

— Eles teriam pulado direto naquele buraco negro, só pra fugir dela.

Hunt riu de novo, o som dançando entre os pinheiros e a neve.

— Teria poupado muito trabalho pra gente.

Bryce brindou com a caneca na dele. O cheiro de sálvia, alho e carne de porco vinha de dentro da casa. Randall devia estar preparando linguiça.

— Talvez eu mande a Milly para a Cidade Crescente pra dar um jeito na vida daqueles idiotas.

Hunt ficou mais sério, como se tivesse se lembrado do que os aguardava depois daquele momento de respiro curto demais.

— Acho que aqueles idiotas não estão prontos pra Milly Garkunos.

Bryce deu uma piscadela para ele.

— Você também não está.

— Ela é tão ruim assim?

Bryce bebeu o restante do café, sentindo a queimação agradável descendo pela garganta.

— Ela tem fetiche por anjos.

Hunt arregalou os olhos.

Bryce deu um tapinha no braço dele.

— Ela tem o calendário dos anjos da 35ª feito para a caridade pendurado na cozinha. *Anjos sarados do norte.*

A expressão horrorizada de Hunt aumentava a cada palavra.

Bryce escancarou a porta da frente, liberando uma onda deliciosa de cheiros: linguiça, ovos, xarope de bordo e pão. Ela continuou:

— Prometi a Milly que, de presente de solstício, você ia tirar a camisa e fazer flexões pra ela.

— Você não fez isso.

Bryce arqueou as sobrancelhas.

— Será?

O rosnado de Hunt foi tudo que ela precisou para sair correndo para dentro da casa, rindo sem parar.

* * *

Acontece que Milly ficou tão impactada com a simples presença de Hunt que mal abriu a boca durante o café da manhã, ou na troca de presentes depois. A humana de cabelos grisalhos só soltou alguns comentários vagos sobre o inverno mais frio do que o normal e ficou quieta, lançando olhares furtivos para Hunt de vez em quando.

Foi absolutamente incrível ver o desconforto de Hunt, tentando fingir que não notava a senhora babando por ele. Bryce nem ousou olhar para Cooper do outro lado da mesa; bastaria o menor incentivo para o garoto explodir em gargalhadas.

A única que pareceu aliviada com o silêncio inesperado de Milly foi Ember, que preencheu o vazio com conversas sobre a cerimônia da noite anterior, o telhado novo que a escola precisava e especulações sobre quantas pessoas compareceriam ao almoço de solstício no centro comunitário naquela tarde — um evento que Bryce, graças aos deuses, não precisaria ir.

Cooper não teve a mesma sorte, e lançou um olhar suplicante para Bryce quando ele, Ember e Randall saíram, dez minutos antes.

Agora, sentada de pernas cruzadas na cama de solteiro de seu minúsculo quarto de infância, Bryce olhava para a pequena pilha de presentes que ganhou da família e sorria.

— Eles capricharam.

— Vantagem de salvar o mundo — comentou Hunt, esparramado no chão, folheando o livro de mesa que Ember lhe dera: *Cerâmica humana através dos séculos.*

O presente, lógico, veio com um bilhete:

Para ver se você aprende a valorizar mais o artesanato da sua sogra.

Bryce se conteve para não comentar com a mãe que artesanato era uma palavra forte para descrever os bebês-alface dela. Ainda era manhã de solstício, afinal.

Bryce passou a mão sobre o álbum ao seu lado. Cooper, Randall e Ember haviam conseguido uma primeira edição autografada do disco de estreia de Josie e Laurel, autografado pelas próprias artistas folk.

Devia ter custado uma fortuna, e Bryce ficou sem palavras ao ver aqueles autógrafos.

— Eu devia devolver isso e dar o dinheiro de volta pra eles.

Hoje, ela tinha tanto dinheiro que mal sabia como gastar. Os pais se recusavam a aceitar um único cobre. *Coloque na poupança para a faculdade do Cooper,* Randall sugeriu. E Bryce colocou. Ainda assim, mal tinha feito cócegas na fortuna que ela herdara do Rei Outonal, mesmo depois de tudo que ela já havia doado. E ainda tinha o que Jesiba deixara. Uma quantia tão absurda que Bryce precisou se sentar quando o advogado anunciou o valor.

— Seus pais iriam ficar profundamente ofendidos — disse Hunt, fechando o livro com um baque. — Você é filha deles… dar presentes assim os deixa felizes.

Ela franziu a testa, sem concordar.

Hunt se sentou, encarando-a.

— Talvez você só consiga entender isso quando tiver passado pela mesma experiência.

— Isso foi sua forma sutil de dizer que quer começar a tentar ter um filho, Hunt Athalar?

Hunt jogou a cabeça pra trás e riu, e aquilo foi a coisa mais sexy que ela viu o dia inteiro.

— Acho que Midgard não está preparada para os nossos filhos, Quinlan.

Ela também teria rido, se não fosse pela sensualidade sombria e cintilante que tomou os olhos dele.

— E *você* está? — O coração de Bryce disparou. Eles nunca tinham conversado a respeito disso, e ambos continuavam a utilizar seus métodos contraceptivos.

Ele se levantou com aquela graça sobre-humana e sentou ao lado dela na cama, que ela só agora percebia como era absurdamente pequena, depois de terem dormido ali nas duas últimas noites. Na noite anterior, quase o empurrara para o chão a fim de tentar conseguir *um espacinho* para se virar.

E agora, sentada ao lado dele... Deuses, era como naquela primeira vez que ficaram próximos, as coxas se tocando, na biblioteca do Antiquário Griffin.

Hunt disse, com a voz um pouco rouca:

— Acho que a gente devia esperar até resolverem essa situação com a primalux. — Ele limpou a garganta. — E você já tem o seu... rebanho pra cuidar. — Ele a cutucou com o joelho.

— É um rebanho? — perguntou Bryce. — Ou um bando?

— Rebando?

Bryce riu. Avallen seria a próxima parada, para visitar os seis pégasos que agora eram as estrelas da região.

— É, o *rebando* já está de bom tamanho por enquanto. E eles são uns folgados exigentes.

— Bom, detesto ter que aumentar o rebando, mas... — Ele foi até a mala e puxou um presente do tamanho de uma caixa de sapato. Jogou pra ela. — Aqui.

— Eu estava me perguntando por que você não tinha deixado nada debaixo da janela hoje cedo. — Outro risco de incêndio do solstício: deixar presentes embaixo da vela da janela para abrir depois do café da manhã.

Bryce arrancou o papel de presente branco e brilhante e, ao ver o primeiro vislumbre do papelão colorido com arco-íris...

O som que ela fez poderia ser confundido com o apito de uma chaleira elétrica.

— Não acredito! — gritou, rasgando mais papel até revelar, em todo o seu esplendor, uma Geleia Geladinha em perfeito estado, ainda na embalagem original. — *Onde* você achou isso? — perguntou Bryce, olhando boquiaberta para a caixa, para seu parceiro sorridente, para o unicórnio-pégaso roxo e brilhante, com a crina lilás ondulada à perfeição. Nada parecido com o estado deplorável da GG que ela tinha antes, graças aos muitos anos de brincadeiras quando Bryce era criança.

Hunt sorriu.

— A Fury. Ela conhece um cara que conhece outro cara.

— Que negocia bonecas raras?

— Preferi não fazer perguntas — disse Hunt, o rosto lindo, iluminado pela alegria *dela*. — Só entreguei o dinheiro.

Bryce apertou a caixa contra o peito, depois fez uma careta e a colocou com cuidado ao lado. Acariciou a tampa plástica com carinho.

— Isso vai ser uma herança para os nossos filhos. E para os filhos deles. E para os filhos dos filhos.

Hunt riu.

— Claro. Vão todos brigar para ver quem fica com a GG em perfeitas condições.

— Isso deve valer um...

— Nem pense nisso.

O coração de Bryce se encheu até doer.

— Obrigada. Isso é... — Ela beijou a bochecha dele, saboreando a pele quente e macia sob os lábios. — Obrigada.

Hunt apenas sorriu. E com aquele sorriso... Bryce mordeu o lábio, se arrastando na cama, para longe dele. Ele assistia a cada movimento conforme ela se ajeitava, abrindo as pernas.

— E onde está o meu presente? — A voz de Hunt ficou mais rouca.

Bryce esticou os braços, deslizando sob o travesseiro, oferecendo o corpo inteiro em um convite.

— Vem pegar.

A expressão no rosto dele foi tomada pelo desejo, e o corpo dela se retesou quando ele se arrastou sobre ela. Suas asas bloquearam a luz do sol que filtrava pela janela.

— Quer que eu desem...

Mas Bryce tinha deslizado a mão debaixo do travesseiro e agora a estendia, junto com o que segurava, para Hunt.

— Eu te disse ontem para olhar debaixo do travesseiro, Hunt — ronronou.

Hunt pulou para trás tão rápido que quase caiu da cama.

— Que *porra* é essa!

Bryce gargalhou, erguendo o bebê-alface que pedira para a mãe fazer especialmente para o parceiro.

— É o seu presente. — Sentou-se, piscando com inocência. — Você não achou que *sexo* seria o único presente, achou?

Ele parecia dividido entre rir e sair correndo do quarto, para longe daquela monstruosidade diminuta.

— Isso é...

Ela beijou a cabeça da estatueta.

— Um boné de solebol. Virado pra trás.

Ele ficou pálido.

— E essas são...

— Asinhas cinza, no tom perfeito de nuvens de tempestade.

— Você me transformou num maldito bebê-alface?

Bryce afinou a voz, num falsete zombeteiro, girando a estatueta de um lado para o outro enquanto dizia:

— *Eu sou o Umbra Mortis. Os inimigos se curvam diante de mim!*

Com isso, Bryce jogou o bonequinho para ele. Hunt o pegou, mas com cuidado, como se tivesse medo de ser mordido. Fez uma careta ao encarar o *próprio* rosto, transformado em uma expressão serena de querubim.

— Isso é a coisa mais perturbadora que eu já vi.

Ela sorriu.

— Um presente de solstício bem-sucedido, então.

Hunt ficou boquiaberto, depois caiu na risada. E, sem aviso nenhum, ele pulou em cima dela, enterrando o rosto em seu pescoço.

— Eu te amo, sua sádica desgraçada.

Ela envolveu os braços ao redor dele, acariciando suas penas.

— Digo o mesmo.

Os lábios dele encontraram o pescoço dela, e ele beijou ali. Cada músculo e nervo do corpo dela ganhou vida. Ele percebeu, provavelmente pela mudança de cheiro, e pressionou os quadris contra os dela, fazendo questão de mostrar o que estava endurecendo entre suas pernas.

— Quanto tempo dura aquele almoço no centro comunitário?

— Eles voltam em duas horas — respondeu Bryce, o sangue fervendo.

— Ótimo — disse ele, em um tom sombrio cheio de promessa, e voltou a esfregar o pau nela. Ela mordeu o lábio para não gemer.

— Achei que você não queria transar aqui — comentou Bryce, ofegante.

Um vento tempestuoso varreu o quarto, lançando todas as bonecas Extravagância de Estrelas, nenhuma boa o bastante para ir com ela para a Cidade Crescente, mas ainda assim preciosas demais para jogar fora, contra a parede. O bebê-alface-Hunt escorregou para debaixo da cama.

— Problema resolvido.

Hunt subiu a mão pela barriga de Bryce até alcançar seu seio, apertando-o por cima do suéter cor creme.

— É um milagre de solstício — ela sussurrou.

Hunt ergueu a cabeça e encontrou os olhos dela. Só havia amor em seu olhar.

— É mesmo — ele disse, com a voz rouca, e Bryce soube que Hunt não estava falando dos brinquedos.

Aquilo... *eles*. Estarem ali, juntos.

Aquele era o milagre.

Então Bryce beijou seu parceiro com todo o amor que pulsava em seu coração. Não importava o que viesse pela frente, as provações, os tempos difíceis... eles enfrentariam tudo juntos. E isso era um presente pelo qual ela seria grata todos os dias, pelo restante de sua existência.

— Feliz solstício, Hunt.

RUHN E LIDIA

A moderna galeria de arte na rua do Arqueiro estava vazia, a não ser pelo arrogante recepcionista draki que abrira as portas de vidro para eles. Bryce tinha recomendado o lugar e, conforme Ruhn analisava, junto com Lidia, os muitos quadros de gatos de olhos esbugalhados e estátuas de cascas de banana apodrecidas, não podia deixar de se perguntar se a irmã teria usado aquela oportunidade para sacanear com ele.

— Isso é... — Lidia caminhou até um quadro em que um cachorro levava o dono para passear — arte?

Ruhn resmungou.

— Ao que parece.

Do outro lado da imaculada galeria, o recepcionista fungou, mas não ergueu os olhos do computador. Será que o babaca teria deixado eles entrarem se não os tivesse reconhecido? Era impossível ir a qualquer lugar na cidade, no continente, na porra do *planeta* sem serem reconhecidos. Não teria como, depois dos acontecimentos do mês anterior.

A vida ainda não tinha voltado ao normal, não de verdade, mas aquela noite era uma tentativa de Ruhn para que voltasse a ser.

— Você jura que quer pendurar uma *dessas* coisas na sala? — Lidia apontou para um dos quadros em que um dos gatos de olhos esbugalhados estava sentado no topo de uma lata de lixo, um rato pendurado em sua boca.

— Não curtiu?

Ela fechou a cara.

— Não sei direito qual tipo de arte me agrada, mas com certeza não é essa aí.

Ele pensou com cuidado nas palavras dela.

— Você não sabe de que tipo de arte gosta?

Ela balançou a cabeça, os longos cabelos dourados fluindo com o movimento. Ela não usava mais o coque. Ele passara horas com as mãos nas mechas sedosas dos cabelos dela, aprendendo o que fazia seu corpo voluptuoso literalmente queimar de desejo.

— Fui educada para apreciar apenas a arte clássica e imperial, como seria apropriado para uma fêmea da minha linhagem.

Ele estremeceu. Achava que a própria infância tinha sido opressora, mas ao menos o pai, por mais que fosse um grande merda, não podara os interesses de Ruhn.

— Então nada de adolescência com um quarto cheio de pôsteres de bandas?

Ela riu, cruzando os braços enquanto caminhava até o próximo quadro. A calça jeans ressaltava sua bunda maravilhosa, e o suéter preto coladinho, de caxemira, deixava pouco para a imaginação quando se tratava daqueles peitos que ele não conseguia parar de tocar. De provar.

Não se cansava dela. Mesmo após as últimas semanas morando juntos, trabalhando juntos quase todos os dias no Aux... Não conseguia parar de desejá-la, de precisar dela. Mas não era apenas o seu corpo. Era a própria Lidia — tão perspicaz, com seu humor seco, tão corajosa, altruísta e empática.

Não importava o quanto Flynn e Dec o provocassem. Ele estava descaradamente, implacavelmente apaixonado por esta fêmea. Sua parceira.

— Nunca tive a chance — disse Lidia enquanto analisava o quadro de gato seguinte — de me expressar por meio da arte. Nem mesmo da decoração.

Ruhn olhou para a enorme pintura em preto e branco de um gato vomitando um planeta que lembrava Midgard.

— Se você quiser, pode pegar o apartamento e pintar todo de preto e colar pôsteres de bandas. Não vou me opor. Mas se pendurar uma dessas coisas horríveis, aí teremos um problema.

Lidia riu, virando-se para ele. Deuses, ela era linda. Ainda mais usando roupas do dia a dia, sem lembrar em nada a Corça. Tudo dentro dele se revirava com o fogo, e, pela forma como os olhos dourados dela se aqueceram, Lidia parecia saber em que ele estava pensando. Mas ela disse:

— Eu tinha alguns aposentos na propriedade do meu pai. Nunca passou pela minha cabeça, nem quando era criança, tornar o espaço meu de alguma forma. Os quartos eram do meu pai. Tinham que ser do jeito que *ele* queria, assim como eu também tinha que ter a aparência que ele queria.

O calor em seus olhos esfriou e Ruhn se aproximou, colocando o braço em volta da cintura dela.

— E quando você fez com que a Ophion o esmagasse, ele finalmente ficou do jeito que *você* queria.

Ela engasgou.

— Não tem a menor graça.

Ruhn deu um beijo em sua testa, inalando seu cheiro tentador.

— Você riu. Admita: aquele som foi uma risada.

Ela o empurrou com o quadril.

— Você é uma péssima influência.

— Essa é a coisa mais simpática que já disseram sobre mim.

Lidia se afastou e, por um momento, Ruhn se permitiu admirá-la. Sua parceira. Sua parceira corajosa, adorável e brilhante.

De algum modo, tinham conseguido. De algum modo, estavam naquela galeria estranha, comprando obras de arte para o apartamento deles. Estavam ali, fazendo juntos algo mundano, e os asteri estavam mortos. Pollux estava morto. Mordoc estava morto.

O pai dele estava morto.

E Ruhn não era mais o Príncipe Herdeiro Ruhn, apenas Ruhn Danaan. Bom, em teoria, ele agora era o Comandante Danaan do Aux da Cidade da Lua Crescente, mas só gostava de usar essa cartada quando os soldados de infantaria do Aux estavam muito respondões.

Era estranho que a vida estivesse normal e ao mesmo tempo... não. Quanto tempo duraria esta galeria? Ou os postes de luz lá fora? E os carros parados no trânsito? Ou o celular tocando em seu bolso...

Ruhn desviou o olhar de Lidia, percebendo que estivera se perdendo em seus olhos, e pegou o celular.

Era Flynn, que, em teoria, estava de plantão naquele momento. As instruções de Ruhn foram para que o babaca não o incomodasse em sua noite de folga, sob nenhuma circunstância. *Nenhuma.*

Por isso, Ruhn atendeu secamente:

— Que foi?

— Rolou, hum... um problema.

Ruhn agarrou o celular com tanta força que o plástico rangeu.

— Rigelus voltou dos mortos?

— Não.

— Então me deixe em paz. — Ruhn desligou.

Lidia ergueu uma sobrancelha.

— Você não quis saber o que era?

Ruhn colocou a mão na parte inferior das costas dela, guiando-a até a próxima obra de arte. E tudo bem, talvez a mão dele tenha deslizado um pouco mais para baixo. Até o início da curva deliciosa de sua bunda.

Talvez ela tenha arqueado as costas um pouco. Como se tivesse se lembrado de como ele se devotara àquela bunda espetacular na noite anterior...

O celular dele tocou de novo. Dessa vez, era Dec.

Ruhn deu um grunhido gutural e respondeu:

— *Que foi?*

— Acho que seria realmente bom você dar uma olhadinha aqui.

— Ligue para o Athalar.

— Athalar está no *Cargueiro das Profundezas* com sua irmã e a Rainha do Oceano. Você está mais perto.

— E é minha noite de folga...

— Estamos no jardim noturno leste em CiRo. Vem logo. — Dec desligou.

Ruhn deu um longo suspiro. As sobrancelhas de Lidia se ergueram, um sorriso discreto enfeitando sua boca carnuda.

— Meu plano para esta noite era levar você para fazer compras de arte — explicou ele — e sair para um jantar chique. Depois, a gente transaria por dez horas seguidas. — Ela riu, um som cheio de alegria, de vida. Então Ruhn a envolveu pela cintura, beijando aquela boca linda e sorridente uma, duas vezes. — Fica pra próxima?

Ela retribuiu o beijo.

— Desde que a gente possa transar por pelo menos duas horas seguidas, fico de boa.

Foi a vez de Ruhn rir, e enquanto os conduzia em direção à porta de vidro, deixando para trás a horrível arte de gato, ele sabia que não importava o que faria durante a noite, desde que Lidia estivesse ao seu lado.

* * *

O trânsito estava tão ruim que eles decidiram ir andando até Cinco Rosas em vez de ficarem uma hora dentro de um táxi.

— Fico chocada com esse povo usando o carro agora — murmurou Lidia ao passarem por mais uma avenida lotada. — Desperdício de primalux.

— Devem ser os negacionistas da Primalux Zero.

Tinha um grupo cada vez maior de pessoas que se recusavam a acreditar que a primalux viria a acabar em algum momento. Acreditavam que tudo não passava de uma enorme conspiração governamental liderada por um conluio de pessoas nefastas, incluindo Ruhn e Lidia, para mudar para uma fonte de energia diferente, sobre a qual tinham participação comercial e poderiam lucrar.

Era um delírio coletivo, uma bela de uma palhaçada. E ainda assim, muitas pessoas acreditavam, negando até mesmo a possibilidade extremamente real de que o fim chegaria, uma porra de medição de energia da Primalux Zero. Agora tinham recursos finitos, e se não parassem de gastar e começassem a preservar, chegariam a Primalux Zero muito mais rápido do que os especialistas haviam calculado.

O trânsito diminuiu um pouco em CiRo, sobretudo porque os feéricos haviam instituído tantas leis de zoneamento e regulamentos contra restaurantes, bares e hotéis de baixo custo que não havia muito para atrair turistas e pessoas indesejadas para seu próspero paraíso de mansões e casas particulares após o pôr do sol. Um problema que Ruhn prometeu a si mesmo que resolveria mais tarde; depois que descobrissem a melhor forma de evitar que toda a tecnologia fosse perdida e tivessem que voltar a ler à luz de velas e cozinhar em lareiras.

Lidia deslizou a mão esguia na dele quando chegaram a um quarteirão tranquilo e cercado por casas, as oliveiras sussurrando na noite fresca de outono.

— Eu andei pensando — comentou ela, baixinho o bastante para que ele soubesse que o que quer que fosse falar, era sério.

— Ah, é? — Ele apertou a mão dela, um aviso de que estava prestando atenção.

Lidia parou no final da rua, a um quarteirão do jardim noturno. A luz dourada dos postes de luz cintilava em seus cabelos enquanto ela levava a outra mão ao rosto dele. Ruhn fechou os olhos, saboreando seu toque leve. Lidia disse:

— Você é tão... bonito.

Ruhn abriu os olhos, rindo.

— Era nisso que você estava pensando?

A alegria brilhava nos olhos dela.

— Não. Quer dizer, sim. Eu estava pensando em outra coisa, mas então olhei pra você... e... — Ela ficou nas pontas dos pés e deu um beijo nele, mordiscando seu novo piercing nos lábios, puxando de leve. Provocando.

Antes que ele pudesse agarrá-la para explorar melhor sua boca, Lidia se afastou, passando os dedos pelo lado raspado da cabeça dele.

— Antes que você me distraísse com tudo isso. — Ela passou os dedos pelas tatuagens que subiam pelo pescoço dele.

Ruhn sorriu. Ele tinha voltado a fazer algumas tatuagens — em sua maioria desenhos novos, mas também pedira que alguns dos antigos fossem recriados. A pele de uma das mãos ainda tinha um tom mais claro em comparação com a outra — um sutil lembrete de tudo o que ele tinha passado nos calabouços dos asteri.

A mão de Lidia parou na lateral do pescoço dele. Havia tanto amor, tanta alegria e esperança nos olhos dela que ele mal conseguia respirar. Ela sorriu de novo, como se também pudesse sentir. Olhou para as mãos unidas dos dois.

— Eu estava pensando... que queria me casar com você.

Ele sentiu o chão sumir debaixo de seus pés. As estrelas pareciam brilhar com mais intensidade, com mais proximidade. Os joelhos dele estavam tremendo?

Lidia começou a rir.

— A sua cara! Ruhn... o que *isso* quer dizer?

— Você... quer se casar comigo? — As palavras ficaram presas em sua garganta, engasgadas.

Ela baixou o olhar por um momento, como se não tivesse certeza.

— Você quer se casar *comigo*?

Ele piscou.

— Porra, você tá falando sério?

Ela olhou de cara fechada para ele.

— Sim. Quer dizer, somos parceiros, achei que poderia ser...

Ruhn deu um beijo demorado nela.

— Quero me casar com você — disse ele entre beijos, mordiscando os lábios dela. — Quero que você se case comigo. Mais do que tudo.

Ela riu de novo, e ele absorveu o som enquanto a beijava com mais intensidade, por mais tempo.

Ela queria se casar com ele. O amava o bastante para que tornasse a situação deles permanente, para serem mais do que parceiros. Para que... se tornassem uma família.

Os olhos dele estavam cheios de lágrimas. Nunca tinha se dado conta do quanto queria uma família. Sim, Bryce era sua irmã e ele tinha a mãe, mas, de alguma forma, não era o mesmo que aquilo que ele e Lidia estavam prestes a começar. Não importava se eles tivessem filhos ou se os filhos dela bastassem; ele e Lidia seriam uma família.

Ela recuou, analisando o rosto dele, percebendo as lágrimas que se formavam. Deu um beijo em uma delas.

— Eu te amo, sabia?

Ruhn envolveu o rosto dela suavemente com as mãos.

— Você tem certeza? Você quer um casamento com tudo o que tem direito?

Havia divertimento na expressão dela.

— Acho que não quero um casamento grande e chique, mas... uma festa pequena com nossos amigos, talvez?

— O que você quiser. Não estou nem aí. Quer dizer... não que eu não me importe, mas aceito qualquer coisa, desde que a gente se case de papel passado e tudo o mais.

Ela sorriu e segurou a mão dele de novo, conduzindo-o de volta para um dos caminhos.

— Ainda bem — disse ela depois de um minuto, enquanto o doce aroma do jasmim noturno os saudava e o jardim bioluminescente brilhava a poucos passos de distância.

— Por quê? — Atravessaram a rua silenciosa, os paralelepípedos lisos manchados de verde e azul pela luz das plantas e flores brilhantes.

Ele estava tão ocupado tentando decifrar a expressão dela que só se virou quando ela apontou para o jardim. Para onde Flynn e Dec estavam de terno, Bryce e Hunt sorrindo com eles.

— Porque pensei que a gente poderia se casar agora.

* * *

Era a coisa mais romântica e insana que Ruhn já tinha feito — e sequer tinha sido ele quem planejara.

Fora tudo obra de Lidia: Flynn e Dec o atraíram até ali seguindo as instruções dela, com a informação vaga de que tinham um "problema". Sem querer gastar nenhuma primalux extra, Lidia escolheu o jardim noturno como fonte natural de iluminação. Ela pediu a Bryce e Athalar, que haviam fingido terem sido convocados pela Rainha do Oceano, para ficarem ali durante a tarde e a noite inteira, arrumando a longa mesa sob uma enorme árvore de magnólia lunar. Ithan, Tharion e Isaiah sorriam para ele. Junto de Hypaxia e Brann e Actaeon, e...

Foi nesse momento que Ruhn começou a chorar. Não tinha notado quem mais estava sentado ali; só sabia que estavam todos presentes para celebrar a ele — e a Lidia.

O casamento de Ruhn e Lidia foi celebrado por uma Suma Sacerdotisa de Cthona vestida de preto, sob a magnólia lunar, as flores grandes brilhando com tanta intensidade quanto o orbe celestial de quem recebiam o nome.

Ele não precisava de tempo para pensar, nem se preparar, nem questionar. Nada nunca pareceu mais certo. Não importava que ambos estivessem com roupas informais, ou que Ruhn não tivesse tomado banho desde o dia anterior.

Tudo o que importava era que Lidia estava lá com ele sob a magnólia lunar, segurando a mão dele, Ruhn deslizando o anel de titânio — que ela mesma tinha providenciado, lógico — no dedo dela.

Titânio, o mais forte dos metais de casamento. Que simbolizava a natureza inquebrável do vínculo de um casal. Depois de tudo o que haviam passado, Ruhn suspeitava que um novo tipo de metal teria que ser inventado para incorporar a força da ligação entre eles, mas aceitaria o titânio por enquanto.

E enquanto Lidia colocava um anel de titânio parecido no dedo de Ruhn, ele se perguntou se eles também precisariam inventar uma nova palavra para amor, para representar o que transbordava de seu coração.

* * *

— Então toda aquela palhaçada que você inventou de ir ao *Cargueiro das Profundezas* — disse Ruhn a Bryce mais tarde, quando estavam sentados a uma das pontas da longa mesa, bebendo um espumante que era cortesia do estoque cada vez menor do Rei Outonal, se gabara a irmã — era só para encobrir tudo?

Bryce, usando um vestido vermelho justo, pelo qual Ruhn havia flagrado Athalar babando ao menos duas vezes, deu um gole no espumante em sua taça.

— Ah, nós fomos ao *Cargueiro das Profundezas*. — Ela apontou o polegar por cima do ombro, para onde Lidia estava com Brann e Ace, a alguns assentos de distância. — Fomos buscar os dois. Acho que poderia abrir uma empresa nova: Serviços de Transporte de Adolescentes Carrancudos da Princesa Estrelada Mágica.

Ruhn riu.

— Cadê o Renki e o Davit?

Bryce sorriu.

— Lidia também convidou os dois, mas eles acharam que esse seria um bom momento para os meninos viajarem sozinhos. Vamos levar os dois de volta amanhã de manhã.

Ruhn observou sua parceira, sua *esposa*, conversando com os filhos. A felicidade discreta e exultante que irradiava dela.

Se ela tinha apresentado os filhos para Hypaxia — a tia deles —, Ruhn não vira. A nova Mestre da Casa de Chama e Sombra já fora embora, sem dúvidas para lidar com mais uma crise na Casa ou na cidade.

— Os meninos vão ficar com a gente — acrescentou Bryce —, pra que não tenham que ouvir você e a Lidia sendo indecentes a noite toda.

Ruhn fez uma careta para a irmã:

— Obrigado, acho?

Mas ele realmente não poderia ter pedido nada melhor. Os meninos estariam a um andar de distância deles — e tudo bem, não usariam o quarto de hóspedes que Lidia já havia decorado para eles, mas haveria tempo para isso.

Então Ruhn emendou, com um sorriso caloroso:

— Obrigado, de verdade.

Bryce deu um beijo na bochecha dele.

— Qualquer coisa pelo meu maninho mais velho. — Ela gesticulou na direção de Lidia. — Estou feliz por vocês... feliz demais, Ruhn.

— Também estou feliz por nós. — Brann disse algo que fez Lidia soltar uma risada. Até Ace deu um sorriso discreto.

Ruhn olhou para a irmã, os olhos dela exibiam um brilho prateado.

— Não se atreva a chorar — avisou ele —, ou eu também vou chorar.

Bryce o puxou para si e o abraçou com força.

— Você merece ser feliz, Ruhn — disse ela com voz rouca. — Mais do que qualquer pessoa que conheço.

Ele apenas retribuiu o abraço, deixando que aquele aperto transmitisse tudo o que havia em seu coração.

* * *

Ruhn se viu indo de amigo em amigo durante a hora seguinte, perdendo a esposa de vista durante um bom tempo. Quando enfim se cansou de ficar longe dela, encontrou Lidia conversando baixinho com Naomi Boreas.

— Vocês estão falando de trabalho? — perguntou Ruhn, deslizando um braço pelos ombros de Lidia. — No nosso casamento? Sério?

Naomi revirou os olhos.

— E do que a gente deveria falar? Nossos cabelos e unhas?

Ruhn não se atreveu a responder à pergunta, então se limitou a abrir o seu sorriso mais charmoso. Naomi deu uma piscadela para Lidia antes de ir embora. Elas tinham virado boas amigas nas últimas semanas, e Ruhn ficava feliz com isso. Sabia que Bryce estava tentando fazer com que as duas — e Hypaxia — se juntassem a ela, Fury e Juniper em algum tipo de grupinho para Fêmeas Fodonas, mas a dificuldade de encaixarem seus horários e a necessidade de resolverem problemas constantes estava atrapalhando. Mas que os deuses ajudassem a todos os outros quando elas enfim colocassem em prática.

Ruhn puxou Lidia alguns metros mais para dentro do jardim, os açafrões noturnos brilhando como uma ametista profunda a seus pés.

— Lidia, não tenho nem palavras para expressar o que foi essa noite. O que está sendo. O que significou para mim.

O sorriso discreto dela era de uma beleza incrível.

— Eu estava com tanto medo de você dizer não.

— Me negar a casar com você? Sério mesmo?

Ela deu de ombros.

— Eu torcia para que você dissesse sim, mas você tem tantas tatuagens e esse piercing no lábio, e...

Ele riu.

— E isso significa que sou contra o casamento?

— Você não é convencional. Fiquei preocupada com a possibilidade de que o casamento fosse normal demais pra você.

— O que fez você mudar de ideia?

— Sua irmã. Ela me disse que se eu te pedisse em casamento, você choraria como uma criancinha e diria que sim. — Lidia inclinou a cabeça. — E foi o que você fez.

Ruhn olhou por cima do ombro para Bryce, agora sentada no colo de Athalar e conversando animada com Fury e June.

— Ela me conhece bem, hein?

Quando ele olhou para Lidia, ela estava sorrindo de novo.

— Isso é música?

Como se entendessem a deixa, um trio de músicos apareceu perto da ponta da mesa. Músicos de verdade, para evitar usar a primalux dos alto-falantes ou de seus celulares. E quando eles começaram a tocar uma música lenta e suave...

— Dance comigo, Ruhn.

Ele olhou boquiaberto para a esposa.

— Você pensou mesmo em tudo, até o último detalhe.

Ela tirou uma poeira invisível dos ombros.

— Eu planejei todo o ataque à Espinha... um casamento foi fichinha em comparação. — Mas ela baixou a mão para pegar a dele. — Não consegui dançar com você no jardim durante o Equinócio de Outono. Considere este meu pedido de desculpas por ter largado você.

Ruhn a beijou com delicadeza, suavidade.

— Acho que você me deve *mesmo* isso.

Ela entrelaçou os braços ao redor do pescoço dele, e, quando seus corpos se alinharam, conforme se entregavam à melodia, todo o resto desapareceu.

— Sou muito grato — disse Ruhn, vendo ela e somente ela. — Sou muito grato por Cormac ter me dado aquele cristal-com.

— Bom, ele chantageou você até que aceitasse — respondeu ela secamente.

— Verdade. — Mas Ruhn ainda ofereceu uma oração de agradecimento ao falecido príncipe de Avallen, onde quer que sua alma residisse agora. Com sorte, estaria, por fim, reunido com Sofie Renast.

— Eu também sou grata — acrescentou Lidia em voz baixa. — Por tudo, as coisas boas e as ruins. Porque elas me trouxeram até você. Nos trouxeram até aqui... até este momento.

Não havia mais nada a dizer, não depois disso. Então Ruhn a abraçou com mais força e eles dançaram em um silêncio tranquilo e prazeroso sob a magnólia lunar, as estrelas distantes brilhando no céu.

O futuro ainda era tão incerto — ele sabia que ainda havia muitos momentos difíceis por vir. Mas ali, naquele instante, com Lidia nos braços, rodeados pelos amigos...

Naquele momento, pela primeira vez na vida, tudo estava perfeito.

Este livro foi composto na tipografia ITC New Baskerville Std, em corpo 11,5/15,15, e impresso em papel off-white no Sistema Cameron da Divisão Gráfica da Distribuidora Record.